Werner Bests korrespondance med Auswärtiges Amt
og andre tyske akter vedrørende besættelsen
af Danmark 1942-1945

Die Korrespondenz von Werner Best mit dem
Auswärtigen Amt und andere Akten zur
Besetzung von Dänemark 1942-1945

# Danish Humanist Texts and Studies

Volume 43

*Edited by Erland Kolding Nielsen*

THE ROYAL LIBRARY · COPENHAGEN

# Werner Bests korrespondance med Auswärtiges Amt og andre tyske akter vedrørende besættelsen af Danmark 1942-1945

*Udgivet af*
John T. Lauridsen

*Under medvirken af*
Jakob K. Meile

BIND 7:

Juli – September 1944

DET KONGELIGE BIBLIOTEK
&
SELSKABET FOR UDGIVELSE AF KILDER TIL DANSK HISTORIE

I kommission hos Museum Tusculanum Press

KØBENHAVN 2012

*Werner Bests korrespondance med Auswärtiges Amt*
*og andre tyske akter vedrørende besættelsen af Danmark 1942-1945*
*Udgivet af John T. Lauridsen under medvirken af Jakob K. Meile*

© 2012 Det Kongelige Bibliotek & Selskabet for Udgivelse af Kilder til dansk Historie

Tilsynsførende:     Knud J.V. Jespersen & Aage Trommer
Oversættelse:       Johannes Wendland, LanguageWire A/s
Layout & sats:      Forlagsbureauet/Ole Klitgaard (†)
Reproduktioner:     Fotografisk Atelier, Det Kongelige Bibliotek

Bogen er sat med Adobe Garamond Pro
og trykt på 115g Scandia 2000 Smooth Ivory
Dette papir overholder de i ISO 9706:1994
fastsatte krav til langtidsholdbart papir.

Printed in Denmark by Special-Trykkeriet Viborg A/s

ISBN (værket)      978-87-7023-296-8
ISBN (dette bind)  978-87-7023-303-3
ISSN (DHTS)        0105 8746

*Udgivet med støtte fra*
Carlsbergfondet
Oticon Fonden
Kulturministeriets Forskningspulje
Det Kongelige Bibliotek

*I kommission hos*
Museum Tusculanum Press
University of Copenhagen
Njalsgade 126
DK-2300 Copenhagen S
www.mtp.dk

# Die Korrespondenz von Werner Best mit dem Auswärtigen Amt und andere Akten zur Besetzung von Dänemark 1942-1945

*Herausgegeben von*
John T. Lauridsen

*Unter der Mitarbeit von*
Jakob K. Meile

BAND 7:

Juli – September 1944

KÖNIGLICHE BIBLIOTHEK
&
GESELLSCHAFT FÜR DIE HERAUSGABE VON QUELLEN
ZUR DÄNISCHEN GESCHICHTE

In Kommission bei Museum Tusculanum Press

KOPENHAGEN 2012

*Die Korrespondenz von Werner Best mit dem Auswärtigen Amt
und andere Akten zur Besetzung von Dänemark 1942-1945
Herausgegeben von Dr. phil. John T. Lauridsen
unter der Mitarbeit von M.A. Jakob K. Meile*

© 2012 Königliche Bibliothek & Gesellschaft für die
Herausgabe von Quellen zur dänischen Geschichte

Herausgeberbeirat: Prof., Dr. phil. Knud J.V. Jespersen &
                         Rektor i. R., Dr. phil. Aage Trommer
Übersetzung: M.A. Johannes Wendland, LanguageWire A/s
Layout & Satz: Forlagsbureauet/M.A. Ole Klitgaard (†)
Repro: Fotografisk Atelier, Det Kongelige Bibliotek

Das Werk wurde in der Adobe Garamond Pro gesetzt
und auf 115g Scandia 2000 Smooth Ivory gedruckt.
Dieses Papier erfüllt die Anforderungen an
Nachhaltigkeit nach ISO 9706:1994.

Printed in Denmark by Special-Trykkeriet Viborg A/s

ISBN (ges. Werk)    978-87-7023-296-8
ISBN (dieser Band)  978-87-7023-303-3
ISSN (DHTS)        0105 8746

*Herausgegeben mit Unterstützung von*
Carlsbergfondet
Oticon Fonden
Forschungspool des Dänischen Kulturministeriums
Königliche Bibliothek

*In Kommission bei*
Museum Tusculanum Press
University of Copenhagen
Njalsgade 126
DK-2300 Copenhagen S
www.mtp.dk

# Indhold

**Juli 1944** . . . . . . . . . . . . . . . . . . . . . . . . . . . . . . . . . . . . . . . . . . . . . 9

**August 1944**. . . . . . . . . . . . . . . . . . . . . . . . . . . . . . . . . . . . . . . 183

**September 1944** . . . . . . . . . . . . . . . . . . . . . . . . . . . . . . . . . . 327

# Inhalt

**Juli 1944** . . . . . . . . . . . . . . . . . . . . . . . . . . . . . . . . . . . . . . . . . . . . . 9

**August 1944**. . . . . . . . . . . . . . . . . . . . . . . . . . . . . . . . . . . . . . . 183

**September 1944** . . . . . . . . . . . . . . . . . . . . . . . . . . . . . . . . . . 327

## JULI 1944

### 1. Walter Forstmann an das Rüstungsamt 1. Juli 1944

Rüstungsamt blev orienteret om, at der siden 30. juni var generalstrejke i København forårsaget af en kommunistisk hetz. Med militær undtagelsestilstand og afbrydelse af gas, vand og el skulle en genoptagelse af arbejdet gennemtvinges.

Kilde: BArch, Freiburg, RW 27/16. KTB/Rü Stab Dänemark, 3. Vierteljahr 1944, Anlage 1.

Abschrift!
An Min Speer/Rü Amt *1.7.44*
über HOKW
Berlin

Seit 30.6. mittags herrscht in Kopenhagen Generalstreik. Ursache: Unverantwortliche kommunistische Hetzte.

Ab 1.7. mittags 12 Uhr militärischer Ausnahmezustand in Kopenhagen. Bevölkerung Kopenhagens soll durch Abschneiden jeglicher Zufuhr und Sperrung von Gas, Wasser und Elektrizität zur Arbeitsaufnahme gezwungen werden.

Im übrigen Lande herrscht Ruhe.

gez. **Forstmann**

B. Nr. 444/44 g.


### 2. Hans Jordan: Streikbewegung in Kopenhagen 1. Juli 1944

På grundlag af oplysninger fra von Hanneken udarbejde Hans Jordan i WFSt et notat til OKW: der var udbrudt en generalstrejke i København på grund af otte henrettelser og Bests indførelse af spærretid. Der var fra tysk side foretaget de nødvendige foranstaltninger for at slå strejken ned. Der ville blive indført militær undtagelsestilstand, hvis ikke strejken var ophørt 1. juli kl. 12, og det tyske politi ville blive stillet under kommando af kommandant Richter. Havde politiet haft tilstrækkelig styrke, ville det være overladt opgaven. Nu måtte det gøres på den anførte måde.

Jordans notat giver udtryk for, at bekæmpelsen af den københavnske generalstrejke efter den tyske hærledelses opfattelse burde have været en tysk politiopgave.

Kilde: BArch, Freiburg, RW 4/754. RA, Danica 1069, sp. 1, nr. 366-68. EUHK nr. 132 (uddrag).

WFSt/Qu. [...] (Nord) *1.7.44.*
Pr. 007027/44 g.Kdos. Geheime Kommandosache
7 Ausfertigungen
2. Ausfertigung.

Betr.: Streikbewegung in Kopenhagen.

Vortragsnotiz

Am 30.6., 10 Uhr ist in Kopenhagen Generalstreik ausgebrochen, der sich auch auf den

Betrieb der Eisenbahn erstreckt.

Anlass für die Streikbewegung: Vollstreckung von 8 Todesurteilen wegen Sabotage und durch Reichsbevollmächtigten verhängte Sperrstunde.

Dänische Zentralverwaltung und Gewerkschaften bemühen sich um schnelle Beilegung des Streiks (angeblich auch der illegale dänische Freiheitsrat gegen den Streick, dessen Urheberschaft den Kommunisten zugeschrieben wird). Bewegung hat auf das übrige Dänemark bisher nicht übergriffen. Es liegt lediglich eine Meldung über einen unbedeutenden Teilstreik in Helsingör vor, die jedoch bisher nicht bestätigt ist.

Anzeichen dafür, daß die plötzliche Streikwelle mit einer etwa gegen Dänemark beabsichtigten Operation der Alliierten in Zusammenhang stehen könnte, liegen nicht vor.

*Deutsche Gegenmaßnahmen*
a.) Ultimatum des Reichsbevollmächtigten an dänische Regierung:
   Falls Generalstreik bis 1.7.44, 12 Uhr nicht aufhört, übergibt Reichsbevollmächtigter die vollziehende Gewalt für Kopenhagen an das Höh. Kommando Kopenhagen (Kommandant Generallt. Richter).
b.) Durch W. Bfh. Dänemark werden nach Kopenhagen zugeführt:
*von Jütland:*
   Regts.-Verband Pier (3 Btl. Mit 9 Genesenden-Radf. Kp.)
   Pz. Aufkl. Abt. der 233. Res. Pz. Div., soweit einsatzfähig,
*von Seeland:*
   8 einzelne Genesendenkompanien.
Transportbewegung läuft planmäßig und ist voraussichtlich am 1.7. nachmittags abgeschlossen.

*III. Derzeitige Lage*
In Verhandlungen zwischen Reichsbevollmächtigten und dänischer Zentralverwaltung hat diese in Aussicht gestellt, den Streik bis Montag (3.7.) zu Ende zu bringen. Demgegenüber hat Reichsbevollmächtigter auf seinem Ultimatum bestanden. Infolgedessen wird heute am 1.7., 12 Uhr, die vollziehende Gewalt für Kopenhagen auf Generalleutnant Richter übergehen, dem von diesem Zeitpunkt an neben den zugeführten militärischen Kräften auch die Polizei in Kopenhagen unterstellt wird.

Stärke der Polizei: 1 Btl. ohne 1 Kp., das jedoch größtenteils für Wachdienst gebunden ist.

*Anmerkung:*
W. Bfh. Dänemark hätte, wenn Polizeikräfte in Kopenhagen stärker gewesen wären, diesen die Niederschlagung der Streikbewegung allein überlassen bzw. der Polizei etwa benötigte zusätzliche Kräfte zur Verfügung gestellt. Mit Rücksicht auf die Schwäche der Polizei war jedoch der jetzt eingeschlagene Weg notwendig.

In Kopenhagen ist unter Heranziehung von Kräften des Admiral Skagerrak und des Generals der Luftwaffe in Dänemark verstärkter Streifendienst eingeführt worden, außerdem sind die wichtigsten Punkte der Stadt sowie die wichtigsten Versorgungsbetriebe (Elektrizität, Wasser) besetzt worden. Die Polizei verhaftet Streikbrecher und Streikposten.

Ab 1.7., 12 Uhr, wird Wasser- und Elektrizitätsversorgung für Kopenhagen sowie jeder Verkehr von und nach Kopenhagen einschl. Lebensmittelzufuhr gesperrt, die Innenstadt stark besetzt und jede Regung von Unruhen auf das schärfste unterdrückt.

Verhältnismäßig ruhiger Verlauf der Nacht zum 1.7. Vereinzelt errichtete Barrikaden sind zusammengeschossen worden. Offener Aufstand liegt nicht vor. Gelegentlich wurden Streifen aus dem Hinterhalt angeschossen.

W. Bfh. Dänemark rechnet damit, daß die Streikbewegung bis Montag, den 3.7. zum Erliegen gebracht wird.

### 3. Lagebesprechung im Führerhauptquartier 1. Juli 1944

Hitler hørte i førerhovedkvarteret fra OKW om generalstrejken i København og reagerede meget voldsomt, da han fik det indtryk, at det var de afsagte dødsdomme, der var skyld i strejken. Han ønskede ikke anvendelse af krigsretter, men at der skulle svares igen på terror med modterror.

Der udgik ordre til alle de besatte lande derom endnu samme dag (Rosengreen 1982, s. 107, Umbreit 1999, s. 145 (der tilsyneladende ikke kender baggrunden for ordren)).[1]

Kilde: RA, pk. 265. RA, Danica 628, sp. 10, nr. 9568. IMT, 34, s. 722. Wagner 1972, s. 594.

1.7. 13.00 Uhr: Teilnahme an Lagebesprechung beim Führer
[...]
b.) Der Führer äußert im Zusammenhang mit dem Generalstreik in Kopenhagen, daß Terror nur mit Gegenterror bekämpft werden könne. Durch Kriegsgerichtsverfahren werden nur Märtyrer geschaffen. Die Geschichte beweist, daß die ganze Welt von diesen spricht, während von den vielen Tausenden, die bei gleichen Gelegenheiten ohne Kriegsgerichtsverfahren ums Leben gekommen sind, nicht die Rede ist.
[...]

### 4. Walter Warlimont an Rudolf Lehmann 1. Juli 1944

Warlimont skrev til chefen for OKWs værnemagtretsafdeling, Rudolf Lehmann, at begivenhederne i København havde fået Hitler til at befale, at krigsretshandlinger mod civilbefolkningen i de besatte områder øjeblikteligt skulle ophøre. Retsafdelingen skulle til næste dag kl. 20 have et udkast klart til, hvordan fjendtlige terrorister og sabotører blandt civilbefolkningen i de besatte områder skulle behandles. Retningslinjen skulle være, at terror skulle mødes med modterror.

Generalstrejken i København fik konsekvenser for hele det tyskbesatte Europa.

[1] For Norges vedkommende skriver Bohn 2000, s. 86 note 136 og s. 110 note 227, at der kom en ordre pr. fjernskriver 28. juni 1944 fra OKW og underskrevet af Keitel, der forbød krigsretternes videreførelse m.m. Hvis det var rigtigt, ville det være sensationelt. Bohn henviser for sin dokumentation til Riksarkivet, Oslo, Landssvikarkivet, L-dom Oslo 4434: SS-Hstuf. Oscar Hans. Heri er imidlertid ikke nogen fjernskrivermeddelelse fra Keitel af nævnte dato, men i stedet en forhørsrapport af 21. december 1946 over en kontorfuldmægtig ved SS- und Polizeigericht Nord (IX), Kurt Silbermann, hvorefter der skulle have foreligget en hemmelig førerordre af 28. juni vedrørende retsudøvelsen. Denne efterkrigsforklaring burde ikke være brugt som tilstrækkelig dokumentation for Bohns påstand. Førerordren er fremdeles fra 1. juli 1944.

Ordren om, hvad der skulle sættes i stedet for krigsretter forelå 30. juli. Imidlertid blev der endnu 1. juli fulgt op på Hitlers ordre i hele Europa.

WR = Wehrmachtrechtsabteilung im OKW

Kilde: EUHK, nr. 134 (BArch Potsdam, Film Nr. 1861 = BArch, Freiburg, OKW 1769 (ikke leveret fra USA)).[2]

[Aus einem Fernschreiben von Generalleutnant Walter Warlimont an Rudolf Lehmann vom 1. Juli 1944 über die Vorbereitung des "Terror- und Sabotage-Erlasses"]

[...]

Führer hat auf Grund von Vorgängen in Kopenhagen befohlen, daß kriegsgerichtliche Verfahren gegen die Zivilbevölkerung in den besetzten Gebieten mit sofortiger Wirkung aufhören. WR wird gebeten, bis 2.7. 20.00 Uhr Vorschlag für Befehlsentwurf zur Behandlung feindlicher Terroristen und Saboteure aus der Zivilbevölkerung in den besetzten Gebieten vorzulegen.

Richtlinien: Terror kann nur mit Gegenterror begegnet werden, Kriegsgerichtsurteile dagegen schaffen Märtyrer und Nationalhelden. Wird deutsche Truppe oder einzelner deutscher Soldat in irgendeiner Form angegriffen, so ist der Führer dieser Truppe bzw. einzelner Soldat verpflichtet, sofort von sich aus selbständig Gegenmaßnahmen zu treffen, insbesondere Terroristen zu vernichten. Werden nach Anschlägen Terroristen oder Saboteure erst später ergriffen, sind sie dem SD zu übergeben

[...]

## 5. OKW an WB Dänemark u.a. 1. Juli 1944

Hitlers reaktion på generalstrejken i København førte til udsendelse af en ordre til alle tyske hærledere i de besatte lande om, at anvendelse af krigsretter ikke måtte finde sted i forbindelse med terrorhandlinger.

Den 30. juli fulgte ordren om, hvad der skulle sættes i stedet (Rosengreen 1982, s. 108).

Kilde: BArch, Freiburg, RW 4/754. RA, Danica 1069, sp. 1, nr. 505f.

WFSt./Qu. 2/ (Verw. 1)                      F.H.Qu., den 1.7.1944
                                                    Geheime Kommandosache
                                                              8 Ausfertigungen
                                                                   1. Ausfertigung

SSD - Fernschreiben

An:
1.) W.B. Dänemark
2.) W.B. Norwegen
3.) Ob. Südwest
4.) Bevoll. Gen. D. Dt. Wehrm. i. Italien
5.) Ob. Südost
6.) Mil. Befh. Südost
7.) Ob. West

2 Det originale dokument er forgæves eftersøgt i BArch, Freiburg.

8.) Mil. Befh. Frankreich
9.) Mil. Befh. Belgien/Nordfrankreich
10.) W.B. Niederlande
11.) Wehrkreisbefehlshaber Generalgouvernement
12.) W.B. Ostland
13.) W.B. Weißruthenen
14.) OKL/ Chef Genst.
15.) OKL/ Gen. Qu. (Robinson)
16.) OKM/ Chef Skl.
17.) OKM/ Skl. Adm. Qu.
18.) Reichsführer SS u. Chef d. Dt. Polizei – Kommandostab – z.Hd. Brigadeführer u. Gen. Major d. Waffen-SS, Rohde
19.) Chef W R
20.) Ag. Ausland "Zeppelin"

Betr.: Bekämpfung von Terroranschlägen in den besetzten Gebieten.

Der Führer hat befohlen, daß kriegsgerichtliche Verfahren gegen die Zivilbevölkerung in den besetzten Gebieten wegen Terrorakten gegen die deutsche Besatzungsmacht und Sabotagehandlungen mit sofortiger Wirkung nicht mehr durchgeführt werden.
Demgemäß ist auch in bereits laufenden Verfahren keine Hauptverhandlung mehr anzuordnen. Neue Weisung für Truppe und Gerichte folgt. Reichführer SS wird um weitere Veranlassung in seinem Bereich gebeten.

Der Chef OKW
gez. **Keitel**
OKW/WFSt/Qu. 2/(Verw. 1) Nr. 006973/44 g.K.

F.d.R.
[underskrift]
Hauptmann


### 6. Paul Barandon an das Auswärtige Amt 1. Juli 1944
Barandon videregav til AA telefonisk en ganske kort rapport om situationen i København, hvis hovedpunkt var, at danskerne ville give efter for det tyske tryk.
Kilde: PA/AA R 29.568. RA, pk. 204.

Pol VI
Gesandter v. Grundherr

Gesandter Barandon teilt soeben folgendes mit:
Der Bestimmte Gesamteindruck der Lage in Kopenhagen sei, daß die Dänen in Bälde nachgeben werden. Heute Mittag um 12 Uhr trete der Ausnahmezustand für Kopenhagen ein; auch Gas, Wasser und Elektrizität seien jetzt von uns gesperrt, so daß

der volle scharfe Druck sich auf die Dänen auswirke. Die Straßenbahner hätten bereits geäußert, sie wollten die Arbeit bald wieder aufnehmen.

Berlin, den 1.1944.

**Grundherr**


### 7. Kriegstagebuch/WB Dänemark 1. Juli 1944

Von Hanneken lod situationsmeldingen fra København indskrive i krigsdagbogen med angivelse af, at OKW var blevet orienteret. Strejken var ikke ophørt, og de aftalte tyske foranstaltninger var blevet sat i værk.

Kilde: KTB/WB Dänemark 1. juli 1944.

Im Laufe des heutigen Tages ist die Lage in Kopenhagen unverändert geblieben.
[…]
Um 16.00 Uhr wird Lage Kopenhagen an OKW gemeldet, Divisionen erhalten nachrichtliche Orientierung:

"1.) Streikbewegung in Kopenhagen nicht aufgehoben, ab 12.00 Uhr Übernahme der vollziehenden Gewalt durch Höh. Kdo. Kopenhagen. Nunmehr Durchführung der am 30.6. gemeldeten Absichten.

2.) In 5 Fabriken außerhalb Kopenhagens (Helsingör) wurde am Vormittag Arbeit niedergelegt. Weitere Streiks nicht festgestellt.

3.) Teile Res. Pz. Aufkl. Abt. 3 und ein Bataillon vom Rgts.-Verband Pier in Kopenhagen eingetroffen, Eintreffen eines zweiten Bataillons gegen 17.00 Uhr, drittens Btl. im Laufe der Nacht 1./2.7.44 zu erwarten.

4.) Zuführung einer Pz. Einsatz-Kp. (P I) befohlen. Mit Eintreffen ist am 2.7.44 zu rechnen."

Tagesmeldung:[3] Lage in Kopenhagen im Ganzen unverändert. Einzelne kleinere Zusammenstöße, dabei Verluste auf der Gegenseite. Gas, Wasser, Elektrizität seit der Nacht für gesamte Bevölkerung gesperrt. Dän. Verwaltung, Wirtschaftsorganisationen und Parteien haben dem Reichsbevollmächtigten einen eindringlichen Aufruf an die Bevölkerung zur sofortigen Arbeitsaufnahme vorgelegt, der als Flugblatt verbreitet werden soll. Der Vertreter der Zentralverwaltung versichert im Namen aller beteiligten Institutionen, daß Montag früh [3.7.44][4] die Arbeit allgemein aufgenommen wird. Erleichterungen hinsichtlich Wasser, Gas und Strom werden frühestens Sonntag-abend zur Vorbereitung der Arbeitsaufnahme gewährt, wenn Entwicklung des Sonntags Aufnahme der Arbeit erwarten läßt.

In Helsingör Streik in einigen Betrieben, in Roskilde Arbeitseinstellung größeren Umfangs, z.T. durch ausbleibenden Kraftstrom aus Kopenhagen hervorgerufen.[5]

Teilstreik des Bahnpersonals auf verschiedenen Bahnhöfen Seelands.

---

3 Den anden indberetning var fra kl. 19.00. Fjernskrivermeddelelsen er i RA, Danica 1069, sp. 1, nr. 369f.
4 Tilføjet med håndskrift.
5 "Monsun" gav straks besættelsesmagten uforudsete problemer, som Rü Stab Dänemark ikke tog alvorligt i sin erfaringsberetning 5. juli, trykt nedenfor.

## 8. Werner Best an das Auswärtige Amt 1. Juli 1944

Best rapporterede til AA, at der var kontrol med generalstrejken i København, og at den efter ansvarlige danske myndigheders og organisationers opfattelse venteligt ville være forbi mandag den 3. juli. Best havde i forståelse med Pancke og von Hanneken benyttet "lejligheden" til at knække Københavns modstandsvilje ved at isolere byen og afbryde de offentlige værker. Endelig var natten mellem 30. juni og 1. juli forløbet roligt.

Rapportens forhold til virkeligheden var ganske perifert, idet der natten til lørdag 1. juli var blevet dræbt 16 mennesker og såret 221 på de københavnske gader, hertil kom 40 brande i løbet af dagen og 270 ambulanceudrykninger.[6] Det var en af de mest voldelige nætter i Københavns historie, og den blodigste i byens nyere historie. Hverken besættelsesmagten eller de danske myndigheder og ansvarlige organisationer havde kontrol med begivenhederne (*Daglige Beretninger*, 1945, s. 163f., Hæstrup, 1, 1966-71, s. 519, Herbert 1996, s. 386).

Nummereringen af telegrammerne i begyndelsen af juli adskiller sig fra resten af året. Således er dette nr. 1 og efterfølgende kommer nogle dobbeltnummererede (Sondertelegramm-nr. og almindeligt nr.).

Kilde: PA/AA R 29.568. RA, pk. 204. NORD, nr. 107.

### Telegramm

| | | |
|---|---|---|
| Kopenhagen den | 1. Juli 1944 | |
| Ankunft, den | 1. Juli 1944 | 19.20 Uhr |

Nr. 1 vom 1.7.[44.]           Citissime!

Über die Lage in Kopenhagen berichte ich, daß die Nacht vom 30. Juni auf den 1. Juli ruhig verlaufen ist. Am Abend des 30. Juni ist der Direktor des dänischen Außenministeriums Svenningsen bei mir erschienen und hat mir mitgeteilt, daß auf Grund der Bemühungen der dänischen Zentralverwaltung, der Gewerkschaften und der Parteien zu erwarten sei, daß die Arbeit Montag, den 3. Juli wieder aufgenommen werde, für Sonnabend 1. Juli seien die zur Verfügung stehende Zeit zu kurz gewesen.[7]

Da ich in Übereinstimmung mit dem höheren SS-und Polizeiführer und mit dem Wehrmachtbefehlshaber der Auffassung bin, daß diese Gelegenheit benutzt werden muß, um jeden Widerstandswillen der 1 Millionen Stadt Kopenhagen auf lange Zeit zu brechen, habe ich folgendes veranlaßt:

1.) Am Abend des 30. Juni sind die Wasser-, Gas- und Elektrizitätswerke von Groß-Kopenhagen besetzt und stillgelegt worden, sodaß die Bevölkerung seit dieser Nacht ohne Wasser, Gas und elektrischer Strom ist.

2.) Auf mein Ersuchen übernimmt heute der Kommandeur der deutschen Truppen in Seeland Generalleutnant Richter, für einige Tage die vollziehende Gewalt in Groß-Kopenhagen und führt die von mir gewünschte Zernierung der Stadt und Sperrung jeder Zufuhr durch. Er erläßt heute um die Mittagszeit die folgende mit mir vereinbarte Bekanntmachung:[8]

---

[6] Opgivelsen af antallet af sårede og dræbte varierer en del, men i alle tilfælde var det højt (se *Information* 3. juli 1944, KB, Bergstrøms dagbog 3. juli 1944 (trykt udg. s. 934), *Daglige Beretninger*, 1946, s. 163, Hæstrup, 1, 1966-71, s. 518 (sidstnævnte er fulgt her med *Daglige Beretninger*, 1946 som kilde)).

[7] Jfr. KTB/WB Dänemark 1. juli 1944, *Daglige Beretninger*, 1946, s. 163f. og Hæstrup, 1, 1966-71, s. 519. Ved mødet drøftedes indholdet af det opråb, som skulle udsendes af centraladministrationen, fagforeningerne og partierne. Se Bests telegram nr. 793, 3. juli 1944.

[8] Trykt på dansk hos Alkil, 2, 1945-46, s. 889f.

"Ich, Generalleutnant Richter, Kommandeur der deutschen Truppen in Seeland, gebe bekannt, daß ich auf Antrag des Reichsbevollmächtigten in Dänemark mit Ermächtigung des Wehrmachtsbefehlshabers Dänemark am 1. Juli 1944 12 Uhr die vollziehende Gewalt für das Gebiet von Groß-Kopenhagen übernommen habe, um die Ordnung und Sicherheit in diesem Gebiete sicherzustellen.

Mit sofortiger Wirkung wird jeder Verkehr aus der Stadt und in die Stadt verboten. Es wird davor gewarnt, sich den Straßensperren am Stadtrand zu nähern, da die dort aufgestellten Posten den Befehl haben, jede Annäherung mit der Waffe zurückzuweisen.

Im Gebiet von Groß-Kopenhagen ist jede Ansammlung von mehr als 5 Personen auf Straßen und Plätzen verboten. Die verstärkten Streifen der deutschen Wehrmacht haben den Befehl, auf jede Ansammlung von mehr als 5 Menschen unverzüglich zu schießen.

Auf strenge Einhaltung der Sperrzeit wird hingewiesen. Nach 23 Uhr wird auf Gruppen von Personen und auf jede Einzelperson, die nicht auf Anruf sofort stehen bleibt und sich legitimiert, rücksichtslos geschossen werden.

Diese Maßnahmen sind erforderlich geworden, da ein großer Teil der Kopenhagener Bevölkerung sich von unverantwortlichen Elementen zur Auflehnung gegen die vom Reichsbevollmächtigten erlassenen Vorschriften hat bewegen lassen. Die politischen und gesetzlichen verantwortlichen dänischen Instanzen haben dies nicht verhindern können. Von seiten des Reichsbevollmächtigten war eindeutig klargestellt, daß die Anordnungen vom 26. Juni zur Bekämpfung von Sprengstoffverbrechen und anderen Gewalttaten notwendig geworden waren, weil durch die Duldung seitens der dänischen Behörden und der Polizei und eines großen Teiles der Kopenhagener Bevölkerung die Ausübung von Sprengstoff-Gewaltverbrechen so gefördert worden ist, wie es die Tage vor dem 26. Juni gezeigt haben. Nach dem vom 26.-29. Juni keine Sabotageakte in Groß-Kopenhagen stattgefunden haben, hat der Reichsbevollmächtigte die Sperrzeit durch Neufestsetzung auf 23 Uhr erleichtert; dennoch haben sich große Teile der Kopenhagener Bevölkerung am 30. Juni durch unverantwortliche Elemente bestimmen lassen, nicht zu arbeiten, sondern in den Straßen der Stadt die öffentliche Ordnung zu stören. Die Verantwortung dafür, daß nunmehr härtere Maßnahmen getroffen werden müssen, fällt ausschließlich auf die Hetzer und auf diejenigen, die sich zu dem unklugen Verhalten der letzten Tage verhetzen ließen.

gez. Generalleutnant."

Die vollziehende Gewalt des Generalleutnants Richter und die getroffenen Maßnahmen werden aufgehoben, sobald die Arbeit zu den von mir gestellten Bedingungen wieder aufgenommen ist. Hierüber wird voraussichtlich schon der heutige Tag Klarheit bringen, da die Bevölkerung schon jetzt unter dem Mangel an Wasser, Gas und Verpflegung sichtlich leidet.

Im Land außerhalb Kopenhagen herrscht – wie bisher – völlige Ruhe.

**Dr. Best**

## 9. Werner Best an das Auswärtige Amt 1. Juli 1944

Som svar på en forespørgsel fra AA om Schalburgkorpset meddelte Best meget kort, at korpset i den nuværende situation holdt sig fuldstændig tilbage. Dets politiske værdi bestod i at være et Damoklessværd over modstandernes hoveder. Best havde hverken til hensigt at indsætte Schalburgkorpset eller at opløse det.

Danmarks Frihedsråd havde 30. juni stillet to krav for at ophæve generalstrejken i København: Schalburgkorpsets fjernelse fra Danmark (!) og ophævelse af spærretiden.[9] Schalburgkorpset havde i dagene forud været aktiv i terroren mod den københavnske befolkning (men ikke ved Schalburgtage), så Bests meddelelse til AA om, at korpset nu holdt sig fuldstændig tilbage, var et reelt tilbagetog og en delvis imødekommelse af Frihedsrådets krav. På den baggrund er det næppe sandsynligt, at Best forud havde omtalt Frihedsrådets krav over for AA, for det ville være det samme som at indrømme et tilbagetog.

Kilde: PA/AA R 29.568. RA, pk. 204.

### Telegramm

| | | |
|---|---|---|
| Kopenhagen, den | 1. Juli 1944 | |
| Ankunft, den | 1. Juli 1944 | 19.15 Uhr |

Nr. 2 vom 1.7.[44.]

Auf Telegr. vom 30. Nr. 736[10] berichte ich, daß das Schalburg-Korps sich in der gegenwärtigen Lage völlig zurückhält. Sein politischer Wert ist der eines Damoklesschwertes über den Köpfen der Gegner. Ich beabsichtige weder einen Einsatz des Schalburg-Korps noch seine Beseitigung.

**Best**

## 10. Maurice Rossel an Eberhard von Thadden 1. Juli 1944

Rossel sendte von Thadden to sæt af de fotografiske optagelser, han havde lavet under besøget i Theresienstadt og bad om, at det ene blev givet til AAs medarbejdere i Prag. Rossel takkede på det internationale Røde Kors' vegne for besigtigelsen af Theresienstadt og glædede sig over endnu engang at kunne forsikre, at beretningen om besøget ville betyde en beroligelse for mange, da livsbetingelserne i Theresienstadt var tilfredsstillende. Som et ps blev anført, at der også var afsendt to sæt fotografier til Günther.[11]

Se endvidere Bests telegram nr. 917, 2. august 1944.
Kilde: ADAP/E, 8, nr. 89.

No. 8702 Dél[egation] All[emande] *Berlin, den 1. Juli 1944*
AA/321
MR/UR

---

9 Trykt hos Alkil, 1, 1945-46, s. 252f. Schalburgkorpset skulle ikke kun fjernes fra København, som Hæstrup refererer det (Hæstrup, 1, 1966-71, s. 518).
10 Pol. VI (Fuschl 1402). Brenner til Best 30. juni 1944, trykt ovenfor.
11 Fotografierne er bevaret og nogle er bl.a. gengivet ved den tyske oversættelse af Rossels beretning 1996, s. 298f.

*Sehr geehrter Herr von Thadden!*
Wir gestatten uns Ihnen anliegend je zwei Exemplare der in Theresienstadt gemachten Aufnahmen zu überreichen und wären Ihnen sehr verbunden, wenn Sie eine Serie davon Ihren Mitarbeitern in Prag zustellen könnten.[12]

Wir benützen diese Gelegenheit, um Ihnen, auch im Namen des Internationalen Komitees vom Roten Kreuz, für die Organisation des Besuches in Theresienstadt unseren verbindlichsten Dank auszusprechen. Dank Ihrer Bemühungen wurden uns alle Erleichterungen gewährt.

Die Reise nach Prag wird uns in bester Erinnerung bleiben und es freut uns, Ihnen nochmals versichern zu dürfen, daß unser Bericht über den Besuch von Theresienstadt für viele eine Beruhigung bedeuten wird, da die Lebendbedingungen zufriedenstellend sind.

Genehmigen Sie, sehr geehrter Herr von Thadden, den Ausdruck unserer vorzüglichsten Hochachtung.

**Rossel**
(Dr. M. Rossel)
Delegierter des Internationalen
Komitees vom Roten Kreuz

N.B. Mit gleicher Post senden wir 2 Abzüge von jeder Aufnahme an Herrn Obersturmbannführer [sic] Günther.


### 11. Ernst Richter an Hermann von Hanneken 1. Juli 1944
Richter orienterede von Hanneken om, hvordan isoleringen af København var organiseret, og hvor de enkelte tyske troppenheder var lokaliseret.
Kilde: BArch, Freiburg, RW 38/181. KTB/HKK, Anlage 206. RA, Danica 1069, sp. 10, nr. 11.896.

Höheres Kommando Kopenhagen　　　　　　　　　　　　　　St.Qu., 1.7.1944
Nr. 2511/44 geh.　　　　　　　　　　　　　　　　　　　　　　Anlage 206.
　　　　　　　　　　　　　　　　　　　　　　　　　　　　　　Geheim!
Betr.: Gliederung und Einsatz der Kräfte in Kopenhagen

An Wehrmachtsbefehlshaber Dänemark
　Silkeborg

A.) Wehrmachtortskommandantur als Abschnitts-Kdr. Kopenhagen unterstellt:
　1.) Btl. D III Sperrung Kopenhagen nach Westen in Linie des Westwalls bis Husum einschließlich, Streifendienst im Raum A und Teile Wachdienst.
　2.) Btl. D X Sperrung Kopenhagens nach Norden in Verlauf der auf anliegender

---
12 Med håndskrift er flg. randbemærkning tilføjet: "Ein Satz wurde Herrn Lagergren von der schwed[ischen] Gesandtschaft zur Verfügung gestellt. Z.d.A. v. Th[adden], 25.9."

Skizze eingezeichneten Linie von Husum bis zur Tuborgfabrik, Streifendienst im Raum B und Teile Wachdienst.

3.) 3./D VIII Reserve des Abschnitt-Kdrs., Teile Wachdienst.

4.) 2 Komp. D IV  ⎫ 1/3 in Stützpunktbesetzung in der Stadt
    2   –   D XI  ⎬ 1/3 eingesetzt zur Bewachung der Gas-, Elektr.- u.
    2   –   D XII ⎭     Wasserwerke
    2   –   D XIII⎭ 1/3 in Reserve

5.) 5. MLA als Unterabschnitt Amager Nord Besetzung dreier Stützpunkte. Sicherung durch Streifen im Raum D.[13]

6.) Einheiten der deutschen Polizei Besetzung von 2 Stützpunkten, Streifendienst im Raum C.

7.) Fliegerhorst Kastrup Sicherung des Abschnitts Amager-Süd und Streifendienst im Raum E.

B.) Dem Höh. Kdo. Kph. unmittelbar unterstellte Einheiten:

1.) Regiment Pier
   I. Btl. (z.Zt. noch nicht eingetroffen) als Reserve im Raum Frederiksberg
   II. [Btl.] als Reserve auf der Werftinsel
   Rgt. Stab. u. III. Btl. als Reserve im Rypark.

2.) Pz. AA 3 im Rypark Streifendienst mit Panzerspähwagen im Stadtgebiet nach besonderem Streifenplan des HKK, mot. Kp. und Kradschützen-Zug als bewegliche Reserve im Rypark.

3.) Wach-Btl. Kph. ohne 11 Komp. mit 2 Komp. im Wachdienst, eine Komp. Reserve des HKK in der Ing.-Kaserne.

Die Sperrlinien der Btle. D III und D X sowie die Räume A, B, C, D und E, innerhalb deren die Truppen den Streifendienst ausführen, die Unterkünfte der Reserven sowie die Stützpunkte und Wachen der besetzten Gas-, Elektrizitäts- und Wasserwerke sind aus anliegender Karte ersichtlich.

**Richter**
Generalleutnant

1 Anlage[14]


## 12. Ernst Richter: Übernahme der vollziehenden Gewalt durch die Wehrmacht 1. Juli 1944

Richter orienterede en række tyske instanser om, hvordan han forholdt sig efter at have overtaget den udøvende magt over København. Opgaven var at genoprette ro og orden i byen. Hertil rådede han over alle tre værn og HSSPFs enheder.

Pancke var blandt de direkte informerede, mens Best fik en kopi til orientering. Det var et udtryk for, at HSSPF havde stillet enheder til rådighed for HKK, mens Best helt havde afgivet beføjelser over byen.

Kilde: BArch, Freiburg, RW 38/181. KTB/HKK, Anlage 204. RA, Danica 1069, s. 10. nr. 11.898-900.


13 MLA = Marinelehrabteilung.
14 Det tilhørende kortbilag er ikke lokaliseret.

Höheres Kommando Kopenhagen  St.Qu., 1.7.1944
Nr. 2504/44 geh.  Anlage 204.
Geheim!

Betr.: Übernahme der vollziehenden Gewalt durch die Wehrmacht.

1.) Ich habe am 1.7.1944, 12.00 Uhr die *vollziehende Gewalt* in Groß-Kopenhagen übernommen, um Ruhe und Ordnung wieder herzustellen, die durch unverantwortliche Elemente und kommunistischen Mob seit 26.6. gestört wird. Hierzu sind mit alle in Kopenhagen liegende Einheiten der 3 Wehrmachtteile und des Höh. SS- u. Pol. Führers unterstellt.
2.) Ich werde den mir gestellten Auftrag unter Einsatz aller Kräfte rücksichtslos durchführen.
3.) Zur *Verstärkung* sind, bzw. werden noch bis 1.7. abends nach Kopenhagen zugeführt:
   a.) 8 Kompanien aus Seeland
   b.) Regimentsverband Pier (3 Radfahrbataillone)
   c.) Pz. AA 3 der 233. Res. Pz. Div.
   d.) 20 Panzerwagen I.
4.) Die mit Verfg. Ia. 2500/44 geh. vom 30.6.44 befohlenen Anordnungen über Streifendienst, Stützpunktbesetzung und Bewachung der städt. Versorgungsbetriebe bleiben bestehen.
5.) *Jeder Verkehr von* Kopenhagen nach auswärts *und* von auswärts *nach Kopenhagen* ist ab. 1.7.44, 16.30 Uhr durch D III und D X in einer Linie zu *sperren*, die im Verlauf und in der Abschnittseinteilung der HKL bei einer Verteidigung Kopenhagens entspricht. Die Sperre erstreckt sich auf jeglichen Personen-, Fahrzeug, Güter- und Eisenbahnverkehr. An allen Sperren sind Warntafeln nach beiden Richtungen mit folgendem Wortlaut gut sichtbar aufzustellen:
   "Al Trafik spærret! Her skydes!"
6.) Unterstellungsverhältnis:
   a.) Der WOK sind für den Einsatz unterstellt:
      D III
      D X
      D VIII ohne Zitadellenzug
      Teile Wach-Btl.
      2 Komp. D IV
      2 [Komp.] D XI
      2 [Komp.] D XII
      2 [Komp.] D XIII
      Luftw. Kampfgruppe Kastrup
      [Luftw. Kampfgruppe] Värlöse
      5. MLA
      Einheiten der deutschen Polizei.
   b.) Dem HKK sind als Verfügungstruppe unmittelbar unterstellt:

Rgts.-Verband Pier
Pz. AA 3
20 Pz. Wagen I
Teile Wach-Btl.
Zitadellenbesatzung

Die unter b.) genannten Truppenteile entsenden je 2 Mann (auf Rad oder mot) als Befehlsempfänger zum HKK Zitadelle.

7.) Die nicht im Einsatz befindlichen Truppenteile halten sich in den Unterkünften so alarmbereit, daß sie nach Eingang eines Einsatzbefehls in Kürze marschbereit sind. Ausgang und Ortsurlaub sind verboten.

8.) *Kennworte*, soweit nicht bekannt, sind vom HKK, O1 abzuholen.

9.) Über *Versorgung* der Truppen mit Verpflegung, Betriebsstoff, Munition und die ärztliche Versorgung ergeht Sonderbefehl.

10.) In allen *Unterkunftsangelegenheiten* ist mit der Wehrmachtortskommandantur Kopenhagen unmittelbar zu verhandeln.

11.) *Meldungen:*

Es melden die unter 6 a.) genannten Einheiten an WOK Kopenhagen:

a.) sofort besondere Vorkommnisse nach Art, Ort, Zeit und evtl. Verlusten,

b.) täglich bis 7.00 Uhr Einsatzstärken nach Kopfzahl und Waffen, Verlusten bei Kampfhandlungen, Munitionsverbrauch und – Bedarf, ferner die unter 6 b.) genannten Einheiten und WOK Kopenhagen für die ihn unterstellten Verbände an Höh. Kdo. Kph.

a.) sofort besondere Vorkommnisse nach Art, Ort, Zeit und evtl. Verlusten an Ic,

b.) tägl. bis 8.00 Uhr Einsatzstärken nach Kopfzahl und Waffen sowie Verluste bei Kampfhandlungen an Ia,

c.) tägl. bis 8.00 Uhr Munitions-Verbrauch und -Bedarf an Qu.

**Richter**
Generalleutnant

*Verteiler:*
WOK
D III
D X
3./D VIII
Wach-Btl.
Kompn. D IV, D XI, D XII, D XIII
Rgts. Verb. Pier (4x)
Pz. AA 3
PZ. Wagen Abt.
Höh. SS- u. Pol. Fhr.
Kdo. Flughafenber. Seeland
5. MLA
Zitadellenkommandant

*im Hause:*
Ia, Ic, III, IVa, IVb, Qu, KTB

*nachr. an:*
Reichsbevollmächtigten
Verb. Stab WBD
Reserve

## 13. Kriegstagebuch/Höheres Kommando Kopenhagen 1. Juli 1944
Richters krigsdagbog opregnede time for time de militære aktioner i København. Aktionen forløb planmæssigt, og det kom kun til få episoder. Befolkningen forholdt sig med få undtagelser roligt.
   Kilde: BArch, Freiburg, RW 38/181. KTB/HKK. RA, Danica 1069, sp. 10, nr. 11.879f.

1.7.1944.
Da die Aufforderung an die dän. Bevölkerung die Arbeit ab 1.7. 12.00 Uhr wieder aufzunehmen nicht befolgt wird, übernimmt der Kommandeur des Höh. Kdos. Kph., Generalleutnant Richter am 1.7.1944 12.00 Uhr in Groß-Kopenhagen die vollziehende Gewalt. Bekanntgabe an die dän. Bevölkerung erfolgt durch Maueranschläge und Lautsprecherwagen der dän. Polizei. – Beflhl Ia 2504/44 geh.(Anl. 204)[15]
   Die Stützpunkte innerhalb des Stadtkerns und die Wachen an den Versorgungsbetrieben werden bis 12.00 Uhr mittags von den aus Seeland herangeführten 8 Radfahrkomp. und Teilen der Marine und Luftwaffe übernommen. Die Batle. D III u. D X besetzen ab 16.30 Uhr eine Sperrlinie zur Zernierung Kopenhagens und zwar D III im Verlauf des Westwalls von der See bis Husum einschl. und D X von Husum südl. Utterslev Mose und Emdrup Sö zum Öresund bei der Tuborg Brauerei.
   Hierdurch wird ab 17.30 Uhr jeder Verkehr von Kopenhagen nach auswärts und von auswärts nach Kopenhagen für Zivilpersonen, Fahrzeuge und Eisenbahn gesperrt.
   Es treffen ein: am 1.7. 9.30 Uhr die Pz. AA 3, 10.00 Uhr das II. Batl. Regt. Pier, 12.00 Uhr Regt. Stab. Pier, 17.30 Uhr III. Batl. Pier. Die Pz. AA 3fährt durch das Stadtgebiet von Kopenhagen am Nachmittag und Abend nach einem vom Höh. Kdo. Kph. aufgestellten besonderen Plan Streifen mit 4 Spähtrupps zu je 2 Pz. Spähwagen. Daneben fahren die bisherigen Streifen der Wehrmacht und der deutschen Polizei.
   Es kommt im wesentlichen zu keinen Zwischenfällen. Vereinzelte Barrikaden werden z.T. auf Befehl der Wehrmacht durch dän. Zivilpersonen, z.T. durch Pak-Beschuß beseitigt. In den Betrieben wird nicht gearbeitet. Die Bevölkerung verhält sich bis auf einzelne geringfügige Zusammenstöße im allgemeine ruhig.
   Betr. Einsatz des Regt. Pier siehe anliegenden Befehl I a 2507/44 geh. (Anlage 205)[16]
   Bezügl. Gliederung und Einsatz der Kräfte in Kopenhagen siehe anliegenden Befehl 2511/44 geh. (Anlage 206)[17]
   Kriegsgliederung des Höh. Kdos. Kph. (Anlage 206a)[18]

---

15 Trykt ovenfor.
16 Bilaget er ikke medtaget.
17 Trykt ovenfor.
18 Bilaget er ikke medtaget.

## 14. Werner Best: Kalenderaufzeichnung 1. Juli 1944

Best rapporterede ikke til AA, hvordan han håndterede generalstrejken i København, og hvorledes andre tyske instanser spillede med. Det fremgår imidlertid til dels af Nils Svenningsens mødereferater. Han og Best mødtes to gange 1. juli, som det også fremgår af kalenderoptegnelserne. På begge møder søgte Best at presse politiske indrømmelser ud af Svenningsen. Best ville have resultater, han kunne fremvise til sit eget bagland, men Svenningsen holdt stand. Hvad Pancke og Bovensiepen fik refereret om drøftelserne, er uvist, men kravene på politiområdet skulle givetvis stemme de to for Bests politiske kurs.

Svenningsen refererede 13. juli 1944 følgende fra møderne:

"Lørdag den 1. Juli Kl. 11 henvendte jeg mig efter Aftale med Dr. Best til denne paa Dagmarhus. Dr. Best var imidlertid blevet kaldt til et Møde, og der laa Besked til mig om at komme igen Kl. 12.30. Under den Samtale, som jeg til dette sidstnævnte Tidspunkt saa fik med Dr. Best, fastholdt denne, at 1. Stykke i Opraabet ikke kunne passere, uden at den ovenfor omtalte Passus blev ændret.[19] Derimod var han straks rede til at give Tilsagn om det andet Punkt, nemlig Ophævelse af Spærringen for Gas, Vand og Elektricitet til et forud bekendtgjort Tidspunkt, idet han var modtagelig for den Betragtning, at det ikke kunne nytte noget med en Opfordring til Arbejderne om at gaa i Arbejde, uden at der samtidig blev sagt noget om, at de nødvendige Forudsætninger for Arbejdets Genoptagelse (Vand, Elektricitet etc.) var til Stede. Dr. Best gik endda et Skridt videre, idet han erklærede, at Arbejderne i god Tid, inden de genoptog Arbejdet, maatte have Vand, Gas og Elektricitet i deres Hjem til Madlavning, Vask etc. Han ville nu med sine tekniske Sagkyndige overveje, fra hvilket Tidspunkt der kunne blive Tale om Genaabning.

Efter at vi havde drøftet Spørgsmaalet om Opraabet og Forudsætningerne for dette færdigt, fremførte Dr. Best overfor mig følgende to Krav og en Anbefaling:

1. Han krævede et Personskifte i Politiets Ledelse baade for saa vidt angaar Politiets Personalepolitik og de politimæssige Instruktioner til de underordnede Politimyndigheder. Han nævnte ikke Navne og var heller ikke klar over, om Kravet sigtede mod et eller flere Embeder. Dersom de to Funktioner var forenet hos samme Embedsmand, var det kun den paagældende, Kravet tog Sigte paa. Var Kompetencen derimod fordelt, kunne der blive Tale om to Embedsmænd. Da jeg nævnte, at Ansvaret for de politimæssige Instruktioner i sidste Instans laa hos Departementschef Eivind Larsen, svarede Dr. Best, at saa maatte det blive ham, der skulle udskiftes. Man ville fra tysk Side ikke paatvinge os en bestemt ny Mand som øverste Politileder, idet man stadig holdt fast ved det hidtidige Princip, at der ikke fra tysk Side skal gribes ind i Centralforvaltningen, men man ønskede at modtage et Forslag fra dansk Side med Hensyn til den nye øverste Leder af Politiet.

2. Dernæst krævede Dr. Best, at Formanden for De samvirkende Fagforbund, Hr. Eiler Jensen, maatte træde tilbage. Hr. Eiler Jensen var ikke længere "tragbar", idet han i den givne Situation havde svigtet fuldkommen ("völlig versagt"). Dr. Best havde sikre Oplysninger om, at Eiler Jensens Holdning i den nuværende Situation stemmede vel overens med hans indre Overbevisning ("Er liegt bewußt auf der feindseligen Linie"). De samvirkende Fagforbund maatte altsaa skaffe sig en ny Formand. Dr. Best vidste, at der fandtes en Række rolige og fornuftige Folk, der var Ledere af de enkelte Fagforbund, og han ville uden videre overlade det til De samvirkende Fagforbund selv at vælge en ny Formand. Han krævede her ikke, at der skulle forelægges ham Forslag paa Forhaand.

3. Endelig fremsatte Dr. Best en indtrængende Anbefaling om, at der, saa snart Strejken maatte være hævet, blev truffet Foranstaltninger til Overarbejde. Motiveringen for denne Henstilling var dels Ønsket om at indhente de Arbejdsresultater, der var gaaet tabt ved Strejken, dels Hensynet til at Arbejderne skulle have Lejlighed til at indtjene den tabte Løn. Dr. Best ville interessere sig for, hvorledes denne Henstilling ville blive taget til Følge. Han ville forhøre sig om Spørgsmaalet og interessere sig for, hvor der maatte være Modstand mod Tanken.

Dr. Best betonede, at de to første Punkter var Krav, medens Punkt 3 efter Sagens Natur ikke kunne opstilles som et Krav eller en Betingelse, men maatte være en indtrængende Henstilling. For en Sikkerheds Skyld spurgte jeg ham, om de tre Punkter, han her havde nævnt, var at opfatte som en Advis til mig om noget, der senere ville fremkomme officielt. Han svarede hertil, at jeg kunne betragte det som officielle Henvendelser. Jeg fandt ikke Anledning til at gaa ind i en Diskussion med Dr. Best om Betimeligheden af de to Krav, men indskrænkede mig til en Bemærkning om, at disse Krav naturligvis ville vække den største

---

[19] Se Bests kalenderoptegnelse 30. juni 1944.

Opsigt paa dansk Side.

I Forbindelse med sine Udtalelser om de ovennævnte Krav gjorde Dr. Best nogle Bemærkninger om, at der i Fremtiden forventedes en mere eksakt og mere villig Reageren fra dansk Side overfor tyske Ønsker. 'Die Bureau-Sabotage muß zurückgeschraubt werden'." (PKB, 7, s. 1855f.).

Under Mødet med Departementscheferne Lørdag den 1. Juli Kl. 14 indløb der fra Dr. Best en Skrivelse af samme Dato, hvori stilledes Krav med Hensyn til Politiets Optræden dels overfor Plyndringer og lignende Udskejelser, dels til Beskyttelse af Industrivirksomheder mod Sabotage. Denne Skrivelse, der var stilet til "die Dänische Zentralverwaltung, z.Hd. des Direktors des Außenministeriums, Herrn Nils Svenningsen", havde følgende Ordlyd:

"Nach der heute zwischen uns geführten Besprechung hat der Höhere SS- und Polizeiführer mir berichtet, in welchem Umfang in Groß-Kopenhagen Plünderungen, Zerstörungen von Geschäften und Wohnungen, Brandstiftungen sowie Angriffe auf Personen stattgefunden haben, ohne daß die dänische Polizei das Geringste gegen die vor ihren Augen tätigen Verbrecher unternommen hat. Hingegen ist mehrfach festgestellt worden, daß dänische Polizeibeamte diese Verbrecher vor dem Erscheinen deutscher Streifen gewarnt und damit der Ergreifung entzogen haben.

Dieser Bericht veranlaßt mich, zu den aus der gegenwärtigen Situation erwachsenden Forderungen noch die Forderung hinzuzufügen, daß unverzüglich die Polizei angewiesen wird, mit nachdrücklichsten Einsatz für Ordnung und Sicherheit zu sorgen, jeder Zerstörung, jeder Plünderung und jedem Angriff auf Personen mit Gewalt und mit der Waffe entgegenzutreten und die Verbrecher festzunehmen. Diese Verpflichtung, Verbrechen unbedingt zu verhindern, umfaßt Objekte jeder Art, die nach den Erfahrungen der letzten Zeit von verbrecherischen Anschlägen bedroht sind. Auch von Sabotage bedrohte Wirtschaftsbetriebe sind von jetzt ab durch die dänische Polizei zu schützen, die für pflichtgemäße Durchführung dieser Aufgabe verantwortlich gemacht wird.

Ich erwarte die Bestätigung, daß die dänische Polizei die von mir geforderten Befehle erhält, bis heute 20.00 Uhr. Von der Annahme dieser Forderung und von ihrer Durchführung innerhalb der nächsten 24 Stunden hängt es ab, ob und wann von deutscher Seite die zur Bekämpfung des Kopenhagener Aufruhrs getroffenen Maßnahmen geändert werden können.

Wegen der technischen Durchführung der polizeilichen Maßnahmen empfehle ich die sofortige Aufnahme von Besprechungen zwischen den zuständigen dänischen Behörden und dem Höheren SS- und Polizeiführer." (PKB, 7, s. 1857f.).

Mellem det første og andet møde med Best havde Svenningsen to møder med en "mellemmand". Mellemmanden var G.F. Duckwitz, der ved begge møder kom for at mildne og nedtone de tyske krav. På det første møde gjaldt det med hensyn til kravet om Eiler Jensens afgang og dansk politis sabotagebevogtning, på det andet møde det absolutte krav om Eivind Jensens og Begtrup-Hansens afgang (Svenningsens beretning 13. juli 1944 (PKB 7, s. 1858f.)). Duckwitz har også givet sin version af mellemmandsrollen, som han betegnede som "eine reine Menschenpflicht", og hvor han efter at være blevet opfordret af sine danske venner fremstiller sig selv som den, der alene fik vendt situationen: "Der Aufgabe var nicht ganz einfach. Dr. Best hatte sich leider schon zu sehr festgelegt. Er hatte seine Forderungen in ultimativer Form gegenüber Direktor Svenningsen vorgebracht. Ich wählte daher die nicht ganz der Wahrheit entsprechende Taktik, Dr. Best gegenüber zunächst zu erklären, daß ich Svenningsen, den ich zufällig getroffen haben wollte, gebeten habe, diese neuesten Forderungen zunächst noch nicht weiterzugeben, bis er nähere Nachrichten erhalten würde. Dadurch wurde es Dr. Best ermöglicht, doch noch einzulenken. Im andern Falle hätte er seine Forderungen kaum zurückziehen können, da sie bereits in weiteren Kreisen bekannt geworden wären (ABA, Duckwitz 1945-46b, s. 10f. og med ubetydelige ændringer Duckwitzs erindringer u.å. kap. VII, s. 9 (PA/AA, Nachlass Georg F. Duckwitz, bd. 29)).

Herefter gengiver Duckwitz over fem sider sin samtale med Best, hvorunder de tyske krav blev opblødt. Det er meget muligt, at Duckwitz overdriver sin rolle, og at Best selv har søgt det smuthul, der kunne bringe ham ud af den krog, han selv havde trængt sig op i, men det forklejner ikke Duckwitzs rolle som den personlige formidler, som Best også direkte anerkender som sådan i sine erindringer (Best 1988, s. 66).[20] Sven-

---

20 Som påpeget af Jørgen Hæstrup kan man i nogen grad kun gisne om, hvorfor Best valgte at give efter, og Hæstrup mente 1966, at Duckwitz' argumenter "må have spillet en rolle" (Hæstrup, 1, 1966-71, s. 523),

ningsen fremstillede 13. juli 1944 alene Duckwitz som budbringeren og skrev:
"Lørdag den 1. Juli Kl. 19.30 gav jeg Møde hos Dr. Best paa Dagmarhus. Vi drøftede først det ovenfor under 1) nævnte Kompleks. Jeg gentog overfor Dr. Best, hvad jeg havde udtalt over for Hr. Duckwitz om Hr. Eiler Jensen, og tilføjede, at jeg personlig kunne bevidne, at Hr. Eiler Jensen havde været en af de mest ivrige for at modvirke Strejken. Dr. Best udtalte, at de Oplysninger, han nu havde faaet, havde afkræftet det Grundlag, paa hvilket han havde fremført sit Krav om Eiler Jensens Afgang. Han var nu indforstaaet med, at Eiler Jensen forblev i Stillingen som Formand for De samvirkende. Hvad angaar Opraabet, kunne Dr. Best stadig ikke acceptere den ofte nævnte Passus i Slutningen af 1. Afsnit. Jeg accepterede derfor at afrunde dette Stykke med en Passus af ganske neutral Karakter ("… som Følge af den sidste Tids Begivenheder"). Opraabet, hvis første Udgave var blevet trykt i Provinsen, maatte fremstilles i København, idet der ikke længere var tekniske Muligheder for at faa det gjort i Provinsen. Det kunne ikke trykkes ved Haandkraft, hvorfor det var nødvendigt, at der blev leveret elektrisk Strøm i København, saaledes at et herværende Trykkeri kunne komme i Gang. Man kunne ikke nøjes med Strøm i et enkelt Kvarter, da der i saa Fald ville gøre sig "Skruebrækkerhensyn" gældende. Dr. Best var ret uforstaaende overfor denne sidste Betragtning. Resultatet af en længere Samtale om dette Punkt blev, at Dr. Best erklærede, at man ville gaa i Gang med at forberede Strømlevering, saaledes at Radioerne kunne benyttes den følgende Dag. Det var teknisk umuligt paa een Gang at levere Strøm til hele Byen, men dersom han fik opgivet, i hvilket Kvarter vedkommende Trykkeri laa, ville han undersøge, om der maatte være tekniske Muligheder for, at Strøm blev leveret forlods i dette Kvarter. Endelig fremhævede jeg med Hensyn til Opraabets Udsendelse, at Forudsætningen herfor maatte være et ubetinget Tilsagn fra tysk Side om Ophævelse af Spærringen for Gas, Vand og Elektricitet til et forud bekendtgjort Tidspunkt. Dr. Best var ganske rede til at opfylde denne Forudsætning, idet han erklærede, at alt skulle være i Orden til Aabning for Gas, Vand og Elektricitet Søndag Aften den 2. juli. Meddelelse herom ville fremkomme i Radioen, saasnart man følte sig nogenlunde sikker paa, at Arbejdets Genoptagelse om mandagen var sikret.
Med Hensyn til det tredie Led i det heromhandlede Kompleks, nemlig Politikravene, begyndte jeg med at tage et Forbehold, refererende sig til Kravet om Eivind Larsens Afgang. Med dette Forbehold kunne jeg svare Ja til Kravet om Indskriden overfor Plyndringer og lignende. Til dette bekræftende Svar føjede jeg nogle Kommentarer, gaaende ud paa, at Politiet faktisk havde foretaget Arrestation af en Række Personer, der havde gjort sig skyldig i Plyndring, at Politiets Indskriden til Sikring mod Plyndringer var blevet vanskeliggjort af tysk Militær, som f.eks. i et Tilfælde havde beskudt en Udrykningsvogn, der netop var paa Vej for at beskytte mod Plyndringer, at Politiet ikke, som det paastodes i Dr. Bests Skrivelse, havde indladt sig paa at beskytte Forbryderne, men i al Almindelighed havde forsøgt at faa Folk til at passere Gaden ved at henvise til Risikoen for tyske Troppers Indgriben, samt endelig at det danske Politi selv fandt det rigtigt at træde i Forhandlinger med det tyske Politi om dette Spørgsmaal. – Til Kravet om Politiets Medvirken til Sabotagebevogtning svarede jeg, at man var rede til at forhandle dette Spørgsmaal i positiv Aand. Personlig var jeg naturligvis villig til at deltage i disse Forhandlinger. Om de Foranstaltninger, der kunne blive Tale om at indføre, kunne jeg paa nærværende Tidspunkt ikke udtale mig. Det eneste sikre var, at Politiet under ingen Omstændigheder var rede til at paatage sig at stille faste Poster paa Fabrikkerne. Dr. Best gav Udtryk for Tilfredshed med dette Svar, idet han erklærede, at han godt forstod, at Politiet ikke ville paatage sig det

hvilket unægtelig er en moderering af den "afgørende rolle", som han 1959 tillagde Duckwitz i samme situation (Hæstrup, 1, 1959, s. 314 med Frisch 1948 som kilde). Snarere var det afgørende, at Duckwitz overhovedet spillede mellemmandens rolle. Det var der ikke andre til med den lederstil, som Best havde opbygget omkring sig selv på Dagmarhus. På den måde, Best havde bragt sig selv ind i en blindgyde på, stod han over for at skulle tage konfrontationen med en millionbys befolkning, tilmed ansporet af et tysk politi, der ikke dermed ville den rigsbefuldmægtigedes bedste. – Her skal det igen med, at Alex Walter hos Brøndsted/ Gedde, 2, 1946, s. 784 med ubekendt kilde gøres til den, der "greb ind med fuld Kraft. Hensynet til Bests Prestige maatte vige for de militære og økonomiske, der paabød: størst mulig Produktion for at modstaa Invasionen." Det kan tænkes, at der bl.a. er gjort brug af *Information* 2. juli 1944, hvor der i en fantasifuld historie fortælles, at Walter var manden fra Berlin, der kom i vejen for Best og hans "desparados-kurs" og "desavouerede" ham 1. juni. Der ses helt bort fra, at Walter var uden beføjelser til at dekretere Best noget som helst. Hos Bergstrøm blev historien om Walter videregivet 3. juli 1944 med Bergstrøms søn som kilde (trykt udg. s. 935).

odiøse Hverv at "staa Skildvagt ved de paagældende Fabrikker", men der var jo ogsaa mange andre Midler, vedblev Dr. Best, og vi kom i denne Forbindelse ind paa de Foranstaltninger, Hr. Duckwitz havde anført (Patruljetjeneste, Kvarterbevogtning etc.). Dr. Best ville finde det ønskeligt, om Forhandlingerne mellem det danske og det tyske Politi kunne blive paabegyndt allerede den følgende Dag Søndag den 2. juli. Selv ville han ikke deltage direkte i disse Forhandlinger, medmindre der skulle opstaa Problemer, som ikke kunne løses mellem de danske og de tyske Politimyndigheder.

Hermed var saaledes Komplekset: Eiler Jensen – Opraabet – Politikravene bragt til en positiv Løsning. Vi gik derefter over til det andet Hovedpunkt, nemlig Kravet om Eivind Larsens og Rigspolitichef Begtrup-Hansens Tilbagetræden. Om Rigspolitichefen forklarede jeg, at han hverken med Hensyn til Personale-Politikken eller med Hensyn til de politiktekniske Instruktioner har den afgørende Myndighed. Rigspoliticheembedet var en Stilling, som det maaske ikke var saa let for udenforstaaende helt at forstaa. Rigspolitichefen beskæftigede sig i særlig Grad med det organisatoriske. Denne Erklæring tilfredsstillede Dr. Best, og dermed var Kravet om Hr. Begtrup-Hansens Tilbagetræden bortfaldet. Med Hensyn til Departementschef Eivind Larsen udtalte jeg mig i Overensstemmelse med, hvad ovenfor er bemærket om Resultatet af Drøftelserne paa Departementschefmødet. Dr. Best accepterede den Ordning, at Hr. Eivind Larsen forblev i sit Embede med det af mig anførte Forbehold. Han gav Udtryk for en Erkendelse af, at det i den foreliggende Situation og under Hensyn til de tyske Krav om en mere effektiv Indsats af Politiet ikke ville være hensigtsmæssigt, om Hr. Eivind Larsen traadte tilbage netop nu." (PKB, 7, s. 1859f.).

Kilde: Bests kalenderoptegnelser 1. juli 1944.

Sonnabend, 1. Juli 1944
Vormittags im Dagmar-Haus.
Bespr. mit:
Oblt. Mittag (Oxböl). Major Dr. Müller (Silkeborg). Direktor Svenningsen. SS-Ogruf. Pancke, SS-Staf. Bovensiepen.
Mittags und nachmittags im Dagmar-Haus.
Bespr. mit:
O. Reichsbf. R. Clauss. Duckwitz. Dalldorf. Schröder. Svenningsen.
Abends: SS-Ogruf. Pancke, SS-Staf. Bovensiepen, Major Dr. Müller bei mir.
Nachts (12-4.30) im Dagmar-Haus zur Anfertigung eines Telegramms an der Reichsaußenminister.[21] Bespr. mit Reg. Dir. Dr. Stalmann, SS-Ogruf. Pancke, SS-Staf. Bovensiepen.

### 15. OKW: Streikbewegung in Dänemark 2. Juli 1944

Von Hanneken havde fra starten frygtet at den københavnske generalstrejke ville brede sig og havde endnu 2. juli ikke forladt tanken, selv om han fortsat ville lade tysk politi stå for opgaven uden for København for ikke at sprede kræfterne. Von Hanneken regnede med, at de trufne foranstaltninger i København ville virke afskrækkende ude i landet.

Kilde: BArch, Freiburg, RW 4/754. RA, Danica 1069, sp. 1, nr. 363f.

WFSt/Qu. 2 (Nord)                                                                 *2.7.1944.*
Nr. 007027/44 gch. II. Ang.                          Geheime Kommandosache
                                                                                            7 Ausfertigungen
                                                                                            2. Ausfertigung

---

21 Telegrammet er trykt ovenfor.

Betr.: Streikbewegung in Dänemark.

Vortragsnotiz

I.) [punktet er udeladt, da det er en direkte gengivelse af von Hannekens Tagesmeldung 1. juli, kl. 19.00, trykt ovenfor]

II.) *Ergänzende fernmündliche Orientierung:*
In der Nacht zum 2.7. einzelne Schießereien in Kopenhagen, jedoch keine besonderen Vorkommnisse.

W. Befh. Dänemark kann noch nicht übersehen, ob die Streikbewegung am heutigen Tage etwa noch auf weitere Betriebe in Seeland übergreift.

W. Befh. Dänemark ist der Auffassung, daß selbst bei Ausweitung der Streikbewegung die Gegenmaßnahmen gegen Streiks außerhalb der Hauptstadt der Polizei überlassen bleiben sollen, um die militärischen Kräfte nicht zu [vormitteln?] Es wird damit gerechnet, daß, wenn der Streik in Kopenhagen durch die getroffenen Maßnahmen, die ihren Eindruck auch im Lande nicht verfehlen dürften, zum Erliegen gebracht wird, er sich in Betrieben auf dem Lande von selbst erledigt.


### 16. OKW: Fernsprechnotiz 2. Juli 1944
Det blev indskærpet værnemagten i Danmark, at der ikke måtte finde flere krigsretsforfølgninger sted i landet, og at HSSPF skulle informeres om, at også SS- og Politiretten skulle indstille sin virksomhed. Major Müller havde på von Hannekens vegne besvaret dette bekræftende.
Kilde: BArch, Freiburg, RW 4/754. RA, Danica 1069, sp. 1, nr. 365.

Qu. 2 (Nord)            *2.7.1944*
                                   10.25 Uhr

Fernsprechnotiz

Fernmündliche Rücksprache mit Ic WB Dänemark (Major Müller).

Ich habe gefordert, sicherzustellen, daß in Zusammenhang mit der Streikbewegung oder sonstigen Terror- oder Sabotageakten keine kriegsgerichtlichen Urteile ergehen. Ich habe um entsprechende Information des Höheren SS- und Polizeigerichts gebeten und in Aussicht gestellt, daß in Kürze ein schriftlicher Befehl folgen wird.

Major Müller teilt mit, daß nach seiner Information Verfahren zurzeit nicht laufen und auch nicht beabsichtigt sind.

                                          [underskrift]

## 17. Kriegstagebuch/WB Dänemark 2. Juli 1944

Von Hanneken havde ikke nyt om situationen i København, bortset fra, at der var givet lempelser i restriktionerne med henblik på genoptagelsen af arbejdet dagen efter.
    Kilde: KTB/WB Dänemark 2. juli 1944.

Die Lage in Kopenhagen ist unverändert. Tag und vergangene Nacht verliefen ruhig. Da im allgemeinen Bereitschaft zur Arbeitsaufnahme am 3.7., wurden Sperrmaßnahmen teilweise gelockert.
[...]


## 18. Werner Best an Joachim von Ribbentrop 2. Juli 1944

Endnu inden strejkekrisen var ovre, fik Best 1. juli en opringning fra Harro Brenner ved AAs kontor ved førerhovedkvarteret. Oplysninger om generalstrejken i København var nået frem til Hitler via von Hanneken, og Hitler havde fået det entydige indtryk, at strejken var forårsaget af de otte samtidige henrettelser for sabotage, der var foretaget. Nu skulle Best aflægge beretning om sin brug af domstole og deres betydning for situationen i København.
    Længden af Bests svar viser, at han var klar over, hvor alvorlig hans egen situation var, ikke mindst da han afslutningsvis bad om selv at måtte forelægge sagen for Hitler. På den ene side redegjorde han for brugen af modterror, eksekvering af henrettelser, indførelse af spærretid, standret, m.m., hvorved både Hitlers og Himmlers ordrer var blevet fulgt, på den anden side fastholdt han, at det eneste virksomme middel i kampen mod modstandsbevægelsen var effektivt politiarbejde og afskrækkende domme ved krigsretten. Det var indførelsen af spærretid og modsabotagen, der havde ført til generalstrejken i København.
    På trods af svarets længde fandt han ikke plads til at omtale, at han 24. april havde udnyttet sin forordningsret til at oprette en SS-domstol, og at den var blevet udnyttet til domfældelser af modstandsfolk. Endvidere lod han initiativet til indførelse af spærretid, ordren om henrettelsen af de 8 m.m. fremstå som Panckes ansvar alene, hvilket ikke var i overensstemmelse med sandheden. Imidlertid skulle Best få yderligere rig lejlighed til at forklare sig. Han blev ringet op endnu samme dag fra AA. Det var hans hidtil største krise som rigsbefuldmægtiget siden augustoprøret (Thomsen 1971, s. 206, Rosengreen 1982, s. 107-109, Herbert 1996, s. 388. Hæstrup, 1, 1966-71, s. 522-527 for Bests samtidige bestræbelser i København).
    Dette dokument er sendt i 3 dele; de 2 første med nummeret S 4, det sidste med nummeret S 5.
    Kilde: PA/AA R 29.568. RA, pk. 204. LAK, Best-sagen (på dansk). ADAP/E, 8, nr. 90. PKB, 13, nr. 767 (uddrag). NORD, nr. 108 (uddrag).

Telegramm

| | | |
|---|---|---|
| Kopenhagen, den | 2. Juli 1944 | |
| Ankunft, den | 2. Juli 1944 | 09.40 Uhr |

Nr. S 4 vom 2.7.44.                                         Supercitissime!

Für Herrn Reichsminister persönlich.
Auf Anruf Brenner vom 1. Juli 1944 berichte ich über die deutsche Gerichtsbarkeit in Dänemark und über ihre Bedeutung für die hiesige Lage:
1.) In Dänemark werden gegen Landeseinwohner wegen Sabotage, Spionage usw. Feldurteile nach der Kriegsstrafverfahrensordnung gefällt:

a.) Von den seit 1940 hier tätigen Wehrmachtsgerichten (erste Vollstreckung eines Todesurteils wegen Sabotage am 28. August 1943; bis jetzt 11 Todesurteile vollstreckt, 12 begnadigt; 3 noch nicht bestätigt),[22]

b.) von SS- und Polizei-Gerichten Dänemark seit Ende April 1944 (bis jetzt 28 Todesurteile vollstreckt, 11 begnadigt).[23]

2.) Seit Anfang 1944 werden Sabotage und Morde nachdrücklichst mit Gegenterror bekämpft.[24] Bekanntester Fall von Gegenterror gegen Personen, die Ermordung des deutschfeindlichen Schriftstellers Kaj Munk.[25] Für jede Sabotage gegen deutsche Interessen wird Gegensabotage gegen entsprechende Objekte gegnerischen Interesses verübt.

3.) Am 15. Juni 1944 erhielt höchster SS- und Polizeiführer und ich gleichlautend folgendes Fernschreiben des Reichsführers SS:[26]

"Nach dem großen Sabotageakt auf die Schiffswerft in Svendborg erwartet der Führer rücksichtslosestes und brutalstes Durchgreifen. Ich fürchte sehr, daß beim Ausbleiben harter Maßnahmen und damit schärfsten Drosselns neuer Sabotageakte die Geduld des Führers erschöpft sein wird." Antwort lautete, daß wegen der Sabotage in Svendborg folgende Maßnahmen getroffen würden:

*Fortsetzung folgt.*

*Vermerk:*
Unter Nr. 2500 an Sonderzug weitergeleitet.
Tel. Ktr., 2.7.44.

# Telegramm

Kopenhagen, den           2. Juli 1944
Ankunft, den           2. Juli 1944           11.35 Uhr

Nr. S 4 (Fortsetzung) vom 2.7.[44.]           Supercitissime!

Für Herrn Reichsaußenminister.
1.) Mehrere Hinrichtungen Verurteilter.
2.) Mehrere harte Gegensabotageakte.
3.) Verhängung des zivilen Ausnahmezustandes über Stadt Svendborg.[27]

22 Se tillæg 2.
23 Se tillæg 3.
24 Her hentydes kun indirekte til Hitlers ordre, som blev givet ved mødet i førerhovedkvarteret 30. december 1943.
25 Se telegram nr. 18, 5. januar 1944.
26 Telegrammet er ikke bevaret. Se under 15. juni 1944.
27 Som følge af skibssabotagen i Svendborg 10. juni blev der indført spærretid i byen mellem kl. 21 og kl. 5; som repressalier blev to sabotører henrettet 12. juni (Hermann Møller Boye og Helmer Wøldike) og tre schalburgtager gennemført mellem 11. og 15. juni (*Faldne i Danmarks frihedskamp*, 1970, s. 62f., 453f., tillæg 3 her).

4.) Mehrere Festnahme-Aktionen gegen deutschfeindliche Kreise, weiter wurde ausgeführt:

"Sabotage und Terror werden gemäß erteilten Befehlen durch laufende Verurteilungen und Hinrichtungen gefaßter Saboteure sowie durch rücksichtslosen Gegenterror bekämpft. Sicherheitspolizei ist hervorragend in Widerstandsbewegung eingedrungen und rollt eine Gruppe nach der andern auf. Dennoch wird Steigerung der Sabotageakte zu erwarten sein, da nach Feindweisung Fallschirmagenten und Sechsergruppen stärkere Aktivität entfalten sollen. Bei Gegenmaßnahmen muß auf Führerweisung Rücksicht genommen werden, daß dänische Produktion unbedingt auf der jetzt erreichten Höhe gehalten werden muß."[28]

5.) In den Tagen vom 21. bis 25. Juni 1944 5 schwere Sabotageakte gegen Betriebe deutscher Interessen in Kopenhagen.[29] Höherer SS- und Polizeiführer meldete am 23. Juni 1944 dem Reichsführer-SS die folgenden Maßnahmen:
  1.) 8 Todesurteile am 23. Juni früh vollstreckt.[30]
  2.) Standrecht über ganz Seeland verhängt (richtiger: beschleunigtes Verfahren vor den vorhandenen SS- und Polizeigerichten angeordnet).[31]
  3.) Absolute Sperrstunde in Groß-Kopenhagen und sämtlichen Vororten von 20 Uhr bis 5 Uhr, Haustüren und Fenster geschlossen zu halten, aus besonderen Gründen ab Sonntag. Versammlungs- und Ansammlungsverbot, Lastkraftwagenverbot von 15 Uhr bis 5 Uhr.[32]
  4.) Sabotagewache, die zur Zeit der Sabotage Dienst hatte, verhaftete 4 Flüchtige, Festnahme der Angehörigen verfügt. Überführung der Angehörigen nach Deutschland beabsichtigt. Sicherheitspolizei hat Anhaltspunkte für Tätergruppe.
  5.) Verschärfte Streifentätigkeit der Polizei und Wehrmacht in und um Kopenhagen.[33]
  6.) Weitere Maßnahmen in Vorbereitung. Die "weiteren Maßnahmen" waren 5 schwere Gegensabotage-Akte, der letzte gegen den bekannten Vergnügungspark "Tivoli." [34]

*Fortsetzung dieses Drahtberichts mit Drahtbericht S 5 vom 2. Juli.*
Kanzlei Deutscher Gesandtschaft Kopenhagen

---

28 Om førerordren, se telegram nr. 412, 1. april 1944.
29 De fem aktioner var sandsynligvis mod Riffelsyndikatet (22. juli, af BOPA), Nordisk Radio Industri (23. juli), Maskinfabrikken FKL (24. juli, af BOPA), Nordværk og Maskinfabrikken Ambi (25. juli, begge af BOPA) (RA, BdO Inf. som anført ovenfor, Alkil, 2, 1945-46, s. 1233, Kjeldbæk 1997, s. 474f.).
30 Den officielle tyske meddelelse om de otte henrettelser er trykt på dansk hos Alkil, 2, 1945-46, s. 885.
31 Den officielle tyske meddelelse er trykt på dansk hos Alkil, 2, 1945-46, s. 885.
32 Den officielle tyske meddelelse er trykt på dansk hos Alkil, 2, 1945-46, s. 885f.
33 Det nævnes ikke, at også danske grupper i tysk sold strejfede i de københavnske gader.
34 De fem større modterroraktioner var sandsynligvis mod KB Hallen (18. juni, skade: 1.360.000 kr.), Domus Medica (18. juni, skade: 1.015.500 kr.), Studentergården (24. juni, skade: 468.100 kr.), Borgernes Hus (24. juni, skade: 477.700 kr.), Tivoli (25. juni, skade: 4.617.839 kr.). Bemærk at de to første store schalburgtager, alle udført af Petergruppen, faldt *før* de store sabotager i København (se endvidere tillæg 3).

*Vermerk:*
Unter Nr. 2502 nach Fuschl weitergeleitet.
Tel. Ktr., 2.7.44.

Telegramm

| | | |
|---|---|---|
| Kopenhagen, den | 2. Juli 1944 | |
| Ankunft, den | 2. Juli 1944 | 12.15 Uhr |

Nr. S 5 vom 2.7.[44.]                                                     Supercitissime!
*Dies ist Fortsetzung Drahtberichts S 4 vom 2. Juli.*

6.) Die Erregung der Kopenhagener Bevölkerung über die Sperrstunde und über die als "Schalburgtage" (nach dem nationalsozialistischen Schalburg-Korps) bezeichneten Gegensabotagen wurde von illegalen, besonders kommunistischen Kreisen zur Streikhetze benutzt; Verurteilungen und Hinrichtungen spielten hierbei kaum eine Rolle. Nachdem 4 Tage kein Sabotageakt stattgefunden hatte, wurde Sperrstunde am 29. Juni bis zur endgültigen Regelung von 20 Uhr auf 23 Uhr verlegt.[35] Dennoch führte die Streikhetze zur Arbeitsniederlegung am 30. Juni 1944. Durch rücksichtsloses Durchgreifen (Sperrung von Wasser, Gas und Elektrizität sowie Abschließung der Stadt und Zufuhrsperre) kann Widerstandswillen bereits am zweiten Tage als gebrochen bezeichnet werden.

    Arbeitsaufnahme am Montag sicher zu erwarten. Ich betrachte es als ein Glück, daß das kommunistische Vorprellen uns ermöglicht hat, in diesem Augenblick den Generalstreikversuch abzuwürgen und den Widerstandswillen der 1-Millionenstadt zu brechen, bevor er planmäßig zur Unterstützung von Feindaktionen eingesetzt werden konnte.[36]

7.) Zusammenfassend stelle ich fest, daß die bisher in Dänemark gefällten und vollstreckten deutschen Feldgerichtsurteile (auch die SS- und Polizeigerichtsurteile als Feldgerichte wie die Feldgerichte der Wehrmacht) nicht zu besonderen Reaktionen der Bevölkerung geführt haben. Für gesetzliche Urteile gegen schuldige Personen hat der Däne Verständnis.[37] Seine mangelnde Empörung über die Hinrichtung von Saboteuren ist vom Londoner Rundfunk am 13. Juni 1944 kritisiert worden.[38] Scharfe Reaktionen werden hingegen durch allgemeine Maßnahmen ausgelöst, durch die – wie durch Sperrzeiten und durch Zerstörung ihrer Vergnügungsstätten – die Masse sich zu Unrecht bestraft fühlt.

8.) Für Klarstellung, welches "rücksichtsloses und brutalstes Durchgreifen" und welche "harte Maßnahmen" im Sinne des Telegramms des Reichsführers SS vom 15. Juni

---

35 De store sabotager var der ingen af i disse dage, dog blev der forsøgt sabotage mod fabrikken Torotor (Alkil, 2, 1945-46, s. 1232).
36 Se Bests telegram nr. S 1, 1. juli 1944.
37 Jfr. Barandons telefonopringning til AA 3. juli.
38 Se *Politische Informationen* 5. juli 1944, afsnit VI.

1944 bei dieser Sachlage vom Führer gewünscht werden, wäre ich dankbar. Gegebenenfalls bitte ich um Vortrag beim Führer.

**Dr. Best**

*Vermerk:*
Unter Nr. 2503 nach Fuschl weitergeleitet.
Tel. Ktr., 2.7.44.

### 19. Werner Best an Joachim von Ribbentrop 2. Juli 1944

Best blev endnu samme dag ringet op fra AA, der bad om yderligere forklaring på hans brug af domstole i Danmark. Fortsat uden at nævne sin forordning af 24. april forklarede Best, at der ved samtalen med Hitler 30. december 1943 ikke havde været talt om, at tyske domstole ikke måtte anvendes ved sabotagebekæmpelsen. Tilfældige personer måtte ikke tages som gidsler og henrettes, men sabotører måtte godt anvendes som gidsler. Pancke og von Hanneken havde fået samme opfattelse. Og atter vendte Best tilbage til, hvad han anså for de rette midler i sabotagebekæmpelsen.

Straks efter affattelsen af dette telegram afsendte han endnu et og berettede om sin angivelige succes med at knække den københavnske befolknings modstandsvilje (Hæstrup, 2, 1966-71, s. 11, Thomsen 1971, s. 206, Rosengreen 1982, s. 109, Herbert 1996, s. 388).

Kilde: PA/AA R 29.568. RA, pk. 204. LAK, Best-sagen (på dansk). PKB, 13, nr. 768. ADAP/E, 8, nr. 91. Best 1988, s. 66f. og 1989, s. 117f.

### Telegramm

| | | |
|---|---|---|
| Kopenhagen, den | 2. Juli 1944 | |
| Ankunft, den | 2. Juli 1944 | 18.00 Uhr. |

Nr. S 6 vom 2.7.44.                                                                 Supercitissime!

Für Herrn Reichsaußenminister persönlich.
Auf Anruf vom 2. Juli teile ich im Anschluß an mein Telegramm Nr. S 4 vom 2. Juli 1944[39] mit, daß in der Besprechung beim Führer am 30. Dezember 1943 keineswegs davon die Rede war, daß in Dänemark keine deutschen Gerichte zur Bekämpfung von Sabotage usw. eingesetzt werden sollen. Wie mir der Wehrmachtsbefehlshaber Dänemark, General der Infanterie von Hanneken, und der höhere SS- und Polizeiführer, SS-Obergruppenführer Pancke, soeben bestätigt haben, ist lediglich die Exekution unbeteiligter Geiseln verboten worden. Dagegen wurde empfohlen, verurteilte Saboteure als Geiseln zu behandeln, sie bei ruhiger Lage zu begnadigen und sie bei neuen Anschlägen hinzurichten. Zusätzlich wurde als neue Maßnahme der Gegenterror befohlen.

Ich vertrete wie seit Jahren unverändert die Auffassung, daß der Kleinkrieg des Gegners nur dadurch wirksam beantwortet werden kann, daß die Saboteure usw. von den geschulten Kräften der deutschen Sicherheitspolizei gefaßt und daß sie zur Abschreckung anderer nach Kriegsrecht behandelt werden. Jede andere Maßnahme bewirkt nur einen optischen Effekt und zeitigt letzten Endes schädliche Rückwirkungen, wie die

---

39 Trykt ovenfor.

JULI 1944                                    33

Polizeimaßnahmen (Sperrstunden) und die Gegensabotage in Kopenhagen jetzt zum Streik geführt haben. Immer wieder aber wird von höheren Stellen bei jedem Vorfall gefordert, daß "rücksichtslos und brutal durchgegriffen wird," wie sich aus dem Fernschreiben des Reichsführers SS vom 15. Juni 1944[40] und aus wiederkehrenden Anrufen des Wehrmachtführungsstabes beim Wehrmachtsbefehlshaber Dänemark ergibt. Ich bitte dringend um Herbeiführung einer klaren Entscheidung, ob der Abwehrkampf unserer Sicherheitsorgane ausschließlich gegen die Werkzeuge des Feindes geführt werden soll, oder ob weiterhin Maßnahmen gegen andere Personen und Objekte getroffen werden sollen, deren Rückwirkungen in der hiesigen Bevölkerung, im Ausland und in der Feindpropaganda dann bewußt in Kauf genommen werden müssen. Auf jeden Fall aber müssen die hiesigen Verantwortungsträger davor geschützt werden, daß sie aus jedem konkreten Anlaß Befehle zu "harten Maßnahmen" erhalten, deren Durchführung ihnen dann später wieder zum Vorwurf gemacht wird.

                              Best

*Vermerk:*
Unter Nr. 2509 an Sonderzug weitergeleitet.
Tel. Ktr., 2.7.44.


### 20. Werner Best an das Auswärtige Amt 2. Juli 1944

Best indberettede om sin succes med at knuse den københavnske generalstrejke. Fra Dagmarhus betragtet var situationen i byen absolut rolig. Næste dag ville arbejdet forventeligt blive genoptaget, og som forberedelse heraf ville der søndag aften blive åbnet for de kommunale værker igen.

Best satsede i tillid til, at de danske myndigheders og ansvarlige organisationers opfordring ville blive fulgt. Til gengæld fortalte han ikke om sine forhandlinger med de danske myndigheder, og de tilbagetog, han der havde måttet acceptere for at få dem med til at udsende en opfordring til strejkens afbrydelse. Det var på den konto, at der blev åbnet for de kommunale værker igen. Best havde også krævet formanden for De samvirkende Fagforbund, Eiler Jensen, og departementschef Eivind Larsens afgang. Det havde han frafaldet mod et løfte om, at politiet til gengæld ville skride mere energisk ind over for plyndringer, ligesom forhandlingerne om dansk politis virksomhed skulle genoptages (se Bests kalenderoptegnelser 1. juli 1944).

I den "absolut rolige" by blev der 1. juli dræbt 23 og dagen efter 8 personer. Desuden blev flere hundrede såret (KB, Bergstrøms dagbog 1.-3. juli 1944 (trykt udg. s. 921-934, *Daglige Beretninger*, 1946, s. 165, Hæstrup, 1, 1966-71, s. 522-527, Herbert 1996, s. 388).

Kilde: PA/AA R 29.568. RA, pk. 204.


                        T e l e g r a m m

Kopenhagen, den            2. Juli 1944
Ankunft, den               2. Juli 1944                    18.00 Uhr

Nr. S 7 vom 2.7.[44.]                                      Citissime!

Lage in Kopenhagen absolut ruhig. Abschließung der Stadt und Sperre von Wasser, Gas

---
40 Trykt ovenfor i telegram nr. S 2, 2. juli 1944.

und Elektrizität besteht noch. Aufruf der dänischen Verwaltung, Gewerkschaften und Parteien zur sofortigen Arbeitsaufnahme ist verbreitet.[41] Allgemeine Arbeitsaufnahme morgen früh wird erwartet. Zur Vorbereitung werden heute Abend die Versorgungsbetriebe (Wasser, Gas, Elektrizität) in Gang gesetzt.

Best

*Vermerk:*
Unter Nr. 2508 nach Fuschl weitergeleitet.
Tel. Ktr., 2.7.44.


## 21. Ernst Richter: Befehl für die Auflockerung einiger Sperrmaßnahmen 2. Juli 1944

I forventning om, at de politiske bestræbelser på at få generalstrejken afblæst til 3. juli ville lykkes, lempede Richter allerede fra 2. juli om aftenen på forholdsreglerne mod befolkningen. De offentlige værker blev genåbnet.

Det var fra tysk side i sig selv en foranstaltning, der skulle bane vejen for konfliktens nedtrapning. Det initiativ havde Richter naturligvis ikke selv taget, men var besluttet ved Bests mellemkomst. Det var nødvendigt at åbne for strømforsyningen, hvis københavnerne skulle have mulighed for gennem radioen at høre opfordringerne til at genoptage arbejdet.

Kilde: BArch, Freiburg, RW 38/181. KTB/HKK, Anlage 207. RA, Danica 1069, sp. 10, nr. 11.894.


Höheres Kommando Kopenhagen
Nr. 2537/44 geh.

Anlage 207
St.Qu., 2.7.1944

Betr.: Befehl für die Auflockerung einiger Sperrmaßnahmen.

1.) Es ist auf Grund von Aufrufen dänischer Behörden und Organisationen damit zu rechnen, daß die Arbeiter am 3.7. die Arbeit in den Betrieben wieder aufnehmen werden.

2.) Es wird daher am 2.7. um 19.30 Uhr der elektrische Strom und um 22.00 Uhr die Gas- und Wasserversorgung für Kopenhagen wieder freigegeben werden.

3.) Die militärischen Wachen an den städtischen Versorgungsbetrieben (Elektrizitäts-, Gas- und Wasserwerke) bleiben trotzdem bestehen, um bei etwaiger erneuter Arbeitsniederlegung, z.B. unter kommunistischem Druck oder zur Sabotage der Deutschlandlieferungen *jederzeit* die Werke für die Versorgung Kopenhagens wieder neu sperren zu können. Ebenfalls bleiben die Truppen an der militärischen Sperrlinie am Stadtrande zunächst noch eingesetzt. Ihr Verhalten regelt sich nach Ziffer 4 und 5.

4.) Im Zuge der Arbeitsaufnahme werden am 3.7. ab 5.00 Uhr Fußgänger, Radfahrer, Pkw. und öffentliche Verkehrsmittel diese militärische Sperrlinie in beiden Richtungen passieren. Sie sind ohne Kontrolle durch die Wachen durchzulassen. Ab 13.00

---

[41] Se telegram nr. 793, 3. juli 1944.

Uhr dürfen *Fahrzeuge aller Art* durchgelassen werden. Das Verkehrsverbot für Lkw von 16.00 bis 5.00 Uhr bleibt bestehen, lediglich am 3.7. dürfen Lkw. bis 19.00 Uhr fahren.

5.) Die Sperrzeit von 23.00 bis 5.00 Uhr bleibt bestehen. Desgleichen das Verbot von Zusammenrottungen und Ansammlungen. Die Truppe hat in der Zeit von 5.00 bis 23.00 Uhr gegen demonstrative Zusammenrottungen nach dreimaliger Warnung, in der Sperrzeit von 23.00 bis 5.00 Uhr ohne vorherige Warnung einzuschreiten.

6.) Die Stützpunkte bleiben besetzt, der Streifendienst lauft wie bisher weiter.

**Richter**
Generalleutnant

*Verteiler:*
wie Verfg. Ia 2504/44 g v. 1.7.
Ohne Pz. Wagen Abt.


**22. Kriegstagebuch/Höheres Kommando Kopenhagen 2. Juli 1944**
Richter lod notere, at situationen i København var uændret, dagen var forløbet uden episoder. Strejken havde forplantet sig til enkelte byer i provinsen. Danske myndigheder og organisationer havde forhandlet med Best om en eventuel genoptagelse af arbejdet fra 3. juli om morgenen. Af den grund blev der åbnet igen for el kl. 19.30, for vand og gas fra kl. 22 2. juli.
Kilde: BArch, Freiburg, RW 38/181. KTB/HKK. RA, Danica 1069, sp. 10, nr. 11.880f.

2.7.1944
Die Lage in Kopenhagen ist unverändert. Der Tag verläuft ruhig und ohne Zwischenfälle. Die Stützpunkte im Stadtzentrum und die durch Kopenhagen fahrenden Wehrmacht-Streifen bleiben am Tage unbehelligt. Gegen Abend erfolgen einige Zusammenstöße zwischen Wehrmacht-Streifen und Menschenansammlungen in Valby und Amager, die mit Waffengewalt zerstreut werden. Hierbei treten keine eigenen Verluste ein. In Amager und Husum werden mehrere Barrikaden beseitigt.

Das I. Batl. Regt. Pier trifft um 8.45 Uhr in Kopenhagen ein und wird in der Schule Hoffmeyersvej Kopenhagen-Frederiksberg untergebracht.

Ein Propaganda Marsch der mot. Einsatzkomp. des Wach Batls. Kopenhagen über Jagtvej, Rantzausgade, Gyldenlövesgade, Farimagsgade, Österbrogade zurück zur Ing. Kaserne verläuft ohne Zwischenfälle.

Die sich auf die Provinz ausdehnende Streikbewegung hat am 1.7. zu Arbeitsniederlegungen in Helsingör und Hilleröd und am 2.7. auch an den anderen Orten Seelands geführt. Der Eisenbahnverkehr ist in ganz Seeland eingestellt, ebenfalls der Fährverkehr der dän. Fähre von Gedser nach Deutschland. An der Überführung der Bahn über die Straße von Kopenhagen nach Roskilde bei Hedehusene durch umgestürzte Eisenbahnwaggons errichtete Straßensperren werden von D VIII beseitigt. Hierbei wird ein Däne erschossen. Die vom W.B. Dän. in Marsch gesetzte Abt. leichte Panzer trifft am 2.7. um 17.30 Uhr in Roskilde ein und verbleibt dort als Reserve das Wehrm. Befh.

Die Verluste der eigenen Truppen beschränken sich auf 4 Verwundete, davon einer inzwischen verstorben. Die Verluste der Dänen werden in einem Flugblatt des dän. Freiheitrates vom 2.7. auf bisher 53 Tote und 355 Verwundete angegeben, wobei diejenigen Verwundeten in den Zahlen nicht enthalten sind, welche nicht in Lazaretten aufgenommen worden sind.[42]

Seitens der dän. Behörden und Organisationen werden Verhandlungen mit dem Reichsbevollmächtigten geführt über eine evtl. Wiederaufnahme der Arbeit am 3.7. früh.[43] Infolgedessen wird vom 2.7. 19.30 Uhr ab der elektr. Strom und von 22.00 Uhr die Gas- und Wasserversorgung für Kopenhagen wieder freigegeben, um einen Aufruf der Behörden zur Wiederaufnahme der Arbeit an die dän. Bevölkerung durch Rundfunkbekanntgeben und die öffentlichen Verkehrsmittel am 3.7. früh in Gang setzen zu können.[44]

Ebenfalls erhalten die mil. Wachen der Sperrlinie Kopenhagen West und Nord Befehl, ab 3.7. 5.00 Uhr Fußgänger, Radfahrer, Pkw. und öffentliche Verkehrsmittel in beiden Richtungen passieren zu lassen. – Herausgabe der Verfg.
I a 2537/44 geh. (Anlage 207).[45]
Kommandierung zu Lehrgängen an der H.L.S. Potsdam (Anl. 208)[46]


## 23. Kriegstagebuch/Admiral Skagerrak 2. Juli 1944

Der havde i visse "dårlige kvarterer" i København været skyderier om natten, og i nogle gader var der blevet rejst barrikader, men generelt var natten forløbet roligt. Best havde fra dansk side fået tilsagn om, at arbejdet ville blive genoptaget mandag. Det måtte vise sig. Der var truffet foranstaltninger til anholdelse af strejkehetzere. Om aftenen ville der blive åbnet for el, gas og vand igen, men værkerne forblev under tysk bevogtning.

Wurmbach var i sin indberetning til OKW og MOK Ost ikke helt sikker på, at de løfter, der var givet til Best vedrørende strejkens ophør mandag ville blive indfriet, og dermed var Seekriegsleitung forud forberedt på, at det kunne gå anderledes.

Kilde: BArch, Freiburg, RM 7/1812. KTB/ADM Dän 2. juli 1944, RA, Danica 628, sp. 3, s. 3452f. og fjernskrivermeddelelsen sst. sp. 7, nr. 5717.

Abschrift                                                                                                          Geheim
Fernschreiben von: SSD MDKP 60410 2.7. 22.00 = Mit AÜ = KR OKM 1 Skl.
GLTD KR MOK Ost für OB = KR OKM: Skl.
– Geheim – Sofort vorlegen.

Nach Erklärung Ausnahmezustand Kopenhagen am 1. Juli letzte Nacht und heutiger Tag im Allgemeinen ruhig verlaufen. In einigen Straßen primitiv errichtete Barrikaden wurden mit Artl. und Pak sofort zerstört und Anwohner gezwungen, Reste wegzuräu-

---

42 Flyvebladet fra Danmarks Frihedsråd 2. juli 1944 er ikke optaget hos Alkil, 1, 1945-46.
43 For den 2. juli 1944 noterede Best ingen møder med danskere overhovedet i sin kalender. Ikke desto mindre var han i telefonisk kontakt med Svenningsen flere gange, se nedenfor.
44 Radiobekendtgørelsen havde naturligvis ikke kunnet afvikles uden genoptagelse af strømforsyningen.
45 Trykt ovenfor.
46 Bilaget er ikke medtaget.

men. Verschiedene wilde Schießereien in üblen Vierteln. Nach Rücksprache mit W. Befh. und Reichsbevollmächtigten sind letzterem Zusagen von Dän. Seite dahingehend gemacht worden, daß Montag Arbeit wieder aufgenommen wird. Erfolg bleibt abzuwarten. Maßnahmen zu sofortige Verhaftung von Streikhetzern sind getroffen. In Verfolg der erwarteten Arbeitsaufnahme wird heute ab 20.00 h der elektr. Strom wieder freigeben und anschl. Bekanntgabe einer Erklärung der Dän. Regierung und des Höh. Kdo. Kphg., welche die Exekutive ausübt, durch Radio erfolgen. Ab 22.00 h wird gleichfalls Wasser und Gas freigegeben. Licht-, Gas- und Wasserwerke bleiben aber von Deutscher Wehrmacht besetzt. Zur Arbeitsaufnahme werden Montag früh alle Fußgänger, Radfahrer und PKW's durch Cernierungsring durchgelassen. Fahrzeuge und Lastautos, die der Versorgung der Bevölkerung dienen, werden erst zu einem Zeitpunkt durchgelassen, wenn feststeht, daß Arbeit tatsächlich wieder aufgenommen. Milit. Ausnahmezustand bleibt im übrigen voll bestehen. Streikbewegung im Raume Seeland im wesentlichen nur auf Eisenbahnlinien K[open]hagen-Korsör bzw. Gedser beschränkt. Auf Fährverbindung Warnemünde-Gedser fährt nur Deutsche Fähre Nyborg-Korsör durch Kriegsmarine (8. Sich. Div.) übernommen.
       Kommand. Adm. Skagerrak


**24. Kriegstagebuch/Seekriegsleitung 2. Juli 1944**
Strejkebevægelsen i Danmark blev også registreret hos Seekriegsleitung, hvor det blev taget som et faktum, at man fra dansk side havde *lovet* WB Dänemark og den rigsbefuldmægtigede, at arbejdet blev genoptaget den 3. juli. Derfor ville de offentlige værker blive genåbnet samme aften. Køretøjer til forsyning af befolkningen ville dog først blive frigivet, når arbejdet faktisk var genoptaget.
 Von Hanneken deltog ikke i forhandlingerne, og fra dansk side kunne man kun opfordre til genoptagelse af arbejdet, men når strejkeafslutningen skulle fremstå som en tysk sejr, måtte kendsgerningerne vige.
 Kilde: KTB/Skl 2. juli 1944, s. 34f.

[…]
Admiral Skagerrak:
Streikbewegung hat sich auf Eisenbahnverkehr in Seeland und Fünen ausgedehnt. Fährverbindung Warnemünde-Gedser erfolgt nur durch deutsche Fähre, von Nyborg nach Korsör durch Boote 8. Sich. Div. Nach Erklärung Ausnahmezustandes in Kopenhagen ist Nacht zum 2.7. und 2.7. im allgemeinen ruhig verlaufen. Einige primitive Barrikaden wurden mit Artl. und Pak zerstört und Anwohner gezwungen, Reste wegzuräumen. In einigen berüchtigten Stadtvierteln entstanden wilde Schießereien. Von dänischer Seite sind Zusagen an W. Befh. und Reichsbevollmächtigten gegcbcn, daß Arbeit am 3.7. wieder aufgenommen wird. Angeordnete Einschränkungen für Strom, Wasser, Licht, Gas und Verkehr sind daher am 2.7. abends wieder aufgehoben. Kraftwerke blieben von deutscher Wehrmacht besetzt. Fahrzeuge zur Versorgung der Bevölkerung werden erst freigegeben, wenn Arbeit tatsächlich wieder aufgenommen ist. Im übrigen bleibt Ausnahmezustand voll aufrechterhalten.
[…]

## 25. Werner Best: Besprechung mit Nils Svenningsen 2. Juli 1944

Selv om Best ikke mødtes med Svenningsen 2. juli, var de i telefonisk kontakt flere gange. Af Svenningsens referat 13. juli 1944 af drøftelserne fremgår det, at HSSPF ikke havde tænkt sig at lade mulighederne i denne for Best og danskerne kritiske situation gå fra sig. Han pressede uanset indgåede aftaler på for at få dansk politi til at påtage sig fabriksbevogtning. Best måtte mediere mellem Pancke og de danske forhandlere. Svenningsen refererede det således:

"Søndag Formiddag den 2. Juli gik Departementschef Eivind Larsen til et Møde med Politigeneral Pancke angaaende Politiets Medvirken ved Sabotagebevogtningen. Det viste sig, at General Pancke trods de Tilsagn, der Dagen i Forvejen var givet undertegnede af Hr. Duckwitz og Dr. Best, holdt fast ved Kravet om, at Politiet maatte stille faste Vagtposter paa de Fabrikker, der interesserede de tyske Myndigheder. Departementschefen afviste dette Krav som uantageligt. Resultatet af denne Samtale blev, at Forhandlingerne mellem Departementschefen og Generalen skulle fortsættes samme Eftermiddag. I Mellemtiden satte jeg mig i Forbindelse med Dr. Best, hvem jeg foreholdt det mærkelige i General Panckes Holdning paa Baggrund af, hvad Dr. Best og Hr. Duckwitz havde sagt mig Dagen i Forvejen. Jeg erindrede Dr. Best om, at jeg Lørdag Aften havde udtalt, at det eneste sikre var, at vi under ingen Omstændigheder kunne indlade os paa at stille faste Poster. Hertil havde Dr. Best stillet sig absolut forstaaende og gennem sine Udtalelser bekræftet, hvad Duckwitz tidligere havde meddelt mig, nemlig at dette Krav ikke ville blive opretholdt. Dr. Best gjorde gældende, at han jo Lørdag Aften ikke havde sluttet nogen "Vertrag", men kun givet Udtryk for sin personlige Mening. Han var stadig personlig af den Anskuelse, at de faste Poster maatte kunne undgaas, men det var det tyske Politi, der trængte paa i denne Henseende. Han ville indtrængende henstille, at Hr. Eivind Larsen under de fortsatte Forhandlinger ikke gav et Afslag. Konsekvenserne heraf ville ikke kunne overskues! "Ich garantiere für nichts, wenn ein Nein gesagt wird". Det kunne blive "das Ende der dänischen Polizei". Han mente, der maatte kunne findes en mindre paafaldende Form for de faste Poster. Det var jo ikke nødvendigt, at Politiet optraadte uniformeret. Formen var ligegyldig, naar det blot blev klart, at Politiet overtog Ansvaret "für den stationären Schutz der Betriebe", d.v.s. Ansvaret for "die saubere und ordnungsmäßige Durchführung der Maßnahmen". Senere ændrede Dr. Best dette til "die Verantwortung für die ordnungsmäßige Ausführung des stationären Schutzes". Paa Grundlag af denne Formel maatte der kunne findes en Udvej. Eksempelvis nævnte Dr. Best i denne Forbindelse, at Politiet ved Sabotagen mod "Jeko" (Nordværk) i Ryesgade fuldt ud havde gjort sin Pligt, selvom Sabotagen her var lykkedes. Politiet havde her gjort Brug af Skydevaaben, og der kunne intet bebrejdes Politiet. Man kunne ikke forlange, at Politivagten skulle kunne holde Stand overfor den meget talstærke Bande af Sabotører.

Kl. 16.40 telefonerede Dr. Best efter nu at have talt med General Pancke. Til min egen personlige Information kunne Dr. Best udtale, at General Pancke "voraussichtlich" ville være indforstaaet med en Løsning paa Basis af den førnævnte Formel. Fra tysk Side havde man forstaaet, at der var to Forhold, der var af Betydning for det danske Politi, nemlig for det første Spørgsmaalet om at stille Poster i Uniform overfor Publikum, og for det andet Omfanget af det Ansvar, Politiet paatog sig. I førstnævnte Henseende gentog Dr. Best, at Uniformen var ligegyldig. I sidstnævnte Henseende henviste han igen til Tilfældet i Ryesgade som normgivende for, hvad man med Rimelighed kunne forvente af Politiet.

Om Forløbet af disse Samtaler med Dr. Best underrettede jeg Kl. 16.45 Departementschef Eivind Larsen, inden han gik til nyt Møde med General Pancke. Det aftaltes med Departementschefen, at han skulle lægge Forhandlingen saaledes an, at der fra dansk Side blev fremhævet alt det positive, man var rede til at gennemføre, saaledes at Svaret efter de fornyede Overvejelser ikke blot blev et Nej til Kravet om de faste Poster. Heller ikke dette Møde bragte imidlertid noget Resultat, idet Generalen, selvom han ikke fastholdt Kravet om faste Poster i den oprindelige Form, dog forlangte en Ordning, hvorefter Politiet paa hver af de ca. 70 Virksomheder, der interesserede Tyskerne, skulle stille faste Vagtkommandører.

Sent Søndag Eftermiddag den 2. juli udsendtes Opraabet i den af Dr. Best accepterede Form:

"I Forstaaelse med Cheferne for Centraladministrationen og Repræsentanter for de samarbejdende politiske Partier ønsker vi undertegnede Repræsentanter for Hovedstadskommunerne samt danske Arbejds- og Erhvervsorganisationer at rette følgende Henvendelse til Befolkningen i Anledning af den Situation, som er opstaaet som Følge af den sidste Tids Begivenheder.

Arbejdsnedlæggelsen i København har bragt Hovedstadens Befolkning i en skæbnesvanger Situation. Konsekvenserne af en fortsat Strejkebevægelse er uoverskuelige. Tilførslerne af Levnedsmidler og andre

Livsfornødenheder til Hovedstaden svigter allerede og vil i Løbet af korteste Tid gaa helt i Staa. Faren for Indgreb med Virkninger af uoprettelig Karakter er overhængende. Genoprettelse af Byens normale Liv er en nødvendig Forudsætning for, at truende Ulykker skal kunne undgaas.

Alle og enhver opfordres derfor indtrængende til straks at genoptage deres daglige Gerning." (PKB, 7, s. 1860-62).


## 26. SS-Oberführer Berndt an Rudolf Brandt 2. Juli 1944
RFSS blev spurgt, om der også skulle være rigsinspektion i Danmark, Slovakiet og Rumænien efter at resultatet havde været så godt bl.a. i Ungarn. I så fald kunne det for Danmarks vedkommende være formålstjenligt at henvende sig direkte til Best, da en afgørelse fra AA kunne tage måneder.

Brandt svarede 4. juli 1944 kort, at RFSS havde besluttet, at rigsinspektion ikke skulle gennemføres i nogen af de tre nævnte lande (kilde som nedenfor nr. 259.780). Spørgeren, SS-Oberführer Berndt, synes ikke bekendt med, at det var blevet undtagelsen, at RFSS henvendte sig direkte til den rigsbefuldmægtigede i Danmark. Rigsinspektionen var blevet iværksat 1943 efter et dekret fra RFSS, hvorefter Martin Bormann, Wilhelm Keitel og Hans Lammers stod for organiseringen af den totale krigsindsats på hjemmefronten, herunder de tilknyttede og besatte områder. De skulle sørge for den mest rationelle produktion og administration. Rigsinspektionen gik 25. juli 1944 over til Goebbels (Bramsted 1965, s. 348-353), som i slutningen af 1944 besluttede at bringe den i anvendelse også i Danmark, se Goebbels til Lammers 22. januar 1945.

Kilde: RA, Danica 1000, T-175, sp. 74, nr. 259.782.

Fernschreibstelle
+ PM 4 – KR – 2.7. 14.35 DSZ =

An Standartenführer Brandt.
  Persönlicher Stab des Reichsführers-SS
  Feldkommandostelle Hochwald.

*Lieber Kamerad Brandt.*
Es erhebt sich die Frage, ob die Reichsinspektion, wie von verschiedenen Seiten angeregt, auch in Dänemark, der Slowakei und Rumänien durchgeführt werden soll, nachdem der Erfolg in Ungarn ein sehr guter war. Im Falle Dänemark wäre wohl ein Wunsch des Reichsführers an Obergruppenführer Best zweckmäßig, da wir auf diesem Wege schneller zum Ziele kommen als über das Auswärtige Amt, das zur Einholung einer solchen Entscheidung Monate braucht.
Heil Hitler<br>Ihr **Berndt**


## 27. Joseph Goebbels: Tagebuch 2. Juli 1944
Goebbels havde hørt om generalstrejken i København, men tillagde den ikke større betydning. Med henvisning til den tidligere generalstrejke i Holland mente han ikke, at "små overmætte folkeslag kunne holde vejret tilstrækkelig længe til revolutionære foranstaltninger".

Kilde: *Die Tagebücher von Joseph Goebbels*, Teil II:13, s. 41.

[...]
In Kopenhagen ist ein Generalstreik ausgebrochen. Er ist auf Treibereien bestimmter deutschfeindlicher Kreise zurückzuführen. Aber ich nehme an, daß er nicht von größerer Bedeutung sein wird. Das damalige Beispiel des holländischen Generalstreiks hat bewiesen, daß die kleinen übersatten Völker zu solchen revolutionären Maßnahmen nicht die nötige Atemlänge besitzen.
[...]


### 28. OKW: Streiklage Dänemark 3. Juli 1944
Von Hanneken afsendte to beskeder til OKW om situationen i København og Danmark i løbet af dagen, begge var beroligende. Mere beroligende end de oplysninger, han lod tilgå krigsdagbogen for dagen (se følgende).
Kilde: BArch, Freiburg, RW 4/754. RA, Danica 1069, sp. 1, nr. 361f.

WFSt / Qu. 2 (Nord)  
Nr. 007027/44 g.K. III. Ang.

3.7.1944  
Geheime Kommandosache  
7 Ausfertigungen  
[...]. Ausfertigung.

Betr.: Streiklage Dänemark. –  
Stand: 3.7.44, 8 Uhr.

### Vortragsnotiz

Elektrizitätsversorgung in Kopenhagen seit 2.7., 18.00 Uhr Gas- und Wasserversorgung seit 2.7., 22.00 Uhr wieder aufgenommen.

Straßenbahn verkehrt, nachdem Betriebspersonal die Gleisstörungen selbst wieder in Ordnung gebracht hat, seit 7 Uhr; Staatsbahn verkehrt ebenfalls seit 7 Uhr mit einigen Unregelmäßigkeiten.

Verkehrsmittel durch werktätige Bevölkerung voll ausgenutzt.

Ob dadurch überall schlagartige Wiederaufnahme der Arbeit gewährleistet, läßt sich noch nicht sagen.

Noch keine zuverlässige Meldung, ob Fährbetrieb Gedser wieder läuft.

Im Lande Ruhe.

W. Bfh. Dänemark/Ie ist der Auffassung, daß etwa um 14 Uhr eine einwandfreie Lagebeurteilung möglich ist. Demgemäß folgt neue Orientierung.


WFSt/ Qu. 2 (Nord)  
Nr. 05038/44 geh.

3.7.1944.  
Geheim

Betr.: Streiklage Dänemark.  
Stand: 3.7., 16 Uhr.

### Vortragsnotiz

Der heutige Tag steht im Zeichen energischer Bemühungen der dänischen Zentralverwaltung um Wiederaufnahme der Arbeit in allen Betrieben.

Nach anfänglichen Störungsversuchen läuft der Betrieb der Straßenbahn unter verstärkter dänischer polizeilicher Bewachung reibungslos.

Ein abschließendes Bild läßt sich noch nicht gewinnen.

Weitere Erleichterungen für Kopenhagen, insbesondere Aufhebung der Transportsperre, sind einstweilen nicht vorgesehen.

W. Bfh. Dänemark legt erneut Meldung vor, sobald er selbst ein abschließendes Bild hat.

**29. Kriegstagebuch/WB Dänemark 3. Juli 1944**
Hvad von Hanneken kunne have videregivet af oplysninger om situationen i Danmark til OKW, fremgår af krigsdagbogen. Han så tegn på, at der ville komme generalstrejke i Jylland og havde afgivet befaling om, at hvor der blev opfordret til strejke, skulle de foranstaltninger sættes i værk, som gik under kodeordet "Monsun." Mere rolig var situationen i København, men skulle den ændre sig, ville der blive sat ind.

En soldat var blevet skudt på sin post, hvilket tidligere ville have udløst alvorlige sanktioner. Nu blev det blot registreret.

"Monsun" var allerede taget i anvendelse i København og var aftalt mellem von Hanneken, Pancke og Best forud for generalstrejken (Rosengreen 1982, s. 127).

Kilde: KTB/WB Dänemark 3. juli 1944.

Die Morgenmeldung von Höh. Kdo. Kopenhagen enthält: Straßen-, S- und Eisenbahnen haben Betrieb teilweise eröffnet. Arbeiter suchen ihre Arbeitsplätze auf, mit Arbeitsaufnahme kann gerechnet werden.

Um 09.00 Uhr wöchentliche Lagebesprechung. Gegen 09.45 Uhr trifft die Meldung der 160. RD ein, daß in Esbjerg der am 2.7. durch kommunistische Flugblätter gestellten Forderung auf Arbeitsniederlegung in großem Masse Nachgekommen werde und daß gleichfalls auf Fanö 600 aus Esbjerg kommende Arbeiter nicht auf dem Arbeitsplatz erschienen sind. Es wird sofort an alle Divisionen in Jütland ein Fernschreiben folgenden Inhalts durchgegeben:

"Da Anzeichen für Generalstreik auch in Jütland vorhanden, sind befohlen:

Überall da, wo durch kommunistische Aufforderung in Betrieben (auch Eisenbahn, Straßenbahn, Post- und Telegrafenwesen) mehr als 60 % der Belegschaft streiken und eine größere Zahl der Läden schließen, sind sofort folgende Maßnahmen vorzubereiten und auf Befehl W.B. Dän. durchzuführen:

1.) Sämtliche öffentliche Versorgungsbetriebe (Gas-, Wasser-, Elektrizitätswerke, Bahnhöfe, Post- und Telegrafenämter) sind zu besetzen und still zu legen. Die technischen Leiter der Betriebe sind zur weiteren Dienstleistung unter deutscher Aufsicht zu zwingen.
2.) Die Zufahrtsstraßen sind für jeden zivilen Verkehr zu sperren.
3.) Verstärkter Streifendienst in Städten ist einzurichten, falls es zur Aufrechterhaltung der Ruhe und Ordnung erforderlich ist.
4.) Unruhestifter und Agitatoren sind festzunehmen (Verbindung mit deutscher Sicherheitspolizei aufzunehmen). Demonstrationen sind mit Waffengewalt zu unterbinden.

5.) Sperrzeit für die Bevölkerung von 23.00-05.00 Uhr.
6.) Verbot des dän. Kfz.-Verkehrs innerhalb des Sperrgebietes mit Ausnahme der dän. Polizei und vom Standortältesten besonders beauftragten Personen der dän. Behörden."

Diese Maßnahmen werden mit Stichwort "Monsun" von W.B. Dän. ausgelöst.
[...]
In der Nachmittagsmeldung des Höh. Kdos. ist enthalten:
1 Wehrm. Posten vor Wasserwerk von fahrender Straßenbahn aus erschossen, sonst ruhig,[47] Verkehrsbetriebe nach Einsatz dän. Polizei ungestört im Gange. Für den Abend ist im dän. Rundfunk die Verlesung mehrerer Aufrufe führender dän. Politiker verschiedener Lager vorgesehen. Falls daraufhin am 4.7.44 die Arbeit nicht überwiegend aufgenommen werden sollte, werden die zur Arbeitsaufnahme vorübergehend gelockerten Sperrmaßnahmen rücksichtslos durchgeführt.
[...]

### 30. Werner Best an das Auswärtige Amt 3. Juli 1944

Efter hvad Best de forudgående dage havde indberettet til AA, skulle generalstrejken være ophørt mandag 3. juli, hvis hans prestige skulle opretholdes. Han valgte derfor uagtet den faktiske situation ved middagstid at meddele AA, at situationen havde været rolig den forudgående nat, bortset fra små sammenstød i forstæderne, og at talrige "arbejdsvillige" var taget på arbejdet mandag morgen. I Bests optik var den "ulykkelige" generalstrejke brudt sammen. Vel vidende at der kunne tilflyde AA andre informationer, medgav han, at store virksomheder endnu ikke var kommet i arbejde, hvilket dels skyldtes oppositionelle kræfter, dels tekniske årsager.

Det havde været endnu en urolig nat, og opfordringen til genoptagelse af arbejdet mandag var ikke fulgt. Danske myndigheder og tysk politi havde søgt at gennemtvinge arbejdets genoptagelse, det gjaldt bl.a. sporvognstrafikken, men demonstranter havde hurtigt stoppet disse bestræbelser igen (KB, Bergstrøms dagbog 3. juli 1944 (trykt udg. s. 932-936), *Daglige Beretninger*, 1946, s. 166-168, Hæstrup, 1, 1966-71, s. 526f., Herbert 1996, s. 386f.).
Kilde: PA/AA R 29.568. RA, pk. 204.

Telegramm

| Kopenhagen, den | 3. Juli 1944 | 12.30 Uhr |
| Ankunft, den | 3. Juli 1944 | 14.45 Uhr |

Nr. 793 vom 3.7.44.                                                          Citissime!

Über die Lage in Kopenhagen berichte ich, daß die Nacht von 2. auf 3.7.1944 bis auf kleine Zusammenstöße am Stadtrand völlig ruhig verlaufen ist. Am Morgen des 3.7.44 sind zahlreiche Arbeitswillige an ihren Arbeitsstätten erschienen. Kleinbetriebe wie Bäckereien und Ladengeschäfte haben ihre Tätigkeit aufgenommen, so daß der am

---

47 Skudepisoden blev ikke registreret af BdO og gav ikke anledning til særlige tyske foranstaltninger.

Freitag, 30.6. begonnene und am Sonnabend, 1.7. lückenlos durchgeführte Generalstreik als durchbrochen bezeichnet werden kann. In den größeren Betrieben wirken noch immer oppositionelle Kräfte für den Streik. Aus diesem, wie auch teilweise aus technischen Gründen sind die Betriebe praktisch noch nicht in Arbeit. Die dänischen Gewerkschaftsführer und Politiker bemühen sich außerordentlich, in allen Großbetrieben auf die Arbeiter einzuwirken. Da der Generalstreik nicht organisiert war und die Streikenden keine Vertretung und Führung hatten,[48] bedarf es einer gewissen Zeit, bis die amorphe Masse endgültig im einen oder anderen Sinne handelt. Mit dem Kommandeur des höheren Kommandos, Generalleutnant Richter, bin ich darüber einig, daß Entschlüsse erst gegen Abend gefaßt werden können, da die Versorgungsbetriebe (Wasser, Gas, Elektrizität) noch besetzt sind und die Postierungen am Stadtrand stehen, können die seit heute früh freigegebenen Lieferungen wie auch der Verkehr über die Stadtgrenzen jeden Augenblick wieder gesperrt werden.

Ergänzend teile ich den Wortlaut des gestern verbreiteten Aufrufs der dänischen Verwaltung und Wirtschaftsverbände mit:[49]

"Aufruf an die Bevölkerung von Kopenhagen. – Im Einvernehmen mit den Chefs der Zentralverwaltung und den Repräsentanten der zusammenarbeitenden politischen Parteien wenden wir unterzeichneten Repräsentanten der Gemeinden der Hauptstadt zusammen mit den dänischen Arbeits- und Erwerbsorganisationen uns mit folgendem Aufruf an die Bevölkerung aus Anlaß der Situation, die infolge der Ereignisse der letzten Zeit entstanden ist. Die Arbeitsniederlegung in Kopenhagen hat die Bevölkerung der Hauptstadt in eine unheilvolle Lage gebracht. Die Konsequenzen eines fortgesetzten Streiks sind unübersehbar. Die Zufuhren von Lebensmitteln und anderen Lebensnotwendigkeiten für die Hauptstadt lassen bereits nach und werden im Laufe von kürzester Zeit ganz aufhören. Die Gefahr von Eingriffen nichtwiedergutzumachender Art bedroht die Stadt. Die Wiederherstellung des normalen Lebens der Stadt ist eine notwendige Voraussetzung dafür, daß das drohende Unglück abgewendet wird.

Jeder einzelne wird deshalb eindringlich aufgefordert, sofort seine tägliche Beschäftigung wieder aufzunehmen.

*Kopenhagen, den 2. Juli 1944.*

Gemeinde Frederiksberg, Gemeinde Gentofte, Gemeinde Kopenhagen, dänische Arbeitsgebervereinigung. Erwerbsrat der Arbeiter, dänische Dampfschiffsreederei-Vereinigung, Großhändler-Vereinigung. Gesamtrepräsentation für Handwerk und Industrie, Industrierat, Handwerksrat, Landwirtschaftsrat, der Geschäftsausschuß der zusammenarbeitenden Gewerkschaften
(mit Unterschriften)."
**Dr. Best**

---

48 Best så her bevidst bort fra, at Danmarks Frihedsråd kunne være repræsentant for de strejkende.
49 Trykt på dansk hos Alkil, 2, 1945-46, s. 1543f. og i *Daglige Beretninger*, 1946, s. 165f.

## 31. Werner Best an das Auswärtige Amt 3. Juli 1944

Kriegsmarine havde anmodet om beslaglæggelse af yderligere fire danske skibe. Best vendte sig imod det, idet han gjorde opmærksom på, at han havde ladet ni skibe beslaglægge fra DFDS siden januar 1944, hvoraf kun et var taget i brug. Derfor modsatte man sig fra dansk side yderligere beslaglæggelser.

UM havde lige forinden i sit memorandum af 14. juni henstillet, at Kriegsmarine ikke foretog yderligere beslaglæggelser af danske skibe.[50] Da forhandlingerne i det dansk-tyske regeringsudvalg 10. juli blev genoptaget, var en ny beslaglæggelse af danske skibe ikke på dagsordenen, men dermed havde Bests og UMs fælles bestræbelser ikke båret frugt.

Seekriegsleitung reagerede på Bests telegram 5. juli til Konrad Engelhardt (Brøndsted/Gedde, 1, 1946, s. 428, Jensen 1971, s. 239, 410).

Kilde: PA/AA R 29.568. BArch, Freiburg, RM 7/1813. RA, pk. 204. RA, Danica 628, sp. 7, nr. 5862f. LAK, Best-sagen (afskrift).

Telegramm

| Kopenhagen, den | 3. Juli 1944 | 09.55 Uhr |
| Ankunft, den | 3. Juli 1944 | 18.35 Uhr |

Nr. 795 vom 2.7.[44.]

Im Anschluß an Drahtbericht Nr. 84[51] vom 19.1.44 und Schriftbericht S Sch 3/1 vom 18.4.44, 6.5.44 und 23.6.44.[52]

Kriegsmarinedienststelle ist erneut an mich herangetreten und verlangt Beschlagnahme weiterer 4 dänischer Passagiermotorschiffe "Frem," "Hans Broge," "Aalborghus" und "Mön." Mit Ausnahme des Motorschiffes "Frem," das der Bornholmer Dampfschifffahrtsgesellschaft gehört und hinsichtlich dessen Beschlagnahme die im Schrifterlaß Ha Pol XII A 375 vom 11.2.1944[53] dargelegten Gesichtspunkte nach wie vor gelten, gehören alle Schiffe der "Forenede Dampskibsselskab."

Es ist hier bekannt, daß die zuerst von mir beschlagnahmten 4 Motorschiffe derselben Reederei noch immer nicht in Fahrt gesetzt worden sind, obwohl die Beschlagnahme bereits im Januar dieses Jahres erfolgte. Von den später beschlagnahmten weiteren 5 Motorschiffen derselben Reederei ist nach hier vorliegenden Nachrichten erst ein Schiff in Fahrt, so daß von den insgesamt 9 von dieser Reederei erfaßten Schiffen nur eines tatsächlich bisher in Benutzung genommen ist.

Diese Verhältnisse sind den Dänen bekannt, ebenso die in der letzten Zeit sehr angespannte Öllage, deren Rückwirkungen sich, wenn auch meines Wissens noch nicht bei Schiffen der Kriegsmarine, so doch bei Schiffen der freien Fahrt bemerkbar machen. Bevor daher die schon beschlagnahmten dänischen Motorschiffe nicht tatsächlich in Fahrt gesetzt sind, wird die Notwendigkeit der Beschlagnahme von weiteren 4 Diesel-

---

50 I memorandummet 14. juni 1944 vendte UM sig mod yderligere beslaglæggelser af danske skibe og bad om erstatning for de allerede beslaglagte i frie deviser eller guld (om dette memorandum, se Niederschrift ... 7. juni 1944, Ripken til Steengracht 14. juni 1944 og *Politische Informationen* 5. juli 1944, afsnit III.1). Se om beslaglæggelserne *Politische Informationen* 1. april 1944, afsnit III.4. og 1. maj 1944 afsnit III.4.
51 bei Ges. Leitner. Telegrammet er trykt ovenfor.
52 Indberetningerne af 6. maj og 23. juni er trykt ovenfor, indberetningen 18. april er ikke lokaliseret.
53 Denne indberetning er ikke lokaliseret.

motorschiffen nicht verstanden werden.

Bezüglich der betreffenden Reederei, die, falls die oben erwähnten Beschlagnahmen auch noch durchgeführt werden, nur noch ein Schiff von ursprünglich 12 hochwertigen Passagiermotorschiffen zurückbehält, verweise ich auf meine Darlegungen auf Seite 3 des Schriftberichts Sch 3/1 vom 13. März 1944.[54]

Wie ich von Ministerialdirektor Dr. Kalter höre, hat Staatssekretär Dr. von Steengracht in seiner Gegenwart dem Abteilungschef Wassard vom dänischen Außenministerium anläßlich des Besuches des letzteren in der vergangenen Woche in Berlin die Zusage gegeben, sich für die Verhinderung weiterer Beschlagnahme dänischer Tonnage einzusetzen. Es würde daher, abgesehen von den oben erwähnten Gründen, dänischerseits nicht verstanden werden, wenn man deutscherseits schon eine Woche nach der Abgabe einer solchen Erklärung zu erneuten Beschlagnahmen schreitet.

**Dr. Best**


## 32. Werner Best an das Auswärtige Amt 3. Juli 1944

Ved slutningen af mandagen måtte Best over for AA konstatere, at arbejdet kun delvist var blevet genoptaget i København, men forventeligt ville normaliseringen være indtruffet næste dag. Kendte danskere havde i radioen opfordret til indstilling af strejken, og politiet havde udvist en bemærkelsesværdig aktivitet.

Det lod sig ikke skjule, at Bests forventninger til mandag ikke var blevet indfriet, men han delte prestigetabet med de myndigheder og organisationer, der havde opfordret til strejkens ophør. Best tog de bekendte personligheders radiotaler til indtægt, men deres appel var et vidnesbyrd om, at hverken de eller Best havde kontrol over situationen.

Kilde: PA/AA R 29.568. RA, pk. 204.

T e l e g r a m m

| | | |
|---|---|---|
| Kopenhagen, den | 3. Juli 1944 | 21.20 Uhr |
| Ankunft, den | 3. Juli 1944 | 23.10 Uhr |

Nr. 796 vom 3.7.44.                                                                                              Citissime!

Über die Lage in Kopenhagen berichte ich, daß der Tag völlig ruhig verlaufen ist. Die öffentlichen Verkehrsmittel sind im Laufe des Tages nach und nach in Betrieb gesetzt worden, ebenso Telefon und Telegraph. Die dänische Polizei hat eine bemerkenswerte Aktivität entwickelt und schreitet gegen Ruhestörer und Streikhetzer ein. 19.30 Uhr richten durch den dänischen Staatsrundfunk fünf besonders bekannte Persönlichkeiten des öffentlichen Lebens noch einen eindringlichen Appell an die Bevölkerung.[55] Es sind dies der ehemalige Staatsminister Buhl, der konservative Reichstagsabgeordnete Ole Björn Kraft (Auf den Anfang Januar von nationalsozialistischer Seite ein Attentat verübt wurde),[56] der Vorsitzende der Gewerkschaften Eiler Jensen, der Vorsitzende der Arbeit-

---

54 Trykt ovenfor.
55 Gengivet på dansk hos Alkil, 2, 1945-46, s. 1544-1546.
56 Se telegram nr. 9, 4. januar 1944.

geberverbände Thomsen und der Bürgermeister Christensen. Daß diese Männer gegen den Kopenhagener Streik Stellung nehmen, ist vor allem außenpolitisch im Hinblick auf Schweden und auf die Feindpropaganda von außerordentlicher Bedeutung. Unter diesen Umständen ist damit zu rechnen, daß nachdem heute durch teilweise Arbeitsaufnahme der Charakter des Generalstreiks aufgegeben wurde – morgen die Normalisierung des öffentlichen und wirtschaftlichen Lebens in Kopenhagen stattfinden wird.

**Dr. Best**


### 33. Joachim von Ribbentrop an Werner Best 3. Juli 1944

Da Best fortsat undlod at omtale den forordning, han havde udstedt den 24. april om en SS- og Politigericht i Danmark, vakte det så megen irritation hos Ribbentrop, at det blev emnet for det første af tre telegrammer, som han sendte Best ved aftenstid 3. juli.

Ribbentrop instruerede Best om, at 24. april-forordningen omgående skulle ændres, så der blev oprettet en særdomstol under den rigsbefuldmægtigede i stedet, men denne måtte ikke træde i funktion uden Ribbentrops godkendelse. Best skulle afvente nærmere detaljer fra AA. Endelig skulle alle henrettelser af danske statsborgere indstilles.

Ribbentrops instruks er bemærkelsesværdig ved, at den gik ud fra, at der fortsat skulle gøres brug af tyske domstole i Danmark. Hitler havde 1. juli udstedt forbud mod al krigsretsforfølgelse.

Best svarede med telegram nr. 802, 4. juli (Thomsen 1971, s. 206, Rosengreen 1982, s. 110).

Kilde: PA/AA R 29.568. RA, pk. 204 og 229. LAK, Best-sagen (afskrift). PKB, 13, nr. 769.

## Telegramm

| | | |
|---|---|---|
| Fuschl, den | 3. Juli 1944 | 17.23 Uhr |
| Ankunft, den | 3. Juli 1944 | 18.30 Uhr |

Nr. 1430 vom 3.7.44.     Citissime!
RAM 705/44 R

1.) Telko.
2.) Diplogerma Kopenhagen
    Für Reichsbevollmächtigten persönlich.

Die von Ihnen am 24.4.1944 erlassene Verordnung über die deutsche Strafgerichtsbarkeit in Dänemark gegen Zivilpersonen, die nicht dem Gefolge der deutschen Wehrmacht angehören, ist umgehend dahin abzuändern, daß die bisherige Zuständigkeit des SS- und Polizeigerichts in Kopenhagen auf ein Sondergericht des Reichsbevollmächtigten übergeleitet wird. Einzelheiten werden vom Auswärtigen Amt mitgeteilt.

Es ist sicherzustellen, daß das Feldsondergericht nicht ohne meine vorherige ausdrückliche Genehmigung in Tätigkeit tritt.

Im übrigen ist jede Vollstreckung von Urteilen an dänischen Staatsangehörigen auszusetzen.

**Ribbentrop**

*Vermerk:*
Unter Nr. 748 an Diplogerma Kopenhagen weitergeleitet.
Telko, 3.7.44.


### 34. Joachim von Ribbentrop an Werner Best 3. Juli 1944
Ribbentrop bad få minutter efter afsendelsen af foregående telegram om omgående svar på, hvorfor Best havde ladet otte sabotører henrette uden at indhente Ribbentrops godkendelse.
  Best svarede ikke omgående, men næste formiddag med telegram nr. 803.
  Henrettelsen den 29. juni af de otte modstandsfolk, der alle var medlemmer af Hvidsten-gruppen, blev ikke ledsaget af en tysk meddelelse om, at det skete som gengæld for en netop gennemført sabotage[57] (Hæstrup, 2, 1966-71, s. 10, Thomsen 1971, s. 205, Rosengreen 1982, s. 110).
  Kilde: PA/AA R 29.568. RA, pk. 204 og 229. LAK, Best-sagen (afskrift). PKB, 13, nr. 770.

### Telegramm

| | | |
|---|---|---|
| Fuschl, den | 3. Juli 1944 | 17.26 Uhr |
| Ankunft, den | 3. Juli 1944 | 18.30 Uhr |

Nr. 1431 vom 3.7.44.                                                         Citissime!
BRAM 704/44 R

1.) Telko
2.) Diplogerma Kopenhagen
    Für Reichsbevollmächtigten persönlich.

Auf Nr. 788[58] vom 29.6.
  Ich bitte um umgehende Meldung, warum Sie nicht vor Vollstreckung der Todesurteile gegen die 8 Saboteure hier angefragt und meine Weisung eingeholt haben, bevor Sie diese Maßnahme durchführten.

                                        **Ribbentrop**

*Vermerk:*
Unter Nr. 749 an Diplogerma Kopenhagen weitergeleitet.
Telko, 3.7.44.


### 35. Joachim von Ribbentrop an Werner Best 3. Juli 1944
Ribbentrop sendte et tredje telegram få minutter efter de to foregående, hvis indhold i alvor overskyggede de to foregående. Hitler var stærkt kritisk over for Best hidtidige politik. – Det kunne næppe være værre. – Hitler ville ikke have skabt martyrer ved at sabotører gennem en retsinstans blev henrettet, de skulle regelret

---

57 Meddelelsen er trykt på dansk hos Alkil, 2, 1945-46, s. 889.
58 bei Pol. VI. Telegrammet er ikke lokaliseret, men har indeholdt Bests meddelelse til AA om, at henrettelserne var foretaget.

ombringes. Det havde Hitler også meddelt på mødet 30. december 1943, men alligevel havde Best ladet sabotører dømme og henrette. Ribbentrop ville have et hurtigt svar.

Der kendes ikke noget skriftligt svar fra Best, der næste dag blev kaldt til førerhovedkvarteret (Hæstrup, 2, 1966-71, s. 10f., Thomsen 1971, s. 206, Rosengreen 1982, s. 108, Herbert 1996, s. 388).

Kilde: PA/AA R 29.568. RA, pk. 204. LAK, Best-sagen (på dansk). PKB, 13, nr. 771. ADAP/E, 8, nr. 93.

## Telegramm

| Fuschl, den | 3. Juli 1944 | 17.28 Uhr |
| Ankunft, den | 3. Juli 1944 | 18.30 Uhr |

Nr. 1432 vom 3.7.44.                                          Citissime!
RAM 703/44 R                          Geh. Vermerk für geheime Reichssachen.

1.) Telko.
2.) Diplogerma Kopenhagen.
    Für Reichsbevollmächtigten persönlich.

Auf Grund der Berichte über die Lage in Dänemark hat der Führer sehr scharfe Kritik an Ihrer bisherigen Politik gegenüber den Dänen geübt. Der Führer äußerte, daß an der Entwicklung in Dänemark die Einrichtung von Gerichten Schuld trage. Zu Ihrem Bericht über die Hinrichtung von 8 Saboteuren bemerkte der Führer, daß dies eine psychologisch durchaus unrichtige Maßnahme gewesen sei. Es hätte vermieden werden müssen, Märtyrer zu schaffen. Wenn man anstelle der Erschießungen die Sabotageakte nur durch Gegenterror bekämpft hätte, wäre die jetzige Entwicklung nicht eingetreten. Das richtige Verfahren sei, bei einem Sabotageakt sofort einen Antiterror zu organisieren, so z. B. daß ein Auto vorfahre und die Saboteure einfach umlege. In der napoleonischen Zeit seien zahlreiche Deutsche von Franzosen erschossen worden, aber nur Palm und Andreas Hofer, denen man einen regelrechten Prozeß gemacht habe, seien zu Märtyrern geworden. Ebenso seien z. B. aus Augsburg allein 7 Deutsche im Ruhrkampf von den Franzosen verschleppt worden und nicht mehr wiedergekommen. Als Märtyrer würde aber von uns nur Leo Schlageter gefeiert, den die Franzosen regelrecht aburteilten.

Der Führer äußerte, daß er Ihnen dies auch seinerzeit in einer Besprechung, bei der ich nicht zugegen war, ausdrücklich mitgeteilt habe.[59] Sie hätten aber nunmehr doch Saboteure verurteilen und hinrichten lassen.

Ich bitte um sofortigen ausführlichen Bericht, insbesondere zu der Frage, warum Sie entgegen der Weisung des Führers die Sabotagetätigkeit nicht nur mit Gegenterror, sondern auch noch durch gerichtliche Verfahren bekämpft haben.

                                          Ribbentrop

*Vermerk:*
Unter Nr. 752 an Diplogerma Kopenhagen weitergeleitet.
Telko, 3.7.44.

---

59 På mødet med Hitler 30. december 1943. Se Bests kalenderoptegnelser 30. december 1943 og telegram nr. 20, 5. januar 1944.

## 36. Paul Barandon an das Auswärtige Amt 3. Juli 1944

Hencke videregbragte indholdet af en telefonsamtale, han havde haft samme dag med Barandon i København. Telefonsamtalen fandt sted på det tidspunkt, hvor Best selv samtidig fremsendte et telegram til AA om situationen i København. Denne dobbeltindberetning var helt usædvanlig. Barandon indberettede ellers kun til Berlin i Bests fravær. Barandons indberetning var ikke et snigløb af Best, selv om Barandon mere utvetydigt end Best overfor AA gjorde det klart, at situationen i København ikke var faldet til ro. Det var imidlertid ikke Barandons hovedbudskab. I lighed med Best pegede han på modterroren som årsag til generalstrejken.

Opringningen var en støtte til Best over for AA.

Kilde: LAK, Best-sagen (afskrift).

U.St.S. Pol. 218.                                                      *Berlin, den 3. Juli 1944.*
Eilt sehr.

Gesandter Barandon rief mich heute 12.30 Uhr aus Kopenhagen an und teilte mir folgendes mit:

Die Lage in Kopenhagen habe sich noch nicht beruhigt. Der Streik, der heute früh abzulaufen schien, belebe sich wieder. So hätten die Straßenbahnen den Verkehr wieder eingestellt, weil das Personal bedroht worden wäre.

Als seinen persönlichen Eindruck teilte Hr. Barandon weiterhin mit, daß die Ursache des Streiks nicht in den Hinrichtungen von Saboteure usw. liege, weil die dänische Öffentlichkeit für Gerichtsurteile und ihre Vollstreckung Verständnis aufbringe. Dagegen sei der Anblick der zerstörten Gebäude auf der Langelinie sowie das "Tivoli" ein ständiger Anlaß zur Erregung.

Diese Eindruck des Gesandten Barandon deckt sich mit der Lagebeurteilung durch den Reichsbevollmächtigten, Dr. Best.

Hiermit über den Herrn Staatssekretär den Büro RAM mit der Bitte um Unterrichtung des Herrn Reichaußenminister übersandt.

(gez.) **Hencke**

## 37. Erich Albrecht an Werner Best [3.] Juli 1944

Albrecht forelagde 30. juni Ribbentrop et udkast til et svar til Best vedrørende tysk krigsretsforfølgelse af civile i Danmark (trykt ovenfor).

Det er muligvis identisk med dette udaterede udkast. Om det er blevet afsendt er uvist.

Albrecht fremsatte sine kommentarer til de enkelte punkter i det udkast, som tidligere var blevet fremsendt fra OKW 25. april 1944.

Kilde: PA/AA R 29.568. RA, pk. 204.

T e l e g r a m m

... Juli [194]4

Reichsbevollmächtigten
   ... Kopenhagen

Der vom Rechtsberater Militärbefehlshabers vorbereitete Entwurf einer neuen Verordnung über deutsche Strafgerichtsbarkeit in Dänemark gegen Zivilpersonen hat Herrn Reichsaußenminister vorgelegen.

Gegen § 1 und § 2 Abs. (1) bestehen keine Bedenken.

Im Vorspruch sind die Worte: "im Einvernehmen mit dem Chef OKW und mit dem Reichsführer SS" überflüssig und daher zu streichen.

Für § 2 Abs.(2) und (3) erscheint folgende Fassung richtig:

"(2) Im übrigen geht die Zuständigkeit der Wehrmachtsgerichtsbarkeit zur Aburteilung von Zivilpersonen, die nicht zum Gefolge der Deutschen Wehrmacht gehören, auf das von mir eingesetzte Feldsondergericht in Kopenhagen über.

(3) Im Einvernehmen mit dem Wehrmachtsbefehlshaber kann die Zuständigkeit der Gerichte im Einzelfall abweichend geregelt werden."

§ 3 ist als überflüssig zu streichen.

Durch eine gesonderte Verfügung des Reichsbevollmächtigten wäre anzuordnen, daß das Feldsondergericht aus den vom Höheren SS- und Polizeiführer zu benennenden Mitgliedern gebildet wird und sein Verfahren sich nach den für die Wehrmachtsgerichte geltenden Bestimmungen richtet, wobei das Gnadenrecht dem Reichsbevollmächtigten vorbehalten bleibt.

**Albrecht**


### 38. Kriegstagebuch/Höheres Kommando Kopenhagen 3. Juli 1944

Richter noterede, at en stor del af den københavnske befolkning fulgte opfordringen til at genoptage arbejdet. I løbet af formiddagen fik strejkehetzere en del arbejdere til at nedlægge arbejdet igen, ligesom sporvejstrafikken blev stoppet en tid efter trusler, for siden at blive genoptaget under politibeskyttelse. Folk opholdt sig på gader og parker uden at arbejde. Kun få butikker havde åbent. Der blev igen forhandlet mellem Best og danske myndigheder og de politiske organisationer for at få arbejdet i gang. Det førte til nye proklamationer til befolkningen om at genoptage arbejdet.

Kilde: BArch, Freiburg, RW 38/181. KTB/HKK. RA, Danica 1069, sp. 10, nr. 11881f.

3.7.1944

Der durch Rundfunk und Maueranschlag bekanntgegebene Aufruf der dän. Behörden und Organisation zur Wiederaufnahme der Arbeit wurde einem großen Teil der Kopenhagener Bevölkerung befolgt. Die S-Bahnen und Straßenbahnen hatten am 3.7. gegen 7.00 Uhr den Verkehr teilweise aufgenommen. Die zu den Betrieben gekommenen arbeitswilligen Leute kehrten jedoch im Laufe des Vormittags wieder zurück, da sie durch Streikhetzer und Streikposten an der Wiederaufnahme der Arbeit gehindert und zur Fortsetzung des Streiks aufgefordert wurden. Die Haltung der Arbeiter war unschlüssig und setzte den Streikparolen der Hetzer keinen Widerstand entgegen. Da die Straßenbahnen an verschiedenen Stellen der Stadt mit Steinen beworfen und die Passanten von kommunistischen Hetzern bei der Benutzung der öffentlichen Verkehrsmittel bedroht wurden hörte im Laufe des Vormittags der Verkehr der Straßenbahnen wieder auf.

Gegen 9.00 Uhr wurde der Wachtposten der 1./D XI am Wasserwerk in der Borupsallee aus einer vorüberfahrenden Straßenbahn erschossen. Der Täter entkam.[60]

60 Se KTB/WB Dänemark 3. juli 1944.

Auf Veranlassung der Stadtverwaltung Kopenhagen wurde gegen Mittag der Straßenbahnverkehr unter Schutz der dän. Polizei wieder aufgenommen und wickelte sich zusammen mit dem S-Bahn Verkehr im Verlauf des restlichen Tages normal ab.

Die Lage in Kopenhagen war ruhig. Die Bevölkerung hielt sich auf den Straßen und in den Parkanlagen auf, ohne jedoch zu arbeiten. Nur wenige Geschäfte hatten geöffnet. Straßen- und S-Bahnbetrieb zeigten am Nachmittag normal Besetzung.

Die Streikbewegung hatte auch auf Vordingborg und Ringsted übergriffen, wo die Geschäfte geschlossen hielten. Ebenfalls wurde in Esbjerg und einigen anderen Städten Jütlands gestreikt.

Auf Grund neuer Verhandlungen des Reichsbevollmächtigten mit den Vertretern der dän. Behörden und der politischen Organisationen[61] wurden am Abend Aufrufe angesehener Persönlichkeiten des dän. öffentlichen Lebens an die Bevölkerung bekanntgegeben, in welchen unter Hinweis auf die unübersehbaren Folgen der Fortführung eines Streiks zur Besonnenheit und Wiederaufnahme der Arbeit ermahnt wurde.[62]

Im Gegensatz zu den Vortagen zeigte das Stadtbild am 3.7. abends ein vollständig ruhiges Bild. Irgendwelche Schießereien von beiden Seiten wurden nicht gemeldet.

### 39. Kriegstagebuch/Admiral Skagerrak 3. Juli 1944

Strejkesituationen i København og på Sjælland havde kun bedret sig lidt. Best håbede ved hjælp af radiotaler af fremtrædende danskere at få arbejdet i gang tirsdag. Blev det ikke tilfældet, ville forsyningen af gas, vand og el igen blive afbrudt, og levnedsmiddelforsyningen til byen blive stoppet. Personligt var Wurmbach skeptisk over for Bests opfattelse af situationen. Selv om der var vilje til at genoptage arbejdet, øvede de kommunistiske terrorister en aktivitet, som ikke skulle undervurderes, hvortil kom, at dansk politi som ventet havde sagt fra.

Wurmbach lod det klart komme frem, at han ikke på samme måde som Best troede at kunne få fuld kontrol over situationen gennem forhandlinger med og opfordringer fra danske myndigheder.

Kilde: KTB/ADM Dän 3. juli 1944, RA, Danica 628, sp. 3, s. 3455-57 og fjernskrivermeddelelsen sst. sp. 7, nr. 5718 samt BArch, Freiburg, RM 7/1812.

Allgemeines:
I.) Zur Streiklage Kopenhagen gebe ich folgenden Bericht an OKM 1. Skl., MOK Ost und 8. Sich. Div.:
1.) Streiklage Kopenhagen und Seeland hat sich heute nur leicht gebessert. Straßen- und Vorortsbahnen fahren seit Mittag beschränkt wieder, nachdem in frühen Morgenstunden die ersten Bahnen mit Steinen beworfen wurden. Eisenbahnpersonenverkehr in Seeland einschließlich Fähren z.T. mit erheblichen Verspätungen wieder aufgenommen. Güterverkehr ruht jedoch vollkommen. Läden sind alle geschlossen. Die in Kopenhagen eingesetzte 5. MLA hat in ihrem Schutzbereich (Werftviertel) einige Barrikaden zerstört und verbotene Ansammlungen beschossen.

---

61 Best havde den 3. juli møder med Svenningsen og Vilh. Buhl, ikke andre danske (Bests kalenderoptegnelser 3. juli 1944, Hæstrup, 1, 1966-71, s. 526f.).
62 De danske politikeres og organisationsfolks radiotaler 3. juli om aftenen er udførligt gengivet hos bl.a. Frisch, 3, 1948, s. 168-171.

2.) Reichsbevollmächtigter erhofft durch weitere Rundfunkansprachen führender Dänen morgen Ankurbelung der Arbeit. Sollte sich diese Hoffnung nicht erfüllen, so werden wiederum schärfere Maßnahmen wie Abstellen von Licht, Wasser und Gas, strenge Absperrung der Stadt gegen Lebensmittelzufuhr pp. einsetzen.

3.) Bin für meine Person ebenso wie gestern skeptisch gegenüber Lagebeurteilung durch Reichsbevollmächtigten. Wenn, wie schon gemeldet, Arbeitswille der Massen auch anerkannt wird, so ist andererseits Terror der kommunistischen Aktivistengruppe nicht zu unterschätzen, zumal dänische Polizei, wie erwartet, völlig versagt. Querverbindung der Aktivisten zum feindlichen ND offensichtlich (vergl. auch Flugblätter des Freiheitsrates, worin auf Sonderartikel der "Times" hingewiesen wird, die diesen Beitrag Dänemarks zum Kampf gegen Deutschland besonders begrüßt,[63] vergl. ferner den Aufruf der Studentenvereinigung, der zum weiteren Streik aufruft.

4.) Aus gleicher Angst vor dem Terror ist in Esbjerg das Gas- und E-Werk stillgelegt worden.[64] Von 500 Fischkuttern sind nur 50 ausgelaufen.

5.) Da auch sonst in Jütland Anzeichen für Generalstreik vorhanden, hat Wehrmachtbefehlshaber Dänemark soeben nach Vorgang Kopenhagen Ausführungsbestimmungen zur Abwehr erlassen.[65]

[…]

12.00 h

Lage an MOK Ost:

1.) Trotz vorhandener Arbeitswilligkeit ist es unterirdischen Sabotagegruppen, hinter denen anscheinend ausländischer ND steht, gelungen, die Arbeitsaufnahme in Kopenhagen durch Terror bisher zu verhindern. Streik teilweise auf auswärtige Gebiete ausgedehnt, z.B. Esbjerger Fischer und Esbjerger Eisfabrik.

[…]

63 Et sådant flyveblad er ikke lokaliseret fra generalstrejkedagene.
64 Strejken i Esbjerg indledtes 3. juli fra morgenstunden, og den blev af von Hanneken besvaret med indførelse af spærretid, forbud mod bilkørsel, besættelse af posthuset og telefoncentralen, samt afbrydelse af gas, vand og el. Det var aktion "Monsun" omsat til provinsen. Strejken forplantede sig til en række byer, bl.a. Grindsted og Ribe og talrige byer i Østdanmark, mens det lykkedes tyskerne at kvæle tilløbet til strejke andre steder, bl.a. i Varde (KB, Herschends dagbog nr. 112, 3. juli og nr. 113, 4. juli 1944 (med en beretning om strejkeforløbet og forhandlingerne om at få de tyske forholdsregler ophævet i Esbjerg), KTB/WB Dänemark 4. juli 1944, *Information* 5. og 6. juli 1944, Henningsen 1955, s. 225-228, Trommer 1973, s. 238-245, Bjørnvad 1988, s. 222-224).
65 Strejken i Esbjerg var eksempel på, at "Monsun" delvis blev taget i anvendelse i provinsen, men også at der ikke blev grebet til en militær indeslutning af byen. I en samtale med amtmand Peder Herschend 3. juli 1944 sammenlignede von Hanneken forholdet mellem Esbjerg og København, og bemærkede "vedrørende København, at hvis forholdene ikke ordnes 100 % inden Kl. 12 i Morgen, vil Tilførslerne til København blive standset i 14 Dage. Saadanne Forholdsregler var der foreløbig ikke Tale om for Esbjergs Vedkommende." (Herschends telefontelegram nr. 70, 3. juli 1944, kl. 20.20 til Nils Svenningsen o.a. (KB, Peder Herschends arkiv, bd. med telegrammer)).

**40. OKM an das Auswärtige Amt 3. Juli 1944**
OKM meddelte AA, at betalingen for brugen af de hidtil 10 beslaglagte danske skibe ville ske i danske kroner og ikke i fri devise, som ønsket fra dansk side. Endvidere ville de danske krav til betaling for skibene ikke blive imødekommet, men størrelsen ville ensidigt blive fastsat af Kriegsmarine.[66] Der blev gjort opmærksom på, at rederne hidtil ikke havde tjent noget på de oplagte skibe, og at de heller ikke skulle forvente at komme til at score en stor gevinst i kraft af den øjeblikkelige krigskonjunktur.
 Konrad Engelhardt fra Kriegsmarines skibsfartsafdeling tog stilling i sagen over for 1. Skl. 10. juli 1944.
Kilde: PA/AA R 105.212. BArch, Freiburg, RM 7/1813. RA, pk. 281. RA, Danica 628, sp. 7, nr. 5849f.

Oberkommando der Kriegsmarine                                    *Berlin, den 3. Juli 1944.*
B-Nr. 1. Skl. I i 24 814/44

An das Auswärtige Amt
 Berlin.

Vorg.: Ha Pol XI 1520/44 vom 24.6.44.[67]
Betr.: Beschlagnahme aufgelegter dänischer Tonnage.

Der Vorgang betreffend die durch das dänische Außenministerium für die bisher beschlagnahmten 10 dänischen Schiffe geltend gemachten Vergütungen von jährlich insgesamt 9.440.000 dän. Kr., ist an die Schiffahrtsabteilung (Skl. Adm. Qu VI) weitergeleitet worden. Von dieser Stelle wird auch die Frage beantwortet werden, ob das eine oder andere Schiff in absehbarer Zeit wieder entbehrlich wird.
 Zu der Auffassung des dänischen Außenministeriums, daß die laufenden Vergütungen in freien Devisen (Schweden-Kronen und Schweizer Franken) zu zahlen sind, wird schon jetzt bemerkt, daß der Zweck der Beschlagnahme gerade mit gewesen ist, derartige freie Devisenansprüche ~~in noch dazu nichtdänischer Valuta~~ auszuschließen.
 Zur Höhe der geltend gemachten Ansprüche ist zu sagen, daß die Vergütungen von der deutschen Kriegsmarine nach pflichtgemäßem, eigenem Ermessen festzusetzen sind, nachdem eine vertragliche Einigung mit der Reedern nicht zustandegekommen ist und daher zur Beschlagnahme der Fahrzeuge geschritten werden mußte. Die von den Reedern genannten Beträge für den Totalverlustfall sowie für die monatlichen Vergütungen sind daher lediglich einseitige Parteibewertungen. Bei Festsetzung der Beträge durch die Kriegsmarine dürfte kaum wesentlich über die Wertmaßstäbe hinausgegangen werden, die gegenüber den deutschen Reedern sowie den Schiffseignern in den übrigen besetzten Gebieten zur Anwendung gelangen. Hierbei wird auch zu berücksichtigen sein, daß die dänischen Reeder mit ihren bisher aufliegenden Fahrzeugen überhaupt nichts verdient haben und daß sie nicht erwarten dürfen, nur durch die gegenwärtige Kriegskonjunktur bedingte Übergewinne zu ziehen, zumal Deutschland den europäischen Abwehrkrieg mit im Interesse aller europäischen Völker führt.
                                            Im Auftrage
                                            gez. **Mayer**

66 Best havde 22. januar 1944 foreslået AA, at Ludwig fra RWM blev inddraget ved prisfastsættelsen. Det var ikke blevet taget til følge.
67 Skrivelsen er ikke lokaliseret. Se Bisses notits 23. juni.

## 41. Werner Best: Kalenderaufzeichnung 3. Juli 1944

Situationen på tysk side havde ændret sig fra dagen før. Den københavnske befolkning havde ikke ladet sig true på arbejde. Bests bestræbelser gik nu ud på for enhver pris at få strejken afsluttet. Han kom ganske vist med trusler om at lukke igen for gas, vand og el, men væk var alle forsøg på at slå politisk mønt af situationen. Heller ikke HSSPF forfulgte længere ønskerne vedrørende dansk politi. I stedet påtog han sig at lægge en dæmper på Schalburgkorpset, mens Best ivrede for at få indflydelsesrige danske personligheder til i radioen at opfordre til strejkens afslutning. Han krævede også, at dansk politi tog kraftigt fat på de danske terrorister, et krav fremsat først og fremmest for ikke fuldstændigt at tabe ansigt. Det var ikke svært at opfylde for Svenningsen, som 13. juli 1944 refererede dagens drøftelser som følger:

"Kl. 9.50 telefonerede Dr. Best for at drøfte Situationen med undertegnede. Han anbefalede følgende Foranstaltninger:

1.) at en indflydelsesrig Personlighed, f.eks. Hr. Eiler Jensen eller endnu bedre Folketingsmand Buhl holdt en Radiotale, hvori toges Afstand fra Strejken, og hvori Strejkebevægelsen blev stemplet som kommunistisk; dette ville politisk placere Danmark paa en udmærket Maade;

2.) at de enkelte Fagforeningsledere personlig tog ud paa de vigtigste Arbejdspladser for at tale Arbejderne til Rette;

3.) at Politiet tog kraftigt fat overfor alle Terrorister.

Strejken maatte hurtigt hæves. Dersom Arbejdet ved Middagstid ikke var genoptaget, ville de militære Myndigheder træffe Beslutning om, hvad der yderligere skulle ske. Dr. Best bebudede, at der paany ville blive spærret for Gas, Vand og Elektricitet, og dersom det kom hertil, kunne vi være forvisset om, at der først igen ville blive lukket op, naar Arbejderne var mødt paa Arbejdspladserne.

Med Hensyn til Punkt 1 bemærkede jeg, at der maaske nok kunne arrangeres en Radiotale, men at det var fuldstændig udelukket at stemple Strejken som kommunistisk. Noget saadant ville ikke have den rette Virkning.

Efter at have talt med Folketingsmand Buhl, Departementschef Eivind Larsen og Forbundsformand Eiler Jensen ringede jeg paany til Dr. Best og forklarede ham, at hans Anbefalinger under Nr. 2 og 3 allerede paa Forhaand var imødekommet, og at Spørgsmaalet om en Radiotale nu blev overvejet. Jeg gjorde Dr. Best opmærksom paa Betydningen af, at de tyske Tropper udviste Tilbageholdenhed, og henviste endvidere til, at Schalburg-Korpsets Optræden i denne Situation var af yderst uheldig Virkning. Dr. Best erklærede, at han ville gaa ind for, at Tropperne viste "Zurückhaltung im Rahmen des für die Sicherheit möglichen". Hvad angik Schalburg-Korpset, erklærede han, at dette Korps under ingen Omstændigheder var bragt til Indsats, og at Medlemmerne af Korpset havde strengt Paalæg om ikke at vise sig i Uniform paa Gaden. Dr. Best ville være interesseret i at modtage Meldinger fra dansk Side om Tilfælde, i hvilke Korpsets Medlemmer maatte overtræde denne Befaling. Disse Udtalelser af Dr. Best kunne jeg gøre Brug af under de interne danske Forhandlinger, de maatte blot ikke offentliggøres. Dr. Best tilføjede, at General Pancke personlig havde arresteret en Schalburgpatrulje, der i Strid med de givne Ordrer var kørt rundt paa Vejene i Hellerup. Under en Samtale lidt senere paa Formiddagen udtalte Dr. Best, at Virksomhederne i Løbet af Dagen paa synlig Maade maatte komme i Gang. "Es muß klar in Erscheinung treten, daß die Betriebe nicht mehr im Streik sind, sondern daß der ganze Streik am 3. Juli beendet ist". Han gentog Truslen om Lukning for Vand, Gas og Elektricitet.

I Anledning af Dr. Bests Opfordring til de tyske Myndigheder om at indberette Tilfælde, hvor Schalburgfolk overtraadte det ovennævnte Forbud, rettede Udenrigsministeriet samme Dag ved Afdelingschef Hvass en Henvendelse til Obergruppenführer Pancke, hvem Hr. Hvass forelagde en Række Meldinger fra det danske Politi om Episoder, hvor Schalburgfolk havde gjort sig skyldige i Udskejelser af forskellig Art. Obergruppenführer Pancke bekræftede overfor Hr. Hvass, hvad Dr. Best tidligere havde meddelt mig om, at det var Schalburgfolkene forbudt under de nuværende Forhold at vise sig i Uniform paa Gaden.

Efter Samtalen med Overborgmesteren, der oplyste, at de tyske Myndigheder havde truet med at arrestere vedkommende Borgmester og Fagforeningsleder, dersom Sporvognene ikke paany kom i Gang, kunne jeg ved Middagstid meddele Dr. Best, at Københavns Magistrat nu havde udstedt en Ordre om, at Sporvognene uden Hensyn til Konsekvenserne omgaaende skulle genoptage Kørslen, og at der var truffet Aftale mellem Sporvognene og Politiet om, at hver Sporvogn ville blive bemandet med en eller to Politibetjente til Beskyttelse mod Terrorhandlinger." (PKB, 7, 1862f.).

Montag, 3. Juli 1944
Vormittags im Dagmar-Haus.
Morgenbespr. gem. Vert 1.[68]
Bespr. mit:
Major Dr. Müller. Landesgruppenleiter Dalldorf. Schiffahrtssachverst. Duckwitz. SS-Ogruf. Pancke. SS-Stan. Bovensiepen, SS-Stubaf. Dr. Hoffmann.
Mittags: zu Hause. Bespr. mit Dir. Svenningsen.
Nachmittags im Dagmar-Haus.
Bespr. mit:
Staatsminister a.O. Buhl, Duckwitz. Major Dr. Müller, Major Dr. Dyrssen, SS-Ogruf. Pancke, Oblt. Mayr. – Oberf. Dr. Kröger, SS-Stubaf. Boysen.
Abends: SS-Staf. Bovensiepen bei mir.

## 42. Joseph Goebbels: Tagebuch 3. Juli 1944

Generalstrejken i København fortsatte, men Goebbels fæstede ikke lid til de alarmerende meldinger fra Reuters Bureau. Med danskernes gemytlige livsindstilling regnede han ikke med, at de ville styrte sig ud i det håbløse eventyr at tage et opgør med værnemagten.

Kilde: *Die Tagebücher von Joseph Goebbels*, Teil II:13, s. 46f.

[...]

Die Lage in Kopenhagen hat sich etwas versteift. Der Generalstreik hält immer noch an. Allerdings sind die bereits den Tatsachen vorauseilenden alarmierenden Meldungen, die Reuter darüber verbreitet, in keiner Weise richtig. Ich glaube auch nicht, daß es in Kopenhagen zu ernsten Verwicklungen kommen wird. Die Dänen sind zu gemütlich und zu lebensgeniesserisch, als daß sie sich in ein haltloses Abenteuer mit der deutschen Wehrmacht hineinstürzen würden.

[...]

## 43. Kriegstagebuch/WB Dänemark 4. Juli 1944

WB Dänemark gav til OKW udtryk for en opfattelse af strejken i København, som Best samtidigt og senere forfægtede: at den var brudt betingelsesløst sammen. Strejken i Esbjerg, forventede han, ville ophøre dagen efter.

Von Hannekens forventning til strejkens ophør i Esbjerg var ikke ubegrundet. Han havde selv været inddraget i forhandlingerne derom, og allerede 3. juli om aftenen var der blevet åbnet for de offentlige værker igen, mens spærretiden blev fortsat. Esbjerg var den eneste af de strejkende jyske byer, hvori "Monsun" blev taget i anvendelse. I de øvrige strejkende byer blev der alene indført spærretid, lavet vejspærringer, stoppet for trafik og indført øget tysk patruljering. Sidstnævnte i en aggressiv og provokerende form, som Grindsted var et eksempel på. Der blev uden videre skudt ind ad åbentstående vinduer under spærretiden (KB, Herschends dagbog nr. 112, 3. juli, nr. 113, 4. juli og nr. 117, 5. juli 1944, *Information* 6. juli 1944).

Kilde: KTB/WB Dänemark 4. juli 1944.

---

68 Verteiler 1 = Medarbejdergruppe 1, som bestod af Barandon, Stalmann, Ebner, Martinsen og Pancke.

[...]
Tagesmeldung: "Streik in Kopenhagen und auf dän. Inseln trotz neuerlicher kommunistischer Hetze bedingungslos zusammengebrochen.

Etwa 80, in manchen Zweigen 100 % der Betriebe und Arbeiter haben Arbeit wieder aufgenommen, davon sämtliche Rüstungsbetriebe.

Straßenbahn- und Eisenbahnverkehr läuft voll. Wo Arbeit noch nicht aufgenommen, hat das meist Betriebs- oder Verkehrsgründe. Sperrzeit in Kopenhagen:

23.00-05.00 Uhr, Lkw.-Verbot 20.00-05.00 Uhr, Taxiverbot.

In Esbjerg ist mit Arbeitsaufnahme am 5.7.44 zu rechnen.[69] Im Hafen von Aarhus Explosionsunglück beim Umladen von Munition. Sabotage vermutet. Einzelheiten folgen."[70]
[...]


### 44. OKW: Streiklage in Dänemark 4. Juli 1944

Mens von Hannekens dagsindberetning 4. juli kun indeholdt en entydig melding om, at generalstrejken i København var brudt sammen, havde han (eller Richter) fra morgenstunden 4. juli ikke været helt så sikre. Der foreligger to OKW-notater fra dagen. Det første fra kl. 8.30 udtrykte, at arbejdet ikke var genoptaget i forventeligt omfang, men at man ville afvente situationens udvikling i løbet af dagen, ligesom der var givet tilladelse til en radiohenvendelse til københavnerne. I det andet notat fra kl. 15 blev udtrykt, hvad von Hanneken lod skrive i krigsdagbogen til OKW, at generalstrejken var brudt sammen, og at ophævelsen af sanktionerne mod byen var under ophævelse, men at Richter beholdt den udøvende magt til efter begravelsen af dem, som var døde under urolighederne.

Kilde: BArch, Freiburg, RW 4/754. RA, Danica 1069, sp. 1, nr. 358f.

Entwurf
WFSt/Qu. 2 (Nord) 4.7.1944.
Nr. 05038/44 geh. II. Ang. Geheim

Betr.: Streiklage in Dänemark.
Stand 4.7. 8.30 Uhr.

Vortragsnotiz

Nachdem die für gestern beabsichtigte Wiederaufnahme der Arbeit nicht überall zu befriedigenden Ergebnissen geführt hat, haben sich am gestrigen Nachmittag die dänischen Parteiführer und der Oberbürgermeister von Kopenhagen mit der Bitte an die Wehrmacht gewandt, über den Rundfunk sprechen zu dürfen. Die Ansprachen sind zugelassen worden und haben einen besonders eindringlichen Appell an die Bevölkerung zur Ruhe, Besonnenheit und sofortigen Wiederaufnahme der Arbeit gebracht. Sie haben sich anscheinend sehr günstig ausgewirkt. Die Nacht ist völlig ruhig verlaufen, das Straßenbild am heutigen Morgen normal (Verkehrsmittel fahren, Läden sind geöffnet).

69 Om Esbjergstrejken, se KTB/ADM Dän 3. juli 144.
70 Om eksplosionsulykken, se nedenfor.

Die Arbeitsaufnahme in den Betrieben ist zunächst durch eine von den Kommunisten im Wege der Flüsterpropaganda verbreitete Täuschungspropaganda (Hinweis, daß dieser und jener Betrieb heute noch nicht wieder öffnen könne) gestört worden, scheint jedoch jetzt anzulaufen.

Generalleutnant Richter, der Inhaber der vollziehenden Gewalt, will die Entwicklung des heutigen Tages abwarten. Wenn sie günstig verläuft, soll die Zufuhr nach Kopenhagen für eine gewisse Zeitspanne wieder zugelassen werden, wenn nicht, sollen die Erschwerungen für Kopenhagen (Sperrung von Gas, Wasser, Elektrizität) wieder aufgenommen werden.

In einigen Orten Dänemarks kleinere Sympathiestreiks ohne besondere Bedeutung.[71]

Entwurf
WFSt/Qu. 2 (Nord)                                                   4.7.1944.
Nr. 05038/44 geh. II. Ang.                                 Geheim

Betr.: Streiklage in Dänemark.
       Stand 4.7. 15 Uhr.

### Notiz

60 % aller Kopenhagen Betriebe haben ihre Arbeit wieder aufgenommen, darunter sämtliche Rüstungsbetriebe. Die Stadt bietet ein völlig normales Bild, der Verkehr läuft reibungslos. Damit kann der Streik trotz erneuter kommunistischer Hetze als bedingungslos zusammengebrochen angesehen werden.

Die Straßenstreifen der Wehrmacht sind, da überflüssig, zunächst zurückgezogen worden. Der Verkehr von und nach der Stadt ist wieder freigegeben. Die militärische Besetzung der wichtigsten Punkte der Stadt und der Versorgungsbetriebe sowie der Ortseingänge wird weiterhin aufrechterhalten, um in der Lage zu sein, erforderlichenfalls sämtliche Druckmittel gegen die Stadt wieder in Kraft zu setzen.

Sperrzeit von 23. bis 5 Uhr bleibt bestehen, desgleichen das Verbot des Autotaxen-Verkehrs und des Lkw.-Verkehr zwischen 20-5 Uhr.

Vollziehende Gewalt verbleibt einstweilen bei der Wehrmacht, insbesondere deshalb, weil in der demnächstigen Bestattung der Toten aus den Unruhen noch ein Gefahrenpunkt gegeben ist. W. Befh Dänemark wird sich einschalten und dafür sorgen, daß eine Ferm gefunden wird, die möglichst reibungslosen Ablauf gewährleistet.

---

71 Se KTB/ADM Dän 3. juli 1944.

## 45. Harro Brenner an Adolf von Steengracht 4. Juli 1944

Brenner meddelte von Steengracht, at Ribbentrop havde godkendt et nyt udkast (som var medsendt) til en særdomstol i København under den rigsbefuldmægtigede. Samtidig skulle den hidtidige SS- og Politiret øjeblikkeligt ophøre. Ribbentrop forventede en hurtig tilbagemelding fra Best.

Den nye særdomstol krævede ikke medvirken af SS og forudså heller ikke et samarbejde med SS, men alene med værnemagten. Den delte alene retsopgaverne mellem værnemagten og den rigsbefuldmægtigede. Det kunne umiddelbart synes som en sejr for Best, der meget længe havde stræbt efter at få oprettet en særdomstol. Imidlertid havde Best aldrig tilstræbt en så vidtgående løsning. Han havde hele tiden villet have SS som medspiller og alene forbeholde sig benådningsretten. Han kunne uden tvivl selv have konciperet et udkast som dette fra starten, men ville også have vidst, at det ville give nye og alvorlige problemer med SS, som stod med hovedparten af politiefterforskningen. Imidlertid svarede Best næppe på noget tidspunkt på det nye udkast, som var blevet til i et politisk tomrum, der slet ikke tog hensyn til det stormvejr, som generalstrejken i København havde udsat hans besættelsespolitik for og som havde overhalet brugen af domstole som led heri (Rosengreen 1982, s. 98).

Kilde: PA/AA R 29.568. RA, pk. 204.

Büro RAM

Betr. Sondergericht des Reichbevollmächtigten in Dänemark
zu Aufz. Ges. Albrecht vom 30.6.44[72]

Herrn Staatssekretär vorgelegt:

Der Herr RAM hat den Reichsbevollmächtigten Dr. Best mit Drahterlass Nr. 748 vom 3.7.[73] angewiesen, umgehend die bisherige Zuständigkeit des SS- und Polizeigerichts in Kopenhagen auf ein Sondergericht des Reichsbevollmächtigten überzuleiten. Einzelheiten würden vom Auswärtigen Amt dem Reichsbevollmächtigten noch mitgeteilt werden.

Anliegend wird der Text der vom Reichsbevollmächtigten zu erlassenden Verordnung, über die deutsche Strafgerichtsbarkeit in Dänemark gegen Zivilpersonen, die nicht dem Gefolge der deutschen Wehrmacht angehören, sowie ein Zusatz über den Erlaß einer gesonderten Verfügung des Reichsbevollmächtigten über die Zusammensetzung des Gerichts übersandt.[74] Diese Verordnung nebst Zusatz ist vom Herrn RAM in der anliegenden Fassung genehmigt worden.

Der Herr RAM bittet Sie zu veranlassen, daß Dr. Best schnellstens Kenntnis von der beiliegenden Verordnung sowie dem Zusatz erhält, damit die Weisung des Herrn RAM hinsichtlich der Überleitung der SS- und Polizeigerichtsbarkeit auf das Sondergericht durch den Reichsbevollmächtigten umgehend ausgeführt werden kann.

Der Herr RAM erwartet baldige Vollzugsmeldung von Dr. Best.

*Fuschl, den 4. Juli 1944*

Brenner

---

72 Trykt ovenfor.
73 Trykt ovenfor som telegram nr. 1430, 3. juli 1944.
74 Bilaget er ikke lokaliseret.

## 46. Werner Best an das Auswärtige Amt 4. Juli 1944

Best meddelte, at han som beordret havde ladet SS- og Politirettens arbejde indstille og stoppet henrettelserne. Som Ribbentrop gik han ud fra, at der fortsat skulle være tyske domstole i Danmark og bad om, at Ribbentrop overvejede, om det ikke var udenrigspolitisk hensigtsmæssigt at beholde den eksisterende ordning med "SS- und Polizeigericht."

Endnu var betydningen af Hitlers førerordre 1. juli ikke trængt igennem hos hverken Best eller hans foresatte. Det blev der rådet delvis bod på dagen efter (Rosengreen 1982, s. 110).

Kilde: PA/AA R 29.568. RA, pk. 204 og 233. LAK, Best-sagen (afskrift).

Telegramm

| | | |
|---|---|---|
| Kopenhagen, den | 4. Juli 1944 | 11.15 Uhr |
| Ankunft, den | 4. Juli 1944 | 12.30 Uhr |

Nr. 802 vom 4.7.44.                                                                                                    Citissime!

Für Herrn Reichsaußenminister persönlich.
Auf Telegramm vom 3. Nr. 748[75] berichte ich:
1.) Die Rechtsprechung des SS- und Polizeigerichts Dänemark gegen dänische Staatsangehörige ist weisungsgemäß ausgesetzt. Nicht vollstreckte Todesurteile liegen nicht vor. In Vollstreckung befinden sich die bisher ausgesprochenen Freiheitsstrafen.
2.) Zu der befohlenen Errichtung eines Sondergerichts des Reichsbevollmächtigten weise ich darauf hin, daß dieses Gericht als ziviles Strafgericht errichtet werden müßte. Die Errichtung einer zivilen Strafgerichtsbarkeit in Dänemark würde aber den bisher bewußt offen gelassenen völkerrechtlichen Status des Landes entscheidend ändern. Ich hatte deshalb durch meine Verordnung vom 24. April 1944 absichtlich kein neues Gericht errichtet, sondern die hier als Feldgerichte der Waffen-SS bereits tätigen SS- und Polizeigerichts Dänemark zur Aburteilung von Sabotagefällen usw. zuständig gemacht, die bisher dem Feldgericht das Heeres, der Marine und der Luftwaffe vorbehalten waren. Damit blieb die Aburteilung dänischer Staatsangehörigen durch das SS- und Polizeigericht Dänemarks eine kriegsgerichtliche Verurteilung, deren völkerrechtliche Grundlage die Erklärung Dänemarks zum Operationsgebiet der deutschen Wehrmacht und deren reichsrechtliche Grundlage die Kriegsstrafverfahrenordnung ist. Die Errichtung einer deutschen zivilen Strafgerichtsbarkeit in Dänemark aber würde ohne weiteres dahin ausgelegt, daß das Deutsche Reich insoweit die Souveränität Dänemarks aufgehoben und Dänemark zu einem der zivilen Gesetzgebung und Gerichtsbarkeit des Reiches unterworfenen Gebiet gemacht habe.
Ich bitte deshalb, nochmals zu erwägen, ob nicht die Beibehaltung eines Feldgerichts der Waffen-SS (gegebenenfalls mit der Bezeichnung: Feldgericht Dänemark der Waffen-SS) unter Aufrechterhaltung meines Gnadenrechts außenpolitisch zweckmäßiger ist als die Errichtung eines zivilen Sondergerichts des Reichsbevollmächtigten.

Dr. Best

---

75 Sonderzug 1430 (Pol. VI). Trykt ovenfor som nr. 1430.

## 47. Werner Best an Joachim von Ribbentrop 4. Juli 1944

Best havde fået besked på at svare på, hvorfor han havde ladet otte henrettelser foretage 29. juni uden at indhente AAs sanktion forud. Han svarede, at Pancke og han efter modtagelsen af Himmlers telegram 15. juni troede, at Hitler ikke længere ønskede tilbageholdenhed. Derfor var alle dødsdomme uden videre blevet eksekveret derefter, idet Best efterfølgende havde orienteret AA.

Svaret var højst utilfredsstillende for Ribbentrop. Best havde undladt at følge tjenestevejen og de givne direktiver fra AA med den begrundelse, at han på baggrund af et brev fra Himmler *troede* at kunne handle anderledes. RFSS var ikke Bests foresatte, og Best kunne ikke modtage ordre fra ham. Skulle der ændres på en instruks fra AA, burde Best i det mindste have forespurgt om tilladelse dertil først. Det vidste Best udmærket, men han dækkede sig ind under troen på, at ordren kom direkte fra Hitler, hvilket ikke ændrede det principielle set fra AA (Rosengreen 1982, s. 110).

Kilde: PA/AA R 29.568. RA, pk. 204 og 229. LAK, Best-sagen (afskrift).

### Telegramm

| | | |
|---|---|---|
| Kopenhagen, den | 4. Juli 1944 | 12.00 Uhr |
| Ankunft, den | 4. Juli 1944 | 14.00 Uhr |
| Nr. 803 vom 4.7.[44.] | | Citissime! |

Für Herrn Reichsaußenminister persönlich.
Auf Telegramm vom 3. Nr. 749[76] berichte ich:

1.) Über die beabsichtigte Vollstreckung von Todesurteilen gegen dänische Staatsangehörige habe ich jeweils einen Tag vorher an das Auswärtige Amt berichtet durch meine Telegramme Nr. 650 vom 20. Mai, Nr. 652 vom 21. Mai, Nr. 655 vom 22. Mai, Nr. 658 vom 23. Mai, Nr. 668 vom 25. Mai, Nr. 713 vom 7. Juni und Nr. 725 vom 11. Juni 1944.[77] In keinem einzigen dieser Fälle ist mir mitgeteilt worden, daß gegen die Vollstreckung Bedenken bestehen.

2.) Am 15. Juni 1944 erhielt der Höhere SS- und Polizeiführer und ich folgendes Fernschreiben des Reichsführers-SS: "Nach dem großen Sabotageakt auf der Schiffswerft in Svendborg erwartet der Führer rücksichtsloses und brutalstes Durchgreifen. Ich befürchte sehr, daß beim Ausbleiben harter Maßnahmen und damit schärfsten Drosselns neuer Sabotageakte die Geduld des Führers erschöpft sein wird."[78]

3.) Nach diesem Telegramm mußte der Höhere SS- und Polizeiführer und ich glauben, daß der Führer keine Rücksicht und Gnade gegen Saboteure mehr wünscht, zumal wir und mit uns der Wehrmachtsbefehlshaber Dänemark die Äußerungen des Führers am 30. Dezember 1943 nicht dahin verstanden hatten, daß kein Gerichtsurteil mehr gefällt und vollstreckt werden sollte. Deshalb wurden die nach dem 15. Juni 1944 gefällten Todesurteile ohne weiteres vollstreckt, worüber ich in meinen Telegrammen Nr. 764 vom 23. Juni und Nr. 788 vom 29. Juni 1944 berichtet habe.[79]

**Dr. Best**

---

76 Sonderzug 1431. Pol. VI. Trykt som telegram nr. 1431 ovenfor.

77 Telegram nr. 650, 652, 658 og 668 er trykt ovenfor. De resterende er ikke lokaliseret. Der blev ikke foretaget en henrettelse 23. maj, så indholdet af telegram nr. 655 kan ikke have indeholdt meddelelse om en forestående henrettelse, mens nr. 713 vedrørte den dagen efter foretagne henrettelse af Herold Svarre og Axel Sørensen. Telegram nr. 725 vedrørte henrettelserne dagen efter af Herman Boye og Helmar Wöldike (se tillæg 2).

78 Se ovenfor 15. juni 1944.

79 De to telegrammer er ikke lokaliseret, men har indeholdt meddelelser om de otte henrettelser, der blev foretaget henholdsvis 23. og 29. juni 1944.

## 48. Kriegstagebuch/Höheres Kommando Kopenhagen 4. Juli 1944

Richter noterede, at det normale bybillede var vendt tilbage i København. Fagforeningsfolk anstrengte sig for at få de arbejdere, der endnu ikke var vendt tilbage til arbejdet, til at gøre det. Samtlige tropper og patruljer var også trukket tilbage. I provinsen havde myndighedernes opfordring også gjort sin virkning, og arbejdet var overalt gået i gang igen.

Richter holdt sig strengt til, hvad der skulle være den tyske version af situationen. Han kunne strengt taget næppe vide, om bl.a. arbejdet var genoptaget *overalt* i provinsen. Imidlertid blev den af Best bestemte version videregivet.[80]

Kilde: BArch, Freiburg, RW 38/181. KTB/HKK. RA, Danica 1069, sp. 10, nr. 11.882f.

4.7.1944

Nach ruhig verlaufener Nacht, zeigte das Stadtbild Kopenhagens im Laufe des 4.7. ein normales Bild. In fast sämtlichen Betrieben war die Arbeit wieder aufgenommen, teilweise mit voller Belegschaft, teilweise mit 60-80 %. Die Gewerkschaftsführer bemühten sich, die noch fehlenden Arbeiter zur Aufnahme der Arbeit heranzubekommen.

Um die Wiederherstellung des normalen Zustands zu unterstreichen, wurden bereits am Vormittag sämtliche Truppen aus dem Tagesstreifendienst zurückgezogen. Die Stützpunkte Versorgungsbetriebe und Sperrlinien am Stadtrand bleiben jedoch besetzt, mit dem Befehl sich betont zurückhaltend zu verhalten. Von den Sperrlinien war der Verkehr von 5.00 Uhr-23.00 Uhr in beiden Richtungen freigegeben. Im Laufe des Vormittags wurden die auf dem Rathausplatz aufgestellten 2 Flakgeschütze 8,8 cm wieder zurückgezogen.

Der Aufruf der Behörden und Vertreter des dän. öffentlichen Lebens hatte sich auch auf die Provinz dahingehend ausgewirkt, daß überall die Arbeit im Laufe des 4.7. wieder aufgenommen wurde.

Die deutschen Gesamtverluste in der Zeit vom 30.6-4.7. einschl. betrugen:
Heer: 3 Tote, 2 Schwer- 9 Leichtverletzte
Marine: – – 1 Schwer- 1 Leichtverwundeter
Polizei
Einschl. SD 3 Tote 5 Leichtverletzte.

Nach einer V.-Mann Meldung der Abwehrstelle Kopenhagen werden die dän. Verluste in der gleichen Zeit auf 87 Tote und 664 Verwundete
Beziffert.

## 49. Kriegstagebuch/Admiral Skagerrak 4. Juli 1944

Havnekommandanten i Århus havde meddelt, at en jernbanevogn med ammunition var sprunget i luften. Ammunition var blevet spredt i havneområdet og havde forårsaget brande. Der var indtil videre 5 døde og 30 sårede. Eksplosionsårsagen var sandsynligvis uforsigtighed ved losningen.

Til MOK Ost sendte Wurmbach meddelelse om, at kendte danskere aftenen før havde talt i radioen, og at det i forbindelse med den militære undtagelsestilstand havde ført til, at arbejdet for en stor del var blevet genoptaget. Situationen i Esbjerg var mindre spændt.

Se endvidere Paul Barandons to indberetninger til AA 5. juli om eksplosionskatastrofen (telegram nr. 807 indeholder en melding fra Wurmbach 5. juli).

Kilde: KTB/ADM Dän 4. juli 1944, RA, Danica 628, sp. 3, s. 3458.

---

80 Bests version blev videregivet til pressen af AA, og *Information* 5. juli 1944 kunne citere prøver derpå.

[...]
Vom Hafenkommandanten Aarhus geht folgende Meldung ein:
13.40 h Muni-Waggon explodiert. Muni-Prahm an Land geworfen. Durch herabfallend[e] Muni vier Feuerstellen im Hafen, werden ausgelöscht. Wehrmachteigene Anlagen beschädi[gt,] bisher 5 Tote, ca. 30 Verletzte. Ursache wahrscheinlich Unvorsichtigkeit beim Verladen.

Untersuchung eingeleitet. Seekommandant Südjütland ist mit Untersuchung beauftragt, z.Zt. noch nicht abgeschlossen.

12.00 h Lage an MOK Ost:
Eindrucksvolle Rundfunkansprachen führender dänischer Persönlichkeiten am gestrigen Abend in Verbindung mit Auswirkungen militärischen Ausnahmezustandes haben bewirkt, daß Arbeit zum größten Teil heute wieder aufgenommen bzw. im Anlaufen ist. Gleiche Entspannung der Lage ist in Esbjerg eingetreten.
[...]


## 50. Werner Best: Besprechung mit Nils Svenningsen 4. Juli 1944

Best fortsatte sine bestræbelser for at få situationen i København normaliseret. Telefonisk drøftede han med Svenningsen yderligere lempelser af de indførte restriktioner og forbud; lempelser der øjeblikkeligt blev meddelt befolkningen gennem radioen. Svenningsen gav råd om, hvordan Best undgik at opildne den københavnske befolkning i den udsendte meddelelse. En presset Best fulgte rådet.

Best fremstillede på intet tidspunkt denne side af håndteringen af strejkeforløbet over for AA. Til gengæld fastholdt Svenningsen indholdet af samtalerne i et referat skrevet 13. juli 1944:

"Tirsdag Morgen den 4. Juli var Gadebilledet igen normalt. Saa godt som paa alle Arbejdspladser var Arbejderne mødt, og normalt Arbejde blev genoptaget. Dr. Best ringede tirsdag Morgen for at omtale en beklagelig Episode, der havde fundet Sted paa Amager, vistnok paa en Arbejdsplads tilhørende KKKK. Her havde af en Fejltagelse en tysk Patrulje beskudt Arbejderne, der ventede paa at komme ind paa Arbejdspladsen. Dr. Best betegnede dette som "eine Entgleisung" og tilføjede, at der var udstedt Befaling til Tropperne om, at de om Dagen indtil Spærretid overhovedet ikke maatte skyde paa Grupper af Personer, selvom Grupperne talte mere end fem Personer. Dr. Best vidste ikke, om i det paagældende Tilfælde Arbejderne var optraadt provokerende eller ej, men uden Hensyn hertil beklagede han det skete og ønskede, at man fra dansk Side bestræbte sig for at undgaa Konsekvenser af dette Incident. Han ville gerne gennem Radioen udsende en Meddelelse om den nævnte nye Ordre til Tropperne. Han bad mig om et Forslag. Jeg foreslog da følgende:

"I Anledning af, at de tyske Tropper i Dag til Morgen i et Tilfælde ved en beklagelig Fejltagelse har gjort Brug af Skydevaaben, ønsker man fra officiel tysk Side at oplyse, at Tropperne har Ordre til, at der ikke om Dagen maa skydes mod Menneskeansamlinger."

Efter at have overvejet denne Formulering telefonerede Dr. Best kort efter og meddelte, at man nu havde besluttet sig til noget andet, nemlig til helt at ophæve Forbuddet mod, at mere end fem Personer samles paa offentlig Gade, Vej eller Plads. Til en Meddelelse herom agtede man at knytte en Advarsel til Publikum mod "Zusammenrottungen" og fjendtlig Holdning overfor Tyskerne. Dr. Best oplæste for mig Teksten til en saadan Meddelelse og Advarsel. Jeg bemærkede hertil, at det sikkert var fornuftigt at ophæve Forbuddet mod Ansamlinger paa mere end fem Personer, men at det ville være højst uklogt hertil at knytte den paatænkte Advarsel, da dette kun ville virke opirrende. Jeg foreslog Dr. Best i Stedet for Advarslen at tilføje en Bemærkning om, at der "altsaa ikke ville blive skredet ind overfor fredelige Ansamlinger". Paa denne Maade ville han indirekte faa Advarslen med.

Dr. Best accepterede med Raad og udsendte Tirsdag Kl. 12.30 gennem Radioen følgende Meddelelse, hvorved ogsaa Lastbiltrafikken blev frigivet i Tiden fra Kl. 5 til Kl. 20:

"Af Hensyn til Gennemførelsen af det normale Liv i København ophæves Bestemmelsen om, at der ikke maa samles mere end 5 Mennesker paa Gader og Pladser, saa denne Bestemmelse kun gælder i selve Spærretiden, altsaa fra Kl. 23 til Kl. 5.

Som Følge heraf vil der ikke blive foretaget hverken politimæssige eller militære Indgreb overfor fredelige Forsamlinger. Saa længe Udgangsforbuddet gælder, bestaar stadigt indenfor Spærretiden Forbuddet mod, at mere end 5 Personer samles paa Gader eller Pladser.

Trafik med Lastbiler frigives med øjeblikkelig Virkning i Tiden Kl. 5–20." Samtidig ophævedes Trafikspærringen rundt om København samt Spærringen af Telefon- og Telegrafforbindelsen mellem København og det øvrige Land." (PKB, 7, s. 1864f.).

## 51. Joseph Goebbels: Tagebuch 4. Juli 1944

Goebbels havde telefonisk skaffet sig nyt om generalstrejken i København. Den skulle være skærpet, og tyske kredse i København mente, at den var anstiftet af kommunister. Goebbels kunne ikke se meningen med en generalstrejke i så lille et land som Danmark. Danskerne skadede sig selv mere end Tyskland. Lad strejken løbe til ende, og stil så anførerne op foran en mur, så gentager det sig ikke foreløbigt.

Kilde: *Die Tagebücher von Joseph Goebbels*, Teil II:13, s. 51.

[…]

Die Lage in Kopenhagen hat sich bis zum Montag morgen etwas verschärft. Wie ich telefonisch von dort erfahre, glaubt man in deutschen Kreisen, daß es sich um eine von Kommunisten angezettelte Aktion handelt. Aber ich halte dafür, daß ein Generalstreik in einem Land wie Dänemark nicht viel Chancen hat. Die Dänen schaden sich selbst mehr, als daß sie uns schadeten. Man soll ruhig diesen Generalstreik einmal auslaufen lassen und, wenn er zu Ende ist, die Rädelsführer an die Wand stellen. Dann wird er sich in nächster Zeit nicht so schnell wiederholen.

[…]

## 52. Harro Brenner an Adolf von Steengracht 5. Juli 1944

Kritikken af den hidtidige besættelsespolitik fra Hitlers side fik AA til med forsinkelse at samle op på den førte politik; hvad var blevet drøftet og besluttet af hvem og hvornår. Det afslørede dels manglende indberetninger fra Best, dels manglende notater fra telefonsamtaler med Best. Ribbentrops kontor bad øjeblikkeligt Steengracht fremsende en redegørelse for sine samtaler med Best.

Steengracht sendte endnu samme dag en redegørelse til Ribbentrop om forløbet omkring forhandlingerne om udøvelsen af domsmyndigheden i Danmark.

Kilde: PA/AA R 29.568.

Büro RAM *5.7.44 – 13.30 Uhr*
Telefonisch aus Fuschl (LR Brenner) *Eilt sehr!*

Herrn Staatssekretär vorgelegt:
In dem Drahtbericht aus Kopenhagen Nr. 803 vom 4.7.44[81] hat Dr. Best auf Drahtbe-

---
[81] Trykt ovenfor.

richte Bezug genommen, die z.T. nicht dem Ministerbüro Fuschl vorgelegt worden sind. In einigen dieser angezogenen Drahtberichte hat Dr. Best auch Bezug genommen auf eine oder mehrere Ferngespräche mit dem Herrn Staatssekretär.

Der Herr RAM bittet Sie um eingehenden Bericht, was Sie mit Dr. Best in dieser Angelegenheit besprochen haben.

*Fuschl den 5. Juli 1944.*

gez. **Brenner**

*Berlin den 5. Juli 1944.*

**Albers**


### 53. Paul Barandon an das Auswärtige Amt 5. Juli 1944

I Bests fravær orienterede Barandon telefonisk AA om eksplosionskatastrofen i Århus og om de foreløbige menneskelige omkostninger, idet han udtrykkeligt betonede, at intet tydede på sabotage.

Samme formiddag sendte han et orienterende telegram om samme sag direkte til Best. Det lader sig ikke afgøre, hvilke af de to meddelelser, der afgik først.

Kilde: PA/AA R 101.040. RA, pk. 228.

Pol VI

Gesandter Barandon rief heute vormittag aus Kopenhagen an und teilte folgendes mit:

1.) Der Reichsbevollmächtigte Dr. Best sei gestern ins Führerhauptquartier geflogen. Er werde voraussichtlich heute zurückkehren.

2.) In Aarhus habe sich gestern um 13.50 Uhr eine Explosionskatastrophe ziemlich schweren Umfangs ereignet. Es seien 5 Munitionswaggons explodiert, wobei es 20 Tote, 1 deutschen Unteroffizier und 19 dänische Arbeiter, gegeben habe. Die Anzahl der Verwundeten sei noch nicht bekannt. Die Explosion habe Brände von Getreide-, Benzin- und sonstigen Lagern zur Folge gehabt. Herr Barandon betonte jedoch ausdrücklich, daß keinerlei Anzeichen dafür vorlägen, daß es sich um einen Sabotageakt handle.

*Berlin, den 5. Juli 1944.*

gez. **Geffcken**


### 54. Paul Barandon an das Auswärtige Amt (Werner Best) 5. Juli 1944

Da Best var kaldt til Hitler i Ulveskansen, rapporterede Barandon om eksplosionskatastrofen i Århus til Best via AA. Barandon rapporterede – korrekt –, at der ikke var tale om sabotage.

Samtidig mente von Hanneken ikke at kunne afgøre, om det var sabotage eller en ulykke. Senere – den 30. juli og 1. august – valgte man fra officiel tysk side at udlægge katastrofen som sabotage begået af danske kommunister. Hvor beslutningen om denne udlægning blev truffet, er ikke oplyst, men hos Best er det givetvis ikke sket, da han i *Politische Informationen* både 1. august og 1. september under "Fjendtlige stemmer" lod den opfattelse gengive, at det resultat var fabrikeret af tysk politi, hvilket givetvis også var tilfældet, og hvad Best så lod komme frem på denne vis.[82]

82 Den tyske ubeslutsomhed vedrørende håndteringen af eksplosionskatastrofen kom frem ved, at pressen

Kriegsmarine var fra starten ikke i tvivl om, at der var tale om en ulykke (se MOK Ost til OKM 7. juli 1944, trykt nedenfor),[83] men det var af WB Dänemarks "Spezialammunitionssachverständige", at ulykkens årsag blev søgt klarlagt. Resultatet forelå 15. juli 1944, hvor MOK Ost kunne meddele Seekriegsleitung, at der var fragtet 2.500 "Riegelminen" til Århus, der ved omladning skulle behandles med særlig forsigtighed. Produktionen af denne type miner var ophørt i begyndelsen af 1944 pga. deres farlighed. De havde tidligere forårsaget alvorlige ulykker i Moelln og Haderslev.[84] Havnekommandanten i Århus vidste imidlertid intet om minernes farlighed, og ulykken skete. Det blev foreslået ved fremtidige omladninger af ammunition i større mængder at anvende mindre krigsvigtige danske havne for at mindske risikoen for skader (KTB/WB Dänemark 5. og 6. juli 1944, RA, KTB/MOK Ost, bilag til 1.-15. juli 1944 (her MOK Osts fjernskrivermeddelelse til Skl, Adm. Qu, Adm. Qu. VI og Wurmbach, RA, Danica 628, sp. 9, nr. 7537), Alkil, 2, 1945-46, s. 891f. (her den officielle tyske udlægning 29. juli, der blev tvangsindlagt i alle aviser), *Udenrigsministeriets Pressebureaus ugentlige Meddelelser til Pressen*, Nr. 178, 8. juli og 182, 5. august 1944, *Brandfare og Brandværn*, 24, 1944, s. 107-112, Andrésen 1945, s. 70f., 311-314, Hæstrup, 2, 1966-71, s. 10).

Kilde: PA/AA R 29.568. RA, pk. 204.

## Telegramm

| | | |
|---|---|---|
| Kopenhagen, den | 5. Juli 1944 | 11.20 Uhr |
| Ankunft, den | 5. Juli 1944 | 12.20 Uhr |

Nr. 807 vom 5.7.[44.]                                          Supercitissime!

Für Legationsrat Bender.
Erbitte Weiterleitung nachstehenden Telegramms an Reichsbevollmächtigten Dr. Best.

Im Anschluß an Telegramm Nr. 806 vom 5.7.[85]
Über Explosionsunglück in Aarhus liegen jetzt folgende weitere Meldungen vor:
1.) Nach Meldung Generalkonsulats Aarhus liegen bis jetzt keinerlei Anzeichen für Sabotage vor. Durch umsichtige Maßnahmen sowohl von deutscher wie von dänischer Seite ist größeres Unglück (Brandgefahr) verhütet worden.
2.) Admiral Skagerrak hat folgende Meldung mitgeteilt: "Um 13.50 Uhr im Hafen von Aarhus 5 Munitionswaggons und eine Munitionsschute beim Verladen von für Norwegen bestimmter Munition in die Luft geflogen. Ursache bisher unbekannt. 20 Tote, und zwar 1 Unteroffizier und 19 dänische Arbeiter. Anzahl der Verletzten noch nicht bekannt. Im Hafen 3 Großbrände und zwar Getreide-Silo, Material- und Torflager sowie Benzinlager. Brände sind gelöscht.

Durch Umherfliegen explodierender Granaten Schäden in verschiedenen Teilen der Stadt." Schluß der Meldung.

**Barandon**

først 4. juli frit måtte skrive om ulykken (blot ikke udtale sig om dens årsag), hvorpå det dagen efter først blev totalt forbudt at omtale sagen, for derefter at blive ændret til, at der ikke måtte bringes yderligere oplysninger for ikke at foregribe den igangværende undersøgelse af årsagen.
83 Dansk politi mente også allerede på ulykkesdagen, at der antagelig var tale om en ulykke, hvilket Herschend fik oplyst telefonisk 4. juli kl. 17.15 af vicepolitiinspektør Brondt (KB, Herschends dagbog nr. 113, 4. juli 1944).
84 Ulykken i Haderslev fandt sted 9. april 1944, da 250 miner detonerede og 7 soldater blev dræbt (KTB/WB Dänemark 9. april 1944).
85 Telegrammet er ikke lokaliseret.

## 55. Adolf von Steengracht an Joachim von Ribbentrop 5. Juli 1944

Da spørgsmålet om Bests genoptagelse af henrettelserne af dødsdømte danske modstandsfolk var blevet sat på den højeste politiske dagsorden af Hitler, ville Ribbentrop have det forudgående forløb udredet, herunder hvordan AAs rolle havde været, og Steengracht gennemgik det nøje (Rosengreen 1982, s. 95).

Kun bevaret i tilrettet koncept.
Kilde: PA/AA R 29.568. RA, pk. 204 og 229.

St.S. Nr. 168 *Berlin, den 5. Juli 1944.*
Mit Vorrang mittg. an LR Brenner.

Der Herr Reichsaußenminister hatte am 11. Mai d.J. die Weisung erteilt, daß die Verordnung von Dr. Best zur Regelung der deutschen Strafgerichtsbarkeit gegen Zivilpersonen zunächst nicht erlassen werden solle, und weitere Weisungen des Herrn RAM in dieser Angelegenheit folgen würden.

Auf Grund dieser Weisung hat Gesandter Albrecht am 12. Mai mit Drahterlaß Nr. 520[86] dem Reichsbevollmächtigten nachstehenden Erlaß gesandt:

"Herr Reichsaußenminister wünscht, daß die Verordnung zur Regelung deutscher Strafgerichtsbarkeit gegen Zivilpersonen in Dänemark zurzeit nicht ergeht. Weitere Weisung des Herrn Reichsaußenministers folgt."

Gesandter Best teilte sodann mit Drahtbericht Nr. 611 vom 13. Mai mit, daß das SS- und Polizeigericht 12 Todesurteile gefällt habe.[87] Um den Reichsbevollmächtigten gegenüber eindeutig klarzustellen, daß auch die sonstigen Verordnungen auf diesen Sektor keine Anwendung finden sollen, habe ich durch Drahterlaß vom 17. Mai, Nr. 546,[88] dem Reichsbevollmächtigten folgendes gedrahtet:

"Zur Vermeidung von Mißverständnissen wird bemerkt, daß der Drahterlaß Nr. 520 vom 12. Mai[89] sich selbstverständlich auch auf die von Ihnen erlassene vorläufige Verordnung vom 24. April (vgl. Drahtbericht Nr. 510 vom 24.4.)[90] erstreckt.

Es wird gebeten, vor eventueller Vollstreckung der Todesurteile Weisung einzuholen. Eine baldige Regelung der Gesamtfrage ist in Berlin vorgesehen."

Auf Grund dieses Erlasses sandte Dr. Best das Telegramm Nr. 632 vom 18. Mai. Außerdem rief mich der Reichsbevollmächtigte an, um mir mitzuteilen, daß er als Verantwortlicher für die Aufrechthaltung von Ruhe, Ordnung und Sicherheit eventuell zu Sofortmaßnahmen schreiten müsse und es ihm daher nicht möglich sei, zuvor eine Weisung des Herrn RAM einzuholen.[91]

Den zweiten Absatz des Drahterlasses vom 17. Mai hatte ich vorsorglich gemacht, um zu vermeiden, daß ein Todesurteil auf Grund einer vom Herrn RAM nicht genehmigten Verordnung vollstreckt würde.

Wegen dieses Drahterlasses rief mich Dr. Best an und unterstrich nochmals eindeutig

---

86 Beretningen er ikke lokaliseret.
87 Trykt ovenfor.
88 Trykt ovenfor.
89 Trykt ovenfor.
90 Trykt ovenfor.
91 Hele dette afsnit er forsynet med to tværgående streger som skulle det udgå. Indholdet strider imidlertid ikke mod det, der blev notatets resultat efter RAMs beslutning.

die Notwendigkeit, daß ihm genehmigt würde, nach eigenem Ermessen und gemäß der Regelung, die er auf Grund der Ermächtigung des Führers getroffen habe, zu verfahren. Andernfalls könne er keine Verantwortung für eine energische Abwehr der gegnerischen Aktionen übernehmen. In diesem Telefonat verwies Dr. Best auf sein Telegramm Nr. 632 vom 18. Mai,[92] mit dem er die gleichen Gedankengänge vorgetragen habe. Dieser Telegramm war mir im Augenblicke des Anrufs von Dr. Best noch nicht zugegangen. Ich erwiderte Dr. Best, daß ich sein Telegramm noch nicht kannte, mir dieses jedoch unverzüglich vorlegen lassen würde. Meines Erachtens wäre es nicht möglich, auf Grund der Weisung des Herrn RAM Urteile zu vollstrecken, ohne von Fall zu Fall zuvor die Genehmigung des Herrn RAM zu erhalten. Dr. Best erklärte ein derartiges Verfahren bei der sehr angespannten und schnellste Entschlüsse fordernden Lage in Kopenhagen für undurchführbar. Da ich zu diesem Punkte keine Weisung des Herrn RAM hatte, sagte ich Dr. Best, ich müsse die Angelegenheit dem Herrn RAM vortragen, bäte ihn jedoch, einstweilen nichts meiner Weisung Entgegenstehendes zu veranlassen. Ich ließ mir sodann das diesbezügliche Telegramm von Dr. Best geben. Es lautet:

"Auf das dortige Telegramm Nr. 546 vom 17. Mai 1944 bitte ich dringend, mich nicht daran zu binden, vor der Vollstreckung von Todesurteilen dortige Weisung einzuholen. Da im Sinne der Weisungen des Führers und meiner mehrfachen öffentlichen Bekanntgaben die Hinrichtungen verurteilter Saboteure usw. schnelle Gegenschläge gegen Terrorakte der Feindseite sein sollen, muß es mir als dem für die Führung des hiesigen Abwehrkampfes Verantwortlichen überlassen werden, wann und wie ich diese Waffe einsetze. Bei Verzögerung um einen Tag kann die nach der hiesigen Situation notwendige Wirkung bereits versäumt sein. Ich bitte deshalb um Einverständnis, daß ich nach eigenem Ermessen und in eigener Verantwortung nach der Regelung, die ich auf Grund der Ermächtigung des Führers getroffen habe, verfahre. Andernfalls könnte ich keine Verantwortung für eine wirksame Abwehr der gegnerischen Aktionen übernehmen.
Dr. Best"

Am gleichen Vormittag rief mich der Herr RAM in anderer Angelegenheit an. Wegen der Eilbedürftigkeit der Materie trug ich das Telegramm Nr. 632 anschließend dem Herrn RAM inhaltlich vor und unterrichtete den Herrn RAM über den zur Durchführung der Weisung vom 11. Mai ergangenen Erlaß, mit dem Dr. Best zusätzlich gebeten wurde, vor Vollstreckung von Todesurteilen Weisung einzuholen.

Der Herr RAM bemerkte hierzu, daß dies zu weitgehend sei und man Dr. Best die Verantwortung für diejenigen Maßnahmen überlassen müsse, die er gegebenenfalls zu treffen für erforderlich hielte.

Ich rief sodann Dr. Best an und teilte ihm mit, daß der Herr RAM damit einverstanden sei, daß der in Frage stehende Passus meines Drahterlasses abgemildert würde. Ich bäte ihm jedoch, künftig jeweils rechtzeitig geplante Maßnahmen zu [beachten?]. Dr. Best bemerkte, er werde dies selbstverständlich tun, soweit ihm dies überhaupt möglich sei.

Da der in Frage stehende zweite Absatz meines Drahterlasses auf Vorschlag der Rechtsabteilung gemacht worden war, verständigte ich am nächsten Morgen VLR Sethe

---

92 Trykt ovenfor.

über die Weisung des Herrn RAM, die ich telefonisch an Dr. Best weitergegeben hätte.
Hiermit dem Herrn Reichsaußenminister weisungsgemäß vorgelegt.

gez. **Steengracht**


### 56. Dietrich von Mirbach an Eduard Sethe 5. Juli 1944

Det var gået stærkt med at få erstattet Bests forordning af 24. april vedrørende udøvelse af tysk jurisdiktion i Danmark, og AAs retsafdeling, der havde udarbejdet udkastet, som Best skulle sætte i kraft, havde fået kolde fødder og ville nu undersøge, om den nye lov ikke krævede andre forordninger ophævet. Det skulle undersøges først, og et nyt udkast sendes til København, og endelig godkendelse kunne først ske efter kontakt til Brenner.
 Se for sagens videre gang Best til AA 27. juli.
 Kilde: PA/AA R 29.568. RA, pk. 204.

Herrn VLR Sethe vorgelegt.
Der Herr Staatssekretär gab mir die Weisung unter Bezugnahme auf die anliegende Weisung des Herrn RAM den LR Brenner in Fuschl anzurufen und ihm zu fragen, ob Dr. Best in Fuschl sei und die anliegende Weisung nicht dort übermittelt werden könnte. LR Brenner teilte mit, daß Dr. Best zwar in Fuschl sei, wahrscheinlich aber heute wieder nach Kopenhagen zurückfliege und bat die anliegende Weisung folgendermaßen auszuführen:

1.) Die Rechtsabteilung möge den anliegenden Text der Verordnung über die deutsche Strafgerichtsbarkeit in Dänemark vom juristischen Standpunkt insbesondere dahingehend überprüfen, ob nicht frühere Verordnungen und Erlasse hierdurch aufgehoben werden müßten.

2.) Nach dieser Prüfung möge die Rechtsabteilung einen Drahterlass nach Kopenhagen entwerfen der auf den Namen des Herrn Staatssekretärs gestellt wird, aber nicht abgeht bevor nicht der Unterzeichnete den Leg. Rat Brenner erneut angerufen hat.
*Berlin, den 5. Juli 1944*

(Mirbach)


### 57. OKM an das Auswärtige Amt 5. Juli 1944

Det kunne ikke lade sig gøre, at OKM beholdt skibet "Dronning Maud" i stedet for at beslaglægge "C.F. Tietgen". G.F. Duckwitz havde holdt behandlingen af OKMs krav om yderligere skibe tilbage, til der var truffet en afgørelse i forannævnte sag. Best blev bedt om at få sat gang i effektuering af anmodningerne.
 Der blev ikke givet nogen begrundelse for, at "Dronning Maud" ikke fortsat kunne anvendes af Kriegsmarine. Det fremsatte ønske blev i stedet afvist på kortest mulige vis. Ønsket om at få sat skub i Duckwitz sagsbehandling var en yderligere understregning af, at OKM fortsat fandt gesandtskabets behandling af marinens krav for sendrægtig.
 Kilde: BArch, Freiburg, RM 7/1813. RA, Danica 628, sp. 7, nr. 5859.

Oberkommando der Kriegsmarine  *Berlin, den 5. Juli 1944*
Zu: B-Nr. 1. Skl. I i 24 852/44 geh.[93]  Geheim

I.) Schreibe: An das Auswärtige Amt
  Berlin.

Betr.: Beschlagnahme aufgelegter dänischer Tonnage.
Vorg.: Ha Pol 3323/44 g vom 27.6.44.[94]

Ein Austausch des Dampfers "C.F. Tietgen" gegen den Dampfer "Dronning Maud" kommt nach den getroffenen Feststellungen nicht in Frage. Es wird gebeten, den Herrn Reichsbevollmächtigten entsprechend zu unterrichten.

Nach fernmündlicher Mitteilung der Kriegsmarinedienststelle Kopenhagen hat Herr Duckwitz der Anforderung einiger weiterer dänischer Schiffe mit der Begründung nicht entsprochen, daß zunächst noch über den obigen Antrag entschieden werden müsse. Es wird gebeten, den Herrn Reichsbevollmächtigten zu veranlassen, den weiteren durch die Entwicklung der Kriegslage bedingten Anforderungen zu entsprechen.

II.) I i
  Chef/Skl.
  i.A. 1./Skl.
  i.A. I a I i
  Setze auf den Ausgang
  hinzu: gef. Stz/7.7.44
Nachschrift: Nach Fertigung des obigen Schreibens wurde hier der Drahtbericht des Herrn Reichsbevollmächtigten Dr. Best vom 3. d.M.[95] betreffend die Anforderung der weiteren 4 dän. Schiffe bekannt. Eine Nachprüfung ist veranlaßt. In Kürze ergeht weiterer Bescheid.
  **1./Skl. Ii**


### 58. Seekriegsleitung an Konrad Engelhardt 5. Juli 1944

Engelhardt havde meddelt, at Best og Duckwitz igen skabte problemer med hensyn til beslaglæggelsen af danske skibe. Best stillede spørgsmålstegn ved nødvendigheden af beslaglæggelserne i kraft af, at der endnu kun var taget et skib i brug. Endvidere skulle statssekretær Steengracht over for UM have erklæret, at han ville modsætte sig yderligere beslaglæggelser. Man måtte derfor regne med, at beslaglæggelsen af yderligere fire skibe ville føre til en ny modsætning mellem AA og Seekriegsleitung. Der skulle derfor gives en detaljeret begrundelse for hver beslaglæggelse.
  Se OKM til Seekriegsleitungs chef 7. juli 1944.
  Kilde: BArch, Freiburg, RM 7/1813. RA, Danica 628, sp. 7, nr. 5860f.


93 Skrivelsen er ikke lokaliseret.
94 Skrivelsen er ikke lokaliseret.
95 Trykt ovenfor.

Seekriegsleitung  Berlin, den 5. Juli 1944.
Neu! B-Nr. 1. Skl I i 25 692/44 geh.  Geheim

An Skl. Adm. Qu VI Herrn Kpt. z.S. Engelhardt
vor Antritt Dienstreise sofort vorlegen.

Betr.: Weitere Erfassung dänischer Handelsschiffstonnage.

Die von Kapt. z.S. Engelhardt fernmündlich an Admiralrichter Eckhardt gegebenen Mitteilung, daß von Herrn Duckwitz bzw. dem Reichsbevollmächtigten Best erneut Schwierigkeiten wegen der Beschlagnahme weiterer dänischer Schiffe gemacht werden, ist von der 1. Skl. beim Auswärtigen Amt unter Hinweis auf die in dieser Angelegenheit getroffenen Vereinbarungen zur Sprache gebracht worden. Das Auswärtige Amt hat daraufhin den in der Anlage beigefügten Drahtbericht des Reichsbevollmächtigten Best vom 3. Juli kurzerhand hergegeben.[96] Vom Chef Skl. und Chef 1. Skl. ist unter Hinweis auf die seinerzeitigen Verzögerungen der Überführung der zuerst beschlagnahmten Schiffe aus dem dänischen in den deutschen Raum es als unbedingt notwendig bezeichnet worden, daß in Zukunft alles vermieden werden müsse, was von dem Reichsbevollmächtigten Best bei den einzelnen Schiffen gegen die ihm aufgezwungene Beschlagnahmeaktionen angeführt werden könnte. Unser Angewiesensein auf die weitere freiwillige dänische Mitarbeit macht eine sorgfältige Abwägung zwischen den Notwendigkeiten der deutschen Kriegsführung und den dänischen Belangen gerade gegenwärtig in jedem einzelnen Beschlagnahmefall mehr denn je erforderlich. Nachdem sich der Staatssekretär Dr. von Steengracht dem dänischen Außenministerium gegenüber gerade bereit erklärt hat, sich für die Verhinderung weiterer Beschlagnahme dänischer Tonnage einzusetzen, ist damit zu rechnen, daß es schon bezüglich der neu angeforderten 4 Passagiermotorschiffe "Frem", "Hans Borge", "Aalborghus" und "Mön" zu einer weiteren Auseinandersetzung zwischen dem Auswärtigen Amt und der Seekriegsleitung kommt. Es ist daher erforderlich, die Kriegsnotwendigkeit der Inanspruchnahme jedes einzelnen Schiffes nochmals eingehend zu begründen. Um baldmöglichste Hergabe der darüber dort vorhandenen Unterlagen wird gebeten. Des weiteren wird absprachegemäß gebeten, eine detaillierte Begründung dafür herzugeben, wie es sich erklärt, daß von den durch Best erwähnten 9 beschlagnahmten Schiffen der "Forenede Dampskibs Selskab" bisher nur eins sich tatsächlich in Fahrt befindet. Nach dortiger fernmündlicher Angabe sollen bei allen diesen Schiffen derartige Werftarbeiten nötig geworden sein, daß der bisherige Nichteinsatz der Schiffe sich schon dadurch ohne weiteres erklärt. Es erscheint aber angezeigt, dies noch im einzelnen darzulegen, da das Auswärtige Amt zunächst dazu neigt, sich die Argumentation des Reichsbevollmächtigten Best voll zu eigen zu machen.
[...]

96 Trykt ovenfor som telegram nr. 795.

## 59. OKW: Streiklage Kopenhagen 5. Juli 1944

OKW modtog i løbet af dagen to meddelelser fra WB Dänemark, kl. 8.03 og kl. 17.00. Deres indhold var begge lige begivenhedsløse. Alt var roligt, og der ville den følgende dag blive taget stilling til, om den udøvende magt i København skulle afgives til den rigsbefuldmægtigede.

Kilde: BArch, Freiburg, RW 4/754. RA, Danica 1069, sp. 1, nr. 356f.

WFSt/Qu. 2 (Nord)                                                  *5.7.1944.*
Nr. 05081/44 geh.                                               Geheim

Betr.: Streiklage Kopenhagen.
      Stand: 5.7.44, 8.30 Uhr.

### Notiz

Völlig ruhiger Verlauf der Nacht. Straßen- und Stadtbild am heutigen Morgen normal, desgleichen Arbeitsaufnahme in den Betrieben.

Wichtigste Punkte und Versorgungsbetriebe der Stadt sowie Ortseingänge bleiben einstweilen besetzt.

Weitere Erleichterungen werden vom Verlauf des heutigen Tages abhängig gemacht.

[signeret]

WFSt/Qu. 2 (Nord)                                                  *5.7.1944.*
Nr. 05113/44 geh.                                               Geheim

Betr.: Streiklage Kopenhagen.
      Stand: 5.7.44 17.00 Uhr.

### Vortragsnotiz

Bisher ruhiger Verlauf des Tages. Keine besonderen Vorkommnisse. Besetzung wichtigster Punkte in Kopenhagen sowie Stationierung der nach Kopenhagen zusammengezogenen Truppen bleibt für heute noch aufrechterhalten.

Im Laufe des morgigen Tages soll über weitere Erleichterungen, Abzug von Truppen und Abgabe der vollziehenden Gewalt entschieden werden.

## 60. Rüstungsstab Dänemark: Aktenvermerk über der Ereignisse in Kopenhagen 5. Juli 1944

På grund af Rüstungsstab Dänemarks særlige rolle under generalstrejken i København redegjorde staben ved Bernhard Heyne dag for dag for strejkens forløb. Heyde vurderede, at strejken ikke var ophørt den 3. juli, men at København i stedet gav indtryk af en fridag. Der herskede uenighed om, hvorvidt strejken skulle fortsætte eller ikke. Arbejdet kom i gang igen 4. juli. Det var indtrængende radioopfordringer fra dansk side i løbet af den 3. juli, der var skyld i det.[97] Rüstungsstab Dänemarks særopgave havde på opfordring

---

97 Det var Heynes sidste optræden på Rü Stab Dänemarks vegne. Han begik selvmord 12. juli og blev begravet i København tre dage senere (stabens krigsdagbog for 3. kvartal 1944, bilag 5, 15. juli 1944 og

af WB Dänemark været at forestå lukningen af samtlige gas-, vand- og elektricitetsværker, hvilket var sket uden episoder.

Kilde: BArch, Freiburg, RW 27/16. KTB/Rü Stab Dänemark 3. Vierteljahr 1944, Anlage 2.

Ltr. Abt. Z

Anl. 2
O.U., den 5. Juli 1944.

### Aktenvermerk
über den Ablauf der Ereignisse in Kopenhagen
vom 26. Juni bis 4. Juli 1944 einschließlich.

*Am 26.6.44* wurde vom Herrn Reichsbevollmächtigten in Dänemark als Folge der Sabotageakte, die sich in Kopenhagen im Juni besonders gemehrt hatten, (s. Lagebericht des Rü Stab Dän. vom 30.6.44 ZA/Ia Az. 66dl/Wi. Ber. Nr. 440/44 geh.[98]) eine Sperrzeit für Groß-Kopenhagen von 20.00 bis 5.00 Uhr eingeführt.

*Mit dem 29.6.44* milderte der Herr Reichsbevollmächtigte diese auf die Zeit von 23.00 bis 5.00 Uhr, weil sich zwischen dem 26. und 29.6.44 keine Sabotagefälle ereignet hatten. (Anlage 1)[99]

*Am 30.6.44* war zu beobachten, daß alle öffentlichen Verkehrsmittel wie Straßenbahnen, S-Bahnen und Omnibusse ihren Verkehr eingestellt hatten. Die Verkehrsmitteleinstellung führte zu einer allgemeinen Arbeitsruhe. Die Arbeiter kamen nicht in ihre Fabriken und die Kaufleute, Handwerker usw. öffneten nicht ihre Geschäfte.

Daher erreichte am gleichen Tage um 18.05 den Rü Stab Dän. im Auftrage des Wehrmachtbefehlshabers die Aufforderung, seine Ingenieure zwecks Durchführung einer Sonderaufgabe zur Verfügung zu stellen. Diese bestand darin, sämtliche Gas-, Wasser- und Elektrizitätswerke am Abend stillzulegen, was ohne Zwischenfall vor sich ging.

*Am 1.7.44* 12.00 Uhr erschien durch öffentlichen Anschlag die Bekanntmachung lt. Anlage 2[100] (vom Dänischen ins Deutsche übersetzt). Zur gleichen Zeit meldete Rü Stab Dänemark fernschriftlich an Reichsminister für Rüstung und Kriegsproduktion lt. Anlage 3.[101]

Verschiedene Stellen der Stadt, namentlich öffentliche Plätze und Gebäude wurden ab 1.7. militärisch besetzt. Streifendienst nahm weitere Überwachungen vor, da einzelne deutschfreundliche Geschäfte geplündert und hier und dort kommunistische Zeichen angebracht und Verkehrshindernisse aufgebaut worden waren. Schießereien fanden statt. Sie waren aber im Großen gesehen unbedeutend, so daß am Abend des 2.7. der Bevölkerung wieder Gas, Wasser und Elektrizität zur Verfügung gestellt und der Verkehr aus und in die Stadt Kopenhagen wieder gestattet wurde.

*Am Abend des 2.7.44* rechnete man – zumal lt. Aufruf Anl. 4[102] – mit der Wieder-

BArch, R 70 Dänemark 6, KTB/BdO 15. juli 1944).
98 Trykt ovenfor.
99 Bilaget er ikke medtaget. Trykt på dansk hos Alkil, 2, 1945-46, s. 888.
100 Bilaget er ikke medtaget. Trykt på dansk hos Alkil, 2, 1945-46, s. 889f.
101 Trykt ovenfor.
102 Bilag 4 foreligger ikke, men det er sandsynligvis identisk med det hos Alkil, 2, 1945-46, s. 890 trykte for 3. juni 1944.

aufnahme der Arbeit und Öffnung der Läden für Montag, den 3.7.44. Am 3. Juli setzte dann auch tatsächlich ein gewisser Verkehr bei der S-Bahn und bei der Straßenbahn, teilweise mit dänischer Polizei-Besetzung wieder ein, doch blieben fast sämtliche Geschäfte geschlossen und nur aus wenig rüstungswirtschaftlichen Betrieben hörte man, daß eine kleine Zahl Arbeiter erschienen war. Kopenhagen machte am 3. Juli den Eindruck eines Feiertages. Über die Frage, ob der Streik weitergeführt werden sollte oder nicht, herrschte Uneinigkeit.

*Am 4.7.44* wurden die Läden wieder geöffnet und auch in den Fabriken war mit der Arbeit wieder begonnen worden. Sehr eindringliche Rundfunkansagen von dänischer Seite am Nachmittag und Abend des 3. Juli waren die Veranlassung hierzu. Der Streik war gebrochen.

Gez. **Heyne**

## 61. Rüstungsstab Dänemark: Erfahrungsbericht über die Stillegung der Gas-, Wasser- und Elektrizitätswerke 5. Juli 1944

Rüstungsstab Dänemark gjorde meget udførligt rede for de erfaringer, der blev høstet under generalstrejken i København med lukning af gas-, vand- og elektricitetsværker. Forstmann samlede resultaterne i seks punkter, som blev sendt til alle de implicerede tyske myndigheder i Danmark og til Rüstungsamt i Berlin. Bilagsmaterialet medfulgte, og heri kunne man værk for værk følge, hvordan lukningen var forløbet, og hvilke problemer der var opstået. Ved en gentagelse af aktioner var det ubetinget nødvendigt, at der igen blev indsat teknisk ansvarlige for at undgå beskadigelse af værkerne. Lukningen skulle ske i en bestemt rækkefølge, først gas, så vand og sidst el, de danske værkledelsers medvirken var anbefalelsesværdig, militærbeskyttelse af værkerne skulle ske, før den tekniske kommission ankom. Ved en fremtidig aktion skulle der opstilles en plan for nedlukningen, hvor man evt. kunne opretholde forsyningen på udvalgte områder, f.eks. slagterier og kølehuse.

Aktioner af denne type blev ikke anvendt i andre besatte lande, og derfor var der ikke tidligere erfaringer at trække på. Den københavnske generalstrejke var blevet mødt med en ny aktionsform fra tysk side i et besat land, hvor man ikke ville eskalere voldsanvendelsen til et sådant punkt, at erhvervslivet ikke påfølgende kunne fungere videre – selv om der blev truet med det.[103]

Aktionsformen var en succes for så vidt, som den blev brugt igen, og Rüstungsstab Danmarks råd blev fulgt. Se von Collani 15. juli 1944.

Kilde: BArch, Freiburg, RW 27/16. KTB/Rü Stab Dänemark 3. Vierteljahr 1944, Anlage 2.

Rüstungsstab Dänemark                              *Kopenhagen, den 5. Juli 1944.*
Abt. Tb Az. 7 Nr. 453/44 g                              Geheim

Betr.: Erfahrungsbericht über die Stillegung der Gas-, Wasser-, und Elektrizitätswerke in Groß-Kopenhagen durch Ingenieure des Rü Stab Dänemark am 30.6. bzw. 1.7.44.

An
   1.) Wehrmachtbefehlshaber Dänemark, Gefechtsstand
   2.) Höheres Kommando, Kopenhagen

---

103 I *Daglige Beretninger*, 1946, s. 161-192 er en beretning om, hvordan Københavns Kommune håndterede forsyningssituationen, herunder nødberedskabet på hospitalerne.

3.) Reichsbevollmächtigten in Dänemark, Kopenhagen
4.) Höheren Polizei- und SS-Führer in Dänemark, Kopenhagen.
Nachrichtlich:
Rüstungsamt des Reichsministers für Rüstung und Kriegsproduktion,
Berlin NW 7, Unter den Linden 36.

In der Anlage werden Berichte der Ingenieure des Rü Stab Dänemark über ihre Beteiligung an der gelegentlich des Generalstreiks befohlenen Stillegung der Versorgungsbetriebe in Groß-Kopenhagen übersandt.
 Bei dieser erstmaligen Aktion wurden folgende Erfahrungen gemacht:
1.) Auch im Wiederholungsfall müssen unbedingt wieder technische Kräfte verantwortlich eingesetzt werden, damit jede Beschädigung der Betriebsanlagen durch unsachgemäße Befehle vermieden und dadurch eine schnelle Wiederinbetriebnahme der Werke sichergestellt wird.
2.) Die Werke müssen in einer bestimmten Reihenfolge abgeschaltet werden, und zwar erst die Gaswerke, dann die Wasserwerke und zum Schluß die Elektrizitätswerke.
3.) Die Mitwirkung der dänischen Betriebsleitungen ist in jedem Fall zu empfehlen.
4.) Der deutsche militärische Schutz der Werke muß bei Eintreffen der technischen Kommissionen bereits vorhanden sein.
5.) Es fehlte den Ingenieuren die Kenntnis der Lage der Gasausgleichbehälter, die automatisch das fehlende Gas nachliefern. Dadurch blieb der Gasdruck in einzelnen Stadtteilen zu weitgehend erhalten.
6.) Die Befehlsübermittlung muß unbedingt gesichert sein. Sie hat versagt, weil die zugesagten Stafetten nicht kamen und die dänischen Fernsprechvermittlungen nicht mit dem Einsatzstab verbunden haben.
Auf Grund der gemachten Erfahrungen empfiehlt es sich, seitens der zuständigen Befehlsstelle eine Planung für derartige Aktionen umgehend durch Aufstellung eines Kalenders vornehmen zu lassen, in dem auch evtl. Einschränkungen in den Stillegungen (z.B. Aufrechterhaltung der Stromversorgung für Schlacht- und Kühlhäuser, für Druckereien oder für das Telefonnetz) berücksichtigt werden müssen. Hierdurch werden die für den Einsatz in Frage kommenden Ingenieure rechtzeitig mit ihren Aufgaben vertraut gemacht. Zur Aufstellung eines derartigen Kalenders stellt Rü Stab Dänemark seinen "Leitenden Ingenieur" zur Verfügung.
 Die gleichen Vorbereitungen müssen ds.E. auch für andere Städte und Bezirke des Landes getroffen werden, zumal die Elektrizitätsversorgung großer Gebiete von einander nicht unabhängig ist.

Forstmann

Anlage
Rüstungsstab Dänemark                                    *Kopenhagen, den 5. Juli 1944.*

Technische Berichte
über die Stillegung der Gas-, Wasser- und Elektrizitätswerke in Groß-Kopenhagen
durch Ingenieure des Rü Stab Dänemark am 30.6. bzw. 1.7.44.

*a.) Reg. Baurat Jeschke*
Am 30.6.44 Abfahrt 21 Uhr mit Obering. Simons (SSW) und 6 Mann Begleitung des SD.
   Ab 21.15 Uhr wurden folgende *Elektrizitätswerke* abgeschaltet:
1.) Örstedvärk                              Tömmergravsgade
2.) Vestrevärk                              Bernstorffsgade 15/17
3.) Gothersgadevärk                         Adelgade
     (stillgelegt durch Hptm. Leyk (Ingenieur),
     siehe besonderen Bericht)
4.) Östrevärk                               Österallé
5.) Frederiksbergvärk                       Hortensiavej
6.) E-Werk und Transformatorenstation       Finsensvej
7.) Transformatorenstation der NESA         Lyngbyvej.
     (Nordseeländische Elektrizitäts-Gesellschaft)
   Die Aktion war gegen 00.30 Uhr beendet.
   Besondere Schwierigkeiten bei der Abschaltung sind nicht aufgetreten. Einige Stadtviertel des Bezirks Frederiksberg konnten nicht stromlos gemacht werden, da sie von Pufferbatterien, die in das Netz eingebaut sind, noch bis zum Verbrauch dieser Pufferbatterien gespeist werden. Die Abschaltung der Einzelnen Pufferbatterien hätte einen hohen Zeitaufwand bedeutet.
   Es ist bei Außerbetriebsetzung der obigen E-Werke zu unterscheiden zwischen eigenerzeugenden Werken und reinen Umspannwerken. Die Außerbetriebsetzung der eigenerzeugenden Werke erfolgt mittels Herunterfahren der Turbinen durch Abdrosselung der Dampfzufuhr und langsames Ausblasen der Kessel. Bei Umspannwerken ist zu unterscheiden zwischen der Abschaltung der Primärseite (Einspeisung) und der Sekundärseite (Verbraucher). Die Sekundärseite kann nicht ohne weiteres durch Herausnehmen der Trennschalter abgeschaltet werden, da bei voller Belastung die Trennschalter beim Herausnehmen durch Lichtbogenbildung zerstört werden und durch plötzlichen Leerlauf des Transformators dieser zerstört würde. In diesem Fall muß die Primärseite zuerst abgeschaltet werden, indem die zuliefernden Werke angewiesen werden, ihre Leistungsabgabe einzustellen. Obige Werke wurden nach diesem Gesichtspunkt ohne Beschädigung der Anlagen abgeschaltet. Die Durchführung der richtigen Reihenfolge der Maßnahmen und die erfolgte Abschaltung der Werke wurde durch ständige Beobachtung der Strom-, Spannungs- und Leistungsmesser überwacht. Der im Werk der NESA vorhandene Leuchtbildplan erleichterte die Maßnahmen bedeutend.
   1.7.44: Durch Anruf des Insp. Überfeld vom Gaswerk Finsensvej wurde ich um 14 Uhr in Kenntnis gesetzt, daß Schwierigkeiten im Gaswerk aufgetreten sind.

Bei Überprüfung des Gaswerkes um 15 Uhr mit Ing. Sandring wurde festgestellt, daß Gefahr für die Zerstörung des Gaswerkes vorhanden war, da die Wasserkühlung der Ofentüren durch Abstellen der Wasserwerke ausgefallen war und auch bei verminderter Feuerung auf Kühlung nicht verzichtet werden konnte. Da keine provisorische Pumpanlage vorhanden ist, mußte zur Beseitigung der Gefahr der Ofenbetrieb restlos eingestellt werden. Das Ausblasen der Retorten hätte die neue Gefahr mit sich gebracht, daß diese durch Verkokung und Versinterung völlig unbrauchbar werden. Diese Gefahr war nur durch sofortiges maschinelles Ausstoßen der Retorten zu beseitigen, für die unbedingt die Stromlieferung wieder aufgenommen werden mußte. Zur Verhinderung der schweren Beschädigung des Gaswerkes gab ich auf eigene Verantwortung von 15 bis 21 Uhr die Stromlieferung aus dem Trafowerk der NESA über das Örstedwerk für das Gaswerk wieder frei.

Besondere Erfahrungen:
Bei einer neuen Aktion dieser Art muß vorher unbedingt ein Zeitplan – am besten in Form eines Kalenders – aufgestellt werden, damit die Abschaltung der Werke in technisch richtiger Reihenfolge vor sich geht. Zuerst müssen die Gaswerke abgeschaltet bzw. die Retorten ausgeblasen und ausgestoßen werden, zur technischen Durchführung muß die Elektrizitätsversorgung noch sichergestellt sein, ebenso die Wasserversorgung. Als nächstes können die Wasserwerke abgeschaltet werden und zum Schluß die Elektrizitätswerke. Obwohl ich unter Berücksichtigung dieser Überlegung bei der durchgeführten Aktion die Abschaltung der E-Werke erst etwa 1½ Std. nach Abrücken der Gas- und Wasser-Kommandos durchführte, war diese Zeit noch immer zu kurz bemessen.

*b.) Hauptmann Leyk (Ingenieur)*
20.25 Uhr Abfahrt in Begleitung von 1 SD-Mann, 1 Dolmetscher, 1 Feldwebel und 30 Soldaten zum *Elektrizitätswerk* Gothersgade.

Das E-Werk wurde auf meine Veranlassung um 20.45 Uhr außer Betrieb gesetzt. Das im gleichen Gebäude befindliche Fernheizwerk war außer Betrieb.

Der Leiter des Werkes Ing. Andersen wurde herbeigeholt, er bat jedoch, den Generaldirektor und den Oberingenieur des Werkes herbeizurufen. Sie wurden telefonisch verständigt und erschienen sofort. Die Unterhandlung mit dem Generaldirektor der Städtischen Elektrizitäts-, Gas- und Wasserwerke, Börensen, und Oberingenieur Brack verlief reibungslos. Da eine Einzelabschaltung des Umspannwerkes in der Gothersgade ohne Abstellung der Stromzufuhr der anderen Werke nicht möglich ist, erteilte ich dem Generaldirektor Börensen dem Befehl, zugleich die anderen E-Werke stillzulegen. Er gab an die Werke entsprechende telefonische Anweisungen. Der im Werk anwesende dänische Polizeileutnant wurde mit seinen 6 Polizeibeamten nach Ablieferung der Karabiner unter Belassung der Pistolen nach Hause geschickt, desgleichen die Sabotagewache und alle nicht unbedingt notwendigen Angestellten und Arbeiter. Die Luftschutzwache wurde belassen. Luftschutzwache und die noch verbliebenen Arbeiter wurden in einem bewachten Raum untergebracht. Der leitenden Ingenieur des Werkes, Andersen, wurde angewiesen, sich jederzeit zur Verfügung zu halten. Im Werk wurde eine Notbeleuchtung eingeschaltet.

Dem Führer der Wehrmachtwache war ein falsches Objekt (Verwaltungsgebäude anstatt E-Werk selbst) zur Bewachung angewiesen. Ich ordnete an, daß das E-Werk zu besetzen sei. Die Besetzung vollzog sich vollkommen reibungslos.
c.) Reg. Baurat Kruse
Auf Befehl Chef Rü Stab Dän. Meldung mit Sonderführer Wehowsky vom Rü Stab Dän. am 30.6.44 18.45 Uhr im Shell-Haus bei Major Schierholz. Kommando Reg. Baurat Kruse, Leutnant (Ing.) Goldmann, Sonderführer Wehowsky und 6 Polizeiwachmannschaften rückte 20.40 Uhr mit 2 Pkw. aus und besetzte folgende *Wasserwerke und Pumpstationen*:

1.) Axeltorv               außer Betrieb gesetzt  21.15  Uhr
2.) Borupsallee            –     –      –        21.50  –
3.) Islevbrovärk (elektr.) siehe Bericht Techn. Insp. Hultsch
4.) Vestersögade           –     –      Kaptlt. (Ing) Müller
5.) Hochbehälter Buddinge  außer Betrieb gesetzt  23.45  Uhr
6.) Hochbehälter Gentofte  –     –      –        03.15  –
7.) Pumpwerk Holte         –     –      –        03.30  –

Im Werk Axeltorv wurde Sonderführer Wehowsky zunächst mit 2 Wachposten zurückgelassen. Eine Verstärkung von 4 Mann traf 2 Std. später ein. Die Abschaltung konnte erst nach Verständigung mit dem Hauptwerk Roskilde vorgenommen werden, da sonst Schäden an den dortigen Filtern entstanden wären. Der Betriebsleiter weigerte sich, die Abstellung vorzunehmen. Durch energisches Eingreifen des Kommandos wurden dann die Maschinen außer Betrieb gesetzt. Da keine genauen Angaben über die verschiedenen Pumpwerke vorhanden waren, wurde vom Betriebsleiter die Namhaftmachung der in Frage kommenden Stationen verlangt.

Als zweites Werk wurde 21.50 Uhr Borupsallee außer Betrieb gesetzt (siehe Bericht Fl. Ing. Kubaschk). 1 Uffz., 9 Mann und 2 Wachtmeister der Polizei blieben zur Bewachung zurück.

Das Islevbrovärk war inzwischen durch ein Kommando mit Techn. Insp. Hultsch vom Rü Stab Dän. besetzt worden. Die dortige Anlage ist mit elektr. Betrieb ausgestattet. Durch Ausschalten des Stromes wurde diese Anlage außer Betrieb gesetzt.

In dem Werk Vestersögade wurde Kaptlt.(Ing.) Müller vom Rü Stab Dän. mit seinem Kommando angetroffen. Die dort laufenden Dieselmotoren waren bereits außer Betrieb (siehe Bericht Kaptlt.(Ing.) Müller). Auf dort vorgefundenen Maßapparaten konnte festgestellt werden, daß im Hochbehälter Buddinge noch eine Wasserreserve, für etwa 24 Std. ausreichend, vorhanden war. Deshalb wurden die Reservebehälter in Buddinge aufgesucht und festgestellt, daß die dort vorhandenen elektr. bedienten Schieber geschlossen waren. Eine militärische Wache wurde hier nicht vorgefunden, sondern nur ein dän. Polizeibeamter mit 9 Hilfspolizisten. Dem leitenden Polizeibeamten wurde eingeschärft, daß er für die Anlage verantwortlich sei und nach Eintreffen eines deutschen Kommandos abzurücken habe.

Wie in Buddinge festgestellt wurde, stehen in Gentofte bei Jägersborg mehrere größere Ausgleichbehälter für die Wasserversorgung. Diese Anlage wurde ebenfalls nachgeprüft und festgestellt, daß die Schieber geschlossen waren. Die dän. Polizei wurde durch ein deutsches Kommando ersetzt.

Ein weiteres Pumpwerk in Holte wurde ebenfalls in kurzer Zeit stillgelegt. Da es nicht das gesuchte Hauptpumpwerk für die Reservebehälter in Gentofte war und man weiter erfahren konnte, daß diese Ausgleichbehälter von allen Kopenhagener Pumpwerken den Überdruck aufnehmen und Holte nicht zum Sperrbereich gehörte, ließ man die stillgelegten Dieselmotoren wieder anlaufen.

Bei der Anfahrt zum Pumpwerk Borupsallee in der Rantzausgade wurde geschossen. Außerdem war die Straße durch Barrikaden gesperrt und Feuer angelegt. In einem kurzen Feuergefecht wurde die Straße frei gemacht und die Gegend gesäubert.

Die Aktion war am 1.7.44 um 04.30 Uhr abgeschlossen.

*d.) Kaptlt. (Ing.) Müller*
Abfahrt vom Shell-Haus um 20.30 Uhr mit 2 Beamten vom SD zum *Wasserwerk* Gammel Kongevej. Das Werk war bereits militärisch besetzt und wurde stillgelegt, die Absperrschieber wurden geschlossen. Das Werk hätte nach der Stillegung nicht ohne weiteres wieder in Betrieb gesetzt werden können, da die Stromzufuhr unterbrochen war.

*e.) Techn. Insp. Hultsch*
Abfahrt um 20.00 Uhr mit 6 techn. Beratern zur Kaserne D 10 (Lyngbyvej), wo Verteilung auf die verschiedenen Werke stattfand. Ich hatte das Islevbro *Wasserwerk* außer Betrieb zu setzen. Zu meiner Unterstützung wurde mir 1 Wachtmeister vom SD, 1 Uffz. Und 9 Mann auf Lkw. zugeteilt.

Nach Eintreffen bei dem Werk wurden die Sabotagewächter des Werkes entwaffnet und zusammen mit 3 dänischen Polizisten aus dem Werk entfernt. In Zusammenarbeit mit dem dänischen Betriebsleiter Grandjean wurden außer Betrieb gesetzt:

4 Pumpen je 900 m$^3$/Std.
4 Dieselmotore (Burmeister & Wain) à 250 PS
4 Ölbehälter mit insgesamt 35 t Öl
durch Absperrung des Hauptventils der Ölzuleitung.

Weitere 2 Pumpen mit elektrischem Antrieb mit je 400 m$^3$/Std. liefen nicht mehr, da das Netz bereits spannungslos war.

Die Anfahrt des Kommandos war durch verschiedene Straßensperren behindert. Die Bevölkerung mußte durch energisches Eingreifen (Waffengebrauch) vertrieben werden. Straßensperren waren in Möllerlodden, Tagensvej, Tomsgaardsvej, Krabbesholmsvej und Slotsherrensvej. Auf der Rückfahrt trafen wir wieder neuerrichtete Straßensperren an, zu deren Entfernung die Bevölkerung gezwungen wurde.

*f.) Fl. Hpt. Ingenieur Kubaschk*
Abfahrt gegen 20.40 Uhr mit 5 weiteren Ingenieuren des Rü Stab Dän. zum Batl. 10 am Lyngbyvej. Dort Verteilung auf die Kommandos. Ich trat zum Kommando für Stillegung des *Wasserwerks* in der Borupsallee und fuhr mit einem von Militär gesteuerten Lkw. gegen 21.30 Uhr ab. Stärke des Kommandos: Fl. Hpt. Ingenieur Kubaschk, 2 Wachtmeister vom SD, 1 Uffz. und 9 Mann als militärischer Schutz des Werkes.

Nach Sicherung des Werkes durch Posten wurden die dänischen Sabotagewachen entwaffnet und nach Hause geschickt. Mit dem Maschinenmeister wurden die für die Abstellung notwendigen Maßnahmen besprochen. Von den vorhandenen 2 Pumpen lief nur eine. Angetrieben werden die Pumpen durch 2 Kessel, von denen einer in Betrieb war. Das Feuer unter dem Kessel wurde gelöscht und die Versorgungsleitungen gesperrt. Das Werk war gegen 22.00 Uhr stillgelegt.

Schwierigkeiten sind nicht aufgetreten.

*g.) Techn. Insp. Sandring*
Abfahrt vom Shell-Haus 20.45 Uhr mit Mar. Ob. Baurat Baumann vom Ob. Werftstab in einem Pkw. mit 2 Mann vom SD.

Stillgelegt wurden folgende *Gaswerke*:
1.) Östregasvärket, Zionsvej
2.) Strandvejs-Gasvärket, Strandvej
3.) Valby-Gasvärket, Vigerslev Allé
4.) Gasvärket Finsensvej

Meldung im Shell-Haus 1.7.44 2 Uhr.

Erneute Abfahrt vom Shell-Haus 2.30 Uhr mit 3 Pkw. und 10 Mann vom SD. Stillgelegt wurden:
Pumpwerk am Nordufer des Damsö
Wasserwerk Roskildevej/Damsö
Meldung im Shell-Haus 3.30 Uhr.

Besondere Ereignisse: Keine.

Besondere Erfahrungen:
Da es sich bei Gaswerken um komplizierte und weitverzweigte Werkanlagen handelt, ist die Mitwirkung eines führenden Gaswerksbeamten vorteilhaft. Gen. Dir. Böresen von den Gas- und Wasserwerken erklärte sich zur Mitarbeit bereit, sodaß anhand des Rohrleitungsplanes die gesamte Stillegungsaktion eingehend behandelt wurde. Die Niederdruckleitungen blieben unberücksichtigt. Auf Absperrung der im Stadtgebiet weit verzweigten Hochdruckschieber in den die einzelnen Gaswerke verbindenden Ringleitungen mußte verzichtet werden, um die Aktion nicht zu zeitraubend zu gestalten.

Mit Rücksicht auf mögliche Knallgasbildungen bei Wiederaufnahme der Gaslieferung wurde beschlossen, daß die 4 Gaswerke nicht restlos stillzulegen, sondern deren Hauptschieber nur auf etwa 30 mm WS zu drosseln sind. Das auf diese Weise in den Hoch- und Niederdruckleitungen weiter strömende Gas von geringem Druck sollte Luftansammlungen in den einzelnen Leitungen verhüten. Gas von ca. 30 mm WS kann zum Brennen nicht mehr verwendet werden.

Auf dem *Gaswerk 1* war der befohlene militärische Schutz noch nicht eingetroffen. Dieser muß bei derartigen Aktionen vor Eintreffen der technischen Gruppe sichergestellt sein.

Der während der Anwesenheit auf diesem Werk eingetroffene vorläufige Leiter des technischen Trupps wurde über die erforderlichen Maßnahmen zwecks selbständiger

Durchführung unterrichtet.

Auch auf dem *Gaswerk 2* fehlte der militärische Schutz. Aus Zeitgründen mußte der dänische Werksdirektor Hansen für die Durchführung der angeordneten Maßnahmen persönlich haftbar gemacht werden.

Auf dem *Gaswerk 3*, welches militärisch bereits gesichert war, wurde der in der Stilllegungsaktion befindliche Leiter des technischen Trupps unterrichtet, daß die Abgangsleitungen nicht vollständig zu schließen, sondern auf 30 mm WS zu halten sind.

Auf *Gaswerk 4*, welches ebenfalls bereits militärisch bewacht war, wurde die Stilllegungsaktion mit dem Leiter des technischen Trupps, Techn. Insp. Überfeld vom Rü Stab Dän., besprochen (s. bes. Bericht). Dieses Gaswerk bereitete besondere Schwierigkeiten, sodaß auf Veranlassung von Techn. Insp. Überfeld am 1.7.44 15 Uhr nochmals eine Besprechung stattfand, da bei den wassergekühlten Ofentüren durch Fehlen des Stromes die Gefahr des Ausglühens bestand. Mit Reg. Baurat Jeschke von der "Gruppe Elektrizitätswerke" wurde dann im NESA-Umspannwerk die Wiedereinschaltung des Stromes bis 21 Uhr angeordnet. Die mit diesem Gaswerk gesammelten Erfahrungen zeigen, daß es bei derartigen Aktionen im Interesse der Gaswerke unbedingt notwendig ist, erst die Gaswerke und dann die E-Werke abzuschalten, zumal die dänischen Gaswerke nicht in allen Fällen eigene Notstromaggregate besitzen.

Im Verlauf des Nachmittags wurden aus eigener Initiative nochmals verschiedene Brennstellen in der Stadt überprüft und dabei ein teilweise zu hoher Gasdruck beobachtet. Eine im Shell-Haus vorgeschlagene erneute Überprüfungsaktion sollte jedoch unterbleiben, da die Wiederaufnahme der Gaslieferung für den 2.7.44 vorgesehen war.

*h.) Dr. Ing. Pfautsch*
Abfahrt am 30.6.44 um 20.30 Uhr vom Shell-Haus mit 6 Mann vom SD. Ankunft in der Kaserne Lyngbyvej 21 Uhr. Abfahrt von dort mit 3 Lkw., 2 PAK, 1 Offizier, 60 Mann und einem Dolmetscher. Aufgehalten durch Panne des Lkw. und Barrikadenbau in den Straßen. Ankunft im *Östre-Gaswerk* deshalb erst 22.50 Uhr. Ende der Aktion 1.7.44 13 Uhr.

Besondere Begebenheiten:
Die Stillegung des Gaswerkes war bereits auf Anordnung des Techn. Insp. Sandring durch den dänischen Betriebsleiter erfolgt. Sandring war auf seiner Inspektionsreise früher im Werk als wir. Sandring hatte den Hauptschalter drosseln lassen; um Knallgasbildung zu vermeiden, darf eine völlige Ausschaltung des Hauptrohrs nicht stattfinden. Knallgas bildet sich, wie bekannt, durch Eindringen von Luft in die Leitungen. Das Gemisch Luft und Kochgas ist hochexplosibel. Deshalb wurde versucht, den Gasdruck konstant unter 30 mm WS zu halten. Dadurch entsteht ein leichtes Strömen in den Leitungen. Der Ausfluß von Gas ist dann aber so gering, daß er für Kochzwecke nicht benutzt werden kann.

Es war mir erst um 3 Uhr möglich, durch weiteres Drosseln der Hauptschieber den Gasdruck auf 30 mm WS herunterzubekommen. Ferner ließ ich das sich in den Retorten entwickelnde Gas abblasen. Die Retorten selbst auszuschalten, ist nicht möglich; denn durch das sich in den Retorten bildende Gemisch von Koks und Teer entsteht eine harte Mischung, die nur mit Meißel und Bohrer entfernt werden kann. Die Retorten müssen deswegen weiter glühen und die Retortentüren müssen weiter Wassergekühlt werden.

Das Östre-Gaswerk hatte zur Wasserhaltung ein Notaggregat zur Verfügung, sodaß das Abschneiden der Elektrizität eliminiert werden konnte.

*i.) Techn. Inspektor Überfeld*
Abfahrt in Begleitung von 6 weiteren Trupps auf Lkw.'s um 20.15 Uhr ab Schell-Haus.
1.) Stillegung des Elektrizitätswerkes Finsensvej. Ankunft dort 21.45 Uhr. Stillgelegt 22 Uhr.
2.) Stillegung des *Gaswerks Finsensvej* im Anschluß an obige Aktion. 22.30 Uhr war das Werk stillgelegt.

Besondere Ereignisse:
Um 23 Uhr erfolgte Explosion im Winderhitzer des Gaswerks durch Knallgasbildung. Geringer Sachschaden. Belegschaft konnte Explosion nicht verhindern, da Strom fehlte und Windmaschinen still standen.

Besondere Erfahrungen:
Das Wichtigste in jedem Gaswerk sind die Retortenöfen, in denen gemahlene Kohle unter Hinzufügung von Leuchtgas bzw. Luft verkokt wird. Bei dieser Verkokung entsteht Gas von verhältnismäßig hoher Temperatur. Das Gas wird durch Kühlschlangen abgekühlt. Für diesen Kühlprozess braucht man Wasser. Auch zum Verschluß der oberen Retortenköpfe sind Wasserbäder erforderlich. Jedes Gaswerk besitzt wegen des hohen Wasserverbrauchs eigene Pumpanlagen, die in Dänemark elektrisch betrieben werden. Die Gaswerke sollten so stillgelegt werden, daß die schnell wieder in Betrieb genommen werden konnten. Es war aber nicht bekannt, von wo die Stromversorgung der verschiedensten Gaswerke erfolgte. Besitzt in Deutschland im allgemeinen ein Gaswerk eine eigene Elektrizitätsanlage zur Erzeugung des Eigenstroms, so erfolgt hier auf diesem Werk die Versorgung durch das vorgelagerte Elektrizitätswerk, welches vom NESA-Werk gespeist wird.

Das von mir stillgelegte Elektrizitätswerk ist in der Hauptsache eine Umformerstation, die das Gaswerk mit Strom versorgt. Wie sich späterhin herausstellte, versorgt es allerdings neben dem Gaswerk auch noch die umliegenden Fabriken mit Strom. Durch die Stillegung des Elektrizitätswerks Finsensvej war bis auf eine ganz geringe Notbeleuchtung jeder Strom unterbunden, sodaß sämtliche Arbeiten mehr oder weniger im Dunkeln ausgeführt werden mußten. Es müßte in Zukunft darauf Rücksicht genommen werden, daß die Elektrizitätswerke nicht eher abgeschaltet werden dürfen, bis die Arbeiten auf dem Gaswerk zu einem gewissen Abschluß genommen sind. Die um 23 Uhr erfolgte Explosion im Winderhitzer ist aber nicht allein dem fehlenden Strom zuzuschreiben; das zur Verarbeitung gelangende Gas hat sich an den heißen Wänden der Winderhitzer entzündet und verursachte bei Luftzustrom die gefährliche Knallgasbildung.

Ob. Baurat Baumann vom Oberwerftstab, Inspektor Sandring vom Rü Stab Dän.

und Gen. Dir. Böresen vom Städt. Gas- und Wasserwerk trafen gegen Mitternacht ein. Bei der anschließenden Besprechung wurde beschlossen, die Stadtleitung unter Druck vom 30 mm WS zu lassen, um eine ähnliche Explosion, wie schon im Winderhitzer voraufgegangen, zu verhüten. Zur Erhaltung der Gasretorten wurde bei einer Lagebesprechung am Vormittag des 1.7.44 mit der Werksleitung beschlossen, eigenes Gas und Warmhaltung zu benutzen. Die Werksleitung konnte sofort nach der Besetzung des Werkes nicht herangezogen werden, da sie zunächst nicht anwesend war.

Zur Charakteristik der tatsächlich erfolgten Gaseinsparung möchte ich die Verbrauchszahlen vom 30.6. 8 Uhr bis 1.7. 8 Uhr anführen. Sie betrugen 21.000 cbm gegen normalen Tagesverbrauch von 51.000 cbm.

Es war durch Weigerung der dänischen Fernsprechzentrale, Wehrmachtgespräche zu vermitteln, nicht möglich, mit dem Einsatzstab in Verbindung zu treten. Versprochene Meldestafetten traten nicht in Erscheinung. So gelang es mir erst gegen 14 Uhr, mit meiner Dienststelle Verbindung aufzunehmen und mit Reg. Baurat Jeschke einen Besuch des Gaswerks zu vereinbaren. Reg. Baurat Jeschke und Techn. Insp. Sandring trafen um 15 Uhr hier ein. Es wurde beschlossen, die elektrischen Pumpwerke in Betrieb zu nehmen, um die Wasserhaltung des Gaswerks sicherzustellen. Durch Einschaltung des NESA-Werks gelang diese Stromversorgung, nachdem sämtliche andere Leitungen vom Stromnetz abgeschaltet wurden. Die Wasserhaltung blieb dann von 15 Uhr bis 21 Uhr in Betrieb, und es wurden hierdurch weitere Schäden verhindert.

Vorgesehen war, die Retorten auszustoßen bzw. neu zu beschicken, um ein Einbrennen des ersten Beschickgutes zu vermeiden. Wäre diese Aktion nicht durchgeführt worden, so wäre das Beschickgut fest eingebrannt und hätte nur durch sehr zeitraubende Arbeiten mit Räumhämmern entfernt werden können, was u.U. zum Verlust der ganzen Retorten geführt hätte.

Es ist ferner darauf Rücksicht zu nehmen, daß die Belegschaft eines derartigen Werkes nach einer gewissen Arbeitszeit gewechselt werden muß, da es den Arbeitern nicht möglich ist, mehr als 8 Std. vor den Feuern zu arbeiten. Es hat hier besondere Schwierigkeiten bereitet, da der militärische Schutz des Werkes weder die alten Arbeiter aus dem Werk heraus noch neue Arbeiter in das Werk herein lassen wollte.

*k.) Kaptlt. (Ing.) Dufft*
Abfahrt vom Shell-Haus um 20.30 Uhr im Kraftwagen. In meiner Begleitung befanden sich außer dem Fahrer 2 Mann vom SD. Auf dem Flugplatz Kastrup wurden mit 20 Mann als militärische Verstärkung zugeteilt.

Es wurde die Wasserversorgungsanlage und das Gaswerk in Dragör außer Betrieb gesetzt. Bei der Abschaltung des Wasserwerks wurde zunächst die Pumpstation stillgelegt, sodann wurde der Hauptabsperrschieber vom Wasserturm geschlossen.

Bei der Außerbetriebsetzung des Gaswerks wurde zunächst das Feuer aus den Kesseln gerissen und somit die Gaserzeugung eingestellt; sodann wurden die Hauptabsperrorgane geschlossen.

## 62. Politische Informationen für die deutschen Dienststellen in Dänemark 5. Juli 1944

Inden Best tog til førerhovedkvarteret i Obersalzberg, nåede han at give sin første knappe version af forløbet af generalstrejken i København, da *Politische Informationens* udsendelse for en gangs skyld var blevet udsat nogle dage. Han lod ingen tvivl om, at det var de tyske forholdsregler kombineret med ansvarlige danske kredses opråb, der havde fået strejken til at bryde sammen. Afsnittet "Fjendtlige stemmer" blev brugt til at lægge hele skylden for modterroren på Schalburgkorpset. Da Best vidste bedre, var det klart hensigten at lade korpset være eneansvarlig, da det i forvejen var miskrediteret i offentligheden. Best fulgte disse temaer op i *Politische Informationen* 1. august. Under afsnittet om erhvervslivet blev der orienteret om, at UM havde udarbejdet et stort memorandum om Danmarks erhvervsforhold under krigen med de vigtigste ønsker for, hvad der skulle til for fortsat at holde økonomien i gang. Under samme punkt blev Rudolf Sattlers oversigt over den danske valutasituation refereret. Til gengæld blev der naturligvis ikke bragt nogen form for meddelelse i anledning af Bests besøg i førerhovedkvarteret.

Når Best tog generalstrejkens forløb og afslutning op igen i *Politische Informationen* 1. august 1944 var det på grund af, at hans fremstilling hverken blev accepteret af fjenden, repræsenteret ved den illegale presse (hvilket var forventeligt), eller i Berlin, hvorfra han ifølge sin efterkrigsforklaring 31. august 1945 flere gange modtog bebrejdelser for håndteringen af strejken: "Den Propaganda, der imidlertid blev lavet efter Folkestrejken, viste ham snart, at hans Indsats ikke var blevet værdsat, men var blevet udnyttet til at udraabe Afslutningen som en Sejr for Befolkningen og Frihedsraadet." Det gjorde det nødvendigt udførligere at fremstille for de tyske tjenestesteder det, som han i virkeligheden så som en sejr for sig selv (LAK, Bestsagen). Støtte fandt han til gengæld i den danske nazistiske presse (Se især *Jul i Norden* 1944) og i *Skagerrak* nr. 20, juli 1944 (artiklen: Auf Moskaus Befehl! Hintergründe des gescheiterten Streiks" s. 1-3).

Kilde: RA, Centralkartoteket, pk. 681.

Der Reichbevollmächtigte in Dänemark       *Kopenhagen, den 5. Juli 1944.*
                                           Nur für den Dienstgebrauch!

### Politische Informationen
für die deutschen Dienststellen in Dänemark.

Betr.: I. Die politische Entwicklung in Dänemark im Juni 1944.
 II. Mitteilungen aus der Außenpolitik.
 III. Mitteilungen aus der Wirtschaft.
 IV. Maßnahmen deutscher Rechtsetzung und Verwaltung in Dänemark.
 V. Der Einsatz dänischer Arbeitskräfte für deutsche Zwecke.
 VI. Feindliche Stimmen über Dänemark.

*I. Die politische Entwicklung in Dänemark im Juni 1944*

1.) Die Lage in Dänemark war in der ersten Hälfte des Monats Juni von dem Beginn der "Invasion" in Frankreich überschattet. In den deutschfeindlichen Kreisen herrschte Begeisterung und die Hoffnung auf eine schnelle Entwicklung der Kämpfe in dem erhofften Sinne. Im Laufe des Monats stellte man sich allmählich darauf um, daß die konzentrischen Schlachten gegen die Festung Europa wohl noch eine geraume Zeit andauern würden, ohne daß man an der Niederlage Deutschlands zweifelt. Der Einsatz der deutschen Waffe "V1" erregte insofern Erstaunen, als man mit der Verwirklichung dieser Kampfmethode nicht mehr gerechnet hatte. Alsbald aber wurde von deutschfeindlicher Seite versucht, den Einsatz dieser Waffe als wirkungslosen deutschen Bluff hinzustellen.

2.) Während im ganzen Lande Ruhe herrschte und nur wenige unbedeutende Sabotageakte stattfanden, wurden in der zweiten Hälfte des Monats Juni in Kopenhagen eine Anzahl schwerer Sabotageakte gegen für deutsche Interessen arbeitende Betriebe verübt. Wechselweise mit diesen Sabotageakten fanden solche gegen Objekte statt, an denen kein deutsches Interesse besteht (Lange-Linie-Pavillon, K.B.-Halle, Golf-Klub, "Domus Medica," Konservatives Parteihaus, "Studentenhof," Schule der C.B.-Hilfspolizei, Vergnügungspark "Tivoli" und Königliche Porzellanmanufaktur).[104] Um dieser Entwicklung entgegenzutreten, wurden für Groß-Kopenhagen eine Reihe von polizeilichen Sicherungsmaßnahmen getroffen wie Verbot des Kraftdroschkenverkehrs und Einschränkung des Lastkraftwagenverkehrs auf 5-16 Uhr (weil solche Fahrzeuge öfter von Saboteuren benutzt worden waren), seit 26.6. Verbot des Straßenverkehrs von 20-5 Uhr, Verbot von Ansammlungen von mehr als 5 Personen auf der Straße sowie jeder Art von Versammlungen, starker polizeilicher und militärischer Streifendienst. Durch diese Maßnahmen wurde vom 26.6. ab zunächst das Aufhören jeder Sabotage in Groß-Kopenhagen erreicht. Dafür aber benutzten illegale, vor allem kommunistische Kreise die Erregung der Bevölkerung über die Sperrstunde und über gewisse Sabotageakte wie gegen "Tivoli" (die als "Schalburtage" bezeichnet werden, weil sie dem "Schalburg-Korps" zur Last gelegt werden), um den Generalstreik zu proklamieren. Tatsächlich wurde am 30.6.1944 in Groß-Kopenhagen allgemein die Arbeit niedergelegt. Hierauf wurden am Abend dieses Tages die Versorgungsbetriebe von Groß-Kopenhagen (Wasser, Gas und Elektrizität) von deutschen Kräften besetzt und die Versorgung der Stadt mit diesen Lebensbedürfnissen abgestellt. Am 1.7.1944 übernahm auf Antrag des Reichsbevollmächtigten der Kommandeur des Höheren Kommandos Generalleutnant Richter für Groß-Kopenhagen die vollziehende Gewalt und führte mit verstärkten Kräften der Wehrmacht die vollständige Absperrung der Stadt – auch hinsichtlich der Lebensmittelzufuhr – und eine umfassende Sicherung der Straßen und Plätze in der Stadt durch.[105] Gegen Widerstandsregungen in bestimmten Stadtteilen wurde rücksichtslos mit allen Waffen eingeschritten. Dieses schnelle deutsche Zugreifen bewirkte, daß bereits am 1.7.1944 von offizieller dänischer Seite nach Kräften auf Wiederaufnahme der Arbeit hingewirkt wurde. Die Stadtverwaltung und die Gewerkschaften erließen unter Mitwirkung der Zentralverwaltung und der politischen Parteien einen eindringlichen Aufruf zur Wiederaufnahme der Arbeit. Der 2. Juli war ein Sonntag, der unter den geschaffenen Beschränkungen sehr ruhig verlief und durch die herrschende Hitze die Beschränkung der Bewegungsfreiheit und das Fehlen des Wassers hart empfinden ließ. Am Montag, den 3.7.44, wurde der Generalstreik dadurch durchbrochen, daß die Verkehrsbetriebe und die Nachrichteneinrichtungen wieder in Gang gesetzt wurden und daß ein Teil der Betriebe die Arbeit wieder aufnahm. Nachdem an diesem Tage noch 5 bekannte Persönlichkeiten des dänischen öffentlichen Lebens, nämlich der sozialdemokratische ehemalige Staatsminister Buhl, der konservative Reichstagsabgeordnete Ole Björn Kraft, der Gewerkschaftsvorsitzende

---

104 Se tillæg 3.
105 Se Ernst Richter 26. juni for de indførte foranstaltninger.

Eiler Jensen, der Vorsitzende des Arbeitgeberverbandes Thomsen und der Oberbürgermeister Christensen, im Rundfunk scharf gegen den Streik Stellung genommen hatten,[106] wurde am 4.7.1944 die Arbeit in vollem Umfange wieder aufgenommen. Seitdem herrscht völlige Ruhe und normales Leben in Groß-Kopenhagen.
3.) Im Monat Juni sind 20 Todesurteile gegen dänische Staatsangehörige wegen Beteiligung an Sabotagehandlungen vollstreckt worden. In 6 Fällen ist die Todesstrafe im Gnadenwege in lebenslängliche Zuchthausstrafe umgewandelt worden.[107]
4.) Die deutsche Sicherheitspolizei hat im Juni festgenommen:[108]
wegen Sabotageverdachts   123 Personen,
wegen Spionageverdachts    19 Personen,
wegen illegaler Tätigkeit   368 Personen.
(Kommunismus und nationale Widerstandsgruppen)
Durch die Festnahmen sind 26 Sabotageakte aufgeklärt worden.

Auch im Monat Juni sind größere Mengen von Sabotagematerial, Waffen usw. sowie Ausrüstungsstücke der Wehrmacht in illegalen Lagern erfaßt worden.
5.) Die Befestigungsarbeiten in Jütland werden planmäßig fortgesetzt.

*II. Mitteilungen aus der Außenpolitik*

1.) Einem Wunsche der Reichsregierung entsprechend ist – wie die übrigen ausländischen Gesandtschaften – die Dänische Gesandtschaft in Athen am 15.6.1944 geschlossen worden. Der Dänische Gesandte Durloo ist abberufen. Die Interessen Dänemarks werden durch eine konsularische Vertretung wahrgenommen.
2.) Nach amtlichen Berichten aus Island hat die vom 20. bis 23.5.1944 in Island durchgeführte Volksabstimmung das folgende endgültige Ergebnis gehabt: für die Aufhebung der Union mit Dänemark 70.536 Stimmen, dagegen 365 Stimmen, 600 weiße Stimmzettel; für die Einführung einer republikanischen Verfassung 68.862 Stimmen, dagegen 1.064 Stimmen, 1.547 weiße Stimmzettel. Insgesamt 939 ungültige Stimmen. Damit stimmten für die Aufhebung der Union 98,65 v.H. und für die Einführung einer republikanischen Verfassung 96,35 v.H.

Der in der Volksabstimmung zum Ausdruck gebrachte Wille des isländischen Volkes, die Verbindung mit Dänemark endgültig zu lösen und Island zu einer selbständigen Republik zu erklären, bedurfte, um Rechtskraft zu erhalten, einer nochmaligen Bestätigung durch das Alting.

Am 16.6.1944 legte der isländische Ministerpräsident im Namen der Regierung dem Alting die folgenden Vorschläge zur Annahme vor:
1.) "Das Alting beschließt zu erklären, daß das dänisch-isländische Unionsgesetz vom Jahre 1918 fortgefallen ist."
2.) "Das Alting beschließt mit Bezug auf § 81 der Verfassung der Republik Island und nachdem die in demselben Paragraphen erwähnten Bedingungen betreffs der Stimmabgabe aller wahlberechtigten Personen erfüllt sind, daß die Verfassung

---

106 Se Bests telegram nr. 793, 3. juli 1944.
107 Se tillæg 2.
108 Se Bovensiepens aktivitetsberetning for juni og juli, 1. august 1944.

am Sonnabend, den 17.6.1944, in Kraft treten soll, wenn der Vorsitzende für das vereinigte Alting dies unter einer Sitzung im Alting erklärt."

Von den 52 Altingsabgeordneten war einer durch Krankheit verhindert. Die anwesenden 51 Abgeordneten stimmten sämtlich für die Annahme dieser beiden Vorschläge. Am 17.6.1944 um 14 Uhr erklärte der Vorsitzende des Altings vor diesem, daß die neue republikanische Verfassung nunmehr in Kraft trete. Anschließend wurde der bisherige Reichsverweser Sveinn Björnsson zum ersten Präsidenten der Republik Island gewählt. Er legte den Eid auf die Verfassung ab und übernahm sofort sein Amt.

*III. Mitteilungen aus der Wirtschaft*
1.) Das Memorandum des dänischen Außenministeriums betr. die wirtschaftlichen Verhältnisse in Dänemark während des Krieges vom 14. Juni 1944.[109]

Die dänische Zentralverwaltung hat als Unterlage für die im Juni 1944 in Berlin geführten Besprechungen mit den obersten wirtschaftlichen Reichsbehörden ein Memorandum verfaßt, welches in gedrängter, übersichtlicher Form eine Darstellung der Entwicklung der dänischen Wirtschaft auf allen Gebieten enthält, welchen im Interesse des Reiches und im Zusammenhang mit der Kriegsführung besondere Bedeutung zukommt. Das Memorandum vom 14.6.1944 behandelt in seinem ersten Teil die Leistungen Dänemarks an das Reich seit der Besetzung und befaßt sich im einzelnen mit der Warenausfuhr, den Verkehrsleistungen, den von der Wehrmacht durchgeführten Beschlagnahmen, dem Einsatz dänischer Arbeiter und mit den Ausgaben und Lieferungen für die Wehrmacht. Der zweite Teil ist der Frage der Finanzierung der Leistungen einschließlich der Preisprüfung gewidmet. Der dritte Teil hat die deutschen Gegenlieferungen zum Gegenstand.

Da die Denkschrift als Besprechungsgrundlage gedacht war, kommt besondere Bedeutung derjenigen der 8 Anlagen zu, welche die vordringlichsten dänischen Wünsche auf den einzelnen Wirtschaftsgebieten behandeln, deren Erfüllung nach dänischer Auffassung zur Aufrechterhaltung der inländischen Wirtschaft unumgänglich notwendig ist.

2.) Die Währungslage in Dänemark.
Aus dem Währungsbericht des Währungssachverständigen beim Reichsbevollmächtigten vom 10.6.1944 wird mitgeteilt:[110]

Bei Beobachtung des Niederschlages, den die seit dem 31.3.40 zusätzlich in den Verkehr gebrachte Kaufkraft bei den Geldinstituten und im Nationalbankstatus ergeben hat, tritt neuerdings immer deutlicher neben der von der Nationalbank vorgenommenen Kreditausweitung eine zusätzliche Kauf-Kraftbildung in Erscheinung, deren Ursache in dem Verhalten des Teiles der dänischen Bevölkerung gesucht werden muß, der nicht durch Wehrmacht und Clearing begünstigt ist und der jetzt dazu übergeht, bisher

---

109 Se Ripken til Steengracht 14. juni 1944. Bests omtale af UMs memorandum er i sig selv bemærkelsesværdig og kan tages som en udtalt støtte til dets intentioner. Han fulgte op på forhandlingerne om memorandummet i *Politische Informationen* 1. august 1944, afsnit III.1.
110 Best sendte Sattlers indberetning til AA 15. juni 1944, trykt ovenfor.

ruhende Kaufkraft (Ersparnisse und andere Geldguthaben) in Bewegung zu setzen und zum Kauf von nicht bewirtschafteten Waren zu verwenden.

Vom Besatzungstage bis zum 30.4.1944 sind von der Nationalbank 5.258 Mill. Kr. im deutschen Interesse zum Ausgleich der Clearing-Spitze und für Ausgaben der deutschen Wehrmacht in den Verkehr geleitet worden. Dabei fordert die sprunghafte Steigerung der gesamten Kreditausweitung von 40 % allein seit dem 30.9.1943 besondere Beachtung, die fast ganz durch den vermehrten Bedarf der deutschen Wehrmacht veranlaßt worden ist.

Wie bereits im vorigen Bericht angedeutet, werden immer weitere Bevölkerungskreise von der Kaufkraftsteigerung erreicht. Infolge des hohen Lohnanteils bei den Westwallbauten tritt je länger desto mehr die Bedarfsbefriedigung seitens der Arbeitenden und – davon psychologisch beeinflußt – auch der Sparer in den Vordergrund und wirkt vermehrend auf den Notenumlauf sowie verzögernd auf den Geldzufluß zu den Banken und Sparkassen.

Bis zum 30.4.1944 hat der Notenumlauf in Dänemark seit 31.3.1940 eine Steigerung

| | | | |
|---|---|---|---|
| aufzuweisen | von | 239 % | |
| Gegen Norwegen | – | 475 % | |
| Belgien | – | 309 % | |
| Niederlande | – | 366 % | |

Die Erhöhung steht in engstem Zusammenhang mit den Ausgaben der Wehrmacht und hat teils unbedenkliche und teils Gefahren bergende Ursachen.

An sich unbedenklich ist die Erhöhung des Notenumlaufs, soweit sie
– durch die in Kriegszeiten unvermeidliche Bargeldhortung und Verlangsamung der Umlaufgeschwindigkeit der Noten,
– durch den hohen Lohnanteil bei den steigenden Westwallbaukosten,
– durch die infolge der Invasionsgefahr vermehrte Truppenstärke (höherer Wehrsoldbedarf),
– durch die aus beiden Ursachen sich natürlicherweise ergebende Erhöhung der Barumsätze im Kleinhandel und der Ausgaben für Freizeitgestaltung
bedingt ist.

Der Anteil der Notenumlaufsvermehrung an der gesamten Kreditausweitung seit 31.3.1940 hat eine bemerkenswerte Stabilität bewahrt, sogar in den letzten 7 Monaten der ungewöhnlich starken Umlaufssteigerung, wo er sich gleichbleibend auf ca. 16 % hielt.

Die dänische Preispolitik war erfolgreich, die Preisindexzahlen sind seit der Kronenaufwertung – Januar 1942 – beinahe unverändert geblieben. Ein geringer Ausschlag bei den Lebenshaltungskosten und die Tatsache, daß die Löhne und Gehälter z.T. stark gegen die Preiserhöhungen seit Kriegsbeginn zurückgeblieben sind, hat Lohn- und Gehaltszulagen kleinen Umfangs notwendig gemacht. Doch ist Vorsorge getroffen worden, daß sich diese Zulagen nicht auf die Preise auswirken.

Die Preisbildung und – Überwachung durch die dänischen amtlichen Stellen ist jedoch in der Hauptsache auf den privaten Sektor beschränkt. Die Einflußnahme auf die viel bedeutenderen Umsätze im Zahlungsverkehr der Wehrmacht ist ihren weitgehend unmöglich. Die Prüfung der oft überhöhten Baupreise und Löhne ist zwar durch eine vom dänischen Handelsministerium im Einvernehmen mit der Wehrmacht erlassenen Verordnung geregelt worden, die die Beteiligung dänischer Bau- und Preissachverständiger vorsieht. Jedoch scheitert nicht selten die Durchführung daran, daß es den Wehrmachtdienststellen aus Geheimhaltungsgründen nicht möglich ist, den dänischen Sachverständigen die Kalkulationsunterlagen durch die Unternehmer vorlegen zu lassen oder ihnen Zutritt zu den Baustellen zu gewähren. Nach der amtlichen dänischen Umsatzstatistik lag in Jütland dem Länderteil Dänemarks, wo die Geldvermehrung infolge der Westwallbauten natürlich am stärksten ist, die Steigerung der Umsätze schon am Jahresschluß 1943 weit über dem dänischen Durchschnitt von 50 % gegenüber der Vorkriegszeit. Seitdem hat dort die Flucht in die Sachwerte noch bedeutend größeren Umfang angenommen. Es sollte im Rahmen der Möglichkeiten weiterhin alles Vertretbare getan werden, um eine Zunahme der Überhöhung bei Preisen und Löhnen unmöglich zu machen aus der Erkenntnis, daß ein Zusammenbruch des Vertrauens der Arbeiter und Lieferanten zur Stabilität der Krone einen Rückgang der Leistungen zur Folge haben und dem dringenden deutschen Interesse zuwiderlaufen würde.

Auf Grund aller Geldbindungsmaßnahmen sind bis zum 30.4.1944 insgesamt 3.434 Mill. Kr. gebunden worden, davon sind 46 % als kurzfristig, 13 % als mittelfristig und 6 % als langfristig anzusehen.

Demgegenüber steht die gesamte Kreditausweitung mit 5.258 Mill. Kr. Die gesamte Bindung beträgt also 65 % der gesamten Kreditausweitung.

Die wohnungsmäßige Belastung Dänemarks ist also – gemessen an derjenigen anderer Gebiete – noch erträglich. Eine akute Gefahr für die Währung besteht nicht. Maßnahmen zur Kaufkraftbindung sind zwar in guter Anpassung an die hierzulande gegebenen geld- und kapitalmarktpolitischen Möglichkeiten getroffen worden, doch ist ihre Fortführung mit dem Ziele der erhöhten Unterbringung von mittel- und langfristigen Anleihen notwendig.

*IV. Maßnahmen deutscher Rechtsetzung und Verwaltung in Dänemark*
1.) Strafvorschrift für Zuwiderhandlungen gegen Anordnungen deutscher Dienststellen. Da es sich als notwendig erwiesen hat, für die von deutschen Dienststellen in Dänemark zur Aufrechterhaltung von Ordnung und Sicherheit erlassenen Anordnungen eine von den deutschen Gerichten anzuwendende Strafsanktion zu schaffen, hat der Reichsbevollmächtigte am 24. Juni 1944 folgende Verordnung erlassen:

"§1.
Wer den zur Aufrechterhaltung von Ordnung und Sicherheit erlassenen Anordnungen deutscher Dienststellen zuwiderhandelt, wird mit Gefängnis und Geldstrafe oder einer dieser Strafen bestraft.
In schweren Fällen kann auf Zuchthaus erkannt werden.

§2.
Diese Verordnung tritt am 24. Juni 1944 in Kraft."

2.) Schutzbereichverordnung.
Der Reichsbevollmächtigte hat unter dem 27. Juni 1944 die Verordnung über die Beschränkung von Grundeigentum aus Gründen der Landesverteidigung erlassen, die in Nr. 2 des Verordnungsblattes des Reichsbevollmächtigten in Dänemark vom 27.6.1944 veröffentlicht worden ist.[111]

Damit ist in Dänemark eine gesetzliche Grundlage für die bereits seit einem Jahr im Gang befindliche Tätigkeit des Schutzbereichamtes geschaffen.

Die Verordnung, die sich inhaltlich an das deutsche "Gesetz über die Beschränkung von Grundeigentum aus Gründen der Reichsverteidigung vom 24. Januar 1935" anlehnt, schafft die Möglichkeit, in militärischem Interesse die Benutzung von Grundstükken zu beschränken. Ebenso kann die Duldung militärischer Anlagen verlangt werden.

Die Wehrmacht entschädigt die jeweils Betroffenen. Da in der Praxis die Beteiligung der dänischen Preisprüfungs- und -überwachungsbehörden sich störend geltend machte, sind sie für die Zukunft ausgeschaltet worden. Dafür werden bei der Schadensfestsetzung ausschließlich von den dänischen Behörden namhaft gemachte dänische Sachverständige zugezogen.

3.) Einführung der Kennkarte für ganz Dänemark.
Während bisher ein Kennkartenzwang nur für das sogenannte Sicherungsgebiet Jütland bestand, hat der Reichsbevollmächtigte auf Anregung des Wehrmachtbefehlshabers nunmehr diese Regelung auf ganz Dänemark ausgedehnt. Danach müssen ab. 1. August 1944 alle dänischen Staatsangehörigen über 15 Jahre im Besitz einer Lichtbildkennkarte sein.

Die Durchführung dieser auf deutschem Verlangen beruhenden Maßnahmen ist durch Anordnung der dänischen Zentralverwaltung erfolgt.[112]

4.) Vorrang deutscher Wehrmachttransporte auf den dänischen Eisenbahnen.
Trotz guter Zusammenarbeit zwischen der Leitung der dänischen Staatsbahnen und den deutschen Transportdienststellen sind im praktischen Betrieb immer wieder Reibungen aufgetreten. Es hat sich daher als erforderlich erwiesen, daß die Sachlage hinsichtlich des Vorrangs der deutschen Wehrmachttransporte durch eine Bekanntmachung bis zu den unteren Betriebsstellen noch einmal formell klargestellt wird. Auf Wunsch des Wehrmachtbefehlshabers Dänemark ist unter gleichzeitiger Berücksichtigung dänischer Anregungen die dänische Zentralverwaltung ersucht worden, eine Bekanntmachung in folgender Formulierung zu erlassen:

"Die dänischen Staatsbahnen und die dänischen Privatbahnen sind verpflichtet, die für die deutsche Wehrmacht von der Transport-Kommandantur angeforderten Transportleistungen im Personen-, Güter- und Gepäckverkehr bei gleichrangigen dänischen Anforderungen bevorzugt auszuführen."[113]

---

111 Ligeledes trykt hos Alkil, 2, 1945-46, s. 886-888. Se også Best til AA 18. juli 1944.
112 Ordningen blev forvaltet af de danske myndigheder og trådte først i kraft 20. august 1944 (*Gads leksikon om dansk besættelsestid 1940-1945*, 2002, s. 317).
113 Se Trafikministeriets skrivelse til jernbanerne 26. juli 1944 trykt hos Alkil, 1, 1945-46, s. 126. Se endvidere von Hanneken til Best 10. marts 1944.

5.) Telefon- und Telegraphenverkehr nach Schweden.
Im Hinblick auf die politische Gesamtlage hat es sich als notwendig erwiesen, daß die bisher erteilten generellen Genehmigungen an dänische Fernsprechteilnehmer zu Telefon- und Telegraphenverkehr nach Schweden einer Überprüfung unterzogen werden. Deshalb werden nunmehr die bisher erteilten generellen Genehmigungen widerrufen. Neuen Anträgen wird nur im beschränkten Umfang entsprochen werden, soweit es die wirtschaftlichen Interessen unbedingt erforderlich machen.

6.) Entschädigung dänischer Landwirte für Inanspruchnahme ihrer Grundstücke durch die deutsche Wehrmacht.
Es hat sich herausgestellt, daß die Entschädigungsforderungen der infolge der Flugplatzerweiterungsbauten evakuierten dänischer Bauern seitens der dänischen Prüfungsstellen entgegen den deutschen Interessen äußerst schleppend behandelt worden sind, obwohl die örtlichen deutschen und dänischen Sachverständigen bei Abschätzung und Festsetzungsvorschlag der Entschädigungssumme sich meist in völliger Übereinstimmung befanden. Es war festzustellen, daß diese gemeinsamen deutsch-dänischen Entschädigungsvorschläge von den dänischen zentralen Preisprüfungsstellen nicht anerkannt wurden. Seitens des Reichbevollmächtigten ist nunmehr die dänische Zentralverwaltung vor die Wahl gestellt worden, entweder ihren örtlichen Sachverständigen die Ermächtigung zur endgültigen Entschädigungsfestsetzung unter Ausschaltung weiterer Beteiligung der zentralen dänischen Preisprüfungsstellen zu erteilen oder eine Verordnung des Reichsbevollmächtigten in Kauf zu nehmen, wonach künftig analog den Bestimmungen der Schutzbereichverordnung vom 24.6.1944 die deutschen Sachverständigen nach Anhörung der dänischen Sachverständigen allein die Entschädigungssumme bestimmen und endgültig festsetzen.[114]

7.) Haftlager Fröslev.
Es hat sich als notwendig erwiesen, die durch die verstärkte sicherheitspolizeiliche Tätigkeit steigende Zahl von Häftlingen in einem räumlich ausreichenden Sammellager unterzubringen. Die Aufnahmekapazität des bisherigen Lagers Horseröd erwies sich als zu gering; darüber hinaus erscheint es notwendig, derartige Häftlinge nicht auf Seeland zu belassen, sondern sie in einer Gegend unterzubringen, die schon durch ihre Lage eine besondere Sicherheit gewährleistet. Aus diesem Grunde erscheint hierfür besonders geeignet der Raum bei der deutsch-dänischen Grenze in Nordschleswig. Es wurde daher in Fröslev in der Nähe von Padborg mit den neuen Lagerbauten begonnen. Sie sind inzwischen soweit gediehen, daß sämtliche Häftlinge des bisherigen Lagers Horseröd in Fröslev sofort untergebracht werden können, falls die Lage es erfordern sollte. Bei

---

114 Hele dette pkt. IV.6. lod Korff afskrive og ledsage af flg. notat 3. august 1944: "Nach einer Mitteilung, die Dr. Möller gelegentlich einer Unterhaltung im April ds.Jrs. machte, werden den dänischen Landwirten für Inanspruchnahme ihrer Grundstücke durch die Wehrmacht ungeheuer hohe Entschädigungen gezahlt. Diese Mitteilung steht im Widerspruch zu dem obigen Auszug aus den politischen Informationen des Reichsbevollmächtigten in Dänemark vom 5. Juli 1944 RBZ/S 19/44. Die Angelegenheit ist bei der nächsten Regierungsausschußbesprechung zur Sprache zu bringen." (RA, Danica 201, pk. 81A).

weiterer normaler Bauentwicklung wird die völlige Fertigstellung des Lagers spätestens am 1. August erfolgt sein.[115]

8.) Kriegssachschäden.
Im Februar 1944 kam in Wustrau bei Neuruppin zwischen den Vertretern der zuständigen deutschen und dänischen Ministerien eine Vereinbarung zustande, in der die Frage der Gegenseitigkeit bei dem Ersatz von Kriegssachschäden geregelt wurde.[116] In Deutschland werden die Beträge, die zum Ersatz von Kriegsschäden benötigt werden, aus allgemeinen Haushaltsmitteln entnommen, während sie in Dänemark durch Zwangsbeiträge aufgebracht werden, welche die durch die Kriegsversicherungsgesetzgebung geschaffenen öffentlich-rechtlichen Kriegsversicherungsverbände erheben. Auf Grund der erwähnten Vereinbarung werden deutsche Staatsangehörige, die nicht zur Wehrmacht gehören und die nach Dänemark einreisen, ohne dort ihren Wohnsitz oder gewöhnlichen Aufenthalt zu haben, auf die Dauer von 90 Tagen mit einer Versicherungssumme von 3.000 Kr. versichert. Außerdem kann jeder deutsche Staatsangehörige, soweit für den Ersatz von Kriegsschäden nach dänischen Gesetzen der Abschluß einer Versicherung Voraussetzung ist, eine solche Versicherung in Dänemark abschließen. Dänische Staatsangehörige wieder werden die nach deutschen Vorschriften erforderliche Genehmigung zur Antragsstellung uneingeschränkt erhalten, wenn sie die Feststellung von Kriegssachschäden oder die Entschädigung hierfür begehren.

Die Vorarbeiten für das Inkrafttreten der oben erwähnten Reisendenversicherung in Dänemark sind nunmehr mit der Zeichnung der erforderlichen Generalpolice abgeschlossen; die Regelung wird in den nächsten Wochen in Kraft treten.

*V. Der Einsatz dänischer Arbeitskräfte für deutsche Zwecke*
1.) Vier Jahre Vermittlung dänischer Arbeiter nach Deutschland.[117]
Die Deutschen Arbeitsvermittlungsstellen in Dänemark beendeten am 31.5.1944 ihr viertes Tätigkeitsjahr.

In keinem Jahr zuvor waren die der Anwerbung entgegenstehenden Schwierigkeiten so groß, wie im Jahre 1943/44. Die Arbeitslosigkeit in Dänemark lag mit Ausnahme des Monats November 1943 in allen Monaten – z.T. ganz erheblich – niedriger als in den Vorjahren und erreichte im Monat Mai 1944 mit 13.606 Arbeitslosen den bisher niedrigsten Stand. Wenn zu gleicher Zeit die Arbeitsstellen für Wehrmachtsbauten einen zusätzlichen Bedarf von etwa 12.000 Arbeitskräften anmeldeten und die dänische Regierung zu bisher nicht bekannten maßnahmen griff, um Arbeitskräfte für die Landwirtschaft zu gewinnen, so zeigt dies, daß am Schluß des Berichtsjahres in Dänemark bereits ein fühlbarer Mangel an Arbeitskräften bestand

Trotzdem ist es gelungen, im Jahre 1943/44 15.925 Arbeitskräfte nach Deutschland in Marsch zu setzen. In den einzelnen Jahren wurden nachstehende Ergebnisse erreicht:

---
115 Se Bests telegram nr. 955, 14. august 1944.
116 Se RFM: Niederschrift ... 10. februar 1944.
117 Se tillæg 8.

| | | | | | |
|---|---|---|---|---|---|
| vom | 24.5.1940 | bis | 31.5.1941 | ... | 53.446 |
| – | 1.6.1941 | – | 31.5.1942 | ... | 41.177 |
| – | 1.6.1942 | – | 31.5.1943 | ... | 36.643 |
| – | 1.6.1943 | – | 31.5.1944 | ... | 15.925 |
| insgesamt: | | | | | 147.191 |

Um diese Kräfte nach Deutschland abzubefördern, wurden 441 Sonderzüge und 711 Gesellschaftsfahrten zusammengestellt; im letzten Jahr wurden insgesamt 190 Transporte abgefertigt.

Die erste Aufnahme der nach Deutschland in Marsch gesetzten Arbeitskräfte erfolgt in den Durchgangslägern Flensburg und Seestadt Rostock, von denen das letztere erst am 6. Januar 1944 in Betrieb genommen wurde. Hier werden die Arbeiter auf ihre Einsatzfähigkeit untersucht und bis zum Weitertransport, der möglichst im Laufe des nächsten Tages erfolgen soll, verpflegt:

| | Im Dulag Flensburg | Im Dulag Seestadt Rostock | |
|---|---|---|---|
| Bisher durchgeschleust | 16.739 | 2.995 | Kräfte |
| [Bisher] ärztlich untersucht | 12.744 | 444 | – |
| Wegen Nichteinsatzfähigkeit in die Heimat zurückbefördert | 24 | 3 | – |

Außer den in der Einzelwerbung für Deutschland gewonnenen Kräften wurden von 63 dänischen Firmen, die um Übernahme von Arbeit in Deutschland nachgesucht hatten, 39 mit insgesamt 5.027 Kräften zum Einsatz gebracht, davon 2 nach Norwegen.

Während die Zahl der Überweisungen von Lohnanteilen entsprechend dem Rückgang der in Deutschland beschäftigten Dänen gegenüber dem Vorjahre erheblich zurückgegangen ist, ist die Gesamtsumme der überwiesenen Beträge verhältnismäßige gestiegen. Der Grund dürfte darin zu suchen sein, daß die jetzt in Deutschland beschäftigten dänischen Arbeitskräfte größtenteils schon mehrmals, in vielen Fällen sogar zum 6. und 7. Mal vermittelt wurden. Sie haben sich inzwischen an das deutsche Tempo gewöhnt und erzielen daher höhere Verdienste. In den einzelnen Jahren wurden folgende Überweisungen vorgenommen bezw. Lebensmittelpakete zu 5 kg an in Deutschland eingesetzte Arbeiter abgesandt:

| | Anzahl der Überweisungen: | Gesamtsumme der Überweisungen: | | Lebensmittelpakete: |
|---|---|---|---|---|
| 1940/41 | 199.744 | 15.470.000 | d.Kr. | 19.583 |
| 1941/42 | 333.760 | 63.431.000 | – | 50.723 |
| 1942/43 | 375.233 | 84.156.000 | – | 130.389 |
| 1943/44 | 193.535 | 47.295.000 | – | 70.813 |
| Insgesamt: | 1.102.272 | 210.352.000 | d.Kr. | 271.508 |

In der Gesamtsumme der Überweisungen sind nicht einbegriffen die Gewinntransferbeträge in Deutschland eingesetzter dänischer Firmen, die sich bis Ende Mai d.J. auf etwa 6.6 Mill. dän. Kronen beziffern.

2.) Arbeitseinsatz für deutsche Zwecke in Dänemark.[118]
A.) Wehrmachtsarbeiten.
Die dänische Zentralverwaltung hat für Ende April d.J. eine Übersicht über die Zahlen der für Wehrmachtsarbeiten in Dänemark beschäftigen Arbeitskräfte erstellt, die mit der Abteilung Arbeit des Reichsbevollmächtigten abgestimmt wurde. Danach waren bei Arbeiten für die deutsche Wehrmacht beschäftigt:

| | | |
|---|---|---|
| durch Unternehmer | 53.500 | Arbeitskräfte |
| durch die Wehrmacht direkt | 5.500 | – |
| beim Anfahren von Material usw. | 6.000 | – |
| Insgesamt: | 65.000 | Arbeitskräfte |

B.) Verlagerungsaufträge:
Im November 1943 wurden in eingehenden Besprechungen zwischen der Abteilung Arbeit des Reichsbevollmächtigten und dem dänischen Außenministerium die Zahlen der für deutsche kriegswichtige Interessen indirekt beschäftigten dänischen Arbeitskräfte annähernd festgelegt. Da wesentliche Veränderungen nicht eingetreten sind, dürfen diese Zahlen auch heute noch einigermaßen der Wirklichkeit entsprechen.

Ausgangspunkt für diese Berechnung bildet die gut durchgearbeitete dänische Produktionsstatistik, die auch einen Aufschluß über eine bestimmte Zahl der Beschäftigten im Vergleich zum Produktionswert zuläßt. Dieser liegt für die Verlagerungsaufträge durch deren Erfassung beim Beauftragten des Außenministeriums für Industrieangelegenheiten fest. Die Zahl der für solche Industrielieferungen ganzjährig beschäftigten Arbeitskräfte beträgt danach etwa 34.000.

Mit der Reparatur von Lastkraftwagen in dänischen Reparaturwerkstätten sind nach auf gleicher Grundlage durchgeführten Berechnungen etwa 8.000 Arbeitskräfte ganzjährig beschäftigt.

C.) Wehrmachtslieferungen:
Nach den deutsch-dänischen Übereinkommen sind Einkäufe von Materialien aller Art für die Wehrmacht in Höhe von mehr als 200,- d.Kr. im Einzelfall genehmigungspflichtig. Derartige Käufe werden statistisch erfaßt beim Beauftragten des Außenministeriums für Industrieangelegenheiten. Danach sind mit der Herstellung solcher Waren ganzjährig beschäftigt 18.000 Arbeitskräfte.

D.) Landwirtschaftliche Erzeugung:
Mit der Erzeugung landwirtschaftlicher Produkte für die Ausfuhr nach Deutschland, für Lieferungen an die deutsche Wehrmacht nach Norwegen und für den Verbrauch der in Dänemark stationierten deutschen Wehrmacht sind schätzungsweise 130.000 Arbeitskräfte beschäftigt.

In diesen Zahlen sind nicht enthalten die für die Erzeugnisse aus dem Obst- und Gemüsebau, aus der Forstwirtschaft, dem Fischereigewerbe und den landwirtschaftlichen Nebengewerben erforderlichen Arbeitskräfte, deren Zahl auf etwa 23.000 geschätzt wird.

---

118 Se tillæg 7.

*VI. Feindliche Stimmen über Dänemark*
1.) Der englische Rundfunk

London, 6.6.1944:
Der Vorsitzende des Dänischen Rates Christmas Möller richtet nun eine Botschaft an Dänemark: Dänische Männer und Frauen! Erinnert Ihr Euch an 1918/20 und an die Wiedervereinigung? Es klingt wie ein Märchen, geschrieben von unserem großen Dichter. Jetzt ist der Tag gekommen, waren die Einleitungsworte zu dem mächtigen Aufruf der Nordschleswiger. Diesmal ist es so ganz anders. Diesmal ist es die kalte, harte, todernste Wirklichkeit. Die Wiedervereinigung, die Freiheit werden diesmal nicht so leicht gewonnen wie damals. Jetzt ist zum endgültigen Kampf angetreten worden. Aus allen Weltteilen sind Männer zum Kampf zusammengetreten. Heute begann der Kampf, der Kampf für die Freiheit Europas und für die Freiheit Dänemarks. Die große Schlacht hat begonnen. Sie hat gut begonnen, sagte Churchill. Wir alle stehen unter einer Führung, blind den Befehlen Folge leistend, wissend, daß es so in einem Kampf sein muß, damit wir im einstigen Frieden das Recht erhalten können, uns selbst zu regieren und über uns selbst zu entscheiden. Wir aus Dänemark wollen dem Beispiel der anderen Länder folgen, denn wir sind in Wirklichkeit ja Verbündete. Die Organisierten haben ihre Ordre, und alle anderen werden auf den Ruf zur Handlung warten. Nicht zu früh, denn die Hilfe eines jeden einzelnen ist später nötig. Sobald der Befehl kommt, dürfen wir nicht zögern, denn da kann eine schnelle Handlung der halbe Weg zum Ziel sein. Ich weiß, daß das alliierte Oberkommando sich auf das dänische Volk verläßt, ebenso wie es sich auf alle anderen verläßt. Die dänische Widerstandsbewegung hat im Laufe des letzten Jahres in der ganzen Welt größte Bewunderung hervorgerufen. Laßt uns einander geloben, daß wir im Verhältnis zu den Resultaten leben wollen, die Dänemark seit dem 29. August erreicht hat. Ja, nun ist der Tag da, an dem jeder zum Einsatz aufgefordert wird. Wir wissen, daß dieser Einsatz geleistet wird. Ruhe und Besonnenheit, so schwer es auch sein mag, wenn dies verlangt wird. Jetzt ruft Dänemark seine Kinder. Noch nie hat Dänemark so gerufen sie heute und morgen. In unseren Herzen ist Frieden, denn das ganze dänische Volk wird dem Rufe folgen.

London, 6.6.1944:
Es wird mitgeteilt, daß in Dänemark bisher von den Deutschen insgesamt 45 Personen zum Tode verurteilt worden sind, davon 24 im Laufe der letzten 5 Wochen. Diese Tatsache beweist, daß die Deutschen immer größere Anstrengungen machen, um der dänischen Widerstandsbewegung auf die Spur zu kommen

London, 8.6.1944:
Die norwegische Regierung warnte heute über den Londoner Rundfunk die norwegische Heimatfront vor dem letzten deutschen Trick, nämlich der Anwendung von dänischen Verrätern als Provokateuren in Norwegen und norwegischer Quislinge in Dänemark. Wir haben bereits unsere Hörer darauf aufmerksam gemacht und unsere Landsleute vor norwegischen Provokateuren in Dänemark gewarnt. Gebt diese Warnung an soviel Leute wie möglich weiter und tut dies vorsichtig und effektiv.

London, 12.6.1944:
Die Sabotage, die vor kurzem in der Maschinenfabrik Smith, Mygind & Hyttemeyer durchgeführt wurde, war die erste Schalburgtage, durch die man direkt die Absicht hatte, die Hinrichtung der zum Tode verurteilten Patrioten zu beschleunigen und unter der Bevölkerung Wut gegen die unterirdische Front zu schaffen. Die Schalburg-Banditen traten sehr brutal gegen die Arbeiter auf, mehrere Arbeiter wurden durch die Explosion verwundert.[119]

London, 13.6.1944:
Die Hinrichtungen dänischer Patrioten in Verbindung mit den Sabotagehandlungen ist in einer Reihe der führenden illegalen Zeitungen kommentiert worden. Alle stellen fest, daß dieser neue deutsche Kurs die Tätigkeit der aktiven Patrioten nicht beeinträchtigen wird. So schreibt "Land og Folk": Die Hinrichtung eingesperrter Patrioten wird den Widerstand nicht brechen. Daher müssen die Deutschen diesen Terror mit anderen Maßnahmen verbinden. In der letzten Zeit haben in den Straßen und Restaurants Massenverhaftungen stattgefunden, da die Deutschen hofften, der Freiheitsbewegung dadurch auf die Spur zu kommen. Das Ergebnis entsprach nicht den Erwartungen: statt dessen ist man in der illegalen Arbeit noch vorsichtiger geworden: "Folk og Frihed" behandelt die Reaktion im dänischen Volk und schreibt: Voll Entsetzen und Scham muß festgestellt werden, daß leider kaum Trauer zu spüren ist, wenn ein Frontkämpfer sein Leben an der unsichtbaren, aber och wirksamen Front in Dänemark verliert, während das gleiche Ereignis in Norwegen wie ein elektrischer Stoß durch die Bevölkerung geht. Warum? Einige behaupten, wir seien nicht im Krieg mit Deutschland, daher müßten die Illegalen selbst die Verantwortung und das Risiko auf sich nehmen. Wann erkennt das Volk, daß das kämpfende Dänemark für die Freiheit Dänemarks kämpfen muß? "De frie Danske" schreibt: Wohl kein aktiver Patriot erwartet, daß der Kampf aufhört, sobald er von einer Kugel getroffen worden ist; erst wenn wir uns unterjochen lassen, verraten wir den, der sein Leben opfern mußte.

London, 17.6.1944:
Im Programm für die dänischen Arbeiter in Deutschland wurde der Aufruf des Oberbefehlshabers der alliierten Expeditionsheere an die französischen und belgischen Eisenbahnarbeiter wiederholt und analysiert. Der Sprecher unterstrich die große Rolle, die die Arbeiter auf dem Kontinent spielen werden. Es ist wichtig, daß die ausländischen Arbeiter in Deutschland sich z.Zt. zurückhalten und nicht frühzeitig ihre Organisationen verraten.

---

119 Der var ikke tale om schalburgtage, da Smith, Mygind og Hyttemeier, Nørrebrogade 66-68 i København 3. juni 1944 blev angrebet af ca. 15 sabotører fra BOPA. De bad de ca. 160 arbejdere forlade fabrikken og lagde derpå bomber syv forskellige steder. Under aktionen kom det danske politi til stede, og der opstod ildkamp mellem politi og sabotører, hvorunder en person blev dræbt og flere forbipasserende såret. BdO konstaterede straks, at virksomheden ikke arbejdede for værnemagten, og BOPA erkendte siden fejltagelsen, der beløb sig til 736.000 kr. (RA, BdO Inf. nr. 44, 5. juni 1944, Kjeldbæk 1997, s. 474). Det er givetvis på grund af det tyske kendskab til fejltagelsen, at netop denne aktion blev udvalgt til omtale.

London, 19.6.1944:
In Dänemark haben die besonderen Schützlinge Dr. Bests, die Schalburg-Leute, eine neue Aktion eingeleitet, die ihren asozialen Charakter unterstreicht. Zur gleichen Zeit, wo eine besondere Abteilung dieser Leute Schalburgtage in der Provinz, u.a. in Odense, wo sie zwei Besuche abgestattet haben, ausübt, sind andere Schalburg-Leute damit beschäftigt, kulturhistorische Gebäude in Kopenhagen und Umgebend zu zerstören. Nach dem Attentat auf das Golfklub-Haus ist nun auch die Perle des Dyrehave – das Eremitageschloß – sowie Peter Lieps Hus von der Schalburtage betroffen worden.[120] Außerdem zerstörten die Schalburg-Leute die KB-Halle und "Domus Medica".[121] Die Schalburg-Leute stehen unter deutscher Jurisdiktion; aus diesem Grunde kann die dänische Polizei nicht eingreifen.

London, 23.6.1944:
Aus Dänemark wird berichtet, daß ein neues Kontingent der deutschen Wehrmachtspolizei in Jütland angekommen ist. Man nimmt an, daß es sich um einige 100 Mann handelt. Sie haben die gewöhnliche Ausrüstung sowie Kraftwagen und Krankenwagen. Wie der dänische Pressedienst in Stockholm meldet, sollen diese Truppen für Fälle eines Aufruhrs unter den deutschen Truppen bei einer eventuellen Landung der alliierten Truppen in Dänemark bereitgehalten werden. Die deutschen Militärbehörden sind sich scheinbar darüber im klaren, daß die Moral der deutschen Soldaten infolge der letzten Ereignisse stark gelitten hat. Die Nervosität der deutschen Soldaten zeigt sich auf verschiedene Weise, u.a. in der zunehmenden Trinksucht. Die Deutschen versuchen, die Moral der Truppen durch Antiinvasionsübungen aufrecht zu erhalten.

London, 24.6.1944:
Im Programm für die dänischen Arbeiter in Deutschland wurden Auszüge aus der Rede des polnischen Innenministers an die 2 Millionen polnischen Arbeiter in Deutschland verlesen. Außerdem wurde der Aufruf des Oberbefehlshabers der alliierten Expeditionsheere an die Bevölkerung von Cherbourg wiederholt. Anschließend wurde über die Tätigkeit der französischen Patrioten berichtet. Berichtet aus Deutschland zufolge versucht die Gestapo alles, um auf die Spuren der Widerstandsorganisation zu kommen. Falsche Antinazisten lassen sich als Mitglieder einschreiben, um dann die Mitglieder der Widerstandsbewegung zu verraten. Paßt auf die Gestapo und ihre Provokateure auf!

London, 26.6.1944:
In Dänemark haben die Deutschen wieder neue Razzien und Verhaftungen durchgeführt, um die Sabotage zu verhindern. Aus Stockholm wird gemeldet, daß viele Privatpersonen und Angehörige gewisser Gewerkschaften und politischer Organisationen

---

120 Peter-gruppen schalburgterede 12. juni 1944 Københavns Golfklubs Klubhus (se tillæg 3), men hverken Eremitageslottet eller restaurant Peter Liep blev udsat for ødelæggelse, hvilket kunne tjene til at påvise radioudsendelsernes upålidelighed.
121 Det var også Peter-gruppen, der ødelagde de to nævnte bygninger (se tillæg 3), men det tjente Bests formål at lade Schalburgkorpset få skylden.

verhaftet worden sind.[122] In 3 Städten Nordjütlands wurden seit dem 29. Mai 265 Personen verhaftet. Ungefähr 100 Personen wurden wieder freigelassen. Während der Aktion gegen die Mitglieder von "Dansk Samling" wurden ungefähr 100 Personen verhaftet. In Svendborg kam es zu Feuerwechsel, als einige Leute bei der Verhaftung den Gestapo-Leuten Widerstand leisteten. Es hat sich nun deutlich gezeigt, daß die Einführung des Geiselsystemes in Dänemark nicht nur fehlgeschlagen ist, sondern den dänischen Widerstand verschärft hat. Die Deutschen haben nun keinen anderen Ausweg, als zu dem Ausnahmezustand vom 29. August zurückzukehren. Selbstverständlich ist der Ausnahmezustand in Groß-Kopenhagen diesmal in gewissen Punkten verschärft worden, da gleichzeitig die Bestimmungen des Standrechts für ganz Seeland gelten.

Sonntagnacht führten die Schalburg-Banditen eine neue sinnlose Terrorhandlungen durch. Es wurden im "Tivoli" an mehreren Stellen Bomben angebracht.[123] Der volle Umfang des Schaden ist noch unbekannt. Man fürchtet jedoch, daß der Schaden sich auf mehrere Millionen Kronen beläuft. Man hörte mindestens 6 große Explosionen.

2.) Die schwedische Presse
Der Dänemark-Berichterstatter von Dansk Pressetjänst veröffentlichte am 28. Mai in "Morgentidningen" einen längeren Aufsatz über die Sabotage in Dänemark. Er schreibt: "Nun haben die Saboteure den Kampf wieder aufgekommen. Während der letzten Monate kam es zu etwa 50 größeren oder kleineren Sabotagehandlungen, nachdem diese Praktisch in Dänemark 4 Monate geruht hatten. Die Sabotage in Dänemark ist gut organisiert. Hinter den einzelnen Gruppen steht eine Leitung, die die Aktionen vorbereitet und sie mit den Forderungen abstimmt, die sich zu bestimmten Zeiten einstellen, wenn es gilt, der deutschen Kriegsmaschine den größtmöglichen Schaden zuzufügen. Eine komplizierte Vorarbeit ist erforderlich um herauszufinden, welche Fabriken wichtig sind. Danach müssen Pläne studiert und genaue Einzelheiten über die Anlagen, ihren Schutz und die Postierung der Sabotagewächter in Erfahrung gebracht werden. Jede dieser Aktionen ist eine kleinere militärische Operation. Biszu welchem Grade man die Sabotage unter Kontrolle hat, ergibt sich daraus, daß zu Jahresbeginn ein sofortiges Aufhören der Sabotage befohlen wurde. Der Grund hierfür braucht nicht länger geheimgehalten zu werden. Das Leben der Saboteure wie der Soldaten darf nicht unnötig aufs Spiel gesetzt werden, da es klar war, daß mit einer Invasion im Frühjahr und Sommer der Endkampf eingeleitet und hierfür ein aktiver Einsatz auch von dänischer Seite benötigt werden würde, beschloß man, mit seinen Kräften Haus zu halten.

Ende April begann die Sabotage von neuem. Die ersten Aktionen richteten sich gegen Kraftwerke, hauptsächlich in Jütland.[124] Weiter wurde Sabotage gegen Eisenbahnlinien und Telefonleitungen verübt. Der Charakter dieser Handlungen ließ die deutsche militärische Führung schon vermuten, daß eine Invasion in Dänemark unmittelbar bevorstehe. Die Truppen an der Westküste befanden sich in höchster Alarmbereitschaft.

---

122 Tysk politi havde aktioner i gang mod bestemte foreninger og partier, bl.a. Dansk Samling.
123 Ødelæggelsen af bygninger i Tivoli var Peter-gruppens værk (se tillæg 3).
124 Der blev ikke rettet sabotage mod kraftværker, men nogle transformatorer blev ødelagt.

Zu dieser Zeit wurden die Verbindungen mit Schweden total abgebrochen[125] und der deutsche Reichsbevollmächtigte Dr. Werner Best kündigte einen verschärften Kampf gegen die Widerstandsbewegung an.

Die Drohung, an Geiseln Repressalien vorzunehmen, welche Dr. Best am 24. April vor den Chefredakteuren aussprach, ist heute Wirklichkeit geworden.[126] Zwar hat man noch nicht, wie in Norwegen und anderen Ländern, unschuldige Personen für die Taten anderer verhaftet und hingerichtet. Man wählt hingegen seine Opfer unter den Patrioten, mit denen die deutschen Gefängnisse in Dänemark überfüllt sind und erschießt sie als Vergeltung für Handlungen, welche mit den ursprünglichen Gründen ihrer Verhaftung überhaupt nicht im Zusammenhang stehen. …

Draußen in der demokratischen Welt wird oft die Frage gestellt, ob nicht dieser Kampf bei seinen Teilnehmern eine Mentalität schaffe, welche sich friedensmäßigen Verhältnissen nicht wieder anpassen werde. Diese Frage ist natürlich, aber auf Grund direkter und persönlicher Erfahrungen muß man sie verneinen. Saboteure sind weder Abenteurer noch Psychopaten, sie sind mutige Männer, die der Haß gegen den Nihilismus, welcher das Wesen des Nazismus ausmacht, beseelt, und sie sind das nicht nur formell sondern aus tiefsten Herzen."

Unter der Überschrift "Bürgerkrieg unter dänischen Nazistenführern" schreib "Nya Dagligt Allehanda" vom 9. Juni: "Die drohende Niederlage hat nach Mitteilung von Dansk Pressetjänst bemerkenswerte Reaktionen unter den dänischen Nazisten hervorgerufen, deren verschiedene Richtungen schon seit langem in der Auflösung begriffen und in Streitigkeiten untereinander verwickelt sind. Ein charakteristisches Zeichen für die Furcht, welche heute unter den dänischen Nazisten herrscht, sieht man in der "Führertagung," welche die Reste der DNSAP kürzlich in Fredericia abhielten und auf welcher man von der Tätigkeit des Schalburg-Korps Abstand nahm und eine Resolution gegen Dr. Best aufstellte, in der es heißt, daß der Mordterror in Dänemark aufhören müsse. Gleichzeitig beschloß die Führerversammlung, daß niemand Mitglied des Schalburg-Korps sein dürfe. Schalburgleute sollten ausgeschlossen werden. Die Tagung nahm noch eine weitere Resolution gegen Dr. Best an, nämlich einen Protest gegen die Absetzung Fritz Clausens. Man weiß schon längst, daß seine "Abdankung" auf deutschen Wunsch erfolgte, aber dies ist das erstemal, daß die Nazisten es offen zugeben. Auf der Führertagung wurde endlich noch eine Resolution angenommen, die verlangte, daß die in der dänische Waffen-SS und im deutschen Herr dienenden Dänen sofort aus ihrem Kontrakt entlassen und nach Hause geschickt werden sollten. Das Verhältnis zwischen den Clausen-Leuten und Dr. Best ist im Augenblick so gespannt, daß Dr. Best darauf aufmerksam gemacht hat, daß er Mittel in der Hand habe, sich dieser Herren zu versichern, falls sie zuviel Radau machten.[127]

Unter der Überschrift "Dänischer Blick auf den Norden" schreib "Stockholms Tidningen" vom 19. Juni ein einem Leitartikel: "Ein neues Dänemark wächst in diesen

---

125 Hvilket ikke var et led i forberedelsen af at modstå en alliert invasion, men et led i Bests kamp mod sabotagen og forsøg på at få kontrol med nyhedsstrømmen.
126 Se Bests telegram nr. 524, 25. april 1944.
127 Referatet af DNSAPs føring 21. maj 1944 kunne også være hentet fra det illegale *Information* 14. juni og *Danskeren* 22. juni 1944 (om førertinget, se Lauridsen 2003b, s. 380-382).

harten Jahren heran, und die dänische Volksseele macht eine tiefgehende Wandlung durch – das ist der Hauptgedanke einer Reihe von Äußerungen führender Dänen in Schweden, die in der letzten Nummer der Zeitschrift "Nordisk Handling" veröffentlicht wurden, einer Zeitschrift, deren erster Programmpunkt die Arbeit für einen politisch, wirtschaftlich und kulturell freien und einigen Norden ist. Dieses neue Dänemark ist weder deutsch noch englisch sondern dänisch, grundtvigianisch und nordisch-dänisch, heißt es da an einer Stelle, wo auch betont wird, es sei keineswegs sicher, daß die Bruderschaft mit England nach dem Kriege anhalten werde. Das wird mehr von England als von Dänemark abhängen und davon, ob die Alliierten die Hilfe, die sei von kleinen Nationen wie Dänemark und Norwegen erhalten haben und ohne die sie den Krieg nicht gewinnen können, anerkennen. Dänemark will seine Freiheit selbst erkämpfen, sie soll ihm durch den Einsatz eigenen Blutes und eigener Kräfte gehören und nicht von außen geschenkt werden."

"Aftonbladet" vom 21. Juni berichtete, in Nordjütland seien die Invasionsvorbereitungen der Deutschen so lebhaft, daß verschiedene Dänen ihren Wohnsitz verlassen hätten, weil ihnen die ständigen Manöver und Schießübungen auf die Nerven gingen. Doch auch unter den deutschen Soldaten sei Nervosität zu spüren, besonders unter den 15-16 jährigen, die jetzt in Westjütland angekommen seien. Viele hätten ganz "versteinerte" Gesichter und es werde mehr getrunken als je. Ein deutscher Offizier habe erklärt, in Jütland bleiben zu wollen, da er kein Zuhause mehr habe, wohin er nach dem Kriege zurückkehren könne. Ein Däne sah in einem Restaurant einen deutschen Unteroffizier weinen. Auf die Frage, warum er denn weine, habe der Soldat geantwortet: "Darüber, daß ich ein Deutscher bin!" Im Zusammenhang mit den Invasionsvorbereitungen seien ca. 500 Mann SS und Feldpolizei mit ihrer Ausrüstung angekommen, welche wahrscheinlich in Nordjütland eingesetzt werden sollten, falls es dort im Laufe der Invasion zu Unruhen kommen sollte.

Unter der Überschrift "Die Dänen bereiten sich auf einen offenen Partisanenkrieg vor" beschäftigte sich "Nya Dagligt Allehanda" vom 22. Juni in einem längeren Artikel mit dem Schalburg-Korps, in dem u.a. mitgeteilt wurde: "Die Deutschen wollten um jeden Preis der Sabotage ein Ende bereiten, und da die Terrorakte der Schalburgleute gegen die Industrie zu keinem Resultat führten, griff man zu Mitteln, welche die dänische Bevölkerung erschrecken sollten. Als bezeichnendes Beispiel hierfür nennen wir die folgenden durch das Schalburg-Korps kürzlich zerstörten Gebäude: Das Ärzte-Hotel "Domus Medica" in Kopenhagen, die große nationale K.B.-Halle, das Haus des Golfklubs im Dyrehave und den schönen Langelinie-Pavillon.[128]

Die Mai-Nummer von "De frie Danske" enthüllte Dr. Best als den Mann hinter dem Schalburg-Terror, da die unterirdische Bewegung in den Besitz eines Dokuments gekommen ist, aus dem ersichtlich ist, daß der berühmte dänische Nazist Wilfred Petersen mit Dr. Best Einverständnis unter dem Losungswort "Terror muß durch Terror bekämpft werden," eine Terroraktion eingeleitet hatte. Die Zusammenarbeit sollte jedoch so geschehen, daß die deutschen Behörden nicht kompromittiert würden, und weiterhin

---

128 Det var ikke Schalburgkorpset, men Peter-gruppen, der stod for de nævnte schalburgtager, men det ønskede Best helt åbenbart ikke korrigeret.

sollte die Arbeit der Organisation völlig in Dunkel gehüllt bleiben, da man glaubte, die Schläge würden kräftiger wirken, wenn die Saboteure nicht wüßten, woher sie kamen. Wilfred Petersen, der später von den Deutschen verhaftet wurde, merkte jedoch – nach seiner eigenen Erklärung –, daß Dr. Best mehr und mehr eine Zusammenarbeit mit Leuten wünschte, welche schon früher im deutschen Dienst standen und Inhaber von Waffen, Passierzetteln usw. waren.[129] Diese Aussage stimmt mit der Tatsache überein, daß nach und nach immer mehr von Wilfred Petersens Leuten in das Schalburg-Korps eintraten.[130]

Allmählich glitt die ganze Terrorarbeit in die Hände des berüchtigten Korps über. Gleichzeitig arbeitete eine ganze Anzahl von asozialen Elementen aus dem dänischen Volke als Angeber bei der Gestapo, wo sie viele dänische Patrioten anzeigten und zu ihrem Tode beitrugen. Diese Verhältnisse sind inzwischen so unerträglich geworden, daß die Patrioten das nicht länger mit ansehen wollten, und als die Schalburg-Leute den Dichterpastor Kaj Munk ermordeten, erfolgte umgehend ein "Clearingmord" an einem Angeber, dem Fischhändler J.Chr. Petersen in Slagelse. Der Tod des Fischhändlers führte am nächsten Tage zu dem Mord an dem Arzt W. Vigholt in Slagelse durch Schalburg-Leute.[131] Hiermit war die lange Liste der "Clearingmorde" eröffnet, und seitdem haben die bezahlten Agenten der Deutschen 11 dänische Patrioten ermordet – allein 6 davon in den letzten 2 Monaten. Die Vergeltungsaktion des Schalburg-Korps gegen Sabotage richtete sich gegen Institutionen, welche von den Deutschen und den dänischen Nazisten auf die eine oder andere Weise als Symbole für die dänische nationale Widerstandsbewegung angesehen wurden, und sie hat das Land schon einige Millionen gekostet. Die Zahl der nur seit Januar verübten Schalburtagen beläuft sich auf 30. Das Attentat gegen die Studenterforening war die Einleitung zu dieser Terrorwelle welche seitdem Filmgesellschaften, Buchdruckereien, Verlage, Ruderklubs, einige Zeitungsgebäude in Aalborg und Odense und verschiedene Kinos ergriffen hat. Weiter ist Schalburtage gegen einige Fabriken verübt worden, so z.B. das Attentat gegen die Glasfabrik in Korsör[132] zusammen mit Fensterzertrümmerungen sämtlicher großer Warenhäuser in Kopenhagen. – Diese Liste zeigt, mit welcher Rücksichtslosigkeit die Schalburg-Leute ans Werk gehen, und daß die Entwicklung in Dänemark künftig zu einem offenen Krieg zwischen Patrioten und Schalburgleuten führen wird."

---

129 Wilfred Petersen var blevet anholdt oktober 1943 på et tidspunkt, hvor der endnu ikke forelå konkrete tyske planer for at anvende modterror, men Wilfred Petersen gentog den her givne forklaring under Best-sagen (LAK, Best-sagen).
130 Nogle af Wilfred Petersens folk var indtrådt i Schalburgkorpset. Det blev efter maj 1945 forklaret med, at de ville udspionere korpset.
131 Kaj Munk blev myrdet af medlemmer af Peter-gruppen, mens det helt undtagelsesvis var medlemmer af Schalburgkorpset, der myrdede læge Vigholdt (Monrad Pedersen 2000, s. 99, 114).
132 Peter-gruppen ødelagde Korsør Glasværk 28. april 1944 (tillæg 3).

### 63. Werner Best: Kalenderaufzeichnung 5. Juli 1944

På mødet i førerhovedkvarteret i Obersalzberg hos Hitler 5. juli blev Best udsat for en meget skarp og sønderlemmende kritik af sin politik i Danmark. Det var tungtvejende, at han blev beskyldt for at have tilsidesat de ordrer, han havde fået af Hitler ved det sidste møde 30. december 1943, og ydmygende for Best var det at få at vide, at han ikke skulle føre en selvstændig politik, men alene gøre hvad han fik besked på eller tage konsekvenserne. Han fik besked på straks at indsende en rapport om, at han havde bragt forholdene i Danmark i overensstemmelse med Hitlers ønsker. Ribbentrop var til stede ved mødet, og Best var før sin afrejse i en kort audiens hos ham.

Hvad der her er refereret fra mødet hos Hitler i Obersalzberg foreligger der alene Bests og Franz von Sonnleithners efterkrigsforklaringer på. Sonnleithner var imidlertid ikke til stede (LAK, Best-sagen, 28. april 1948, PKB, 13, nr. 65b (s. 242f.), Best 1988, s. 67, 131). Bests forklaring er den mest detaljerede, men forklaringernes hovedtendens er den samme; det er sandsynligt, at Best har villet overdrive den ydmygelse, han blev udsat for, med henblik på at styrke indtrykket af, at han havde handlet på trods af Hitlers ordre (Rosengreen 1982, s. 111, Herbert 1996, s. 387f.). Helt afgørende er imidlertid, at Best her som ved mødet med Hitler 30. december 1943 gav udtryk for, at han ikke var tilhænger af anvendelse af modterror i Danmark. Det finder en bekræftelse i OKW/WFSts telegram til Seekriegsleitung 28. august 1944. Se dette.

Best gengav 28. april 1948 besøget hos Hitler 5. juli 1944 på denne måde:

"Ende Juni/Anfang Juli 1944 fand in Kopenhagen ein Generalstreik statt, der durch bestimmte Maßnahmen der deutschen Polizei – insbesondere durch eine Nachtverkehrssperre ab 20 Uhr – ausgelöst worden war. Hitler war jedoch auf irgendwelchen Berichtswegen dahin informiert worden, daß dieser Generalstreik einerseits durch meine "Schwäche" gegenüber der dänischen Bevölkerung und andererseits durch die kriegsgerichtliche Aburteilung und Hinrichtung einiger Terroristen verursacht worden sei. Ich wurde für den 5. Juli zu Hitler auf den Obersalzberg befohlen. Dort hat er mir in Gegenwart des Reichsaußenministers v. Ribbentrop in den extremsten Formen – mich anbrüllend und mir jedes Wort verbietend – die schärfsten Vorwurfe sowohl wegen meiner "Schwäche", wie auch wegen der stattgefundenen Feldgerichtsverfahren gegen Terroristen gemacht. Hinsichtlich der Gerichtsverfahren machte er mir und dem Wehrmachtsbefehlshaber Dänemark, General v. Hanneken den Vorwurf des Ungehorsams, da er sich zu Unrecht einbildete, er habe in der Besprechung vom 30.12.1943, als er den Gegenterror befahl, bereits alle Gerichtsverfahren gegen Terroristen verboten. Einen solchen Befehl gab er aber erst aus Anlaß des Kopenhagener Generalstreiks um den 5. Juli 1944 herum für alle besetzten Gebiete. Hinsichtlich des Gegenterrors hatte Hitler geäußert, wenn die Proportion 1:5 nicht genüge, so müsse man eben 1:10 nehmen. (In Wahrheit ist die deutsche Polizei mit ihren Gegenterror in Dänemark hinter der Proportion 1:1 zurückgeblieben und hat die von Hitler befohlene Proportion 1:5 nie zu erreichen versucht). Außerdem machte Hitler damals Bemerkungen des Inhaltes, daß er einen Mann nach Dänemark schicken wolle, der dort Ordnung schaffen werde, was ich und auch der Reichsminister von Ribbentrop dahin auslegten, daß er an die Einsetzung eines Reichskommissars von der Einstellung Terbovens, des Reichskommissars für die besetzten norwegischen Gebiete, dachte.

Nach der "Audienz" bei Hitler hatte ich in Salzburg eine Besprechung mit dem Reichsaußenminister v. Ribbentrop, in dieser – wie immer, wenn er unter dem Einfluß Hitlers stand, – unerhört aufgeregt war und mit teils befahl und mich teils anflehte, ihm umgehend von Kopenhagen aus einen Bericht zu erstatten, der deutlich meinen Gehorsam gegenüber Hitlers Befehlen zum Ausdruck brachte; er befürchte sonst schlimme Folgen nicht nur für meine Person, sondern auch für die sachliche Aufgabe des AA gegenüber Dänemark. Er erinnerte mich daran, daß er schon im August 1943, als ich wegen Hitlers Befehl, über Dänemark den militärischen Ausnahmezustand zu verhängen, um meine Amtsenthebung gebeten hatte, mir das Argument entgegengehalten habe, daß mit meinem Ausscheiden Dänemark einem Reichskommissar oder einer Militärverwaltung unterstellt und daß damit die dänische Souveränität und Eigenverwaltung beendet werden würde. Ich sagte ihm zu, daß ich ihm – so gut ich es vermöchte – befriedigende Meldungen erstatten werde" (LAK, Best-sagen, 28. april 1948).

Bests samtidige kalenderoptegnelser giver ikke den mindste antydning af, at det havde været en dag med et meget dramatisk møde.

Kilde: Bests kalenderoptegnelser 5. juli 1944

Mittwoch, 5. Juli 1944
Vormittags: Fahrt von Salzburg zum Obersalzberg. Bespr. beim Führer mit Reichsaußenminister von Ribbentrop.
Mittags: In Salzburg ("Österreich. Hof"). Bespr. mit Reichsaußenminister von Ribbentrop.
Nachmittags: Bespr. mit Stapoleiter SS-Stubaf. Dr. Hueber. Bespr. mit SS-Staf. Dr. Brand in "Burgwald". Bespr. mit SS-Brif. Erwin Schulz (am Flugplatz).
Flug nach Kopenhagen.
Abends: zu Hause. Bespr. mit SS-Staf. Bovensiepen.[133]

## 64. Werner Best an Joachim von Ribbentrop 6. Juli 1944

Den på mødet hos Hitler krævede rapport udarbejdede Best straks efter tilbagekomsten til København. Den var både et udtryk for, at han rettede ind og dog forsvarede sig. Al krigsretsaktivitet var straks indstillet, og der var gennem Bovensiepen hos Kaltenbrunner anmodet om yderligere 20 mand til gennemførelse af modterror. Antallet af modterroraktioner i første halvår 1944 blev oplyst. Dertil kom spørgsmålene om, hvordan man skulle stille sig i forhold til spionagesigtede og i forhold til de 170 anholdte, der var mistænkt for sabotage. AA skulle også vide, at von Hanneken ville forsvare sig over for OKW på samme måde som Best for at have brugt krigsret og henrettelser efter 30. december 1943.

Best fik svar på sine oplysninger og forespørgsler med telegram nr. 1488, 10. juli.

Kilde: PA/AA R 100.758. RA, pk. 229. LAK, Best-sagen (afskrift). ADAP/E, 8, nr. 99.

Telegramm

| | | |
|---|---|---|
| Kopenhagen, den | 6. Juli 1944 | 10.40 Uhr |
| Ankunft, den | 6. Juli 1944 | 12.40 Uhr |

---

[133] Afhørt 10. december 1946 forklarede Bovensiepen om sit møde med Best efter dennes tilbagevenden til København: "Efter Hjemkomsten ringede Best straks til afhørte og bad ham komme til sig. Best gjorde herefter afhørte opmærksom paa det, der var sket hos Hitler og udtalte, at man dog ikke kunde lade det blive ved Hitlers Ordre, men maatte forsøge at faa den omstødt. I denne Forbindelse henstillede han til afhørte, at han forsøgte at gøre sin Indflydelse gældende hos Kaltenbrunner for muligt herigennem at faa Hitlers Ordre ændret. Afhørte gik ind paa Bests Tanker, hvorefter han straks sendte en Fjernskrivermeddelelse til Centralen i Berlin og bestilte Foretræde hos Kaltenbrunner. Næste Dag fløj han til Berlin, men han traf ikke Kaltenbrunner; derimod var han til Møder med Cheferne for de forskellige Afdelinger under RSHA, og her meddelte Ohlendorf fra III og Müller fra IV, at det maatte have sin Forbliven ved Hitlers Ordre, og at han – afhørte – ikke skulle lade sig bruge til at "rage Kastanierne ud af Ilden" for Best, som selv var Skyld i, at han nu befandt sig i denne Situation, ikke mindst paa Grund af hans uheldige Afslutning paa Strejken. Afhørte erklærer paa Anledning, at han havde det bestemte Indtryk, at Ohlendorf og Müller talte for Kaltenbrunner, saa meget mere som denne jo i Forvejen var informeret om afhørtes Komme og hans principielle Indstilling til Udviklingen i København." (LAK, Best-sagen). Der er ikke nogen grund til at tro på Bovensiepens forklaring hvad angår formålet med hans rejse til Berlin. Best ville under ingen omstændigheder have brugt Bovensiepen som sendebud, hvis han ville have forsøgt at få Kaltenbrunner til at ændre en førerordre. Bovensiepen var i Berlin hos Kaltenbrunner, men det var for at få en forstærkning af den tyske terrorgruppe i Danmark med 10 personer (se Bests telegram nr. 812 til Ribbentrop 6. juli 1944) og givetvis også for få at vide, hvordan tysk politi i Danmark skulle forholde sig efter indskærpelsen af førerordren vedrørende modterror. Bovensiepen vendte i sit efterkrigsforsvar imidlertid konsekvent indholdet af givne forhold 180 grader.

Nr. 812 vom 6.7.[44.] Supercitissime!

Für Herrn Reichsaußenminister persönlich.
Unter Bezugnahme auf Besprechung am 5. Juli 1944 melde ich:
1.) Jede deutsche Gerichtstätigkeit gegen Dänen, auch der Wehrmachtsgerichte, gestoppt.
   General von Hanneken, dessen Gerichte auch nach dem 30. Dezember 1943 noch verurteilt und hingerichtet haben, will sich über Wehrmacht-Führungsstab mit gleicher Begründung wie ich gegen Vorwurf des Ungehorsams rechtfertigen.
2.) Habe den Befehlshaber der Sicherheitspolizei[134] zu Dr. Kaltenbrunner geschickt, um Verdreifachung des bisher aus 10 Mann bestehenden Gegenterror-Kommandos aus dem Bataillon Skorzeny und entsprechende Materialausstattung zu erbitten.[135]
3.) Wiederhole mündliche Meldung, daß im ersten Halbjahr 1944 24 Gegenterrorakte gegen Personen und 82 Gegensabotagen (Sprengung deutschfeindlicher Betriebe, Zeitungen usw.) durchgeführt wurden.[136]
4.) Befehlshaber der Sicherheitspolizei hat mir gemeldet, daß im ersten Halbjahr 1944 200 sabotageverdächtige Personen festgenommen wurden, von denen 5/6 nicht ermittelt worden wären, wenn man jeden Verdächtigen erschossen hätte, statt ihn zu vernehmen.
5.) Erbitte Weisung über folgende Fragen:
   a.) Sollen auch wegen Spionage und anderer Delikte, die nicht Sabotage und Personenterror sind, keine Verurteilungen mehr stattfinden?
   b.) Was soll mit den 170 sabotageverdächtigen Verhafteten, die nicht mehr verurteilt werden, geschehen?
6.) Zur Lage berichte ich, daß Kopenhagen seit Dienstag völlig normalisiert und daß das ganze Land absolut ruhig ist. Wehrmacht-Befehlshaber will die auf meinen Antrag übernommene vollziehende Gewalt des Generalleutnants Richter in Kopenhagen aufheben; beabsichtige zuzustimmen, falls ich nicht Gegenweisung erhalte.

**Dr. Best**


### 65. Werner Best an Joachim von Ribbentrop 6. Juli 1944

Best meddelte Ribbentrop, at den danske centralforvaltning havde fået oplysning om, at krigsretslig forfølgelse af tilfangetagne sabotører m.m. efter Hitlers ordre ikke længere skulle finde sted i de besatte områder, men at de anholdte i stedet skulle sendes til Tyskland. Forespørgsel derom var rettet til Bovensiepen, men der ville naturligvis ikke blive svaret derpå. Imidlertid var det Bests anledning til at spørge, om en sådan borttransport af fanger i andre områder var sat i gang til Tyskland.

134 Otto Bovensiepen – og ikke Mildner, som det anføres i ADAP/E, 8, nr. 99, note 2.
135 Otto Skorzeny var leder af en specialenhed under RSHA med dæknavnet "Oranienburg," hvorfra der blev sendt de første medlemmer til Danmark i december 1943 for at organisere og gennemføre modterror (Best 1988, s. 59, 75, Lundtofte 2003, s. 167, Bøgh 2004, s. 18-21). Der kom forstærkning til det tyske sikkerhedspoliti fra RSHA IV i sommeren 1944. Ifølge forklaring af Karl Radl 22. september 1947 drejede det sig om 10 mand (LAK, Best-sagen).
136 Se tillæg 3.

Et svar er ikke kendt, og det er måske tvivlsomt, om Best overhovedet fik et. Telegrammet synes mest af alt som endnu et forsøg for Best til at finde ud af eller få et svar på, hvad der skulle ske med de danske fanger. Han havde samme dag spurgt om det samme på en anden måde.

Det har ikke kunnet bekræftes, at man fra dansk side på dette tidspunkt var klar over, at deportationer af fanger i større omfang og som konsekvent politik kunne komme på tale. Men en henvendelse kan være udsprunget af, at 15 personer var deporteret 28. juni og yderligere 17 2. juli (Hæstrup, 1, 1966-71, s. 364).

Kilde: PA/AA R 100.758. RA, pk. 229. LAK, Best-sagen (afskrift).

## Telegramm

| | | |
|---|---|---|
| Kopenhagen, den | 6. Juli 1944 | 12.25 Uhr |
| Ankunft, den | 6. Juli 1944 | 13.00 Uhr |

Nr. 814 vom 6.7.[44.]                                             Supercitissime!

Für Herrn Reichsaußenminister persönlich.
Befehlshaber der Sicherheitspolizei meldet mir soeben, daß von der dänischen Zentralverwaltung an ihn die Frage gerichtet werden sei, ob es zutreffe, daß auf Anordnung des Führers in den besetzten Gebieten keine Gerichtsverfahren mehr durchzuführen sind, sondern daß die festgenommenen Saboteure usw. in das Reich verbracht werden sollen. Frage wurde selbstverständlich dahin beantwortet, daß nicht das Geringste bekannt sei. Ursache der dänischen Anfrage unerklärlich, da Gegenstand nur in Chiffre-Telegrammen behandelt und hier mangels Entscheidung über die Häftlinge noch keine Anordnungen erteilt sind. Ist für andere Gebiete Abtransport der Häftlinge ins Reich angeordnet, so daß dänische Auffassung etwa aus solcher Quelle stammen könnte?

**Dr. Best**

### 66. Ingo von Collani: Umorganisation der Abwehr 6. Juli 1944

Den 12. februar 1944 havde Hitler beordret hovedparten af Abwehr overført fra OKW til RSHA efter talrige Abwehr-fiaskoer og magtkampe med RSHA. Det fik også konsekvenser i Danmark med virkning fra 1. juli. Detaljerne i omorganiseringen blev udredet af von Hannekens generalstabschef von Collani.

Kilde: KTB/WB Dänemark 6. juli 1944, Anlage.

Wehrmachtbefehlshaber Dänemark                                   *O.U., den 6. Juli 1944*
Abwehr/Ic/Ia B. Nr. 4102/44 g.

Betr.: Umorganisation der Abwehr.

Auf Grund der ergangenen Befehle von OKW und Reichsicherungshauptamt (militärisches Amt) wurde mit dem 30.6.1944 die Abwehrstelle Dänemark mit ihrer Abwehrnebenstelle in Aarhus wie folgt umgruppiert:
1.) Die Geschäfte der bisherigen Gruppe I der Abwehrstelle Dänemark werden von dem Frontaufklärungskommando 140 (z.Zt. Kopenhagen), Kommandoführer Oberst-

leutnant Thoering, mit den unterstellten Frontaufklärungstrupps 141 (z.Zt. Aarhus) und 142 (z.Zt. Kopenhagen) übernommen.

Der Frontaufklärungskommando 140 gehört zu den Frontaufklärungstruppen des Chefs Ic Wehrmacht im OKW/WFST und untersteht dem Wehrmachtbefehlshaber Dänemark, Ic.

2.) Aus der Gruppe III (Abwehr von Spionage, Sabotage, Zersetzung in der Truppe usw.) der Abwehrstelle Dänemark und der Abwehrnebenstelle in Aarhus ist die Abwehrdienststelle "Der Abwehroffizier des Wehrmachtbefehlshabers Dänemark" gebildet worden. Leiter ist Oberstleutnant Herrlitz. Er ist dem Chef des Generalstabes unterstellt und erhält seine abwehrfachlichen Weisungen von OKW/WFST/Ic Abt. III/ Truppenabwehr. Der AO des Wehrm. Befh. Dän. ist besetzt mit den Referenten III H, III M, III Luft und III C. Letzteres bearbeitet die Aufgaben der Durchlaßscheine und die Überprüfung der Zivilpersonen, die bei der Truppe und den Wehrmachtdienststellen eingesetzt werden sollen.

Am 15.7.44 verlegt diese Dienststelle ihren Sitz nach Aarhus in die Diensträume der bisherigen Abwehrnebenstelle. Telefonisch an die "Heeres-Vermittlung Aarhus" angeschlossen. Der Sachbearbeiter III H, Major Lehmann, verbleibt beim Stab des Wehrmachtbefehlshabers Silkeborg.

Eine Nebenstelle des AO des W. Befh. Dän., bestehend aus den 3 Wehrmachtreferenten, verbleibt in Kopenhagen und wird in die Nyboderschule zum Verbindungsstab des Wehrmachtbefehlshabers verlegt. Der dienstälteste Offizier ist Korv. Kapt. Hatzy.

Von der Abwehrdienststelle in Aarhus wird der vorsorgliche Geheimschutz und die abwehrpolitischen Belange der Truppenteile und Dienststellen wahrgenommen, die auf Jütland oder Fünen und den westlichen des Großen Belt gelegenen Inseln untergebracht sind, während von der Nebenstelle in Kopenhagen die Truppenteile und Dienststellen abwehrfachlich betreut werden, die auf Seeland, Mön, Falster, Lolland und Bornholm liegen.

Der Schriftverkehr, das Abwehrgebiet betreffend, ist entsprechend an diese Abwehrdienststellen zu richten:

a.) "Der Abwehroffizier des Wehrmachtbefehlshabers Dänemark", Aarhus,

b.) Nebenstelle des Abwehroffiziers des Wehrmachtbefehlshabers Dänemark", Kopenhagen, Nyboder-Schule.

Divisionen usw. geben die Umgliederung allen Standortältesten bekannt.

Admiral Skagerrak und General der Luftwaffe werden gebeten entsprechend dem Verteiler obige Verfügung in ihrem Befehlsreich bekannt zu geben.

Für den Wehrmachtbefehlshaber Dänemark
Der Chefs des Generalstabes:
Im Entwurf gez. v. Collani
F.d.R.
[signeret]
Leutnant

*Verteiler:*
Bis zu den Regimentern, sowie selbständige Bataillonen und Abt. ("Anton").

## 67. Werner Best an das Auswärtige Amt 6. Juli 1944

Der var på den jyske vestkyst drevet et større parti på 146 baller med rågummi i land, som var blevet bjerget af besættelsesmagten ved Thisted (120 baller) og af danske myndigheder (26 baller). Det var en eftersurgt krigsvigtig vare af et så stort kvantum (hver balle var på 100 kg), at Best personligt videregav det forslag til, hvordan godset skulle fordeles, som Rüstungsstab Dänemark havde foreslået. Der forelå en aftale om strandgods af 20. maj 1943 med den danske regering.

AAs svar er ikke lokaliseret, men da talrige instanser havde stærk interesse i rågummiet, førte det til en omfattende korrespondance, der fortsatte til ind i oktober 1944, før sagen blev afsluttet. Forstmann gjorde 13. juli selv Feldwirtschaftsamt opmærksom på aftalen 20. maj 1943 med den danske regering om, at strandgods bestående af krigsvigtige varer skulle tilbydes værnemagten. Han forslog derfor, at 10 baller tilgik værnemagten i Danmark og Rüstungsstab Dänemark, mens det øvrige skulle tilgå dansk industri, idet det blev afregnet på det kontingent af gummi, som skulle tilgå Danmark fra Tyskland. OKW foreslog dagen efter Reichsstelle Kautschuk, at 120 baller af det, der blev karakteriseret som "Beute-Rohgummi", tilgik den tyske krigsindustri, mens danskerne kunne beholde de 26 baller til dansk industri, idet det skulle modregnes i den mængde gummi, der skulle tilgå Danmark. Forstmann gjorde 11. august opmærksom på, at det ikke var korrekt, at gummiet var "bytte", som OKW antog, men var den danske stats ejendom, hvorfor der skulle gives betaling derfor. Det protesterede OKW 25. august imod, da de 120 baller var bjærget af Kriegsmarine. Den nytiltrådte Feldwirtschaftoffizier ved WB Dänemark, Lambert,[137] svarede igen på det ved at fremsende aftalen af 20. maj 1943 med den danske regering. Heraf fremgik det klart, at den danske regering havde ejendomsretten. Det måtte OKW bøje sig for, og Feldwirtschaftsamt skrev 15. september til Lambert i forståelse med Reichsstelle Kautschuk, at der skulle afregnes for gummiet med den danske regering over clearingkontoen.

Den 10. oktober var status, at 97 baller var ført til firmaet Klentze & Co. i Hamburg og 40 baller var stillet til rådighed for Best med henblik på det danske erhvervsliv. Da der var drevet yderligere nogle baller rågummi ind siden begyndelsen af juni, var der stadig enkelte baller til fordeling, som efter samråd med Best også blev sendt til firmaet i Hamburg.

Sagsforløbet er interessant ved, at de tyske myndigheder i Danmark fra den rigsbefuldmægtigede til Rüstungsstab Dänemark og WB Dänemarks Feldwirtschaftsoffizier alle holdt fast ved den indgåede aftale med den danske regering før 29. august 1943, og at OKW valgte at give efter på det punkt. Samtidig må det konstateres, at hovedparten af strandgodset alligevel blev transporteret ud af Danmark og tilgik den tyske krigsproduktion. Det havde Forstmann ikke kunnet forhindre, selv om han i forening med Best havde forsøgt at holde alt det eftertragtede gummi i Danmark (hele korrespondancen i RA, Danica 1000, T-77, sp. 697, nr. 908.016-908.032 og T-175, sp. 59, nr. 723.956 og 723.924. Kvittering for afsendelsen fra Thisted 8. juli 1944 i BArch, RW 19: Wi I E1: Dänemark. – Se endvidere situationsberetning fra Rüstungsstab Dänemark 15. august og fra Feldwirtschaftsoffizier Lambert 15. oktober 1944).[138]

Kilde: RA, Danica 1000, T-77, sp. 697, nr. 908.016f.

Abschrift

### Telegramm

Kopenhagen, den        6. Juli 1944        19.45 Uhr

Nr. 817 vom 6.7.[44.]        Cito!

Laut Mitteilung des Wehrmachtintendanten lagerten bis 17. Juni 1944 in Thisted 120

---

137 Herom Forstmann til Waeger 30. juli 1944.
138 Korrespondancen blev delvis bevaret og holdt sammen af Forstmann som bilag til hans fremstilling af Rüstungsstab Dänemarks historie til 1942. Bilagene tjente som illustration af, hvordan sagsgangen kunne være i konkrete tilfælde.

Ballen Rohgummi im ungefähren Gewicht von 12 Tonnen, welche im Laufe der Monate Mai und Juni 1944 in der Hauptsache von deutschen Dienststellen als Strandgut geborgen worden sind. Außerdem sind bis 10. Juni 1944 vom dänischen Außenministerium weitere 26 Ballen Rohgummi im Gesamtgewicht von rd. 2,6 Tonnen gemeldet worden, die von dänischer Seite geborgen wurden. Der Rüstungsstab Dänemark schlägt einvernehmlich mit dem Wehrmachtintendanten bezüglich der 120 Ballen vor, daß hiervon 10 Ballen für den Bedarf der in Dänemark stehenden Truppen und für Verlagerung zwecke, der erst aber der dänischen Industrie unter Anrechnung auf das dänische Einfuhrkontingent zur Verfügung gestellt werden möge. Hinsichtlich der 26 Ballen wurde noch kein Antrag gestellt, unbeschadet der grundsätzlichen Auffassung, daß an den dänischen Küsten geborgenes Strandgut, sofern es nach Vereinbarung mit dem dänischen Außenministerium vom 20. Mai 1943 nicht als sogenannte "kriegswichtige Ware" von der Wehrmacht übernommen wird, den dänischen Behörden für inländische Zwecke auszufolgen ist, halte ich den Vorschlag des Rüstungsstabs angesichts des dringenden Bedarfs an Rohgummi in der deutschen Kriegswirtschaft nicht verwertbar. Ich schlage daher vor, die in Thisted liegenden 120 Ballen mit Ausnahme von etwa 5 Tonnen, das sind 50 Ballen, welche ungefähr dem Bedarf der dänischen Industrie für 3 Monate entsprechen, der Industrie im Reich zur Verfügung zu stellen. Die für Dänemark freigebende Menge wäre auf das dänische Versorgungskontingent anzurechnen. Den Wunsch des Rüstungsstabes auf Überlassung von 10 Ballen bitte ich abzulehnen, weil gemäß Absprache mit dem RWiM und der Reichsstelle für Kautschuk der für Verlagerungsaufträge erforderliche Bedarf aus der dänischen Zuteilung gedeckt wird.

Mit Rücksicht darauf, daß das Artillerie-Arsenal Thisted, bei welchem die 120 Ballen liegen, diese der Artillerie-Arsenalinspektion in Bad Segeberg zwecks Abgabe an die deutsche Kriegswirtschaft gemeldet hat, bitte ich im ehrbaldigen Drahtbescheid.

**Dr. Best**

F.d.R.d.A.
Hauptmann

## 68. Kriegstagebuch/Rüstungsstab Dänemark 6. Juli 1944

Rüstungsstab Dänemarks krigsdagbog for 3. kvartal 1944 bar præg af bearbejdningen af erfaringerne af generalstrejken i København. Hertil hørte også en orientering om de danske myndigheders og interesseorganisationers optræden. Forstmann anskuede disses bidrag til konfliktens løsning positivt og valgte uden kommentarer i månedsberetningen for juli at indlemme nedenstående til tysk oversatte brev fra Sammenslutningen af Arbejdsgivere inden for Jern- og Metalindustrien i Danmark til alle foreningens medlemmer i Storkøbenhavn. Af brevet fremgår det, at Dansk Arbejdsgiverforening meget tæt fulgte de danske myndigheders opfordringer til genoptagelse af arbejdet, og at de arbejdere, der havde fulgt opfordringerne til fortsat strejke, skulle trækkes i deres løn.

Forstmann ville dokumentere, at de danske myndigheder og organisationer havde stået loyalt bag den tyske bekæmpelse af strejken, men at der havde været andre kræfter på spil, var han ikke i tvivl om, og han udtrykte det klart i et brev til Waeger 20. juli 1944 (se tillige Nils Svenningsens beretning 13. og 17. juli 1944 i PKB, 7, s. 1866f.).

Kilde: BArch, Freiburg, RW 27/16. KTB/Rü Stab Dän 3. Vierteljahr 1944, Anlage 6.

Die Vereinigung der Arbeitgeber innerhalb　　　　*Kopenhagen K, den 6. Juli 1944*
d. Eisen- u. Metallindustrie in Dänemark　　　　　Nörrevoldgade 30-34.

An sämtliche Mitglieder der Vereinigung der Eisen- und Metallindustrien innerhalb Groß-Kopenhagen.

Vom Dänischen Arbeitgeberverein hat die Vereinigung der Eisen- und Metallindustrie heute Mittag nachstehendes Schreiben erhalten:
"Betr. des Abschlusses des Generalstreiks teilt der Dänische Arbeitgeberverein hierdurch folgendes mit:
Während für die durch den Streik bis Freitag den 30. Juni abends verlorene Zeit den streikenden Arbeitern keine Zahlung geleistet werden darf, stellt der Arbeitgeberverein anheim, daß für die normale Arbeitszeit, die in dem Zeitraum zwischen Freitag Abend, als Gas, Wasser und Elektrizität abgeschaltet wurde, und bis Montag Morgen um 6 Uhr fällt, Zahlung geleistet wird. Die Auszahlung wird jedoch nicht an die Arbeiter erfolgen, die nur von Tag zu Tag als Gelegenheitsarbeiter eingestellt gewesen sind.
Von Montag den 3. Juli ab kann *nur* an die Arbeiter Zahlung geleistet werden, die an diesem Tage zur Arbeit erscheinen sind und sich bereit erklärten, die Arbeit wieder aufnehmen zu wollen, die aber auf Veranlassung des Arbeitgebers nach Hause geschickt wurden.
Obenstehende Anheimstellung gilt nicht für Gebiete außerhalb Groß-Kopenhagens, wo Gas-, Wasser- und Elektrizitätsversorgung nicht unterbrochen war."
Dieses Schreiben des Arbeitgebervereins annulliert die bisher vom Sekretariat der Vereinigung telefonisch durchgegebenen Mitteilungen bezüglich dieser Frage.
Auf unsere telefonische Anfrage hin, teilt der Arbeitgeberverein mit, daß die Arbeiter, die am Dienstag den 4.7.1944 nicht erschienen sind, für diesen Tag keine Bezahlung erhalten sollen. Außerdem steht der Arbeitgeberverein auf dem Standpunkt, daß man bezgl. der Arbeiter, die Wochenlohn oder Monatsgehalt empfangen, sich entsprechend den o.a. Richtlinien verhalten soll.

I.A.
**Aage Schiott**


### 69. OKW: Streiklage Kopenhagen 6. Juli 1944
Situationen var så normaliseret i København, at det var forudset, at den udøvende magt i København skulle afgives til Best dagen efter.
　Dertil kom det dog ikke, se OKW-notatet 8. juli 1944.
　Kilde: BArch, RW 4//64. RA, Danica 1069, sp. 1, nr. 355.

Entwurf
WFSt/Qu. 2 (Nord)　　　　　　　　　　　　　　　　　　　　　　　　　　　　　　　　　　　*6.7.1944.*
Nr. 03128/44 geh.　　　　　　　　　　　　　　　　　　　　　　　　　　　　　　　　　　　　Geheim

Betr.: Streiklage Kopenhagen.
    Stand: 6.7.44 8.30 Uhr.

Vortragsnotiz

In Kopenhagen herrscht Ruhe und Ordnung. Arbeit ist voll aufgenommen. Truppe ist aus dem Stadtbild verschwunden.

Abgabe der vollziehenden Gewalt für morgen (7.7.) vorgesehen.


## 70. Ernst Richter: Abbau der Maßnahmen zur Aufrechthaltung der Ruhe und Ordnung in Kopenhagen 6. Juli 1944

Richter gav detaljerede anvisninger for, hvordan de forholdsregler, der havde været iværksat for at opretholde ro og orden i København under den militære undtagelsestilstand, skulle afvikles.

Richter meddelte 7. juli som korrektion til sine underordnede, at den rigsbefuldmægtigede først overtog den udøvende magt i København 9. juli (Best var bortrejst indtil da).

Kilde: BArch, Freiburg, RW 38/181. KTB/HKK, Anlage 209. RA, Danica 1069, sp. 10, nr. 11.992f.


Geheim!                                                       Anlage 209
Höheres Kommando Kopenhagen                St.Qu., den 6.7.1944
Ia Nr. 2603/44 geh.

Betr.: Abbau der Maßnahmen zur Aufrechterhaltung der Ruhe und Ordnung in Kopenhagen.

1.) Nachdem die Ruhe und Ordnung in Kopenhagen wiederhergestellt sind, werde ich mit Wirkung vom 8.7.44 5.00 Uhr die vollziehende Gewalt in Kopenhagen wieder an die zuständigen Stellen übergeben.

2.) Für die Aufrechterhaltung der Ruhe und Ordnung ist ab 8.7.44 5.00 Uhr wider der Höhere SS u. Polizei-Führer verantwortlich.

3.) Der mit Ia 2500/44 geh. vom 30.6. befohlene verstärkte Streifendienst ist ab 4.7. vorm. aufgehoben. Es verkehren ab 4.7. lediglich von 20.00 Uhr – 7.00 Uhr die von der WOK Gr.-Kph. eingesetzten Radfahrstreifen der Batle D III, D X und der deutschen Polizei gem. Verfügung Ia 2450/44 geh. vom 26.6. zur zusätzlichen Sicherung der wehrwirtschaftlich wichtigen Betriebe gegen Saboteure und Überwachung der anliegenden Straßenzüge.

4.) Die mit Verfügung Ia 2500/44 geh. v. 30.6.44 befohlenen 9 Stützpunkte werden am 7.7. 23.00 Uhr aufgelöst und die Truppen in die bisherigen Unterkünfte zurückverlegt. Die für die Unterbringung der Stützpunktbesatzungen beschlagnahmten Räume sind nach Entfernung des Unterkunftsgeräts und Reinigung durch die Truppe von der WOK an die Eigentümer zurückzugeben.

Das freiwerdende Unterkunftsgerät und die zur Sicherung der Stützpunkte aufgestellten spanischen Reiter sind von den Truppenteilen, die die Stützpunktbesatzungen gestellt haben, an diejenigen Stellen zurückzugeben, von denen diese Material entliehen worden ist.

5.) Die Wachen an den städtischen Versorgungsbetrieben werden mit Wirkung vom 8.7.44 5.00 Uhr zurückgezogen.

6.) Über die Rückgabe der beschlagnahmten dän. Kfz., Rückgabe der beschlagnahmten Tankstellen, Verrechnung des entnommenen Betriebsstoffs usw. erfolgt Sonderbefehl.

7.) Für die zur Verstärkung nach Kopenhagen herangeführten Einheiten ist folgender Rücktransport vorgesehen:

a.) ½ D IV im Landmarsch nach Hövelte und Hillerød am 9.7.
b.) ½ D XI im E-Transport nach Helsingör am 9.7.
c.) ½ D XIII im E-Transport nach Hornbäk am 9.7.
d.) ½ D XII im E-Transport nach Nästved am 9.7.

Die Fahrzeugkolonnen der unter a-d genannten Einheiten erreichen ihre Standorte am 9.7. im Landmarsch unter Beigabe der entsprechenden Sicherungen.

Transportanmeldungen für je 300 Mann und 300 Fahrräder für die Einheiten unter b-d werden vom Höh. Kdo. Kph. abgegeben. Verladezeiten und Einladebahnhöfe sowie Fahrtnummern werden den Einheiten noch bekanntgegeben.

Für die Rückgabe der Unterkünfte und Unterkunftsgeräte der unter a-d genannten Einheiten veranlaßt WOK alles Weitere unmittelbar.

8.) Über Abtransport der Pz. AA 3 und Auflösung des Regts. Pier folgt Sonderbefehl.

9.) Ab 8.7. 14.00 Uhr wird das mit Verfügung Ia 2504/44 geh. vom 1.7. Ziffer 7 ausgesprochene Verbot für Ausgang und Ortsurlaub aufgehoben. Es verbleiben bei den Stäben 25 % bei der Truppen 50 % wie mit Ia 117/44 geh vom 9.1.44 befohlen in der Unterkunft.

Richter<br>Generalleutnant

### 71. Das Auswärtige Amt an Werner Best 7. Juli 1944

Best fik oversendt to dokumenter til udtalelse vedrørende de af Tyskland beslaglagte danske skibe. UM havde på redernes vegne klaget over størrelsen af lejen for skibene, hvilket OKM havde afvist. Lejen var ensidigt fastsat af OKM. Der var i marts indgået en aftale med OKM om, at beslaglæggelser fremover skulle aftales forud og kun ske, hvor det var yderst påkrævet og i forståelse med Best. Skibe, der ikke længere var brug for, skulle leveres tilbage til ejerne.

Bests stillingtagen til dette er ikke lokaliseret, men han havde tidligere forgæves foreslået RWM inddraget ved fastsættelsen af lejesummen. Om beslaglæggelserne, se foruden den løbende korrespondance med Kriegsmarine, *Politische Informationen* 1. april og 1. maj 1944. Aftalen med OKM blev ikke indgået i marts, men 4. april, som det ovenfor fremgår af referaterne af mødet.

Se Engelhardt til Seekriegsleitung 7. juli 1944.

Kilde: PA/AA R 105.212.

I Ia Pol XI 1748/44 *Berlin, den 7. Juli 1944*

Betr.: Beschlagnahme aufgelegter dänischer Tonnage.
Abschriftlich dem Reichsbevollmächtigten in Dänemark
Kopenhagen

Mit Beziehung auf den Bericht vom 20 Juni d.J.[139] – S/SCH 3/1 – zur Kenntnis und mit der Bitte um Stellungnahme übersandt.

Im Auftrag
[uden underskrift]


Abschrift Ha Pol XI 1748/44
Oberkommando der Kriegsmarine                                       Berlin, den 3. Juli 1944
B-Nr. 1. Skl. I i 24 814/44

An das Auswärtige Amt
   Berlin

Vorg.: Ha Pol XI 1520/44 vom 24.6.1944[140]

Betr: Beschlagnahme aufgelegter dänischer Tonnage.

Der Vorgang betreffend die durch das dänische Außenministerium für die bisher beschlagnahmten 10 dänischen Schiffe geltend gemachten Vergütungen von jährlich insgesamt 9.440.000 dän. Kr. ist an die Schiffahrtsabteilung (Skl. Adm. Qu VI) weitergeleitet worden. Von dieser Stelle wird auch die Frage beantwortet werden, ob das eine oder andere Schiff in absehbarer Zeit wieder entbehrlich wird.

Zu der Auffassung des dänischen Außenministeriums, daß die laufenden Vergütungen in freien Devisen ( Schweden-Kronen und Schweizer Franken) zu zahlen sind, wird schon jetzt bemerkt, daß der Zweck der Beschlagnahme gerade mit gewesen ist, derartige Freie Devisenansprüche auszuschließen.

Zur Höhe der geltend gemachten Ansprüche ist zu sagen, daß die Vergütungen von der deutschen Kriegsmarine nach pflichtgemäßen, eigenen Ermessen festzusetzen sind, nachdem eine vertragliche Einigung mit den Reedern nicht zustande gekommen ist und daher zur Beschlagnahme der Fahrzeuge geschritten werden mußte. Die von den Reedern genannten Beträge für den Totalverlustfall sowie für die monatlichen Vergütungen sind daher lediglich einseitige Parteibewertungen. Bei Festsetzung der Beträge durch die Kriegsmarine dürfte kaum wesentlich über die Wertmaßstäbe hinausgegangen werden, die gegenüber den deutschen Reedern sowie den Schiffseignern in den übrigen besetzten Gebieten zur Anwendung gelangen. Hierbei wird auch zu berücksichtigen sein, daß die dänischen Reeder mit ihren bisher aufliegenden Fahrzeugen überhaupt nichts verdient haben und daß sie nicht erwarten dürfen, nur durch die gegenwärtige Kriegskonjunktur bedingte Übergewinne zu ziehen, zumal Deutschland den europäischen Abwehrkrieg mit im Interesse aller europäischen Völker führt.

Im Auftrage
gez. **Meyer**


139 Indberetningen er ikke lokaliseret.
140 Indberetningen er ikke lokaliseret.

Geheim
Ref.: VLR Bisse                                                    e.o. Ha Pol 3251/44 g

Betr.: Beschlagnahme dänischer Schiffe in Dänemark durch OKM.

Um die mit der Beschlagnahme der dänischen Schiffe zusammenhängenden Unebenheiten aus dem Wege zu räumen, haben in Kopenhagen Anfang März Besprechungen mit dem Reichsbevollmächtigten in Dänemark – Herrn Gesandten Dr. Best – mit dem Chef der Schiffahrtsabteilung im OKM – Kapt. z. S. Engelhardt und mit dem Vertreter der Seekriegsleitung – Herrn Min. Dirig. Dr. Eckhardt – stattgefunden.[141]

Die bisherigen Beschlagnahmen sind nunmehr im vollen Einverständnis mit dem Reichsbevollmächtigten in Dänemark erfolgt und es ist vereinbart, daß von weiteren Beschlagnahmen abgesehen wird, wenn nicht eine dringende Kriegsnotwendigkeit vorliegt, die die Inkaufnahme der politischen und stimmungsmäßigen Auswirkungen rechtfertigt. Eine Beschlagnahme durch die Seekriegsleitung ohne vorherige Fühlungnahme und Zustimmung des Reichsbevollmächtigten in Dänemark wird für die Zukunft nicht mehr erfolgen. Die Seekriegsleitung ist erneut gebeten worden, die beschlagnahmten Schiffe, die nicht mehr gebraucht werden, unverzüglich zurückzugeben.

Hiermit Herrn LR von Behr vorgelegt.
*Berlin, den 23. Juni 1944*


### 72. Konrad Engelhardt an Chef Seekriegsleitung 7. Juli 1944

Engelhardt fra Seekriegsleitungs skibsfartsafdeling svarede på henvendelsen fra 5. juli ved at opregne Kriegsmarines behov for skibe. Der var ikke flere skibe at trække på i de besatte områder, så man måtte ty til de oplagte danske skibe. Han kunne ikke forstå, at Best tog mere hensyn til den danske stemning og dansk efterkrigsøkonomi end gennemførelsen af krigsafgørende foranstaltninger. Skib for skib gjorde han derpå rede for det tyske behov for at overtage det. Engelhardt tog skarpt afstand fra, at Best ville gøre nye beslaglæggelser afhængig af, at de forudgående ni skibe var taget i brug.

OKM fulgte med enkelte ændrede formuleringer og nogle tilføjelser Engelhardts indstilling, som det fremgår af det brev, som blev sendt til AA 10. juli 1944.

Kilde: BArch, Freiburg, RM 7/1813. RA, Danica 628, sp. 7, nr. 5866-69.


Oberkommando der Kriegsmarine                         *Berlin, den 7. Juli 1944.*
Skl. Adm. Qu VI Pl/n 5708/44 g                                     Geheim

An Chef 1. Skl.

Betrifft: Weitere Erfassung dänischer Handelsschiffstonnage.
Vorgang: 1. Skl. I 1 25692/44 geh. vom 5.7.44.[142]

Alle deutschen Handelsschiffe sind mit alleiniger Ausnahme der Großschiffe, deren Einsatz zwecklos ist, restlos für die Seekriegführung, den Wehrmachts- und OT-Nachschub

---

[141] Mødet fandt sted 4. april 1944.
[142] Trykt ovenfor.

und für den kriegswichtigen Wirtschaftsseeverkehr bis zur Grenze der Leistungsfähigkeit in Anspruch genommen. Das gleiche gilt für die Handelsschiffe aus den besetzten Gebieten. Der Tonnagebestand ist durch Verluste so zusammengeschrumpft, daß er trotz äußerster Ausnutzung und trotz der Ersatz-Neubauten auch den kriegswichtigsten Bedarf nicht mehr befriedigt.

Es werden folgenden Beispiele angeführt:
Die Hansa-Schiffahrtsgesellschaft Bremen hat von ihrem Schiffsbestande 1939 in Höhe von

| | | |
|---|---|---|
| 45 Schiffe mit rund | 300.000 BRT | bisher |
| 38 Schiffe mit fast | 260.000 BRT | verloren und besitzt heute nur noch |
| 7 Schiffe mit rund | 40.000 BRT | |

Der Norddeutsche Lloyd Bremen besaß 1939

| | | |
|---|---|---|
| 77 Schiffe mit | 570.000 BRT | er hat verloren |
| 51 Schiffe mit | 450.000 BRT | und verfügt heute noch über |
| 26 Schiffe mit | 120.000 BRT | |

Es gibt im Reich und in den besetzten Gebieten keine Reserven mehr, aus denen die täglich eintretenden Verluste und die immer neu auftretenden Bedürfnisse der Kriegsführung an Handelsschiffstonnage gedeckt werden könnten. Die einzige z.Z. vorhandene Rückgriffmöglichkeit ist die unbeschäftigt liegende dänische Tonnage.

Daß die Dänen lieber ihre Schiffe unbenutzt und unbeschädigt für die Zeit nach dem Kriege aufsparen möchten, als sie der Besatzungsmacht zu überlassen und so den Kriegsgefahren auszusetzen, ist [ohne?] weiteres verständlich. Hierauf kann aber keine Rücksicht genommen werden, wenn diese Schiffe für die deutsche Kriegsführung unentbehrlich sind. Der Erfolg oder Mißerfolg der deutschen Kriegsführung entscheidet ja schließlich auch über Bestand oder Vernichtung des dänischen Volkes, worauf die Dänen d.E. hinzuweisen wären.

Es ist nicht zu verstehen, daß der Bevollmächtigte des Reiches in Dänemark die Rücksicht auf die dänische Stimmung und die dänische *Nach*kriegswirtschaft für wichtiger hält als die Durchführung kriegsentscheidender Maßnahmen der deutschen Wehrmacht.[143]

Das OKM hat sich bemüht, auf dem Verhandlungswege die Dänen zur freiwilligen Vercharterung ihrer Schiffe an die deutsche Kriegsmarine zu veranlassen. Erst die völlig ablehnende Haltung der Dänen hat es notwendig gemacht, das Mittel der Beschlagnahme anzuwenden. Aber auch dann noch hat sich OKM bereit erklärt, den dänischen Reedern eine ebenso hohe Entschädigung zu zahlen, wie sie deutschen Reedern bei Inanspruchnahme ihrer Schiffe durch die Kriegsmarine gezahlt wird.

Zu der dänischen Forderung auf Zahlung in freien Devisen wird gesondert Stellung genommen.

Zu den Ausführungen von Dr. Best vom 3.7. ist im einzelnen folgendes zu bemerken:
1.) Es ist selbstverständlich, daß Schiffe, die jahrelang außer Betrieb gewesen sind, einer gründlicher Überholung bedürfen, bevor sie eingesetzt werden können.

---

143 I margenen er med håndskrift skrevet: "Sehr richtig!".

2.) Es ist unvermeidlich, daß Handelsschiffe, die für Zwecke der Kriegsmarine in Anspruch genommen werden müssen, zahlreiche Einrichtungen und Waffen erhalten müssen, ohne welche die Schiffe die ihnen bestimmte Aufgabe nicht erfüllen können.
3.) Bei der kriegsbedingten Überlastung der Werften ist es nicht immer möglich, die Überholungs- und Einbauarbeiten sofort bei Eintreffen des Schiffes zu beginnen. Wegen der Sabotagegefahr, die in Dänemark natürlich unverhältnismäßig viel grösser ist als im Reiche, ist es aber nicht zu verantworten, die Schiffe so lange in Dänemark liegen zu lassen, bis die Werft frei wird.
4.) Die angespannte Öllage wird noch längst nicht zur Stillegung deutscher Schiffe führen, da der geschilderte Tonnagemangel ohnehin nur die Durchführung der unbedingt kriegsnotwendigen Aufgaben zuläßt.
5.) Die neu angeforderten 4 dänischen Schiffe werden für folgende Zwecke benötigt:
   – M/S "Hans Broge" soll E-Meß-Schulschiff werden. Ein solches Schiff wird sehr dringend für die Ausbildung des E-Meß-Personals benötigt. Durch an Land aufgestellte E-Meß-Geräte kann den E-Meß-Schülern die unentbehrliche Bordpraxis nicht vermittelt werden. Die E-Meß-Schule hat infolge des geschilderten Tonnage-Mangels bisher Ersatz für das verlorene Schulschiff "Karl Zeiss" nicht erhalten können. Die Ausbildung ist daher z.Zt. unzulänglich.
   – M/S "Aalborghus" wird Sicherungsschiff für Truppentransporte. An seiner Stelle wird "Almuth" ex "Dronning Maud" an die Dänen zurückgegeben, da das Schiff wegen der schlechten Beschaffenheit seiner Maschinen- und Kesselanlage nur immer kurze Zeit einsatzfähig ist. Über die Wichtigkeit der Truppentransporte braucht kein Wort verloren zu werden.
   – D. "Mön" wird Torpedo-Transport-Fahrzeug und Werkstattschiff für die Torpedo-Schulen. Der unbedingt notwendige Ausbildungsbetrieb ist mit den bisher zur Verfügung stehenden Schiffen nicht in dem jetzt erforderlich gewordenen Umfange durchzuführen.
   – D. "Frem" wird als Nachtjagd-Leitschiff für die Luftwaffe benötigt. Auch dieser Verwendungszweck ist von höchster Dringlichkeit und besonders kriegswichtig.
6.) Die 9 bereits nach Deutschland überführten dänischen Schiffe werden für folgende Verwendung hergerichtet:
   – Parkeston, Jylland, England, Esbjerg, C.F. Tietgen als Zielschiffe für den Kommandierenden Admiral der U-Boote, "Hammershus" als S-Boot-Mutterschiff, "A.P. Bernstorff" als Sicherungsschiff für Truppentransporte, "Aarhus" und "Wistula" als Lazarettschiffe.

Über die höchste Dringlichkeit der bestmöglichen Ausbildung des U-Bootpersonals, wofür große schnelle Zielschiffe unentbehrlich sind, braucht nichts weiter gesagt zu werden. Die Dringlichkeit der Lazarettschiffe und der Truppentransporter versteht sich von selbst.

Die Zeitdauer der Werftarbeit für die Instandsetzung der Schiffe ist bedingt durch den Umfang der notwendigen Arbeiten und die unvermeidlichen Kriegseinflüsse.

Es muß scharf zurückgewiesen werden, daß Dr. Best die Beschlagnahme der 4 weiteren Schiffe irgendwie von der vorherigen Inbetriebnahme der ersten 9 dänischen Schiffe abhängig machen will.

1. Skl. wird gebeten, dem AA gegenüber klar zu stellen, daß die beschlagnahmten und noch zu beschlagnahmenden Schiffe für die deutsche Seekriegsführung benötigt werden. Es muß festgestellt werden, daß andere geeignete Schiffe im Reiche und in den besetzten Gebieten nicht mehr vorhanden sind und daß – wenn die dänische Schiffe nicht zur Verfügung gestellt werden – die oben angeführten höchst kriegswichtigen Aufgaben der Kriegsmarine nicht erfüllt werden können.

Skl. Adm. Qu VI
I.V.
**Engelhardt**

### 73. MOK Ost an Seekriegsleitung 7. Juli 1944

En forundersøgelse af eksplosionsulykken i Århus havde til resultat, at det var ammunitionstransporten, der havde ansvaret. Sagen var nu overgivet til WB Dänemarks domstol.

Se forud Barandon til AA/Best 5. juli 1944.
Kilde: BArch, Freiburg, RM 7/1812.

MKOF 03055 7/7 19.10
ohne AUE = S 1 Skl
– Gkdos –
Zu Abendlage 4/7 Ziff. B 4 F und Morgenlage 5/7 Ziff. B 4 C.

Nachdem Voruntersuchung Munitionsunglücks Aarhus unter Führung Seekdt. Südjütland ergeben hat, daß verantwortlich für Munitionstransport Wehrmachtumschlagstab Norwegen ist, wird kriegsgerichtliche Untersuchung Unglücks mit allen Unterlagen vom Adm. Skagerrak an Gericht bei Wehrm. Befh. Dän. abgegeben.

MOK Ost Führstab op 04640

### 74. OKW: Abgabe der vollziehenden Gewalt in Dänemark 8. Juli 1944

Von Hanneken havde med Best aftalt overgivelsen af den udøvende magt i København til den rigsbefuldmægtigede fra 9. juli, men da Best ikke var kommet tilbage fra Tyskland, ville von Hanneken vide, om Hitler eller Ribbentrop havde andre anvisninger. En udsættelse kunne føre til uroligheder.

Det er sandsynligvis uvished om, hvad der kom ud af Bests møde med Hitler, der fik von Hanneken til at henvende sig til OKW for et svar, samt det uhensigtsmæssige i over for danskerne at have offentliggjort en beslutning, der eventuelt måtte trækkes tilbage. Svaret til von Hanneken er ikke kendt, men af en påtegning på notitsen fremgår det, at Best senere på dagen var vendt tilbage til København, og at von Hanneken senere havde fået den ønskede tilladelse.

Kilde: BArch, Freiburg, RW 4/754. RA, Danica 1069, sp. 1, nr. 354.

WFSt/Qu. 2 (Nord) *8.7.1944.*

Betr.: Abgabe der vollziehenden Gewalt in Dänemark.

N o t i z

W. Bfh. Dänemark hatte im Einvernehmen mit dem Reichsbevollmächtigten Übergabe der vollziehenden Gewalt an letzteren für den 9.7. vorgesehen. Dies ist bereits in Dänemark öffentlich bekanntgemacht worden.[144] Dementsprechend sind auch die militärischen Einheiten aus Kopenhagen zurückgezogen.

W. Bfh. Dänemark fragt am 8.7. mittags fernmdl. bei WFSt an, ob vom Führer oder Reichsaußenminister andere Weisungen ergangen seien, da Dr. Best zum Außenminister befohlen und noch nicht zurückgekehrt ist. Verschiebung der Rückgabe der vollziehenden Gewalt an den Reichsbevollmächtigten nach dem bereits erfolgten Abzug der Verbände der Wehrmacht bedeutet eine Gefahr im Falle neuer Unruhen.

W. Bfh. Dänemark bittet um umgehende Entscheidung.

### 75. RSHA Abteilung IVA: Vermerk 8. Juli 1944

Bovensiepen havde 24. juni kunnet meddele, at der i Århus og Midtjylland var slået til mod det illegale DKP og organisationen Frit Danmark, hvorved 33 personer var anholdt, ligesom et trykkeri, der trykte illegale blade var blevet afsløret og en fordelingscentral for det illegale *Aarhus Ekko* var blevet oprullet. Yderligere fire danske statsborgere var anholdt for udbredelsen af kommunistisk propaganda.

Se nærmere i Bovensiepens aktivitetsberetning for juni og juli 1944, pkt. 2 om kommunismen, sendt af Best til AA 1. august 1944.

Kilde: RA, Danica 1069, sp. 7, nr. 8529.

IV A 1 a *Berlin, d. 8. Juli 1944.*

1.) Der BdS in Dänemark berichtet zum Tagesrapport vom 24.6.44 mit FS Nr. 3519 folgendes:

a.) *Kommunismus.*

Im Zuge der von der Außendienststelle Aarhus betriebenen Festnahme-Aktion gegen die illegale DKP und gegen Kreise der Organisation "Frit Danmark" in Mittel-Jütland, wurden weitere 33 dänische St.A. festgenommen. Unter den Festgenommenen befinden sich 2 seit langem gesuchte Funktionäre der engeren Bezirksleitung Aarhus, die Stadtleiter von Randers, Skive, Holstebro, Viborg, Silkeborg und Herning und außerdem 5 Distriktsleiter von Aarhus.

Weiter wurden die Druckerei Jyds[k]-Trykkeriet in Aarhus, in welcher die Landesausgabe des Zentralorgans der DKP "Land og Folk" gedruckt wurde, sowie eine Vervielfältigungszentrale des im Bezirksmaßstabe herausgegebenen Organs "Aarhus Ekko" und eine dortige Setzerei geschlossen. Umfangreiches Material, ein Duplikator und mehrere Druckereimaschinen wurden beschlagnahmt.

---

144 Se Alkil, 2, 1945-46, s. 890.

Es wurden 3 dän. Angehörige festgenommen, die eine Zelle der illegalen kom. Partei bildeten und laufend Beitragsmarken zahlten.

Festgenommen wurde ferner der Cand.Mag. Preben Fine Kuehl, geb. 1.8.20 in Stege, wohnhaft in Kopenhagen, Rosenvängets Allee 14, weil er in letzter Zeit versuchte, die Gäste seiner Pension in komm. Sinne zu beeinflussen.

2.) Das Original-FS wurde an IV B 1 e zurückgegeben.
3.) Zu den Akten "Dänemark – Flugschriften".

I.A.
[underskrift]


## 76. Harro Brenner an Werner Best 10. Juli 1944

Ribbentrop overlod det til en af sine embedsmænd at besvare Bests forespørgsel fra 6. juli på den knappest mulige måde. For det første havde Hitler fået meddelt indholdet af Bests telegram og var utilfreds med antallet af modterroraktioner. Det var for lavt. For det andet ville Best ved et kommende møde få nærmere besked om, hvad der skulle ske med de sabotagemistænkte (Rosengreen 1982, s. 111).

Den besked, Best skulle have, fik han ved et besøg i AA i slutningen af juli.
Kilde: PA/AA R 100.986. RA, pk. 225. LAK, Best-sagen (på dansk).

### Telegramm

| | | |
|---|---|---|
| Fuschl, den | 10. Juli 1944 | 17.45 Uhr |
| Ankunft, den | 10. Juli 1944 | 19.00 Uhr |

Telko.-Nr. 1488                                                                                    Cito!
RAM 742/44

Diplogerma Kopenhagen
    Für Reichsbevollmächtigten persönlich.

Auf Tel. 812 v. 6.7.[145]

Weisungsgemäß teile ich mit, daß der Führer zu Ihrem Telegramm bemerkt hat, daß ihm die Zahl der Gegenterror- und Gegensabotageakte zu gering erscheine.

Zu Ziff. 5.) des obenbezeichneten Drahtberichtes hat der Herr Reichsaußenminister angeordnet, daß die beiden Fragen (Behandlung anderer Straftaten und der 170 Sabotageverdächtigen Verhafteten) bei der demnächst stattfindenden Besprechung erörtert werden sollen.

Brenner

*Vermerk:*
Unter Nr. 783 an Diplogerma Kopenhagen weitergeleitet.
Tel. Ktr., 10.7.44.

---

145 Trykt ovenfor.

## 77. Konrad Engelhardt an Seekriegsleitung 10. Juli 1944

Engelhardt afviste helt de forslag, der var kommet fra dansk side med hensyn til forsikring af og løbende hyre for at chartre de 10 beslaglagte danske skibe. Han ønskede i stedet betalingen over den danske clearingkonto, og der kunne ikke foreløbig blive tale om at tilbagelevere nogle af skibene.

Med andre ord stod parterne stejlt over for hinanden, men Engelhardt og Kriegsmarine havde det problem, at de ikke kunne diktere en betaling over clearingkontoen, selv om det var i deres magt at bestemme, hvor meget de ville give for at benytte skibene.

Best rekapitulerede situationen til AA 15. august 1944.

Kilde: BArch, Freiburg, RM 7/1813.

Skl. Adm. Qu VI PV/Ausl. 4318/44            *Berlin, den 10. Juli 1944*

An 1. Skl I i

Betr.: Beschlagnahme aufgelegter dänischer Tonnage.
Vorg.: A. Amt H Pol XI 1520/44 vom 24.6.44[146]

Die durch das dänische Außenministerium für die bisher beschlagnahmten 10 dänischen Schiffe in Vorschlag gebrachten Abfindungssätze für den Totalverlustfall sowie für die laufen[de] Vergütung für die Benutzung der Schiffe können nicht anerkann[t] werden. Bei den geltend gemachten Sätzen handelt es sich um einseitige Parteibewertungen der dänischen Reeder, die erheblic[h] übersetzt sind. Nachdem eine vertragliche Einigung mit den Reedern nicht möglich war, müssen die Abfindungssätze nach de[n] gleichen Grundsätzen, wie sie für alle übrigen von der Kriegsmarine in Anspruch genommenen bzw. beschlagnahmten in- und ausländischen Schiffe gelten, Platz greifen. Hiernach wird der Zeitwert der Schiffe von dem Sachverständigen der Kriegsmarine ermittelt und danach die den Reedern zustehende Beträg[e] festgesetzt. Alle darüberhinausgehenden Forderungen der dänischen Reeder wäre nicht nur ungerechtfertigt, sonder würden zwangsläufig und berechtigt zu Berufungen aller sonstigen Reeder führen und damit eine Lage schaffen, die auch im Interesse des Reiches nicht vertretbar ist.

Eine Zahlung der von hier festzusetzenden Beträge an die dänischen Reeder in freien Devisen (Schwedenkronen oder Schweizer Franken) ist grundsätzlich abzulehnen, da für die[se] Zwecke solche Devisen nicht zur Verfügung stehen. Zahlung kommt entsprechend der auch im dortigen Schreiben AA H Pol 7010/43 g vom 22.11.43[147] zum Ausdruck gebrachten Auffassung nur in dänischen Kronen über Clearing in Betracht.[148]

Eine Rückgabe eines oder mehrerer der beschlagnahmten Schiffe kommt im gegenwärtigen Zeitpunkt nicht in Betracht. Sämtliche Schiffe werden nach wie vor aus dringendsten militärischen Gründen und für Zwecke der Kriegsmarine benötigt.

                     Skl. Adm. Qu VI
                       Im Auftrage
                      gez. **Engelhardt**

---

146 Skrivelsen er ikke lokaliseret.
147 Trykt ovenfor.
148 Dette var ikke tilfældet. Clearingkontoen er slet ikke nævnt i Bisses brev, og AA kunne ikke på egen hånd trække på kontoens midler. Det skulle hver gang gå igennem det tysk-danske regeringsudvalg, og det var ikke blevet hørt i denne sag.

## 78. OKM an das Auswärtige Amt 10. Juli 1944

Se Konrad Engelhardt til Chef Seekriegsleitung 7. juli 1944, der danner forlæg for denne skrivelse.
    AA ved Steengracht svarede OKM 17. juli 1944.
    Kilde: BArch, Freiburg, RM 7/1813. RA, Danica 628, sp. 7, nr. 5851-55 (enkelte håndskrevne omformuleringer kan ikke læses).

Der Chef der Seekriegsleitung  *Berlin, den 10.7.1944*
Neu B. Nr. 1/Skl. I i 21184/44 g.Kdos.  Geheim! Kommandosache!
veranl. d. 1/Skl. 25 953/44 g.

I. Schreibe: An das Auswärtige Amt
    z.Hd. Herrn Staatssekretär Dr. von Steengracht
    Berlin

Betr.: Erfassung aufliegender dänischer Handelsschiffe.

Wie mir mitgeteilt wird, hat Herr Reichsbevollmächtigter Dr. Best in einem am 3.7.44 an das Ausw. Amt gerichteten Drahtbericht[149] sich nicht nur gegen die Beschlagnahme weiterer 4 aufliegender dän. Schiffe ausgesprochen, sondern auch darauf hingewiesen, daß von 9 beschlagnahmten Schiffen der Reederei "Forenede Dampskibs Selskab" bisher nur eines in Benutzung genommen sei. Herr Dr. Best setzt damit die Kriegsnotwendigkeit der schon erfolgten und neu beantragten Schiffsbeschlagnahmungen erneut in Zweifel, obwohl er in seinem Bericht vom 4.4.1944 auf Grund der ihm durch zwei Vertreter des Oberkommandos der Kriegsmarine mündlich gemachten Darlegungen die "zwingende kriegsentscheidende Notwendigkeit" der in der Besprechung vom 4.4.44 behandelten Fälle ausdrücklich anerkannt hat.[150] Überdies weist Herr Dr. B. in seinem eigene Schreiben vom 3.7. darauf hin, daß Herr Staatssekretär Dr. von Steengracht dem Abteilungschef des Dän. Außenministeriums anläßlich des Besuches des letzteren in der vergangenen Woche in Berlin die Zusage gegeben habe, sich für die Verhinderung weiterer Beschlagnahme dän. Tonnage einzusetzen und daß es daher dänischerseits nicht verstanden würde, wenn man deutscherseits schon eine Woche nach Abgabe einer solchen Erklärung zu erneuten Beschlagnahmen schreite. Ich sehe mich daher ~~dazu~~ veranlaßt, über die kriegsentscheidende Bedeutung der Erfassung der aufliegenden dän. Handelsschiffe folgendes grundsätzlich klarzustellen:

Alle deutschen Handelsschiffe mit alleiniger Ausnahme der für den Einsatz nicht in Betracht kommenden Großschiffe sind restlos für die Seekriegsführung, den Wehrmachts- und OT-Nachschub sowie für den kriegswichtigen Wirtschaftsseeverkehr bis zur Grenze ihrer Leistungsfähigkeit in Anspruch genommen. Das Gleiche gilt für die Handelsschiffe aus den besetzten Gebieten. Der Tonnagebestand ist durch Verluste so zusammengeschrumpft, daß er trotz äußerster Ausnutzung der Ersatzneubauten auch den kriegswichtigsten Bedarf nicht mehr befriedigt. Es gibt im Reich und in den besetzten Gebieten keine Reserven mehr, aus denen die täglich eintretenden Verluste und

---

149 Trykt ovenfor.
150 Trykt ovenfor.

die immer neu auftretenden Bedürfnisse der Kriegsführung an Handelstonnage gedeckt werden könnten. Die einzige noch vorhandene Rückgriffmöglichkeit ist daher in der unbeschäftigt aufliegenden dän. Tonnage gegeben. Daß die dän. Reeder und die Dän. Regierung die dän. Schiffe lieber unbenutzt und unbeschädigt für die Zeit nach dem Kriege aufsparen möchten, als sie uns zu überlassen und damit den Kriegsgefahren auszusetzen, ist vom dän. Standpunkt ohne weiteres verständlich. Derartige Rücksichtsnahmen auf die *Nach*kriegswirtschaft müssen aber gegenüber der Unentbehrlichkeit der Schiffe für Zwecke der deutschen Kriegsführung zurücktreten.

Der Erfolg oder Mißerfolg der deutschen Kriegsführung ist auch für den Bestand oder Vernichtung der dän. Eigenwirtschaft mit entscheidend. Darüber sollten sich die Dänen angesichts des russischen Imperialismus gerade gegenwärtig endlich klar werden. Die dän. Reedereikreise können auch nicht etwa damit rechnen, im Falle der Inbesitznahme Dänemark durch engl. und amerikanische Invasionsstreitkräfte ihre aufliegenden Schiffe erhalten zu sehen. Müßten die dän. Häfen infolge der Übermacht des Gegners geräumt werden, so greift nämlich der Befehl des Oberkommandos der Wehrmacht Platz, daß kein Schiff dem Feind unzerstört überlassen gegeben darf. Die Hoffnung der dän. Reeder, ihre Schiffe durch Aufliegenlassen sicherer in die Friedenswirtschaft hinüber zu retten als durch ihre Überlassung für Zwecke der Kriegsführung, ist daher nur eine scheinbare. Hinzu kommt weiter, daß die Fahrzeuge teilweise nur zu Übungszwecken und auch als Lazarettschiffe benötigt werden, so daß die Gefahr ihres Verlustes insoweit geringer ist, als bei dem Einsatz als Hilfskriegsschiffe.

Nach diesen grundsätzlichen Darlegungen bemerke ich zu den Äußerungen des Herrn Dr. Best im einzelnen noch folgendes:

1.) Es ist selbstverständlich, daß Schiffe, die jahrelang außer Betrieb gewesen sind, einer gründlichen Überholung bedürfen, bevor sie wieder eingesetzt werden können.

2.) Es ist unvermeidlich, daß Handelsschiffe, die für Zwecke der Kriegsmarine in Anspruch genommen werden, zahlreiche Einrichtungen und Unterbauten für die Defensivbewaffnung erhalten müssen, ohne die die Schiffe die ihnen bestimmte Aufgabe nicht erfüllen vermögen.

3.) Bei der kriegsbedingten Überlastung der Werften ist es nicht immer möglich, die Überholungs- und Einbauarbeiten sofort bei Eintreffen des Schiffes zu beginnen. Die ZeitDauer der Werftarbeit ist dabei nicht nur bedingt durch den Umfang der notwendigen Arbeiten, sondern auch durch unvermeidliche Kriegseinflüsse. Wegen der Sabotagegefahr, die [in Dänemark] ausweislich der Vorkommnisse jüngster Zeit auszuschließender grösser ist als im Reich, ist es nicht zu verantworten, daß die benötigten Schiffe länger als notwendig [in dem Werft] liegen bleiben. Die Reeder haben umso weniger Veranlassung, sich über die nicht sofortige Infahrtsetzung ihrer beschlagnahmten Schiffe zu beklagen, als sie wahrscheinlich schon vom Tage ihrer Beschlagnahme an eine Benutzungsentschädigung erhalten werden, während die Fahrzeuge sonst ganz verdienstlos aufliegen.

4.) Der Hinweis auf die angespannte Betriebsstofflage geht insofern fehl, als die Durchführung der vom Oberkommando der Kriegsmarine als notwendig anerkannten Aufgaben trotz der Betriebsstoffknappheit auch in Zukunft sichergestellt ist.

5.) Die neu angeforderten 4 Schiffe werden für folgende Kriegszwecke benötigt:

M/S "Hans Broge" wird E-Meß-Schulschiff. Ein solches ist für die Ausbildung des E-Meß-Personals dringend benötigt. Durch an Land aufgestellte E-Meß-Geräte kann den E-Meß-Schülern die unentbehrliche Bordpraxis nicht vermittelt werden. Das bisherige Schulschiff "Karl Zeiss" ist in Verlust geraten. Die Ausbildung des E-Meß-Personals ist daher z.Zt. unzulänglich.

M/S "Aalborghus" wird Sicherungsschiff für Truppentransporte. An seiner Stelle wird "Almuth" ex "Dronning Maud" an die dän. Reederei zurückgegeben, da sich das Schiff wegen der schlechten Beschaffenheit seiner Maschinen- und Kesselanlage nur immer kurze Zeit als einsatzfähig erwiesen hat.

Dampfer "Mön" wird Torpedo-Transport-Fahrzeug u. Werkstattschiff für die Torpedoschulen. Der unbedingt notwendige Ausbildungsbetrieb ist mit den bisher zur Verfügung stehenden Schiffen in dem jetzt erforderlich gewordenen Umfange nicht durchzuführen.

Dampfer "Frem" wird als Nachtjagd-Leitschiff für die Luftwaffe benötigt. Über die höchste Dringlichkeit und besondere Kriegswichtigkeit dieses Verwendungszweckes sind Herrn Dr. B[est] ~~bereits~~ mündlich ~~hinreichende~~ Erläuterungen gegeben worden.

6.) Die 9 bereits nach Deutschland überführten dän. Schiffe, deren bisheriger Nichteinsatz von Herrn Dr. B. vermerkt wird, werden für folgende Verwendung hergerichtet:

"Parkeston, Jylland, Esbjerg, C.F. Tietgen" als Zielschiffe für den Kommandierenden Admiral der Uboote, "Hammershus" als S-Boot-Mutterschiff, "A.P. Bernstorff" als Sicherungsschiff für Truppentransporte, "Aarhus" und "Wistula" als Lazarettschiffe.

Zusammenfassend ist festzustellen, daß gewichtige Aufgaben der Kriegsmarine nicht erfüllt werden könnten, wenn die 4 neu angeforderten und notfalls auch etwa noch weiter benötigten dän. Schiffe nicht zur Verfügung gestellt würden. Ich bitte daher, Herrn Dr. B. an Hand der obigen Darlegungen anzuweisen, den Anforderungen der Kriegsmarine keinen weiteren Widerstand entgegenzusetzen. Bei dieser Bitte bin ich mir durchaus ~~dessen~~ bewußt, daß es gerade bei der gegenwärtigen Kriegslage von großer Bedeutung ist, die Lieferwilligkeit des dän. Volkes zu erhalten. Im vorliegenden Fall handelt es sich aber ~~nur~~ um die Nachkriegsinteressen einer kleinen dän. Kapitalistengruppe, der [/ denen?] gegenüber die Durchführung kriegsentscheidender Maßnahmen der deutschen Wehrmacht uneingeschränkter Vorzug gebührt.

Chef Skl.

## 79. Albert Speer an Karl Dönitz 12. Juli 1944

Speer anmodede Dönitz om at udnævne Forstmann til kontreadmiral, idet han henviste til Forstmanns karriere under første verdenskrig og hans stilling i Danmark siden april 1940. Det ville være formålstjenligt af hensyn til Forstmanns stilling og øge hans anordningers gennemslagskraft, når han havde admiralsrang.

Dönitz' svarskrivelse er ikke lokaliseret, men Forstmann blev ikke admiral. Givetvis har Speer med henvendelsen, som det direkte fremgår, ønsket at styrke Forstmanns stilling i Danmark, hvilket ikke lykkedes. Det kan også have spillet ind, at Hitler 13. maj 1944 havde påpeget over for Speer, at der blev uddelt for få ridderkors til dem, der arbejdede for rustning og krigsproduktion. Det havde Speer fulgt op på ved bl.a. at tildele Willi Henne ridderkorset 2. juni 1944. Henne havde siden 1942 været OT-Einsatzgruppenleiter for Danmark og Norge og været ansvarlig for alt OT-byggeri. Forstmann blev i stedet forsøgt forfremmet (Boelcke 1969, 362, Müller 1999, s. 288).

Kilde: BArch, R 3/1576. RA, Danica 201, pk. 81, læg 1086.

Der Reichsminister für Rüstung und Kriegsproduktion      Berlin, den 12.7.1944
(Pers. H./2)

An den
   Oberbefehlshaber der Kriegsmarine
   Herrn Großadmiral Dönitz

*Lieber Großadmiral Dönitz!*
Ich darf mich heute in folgender Angelegenheit an Sie wenden. Es betrifft den Ihnen aus dem Weltkriege 1914/18 als U-Bootskommandanten sehr gut bekannten Kapitän zur See z.V. Dr. Forstmann, Träger des Pour le mérite.

Forstmann findet seit der Besetzung Dänemarks als der Chef des mir unterstellten Rü Stabes Dänemark ( vor dem 1.2.43 Wehrwirtschaftsstab) Verwendung und hat damit eine Admiralsstelle inne. In dieser Stelle, die bei den Verhältnissen in Dänemark eine Persönlichkeit mit besonderem Geschick erfordert, bewährt sich Forstmann ausgezeichnet, seine Dienststelle führt er in jeder Hinsicht in vorbildlicher Weise. Ich würde es außerordentlich begrüßen, wenn die besonderen Verdienste dieses in zwei Kriegen so bewährten Offiziers sichtbaren Ausdruck in seiner Beförderung fänden. Seine Beförderung liegt durchaus im dienstlichen Interesse, zumal die übrigen deutschen Dienststellen in Kopenhagen entsprechend besetzt sind. Ich halte es daher für zweckmäßig, wenn F. zur Hebung seiner Stellung und Durchsetzung seiner Anordnungen den Admiralsrang bekleidet.

Ich darf Ihr Augenmerk, lieber Großadmiral Dönitz, daher auf F. richten und Sie bitten, ihn soweit dies zulässig, zum Konteradmiral zu befördern.

                 Heil Hitler!
                 Ihr **Speer**

## 80. Eberhard Reichel an Horst Wagner 12. Juli 1944

Ribbentrop havde gennem Brenner 30. juni bedt Best om at redegøre for Schalburgkorpsets aktivitet. En sådan redegørelse blev givet i knappest mulige form 1. juli.

Som det fremgår af det her gengivne interne notat vekslet mellem Reichel og Wagner måtte AA i stedet skaffe sig oplysningerne om Schalburgkorpset på anden vis. De synes at stamme fra pressekilder. Reichel foreslog, at AA forsøgte at få Schalburgkorpset og de grupper, der udøvede modterror, skilt fra hinanden.

Wagners svar er ikke lokaliseret, men uanset om Wagner var gået ind derpå, var Schalburgkorpset ikke AAs anliggende, men SS', og planerne med korpset i forbindelse med Martinsens kommende afgang som leder, synes på dette punkt ikke AA, i hvert fald ikke Reichel, bekendt. Best havde ikke orienteret AA direkte om problemerne med Martinsen og lod gennem *Politische Informationen* ministeriet tro, at det var Schalburgkorpset, der stod for en hel del af modterroren.

Kilde: PA/AA R 100.986. RA, pk. 225. LAK, Best-sagen (afskrift).

LR Dr. Reichel  zu Inl. II 1415 g
Geheim

Auf verschiedenen Wegen sind Informationen aus Dänemark eingegangen, daß das Schalburg-Korps sich in letzter Zeit zu einer Terrororganisation entwickelt habe. U.a. seien die Sprengung des Tivoli und des Kgl. Yachtclubs, sowie zahlreicher anderer Gebäude das Werk des Schalburg-Korps. Die Empörung der dänischen Bevölkerung hierüber sei so groß, daß der ursprünglichen Aufgabe des Schalburg-Korps – Unterstützung der Werbung für die Waffen-SS – der Boden entzogen sei. Der Chef des SS-Hauptamts bestätigte, daß seine Informationen gleichlautend seien, und äußerte sich sehr negativ über diese Entwicklung des Schalburg-Korps.

Es wäre zu erwägen, ob nicht noch versucht werden sollte, das Schalburg-Korps und die Gruppen, die den Gegenterror ausüben, deutlich zu trennen, um das Schalburg-Korps, falls dies noch möglich ist, mit der Zeit wieder seiner ursprünglichen Aufgabe, nämlich Verbreitung des großgermanischen Gedankens und Unterstützung der Werbung für die Waffen-SS, zuzuführen.

Hiermit dem Herrn Gruppenleiter Inland II mit der Bitte um Weisung vorgelegt.
*Berlin, den 12. Juli 1944*

**Reichel**
(Reichel)

## 81. Gottlob Berger an Heinrich Himmler 14. Juli 1944

Berger orienterede Himmler om, at den nazistiske bevægelse i Danmark var brudt sammen og præget af gensidige beskyldninger, overfald og magtkampe, og at det også gik ud over de tyske tjenestesteder. Schalburgkorpset var fuldstændig miskrediteret, da det fra tysk side var brugt til modterror. Det var baggrunden for Bergers forslag om at danne en "Forening for De Danske Frontkæmperes Venner," som skulle være upolitisk og kun præge de frivillige i germansk retning. Blandt foreningens mange muligheder fremhævede Berger kvindearbejdet, som var næsten uopdyrket i Danmark. Som præsident for foreningen forkastede Berger alle de hidtidige danske naziførere og pegede i stedet på grev Heinrich von Schimmelmann og præsenterede ham bl.a. som nazist uden særlige bindinger. Medlemmerne skulle hentes blandt alle medlemmer af Waffen-SS i Danmark, Schalburg Mindefonds medlemmer, danske ansatte ved tyske tjenestesteder og mange af DNSAPs gamle medlemmer. Eberhard von Löw støttede Bergers forslag.

Berger havde et bestemt formål med at give et dystert billede af situationen blandt de danske nazister, nemlig at få sit forslag om en ny forening igennem. Dog var det på flere punkter ikke langt fra sandheden. Imidlertid undlod han at fortælle om den tyske indblandings betydning for splittelsen blandt de danske nazister. Tillige var det ren ønsketænkning at regne med, at opslutningen kunne blive af nogen betydning på dette tidspunkt. Selv de "virkelige nazister" var ikke blinde for krigslykkens gang, og desuden var villigheden til at rykke fra de hidtidige organisationer og partier til en ny tyskstiftet organisation måske ikke overvældende. Berger så ikke realistisk på mulighederne, og den forgrundsfigur, han havde udset sig for foreningen, vidner også derom. Heinrich von Schimmelmann havde af DNSAP været udnyttet som paradefigur; hans titel og sociale position var der søgt slået politisk mønt på. Berger ville nu føre ham i marken med henvisning til, at han havde været tysk ritmester i første verdenskrig og stod på god fod med Werner Best. Det kunne næppe tiltrække mange frontkæmpere endsige deres venner, og det var at omgå sandheden at påstå, at Schimmelmann var uden politiske bindinger. Han besad fortsat sine tillidsposter i DNSAP.

Berger fik ja til sit forslag (se Brandt til Berger 11. august 1944), det kunne ikke skade, men sporene efter foreningen er meget sparsomme. Schimmelmann indtrådte i den nye forenings bestyrelse, men blev ikke dens formand (Lauridsen 2002a, s. 540).

Kilde: BArch, NS 19/1491. RA, pk. 442.

Der Reichsführer-SS  
Chef des SS-Hauptamtes  
VS-Tgb. Nr. 605 /44 g.Kdos  
CdSSHA/Be/We. Adjtr.-Tgb. Nr. 508 /44 g.Kdos

*Berlin-Grunewald, den 14.7.1944*  
Geheime Kommandosache  
3 Ausfertigungen  
1. Ausfertigung

Betrifft: Gründung eines Verbandes der Freunde und Förderer der dänischen Waffen-SS.  
Anlage: 2[151]

An Reichsführer-SS und Reichsminister des Innern  
Berlin SW 11  
Prinz-Albrecht-Str. 8

*Reichsführer!*  
Der Zusammenbruch der nationalsozialistischen Bewegung in Dänemark ist heute eine Tatsache geworden. Die in gehässiger Weise von den beiden sich befehdenden Hauptgruppen der dänischen Nationalsozialisten durchgeführte Agitation hat sich zu solchen Formen entwickelt, daß alle Versuche, den Rest der alten DNSAP, das Schalburg-Korps und die Gruppe Ejnar Jörgensen wieder zusammenbringen, vollständig gescheitert sind. Die gegenseitigen Gehässigkeiten sind längst in offene Gewaltakte umgeschlagen und haben sich bereits vollständig auf die dänischen Angehörigen der Waffen-SS erstreckt. Eine vollkommene Verwirrung der nationalsozialistischen Grundhaltung ist eingetreten, heftige Vorwürfe werden nicht nur gegeneinander, sondern auch gegen die deutschen Dienststellen in Dänemark gemacht, welche diese Gruppen seit langem bezahlen und für ihre Zwecke gebrauchen. Das Schalburg-Korps ist völlig diskreditiert, indem es von deutscher Seite zur Gegensabotage und zu Attentaten auf linksgerichtete dänische Persönlichkeiten ausgiebig verwandt wurde, ihm aber nicht die Möglichkeit geboten

---

151 Bilagene er ikke lokaliseret.

werden konnte, es vor der ungeheuren Agitation und den Anschlägen auf Leben und Eigentum durch die Terroristen deutscherseits zu schützen.

Der kürzlich durchgeführte Generalstreik hat gezeigt, daß die noch vorhandenen dänischen Nationalsozialisten, völlig uneinig in ihrer politischen Kampfführung, überhaupt keinen Machtfaktor in Dänemark mehr darstellen, sondern nur noch als reine Spitzel-Organisation zu verwenden sind.

Angesichts dieser Tatsache und unter Berücksichtigung dieser Entwicklung die unsere ganze Arbeit in Dänemark zu vernichten droht, bitte ich, folgendes vorschlagen zu dürfen:

Es wird ein "Verband der Freunde und Förderer der dänischen Waffen-SS ("Forening for De Danske Frontkämpers Venner") gegründet.

a.) Er soll die wirklichen Nationalsozialisten als Einzelmitglieder in sich vereinen und die Gewähr bieten, daß von deren Seite unsere Freiwilligen nur positiv im germanischen und nicht-parteiischen Sinne beeinflußt werden. Ein klassisches Beispiel für den gegenteiligen Zustand liegt bei;

b.) Er soll die Möglichkeit für uns bieten, die fördernden Mitglieder weltanschaulich in unserem Sinne zu beeinflussen und uns durch die Auswahl eines geeigneten "Geschäftsführers" die Möglichkeit einer tatsächlichen Mitbestimmung gewähren.

c.) Er soll eine tragfähige Grundlage für die dänischen Nationalsozialisten und alle mit Deutschland Sympathisierenden fern jeder Parteipolitik bieten und die Gutwilligen, die im Begriff sind, sich verbittert von jeder nationalsozialistischen Stellungnahme zurückzuziehen, sammeln. Damit ist er ein neuer Ausgangspunkt für den dänischen Nationalsozialismus überhaupt. Hierin liegt eine seiner wichtigsten Aufgaben. Über diese soll möglichst wenig geredet werden. Bei einigermaßen geschickter und aktiver Führung kann es ihm gelingen, in Kürze ein Großteil der bisherigen Ortsgruppen der DNSAP in der Hand zu haben, ohne daß davon gesprochen wird.

d.) Er soll die Aufstellung einer germanischen SS unterstützen und werbend für den germanischen Gedanken tätig sein.

e.) Er soll die bislang fehlende, in Norwegen aber mit glänzendem Erfolge betriebene Frauenarbeit ermöglichen. Durch die sehr aktive und politisch interessierte dänische Frau schlägt man eher eine Bresche in die liberalistische Front als durch das Schalburg-Korps, das durch Auswahl seiner Mitglieder wie durch Gegensabotage weitgehend übel beleumundet ist. Das Kapital der weiblichen Mitarbeit ist noch gar nicht angegriffen worden. Nun bestünde auf diesem Wege eine Möglichkeit.

Praktische Ausführung:

Die Bestimmung des Vorsitzenden (Präsidenten) des Verbandes ist entscheidend wichtig in einem so kleinen Landen wo jeder jeden bis zur Feinheit kennt und seine Idee nach ihrem Träger persönlich wertet. Sowohl C.O Jörgensen wie Martinsen oder Ejnar Jörgensen sind durch ihre in allen Zeitungen erschienenen Streitereien und durch gegenseitige größte Gehässigkeiten so festgelegt, daß keiner von ihnen geeignet erscheint. Die Wahl eines von ihnen würde ein Bekenntnis der SS zu seiner Richtung und seinen Maßnahmen sein. Es wird deshalb vorgeschlagen, den Grafen Heinrich von Schimmelmann, Rittmeister den deutschen Heeres im vorigen Weltkriege, Nationalsozialist ohne besondere Bindungen, wirtschaftlich unabhängig und sehr angesehen, zu bestimmen und ihm den Vorsitz (Präsidentenstelle) anzutragen. Seine Beziehungen zu SS-Obergruppenführer Dr. Best sind sehr gut.[152] Der ganze Gedanke dieses Verbandes ist so, daß von dieser Seite aus kaum ernstliche Bedenken geltend gemacht werden können.

Der Aufbau des "Verbandes der Freunde und Förderer der dänischen Waffen-SS" kann sich von vornherein auf folgende Kreise stützen:

a.) auf sämtliche Angehörige der Waffen-SS in Dänemark, gleichgültig welcher augenblicklichen parteipolitischen Stellungnahme,

b.) auf die in der Schalburgs-Gedächtnis-Stiftung vorhandenen Mitglieder,

c.) auf die größtenteils noch nicht parteimäßig erfaßter und nationalsozialistisch noch nicht erfaßten Angehörigen der beim Heer, der Luftwaffe, der Marine und der OT angestellten Dänen,

d.) auf sehr viele Mitglieder der alten DNSAP, die Streitereien müde sind.

Eine Werbetätigkeit kann sich viel ungehemmter entfalten als die irgendeiner dänischen nationalsozialistischen Parteigruppe, da sie nicht von vornherein diskreditiert ist und eine rein arbeitsmäßig bedingte Einstellung einnimmt.

Eine Vorbesprechung mit dem SD (SS-Obersturmbannführer von Löw) ergab die völlige Übereinstimmung aller Ansichten. Der SD hält diesen Gedanken für den einzig möglichen, um noch zu retten, was zu retten ist.

G. Berger
SS-Obergruppenführer


## 82. Alex Walter an das Auswärtige Amt 14. Juli 1944

Ministerialdirektor Walter bad gennem Best og AA om optagelse af en notits i den tyske presse om de tysk-danske regeringsudvalgsforhandlingers resultat. Danskerne ville på deres side give en meddelelse til den danske presse, en meddelelse der endnu manglede at blive drøftet

Forhandlingerne var forløbet meget glat, da der samlet var tale om en meget gunstig udvikling i både produktion og eksport (Nissen 2005, s. 228).

Kilde: PA/AA R 105.212. RA, pk. 281.

Telegramm

| | | |
|---|---|---|
| Kopenhagen, den | 14. Juli 1944 | 09.10 Uhr |
| Ankunft, den | 14. Juli 1944 | 10.10 Uhr |

Nr. 850 vom 14.7.44.                                              Citissime!

Ich bitte um Genehmigung nachstehenden Entwurfs einer Notiz für die deutsche Presse:

"Verhandlungen über den deutsch-dänischen Warenverkehr.

---

152 Best stod i hyppig kontakt med Schimmelmann, ofte deltog medlem i DNSAPs lederråd, C.O. Jørgensen, også. I dagene 4.-6. august 1944 ferierede familien Best i Jylland og boede på Lindenborg hos familien Schimmelmann (Bests kalenderoptegnelser anf. datoer).

In den letzten Tagen fanden in Kopenhagen Besprechungen des deutschen und des dänischen Regierungsausschusses über die künftige Gestaltung des deutsch-dänischen Warenverkehrs statt. Es wurde dabei festgestellt, daß die vorgesehenen dänischen Lieferungen insbesondere auf landwirtschaftlichem Gebiet sich erwartungsgemäß erfüllt haben, und daß andererseits auch die deutschen Leistungen den vorgesehenen Umfang erreicht haben. Die auf wichtigen landwirtschaftlichen Gebieten eingetretene Steigerung der dänischen Lieferungen gegenüber früheren Jahren hat es möglich gemacht, auch deutsche Lieferungen auf wichtigen Gebieten, wie z.B. Eisen und Eisenwaren, gegenüber den anfangs des Jahres vorgesehenen Mengen erheblich auszudehnen. Auch auf anderen Gebieten ist es möglich gewesen, erheblich größere Lieferungen als bisher festzulegen. Damit werden die Aussichten für die Versorgung des dänischen Volkes mit Rohstoffen und wichtigen Erzeugnissen des täglichen Lebens erheblich verbessert. Dies ist ein weiterer Beweis für die erfolgreiche Zusammenarbeit Deutschlands und Dänemarks auf wirtschaftlichem Gebiete."

Die Dänen werden ihrerseits eine Mitteilung an die dänische Presse herausgeben, die mit ihnen noch besprochen wird.

Ich bitte um Genehmigung bis Freitag abend.

Walter
**Best**


## 83. Hermann Bielstein an das Auswärtige Amt 14. Juli 1944

I både Bests og Barandons fravær gav Hermann Bielstein en telefonisk orientering fra København. Alt var roligt. Den hæmningsløse tyske våbenanvendelse i konfliktdagene havde ført til et meget stort antal døde og sårede. Bielstein vurderede, at den hårde fremfærd ville udløse en chokvirkning både hos det danske borgerskab og endnu mere hos politiet.

Det er måske tvivlsomt, om AA har gjort denne vurdering til sin. Bielstein var ikke Barandons, men Bests betroede medarbejder. Han var af Best i december 1943 hentet til Det Tyske Gesandtskab fra RSHA (RA, pk. 443a, Wildt 2003, s. 393f., 522, 739).

Kilde: RA, pk. 233.

Pol. VI
Gesandter v. Grundherr

Herr Bielstein, Mitarbeiter vom Gesandten Barandon, teilte aus Kopenhagen heute mit:

In Kopenhagen sei alles ruhig. Wie jetzt festgestellt worden sei, seien infolge rücksichtslosen Waffengebrauchs während der Konflikttage in Kopenhagen 87 Dänen getötet und etwa 600 verletzt worden. Es sei kein Zweifel, daß dieses scharfe Vorgehen eine Schockwirkung bei der dänischen Bürgerschaft und noch mehr bei der dänischen Polizei ausgelöst habe, deren Haltung jetzt besser geworden sei.

*Berlin, den 14. Juli 1944.*

gez. **Grundherr**

## 84. Ernst Frenzel an Werner Best 15. Juli 1944

Frenzel orienterede Best om, hvilken aftale der af AA var indgået med RSHA vedrørende danske arbejdere i Tyskland: For fremtiden skulle arbejdere, der brød arbejdskontrakter, kom med tilfældige mishagsytringer m.m. ikke indsættes i opdragelses- eller koncentrationslejr, mens de, der forøvede sabotage, spionage og højforræderi mod Tyskland, skulle i koncentrationslejr. Dermed var Bests forslag om at lade sagerne undersøge i Danmark blevet uaktuel. Den nye praksis havde allerede ført til et fald i antallet af sager.
    Kilde: PA/AA R 99.502.

Abschrift
Auswärtiges Amt                                                                                   Berlin, den 15. Juli 1944
Inl. I C 1537/44

An den Reichsbevollmächtigten in Dänemark,
    Kopenhagen.

Betr.: Einweisung dänischer Arbeiter in Erziehungs- und Konzentrationslager im Reich.
Bezug: Dortiger Schriftbericht vom 24. Mai 44[153] B. Nr. II 873/44 –

Die im obenbezeichneten Schriftbericht angeschnittenen Fragen sind in den letzten Monaten mehrfach der Gegenstand von Besprechungen des Auswärtigen Amts mit der Dänischen Gesandtschaft und mit den zuständigen interessierten innerdeutschen Stellen gewesen. Die Besprechungen haben im Ergebnis dazu geführt, daß die zuständigen deutschen Stellen bereit sind, von einer Einlieferung dänischer Arbeiter in Arbeitererziehungslager bezw. Konzentrationslager in Zukunft abzusehen. Die nachgeordneten deutschen Stellen sind darüber unterrichtet worden. Diese Anordnung des Reichssicherheitshauptamtes bezieht sich nur auf dänische Zivilarbeiter bei Verfehlungen wie Arbeitsvertragsbruch, Widersetzlichkeiten in Betrieben, abfälligen Äußerungen über die Verhältnisse im Reich usw. Unberührt davon bleiben die Fälle, in denen sich dänische Arbeiter ernstlich gegen die Sicherheit des Reiches (Sabotage, Spionage, Hochverrat) vergehen. Die deutsche Seite ist dabei von der Erwartung ausgegangen, daß die dänischen Arbeiter durch ihre Haltung und ihre Arbeitsleistung sich der erfolgten Bevorzugung würdig erweisen und keinen Anlaß zu polizeilichem Einschreiten geben werden.

Die von Ihnen dargelegten Vorschläge für ein Einschreiten und Überprüfung von Einzelfällen in Dänemark selbst können schon deswegen als überholt betrachtet werden, als der Königlich Dänische Gesandte zugesichert hat, daß gegen dänische Arbeiter, welche durch Arbeitsvertragsbruch oder in sonstiger Weise gegen den deutschen Arbeitseinsatz oder deutsche Interessen verstoßen, durch entsprechende Strafen der Dänischen Regierung vorgegangen werden wird. In diesem Zusammenhang darf aber darauf hingewiesen werden, daß es zweckmäßig ist, andere etwa zu beteiligende deutsche Stellen von irgendwelchen Absichten erst dann zu unterrichten, wenn seitens des Amtes Stellung genommen bezw. Weisung erteilt ist.

---

153 Indberetningen er ikke lokaliseret.

Die nun für die Zukunft geltende Regelung hat bisher dazu geführt, daß die Zahl der seitens der Dänischen Gesandtschaft beanstandeten Einzelfälle noch mehr zurückgegangen ist und nach den letzten Berichten der deutschen Betreuungsstellen die Haltung und Arbeitsleistung der dänischen Gastarbeiter mit mindestens gut bezeichnet werden muß.

Im Auftrag
gez. **Frenzel**

**85. OKM an das Auswärtige Amt 15. Juli 1944**
I forlængelse af det brev, som AA havde modtaget 3. juli, meddelte OKM, at Seekriegsleitungs skibsfartsafdeling helt delte den opfattelse, at de danske fordringer for de beslaglagte skibe var betragteligt for høj. Skibsfartsafdelingen ville nu fastsætte de beløb, der ville blive betalt, efter Kriegsmarines grundsætninger.

Dertil kom det ikke, idet skibsfartsafdelingen valgte ikke at trumfe en bestemt takst igennem. I stedet valgte skibsfartsafdelingen via OKM til AA 24. juli at bede Bests skibsfartssagkyndige, Duckwitz, om at komme med forslag til beløbsstørrelser (skrivelsen er ikke lokaliseret). Se Best til AA 15. august.

Kilde: BArch, Freiburg, RM 7/1813. RA, Danica 628, sp. 7, nr. 5870f.

Oberkommando der Kriegsmarine                              Berlin, den 15. Juli 1944
Zu: B-Nr. 1/Skl. I i 26 317/44

I.) Schreibe: An das Auswärtige Amt
     Berlin

Betr.: Vergütung für die beschlagnahmten dänischen Schiffe.
Vorg.: Ha Pol XI 1520/44 vom 24.6.44.[154]

Im Nachgang zu B-Nr. 1. Skl. I i 24 814/44 vom 3. Juli 44[155] wird ergänzend mitgeteilt, daß die Schiffahrtsabteilung (Skl. Adm. Qu VI) der Auffassung voll beigetreten ist, daß die dänischen Forderungen erheblich übersetzt sind. Die Abfindungssätze werden von der Kriegsmarine nach den gleichen Grundsätzen bestimmt werden, wie sie für alle übrigen in Anspruch genommenen bzw. beschlagnahmten in- und ausländischen Schiffe gelten. Hiernach mußte der Zeitwert der Schiffe von dem Sachverständigen der Kriegsmarine ermittelt und die danach den Reedern zukommenden Beträge festgesetzt. Eine Abweichung von diesen Grundsätzen würde berechtigte Berufungen der übrigen Reeder und damit eine sehr bedeutende Mehrbelastung der Kriegsausgaben nach sich ziehen. Zahlungen in freien Devisen kommen, wie bereits in dem Schreiben vom 3. Juli 44 gesagt, nicht in Frage.

Die Schiffahrtsabteilung ist gebeten worden, die Festsetzung der Vergütungsbeträge auf obiger Basis in die Wege zu leiten.

Chef/Skl.

154 Skrivelsen er ikke lokaliseret.
155 Trykt ovenfor.

II.) Setze auf Abscr. von Ziff. I.):

Abschriftlich: Skl. Adm. Qu VI

unter Bezug auf Skl. Adm. Qu VI PV/Ausl. 4318/44 vom 10. Juli 44 mit der Bitte um weitere Veranlassung betreffend Festsetzung und Zahlung der Vergütungen.

III.) I i

Chef/Skl.
i.A. 1./Skl.


### 86. Ingo von Collani: Maßnahmen bei inneren Unruhen 15. Juli 1944

Ved generalstrejken i København i dagene omkring 1. juli 1944 havde besættelsesmagten for første gang betjent sig af en række sammenhængende foranstaltninger, der skulle modvirke den indre uro. Den omfattede afsondring af byen, etablering af tyske støttepunkter, forøget patruljering, stop for kommunikationen og lukning af de offentlige værker (gas, vand, elektricitet). Foranstaltningerne havde givetvis været drøftet forud, men havde ikke kunnet testes. I stedet blev erfaringerne efterfølgende sammenfattet og udbygget af Ingo von Collani hos von Hanneken ved staben i Silkeborg. Foranstaltningerne skulle fremover tages i brug i 13 nævnte danske byer, såfremt der opstod uro. Kodeordet for deres iværksættelse var fremdeles "Monsun".

"Monsun" var blevet til efter drøftelse med og råd fra Rüstungsstab Dänemark, der havde en vital interesse i, at de offentlige værker ikke blev ødelagt ved en midlertidig nedlukning, da det kunne få vidtrækkende betydning for rustningsleverancerne. Derimod synes tysk politi på dette tidspunkt endnu ikke at have været involveret. Den 21. august 1944 skete der en ændring af befalingen vedr. "Monsun".

Kilde: KTB/WB Dänemark 15. juli 1944, Anlage.

Wehrmachtbefehlshaber Dänemark  *Gef.St., den 15. Juli 1944*
Abt. Ia – Nr. 1666/44 g.Kdos.   60 Ausfertigungen
                                19. Ausfertigung

Betr.: Maßnahmen bei inneren Unruhen

I.) Bei Ausbruch von Generalstreik (Streik in mehr als 60 % aller Betriebe und Schließen einer größeren Anzahl von Läden) oder erheblichen inneren Unruhen werden in den betroffenen Orten folgende Maßnahmen durchgeführt:
1.) Sämtliche Versorgungsbetriebe (Gas-, Wasser-, Elektrizitäts- und Fernheizwerke) sind zu besetzen und still zu legen. Die betreffenden Leiter der Betriebe und das zur Wartung der Anlagen unbedingt erforderliche Personal sind zu weiterer Dienstleistung unter deutscher Aufsicht zu zwingen. Zur Durchführung der Stillegung sind deutsche technische Kräfte verantwortlich einzusetzen. Die Möglichkeit, die Werke schnell wieder in Betrieb zu setzen, muß sichergestellt sein. Für die Wehrmacht sind Notversorgung aus Brunnen, Bereitstellung von Wasserbehältern und Sprengwagen, sowie Notaggregate vorzusehen. Die anliegenden Richtlinien, die sich aus den Erfahrungen in Kopenhagen ergeben, sind zu beachten.
2.) Bahnhofsanlagen sind besetzen, um Sabotage sowie Ausladungen von Gütern zu verhindern, die der Versorgung der Bevölkerung dienen.
3.) Der private Fernsprech-, Fernschreib- und Telegrafenverkehr von und nach dem

betr. Ort wird gesperrt durch Bewachung der Fernschränke und Schließung der Fernschrieb und Telegrafenbüros. Im Ort sprechberechtigt bleiben nur die für den Fall einer Nachrichtensperre rot- und orangefarben gekennzeichneten Teilnehmer.

4.) Privater Postverkehr ist, soweit er nicht schon durch Streik eingestellt worden ist, durch Besetzen der Postämter und Entfernen des Personals still zu legen.

5.) Die Zufahrtsstraßen zu den betroffenen Orten sind für jeden zivilen Verkehr in beiden Richtungen zu sperren. Ausnahmen in besonders dringenden Fällen nur mit schriftlichem Ausweis der StOÄ (Einheitsmuster in jedem Standort).

6.) Innerhalb des gesperrten Bezirks ist der Kraftfahrzeugverkehr verboten. Ausgenommen sind KFZ der dänischen Polizei, Feuerwehr, Kranken-u. Rettungswagen. Weitere Ausnahmen in Einzelfällen können die StOÄ bewilligen.

7.) Sperrzeit für die Bevölkerung während der amtlichen Verdunkelungszeit.

8.) Verboten sind Umzüge und Ansammlungen von mehr als 5 Personen auf öffentlichen Plätzen und Straßen, sowie alle Versammlungen außer denen, die ausschl. gottesdienstlichen oder Wirtschaftszwecken dienen.

9.) Soweit es zur Aufrechterhaltung der Ruhe und Ordnung erforderlich ist, ist in den Orten verstärkter Streifendienst einzurichten. In größeren Orten wird es dabei notwendig sein, wichtige Punkte im Innern ausreichend stark zu besetzen und die Streifen von dort aus gehen zu lassen.

10.) Unruhestifter und Streikhetzer sind festzunehmen und der deutschen Sicherheitspolizei zu übergeben. Hierzu ist mit dieser rechtzeitig Verbindung aufzunehmen.

11.) Notwendige Bekanntmachungen durch Presse oder Rundfunk sind dem WPrO beim W.B. Dän. zuzuleiten.

II.) Diese Maßnahmen werden vom W.B. Dän. mit Stichwort "Monsun" befohlen.

III.) Sie sind in Kopenhagen, Helsingör, Odense, Aalborg, Aarhus, Esbjerg, Kolding, Randers, Vejle, Viborg, Hadersleben, Apenrade, Fredericia und Frederikshavn durch Erkundung. Sicherstellung und Einweisung der nötigen Fachkräfte und kalendermäßige Festlegung vorzubereiten. Fachkräfte sind in erster Linie aus der Truppe zu nehmen. Im übrigen setzen sich die StO deswegen mit dem Rüst Stab Dän. oder W.B. Dän. Qu-T oder Nafü W.B. Dän. in Verbindung. Für die Versorgung der Reichs- und Volksdeutschen sind die örtlichen Parteidienststellen einzuschalten.

Für weitere durch Streik besonders stark gefährdete Orte können die Divisionen die gleichen Vorbereitungen befehlen.

W.B. Dän. Ic/Ia Nr. 1592/44 g.K und
W.B. Dän Ia Nr. 4047/44 geh. vom 3.7.1944
treten damit außer Kraft.

Für den Wehrmachtbefehlshabers Dänemark
Der Chef des Generalstabes
**Collani**

Anlage zu W.B. Dän. Ia Nr. 1666/44 g.K. vom 15. Juli 1944

### Richtlinien
für die Durchführung der Versorgungssperre.

1.) Zur Erhaltung für Deutschland lebenswichtiger Unternehmen usw. kann eine Einschränkung in der Stillegung notwendig werden, möglichst in der Form, daß nur die betroffenen Stellen beliefert werden (z.B. Aufrechterhaltung der Versorgung für Lazarette, der Stromversorgung für Schlacht-und Kühlhäuser, für die Druckereien, für das Fernsprechnetz).
2.) Die Werke müssen in einer bestimmten Reihenfolge abgeschaltet werden und zwar zuerst die Gaswerke, dann die Wasserwerke und zum Schluß die Elektrizitätswerke.
3.) Zuverlässige Nachrichten- (möglichst Fernsprech-) Verbindung der mit der Stillegung Beauftragten mit anderen Werken muß gesichert sein.
4.) Die Mitwirkung der dänischen Betriebsleitungen ist in jedem Fall zu empfehlen.
5.) Der deutsche militärische Schutz der Werke muß bei Eintreffen der technischen Kommissionen bereits vorhanden sein. Es ist klar zu befehlen, welches Objekt in den oft ausgedehnten Werksanlagen zu besetzen ist. Es kommt nicht auf die Verwaltungsgebäude, sondern auf die Werksteile an, in denen die Stillegungen vorgenommen werden.
6.) *Gaswerke*
   a.) Gaswerke werden durch Drosseln (vergl. B) der Hauptschieber für die Versorgung gesperrt. Ferner sind die Retorten auszublasen und auszustoßen. Andernfalls entsteht in ihnen aus Koks und Teer eine harte Mischung, die nur mit Bohrern und Meißeln, möglicherweise unter Beschädigung der Retorten, entfernt werden kann. Bis die Retorten ausgeblasen und ausgestoßen sind, müssen sie weiterglühen und ihre Türen müssen weiter wassergekühlt werden. Solange muß die Wasser- und deswegen auch Elektrizitätsversorgung sicher gestellt sein. Wenn das Gaswerk dafür eine ausreichende eigene Wasser- und Kraftanlage (auch Notaggregat) hat, so kann die Wasser- und Elektrizitätssperre, unabhängig von der Gassperre, durchgeführt werden. Andernfalls ist mit Rücksicht auf die Gasretorten die Stillegung der Wasser- und Elektrizitätsversorgung nach einem vorher festzustellenden Plan entsprechend später zu legen.
   b.) Bei Wiederaufnahme der Gaslieferung besteht die Gefahr, daß sich Knallgas bildet. Die Hauptschieber der Gaswerke sind daher nicht restlos still zu legen, sondern nur soweit zu drosseln, daß das in Hoch- und Niederdruckleitungen weiterströmende Gas, von geringeren Druckluftansammlungen in den Leitungen verhütet, zum Brennen nicht mehr verwendet werden kann. In Kopenhagen wurde hierzu Gas von etwa 30 mm WS gegeben.
   c.) Bei Stillegung der Gaswerke muß auch die Lage der Gasausgleichsbehälter bekannt sein, um automatisch das fehlende Gas nachzuliefern.
7.) *Wasserwerke*
   a.) Wasserwerke können zuweilen erst nach Verständigung mit dem Hauptwerk außer Betrieb gesetzt werden, da sonst an dessen Filtern Schaden auftreten.

b.) Die Lage der Hoch- und Ausgleichsbehälter muß bekannt sein. Ihre Schieber müssen geschlossen werden, [dann?] andernfalls aus ihnen noch eine Zeitlang Wasserversorgung erfolgt.

8.) *Elektrizitätswerke*

a.) Es ist zu unterscheiden zwischen eigenerzeugenden Werken und reinen Umspannwerken. Eigenerzeugende Werke werden mittels Herunterführen der Turbinen durch Abdrosselung der Dampfzufuhr und langsames Ausblasen der Kessel außer Betrieb gesetzt. Bei Umspannwerken ist zu unterscheiden zwischen Abschaltung der Primärseite (Einspeisung) und der Sekundärseite (Verbraucher). Die Sekundärseite kann nicht ohne weiteres durch Herausnehmen der Trennschalter abgeschaltet werden, da bei voller Belastung die Trennschalter beim Herausnehmen durch Lichtbogenbildung zerstört werden und durch plötzlichen Leerlauf des Transformators dieser zerstört würde. In diesem Falle muß die Primärseite zuerst abgeschaltet werden, indem die zuliefernden Werke angewiesen werden, ihre Leistungsabgabe einzustellen.

b.) Die Durchführung der richtigen Reihenfolge der Maßnahmen und die erfolgte Abschaltung der Werke ist durch ständige Beobachtung der Strom-Spannungs- und Leistungsmesser zu überwachen.


## 87. SS- und Polizeistandortführer Groß-Kopenhagen: Dienstanweisung für die Wache am dänischen Industriesyndikat 17. Juli 1944

Dansk Industrisyndikat/Riffelsyndikatet var en af de væsentligste virksomheder, der arbejdede for besættelsesmagten. Den havde været udsat for svær sabotage 20. december 1943 og et ødelæggende angreb 22. juni 1944 udført af BOPA. Påfølgende blev der indført et permanent dobbelt vagtsystem for at hindre en gentagelse af aktionen 22. juni, hvor tre sabotagevagter stod i ledtog med sabotørerne. Nu blev der lavet en døgnvagtordning, så tysk ordenspoliti bestående af 14 mand tog sig af den ydre vagt, mens danske vagter bevægede sig på selve fabriksområdet. Virksomheden blev gradvist genopbygget og genoptog produktionen for værnemagten.

I maj 1945 udgjorde Industrisyndikatets permanente tyske vagt 27 mand. Dermed var det en af de bedst bevogtede virksomheder i Danmark på linje med B&W og skibsværfterne i Odense og i Korsør. Det var kun et fåtal virksomheder i hele Danmark, der fik den bevogtning, da der fra tysk side ikke var mandskab til rådighed i fornødent omfang (se BdOs styrkemelding 4. maj 1945, trykt nedenfor).

Riffelsyndikatet blev ikke igen udsat for sabotage. Der kom en aftale i stand uden om virksomhedens direktion om, at fabrikken blev skånet, mod at BOPA modtog våben og ammunition derfra og yderligere fik oplysninger om alle transporter fra fabrikken (Brandt/Christiansen 1945, s. 182ff., Kjeldbæk 1997, s. 257).

Kilde: BArch, R 70 Dänemark 9.

SS- und Polizeistandortführer Groß-Kopenhagen *O.U., den 17. Juli 1944.*

D i e n s t a n w e i s u n g
für die Wache am dänischen Industriesyndikat

1.) *Aufgabe der Wache:*

Die Wache hat die Aufgabe Terror- und Sabotageakte auf die Gebäude und Anlagen des dänischen Industriesyndikats zu unterbinden. Gewaltangriffe sind unter Einsatz des letzten Mannes und aller zur Verfügung stehenden Mittel abzuwehren.

Die Bewachung erfolgt außerhalb des Werkgeländes. Innerhalb des Werkgeländes erfolgt der Sabotageschutz durch die dort vorhandenen Sabotagewächter des Werkes. Die Sabotagewächter sind in der Ausübung ihrer dienstlichen Handlungen nicht zu beeinträchtigen. Dies schließt nicht aus, daß ihre Tätigkeit soweit wie möglich unauffällig beobachtet wird.

Erfolgt ein unmittelbarer Angriff auf das Werk, und ist zu seiner Bekämpfung das Betreten des Werkgeländes erforderlich, so wird hiervon Gebrauch gemacht.

Wird die Bedrohung eines Sabotagewächters durch einzelne Personen beobachtet, so ist umgehend Beistand und Hilfe zu gewähren.

2.) *Stärke der Wache:*
1 Wachhabender. 1 Stellvertreter und 12 Mann.

3.) *Bewaffnung:*
Wachhabender MP., und Pistole. Jeder Man ein Gewehr und 60 Schuß Munition. Reserve: 1 LMG., 3 MP., 500 Schuß Gewehrmunition, 20 Handgranaten und 1 Leuchtpistole.

Von Einbruch der Dunkelheit bis zum Tagesanbruch hat jeder Posten eine scharfe Handgranate im Koppel zu führen.

4.) *Posten und Streifendienst:*
*Posten 1 und 2* Freihafeneingang
*Posten 3* Retthavnsvej Ecke Gittersvej
*Posten 4* Lüdersvej Ecke Glückstadtsvej.

5.) *Aufgaben des Wachhabenden:*
Der Wachhabende ist für die ordnungsmäßige Durchführung des Wachdiensts verantwortlich. Er, bezw. sein Vertreter haben ständig auf der Wache anwesend zu sein. Die Posten sind zeitweilig zu kontrollieren. Über die Durchführung des Wachdienstes hat er das Wachbuch zu führen. Bei einem Angriff ist er für die erfolgreiche Abwehr verantwortlich.

6.) *Aufgaben der Posten:*
*Posten 1 und 2* Beobachtung des durch die Toreinfahrt einfließenden Personen und Fahrzeugverkehrs, sowie des Haupteinganges zum Werkgelände. Alle einfahrenden Fahrzeuge, auch solch[e] die mit deutschen oder dänischen Uniformierten besetzt sind, sind anzuhalten und zu kontrollieren.

*Posten 3* Kontrolle und Beobachtung der den Sandkai und den Retthavnsvej betretenden Personen. Außerdem Beobachtung des Sabotagewächters am Nebeneingang Retthavnsvej.

*Posten 4* Kontrolle und Beobachtung der den Lüdersvej betretenden Personen.

Für alle Posten unterbleibt die Kontrolle derjenigen Personen, die das Werkgelände verlassen haben. Der Verkehr der Werkarbeiter zwischen den beiden Eingängen am Retthavnsvej ist nur zu beobachten.

7.) *Verbindung mit der Werkleitung:*
Der Wachraum wird mit einem Hausapparat an die Fernsprechzentrale des Werkes angeschlossen. Kommt über ihn ein Hilferuf der Werkleitung, so ist diesem Folge zu leisten.

8.) *Verhalten im Wachraum:*
Die nicht eingesetzten Posten müssen jederzeit in kürzester Frist einsatzbereit sein. Von 6.00 Uhr bis 22.00 Uhr ist die Benutzung der Betten verboten. Während der Nachtzeit darf der Rock nicht abgelegt werden. Das Koppel darf nur gelockert werden, Stahlhelm und Waffen müssen jederzeit griffbereit sein. Das Verlassen der Wache während der Tages- und Nachtzeit erfolgt nur auf Befehl des Wachhabenden aus dienstlichen Gründen. Der Wachraum ist jederzeit sauber zu halten. Im übrigen wird gegenüber den Zollbeamten, Sabotagewächtern und Werkarbeitern größte Zurückhaltung befohlen.

In Vertretung.
[underskrift]
SS Hauptsturmführer
und Hauptmann d. SchP.

## 88. Werner Best an Heinrich Himmler 17. Juli 1944

Der var gået over en måned siden, at Best til SS-Hauptamt havde fremsendt Kryssings brev om, at denne ønskede at forblive i Waffen-SS (14. juni), men der var stadig ikke sket noget, og Best henvendte sig påny til Himmler personligt.
Der er ikke lokaliseret et svar.
Kilde: RA, pk. 442.

BDS Kopenhagen Nr. 5147 17.7.44 1620 – BRA –

An den Reichsführer-SS
   Heinrich Himmler
   Feldkommandostelle

*Reichsführer*
Ich halte es für meine Pflicht, Sie darauf hinzuweisen, daß der SS-Brigadeführer Kryssing nun schon den vierten Monat untätig in Berlin sitzt und wegen der Behandlung seiner Angelegenheit sehr deprimiert ist. Seine Depression wirkt auf seine noch immer in meinem Haushalt lebende Frau zurück, die, statt zu genesen, vor einem neuen Zusammenbruch steht. Könnte dagegen einen Einsatz Kryssings bei Steiner offenbar beiderseitige Abneigung besteht, Kryssing zu einem anderen Stab kommandiert werden. Etwa zu Gille, den er sehr verehrt?

Heil Hitler
Ihr gez. **Werner Best**

### 89. Adolf von Steengracht an OKM 17. Juli 1944

Steengracht meddelte OKM, at han ikke havde udtalt sig, som Werner Best i et telegram 3. juli havde citeret ham. Tværtimod var Steengracht enig med Seekriegsleitung i, at krigsnødvendige krav skulle efterkommes. Imidlertid måtte man sørge for at opretholde den danske befolknings villighed til at hjælpe, da den var meget nødvendig for videreførelse af krigen. Det skabte misstemning, hvis man i Danmark var i tvivl om en beslaglæggelses nødvendighed. Derfor bad han ved fremtidige beslaglæggelser om, at de beslaglagte skibe straks blev fjernet fra Danmark. Best ville få besked om at gennemføre de fire nye krævede beslaglæggelser.
    Se 1. Seekriegsleitung til Seekriegsleitungs skibsfartsafdeling Qu VI 28. juli 1944.
    Kilde: BArch, Freiburg, RM 7/1813. RA, Danica 628, sp. 7, nr. 5877f.

Auswärtiges Amt                                      Berlin, den 17. Juli 1944
Ha Pol. 1097/44 g.Rs.                                       Geheime Reichssache

### Schnellbrief

An das Oberkommando der Kriegsmarine.

Auf das Schreiben vom 10. Juli d.J. B. Nr. 1. Skl. I i 21 184/44 gKdos.[156]

Die in dem nebenbezeichneten Schreiben erwähnte Bemerkung des Herrn Reichsbevollmächtigten in Dänemark, ich hätte dem Abteilungschef des dänischen Außenministeriums anläßlich seines Besuchs in Berlin die Zusage gegeben, mich für die Verhinderung weiterer Beschlagnahmen dänischer Tonnage einzusetzen, möchte ich vorweg berichtigen. Eine solche Zusage ist nämlich nicht gemacht worden. Ich habe dem genannten Abteilungschef, der mich auf diese Angelegenheit angesprochen hatte, vielmehr geantwortet, man möchte sich dänischerseits keinen Hoffnungen hingeben, daß dänische Schiffe, welche für die deutsche Kriegsführung benötigt werden, nicht beschlagnahmt werden würden. Diese Beschlagnahmen müßten auch dann erfolgen, wenn dadurch privatwirtschaftliche Interessen berührt würden. Ich wäre im übrigen über die Angelegenheit nicht unterrichtet, würde sie jedoch einer Prüfung unterziehen lassen.
    Wie sich bereits hieraus ergibt, stimme ich mit der in dem nebenbezeichneten Schreiben niedergelegten Auffassung der Seekriegsleitung überein, daß alle jene Anforderungen, deren Erfüllung für die deutsche Kriegsführung imperativ notwendig ist, unbedingt befriedigt werden müssen. Ebenso teile ich die Ansicht, daß die privatwirtschaftlichen Interessen, die dadurch betroffen werden, zurücktreten müssen. Im Hinblick auf die Erhaltung der für die Weiterführung des Krieges sehr wichtigen Hilfswilligkeit des dänischen Volkes muß ich jedoch Wert darauf legen, daß bevor Beschlagnahmemaßnahmen ergriffen werden, der strengste Maßstab angelegt wird, das heißt, daß nur jene Beschlagnahmen ins Auge gefaßt werden, deren Durchführung unbedingt kriegsnotwendig ist. Ich möchte ferner noch die Bitte aussprechen, daß jene Schiffe, deren Beschlagnahme ausgesprochen wird, auch möglichst umgehend in Verwendung genommen werden, damit auf dänischer Seite nicht erst Zweifel an der Kriegsnotwendigkeit der betreffenden Beschlagnahmemaßnahmen entstehen und sich daraus Mißstimmungen entwickeln. Ich darf auszuschließend wiederholt bitten, bei Festsetzung der Entschädigung die Dä-

---
156 Trykt ovenfor.

nen nochmals zu hören und ihnen diesbezüglich im Rahmen des Möglichen entgegenzukommen. Dabei muß ich für das Auswärtige Amt als federführendem Ressort für die handelspolitische Linie den Wunsch aussprechen, daß im Hinblick auf die mit der Beschlagnahme verbundene Belastung des Reiches Beschlagnahmen erst ausgesprochen werden, wenn die in Frage kommenden Schiffe unmittelbar zum Einsatz gelangen.

Der Herr Reichsbevollmächtigte in Dänemark wird nunmehr Weisung erhalten, die Beschlagnahme der 4 neu angeforderten dänischen Schiffe durchzuführen.

In Vertretung
**Steengracht**


### 90. Werner Best an das Auswärtige Amt 18. Juli 1944

Best fremsendte trykte eksemplarer af to forordninger, som han havde ladet udstede i slutningen af juni. Det ene drejede sig om straffen for at modarbejde tyske forordninger, det andet om en indskrænkning i ejendomsretten, hvor der var tale om militære interesser (Alkil, 1, 1945-46, s. 132-135).

Kilde: PA/AA R 46.371. RA, pk. 285. PKB, 13, nr. 748.


Der Reichsbevollmächtigte in Dänemark          *Kopenhagen, d. 18. Juli 1944.*
II B 1475/44.

Betr.: Das Verordnungsblatt des Reichsbevollmächtigten in Dänemark.
– 10 Anlagen –[157]
– 2 Durchschläge –

An das Auswärtige Amt
   Berlin.

In der Anlage überreiche ich 10 Exemplare der Nr. 2 des von mir herausgegebenen Verordnungsblattes, enthaltend
a.) die Verordnung über die Strafbarkeit von Zuwiderhandlungen gegen Anordnungen deutscher Dienststellen vom 24.6.1944,[158]
b.) die Verordnung über die Beschränkung von Grundeigentum aus Gründen der Landesverteidigung (Schutzbereichverordnung) vom 27.6.1944.[159]
Mit der Verordnung zu a.) ist eine Lücke ausgefüllt worden, die bisher hinsichtlich der Verfolgung von Zuwiderhandlungen gegen Anordnungen deutscher Dienststellen bestand.

Durch den Erlaß der Verordnung zu b.) ist in Dänemark eine gesetzliche Grundlage für die bereits seit einem Jahr im Gang befindliche Tätigkeit des Schutzbereicham-

---

157 Bilaget er ikke medtaget. Det er heller ikke medtaget i PKB, men eksemplarer af alle Bests forordningsblade (nr. 1-5) er tilgængelige på bl.a. KB. Bests forordning af 24. april 1944 vedr. en SS- og Politiret er ikke trykt i nr. 1 fra 23. maj og blev det heller ikke senere.
158 Forordningen er ikke senere fundet genoptrykt.
159 Trykt på tysk hos Alkil, 2, 1945-46, s. 886-888.

tes Dänemark geschaffen. Die Verordnung, die sich inhaltlich an das deutsche "Gesetz über die Beschränkung von Grundeigentum aus Gründen der Reichsverteidigung vom 24.1.1925" anlehnt, schafft die Möglichkeit, in militärischem Interesse die Benutzung von Grundstücken zu beschränken. Ebenso kann die Duldung militärischer Anlagen verlangt werden.

Die Wehrmacht entschädigt die jeweils Betroffenen. Da in der Praxis die Beteiligung der dänischen Preisprüfungs- und -überwachungsbehörden sich störend geltend machte, sind sie für die Zukunft ausgeschaltet worden. Dafür werden bei der Schadensfestsetzung von den dänischen Behörden namhaft gemachte dänische Sachverständige zugezogen.

gez. **Dr. Best**

## 91. Werner Best an das Auswärtige Amt 18. Juli 1944

OKW havde 15. maj skrevet til AA og RFM om at få udskilt betalingen til tysk politi, herunder Waffen-SS og Fürsorgeoffizier der Waffen-SS i Danmark fra værnemagtskontoen (brevet til RFM er trykt ovenfor). Sagen gik fra AA videre til Best, der tog stilling 18. juli. Svarskrivelsen af 18. juli er ikke kendt, men Best vendte sig imod udskillelsen og ville ikke lade udgiften overgå til sin sikringskonto.

AA sendte 1. august 1944 et svar til OKW, hvor Bests opfattelse blev fulgt (heller ikke dette brev er lokaliseret). Dette satte en længere magtkamp med inddragelse af flere ministerier og SS i gang, der havde en foreløbig kulmination ved et møde i OKW 1. december 1944, hvor AA kun havde en observatør, konsul Türk, med.

Kilde: Bests brev er kun kendt gennem henvisninger og referater fra Behr til Best 16. oktober, RFMs notat til AA 26. oktober, OKW til AA 27. november og Türks notat 4. december 1944.

## 92. Hans Clausen Korff: Betr. Kriegssachschäden im Verhältnis zwischen Dänemark und dem Reich 18. Juli 1944

På det tysk-danske regeringsudvalgs sidste møde var forhandlingerne om reguleringen af forsikringen ved krigsskader blevet drøftet. Best ville ikke acceptere Wustraueraftalen angående arbejderes krigsskader, hvortil kom, at reguleringen vedrørende tyske firmaer med kontrakter hos danske firmaer var særlig utilstrækkelig. Der måtte arbejdes videre med sagen, og Ludwig i RWM måtte inddrages.

Se Korffs notater 15. og 16. juni 1944 og 19. januar 1945. Desuden Korff til Breyhan 31. juli 1944.
Kilde: RA, Danica 50, pk. 91, læg 1259.

Oberregierungsrat Korff *Oslo, 18. Juli 1944*
Mitglied des Deutsch-dänischen Regierungsausschusses

1. Aktenvermerk
Betr. Kriegssachschäden im Verhältnis zwischen Dänemark und dem Reich

Die Kriegssachschädenregelung im Verhältnis zwischen Dänemark und dem Reich wurde bei den Verhandlungen des Regierungsausschusses für Dänemark in der Zeit vom 10. bis 14. ds.mts. ausführlich erörtert. Über das Wustrauer Abkommen haben Verhandlungen mit MinDirigent Schwandt und Reichsrichter Danckelmann stattgefunden, die kürzlich auf der Durchreise nach Stockholm in Kopenhagen weilten.[160] Seitens des Reichsbevollmächtigten ist dabei beanstandet worden, daß er an den Verhandlungen nicht beteiligt worden sei. Es wurde ferner darauf hingewiesen, daß die Regelung der Versicherung reichsdeutscher Reisender höchst unbefriedigend sei, weil Deutsche dadurch schlechter gestellt werde[n] als Dänen, die im Reich reisen.

Besonders unzureichend ist die Regelung hinsichtlich der Verlagerungsaufträge. Nach dem Abkommen ist davon auszugehen, daß Dänemark sich verpflichtet habe, dafür zu sorgen, daß deutsche Auftraggeber Verlagerungsgut in Dänemark gegen Kriegssachschäden versichern können. Dadurch wird zwar ein Kriegssachschädenschutz erreicht, unbefriedigend bleibt jedoch, daß das Reich verpflichtet ist, Clearingüberweisungen der Umlagebeträge zuzulassen. Außerdem verschafft diese Versicherung dem deutschen Eigentümer kein Geld. Er erhält nach der dänischen Versicherungsregelung lediglich einen Schuldschein, der zwar grundsätzlich bei dänischen Banken beleihbar ist. Die Banken beleihen jedoch den Schuldschein nur, wenn die Ausfallbürgschaft bei Minderzahlungen von dänischer kreditwürdiger Seite übernommen wird. Der deutsche Eigentümer kann sich also praktisch mit dem Schuldschein kein Geld verschaffen.

Es müßte daher erreicht werden, daß von deutscher Seite allgemein die Ausfallbürgschaft für derartige Schuldscheine übernommen wird. Die Frage wird parallel auch von MinRat Ludwig im RWM behandelt werden.

Korff

2. Z.d. Vorgängen

## 93. Rüstungsstab Dänemark: Sabotage an dänische Konfektionsfabrikanten 19. Juli 1944

Forstmann noterede til krigsdagbogen, at en klædefabrikant, der arbejdede for værnemagten, var blevet skudt. Det havde vakt uro hos de klædefabrikanter, der havde tyske kontrakter.[161]

Klædefabrikanterne havde under generalstrejken i København været et særligt yndet mål. Se Rüstungsstab Dänemark 30. juni 1944.

Kilde: BArch, Freiburg, RW 27/16. KTB/Rü Stab Dänemark 3. Vierteljahr 1944, Anlage 7.

Rüstungsstab Dänemark
Abteilung Verwaltung

Anlage 7
*19.7.1944*

Sabotage an dänischen Konfektionsfabrikanten.

Am 19.7.44 drangen vormittags gegen 9 Uhr 4 Saboteure mit vorgehaltener Pistole in die Betriebsräume der Konfektionsfabrik I.R. Bock, Kopenhagen, Östergade 26 ein. Die Sa-

---

160 Se om denne aftale under 10. februar 1944 ovenfor.
161 Jfr. om episoden *Daglige Beretninger*, 1946, s. 200. *Information* oplyste 20. juli supplerende, at fabrikken var stærkt bevogtet, og at Bock havde sin gang på Dagmarhus. Det kan have været for at retfærdige nedskydningen.

boteure hatten offenbar die Absicht, die Sabotagewächter zu entwaffnen und die Waffen mitzunehmen. Sie wurden beim Eindringen in die Firma von den zufällig anwesenden Betriebsführer, Direktor Bock, der sofort mit seiner Pistole schoß, gestellt. Bei dem sich entwickelnden Feuerkampf wurde Dir. Bock erschossen, die Täter entkamen unerkannt.

Der Vorfall hat starke Beunruhigung unter den übrigen Konfektionsfabrikanten, die mit Heeresaufträgen belegt sind, hervorgerufen.

### 94. Kriegstagebuch/BdO 19. Juli 1944

BdO befalede oprettelse af en beskyttelseskommando i København til beskyttelse af tyskere og tyskvenlige personer.

Baggrunden var givetvis de talrige politiske mord og et forsøg på at berolige ængstelige kredse, der havde valgt tysk side. Samtidig var det en skærpelse af situationen, som kommandoen kun kunne bidrage til at eskalere.

Kilde: BArch, R 70 Dänemark 6, KTB/BdO 19. juli 1944.

[...]
Befehl über Einrichtung eines Schutzkommandos in Stärke von 1/5 (mot) bei der Wache Dagmarhaus zum Schutze deutscher und deutschfreundlicher Personen.
[...]

### 95. OKW an Hermann von Hanneken 19. Juli 1944

For at imødegå jernbanesabotagen i Danmark havde von Hanneken anmodet om at få 1.000 tyske jernbanefolk til Danmark. Det blev afslået af OKW, da de skulle anvendes af værnemagten.

Kilde: KTB/OKW 4:1, s. 926.

[...]
Ein Antrag des Wehrm. Befehlshabers, 1.000 Mann Reichsbahnpersonel in Dänemark zu belassen, wurde am 19.7. abgelehnt, da diese zur Wehrmacht eingezogen werden sollten.
[...]

### 96. Walter Forstmann an Kurt Waeger 20. Juli 1944

Forstmann fremsendte en indberetning om generalstrejken i København, der for hoveddelens vedkommende var en direkte gengivelse af Bests version, som den var blevet fremstillet i *Politische Informationen*. For egen regning tilføjede Forstmann, at strejken havde vist, at kommunismen havde indflydelse, ligesom Frihedsrådets opfordringer alle var blevet fulgt. Strejken havde imidlertid også vist, at man uden anvendelse af store troppestyrker kunne holde en million indbyggere i skak ved lukning af de offentlige forsyningsvirksomheder. Sabotagernes antal var gået tilbage i første halvdel af juli, og det var antallet af nyindgåede rustningskontrakter også. Generalstrejken havde påvirket virksomhedernes lyst til at påtage sig kontrakter.

Kilde: BArch, Freiburg, RW 27/16. KTB/Rü Stab Dänemark 3. Vierteljahr 1944, Anlage 8.

Abschrift  Anl. 8
Chef Rüstungsstab Dänemark des  20.7.1944
Reichsministers für R.u.K.
S.A. 511/44 g
Diess. FS Nr. 444/44 g I. u. II. Ang. v. 1.[162] u. 4.7.44.[163]

Generalstreik in Groß-Kopenhagen.

An das Rüstungsamt des Reichsministers für Rüstung und Kriegsproduktion
  Berlin NW 7
  Unter den Linden 36.

Der Reichsbevollmächtigte in Dänemark hat folgende Information über die politische Entwicklung in Dänemark im Juni 1944 herausgegeben:

[De følgende fire punkter er hentet fra *Politische Informationen* 5. juli 1944, afsnit I.1-4]

Ergänzend wird hierzu gemeldet:
Zur Sicherung Gross-Kopenhagens waren zunächst 2 Polizei-Kompanien und 2 Bataillone und 2 Kompanien des Heeres eingesetzt, später noch 8 weitere Kompanien des Heeres, 1 Radf.-Regiment und 1 Panzer-Ausb. Abt.
  Der eigentliche Generalstreik hat an sich nur 2 Tage gedauert, wenn man von dem Sonntag, an dem sowieso Arbeitsruhe herrscht, absieht. Es ist nicht zu verkennen, daß eine gut organisierte Zentrale die ganze Störungsaktion in Händen hatte. Sie wurde von dem "Dänischen Freiheitsrat" in England bzw. dessen Helfeshelfern in Kopenhagen (sogen. Patrioten und Kommunisten) gesteuert. Von ihnen wurde auszuschließend die erhebliche Spannung, die durch den englischen Nachrichtendienst noch gesteigert wurde, ausgenutzt, um zum Generalstreik zu hetzen. Der Generalstreik ist auszuschließend ein Beweis dafür, daß auch hier der Kommunismus Erfolg haben kann, denn durch kommunistische Agitatoren, die von Haus zu Haus liefen, wurden die Bürger und Arbeitswilligen unter Drohungen veranlaßt, ihre Geschäfte zu schließen bzw. ihre Arbeitsplätze zu verlassen.
  Die Stillegung von 5 Gaswerken, 9 Wasserwerken und 7 Elektrizitätswerken in Groß-Kopenhagen, die unter maßgeblicher Beteiligung der Ingenieure des Rü Stab Dän. erfolgte (siehe Bericht Nr. 453/44 vom 5.7.44, nachrichtlich an Rü Amt),[164] hat andererseits gezeigt, daß ohne großen Truppenaufwand 1 Million Einwohner in Schach gehalten werden können.
  Bei den Unruhen sind 92 Dänen gefallen, 664 Dänen wurden verwundet. Der "Dänische Freiheitsrat" richtete an die dänische Bevölkerung einen Appell, am Mittwoch, den 12.7.44 um 12 Uhr alle Arbeit für die Dauer von zwei Minuten einzustellen zur

---

162 Trykt ovenfor.
163 Fjernskrivermeddelelsen er ikke lokaliseret.
164 Trykt ovenfor.

Erinnerung an diejenigen, die deutschen Kugeln während des Generalstreiks zur Opfer fielen.[165] Der Appell hatte Erfolg.

Die erste Juli-Hälfte ist bezüglich der Sabotagefälle ruhig verlaufen. Es kamen nur 8 leichte Fälle vor, gegenüber 32 in der gleichen Zeit des Vormonats.

Die deutsche Auftragsverlagerung hat durch den Generalstreik gelitten, weil die Arbeitsfreudigkeit der Arbeiterschaft vor und nach dem Generalstreik sehr mäßig war und in den Betrieben viele politische Diskussionen stattfanden. Außerdem veranlaßte der Generalstreik die deutschen Auftraggeber zur Zurückhaltung in der Auftragsverlagerung.

gez. Forstmann

## 97. Hans Clausen Korff: Betr. Schiffsbeschlagnahme 20. Juli 1944

Korff noterede i spørgsmålet om Kriegsmarines skibsbeslaglæggelser i Danmark, at Best havde beslaglagt 10 skibe, der sandsynligvis ikke ville blive sat i drift pga. oliemangel. OKM havde stillet i udsigt at tilbagelevere fire af skibene. Der var endvidere uenighed om betalingsformen. Regeringsudvalget havde besluttet, at spørgsmålet måtte afgøres mellem den rigsbefuldmægtigede og den danske regering.

Se Korffs notat 5. august 1944 og RWM til von Behr og Walter 21. August 1944.
Kilde: RA, Danica 50, pk. 91, læg 1257.

ORR Korff  *Oslo, 20. Juli 1944*
Mitglied des Regierungsausschusses für Dänemark

1. *Aktenvermerk*
Betr. Schiffsbeschlagnahme
Der Reichsbevollmächtigte hat auf Veranlassung der Kriegsmarine 10 Schiffe mit einem Versicherungswert von 44 Mill Kr. beschlagnahmt. Die Schiffe, die ohnehin in Kopenhagen stillagen, weil es sich ausnahmslos um Motorschiffe handelt, sind bisher nicht in Fahrt gesetzt worden. Wahrscheinlich können sie bei der gegenwärtigen Öllage auch gar nicht in Betrieb gesetzt werden. Auf Grund von Verhandlungen des Auswärtigen Amts mit dem OKM hat dieses in Aussicht gestellt, 4 Schiffe zurückzugeben.

Für die Inanspruchnahme der Schiffe soll eine angemessene Entschädigung gezahlt werden, deren Höhe noch nicht feststeht. Außerdem soll bei Totalverluste der volle Wert ersetzt werden.

Die dänische Regierung fordert Bereitstellung dieser Beträge in freien Devisen oder Gold, Überweisung über Clearing für diese Zwecke will sie nicht zulassen.

Das OKM hat die Bezahlung in freien Devisen abgelehnt.

Der Regierungsausschuß für Dänemark ist sich darüber schlüssig geworden, daß die Angelegenheit zwischen dem Reichsbevollmächtigten und der dänischen Regierung zu regeln ist.

Korff

---

165 Frihedsrådets appel er trykt hos Alkil, 1, 1945-46, s. 255.

## 98. Alex Walter an Werner Best und Paul von Behr 21. Juli 1944

Walters henvendelse til REM 28. juni om en forøget dansk produktion af tøndebånd gav et positivt resultat. Han kunne meddele Best og von Behr resultatet.

Af det som bilag vedlagte brev fremgår, at ikke mindre end tre ministerier havde været inddraget, og at Næstved Krydsfinerfabrik skulle påtage sig opgaven.

Kilde: PA/AA R 113.560.

Reichsminister für Ernährung und Landwirtschaft          *Berlin W8, den 21. Juli 1944.*
– V B 4 – 657 –                                          *Wilhelmstr. 72.*

S c h n e l l b r i e f

An Herrn Reichsbevollmächtigten in Dänemark
   Kopenhagen.
[An] das Auswärtige Amt
   z.Hd. von Herrn Leg. Rat von Behr,
   Berlin.

Abschrift übersende ich unter Bezug auf die Verhandlungen in Kopenhagen betr. Deckung des dänischen Faßreifenbedarfs.

Ich bitte das Weitere zu veranlassen.

Über das Ergebnis bitte ich mich zu unterrichten.

Bezüglich weiterer Faßweidenlieferungen und möglicher Aushilfslieferungen von Stahldraht oder Bandeisen behalte ich mir nähere Mitteilung noch vor.

Im Auftrag
gez. **Dr. Walter**

Abschrift.
Der Reichsforstmeister                                   *Berlin W 8, den 13. Juli 1944.*
– H 522.00.0102-10II –                                   *Leipziger Platz 11.*

An den Herrn Reichsminister für Ernährung und Landwirtschaft,
   Berlin W 8.

Betrifft: Freigabe von Buchenschälholz zur Herstellung von Faßreifen in Dänemark.
Bezug: Ihr Schreiben vom 4. Juli 1944[166] – V B 4 – 618 –.

Das im Herbst 1943 vereinbarte deutsche Schälbuchenkontingent ist durch verschiedene Verhandlungen des deutsch-dänischen Regierungsausschusses vom 13.000 fm auf 11.771 fm herabgesetzt worden. Über die Menge sind in vollem Umfang Kauf- und Lieferungsverträge abgeschlossen worden. In das Reichsgebiet eingeführt wurden nach dem Stand vom 7. Juli 1944 9.611 fm. Weitere Teilmengen sind befrachtet bezw. schwimmend. Ihr Umfang ist im einzelnen zur Zeit nicht bestimmbar. Im Höchstfalle dürften

---

166 Skrivelsen er ikke lokaliseret.

jedoch nicht mehr als 1.000 fm zur Herstellung von Faßreifen in Dänemark freigemacht werden können.

Nach Fühlungnahme mit dem Herrn Reichsminister der Luftfahrt erkläre ich mich in Erkenntnis der Schwierigkeiten der Sicherstellung der Fettversorgung des deutschen Reiches damit einverstanden, daß bis 1.000 fm Schälbuche, die zur Lieferung in das Reich vorgesehen sind, an dänische Unternehmer zur Herstellung von Faßreifen für die Butterausfuhr nach Deutschland freigegeben werden. Ich bemerke, daß diese Lösung nur dadurch ermöglicht werden konnte, daß die außergewöhnlich hohe Umlage des deutschen Waldes trotz schwerwiegendster Bedenken entsprechend erhöht wurde. Falls über die vorgenannten 1.000 fm hinaus ein weiterer Schälbuchenbedarf für Faßreifen auftreten sollte, bin ich damit einverstanden, daß weitere 1.000 fm aus der Holzmenge abgezweigt werden, welche der Sperrholzfabrik Nästved zur Herstellung von Flugzeug-Sperrholz zugewiesen wurden. Ich bitte, der dänischen Regierung gegenüber jedoch zur Voraussetzung zu machen, daß diese 1.000 fm Schälbuche im Forstwirtschaftsjahr 1944/45 an das Unternehmen Nästved nachliefert werden.

Im Auftrag
Unterschrift

### 99. Seekriegsleitung Qu I an Seekriegsleitung Qu VI 21. Juli 1944

Seekriegsleitungs skibsfartsafdeling blev orienteret om de betydelige forsinkelser, der var med beslaglæggelsen af to danske skibe, der skulle anvendes som skoleskibe. Enten måtte de to skibe snarest transporteres væk fra Danmark, eller der måtte findes andre skibe.

Af den knappe besked fremgår det, at det var de tyske myndigheder i København, nærmere betegnet den skibsfartssagkyndige G.F. Duckwitz og AA, der med forskellige begrundelser var årsag til, at beslaglæggelserne flere gange var udskudt. AA skulle bl.a. arbejde med beslaglæggelsessagen, hvorfor sagen trak ud, og som det fremgår, var det også tilfældet. Trods det var der – en ubegrundet – optimisme i Seekriegsleitung, som det fremgår af en skrivelse til skibsfartsafdelingen (Skl Qu VI) 28. juli, trykt nedenfor.

Kilde: BArch, Freiburg, RM 7/1813.

Skl Adm Qu I r Nr. 16 901/44 g *Berlin, den 21. Juli 1944*

An Skl Adm Qu VI
   nachr.: 1/Skl

Betr.: Ersatz für E-Meß-Schulschiff "Carl Zeiss".
   Vorg.: 1.) Skl Adm Qu I r 21938/44 geh. v. 15.7.
         2.) Skl Adm Qu I r 2842/44 geh. v. 7.4.
         3.) Skl Adm Qu I r 16892/44 geh. v. 10.5.44
         4.) Skl Adm Qu VI Pl/n 5103/44 geh. v. 21.6.

Als Ersatz für das durch Bombentreffer versenkte und später gehobene E-Meß-Schulschiff "Carl Zeiss" wurden von Skl/Adm Qu VI die dänischen Dampfer "Aalborghus" und Hans Broge" namhaft gemacht, kurz darauf die Besichtigung mit dem Hinweis auf die derzeitige Lage in Dänemark verschoben und dann vorgesehen, die Schiffe erst nach Überführung in einem deutsches Hafen zu besichtigen. Auf fernmdl. Anfrage wurde vom Sachbearbeiter am 18.7. mitgeteilt, daß die Angelegenheit des Zugriffs auf dänische Schiffe z.Zt. vom Auswärtigen Amt bearbeitet würde und zunächst nicht abzusehen sei, wann diese Schiffe besichtigt werden können. Dadurch entstehen erhebliche Verzögerungen in der Bereitstellung.

Die Flottenabteilung muß nach wie vor auf eine beschleunigte Bereitstellung eines E-Meß-Schulschiffes dringen und bittet, entweder dafür zu tragen, daß die beiden Schiffe aus dem dänischen Raum baldigst auf Geeignetheit als Ersatz für E-Meß-Schulschiff "Carl Zeiss" besichtigt werden, oder aber zu prüfen welches andere geeignete Schiff für diesen Zweck namhaft gemacht werden kann.

Skl Adm Qu I
gez. **Löwisch**


### 100. Wolfram Sievers an Karl Kersten 22. Juli 1944

Sievers meddelte Kersten, at han på grund af drøftelser med Best og Pancke havde bedt RFSS om at kommandere ham til Danmark, hvor der var stærkt behov for ham (Schreiber Pedersen 2008, s. 303).

Best skrev til Sievers i samme sag 24. juli 1944.[167]

Kilde: BArch, NS 21/52 og NS 21/86.


Das Ahnenerbe *Waisenfeld/Ofr., den 22.7. 1944*
Der Reichsgeschäftsführer Nr. 135
Tgb. Nr. A/23/k 5
     B/41/d 5 Sk/St.
     A/27/v 4

An SS-Untersturmführer Dr. Karl Kersten
    Kiel
    Hohenbergstr. 2


*Lieber Kamerad Kersten!*
Aufgrund meines Gespräches mit SS-Obergruppenführer Best und SS-Obergruppenführer Pancke habe ich

1.) den Reichsführer-SS gebeten, einstweilen Ihre Kommandierung zum Begleit-Batl. noch aufzuschieben, da Sie in Dänemark dringend gebraucht werden. Ich hoffe, daß mein Antrag Erfolg hat.
2.) Interesse besteht hier an vorgeschichtlicher und germanenkundlicher Literatur.

Mit den besten Grüßen und

Heil Hitler!
Ihr
gez. **Sievers**
SS-Standartenführer

---

167 Sievers havde været hos Best 21. juni 1944, men også hos Pancke og Bovensiepen. På dagsordenen havde bl.a. været en dansk udgave af tidsskriftet *Hammer* (Bests kalenderoptegnelser anf. dato, Schreiber Pedersen 2005, s. 158).

## 101. Werner Best an Wolfram Sievers 24. Juli 1944

Best bad Sievers orientere ham om, hvordan det gik med at få RFSS til at sende Kersten til Danmark (Schreiber Pedersen 2005, s. 163 og 2008, s. 303).
   Sievers svarede Best 4. august 1944.
   Kilde: BArch, NS 21/52.

SS-Obergruppenführer Dr. Werner Best          *Kopenhagen den 24.7.1944*

An SS-Standartenführer Dr. Sievers
   Waischenfeld/Ofr.
   "Das Ahnenerbe"

*Lieber Kamerad Sievers!*
Für Ihren Brief vom 20.7.44 nebst Anlage danke ich Ihnen bestens. Ebenso danke ich Ihnen für die Zusendung der bisherigen Folgen der Zeitschrift "Hammer".[168] Die übrigen Veröffentlichungen haben mich noch nicht erreicht.
   Ich würde es begrüßen, wenn Dr. Kersten für die Arbeit in Dänemark freigegeben würde. Benachrichtigen Sie mich bitte von der Entscheidung des Reichsführer-SS und weisen Sie Dr. Kersten an, sich möglichst bald bei mir zu melden, um die vor uns liegende Arbeit zu besprechen!
   Mit den besten Grüßen und

Heil Hitler!
Ihr **Best**

## 102. Philip Rehbein: Aufstellung eines Sabotageabwehrkommandos 24. Juli 1944

Efter en drøftelse med Rüstungsstab Dänemark oprettede det tyske ordenspoliti en antisabotagekommando i København bestående af 12 mand og to danske guider, foruden en benzindrevet bil. De skulle hurtigst muligt gribe ind i tilfælde af sabotage eller sabotageforsøg. De skulle være klar til at rykke ud når som helst og have til huse på Dagmarhus. Der skulle laves et kodesystem, så der ikke fra dansk side kunne gives advarsler til sabotører eller andre.
   Der var som forberedelse til antisabotagekommandoens oprettelse etableret et nødkaldeanlæg, hvorved en række udvalgte københavnske firmaer via KTAS havde en direkte telefonlinje til Dagmarhus. Det var Rehbein selv, der 19. juni 1944 havde taget direkte kontakt med KTAS og forestået forhandlingerne. I udgangspunktet havde han ønsket 100 direkte linjer, men det viste sig påfølgende ved kontakten med de københavnske virksomheder, at en hel del af dem ikke ønskede den direkte forbindelse etableret af frygt for, at modstandsbevægelsen skulle få viden derom, og at de derfor skulle blive udsat for sabotage. Det endte med, at kun 21 direkte linjer blev etableret.
   De københavnske virksomheders frygt for, at ordningen skulle blive kendt, var ikke ubegrundet. *Information* videregav 29. juli og 1. august 1944 både oplysninger om de særlige telefonledninger mellem virksomhederne og Dagmarhus og om den oprettede udrykningskommando, hvis korrekte telefonnummer

---

[168] Se notatet om medarbejderdrøftelsen i afdeling Germanischer Wissenschaftseinsatz 9.-11. januar 1944 i Salzburg, hvor ekspansionsplanerne for *Hammer* for 1944 blev fremlagt (*De SS en Nederland*, 2, 1976, nr. 495). *Hamer/Hammer* var startet i en hollandsk udgave, som udkom i 15.000 eksemplarer i maj 1944, mens en flamsk og tysk udgave var på henholdsvis 5.000 og 11.000 eksemplarer (Schreiber Pedersen 2008, 301 note 96).

– Palæ 9000 – nyhedsbureauet også kunne viderebringe. Bureauet fulgte 13. oktober op med at bringe navnene på virksomheder, der var tilsluttet Dagmarhus direkte.[169] Som det kom frem i december 1944, havde KTAS blandt sine ansatte personer tilknyttet modstandsbevægelsen (BArch, R 70 Dänemark 6, KTB/BdO 24. juli 1944, Mau 2007, s. 228-230, *Information* anf. datoer, Bovensiepens aktivitetsrapport for december 1944).

Kilde: BArch, Freiburg, RW 27/16. KTB/Rü Stab Dänemark 3. Vierteljahr 1944, Anlage 10.

Anl. 10

Der Befehlshaber der Ordnungspolizei         *Kopenhagen, den 24. Juli 1944.*
– Abt. I a –

Betrifft: Aufstellung eines Sabotageabwehrkommandos.
Bezug: Anordnung des BdO vom 15.7.1944 nach Besprechung mit Rüstungsstab.

In Einvernehmen mit dem Rüstungsstab Dänemark wird von der Ordnungspolizei ein Sabotage-Abwehrkommando aufgestellt. Hierzu wird befohlen:

1.) *Einrichtung des Sabotage-Abwehrkommandos*: II. Po. Wach-Batl. "Dänemark" richtet sofort ein Kommando nach Art der Überfallkommandos in Stärke von 1 Führer, 1 Vertreter und 10 Männer auf Stw. (Benzinfahrzeug) ein. Als Führer sind nur geeignete entschlußfreudige Unterführer zu bestimmen.
2.) *Aufgaben*: Schnellstes Eingreifen beim Bekanntwerden von Sabotagen oder Versuchen.
3.) *Bewaffnung und Ausrüstung*: 1 MG, 3 [8?] MP, Gewehre. Je Mann 2 Handgranaten. Handscheinwerfer, Taschenlampen, Signalpfeifen, Knebelketten oder Handfesseln, Verbandskasten.
4.) *Unterbringung*: Wachraum ist vom BdO im Dagmarhaus zur Verfügung gestellt. Für Ausstattung sorgt II. Pol. Wach-Batl. "Dänemark".
5.) *Lotsen*: BdO hat die dänischen Staatsangehörigen Kay-Noscksen und Bergsoe als Lotsen eingestellt.[170] Diese erhalten vom II. Pol. Wach-Batl. "Dänemark" Polizeiuniform und Pistole. Beides darf jedoch nur für die Dauer des Wachdienstes ausgehändigt werden. Das Umziehen hat in der Wache des Sabotage-Abwehrkommandos stattzufinden.
6.) *Alarmierung*: Die Alarmierung des Sabotage-Abwehrkommandos kann auf zweierlei Weise erfolgen:
    a.) *Durch Notrufanlage*: Die Anlage arbeitet in der Weise, daß durch Betätigung der Kurbel am Telefon-Apparat der bedrohten Firma an dem beim Sabotage-Abwehrkommando befindlichen Notrufschrank eine Nummer fällt, die sofort ersichtlich macht, welcher Betrieb bedroht ist. Die angeschlossenen Firmen und

---

169 Det var Nordværk (i Rovsingsgade, Ryesgade og på Finsensvej (Jeko)), Emmeches Metalvarefabrik (Grundtvigsvej og H.C. Ørstedsvej), Wilh. Johnsen (Teglholmsgade og Boyesgade), Globe i Glostrup, Sørensen, Madsen & Co (Nørrebrogade 56), Karl Zahn (Korsgade 11), Vølund (Øresundsvej), Torotor (Kollegievej), Georg Andersen (Vilh. Bergsøes Allé 5), Carltorp (Roskildevej), Aage Sørensen (Stubmøllevej 35), Nordisk Korsetfabrik (Amaliegade 37), Nicolaysen & Nielsen (Svanemøllevej 66), A/S Jensen Industri (Hillerødgade 30), A.T. Hansen (Landlystvej 42), Adler (Polititorvet), Dan (Bragesgade 10).
170 De to danske statsborgere er ikke identificeret.

entsprechenden Nummern sind in einer Kartei aufzuführen, die sich ständig griffbereit beim Telefonisten befinden muß.

b.) *Durch Telefonanruf über Palais 9000*. Diese Anrufnummer ist außerdem allen für deutsche Interessen arbeitenden Firmen durch Rüstungsstab bekanntgegeben worden.

Die Telefonanlage ist bereits eingerichtet, die Notrufanlage zum Teil in Betrieb.

7.) *Einsatz*: Er hat schnellstens, energisch und rücksichtslos zu erfolgen.

Der Stellv. Führer verbleibt auf Wache und hat dafür zu sorgen, daß ein weiteres Kommando von der Dagmarhauswache sich einsatzbereit hält.

8.) *Dienstanweisung*: II. Pol. Wach-Batl. "Dänemark" arbeitet Dienstanweisung aus und legt Entwurf umgehend vor. Zunächst ist das Kommando mit einer vorläufigen Dienstanweisung, einem Tätigkeitsbuch (in das alle eingehenden Hilfsersuchen und die darauf veranlaßten Maßnahmen mit genauer Zeitangabe eintragen sind), und einem Dienstplan (Wachbuch) auszustatten.

9.) *Meldung*: Die Einrichtung des Sabotage-Abwehrkommandos ist nach Herstellung aller Anschlüsse an die Notrufanlage dem BdO. zu melden. Die Tätigkeit ist sofort aufzunehmen.

10.) *Erfahrungsbericht*: Er ist bis zum 15.8.1944 in kurzer Form einzureichen.

I.V.
Der Chef des Stabes
gez. **Rehbein**
Major der SchP


### 103. Werner Best an das Auswärtige Amt 25. Juli 1944
Best sendte via AA et brev til REM angående behovet for en bestemt type råolie til visse typer motorer på danske fiskekuttere.
Kilde: BArch, R 901 113.560.

Telegramm S DG Kopenhagen Nr. 129 25.7. 19.10 = Offen =
Auswärtig Berlin nr. 893 vom 25.7.1944

Für Reichsernährungsministerium Berlin

Auf Telegramm des Reichsernährungsministeriums vom 11. Juli 1944[171] – II B 1 – 154 G Nr. 2283/ de – wird mitgeteilt, daß Besprechungen mit dänischen Sachverständigen in Esbjerg ergeben haben, daß wahrscheinlich außer den mit Glühkopfmotoren versehenen Fischkuttern auch die mit anderen Motoren ausgerüsteten Boote gereinigtes leichtes Rohöl benutzen können. Es wurde dabei Übereinstimmung erzielt, daß möglichst umgehend für die 6 Haupttypen der verwendeten Motoren je 3 Faß Rohöl zur Verfügung gestellt werden sollen, damit mit dieser Menge von den einzelnen Booten

---

171 Telegrammet er ikke lokaliseret.

selbst Versuche angestellt werden können. Regierungsrat Birnbaum hat in den in der vorigen Woche stattgefundenen Verhandlungen zugesagt, die Entsendung von 20 Faß gereinigten Rohöl nach Esbjerg zu veranlassen. Im übrigen haben die Verhandlungen des Regierungsrats Birnbaum ergeben, daß dänischerseits die Möglichkeit besteht, Rohöl zu reinigen und auch eine gewisse Menge zu raffinieren. Hiernach soll es möglich werden, von Anfang September 1944 ab bei entsprechenden deutschen Rohöllieferungen der Fischerei monatlich wieder 1.800 to zuzustellen, wovon der größte Teil als gereinigtes Rohöl und etwa 15 Prozent als Dieselöl ausgeliefert werden soll. Falls es nicht gelingen wird, die Dänen zu veranlassen, für den Monat August aus den hier lagernden Beständen der Fischerei eine Zuteilung zu geben, wird man deutscherseits damit rechnen müssen, daß die Fischzufuhr im Monat August fast ganz ausfallen wird.

Dr. Best

**104. Werner Best an das Auswärtige Amt 25. Juli 1944**
Best orienterede om en aftale med de danske myndigheder vedrørende overførsel af skadeserstatninger til danske arbejdere, der havde lidt tab af beklædningsgenstande m.m., mens de arbejdede i Tyskland. Fra dansk side var der truffet hårde afgørelser. De danske myndigheder ønskede fremover et gennemslag af de danske arbejderes skadesanmeldelser i Tyskland.

Danske arbejdere i Tyskland benyttede i en del tilfælde opholdet til at sælge en del af deres beklædningsgenstande m.m. til tyske borgere for derefter at erklære det solgte mistet som følge af luftangreb m.m. Det søgte man fra dansk side at dæmme op for.
Kilde: RA, Danica 465: Moskva, Osobyj Archiv, 1458/21/71/35 (teksttab).

[…]ft zu R 5394 Br/19
[Rei]chsbevollmächtigte in Dänemark    *Kopenhagen, den 25. Juli 1944*
[…]überweisung/278.

[Betr.] Transfer von Schadenersatzbeträgen für dänische Arbeiter.
[Anla]ge, dreifach,
[Durc]hschläge.

[An] das Auswärtige Amt in Berlin

Die in Deutschland beschäftigten dänischen Arbeiter müssen bei der Ausreise aus Dänemark eine Ausfuhrgenehmigung für ihre Bekleidungsgegenstände usw. besitzen. Bei Eintreten eines Kriegsschadens wird bei der Prüfung der Frage, welcher Teil des dem Arbeiter deutscherseits zugesprochenen Kriegsschadenersatzes transferiert werden soll, nachgeprüft, ob der Arbeiter die Gegenstände bei der Ausfuhr angemeldet hat. Bei den dänischerseits getroffenen Entscheidungen haben sich vielfach Härten ergeben. Die Frage ist daher dem deutschen Regierungsausschuß den Dänen vorgebracht worden.

In anliegendem Schreiben ist dänischerseits eine großzügigere Behandlung der Frage zugesagt worden, sodaß künftig den dänischen Arbeitern die Anschaffung der notwendigsten Bekleidungsstücke und dergl. gesichert erscheint.[172]

---

[172] Bilaget er ikke medtaget. Det er fra Wassard til Walter 21. juli 1944, hvor der blev tilbudt erstatning til

Zur Erleichterung der Prüfung ist dänischerseits gebeten worden, einen Durchschlag der Schadensersatzanmeldung des dänischen Arbeiters jeweils zu bekommen. Ich bitte veranlassen zu wollen, daß dieser Durchschlag der Abteilung Arbeit seiner Behörde zur Weitergabe an das dänische Außenministerium zugesandt wird.

gez. **Dr. Best**

## 105. Werner Best an das Auswärtige Amt 27. Juli 1944

AA havde 10. juli bebudet, at Best skulle til møde i ministeriet. Bests besøg i Berlin fandt sted 26.-28. juli. Som led i møderne udarbejdede han i Berlin et notat om situationen i Danmark, om brugen af politiret, om den danske befolkning og om sabotører og sabotagebekæmpelse. Notatet blev anvendt i drøftelserne med ministeriets embedsmænd, ligesom Steengracht påfølgende underkastede det en nærmere drøftelse (Rosengreen 1982, s. 113-115, Herbert 1996, s. 391).

Tilbageskuende redegjorde Best for, hvordan hans indberetningspraksis havde været og forklarede dernæst, hvorfor han i al hast havde ladet oprette en SS- og Politiret. Det var for at undgå, at WB Dänemark traf sine egne forholdsregler. Med hensyn til situationen i Danmark lagde han ikke skjul på, at den danske befolkning håbede på en allieret sejr, men at den holdt sig absolut i ro og ikke ydede nogen som helst modstand. Tværtimod gjorde den Tyskland store tjenester, hvorfor enhver repressalie imod den ville virke negativt. Sabotørerne var en lille gruppe, dels uddannet i England, dels bestående af kommunister. Den almindelige danske befolkning bidrog ikke til de illegale gruppers handlinger. Til bekæmpelse af de illegale grupper fandt Best fem forholdsregler hensigtsmæssige: 1) nedkæmpelse af terrorister, der blev antruffet på gerningsstedet, 2) gengældelsesmord og gengældelsessabotage mod personer og objekter, der var de illegale kredse nærtstående, 3) politimæssig efterforskning, 4) retsforfølgelse af de skyldige og offentliggørelse af domme og 5) overførsel af de dømte til Tyskland uden at give besked om deres skæbne, når henrettelse ikke måtte finde sted.

Bests katalog af foranstaltninger mod modstandsbevægelsen var i sin substans en fastholdelse af den hidtil førte politik. Pkt. 2 kunne umiddelbart tyde på, at Best nu gik ind for modterroren, som den blev praktiseret i Danmark, men det var ikke tilfældet. Han gik ikke ind for den vilkårlige modterror, men ville han den begrænset til at ramme modstandsbevægelsen nærtstående objekter, og det var en anden sag. Som han konkluderede, skulle sabotagebekæmpelsen rette sig mod de illegale kredse og ikke føre til en skærpelse af den politiske situation for hele landet.

Under besøget i Berlin havde Best andre møder: Den 27. juli mødtes han med Otto Ohlendorf i RSHA. Bests efterkrigsforklaring var, at dagsordenen var situationen i Danmark. Ohlendorf modtog alle SD-rapporter om Danmark fra Eberhard von Löw, og Best ville overbevise ham om sit syn på forholdene. Dagen efter havde Best et møde med Kaltenbrunner, der iflg. Bests efterkrigsforklaring gik ud på, at Best ville prøve at påvirke ham i retning af sit syn på forholdene i Danmark (Bests kalenderoptegnelser 27. og 28. juli 1944, afhøring 17. oktober 1945 (Interrogation Report CI-PIR/115, 14 May 1946 (kopi i HSB)).

Kilde: PA/AA R 100.758. RA, pk. 229. LAK, Best-sagen (på dansk).

Abschrift
*I. Allgemeine Berichterstattung*
Nachdem die telegrafischen Tagesmeldungen, die ich im Hinblick auf die entsprechenden Tagesmeldungen des Wehrmachtbefehlshabers Dänemark erstattet hatte, als unerwünscht bezeichnet und periodische Lageberichte untersagt worden waren, habe ich mich auf die Berichterstattung über besondere Ereignisse und über besondere eigene Maßnahmen beschränkt und glaube, in diesem Rahmen alles Wesentliche berichtet zu

---

arbejderne betalt over clearingkontoen.

haben.¹⁷³ Ich weise darauf hin, daß ich schon in den Telegrammen Nr. 1342 vom 30. September 1943 und Nr. 1355 vom 1. Oktober 1943¹⁷⁴ angewiesen wurde, alle mit der Wehrmacht zu regelnden Abgelegenheiten möglichst selbständig zu erledigen und nur in Ausnahmefällen von besonderer Wichtigkeit an das Auswärtige Amt zu berichten.

*II. Die Erweiterung der Zuständigkeit des SS- und Polizeigerichts in Kopenhagen auf dänische Staatsangehörige*
Über die Erweiterung der Zuständigkeit des in Kopenhagen bereits bestehenden SS- und Polizeigerichts auf Straftaten, die von dänischen Staatsangehörigen gegen deutsche Interessen begangen werden, war bereits viele Monate zwischen allen beteiligten Stellen verhandelt worden. Mir war bekannt, daß das Auswärtige Amt eine mit seinen Vorschlägen übereinstimmende klare Stellung eingenommen hatte und daß die Fassungen [?] in gewissen Streitfragen zwischen dem Reichsführer-SS und dem OKW bestanden.

Als in der zweiten Aprilhälfte nach langer Pause wieder eine Sabotagewelle in Dänemark anlief und gleichzeitig jeden Tag mit dem Beginn der Invasion gerechnet wurde, hielt ich es für meine Pflicht, jedes mögliche Mittel zur Bekämpfung der feindlichen Störungsversuche einzusetzen.¹⁷⁵ Ich erinnerte mich daran, daß in der Besprechung beim Führer am 30. Dezember 1943 empfohlen worden war, verurteilte Saboteure als Geiseln zu benutzen, sie bei ruhiger Lage zu begnadigen und sie bei neuen Anschlägen hinzurichten. Da die Wehrmachtgerichte zur Durchführung schneller Verfahren nicht in der Lage waren, ich aber andererseits in der damaligen Lage eine erneute Nervosität der Wehrmacht und Versuche des Wehrmachtbefehlshabers zu eigenen Maßnahmen befürchten mußte,¹⁷⁶ hielt ich es für richtig, durch meine vorläufige Verordnung vom 24. April 1944 das zur Verfügung stehende SS- und Polizeigericht in Kopenhagen als zusätzliches Feldgericht für die Aburteilung von Sabotage, Spionage usw. zuständig zu machen. Die in meiner Verordnung ausdrücklich als vorläufig bezeichnete Regelung entsprach vollkommen der von dem Auswärtigen Amt in den vorangegangenen Verhandlungen vertretenen Auffassung. Als ich auf meinem Bericht keine abweichende Äußerung oder Weisung des Auswärtigen Amts erhielt, ließ ich das Gericht nach einigen Tagen in Tätigkeit treten.¹⁷⁷

Das Gericht hat – neben einer größeren Zahl von Freiheitsstrafen – insgesamt 39 Todesurteile ausgesprochen, von denen 28 vollstreckt wurden, während ich in 12 Fällen die Todesstrafe im Gnadenwege zu lebenslänglicher Zuchthausstrafe umwandelte.¹⁷⁸ Jedes von dem Gericht gesprochene Urteil habe ich unverzüglich telegrafisch an das Auswärtige Amt berichtet mit dem Zusatz, daß die Vollstreckung der Todesurteile von dem Stattfinden neuer schwerer Sabotageakte abhängig gemacht werde. Wenn solche Sabotageakte stattfanden, habe ich jeweils telegrafisch berichtet, welche Verurteilten dafür am nächsten Tage hingerichtet werden sollten. Nachdem mir niemals Bedenken gegen die

---

173 Se telegram nr. 302, 6. marts 1944.
174 Trykt ovenfor som nr. 1543 og 1560.
175 Best nævnte ikke invasionsfrygten, da han begrundede sine forholdsregler i april.
176 Se om denne angivelige frygt Bests telegram nr. 570, 4. maj 1944.
177 Den første henrettelse efter forordningens ikrafttræden skete 26. april.
178 Tallene går ikke op.

Durchführung dieser Maßnahmen mitgeteilt wurden, habe ich – da die Lage zwischen dem 20. und 30. Juni besonders gespannt war – die am 23. Juni 1944 und am 29. Juni 1944 vollzogenen Hinrichtungen nur als Tatsachen gemeldet.[179]

Die Feldgerichte der Wehrmacht haben in Dänemark insgesamt 27 Todesurteile gefällt, von denen 11 vollstreckt und 12 in Freiheitsstrafen umgewandelt worden sind, während die Vollstreckung von 3 weiteren Todesurteilen durch den Führerbefehl vom 3. Juli 1944 verhindert wurde. Nach der Besprechung beim Führer am 30. Dezember 1943 haben die Feldgerichte der Wehrmacht noch 8 Todesurteile gefällt, von denen 2 vollstreckt, 3 in Freiheitsstrafen umgewandelt wurden, während die Vollstreckung der letzten 3 durch den Führerbefehl vom 3. Juli 1944 verhindert wurde.[180]

*III. Die Lage in Dänemark*
a.) Die Bevölkerung
Die Bevölkerung Dänemarks hält zwar den Sieg der Alliierten für sicher und erhofft von ihm die Befreiung von der deutschen Besetzung, aber sie verhält sich absolut ruhig und leistet keinerlei Widerstand. Sie arbeitet außer für die unmittelbare Versorgung ihrer 3,8 Millionen Menschen ausschließlich für deutsche Zwecke bei den umfangreichen Wehrmachtsarbeiten, in der Landwirtschaft und in der mit deutschen Aufträgen versehenen gewerblichen Wirtschaft. Hervorzuheben ist, daß die Landwirtschaft trotz fehlender etwa 35.000 Arbeitskräfte, die zu den Wehrmachtsarbeiten abgesagt wurden, sich mit Erfolg bemüht, ihre dem Reich zugute kommende Erzeugung auf der bisherigen Höhe zu halten. In dem Bewußtsein, daß ihre gesamte Arbeit für Deutschland geleistet wird, reagiert die Bevölkerung sehr empfindlich gegen Maßnahmen, durch die sie sich zu Unrecht getroffen fühlt. Jede Repressalie gegen die Bevölkerung wirkt deshalb unmittelbar auf ihre Arbeitsfreudigkeit und auf ihre Arbeitsleistung zurück.[181]

b.) Die Saboteure
Die Sabotage gegen deutsche Interessen ist in Dänemark erst seit etwa 1½ Jahren von England aus organisiert worden.[182] In England ausgebildete Fallschirmagenten haben aus aktivistischen Dänen Sabotagegruppen gebildet, die nach genauen Befehlen ihrer auswärtigen Befehlsstellen arbeiten. Die Zahl dieser neuerdings in Sechsergruppen organisierten Saboteure übersteigt nach den bisherigen Feststellungen der deutschen Sicherheitspolizei kaum die Zahl von 200.

Daneben betätigt sich in offenbar planloser und aus der Situation erwachsender Weise auch die illegale kommunistische Bewegung hier und da auf dem Gebiet der Sabotage.[183]

179 Overfor Ribbentrop havde Best tidligere forklaret, at det var efter Himmlers brev 15. juni, at han var ophørt dermed (telegram nr. 803, 4. juli 1944).
180 Den førerbefaling, som Best henviste til, var fremsendt gennem Ribbentrops telegram nr. 1432, 3. juli 1944.
181 Dette havde Best ikke på noget tidspunkt leveret eksempler eller beviser på.
182 De første SOE-agenter kom til Danmark i december 1941, mens flere først kom i april 1942.
183 Tilsyneladende var BOPAs storaktioner ubekendte som værende kommunistiske, eller de kommunistiske aktiviteter skulle negligeres, efter at kommunismen for længst var erklæret slået, og England tillagt initiativet.

Interessant ist, daß nach den Feststellungen der deutschen Sicherheitspolizei fast alle "Stikker"-Morde – d.h. Morde am Dänen, die als Spitzel der Deutschen gelten, – von einen einzigen Mann mit einigen Helfern ausgeführt worden sind, der sich immer wieder nach Schweden zurückzieht und ab und zu zur Durchführung seiner Aufträge nach Dänemark kommt.[184]

Eine umfassende geheime Militärorganisation besteht in Dänemark noch nicht, da bis zur Auflösung der dänischen Restwehrmacht am 29. August 1943 von dieser [Betätigung?] bewußt abgesehen wurde. Seitdem sind Ansätze zu einer solchen Organisation festgestellt worden, die aber in Zielsetzung und Form noch unklar sind und noch kein einheitliches Bild ergeben.

Richtig ist die Feststellung, daß alle illegalen Gruppen sich zusätzlich auch vor der dänischen Bevölkerung geheim halten, da ihre Furcht vor dem Nachrichten- und Spitzelsystem der deutschen Sicherheitspolizei noch größer ist, als die an sich hervorragenden Erfolge derselben berechtigt erscheinen lassen. Eine Mitwirkung der allgemeinen Bevölkerung an den Handlungen der illegalen Gruppen kommt aus diesem Grunde nicht in Frage.

c.) Die Abwehr

Sämtliche illegalen Gruppen in Dänemark arbeiten konspirativ, d.h. ihre Angehörigen führen offen oder unter falschen Namen ein normales Leben und finden sich nur von Fall zu Fall zur Planung und zur Ausführung ihrer Anschläge zusammen. Wenn sie nicht zufällig bei solchen Gelegenheiten überrascht werden, können sie nur durch sorgfältige Nachrichtendienst-, Ermittlungs- und Fahndungsarbeit einzeln ausfindig gemacht werden. Dabei führen die Spuren jeweils von dem einen festgenommenen Illegalen zu den übrigen Angehörigen seiner Gruppe, sodaß die Aussagen der Verhafteten das wichtigste Mittel der gesamten Abwehr sind.

Hieraus ergibt sich, daß die illegalen Gruppen in Dänemark nicht mit den Methoden des Bandenkampfes – in dem ganze Gruppen gestellt und vernichtet werden – bekämpft werden können. Auch kann sich die Vergeltung durch unmittelbares Niedermachen kaum gegen die Saboteure selbst richten, da sie nur einzeln ermittelt werden und jeder [Krattelte?] von unschätzbarem Wert für die Ermittlung der übrigen ist.

Unter Berücksichtigung der in den letzten 1½ Jahren gemachten Erfahrungen sowie der mir bekannten Befehle halte ich die folgenden Maßnahmen zur Abwehr der feindlichen Störungsversuche für möglich und zweckmäßig:
1.) Niedermachen aller bei ihrer Tätigkeit betroffenen Terroristen;
2.) Vergeltungsmorde und Vergeltungssabotage gegen Personen und Objekte, die den Widerstandskräften nachstehen;
3.) Sicherheitspolizeiliche Ermittlungen und Fahndungen gegen die geheimen Organisationen und ihre Mitglieder, die nach ihrer Verhaftung mit allen Mitteln zu Aufdeckung ihrer Komplizen, Organisationen, Sprengstoff- und Waffenlager usw. gezwungen werden müssen;[185]

---

184 Det var ikke tilfældet, men det var en bekvem formindskelse af problemets omfang.
185 Med denne formulering bifaldt og anbefalede Best tortur.

4.) Verurteilung der Schuldigen, um durch die Veröffentlichung der Urteile der Bevölkerung die Gefährlichkeit der Verbrechen und die Berechtigung des deutschen Zugreifens zu demonstrieren;[186]
5.) Nach der Verurteilung – wenn weiterhin Hinrichtungen unterbleiben sollen – Verbringung der Verurteilten in das Reich im Sinne des "Nacht- und Nebel-Erlasses," so daß niemand mehr etwas über ihr Schicksal erfährt.[187]

d.) Die politische Lenkung
Bis die dänische Bevölkerung durch Tatsachen überzeugt wird, daß das Deutsche Reich diesen Krieg gewinnt, wird keine Änderung in den Formen der politischen Lenkung des Landes möglich und zweckmäßig sein. Bemühungen um die Bildung einer neuen dänischen Regierung würden, wenn sie an die Zeit vor dem 29. August 1943 anknüpfen, als Schwächezeichen ausgelegt. Für eine zu oktroyierende Staatsführung nationalsozialistischer Prägung aber stehen keine geeigneten Persönlichkeiten zur Verfügung; im übrigen würde hierdurch der einhellige Widerstand des gesamten dänischen Volkes zum Schaden der Ordnung und der Produktion provoziert werden.

Es ist deshalb zu empfehlen, weiterhin die innerdänischen Angelegenheiten von der politisch neutralen Verwaltung unter deutscher Aufsicht wahrnehmen zu lassen, die für deutsche Interessen arbeitende Bevölkerung nicht für feindliche Störaktionen büßen zu lassen und örtliche Ordnungsstörungen durch unverzügliches scharfes Durchgreifen schnellstens zu beenden. Wenn in dem Operationsgebiet Dänemark der Feind durch Agenten und Werkzeuge operiert, so ist die Abwehr in wirksamster Weise gegen diese Agenten und Werkzeuge zu richten, aber nicht die politische Behandlung des ganzen Landes gemäß den Wünschen des Feindes, der ständig eine Verschärfung der Lage in den besetzten Gebieten erstrebt zu gestalten.

*Berlin, den 27. Juli 1944*
gez. **Best**


## 106. Paul Barandon an das Reichsernährungsministerium 27. Juli 1944

Barandon sendte AA et telegram til videreforsendelse til REM. Idet han trak linjen tilbage til besættelsens begyndelse, gjorde han klart, hvor stor og stigende betydning den danske landbrugseksport til Tyskland havde, og at den fortsat ville stige, såfremt Tyskland leverede en række for produktionen nødvendige varer. Men derudover skulle der også være den nødvendige arbejdskraft til udbygning af det intensive landbrug, og det kunne kun ske, når en betragtelig del af de ved befæstningsarbejderne ansatte folk frigjordes.

Da baggrunden for, at Barandon afsendte dette brev i Bests fravær, er ubekendt, er det ikke helt gennemskueligt, hvad han ville opnå, men det er klart, at hensigten var at sikre den nødvendige arbejdskraft til dansk landbrug ud over de fortsatte leverancer for at holde produktionen oppe.

Kilde: PA/AA R 113.561.


---

186 Trods Hitlers opfattelse og ordre fastholdt Best sit syn på betydningen af retsforfølgelse og offentliggørelse af domme.
187 Hermed bragte Best sig i overensstemmelse med føreren.

Telegramm

Kopenhagen, den                      27. Juli 1944                    18.35 Uhr
Ankunft, den                          28. Juli 1944                    01.30 Uhr

Nr. 896 vom 27.7.[44.]

Für Reichsernährungsministerium.
Auf Fernschreiben vom 18.7.1944[188] – V, 4 – 656 –

Nach der Besetzung Dänemarks im April 1940 war das Ziel der deutschen Maßnahmen auf landwirtschaftlichem Gebiet die Erhaltung einer größtmöglichen Produktion an Lebensmitteln und damit eine möglichst große Ausfuhr nach Deutschland. Da die bisherigen umfangreichen Zufuhren an Futtermitteln und Ölfrüchten fortfielen, war eine Umstellung der dänischen Landwirtschaft auf verstärkte Eigenerzeugung an Futtermitteln erforderlich. Auf diesem Gebiet sind deutscherseits – teils durch die von hier aus veranlaßte Herausgabe von Aufklärungsschriften, teils durch Verhandlungen mit den dänischen Fachorganisationen – verschiedene Maßnahmen veranlaßt worden. Der Hackfruchtanbau, insbesondere der Anbau von Kartoffeln, wurde vergrößert. Der vermehrte Hackfruchtanbau gab die Grundlage für eine verstärkte Schweinehaltung und für eine Ausmästung schwerer Schweine über 100 kg. Schlachtgewicht. Deutscherseits wurden zur Silierung der Futterkartoffeln die erforderlichen Dämpfanlagen zur Verfügung gestellt. Um die vorhandene Eiweißlücke zu schließen, wurde durch den verstärkten Bau von Grünfuttersilos eine vermehrte Silofuttergewinnung erreicht. Insbesondere wurde die Nutzbarmachung des Rübenblattes propagiert. Um eine weitere Einsparung von Eiweißfutter zu erreichen, wurde weiterhin eine rationelle eiweißsparende Fütterung bei Pferden und Milchkühen angeregt. Besondere Aufmerksamkeit wurde der Aufklärung für eine verbesserte Heuerzeugung und Heugewinnung gewidmet. Die überraschenderweise in Dänemark in der Zeit nach dem ersten Weltkriege immer stärker vernachlässigt wurde. Der Erfolg aller dieser Maßnahmen kommt am besten durch die alles Erwarten übersteigenden dänischen Lebensmittellieferungen nach Deutschland zum Ausdruck. Selbst maßgebende Kreise der dänischen Landwirtschaft – so z.B. der dänische Landwirtschaftsattaché Jakobsen in Berlin – erklärten, daß die tatsächliche Produktionskraft in den vergangenen Jahren alle Berechnungen, auch die optimistischen, übertroffen hat. Eine weitere Steigerung wäre möglich, wenn deutscherseits genügend künstliche Düngemittel und andere landwirtschaftliche Betriebsmittel geliefert werden könnten. Die bisherigen Lieferungen an Stickstoffdüngemitteln reichen nicht aus, um eine Vollernte zu erzielen. Die geringen Lieferungen an Phosphorsäure-Düngemittel werden sich auf die Erträge von Getreide und Hackfrüchten bald ungünstig auswirken. Deutscherseits konnte die Lieferung von landwirtschaftlichen Maschinen im letzten Jahr wohl, erhöht werden. Es fehlt aber vor allen Dingen an Erntemaschinen und an Ersatzteilen für landwirtschaftliche Maschinen. Die deutschen Lieferungen an Schädlingsbekämpfungsmitteln sind in den letzten Jahren ebenfalls bedeutend, wenn

---

188 Fjernskrivermeddelelsen er ikke lokaliseret.

auch nicht ausreichend gewesen, der verstärkte Samenanbau und der vermehrte Obstbau in Dänemark erfordern naturgemäß einen größeren Einsatz hochwertiger Schädlingsbekämpfungsmittel wie Nikotin- und Arsenhaltige Spritzmittel. Bei ausreichender Lieferung von Bekämpfungsmitteln kennen die Erträge der Kulturpflanzen noch weiter erhöht werden. Auf dem Saatgutgebiet wurden deutsche Lieferungen insbesondere dort vorgenommen, wo die dänische Landwirtschaft sich gegenüber der deutschen Landwirtschaft im Kuckstand befindet. Dies gilt insbesondere für die Lieferung von Petkusroggen (Hochzucht), Süßlupinen (Hochzucht), Zuckerrübensamen, Rotklee, Luzerne und Sommerwicken. Um mehr eiweißreiches Futter gewinnen zu können, wurden vor allem die Lieferungen von Süßlupinen und Luzerne verstärkt. Durch die Lieferungen von Petkusroggen sollte erreicht werden, daß der immer noch weit verbreitete Anbau von Landroggensorten verdrängt wird, um damit auch auf diesem Gebiet die sonst über allem Durchschnitt stehenden Getreideerträge zu heben. Auf dem Gebiete der landwirtschaftlichen Forschung und Schulung ist deutscherseits kein nennenswerter Beitrag geleistet worden. Die dänische landwirtschaftliche Forschung und das dänische landwirtschaftliche Schul- und Unterrichtswesen stehen auf einer Stufe, die der deutschen ebenbürtig, wenn nicht sogar überlegen ist. Als konkretes Ziel in der landwirtschaftlichen Erzeugung kann folgender Satz aufgestellt werden: Auch bei Wegfall von 1,5 Millionen to Einfuhr an eiweißhaltigen Ölkuchen und Futtergetreide, muß die gleiche landwirtschaftliche Produktion durch Intensivierung und Umstellung erzielt werden. Man ist sich deutscherseits darüber klar, daß dieses Ziel nur dann erreicht werden kann, wenn der dänischen Landwirtschaft neben ausreichender Versorgung an Betriebsmitteln auch wieder genügend Arbeitskräfte für den stark zu intensivieren dem Hackfruchtbau zur Verfügung gestellt werden können. Mit genügender Arbeitskraft kann praktisch aber erst dann gerechnet werden, wenn von den Befestigungsbauten ein erheblicher Teil der dort beschäftigten Leute wieder frei wird.

**Barandon**

### 107. Hans-Heinrich Wurmbach an OKM 28. Juli 1944

Wurmbach kunne meddele, at Best havde oplyst, at Dansk Røde Kors stillede sig positivt til at udruste et lazaretskib og nu søgte at skaffe midlerne hos den danske centraladministration, som principielt havde givet sin tilslutning.

Det får stå hen, om Best havde været for hurtigt ude med denne positive nyhed eller om centraladministration havde søgt at forbedre samarbejdet med denne tilsyneladende indrømmelse. I hvert fald var den sag langtfra afgjort.

Se Seekriegsleitung til Seekriegsleitung Adm. Qu I 31. juli 1944.

Kilde: BArch, Freiburg, RM 7/1813.

LT MDKP 70356 28/7 1925
OKM 1 Skl

Betr.: Bereitstellung eines Laz-Schiffes.

Vorg.: OKM 1 Skl 1 21410/44 II. Ang Koralle.[189]

Nach Auskunft Reichsbevollmächtigten Angelegenheit im positiven Sinne im Anlauf. Rotes Kreuz bemüht sich um Bereitstellung der Mittel bei der Zentralverwaltung, die grundsätzlich zugestimmt hat.

Bemühungen um Erhalt eines geeigneten Schiffes ebenfalls im Gange.

Adm Skagerrak H 6628 Qu III

### 108. Adolf von Steengracht an Joachim von Ribbentrop 28. Juli 1944

Steengracht orienterede von Ribbentrop om mødet med Best angående domsanvendelsen i Danmark. Ved mødet var der bl.a. blev drøftet, hvilke konsekvenser Hitlers anordning om behandling af terrorister og sabotører ville få for domsanvendelsen. Den ville kun gælde for terror- og sabotagehandlinger rettet mod værnemagten, SS og tysk politi, mens spionage, kommunistisk agitation og almindeligt tyveri ikke ville være omfattet deraf. Her skulle domsanvendelse fortsat finde sted. Derfor skulle Best aftale det nærmere om en domstol derfor med HSSPF. Der blev drøftet et udkast til en forordning for en sådan domstol.

Den 30. juli blev von Ribbentrop mere udførligt meddelt resultaterne af møderne med Best.

Kilde: RA, pk. 229.

1.) Auf Grund der mir durch Drahterlaß 998 vom 13. Mai[190] aus dem Sonderzug übermittelten Weisung habe ich dem Reichsbevollmächtigten Dr. Best hierher kommen lassen und ihm von der Auffassung des Herrn Reichsaußenministers über die Gestaltung der Gerichtsbarkeit in Dänemark Kenntnis gegeben.

2.) Bei der Besprechung ist besonders auch die Frage geprüft worden, welchen Einfluß die neuerlichen Anordnungen des Führers über die Behandlung von Terror- und Sabotagefällen auf die Gerichtsbarkeit haben. Das OKW hat den anliegenden Entwurf eines Führererlasses, betreffend die Bekämpfung von Terroristen und Saboteuren in den besetzten Gebieten vorbereitet, der aber dem Führer noch nicht vorgelegt worden ist.[191] Wenn im Sinne dieses Entwurfs als Terror- und Sabotagehandlungen nur Gewalttaten gegen die Wehrmacht, SS und Polizei und gegen Einrichtungen, die ihren Zwecken dienen, anzusehen sind, bleibt für die Gerichtsbarkeit noch ein erheblicher Raum. Insbesondere würden Spionagefälle, kommunistische Agitation, einfache Diebstähle und Beleidigungen nach wie vor gerichtlich abzuurteilen sein.

3.) Nach der Weisung des Herrn Reichsaußenministers soll der Reichsbevollmächtigte für die Straftaten von Nichtdeutschen, die die Wehrmacht nicht an sich zu ziehen beabsichtigt, von sich aus ein besonderes Gericht einsetzen und mit der Bildung dieses Sondergerichts in einzelnen den Höheren Polizeiführer in Dänemark beauftragen, der seinerseits des Einverständnis des Reichsführers SS als seiner vorgesetzten Behörde einzuholen hätte. Es dürfte nicht in Betracht kommen, dies Gericht als ziviles Gericht zu bilden, weil durch Einsetzung eines Zivilgerichts ebenso wie durch die vom Herrn Reichsaußenminister beanstandete SS- und Polizeigerichtsbarkeit nach

---

189 Trykt ovenfor 14. juni 1944.
190 Trykt ovenfor.
191 Det udaterede udkast vedligger (nr. 331.235), men er ikke medtaget. Se Führererlaß 30. juli 1944, trykt nedenfor.

außen hin der Eindruck erweckt werden würde, als ob Dänemark als Bestandteil des Reichs betrachtet würde. Das einzusetzende Gericht müßte vielmehr sich neben die Feldgerichte der Wehrmacht stellen und wäre zweckmäßig als Sonderfeldgericht zu bezeichnen. Seine Bildung würde der Höhere Polizeiführer in Dänemark nach den für die Waffen-SS geltenden Grundsätzen als Gerichtsherr durchzuführen haben.

4.) Auf Grund der Besprechung hat die Rechtsabteilung den beiliegenden Entwurf für eine Verordnung des Reichsbevollmächtigten gefertigt, der gegenüber den früher dem Herrn Reichsaußenminister vorgelegten Entwurf in einzelnen Punkten ergänzt ist.[192] Der Entwurf muß zunächst noch mit der Wehrmacht, – schon im Hinblick auf die noch ausstehende Führerentscheidung über den Begriff der Terror- und Sabotageakte, – und mit den Reichsführer SS abgestimmt werden.

Ich bitte um Ermächtigung, diesem Entwurf zur Grundlage der Erörterungen mit dem OKW und Reichsführer SS zu machen.

Hiermit dem Herrn Reichsaußenminister vorgelegt.

*Berlin, den 28. Juli 1944.*

gez. **Steengracht**


### 109. Seekriegsleitung an Seekriegsleitung Qu VI 28. Juli 1944

Seekriegsleitung meddelte skibsfartsafdelingen, at AA havde givet Best besked om at beslaglægge de fire krævede skibe for Kriegsmarine. Som ønsket af AA skulle Kriegsmarine fremover sørge for straks at overføre beslaglagte skibe til Tyskland.

Sidstnævnte var en delvis imødekommelse af AAs og dermed Bests ønske til Kriegsmarine. Trods det var Seekriegsleitungs optimisme ubegrundet. Beslaglæggelserne fandt ikke sted umiddelbart derefter og blev siden indstillet. Hvorfor vil fremgå af RWM til Behr og Ludwig 21. august 1944.

Kilde: BArch, Freiburg, RM 7/1813.

Geheim!      Kommandosache!
Seekriegsleitung      *Berlin, den 28. Juli 1944.*
Zu: B-Nr. 1. Skl. I. i 23 295/44 gKdos.

An Skl. Adm. Qu VI – Pr. Nr. 1.

Betr.: Inanspruchnahme aufliegender dänischer Handelsschiffe.

In obiger Angelegenheit hat das Auswärtige Amt gemäß Anlage geantwortet.[193] Danach ist der Reichsbevollmächtigte in Dänemark nunmehr angewiesen worden, die Beschlagnahme der 4 neu angeforderten dänischen Schiffe durchzuführen.

Es wird aus den von Staatssekretär Steengracht hervorgehobenen Gründen erneut gebeten, Vorsorge zu treffen, daß nur solche Fahrzeuge in Anspruch genommen werden, deren Überführung nach Deutschland unverzüglich erfolgen kann.

I a I i

---

192 Se udkastet vedhæftet Steengracht til Ribbentrop 30. juli 1944 (jfr. Bests forklaring 27. april 1948 (LAK, Best-sagen)).
193 AA til OKM 17. juli 1944, trykt ovenfor.

## 110. Das Auswärtige Amt an das Reichsministerium für Volksaufklärung und Propaganda 29. Juli 1944

AA havde taget stilling til RMVPs forslag af 2. juni om dagligt at sende tyskproducerede radioudsendelser på dansk til den danske befolkning over Kalundborgsenderen. Forslaget var sendt videre til Best, selv om ministeriet ikke delte den opfattelse om propagandasituationen i Danmark, der var fremsat i brevet. Best bestred for det første, at enhver kunne købe illegale skrifter, og for det andet anså han RMVPs forslag for overflødigt, da den danske radio siden 29. august 1943 havde stået under hans opsigt, og at den danske befolkning blev oplyst i tysk retning på enhver måde. AA delte Bests opfattelse.

Kilde: RA, Danica 465: Moskva, Osobyj Archiv, 1363/1/163/143.

Rfk/A 3000/6.1.43/708.1,2
Auswärtiges Amt *Berlin W 8, den 29. Juli 1944*
Ru 4775 Kronenstr. 10

An das Reichsministerium für Volksaufklärung und Propaganda
Berlin W 8
Wilhelmplatz 8-9

Betr.: Stimme des Reiches in Dänemark.

Bezug: Dort. Schreiben Rfk/3000/6.1.43/708-1,2 vom 18. Juni 44; und Rfk/A 3000/6. 1.43/708-1,2 vom 28. Juni 1944.[194]

Zu der Frage der Zweckmäßigkeit einer nach dem Muster von "Voix du Reich" geplanten täglichen Sendung in Dänemark über den Sender Kalundborg wird wie folgt Stellung genommen:

Obgleich die in dem angezogenen Schreiben zum Ausdruck gebrachte Auffassung über die Propagandalage in Dänemark aufgrund der hier vorliegenden Informationen nicht geteilt werden konnte, wurde die vom Propagandaministerium vertretene Meinung dennoch dem Reichsbevollmächtigten mitgeteilt.

Der Reichsbevollmächtigte bezeichnet die Behauptung als völlig unzutreffend, insbesondere das illegale Hetzschriften in dänischer oder gar in deutscher Sprache in dortigen Buchhandlungen für jedermann zu kaufen seien. Im übrigen sei es hinreichend bekannt, daß der unter seiner Aufsicht stehende dänische Rundfunk, besonders seit dem 29.8. vorigen Jahres, das dänische Volk nach jeder nur denkbaren Richtung fortlaufend im deutschen Sinne aufklärt und daß sich diese Arbeit der feindlichen Rundfunkpropaganda gegenüber als durchweg überlegen gezeigt hat. Der Reichsbevollmächtigte hält demnach die vom Propagandaministerium geforderte Einrichtung einer täglichen in Berlin zusammengestellten Sendung für den dänischen Rundfunk für überflüssig.

Die Auffassung des Reichsbevollmächtigten wird hier geteilt.

Im Auftrag
**Kiesinger**

---

[194] De to rykkerskrivelser er ikke lokaliseret, men det viser tilbage til RMVPs brev til AA 2. juni 1944, trykt ovenfor.

### 111. Walter Forstmann an Werner Best 29. Juli 1944
UM havde 24. juli rejst indvendinger imod, at sabotageramte danske virksomheder flyttede produktionen til ubenyttede bygninger på Holmen. Forstmann afviste over for Best indvendingerne, der ikke berørte aftalen med Howaldtswerke eller havde berøring med virksomheden.
    UMs protest blev ikke taget til følge.
    Kilde: BArch, Freiburg, RW 27/16. KTB/Rü Stab Dänemark 3. Vierteljahr 1944, Anlage 11.

Abschrift!                                                                                                        Anl. 11
Chef Rüstungsstab Dänemark                                                      *29.7.1944*
– 32 –

Schreiben des Außenministeriums P.J.I. 84. V. 15 vom 24.7.1944 – Dort. Br. B. Nr. III/8448/44. Orlogswerft.

An Reichsbevollmächtigen in Dänemark,
    Hauptabteilung Wirtschaft,
    Kopenhagen.

Zu der Eingabe des Außenministeriums vom 24.7.44, betr. Überlassung unbenutzter Gebäude auf dem Holmen an dänische durch Sabotage zerstörte Betriebe, wird wie folgt Stellung genommen:
1.) Die an dänische Firmen im Einvernehmen mit Admiral Skagerrak zur Verfügung gestellten Gebäude gehören nicht zur "Howaldtswerke A.G. als Treuhänder der Orlogswerft" und sind auch nicht von ihr frei gemacht worden.
    Auch als die Vereinbarung vom 15.1.44 zwischen dem Marineministerium und dem Reichsbevollmächtigten in Dänemark getroffen wurde, gehörten diese Gebäude nicht zu denjenigen, die an die "Howaldtswerke A.G. als Treuhänder der Orlogswerft" abgegeben werden sollten.
2.) Im Interesse der deutschen Rüstungsfertigung ist es unbedingt geboten, geeignete Räume ausfindig zu machen, wo ausgebombte dänische Betriebe ihre Produktion wieder aufnehmen können. Es wäre unvertretbar, wenn leerstehende Gebäude auf dem Holmen unbenutzt blieben.
3.) Die Arbeiter, welche für die "Howaldtswerke A.G. als Treuhänder der Orlogswerft" arbeiten, kommen nicht in Berührung mit den Arbeitern, die in den neu eingerichteten Betrieben beschäftigt sind. Kantinen, Aufenthaltsräume usw. sind vollständig getrennt. Daß die Löhne in den dänischen Betrieben je nach ihrer Fachrichtung verschieden sind, ist allgemein bekannt. Auf den Werften werden andere Löhne gezahlt wie in den Landbetrieben. Das weiß jeder dänische Arbeiter und kann deshalb nicht zu Unruhen führen.
Es wird deshalb gebeten, das Schreiben des Außenministeriums in vorstehendem Sinne zu beantworten.
                      Der Chef des Rüstungsstabes Dänemark
                              gez. **Forstmann**
                              Kapitän zur See

Nachrichtlich:
Admiral Skagerrak,
Kopenhagen.

**112. Adolf von Steengracht an Joachim von Ribbentrop 30. Juli 1944**
Efter Bests besøg i AA rekapitulerede Steengracht resultatet af møderne over for Ribbentrop i fem punkter. Når Best ikke havde informeret Ribbentrop tilstrækkeligt, var det ikke af ond vilje, men fordi han ikke var helt klar over ministeriets forretningsgang. Med hensyn til den almindelige situation i Danmark og hvilke foranstaltninger, der skulle træffes, blev henvist til Bests beretning af 27. juli. Det gjaldt også for punkt 4 om sabotagebekæmpelsen, hvor Steengracht mente, at Best havde foreslået de nødvendige foranstaltninger. Det sidste punkt gjaldt udøvelsen af tysk jurisdiktion, hvor Best var fremkommet med endnu et forslag, der på nogle punkter afveg fra det tidligere udkast, der havde været forelagt Ribbentrop. Steengracht anbefalede, at udkastet blev forelagt OKW og RFSS. Den afsluttende vurdering var, at Best kunne gennemføre sine opgaver i Danmark.

Den tjenstlige tilrettevisning af Best blev fremstillet i urbane vendinger, men der er ikke tvivl om, at AA gerne havde været foruden Hitlers raseriudbrud i anledning af generalstrejken i København. Det er bemærkelsesværdigt, at diskussionen om udøvelsen af tysk jurisdiktion kunne fortsætte i AA, når Hitler 1. juli havde forbudt retsforfølgelse af terrorister i de besatte lande. Det var, som var alvoren af førerordren ikke sivet ind i Wilhelmstraße endnu, og i hvert fald synes alvoren ikke at have fæstnet sig hos Best, når han endnu kunne fremkomme med et nyt udkast til forordningen. Da Hitlers ordre samme dag blev givet i uddybet form, faldt videre drøftelser i AA af jurisdiktionsspørgsmålet til jorden. Best forklarede 1948, at udkastet "bedeutet einen Versuch des Auswärtigen Amtes, entgegen dem allgemeinen Gerichtsverbot Hitlers dennoch die Kriegsgerichtsbarkeit wegen irgendwelcher Angriffe gegen die deutschen Besatzung erneut zu Erörterung zu stellen." (Bests forklaring 27. april 1948 (LAK, Best-sagen og RA, Danica 234, pk. 89, læg 1161), Rosengreen 1982, s. 115).

Kilde: RA, pk. 229. LAK, Best-sagen (på dansk).

St.S. Nr. 205                                                                                                          *Berlin, den 30. Juli 1944.*

Auf Grund der mir vom Herrn Reichsaußenminister erteilten Weisung habe ich den Reichsbevollmächtigten Dr. Best hierherkommen lassen. In den Sitzungen am 26. und 27. Juli wurde die Frage der allgemeinen Amtsführung des Reichsbevollmächtigten in Dänemark sowie die Frage der Errichtung eines Sonderfeldgerichts behandelt.

Eingangs habe ich dem Reichsbevollmächtigten in nicht misszuverstehender Weise die Ansichten des Herrn Reichsaußenministers über sein Verhalten gemäß den mir erteilten Anordnungen wiedergegeben. Ich habe insbesondere ausgeführt, daß der Herr Reichsaußenminister kategorisch verlange, daß seine Befehle – entsprechend den Weisungen des Führers – rückhaltlos durchgeführt werden. Insbesondere sei jegliche Weichheit völlig fehl am Platze und ausschließlich härtestes Durchgreifen auch im Interesse der Dänen erforderlich.

Die erste Unterredung fand in Gegenwart von Unterstaatssekretär Hencke und Gesandten von Grundherr, die zweite unter Hinzuziehung von Gesandten Albrecht und Vortragenden Legationsrat Wagner statt.

Im einzelnen wurde besprochen:

1.) weshalb der Herr Reichsaußenminister nicht hinreichend informiert worden ist;

2.) die allgemeine Lage in Dänemark;
3.) welche Maßnahmen in Dänemark getroffen werden sollen;
4.) in welcher Weise diejenigen Personen zu behandeln sind, die sich gegen deutsche Interessen vergehen;
5.) die Errichtung des Sonderfeldgerichts.

Zu diesen Punkten hat der Reichsbevollmächtigte in anliegender Aufzeichnung Stellung genommen.[195]

Mein Eindruck zu den einzelnen Punkten ist folgender:

zu 1.): Der Reichsbevollmächtigte ist niemals im Auswärtigen Amt beschäftigt gewesen. Die Struktur und die Arbeitsweise des Auswärtigen Amts sind ihm daher nicht geläufig gewesen. Er vermochte nicht zu unterscheiden zwischen denjenigen Dingen, die zur reinen Tagesarbeit des Reichsbevollmächtigten gehören und kein weitergehendes außenpolitisches Interesse haben und denjenigen Dingen, über die eine fortlaufende Berichterstattung an den Herrn Reichsaußenminister unter allen Umständen zu erfolgen hat. So hat er seinerzeit auf besondere Anforderung hin in der Art der militärischen Tagesmeldungen täglich einen polizeiähnlichen Bericht gegeben. Er glaubte, mit dieser Berichterstattung die laufende Unterrichtung weitgehend erschöpft zu haben. Die Häufigkeit dieser zum Teil nichtssagenden Berichte veranlaßte den Herrn Reichsaußenminister, die Weisung zu erteilen, daß nur noch wichtigere Meldungen zu geben seien. Diese Weisung ist vom Reichsbevollmächtigten offenbar nicht richtig verstanden worden; anschließend wurde die Berichterstattung vor allem in dem Punkte der gerichtlichen Verfahren und der Sabotagebekämpfung lückenhaft.

Die Tatsache der Verurteilung von Dänen zum Tode hat der Reichsbevollmächtigte des Auswärtigen Amt gemeldet. Er hat in diesem Drahtbericht angekündigt, daß er die verhängten Todesurteile vollstrecken werde, je nach dem Verhalten der dänischen Zivilbevölkerung. Er fühlte sich nach seiner Bekundung hierzu berechtigt, da er die Ausführungen des Führers in der Besprechung am 30. Dezember so verstanden hatte. Er gibt zu, daß auch der Wehrmachtbefehlshaber, der an der Besprechung beim Führer teilgenommen hatte, auf Grund eines ordentlichen Gerichtsverfahrens nach dem 30. Dezember noch 8 Todesurteile gefällt und 2 von diesen vollstreckt habe. Es sei ihm bekannt, daß bis zum Führerbefehl vom 3. Juli 1944 auch der Reichskommissar in Norwegen in gleicher Weise vorgegangen ist.

Die Weisung des Führers, im stärksten Masse gegen Sabotage durchzugreifen, habe er, soweit dies mit den ihm zur Verfügung stehenden Kräften möglich gewesen sei, durchgeführt.

Zusammenfassend kann zu Punkt 1.) seines Erachtens folgendes gesagt werden:

Eine Absicht des Reichsbevollmächtigten, die Befehle des Führers nicht auszuführen, lag meines Erachtens unter keinen Umständen vor. Wie ich eingangs erwähnte, ist es auf eine gewisse Unkenntnis zurückzuführen, daß der Herr Reichsaußenminister nicht hinreichend informiert wurde. Zu diesem Punkt habe ich den Reichsbevollmächtigten über die Notwendigkeiten und die Befehle des Herrn Reichsaußenministers genauestens informiert. Ich werde ferner den Gesandten Barandon anweisen, auch seinerseits für

---

195 Bests beretning til AA 27. juli 1944.

eine genügende Berichterstattung Sorge zu tragen.

Zu den Punkten 2.) und 3.) hat sich der Reichsbevollmächtigte in der anliegenden Aufzeichnung eingehend geäußert.[196] Er hat insbesondere darauf hingewiesen, daß offenbar durch anderweitige Berichterstattung der Eindruck entstanden sei, als sei die Sabotagetätigkeit in Dänemark im Verhältnis zu anderen Ländern besonders groß.[197] Falls seine Angabe stimmt, daß es in ganz Dänemark nur etwa 200 Banditen gibt, so scheint mir diese Zahl in der Tat im Verhältnis zu anderen von uns besetzten Gebieten sehr günstig.[198] Desgleichen darf nicht verkannt werden, daß die landwirtschaftliche Produktion im Laufe der letzten Jahre in Dänemark ständig gestiegen ist. Desgleichen sind die Lieferungen in das Reich zum Beispiel bei Fleisch im Laufe des letzten Jahres von 74.000 to auf 150.000 to gestiegen. An Zahlungen für Wehrmachtzwecke hat Dänemark bisher 7,12 Milliarden Kronen geleistet. Die Befestigungsarbeiten in Jütland wurden planmäßig durchgeführt. Ich führe diese wenigen Zahlen lediglich an, da ich glaube, daß sie angetan sind, die These des Reichsbevollmächtigten, wonach die Banditentätigkeit auf eine beschränkte Personenzahl zurückgeht, zu rechtfertigen.

Zu Punkt 4.) hat sich der Reichsbevollmächtigte unter III c geäußert. Ich halte diese Vorschläge für brauchbar. Sie sehen vor allem die vom Führer angeordneten Maßnahmen gegen Sabotage vor und sodann weitere Maßnahmen in Durchführung dieser Führer-Anordnung.

Alle Fälle, in denen ein Todesurteil gefällt wurde, sind erledigt, sodaß die seinerzeit vom Reichsbevollmächtigten aufgeworfene Frage nicht mehr zur Diskussion steht. Über die Errichtung des Sonderfeldgerichts ist sehr eingehend gesprochen worden. Es wurde insbesondere geprüft, welchen Einfluß die neuerlichen Anordnungen des Führers über die Behandlung von Terror- und Sabotagefällen auf die Gerichtsbarkeit haben werden. Das OKW hat den anliegenden Entwurf eines Führererlasses, betreffend die Bekämpfung von Terroristen und Saboteuren in den besetzten Gebieten vorbereitet, der aber dem Führer noch nicht vorgelegt worden ist.[199] Wenn im Sinne dieses Entwurfs als Terror- und Sabotagehandlungen nur Gewalttaten gegen die Wehrmacht, SS und Polizei und gegen Einrichtungen, die ihren Zwecken dienen, anzusehen sind, bleibt für die Gerichtsbarkeit noch ein erheblicher Raum. Insbesondere würden Spionagefälle, kommunistische Agitation, einfache Diebstähle und Beleidigungen nach wie vor gerichtlich abzuurteilen sein.

Nach der Weisung des Herrn Reichsaußenministers soll der Reichsbevollmächtigte für die Straftaten von Nichtdeutschen, die die Wehrmacht nicht an sich zu ziehen beabsichtigt, von sich aus ein besonderes Gericht einsetzen und mit der Bildung dieses Sondergerichts im einzelnen den Höheren Polizeiführer in Dänemark beauftragen, der seinerseits das Einverständnis des Reichsführers SS als seiner vorgesetzten Behörde einzuholen hätte. Es dürfte nicht in Betracht kommen, dies Gericht als ziviles Gericht

---

196 Bests beretning til AA 27. juli 1944.
197 Dette skrev Best ikke 27. juli, men han udtrykte det muligvis mundtligt på mødet. Han havde BdS og HSSPF i tankerne.
198 Best skrev ikke 27. juli, at der var 200 "banditter" i alt, men at der var 200 af SOE-organiserede, hvortil kom den kommunistiske modstandsbevægelse.
199 Se Führererlaß af samme dato.

zu bilden, weil durch Einsetzung eines Zivilgerichts ebenso wie durch die vom Herrn Reichsaußenminister beanstandete SS- und Polizeigerichtsbarkeit nach außen hin der Eindruck erweckt werden würde, als ob Dänemark als Bestandteil des Reichs betrachtet würde. Das einzusetzende Gericht müßte vielmehr sich neben die Feldgerichte der Wehrmacht stellen und wäre zweckmäßig als Sonderfeldgericht zu bezeichnen. Seine Bildung würde der Höhere Polizeiführer in Dänemark nach den für die Waffen-SS geltenden Grundsätzen als Gerichtsherr durchzuführen haben.

Auf Grund der Besprechung hat die Rechtsabteilung den beiliegenden Entwurf für eine Verordnung des Reichsbevollmächtigten gefertigt, der gegenüber dem früher dem Herrn Reichsaußenminister vorgelegten Entwurf in einzelnen Punkten ergänzt ist.[200]

Der Entwurf muß zunächst noch mit der Wehrmacht – schon im Hinblick auf die noch ausstehende Führerentscheidung über den Begriff der Terror- und Sabotageakte – und mit dem Reichsführer-SS abgestimmt werden.

Ich bitte um Ermächtigung, diesen Entwurf zur Grundlage der Erörterungen mit dem OKW und Reichsführer-SS zu machen.

Ich bin der Ansicht, daß der Reichsbevollmächtigte sich im Klaren darüber ist, welche Einstellung der Herr Reichsaußenminister zu den einzelnen Punkten einnimmt und in welche Lage er durch sein Verhalten geraten ist.

Der Reichsbevollmächtigte hat abschließend erklärt, daß er sich in Zukunft in striktester Weise nach allen Anordnungen des Herrn Reichsaußenministers genau richten werde. Der Reichsbevollmächtigte hat sodann seinem Wunsch Ausdruck gegeben, des Häufigeren kurze Reisen ins Auswärtige Amt unternehmen zu wollen, um noch dadurch den notwendigen Kontakt zu halten und sich so unmittelbar über die Anordnungen des Herrn Reichsaußenministers unterrichten zu lassen.[201]

Ich habe den Eindruck, daß Dr. Best in der Lage sein wird, nunmehr seinen Auftrag in Dänemark durchzusetzen.

Hiermit dem Herrn Reichsaußenminister mit der Bitte um Entscheidung vorgelegt.

gez. **Steengracht**

Entwurf
Verordnung über die deutsche Strafgerichtsbarkeit in Dänemark gegen Zivilpersonen, die nicht dem Gefolge der deutschen Wehrmacht angehören, vom ...... 1944.

Auf Grund der mir vom Führer erteilten Ermächtigung verordne ich für die Ausübung der deutschen Strafgerichtsbarkeit im Dänemark gegen Zivilpersonen, die nicht zum Gefolge der Deutschen Wehrmacht gehören.

§ 1
Deutsche sind dem Kriegsverfahren wegen aller von ihnen in Dänemark begangenen Straftaten unterworfen, Nichtdeutsche nur wegen der Straftaten, die deutsche Interessen berühren.

---

200 Udkastet er trykt efterfølgende.
201 Det blev ved hensigtserklæringen. Best kom fortsat sjældent til Berlin. I efteråret 1944 var han i Tyskland tre gange i alt.

§ 2
(1) Für Zivilpersonen, die nicht zum Gefolge der Deutschen Wehrmacht gehören, sind die Wehrmachtgerichte zuständig, wenn es sich handelt um:
1.) militärische Spionage, militärischen Landesverrat oder Zerstörung der Wehrkraft nach § 5 Abs. 1 KSSVO, soweit die Straftat sich gegen die Deutsche Wehrmacht richtet,
2.) unmittelbare Angriffe gegen die Ehre der Deutschen Wehrmacht oder Gebäude, Räume, Anlagen oder Schiffe, die sich im Besitze der Deutschen Wehrmacht befinden,
3.) unmittelbare Angriffe gegen Leib, Leben oder Ehre von Angehörigen der Deutschen Wehrmacht oder ihres Gefolges,
4.) Straftaten, an denen Angehörige der Deutschen Wehrmacht oder ihres Gefolges beteiligt sind.

(2) Im übrigen geht die Zuständigkeit der Wehrmachtgerichtsbarkeit zur Aburteilung von Zivilpersonen, die nicht zum Gefolge der Deutschen Wehrmacht gehören, auf das von mir eingesetzte Sonderfeldgericht in Kopenhagen über.

§ 3
Der Wehrmachtbefehlshaber und der Gerichtsherr des Sonderfeldgerichte können im Einzelfall hiervon abweichend die Zuständigkeit der anderen Gerichtsbarkeit vereinbaren.

§ 4
Der Wehrmachtbefehlshaber und der Gerichtsherr des Sonderfeldgerichts können auch Verfahren gegen Nichtdeutsche dem Reichsbevollmächtigten in Dänemark zur Entscheidung über die weitere Strafverfolgung vorlegen.

§ 5
Im Verfahren des Sonderfeldgerichts übt der Gerichtsherr das Bestätigungs- und Aufhebungsrecht, der Reichsbevollmächtigte in Dänemark das Gnadenrecht aus.

§ 6
Diese Verordnung tritt am ...... 1944 in Kraft. Die Verordnung über die Erweiterung der Zuständigkeit des SS- und Polizeigerichts XXX in Kopenhagen vom 24. April 1944 tritt gleichzeitig außer Kraft.

## 113. Adolf Hitler: Führererlaß 30. Juli 1944

Førerordre: De tiltagende terror- og sabotagehandlinger i de besatte områder gjorde de kraftigste modforanstaltninger nødvendige. Terrorister og sabotører, der blev taget på fersk gerning, skulle nedkæmpes på stedet, senere pågrebne skulle overgives til sikkerhedspolitiet.

Generalstrejken i København fik en betydning, der rakte langt ud over Danmark – til alle de af Tyskland besatte områder. Mødet om strejken 1. juli havde bragt Hitlers ønske om terrorforanstaltninger i stedet for retsforfølgelse i centrum ved sabotage- og modstandsbekæmpelse. Den 30. juli mundede det ud i en førerforordning, der gjorde dette princip gældende for tysk besættelsespolitik overalt. Førerordren blev modtaget i Danmark 23. august og straks videregivet til kommandanterne (KTB/WB Dänemark 23. august 1944, Rosengreen 1982, s. 116).

Kilde: RA, pk. 222. IMT, 35, s. 503f. ADAP/E, 8, nr. 250. Moll 1997, s. 435f.

| | |
|---|---|
| Geheime Kommandosache | Anl. 1 |
| Der Führer | F.H. Qu., den 30.7.1944. |
| OKW/WFSt/Qu 2/Verw. l Nr. 009169/44 g. K. | 30 Ausfertigungen |
| | 24. Ausfertigung |

Betr. Bekämpfung von Terroristen und Saboteuren in den besetzten Gebieten, Gerichtsbarkeit.

Die ständig zunehmenden Terror- und Sabotageakte in den besetzten Gebieten, die mehr und mehr von einheitlich geführten Banden begangen werden, zwingen zu schärfsten Gegenmaßnahmen, die der Härte des uns aufgezwungenen Krieges entsprechen. Wer uns im entscheidenden Stadium unseres Daseinskampfes in den Rücken fällt, verdient keine Rücksicht. Ich befehle daher:

I.) Alle Gewalttaten nichtdeutscher Zivilpersonen in den besetzten Gebieten gegen die Deutsche Wehrmacht, SS und Polizei und gegen Einrichtungen, die deren Zwecken dienen, sind als Terror- und Sabotageakte folgendermaßen zu bekämpfen:
   1.) Die Truppe und jeder einzelne Angehörige der Wehrmacht, SS und Polizei haben Terroristen und Saboteure, die sie auf frischer Tat antreffen, sofort an Ort und Stelle niederzukämpfen.
   2.) Wer später ergriffen wird, ist der nächsten örtlichen Dienststelle der Sicherheitspolizei und des SD zu übergeben.
   3.) Mitläufer, besonders Frauen, die nicht unmittelbar an Kampfhandlungen teilnehmen, sind zur Arbeit einzusetzen. Kinder sind zu schonen.
II.) Die erforderlichen Durchführungsbestimmungen erläßt der Chef des Oberkommandos der Wehrmacht.[202] Er ist zu Änderungen und Ergänzungen befugt, soweit ein Bedürfnis der Kriegführung es gebietet.

gez. **Adolf Hitler**

---

202 Wilhelm Keitel.

## 114. OKW/WFSt: Bekämpfung von Terroristen und Saboteuren 30. Juli 1944

Før Hitlers ordre vedrørende bekæmpelsen af terrorister og sabotører blev vedtaget, blev et udkast dertil drøftet med AA og Kaltenbrunner. Et notat fra OKW gengiver indholdet af denne drøftelse, hvoraf det fremgår, at udkastet i sin substans blev godtaget, men at AA ønskede det udstrakt til flere lande end foreslået, ligesom det blev understreget, at fuldbyrdelse af dødsdomme ved krigsretter skulle ophøre. Der blev direkte henvist til de følgevirkninger, som anvendelsen af dødsstraf havde haft i Danmark. WFSt foreslog at lade detaljerne henvise til udførelsesdirektiverne, ligesom det blev foreslået, at udbredelsen af befalingen blev holdt i en snæver kreds, og at tropperne kun blev mundtligt orienteret.

Drøftelsen var et klart udtryk for, at de implicerede var sig befalingens alvor bevidst.

Kilde: BArch, Freiburg, RW 4/754. RA, Danica 1069, sp. 1, nr. 1702f.

WFSt/Qu. 2 /Verw. 1  
Nr. 009169/44 g.Kdos.

30.7.1944.  
4 Ausfertigungen  
Ausfertigung.

Betr.: Bekämpfung von Terroristen und Saboteuren in den besetzten Gebieten.  
Gerichtsbarkeit gegen nichtdeutsche Zivilpersonen.

### Vortragsnotiz

I.) WR legt gemäß Weisung Chef OKW auf der Vortragsnotiz vom 19.7.44 (Anlage 2)[203] den Entwurf zu einem Führerbefehl (Anlage 1)[204] vor und bemerkt dazu:

"Auswärtiges Amt und Chef der Sicherheitspolizei und des SD sind mit dem Entwurf einverstanden.

Auf Wunsch des Auswärtigen Amtes ist die Bestimmung gestrichen worden, wonach der Befahl nicht für Finnland, Rumänien, Ungarn, Bulgarien, Kroatien und die Slowakei und nicht gegenüber Angehörigen dieser Staaten gilt. Sie soll in das Anschreiben übernommen werden.

WR hat gegen diesen Vorschlag keine Bedenken. Da der Befehl sich nur auf die besetzten Gebiete bezieht, ist klar, daß er für die genannten Staaten nicht gelten soll. Wichtig ist dagegen, daß der Erlaß die Angehörigen dieser Staaten nicht erfassen soll. Das interessiert aber im wesentlichen nur den SD; denn die Truppe, die Terroristen und Saboteure an Ort und Stelle niederkämpfen soll, kann die Staatsangehörigkeit nicht prüfen.

Auch der Chef der Sicherheitspolizei und des SD ist damit einverstanden.

WR hält es mit dem Auswärtigen Amt für ausreichend, daß der Führererlaß als "N.f.D."-Sache herausgeht.

II.) *Stellungnahme WFSt:*  
Der Vorschlag entspricht dem ursprünglich vorgelegten Entwurf (Anlage 3)[205] mit folgender Ausnahme:  
Abweichend von II, 1 des Entwurfs sieht der neue Vorschlag, entsprechend der Weisung des Chefs OKW und Seite 2 der Vortagsnotiz (Anlage 2), die Vollstreckung der bereits rechtskräftigen Todesurteile der Kriegsgerichte nach den bisher geltenden Be-

---

203 Se foranstående dokument.  
204 Bilaget er ikke medtaget.  
205 Bilaget er ikke medtaget.

stimmungen vor. Auf diese Abweichung weist WFSt deswegen besonders hin, weil der Chef OKW den Entwurf (Anlage 3) als die richtige Lösung bezeichnet hat. Dieser Entwurf enthielt noch die Abstandnahme von der Vollstreckung der Todesurteile. Grund: Vermeidung ähnlicher Folgewirkungen wie in Dänemark.

III.) *Vorschlag:*
WFSt schlägt vor, der jetzigen Fassung (Anlage 1) zuzustimmen, zumal sich auch der SD damit einverstanden erklärt hat; dabei von Abschnitt II die Ziffern 1 und 2 fortzulassen. Es handelt sich dabei um Durchführungsbestimmungen, die von WR im Begleiterlass dem Chef OKW gesondert vorzulegen sind. Dabei wird gleichzeitig vorgesehen werden, daß die Verteilung des Befehls auf einen engen Kreis von Empfängern begrenzt und die Truppe nur mündlich unterrichtet wird.


**115. Partei-Kanzlei der NSDAP an das Auswärtige Amt 31. Juli 1944**
I anledning af udsendelsen af en illegal pamflet skrevet af danske præster ville Partei-Kanzlei der NSDAP have oplyst, hvordan kirkelige kredse stillede sig til den politiske udvikling i Danmark.
AAs svar er ikke lokaliseret.
Kilde: NHWE, Id. dok.: APK-007830.

Nationalsozialistische Deutsche Arbeiterpartei           *München 33, den 31. Juli 1944.*
Partei-Kanzlei                                                                Führerbau III D 3 – Km.
                                                                                           3315/0/108

An das Auswärtige Amt
z.Hd. SA.-Brigadeführer Frenzel
Berlin W 8
Wilhelmstrasse 74/76

Betrifft: Politisch-konfessionelle Angelegenheiten in Dänemark.

Aus einer Meldung des Londoner Rundfunks vom 16. Juli 1944 geht hervor, daß die dänische Geheimzeitung "Volk und Freiheit" in einer Sonderbeilage eine Erklärung unter der Überschrift "Recht und Gerechtigkeit in der gegenwärtigen Lage und die Kirche" bringt.[206] Die Erklärung soll von einer Anzahl dänischer Pastoren und anderer Theologen entworfen sein, die in der dänischen Widerstandsbewegung stehen.

In dieser Erklärung werde zum Ausdruck gebracht, man erlebe, daß gute Dänen ermordet würden, nur weil sie ihr Vaterland liebten. Die dänische Polizei leite keine Untersuchung gegen die Täter ein und verhafte sie nicht. Kein dänischer Gerichtshof verurteile die Mörder. Dänische Männer und Frauen würden ohne jedes gerichtliche Verfahren nur wegen ihrer Vaterlandsliebe oder Rasse deportiert. Die Polizei wende bei der Verfolgung, Festnahme und Untersuchung Methoden an, die den dänischen Geset-

---

206 Aftrykt på dansk hos Thostrup Jacobsen 1991, s. 288-294.

zen widersprächen und den skandinavischen Gerechtigkeitssinn verletzten. Die dänischen Geistlichen dürften keine Gefangenen in den Gefängnissen besuchen. Dänische Bürger sollten der deutschen Besatzungsmacht einen Treueid schwören.

Aus diesen Tatsachen zögen die christlichen Gemeinden den Schluß, daß in Dänemark keine Rechtssicherheit mehr gebe. Unter diesen Umständen falle es den dänischen Pastoren schwer, eine gesetzmäßige Staatsverwaltung, der sie zu gehorchen hätten, anzuerkennen. Die Kirche sei unter diesen Umständen auch nicht in der Lage, das Volk zum Gehorsam aufzufordern.

Es wird um Stellungnahme zu dieser Angelegenheit und insbesondere um Mitteilung gebeten, wie sich die kirchlichen Kreise Dänemarks in der letzten Zeit zu der Entwicklung der politischen Verhältnisse in Dänemark gestellt haben.

Heil Hitler!
i.A.
**Krüger**

**116. Seekriegsleitung an Seekriegsleitung Qu I 31. Juli 1944**
Seekriegsleitung ønskede at vide, hvordan det gik med at få stillet et lazaretskib til rådighed gennem Dansk Røde Kors. Wurmbach havde meddelt, at der var gang i sagen. Røde Kors var ved at skaffe midler hos den danske centralforvaltning, og der var bestræbelser i gang for at finde et egnet skib.
Se Wurmbach til Seekriegsleitung 1. september 1944.
Kilde: BArch, Freiburg, RM 7/1813. RA, Danica 628, sp. 7, nr. 5879.

Seekriegsleitung                                                         *Berlin, den 31. Juli 1944.*
Zu: B-Nr. 1. Skl. I i 28 555/44

An       1.) Skl. Adm. Qu I
nachrichtl.: 2.) Skl. Adm. Q VI

Betr.: Bereitstellung eines Lazarettschiffes durch das dänische Rote Kreuz.

Admiral Skagerrak hat auf Aufforderung zum Bericht über den Stand der obigen Angelegenheit unter dem 28.7.44 folgendes gemeldet:
"Nach Auskunft Reichsbevollmächtigten Angelegenheit im positiven Sinne im Anlauf. Rotes Kreuz bemüht sich um Bereitstellung der Mittel bei der Zentralverwaltung, die grundsätzlich zugestimmt hat. Bemühungen um Erhalt eines geeigneten Schiffes ebenfalls im Gange."

Bei dem zur Zeit bestehenden großen Bedarf an Lazarettschiffen im Ostsee-Bereich ist d.E. eine Nachprüfung geboten, inwieweit die Bemühungen des dänischen Roten Kreuzes um die Finanzierung des Unternehmens durch eine Beihilfe usw. deutscherseits gefördert werden können.

Chef/Skl.

**117. Rudolf Stier an den Wehrmachtintendant Dänemark 31. Juli 1944**
Stier meddelte værnemagtsintendanten, at et resultat af de tysk-danske regeringsudvalgsforhandlinger var blevet, at danskerne på grund af den anspændte situation på læder- og skoområdet ikke længere kunne levere sko til værnemagten. Mængden af læder dækkede ikke længere behovet. Der var især blevet henvist til de betydelige opkøb, som blev foretaget af værnemagtsmedlemmer og de tyske rejsende gennem Danmark. Der ville blive indført skorationering fra 1. august, hvorefter køb kun kunne finde sted med et købekort udstedt af folkeregistrene. Værnemagtsmedlemmer var herefter henvist til at få dækket deres behov på samme vis som i Tyskland (Skade 1944 (tillæg for juli-september), s. 19, Jensen 1971, s. 227).

Det var tiltag som dette, hvor de tyske medlemmer af det fælles tysk-danske regeringsudvalg tog hensyn til danske interesser, der fik værnemagten til at se mere og mere negativt på de trufne beslutninger. Det førte senere på året til et krav om, at værnemagten blev repræsenteret i udvalget (se Türks notat 1. december 1943), idet værnemagten samtidig i stigende omfang handlede på trods af indgåede aftaler, hvilket til gengæld udløste stærk frustration hos Alex Walter på de tyske udvalgsmedlemmers vegne (se Breyhans notat 18. januar og Korffs notat 20. januar 1945).
Kilde: BArch, R 901 113.560 (gennemslag).

Ha Pol VI 2282/44
Der Reichsbevollmächtigte in Dänemark               *Kopenhagen, den 31. Juli 1944*
Hauptabteilung Wirtschaft
III/7255/44


Betr.: Lieferung von Schuhen für die deutsche Wehrmacht.
1 Anlage.[207]

An den Wehrmachtintendant Dänemark
  z.Hd. von Herrn Oberstabsintendant Dr. Kirchhoff,
  Kopenhagen.


In der Anlage übersende ich Ihnen unter Bezugnahme auf die gehabte mündliche Besprechung den Aktenvermerk des deutsch-dänischen Regierungsprotokoll über die Belieferung von Straßenschuhen für Selbsteinkleider der deutschen Wehrmacht zu Ihrer Kenntnisnahme und weiteren Veranlassung. Wie ich Ihnen schon mündlich mitteilte, ist die Situation auf dem Leder- und Schuhgebiet folgende:
Dänemark hat in den vergangenen Jahren neben Häuten und Fellen aller Art eine erhebliche Menge von Fertigwaren im Wege des Verlagerungsauftrages für Deutschland gefertigt. Bei den diesjährigen Verhandlungen hat sich ergeben, daß Dänemark infolge der angespannten Lage auf dem Leder- und Schuhgebiet hierzu nicht mehr in der Lage ist, sondern neben der Lieferungen von Häuten und Fellen im Wege des Verlagerungsauftrages lediglich Kinderschuhe herstellen kann. Darüber hinaus hat man sich dänischerseits genötigt gesehen, ab 1. August 1944 eine Schuhrationierung einzuführen, da das vorhandene Kontingent zur Deckung des Bedarfs nicht ausreicht. Insbesondere wurde dabei auf die erheblichen Käufe deutscher Wehrmachtsangehörige und Durchreisender hingewiesen. Es handelt sich hierbei nur um eine Rationierung von Leder Schuhen oder Holzschuhen mit Oberleder; der Verkauf findet nur für Käufer statt, die

---
207 Bilaget foreligger ikke.

Inhaber von Köbekarten sind, die nach dem Volksregister ausgegeben werden. Wehrmachtsangehörige können hiernach keine Lederschuhe mehr beziehen. Für die Wehrmachtsangehörigen ist, soweit sie Selbsteinkleider sind, die in der Anlage beigefügte Regelung getroffen worden. Deutscherseits geht man bei der Belieferung der Selbsteinkleider der deutschen Wehrmacht mit Schuhen davon aus, daß die Abgabe von Lederschuhen in der gleichen Weise und unter genau denselben Bedingungen vor sich zu gehen hat, wie im Reich, d.h. durch ein Bezugsscheinverfahren. Diejenigen Lederschuhe, die nicht ausgegeben worden sind, werden dem innerdeutschen Bedarf zur Verfügung gestellt. Der Reichswirtschaftsminister wird den Ihnen übersandten Aktenvermerk dem OKW gleichfalls übersenden. Bei der Belieferung von Schuhen ist davon ausgegangen, daß diese nicht in einzelnen Geschäften zu beziehen sind, sondern global von dem Wehrmachtbefehlshaber bei dem dänischen Schuhfabrikantenverein angefordert und über die Wehrmachtdienststellen ausgegeben werden.

Im Auftrag
gez. **Stier**

**118. Hans Clausen Korff an Christian Breyhan 31. Juli 1944**
Korff kunne kort meddele, at på foranledning af Best var der indgået en aftale med forsikringsselskabet Hermes vedrørende tyske firmaer, der led krigsskader på materialer udleveret til virksomheder i Danmark.
    Den 18. oktober gjorde Korff påfølgende et notat om, at der siden aftalens indgåelse efter oplysning fra Esche ikke havde været problemer.
    Se Korffs notater 18. juli 1944 og 19. januar 1945.
    Kilde: RA, Danica 50, pk. 91, læg 1259.

Oberregierungsrat Korff                                                                                   *Oslo, 31. Juli 1944*
Mitglied des Regierungsausschusses für Dänemark

Herrn Reichsminister der Finanzen,
    z.Hd. von Herrn MinRat Dr. Breyhan
    Berlin W 8
    Wilhelmsplatz 1/2

Betr. Kriegssachschäden im Verhältnis zwischen Dänemark und dem Reich
hier: Verlagerungsaufträge

Im Nachgang zu dem Aktenvermerk vom 11. ds.Mts., den ich gelegentlich meines Besuches in Berlin am 26. ds.Mts. überreicht habe, teile ich mit, daß auf Veranlassung des Reichsbevollmächtigten für Dänemark inzwischen die Hermes die Ausfallbürgschaft für Kriegssachschäden auf Verlagerungsgut, das in Dänemark beschädigt worden ist, übernommen hat.

**Korff**

## 119. Einsatzstab Rosenberg an H.W. Ebeling 31. Juli 1944

Ebeling fik tilsendt skolingsmateriale, der var beregnet for DNSAP. Materialet var for bolsjevismens vedkommende udarbejdet på grundlag af materiale fra Einsatzstab Rosenberg.

Ebeling fortsatte med at formidle tyske artikler til danske tidsskrifter og var i København det meste af efteråret, kun afbrudt af ophold i Berlin, mens han afventede på at få bevilget valuta til sit fortsatte arbejde. Se Werner Koeppens møderefarater 31. oktober og 1. november 1944, trykt nedenfor. Det er bemærkelsesværdigt, at denne virksomhed i Danmark blev fortsat, idet en række af Amt Rosenbergs afdelinger blev nedlagt som konsekvens af, at Goebbels fra 25. juli 1944 som fuldmægtig for den totale krigsindsats fik ikke-krigsvigtige aktiviteter begrænset og måtte afgive personalet (Bollmus 1970, s. 144f.).

Kilde: BArch, NS 30/32. RA, Danica 1000, T-450, sp. 87, nr. 712.

Einsatzstab Reichsleiter Rosenberg  
Die Stabsführung  
Hauptabteilung IV, 1  
Archiv  

9a Ratibor, den 31. Juli 1944  
Dr. Gr./Pe. 2360/44

An Oberst-Einsatzführer Pg. Ebeling  
   Kopenhagen  
   Nyboder Schule  
   über Hauptabteilung II

*Sehr geehrter Pg. Ebeling!*

Ich bestätige dankend den Eingang Ihres Briefes vom 25. Juli 1944[208] und möchte bemerken, daß ich Ihnen bereits kürzlich über Berlin einiges Schulungsmaterial zugehen ließ. Ich lasse heute nochmals einige Druckschriften über Berlin folgen. Es handelt sich dabei um Material, das für die Schulungsarbeit der Partei bestimmt ist und das, was den Bolschewismus angeht, größtenteils mit aus den Unterlagen des Einsatzstabes erarbeitet worden ist. Auch unsere neue NS-Korrespondenz folgt anbei. Weiteres Druckmaterial ist hier im Augenblick nicht vorhanden. Sollten Sie direkte Wünsche haben, teilen Sie dieselben bitte gelegentlich mit. Ich hoffe, daß das Material gut in Ihre Hände und von dort an die von Ihnen benannten Persönlichkeiten gelangt.

            Heil Hitler  
            i.A.  
           **Dr. Granzin**  
           Obereinsatzführer

Anlagen[209]

---

208 Ebeling havde 25. juli bedt om materiale til en gesandtskabsråd i Stockholm, der var i gang med at skrive en bog om bolsjevismen, og til en fru Østerby i Oslo, der var leder af et norsk institut til bekæmpelse af bolsjevismen. Materialet blev ikke specificeret i brevet (kilde som ovenfor nr. 714).

209 Bilagene er ikke vedlagt brevet.

## 120. Walter Forstmann an Kurt Waeger 31. Juli 1944

Forstmann orienterede Waeger om, at WB Dänemark fra 1. september 1944 overtog Abteilung Wehrwirtschafts opgaver. Denne nye opgavefordeling udsprang af, at OKW 28. marts 1944 havde befalet, at dets værnemagtsøverstbefalende skulle have Feldwirtschaftsamterne underlagt deres stabe. Forstmann havde ved forhandling prøvet at beholde opgaven, men forgæves.

WB Dänemarks insisteren på at få sin egen Feldwirtschaftsofficer skyldtes næppe alene den afgivne ordre fra OKW, men han havde tillige i foråret 1944 oplevet et stigende besvær med at få dækket sine troppers materielle behov. Et konkret eksempel var de store problemer med at få bildæk. WB Dänemark havde indkøbt 200 lastbiler til brug for den 416. infanteridivision og ville have dem forsynet med bildæk fra Tyskland. Det tog måneder at få dem leveret, da der var bureaukratiske hindringer hos OT (RA, Danica 1000, T-77, sp. 693, nr. 902.420-23, 902.423, 902.393, 902.411).

Siden 3. december 1943 havde Speers rustningsministerium tiltaget sig hele kontrollen med kontrakttildelingen i de besatte dele af Vesteuropa, bortset fra til troppernes umiddelbare behov. Det vil sige, at de tyske værn skulle henvende sig til RRKs udvalg og faggrupper for at få gennemført opgaver, f.eks. byggeri, eller leverancer, herunder f.eks. tildelingen af bildæk. Bl.a. Allgemeines Wehrmachtsamt (AWA ved OKW) stillede sig meget kritisk over for den indskrænkning af sine beføjelser og foreslog i flere omgange OKW ændringer, først og fremmest at der kunne sluttes kontrakter af indtil tre måneders løbetid uden, at RRK skulle inddrages. Det ses ikke, at AWA kom igennem med forslaget (se skrivelser og udkast fra AWA af 13. april, 18. maj 1944, 14. juni, 24. juni, 25. juni og 26. juni 1944, RA, Danica 1000, T-77, sp. 693, nr. 902.402-10, 902399, 902.460f. Jfr. generelt Müller 1999, s. 296).

For WB Dänemark har denne udvikling ikke været ubekendt, han fik den selv at mærke, og dertil har det sikkert ikke været uden betydning, at Feldwirtschaftsofficeren øgede hans indflydelse på et område, der hidtil var administreret af en af Bests nære støtter. For WB Dänemark indebar RRKs fremtrængen i Danmark, at han stort set opgav alle byggearbejder og overlod dem til OT (se Meyer-Böwigs notat 22. november 1944).

Se endvidere Feldwirtschaftsofficerens notat 31. august 1944 om de af WB Dänemark givne direktiver. Han fremlagde sin første beretning 15. september 1944, trykt nedenfor.

Kilde: BArch, Freiburg, RW 27/16. KTB/Rü Stab Dänemark, Anlage 24.

Abschrift!     Anl. 24
Rüstungsstab Dänemark des R.M.f.R.u.K.     31.7.1944
Az. H.A.

Bezug:
Betr.: Übernahme der Abt. Wwi. im Rü Stab Dän. durch Wbfh. Dän.

An den Chef des Rüstungsamtes des Reichsministers für Rüstung und Kriegsproduktion,
    Herrn Generalleutnant Waeger,
    Berlin NW 7
    Unter den Linden 36

Ich melde:
Am 28.3.44 erschien die Verfügung Chef OKW/Stab Gen. Jost Nr. 7/44 geh., in der angeordnet wurde, daß die Außenstelle des Feldwirtschaftsamtes in die Kommandobehörden (z.B. Wehrmachtbefehlshaber, Militärbefehlshaber, usw.) einzugliedern sind.[210]

---

210 Forordningen blev drøftet på et møde 8. maj 1944 med deltagelse af repræsentanter for AWA, general Josts stab og Feldwirtschaftsamt (bl.a. Becker og oberst Tietze). Her præciserede Becker den nye opgaveafgrænsning:

Am 20.4.44 besprach ich mit Generalleutnant Becker diese Neuorganisation. Er legte den größten Wert darauf, daß ich in meiner Eigenschaft als Leiter der Abt. Wwi im Rü Stab Dän. in irgend einer Verbindung zum Fwi Amt verblieb und sah in dem Weiterbestehen der Abt. Wwi. im Rü Stab Dän. die beste organisatorische Form. Er versprach, umgehend nach Dänemark zu kommen, um mit dem Wehrmachtbefehlshaber Dänemark, General von Hanneken, in diesem Sinne zu sprechen. – Ich meldete mich Ende April ds.Js. bei General von Hanneken und trug ihm vor, daß Generalleutnant Becker ihn demnächst aufsuchen wollte, um die Organisationsfrage zu klären. Bis dahin müsse alles so wie bisher verbleiben. General von Hanneken wies auf die o.a. Verfügung hin und daß ihm ein Feldwirtschaftsoffizier zustehe. Er habe gegen meine Person nichts einzuwenden, doch müsse ich als Feldwirtschaftsoffizier seinem Chef des Stabes bzw. ihm disziplinarisch unterstellt werden. Das mußte ich ablehnen, da ich als Chef des Rüstungsstabes Dänemark nur dem Chef des Rüstungsamtes des R.M.f.R.u.K. disziplinarisch unterstellt sein kann.

Generalleutnant Becker kam aber nicht wie vorgesehen nach Dänemark, so daß sich die Klärung der Organisationsfrage hinauszögerte. Ende Juni ds.Js. forderte General von Hanneken die Kommandierung eines Wehrwirtschaftsoffiziers in seinen Stab als Verbindungsoffizier zur Abt. Wwi im Rü Stab Dänemark. Seinem Wunsche wurde entsprochen. Mit dieser Regelung war General von Hanneken aber auszuschließend doch nicht einverstanden, sondern setzte sich nach kurzer Zeit direkt mit dem Rwi Amt in Frankfurt/Oder in Verbindung, um nun endlich durch Rücksprache mit Generalleutnant Becker oder dem zuständigen Sachbearbeiter die Organisationsfrage zu klären, mit dem Ziel, einen eigenen Feldwirtschaftsoffizier zu erhalten.

Am 27.7.44 trafen Oberst Tietze und Oberstleutnant Schönermarck von Fwi Amt in Kopenhagen ein. Ich erklärte ihnen, daß General von Hanneken auf Grund der o.a. Verfügung einen eigenen Feldwirtschaftsoffizier haben wolle, der ihm voll und ganz unterstellt sei. Aus diesem Grunde könne ich als Chef des Rüstungsstabes Dänemark als Feldwirtschaftsoffizier nicht in Frage.

Oberst Tietze und Oberstleutnant Schönermarck sind dann nach Silkeborg zum Wehrmachtsbefehlshaber gefahren. Dort ist verabredet worden, daß die Abt. Wwi. im Rü Stab Dänemark in den Stab des Wehrmachtbefehlshabers Dänemark eingegliedert werden soll. Ein Oberstleutnant, der z.Zt. noch Athen ist, soll die Abteilung übernehmen und damit Feldwirtschaftsoffizier beim Wehrmachtbefehlshaber Dänemark werden.

Es ist anzunehmen, daß bis zum 1. September ds.Js. die Übergabe der Abt. Wehrwirtschaft, bestehend aus 2 Offizieren, 1 Beamten und 4 Stabshelferinnen, an den Wehrmachtbefehlshaber Dänemark erfolgt ist.

gez. **Forstmann**

"Aufgabe Fwi Amt und seiner nachgeordneten Stellen:
Ausnutzung des Landes, Abstimmung aller Anforderungen gegenüber den für die Wirtschaftsführung zuständigen Stellen, Nachweisung der Quellen gegenüber dem Bedarfsträger,
Aufgabe AWA/WV und seiner nachgeordneten Stellen:
Bearbeitung der Forderungen auf dem Intendanturgebiet, Anmeldung dieser Forderungen bei den Wehrwirtschaftsdienststellen. Nach Zuweisung der Beschaffungsmöglichkeit durch die Wehrwirtschaftsdienststelle Auftragsverteilung, Abrechnung und Abwicklung der Aufträge durch den Bedarfsträgern (Aktenvermerk, udat. maj 1944, RA, Danica 1000, T-77, sp. 693, nr. 902.458f.).

## 121. Werner Best an das Auswärtige Amt 31. Juli 1944

Hjemkommet fra Berlin udarbejdede Best en længere indberetning om nationalsocialismens udvikling i Danmark, givetvis på AAs opfordring. Splittelsen i DNSAP blev fremstillet som et rent internt anliggende, der bundede i personlige modsætningsforhold. Ejnar Jørgensens udstødelse af DNSAP fremstillede Best som et resultat af, at han bekæmpede ledelsen af DNSAP, fordi den uretmæssigt havde taget over efter Frits Clausen. Jørgensen havde i stedet knyttet sig til Schalburgkorpset, som havde vist sig som den aktive faktor i dansk nazisme og derfor gjorde krav på at lede den nazistiske bevægelse. Schalburgkorpset blev i Bests udlægning oprettet ved udspaltning af personer og grupper fra DNSAP i februar 1943.

Der var ikke et ord om besættelsesmagtens afgørende rolle. Heller ikke et ord om DNSAPs førertings beslutninger 21. maj og henvendelsen til Best eller redaktør Helge Bangsteds fjernelse som folketingsmand for DNSAP, kravet om at få de frivillige hjem m.m. I stedet beskæftigede Best sig med Schalburgkorpsets fremtidige planer for en samling af alle danske nazister i et parti.

Om ikke før, så klargør dette telegram hvor langt der var fra Bests involvering i de danske nazisters forhold til det, han ville lade komme til AAs kundskab. Nærmest som en besværgelse gentog han endnu engang, at han ikke blandede sig i parternes forhold, men kun var den passive rapportør (Lauridsen 2003b, s. 382f.).

Kilde: PA/AA R 100.986. RA, pk. 225. LAK, Frits Clausen-sagen III/120 og 121. *Føreren har ordet!* 2003, s. 801-804.

Telegramm

| Kopenhagen, den | 31. Juli 1944 | 19.50 Uhr |
| Ankunft, den | 31. Juli 1944 | 23.20 Uhr |

Nr. 910 vom 31.7.44.

Im Anschluß an meinen Drahtbericht Nr. 626[211] vom 17.5.1944 berichte ich über die Entwicklung der nationalsozialistischen Bewegung in Dänemark seit dem am 5.5.44 erfolgten Rücktritt Dr. Frits Clausens von der Leitung der DNSAP folgendes:

Die nationalsozialistische Bewegung in Dänemark wird von der DNSAP unter der Leitung von C.O. Jörgensen und dem Schalburg-Korps unter der Leitung des SS-Obersturmbannführers K.B. Martinsen verkörpert. Das Schalburg-Korps, das im Februar 1943 aus von der DNSAP abgesplitterten Persönlichkeiten und Gruppen gebildet worden war, hat sich durch die Schaffung einer bewaffneten Einheit und durch seine Arbeitsmethoden als der aktivere Faktor erwiesen und beansprucht deshalb die Führung der nationalsozialistischen Bewegung in Dänemark, indem es die DNSAP als eine inaktive und "reaktionäre" Partei bezeichnet. Dieser Auffassung hat sich der Reichstagsabgeordnete der DNSAP Einar Jörgensen angeschlossen und einen heftigen Kampf gegen den Führerrat der Partei (C.O. Jörgensen, Theophil Larsen und Holger Johannsen) eröffnet, dem er vorwirft, sich zu Unrecht der Nachfolge Dr. Clausens bemächtigt zu haben. Es kam zu heftigen persönlichen Auseinandersetzungen innerhalb der DNSAP, die zu dem Ausschluß Einar Jörgensens und seiner Anhänger aus der Partei führten. Einar Jörgensen schloß sich nunmehr noch enger an das Schalburg-Korps an, ohne indessen seinen Anspruch, rechtmäßig namens der DNSAP zu sprechen, aufzugeben.

Der SS-Obersturmbannführer K.B. Martinsen als Chef des Schalburg-Korps und

---

211 Pol. XVI (V.S.). Trykt ovenfor.

Einar Jörgensen haben nunmehr zusammen mit einigen anderen bekannten Nationalsozialisten, die sich schon früher von der DNSAP getrennt hatten, wie Landrichter Junior, Direktor Poul C. Rasmussen und Dr. Jur. Popp-Madsen zu einem "Dänischen Sozialistischen Reichsting" eingeladen, das am 7.8.44 in Kopenhagen stattfinden soll. Auf diesem Reichsting soll der Zusammenschluß aller nationalsozialistischen Kräfte Dänemarks proklamiert und hiermit die Grundlage für eine im September zu gründende nationalsozialistische Sammlungspartei geschaffen werden.[212] Wenn diese Neugründung erfolgt sein wird, wird der Name "Schalburg-Korps" nur noch von der bewaffneten und kasernierten Gruppe in Ringsted geführt werden, die militärisch inzwischen in ein Ausbildungsbataillon der Waffen-SS umgebildet worden ist.

Ob die DNSAP in der neuen Sammlungspartei aufgehen wird, ist zweifelhaft. Von den Mitgliedern der Partei sind bis jetzt nur 2-3.000 dem Angeordneten Einar Jörgensen gefolgt,[213] während die restlichen 10-12.000 Mitglieder – vornehmlich auf dem Lande – hinter dem Großbauern C.O. Jörgensen stehen, der sich mittlerweile zum eigentlichen Leiter der DNSAP entwickelt hat. C.O. Jörgensen steht dem Gedanken eines Zusammenschlusses aller dänischen Nationalsozialisten nicht grundsätzlich ablehnend gegenüber, befürchtet jedoch von einer Verschmelzung der DNSAP mit dem Schalburg-Korps Nachteile für die nationalsozialistische Bewegung in Dänemark. Denn das Schalburg-Korps ist dadurch, daß ihm in der Volksmeinung alle bisher in Dänemark stattgefundenen Gegenterrorakte zur Last gelegt werden, so verhaßt, daß C.O. Jörgensen einer Sammlungspartei, in der die bisher Exponenten des Schalburg-Korps K.B. Martinsen, Poul C. Rasmussen und Dr. Popp-Madsen maßgebend sein werden, keine Werbemöglichkeit zuschreibt. Er will sich deshalb zunächst abwartend verhalten und mit der von ihm geführten DNSAP weiter eine ruhige Werbe- und Aufklärungstätigkeit vornehmlich unter der Bauernschaft und besonders für eine landwirtschaftliche Produktionssteigerung im Interesse der Kriegführung betreiben. Wenn sich die neue Sammlungspartei als lebensfähig erweisen sollte, will C.O. Jörgensen der Frage eines Zusammenschlusses näher treten.

In den Auseinandersetzungen der letzten Monate hat sich erneut gezeigt, daß in der dänischen nationalsozialistischen Bewegung mehr als sachliche Gesichtspunkte die persönlichen Gegensätze und die Führerrivalitäten maßgebend sind. In dieser zahlenmäßig kleinen Gruppe kennt jeder die Vorgeschichte jedes anderen und macht in allen Auseinandersetzungen von den aus ihr zu schöpfenden Vorwürfen weidlich Gebrauch. Es hat deshalb keinen Zweck, von außen her auf einen umfassenden organisatorischen Zusammenschluß zu dringen, dessen menschliche Voraussetzungen nicht gegeben sind. Ebenso ist es zwecklos, der einen oder der anderen Gruppe ein Monopol auf deutsche Anerkennung und Unterstützung zuzusprechen, weil hierdurch gleich wertvolle aber gleich bornierte Nationalsozialisten der anderen Gruppe zurückgestoßen und verbittert würden. Ich beschränke deshalb mein Eingreifen in die gegenwärtige Entwicklung der hiesigen nationalsozialistischen Bewegung darauf, darüber zu wachen, daß durch

---

212 Se Bests telegram nr. 980, 21. august 1944.
213 Det er højst tvivlsomt, om så stort et antal medlemmer har fulgt Ejnar Jørgensen, da hans DNSAP Sjælland indgik i Dansk National Samling.

die laufenden Auseinandersetzungen keine Reichsinteressen beeinträchtigt und daß die nationalsozialistische Idee nicht kompromittiert wird. Insbesondere schreite ich gegen polemische Veröffentlichungen ein, die den gemeinsamen Gegnern propagandistisches Material liefern könnten. Im übrigen bemühe ich mich sowohl das Schalburg-Korps wie auch die DNSAP die Zwecke der Kriegführung einzuspannen, wobei die Möglichkeiten des Schalburg-Korps mehr in der Freiwilligen-Werbung und die der DNSAP mehr in der Beeinflussung der Bauernschaft liegen.

Über die Neugründung der Sammlungspartei und über ihr Programm werde ich zu gegebener Zeit berichten.[214]

**Dr. Best**


### 122. Rüstungsstab Dänemark: Lagebericht 31. Juli 1944

Generalstrejken i København havde påvirket både arbejdernes arbejdsglæde og de tyske firmaers lyst til at henlægge ordrer til Danmark. Sabotagerne mod værnemagtsinteresser havde været ubetydelige i juli og genopbygningen af tidligere sabotageramte virksomheder skred frem. Der var konstante problemer med levering af visse rå- og færdigvarer.

Kilde: BArch, Freiburg, RW 27/16. RA, Danica 1000, T-77, sp. 595, nr. 77.761-66. KTB/Rü Stab Dänemark 3. Vierteljahr 1944, Anlage 13.

Anl. 13

Rüstungsstab Dänemark *Kopenhagen, den 31.7.1944.*
des Reichsministers für Rüstung und Kriegsproduktion
ZA/Ia Az.: 66dl/Wi-Ber. Nr. 544/44 geh. Geheim

Bezug: OKW/Wi Rü Amt/ Rü IIIb Nr. 21755/42 v. 9.5.42

An das Rüstungsamt des Reichsministers für Rüstung und Kriegsproduktion,
 Berlin NW 7,
 Unter den Linden 36.

Rü Stab Dänemark übersendet in der Anlage den Lagebericht für Monat Juli 1944.

**Forstmann**


Rüstungsstab Dänemark *Kopenhagen, den 31.7.1944*
des Reichsministers für Rüstung und Kriegsproduktion
ZA/Ia Az.: 66dl/Wi-Ber. Nr. 544/44 geh.

B e u r t e i l u n g
der gesamtrüstungswirtschaftlichen Lage.

Der Anfang des Monats stand im Zeichen des Generalstreiks, der vom 30.6. bis 2.7.44 dauerte. Am 3.7. wurde die Arbeit zum Teil und am 4.7. ganz wieder aufgenommen.

214 Se telegram nr. 980, 21. august 1944.

Die deutsche Auftragsverlagerung hat durch den Generalstreik gelitten, weil die Arbeitsfreudigkeit der Arbeiterschaft vor und nach dem Generalstreik merklich nachgelassen hatte. Außerdem veranlaßte der Generalstreik die deutschen Auftraggeber zur Zurückhaltung in der Auftragsverlagerung.

Ein Vergleich der Auslieferungen im 1. Halbjahr 1944 mit denen des 1. Halbjahres 1943 zeigt, daß 1944 für RM 62.156.659,-, 1943 für RM 45.215.310,- ausgeliefert wurden. Im 1. Halbjahr 1944 wurde demnach eine um 37.5 % gesteigerte Auslieferung der nach Dänemark verlagerten Rüstungsaufträge erreicht. Diese Steigerung ist in erster Linie auf eine noch intensivere Auftragsverfolgung seitens Rü Stab Dän., insbesondere bezüglich der Material- und Teilezulieferungen, zurückzuführen.

*Vordringliches*
Zu Sabotagehandlungen gegen die mit deutschen Rüstungsaufträgen belegten dänischen Firmen kam es im Juli nur in einen Fall. Ein bei der Fa. A/S Völund, Kopenhagen, für DEMAG, Darmstadt, gefertigter Motor SRB 45 wurde schwer beschädigt.[215] Die übrige Sabotage richtete sich gegen Verkehrsanlagen, Fernsprech- und Kabelleitungen. Auch mehrten sich Überfälle, z.T. mit tödlichem Ausgang auf dänische Staatsangehörige, die deutsche Interessen vertreten, und auf Wehrmachtangehörige.

*1. Stand der Fertigung*
a.) *mittelbare und unmittelbare Wehrmachtaufträge (A-Aufträge)*
Gesamtverlagerung nach Dänemark                                         RM
vom 9.4.40 – 30.6.44                                                    552.870.030,-
Auftragsbestand am 31.5.44 an noch zu erledigenden Aufträgen            162.811.275,-
Wertveränderungen durch Auftragserhöhungen bzw. Auftragser-             + 1.497.075,-
mäßigungen im Juni 1944

                                                                   164.308.350,-
Auftragszugang im Juni 1944                                             + 8.509.954,-

                                                                   172.818.304,-
Auslieferungen im Juni 1944                                             – 6.851.839,-
Auftragsbestand am 30.6.44 an noch zu erledigenden Aufträgen            165.966.465,-

b.) *Aufträge des kriegswichtigen zivilen Bedarfs (C-Aufträge)*         RM
Gesamtverlagerung nach Dänemark vom 9.4.40 – 30.6.44                    75.390.627,-
Auftragsbestand am 31.5.44 an noch zu erledigenden Aufträgen            27.260.600,-
Wertveränderungen durch Auftragserhöhungen
bzw. Auftragsermäßigungen im Juni 1944                                  + 3.519,-

                                                                   27.264.119,-

---

215 Den 8. juli blev der forøvet sabotage mod to jernbanevogne, der stod uden for fabrikken Vølund, Øresundsvej 147, København. Den ene var belæsset med en dieselmotor, der blev svært beskadiget, den anden med en krumtapaksel-slibemaskine, som kun blev let beskadiget. Begge var bestemt for tyske interesser (RA, BdO Inf. nr. 56, 14. juli 1944, *Daglige Beretninger*, 1946, s. 195).

| | |
|---|---:|
| Auftragszugang im Juni 1944 | + 792.575,- |
| | 28.056.494,- |
| Auslieferungen im Juni 1944 | − 846.840,- |
| Auftragsbestand am 30.6.44 an noch zu erledigenden Aufträgen | 27.209.654,- |

*Fertigungslage*
Heer:
Der Fa. Ambi, Kopenhagen, wurden für den am 26.6.44 durch Sabotage zerstörten Betrieb vom Rü Stab Dän. im ehemaligen dänischen Marinearsenal Kopenhagen geeignete Räume beschafft, in denen sie die Fertigung in der ersten Hälfte August wieder aufnehmen wird.[216] Bei der Fa-Tobias Jensen sind die Materialschwierigkeiten behoben, sodaß die Fertigung voll anläuft.[217] Im Waffen und Munitionsarsenal wurde die für die Fertigung von Panzerteilen Daimler-Benz bestimmte große Halle Mitte Juli in Betrieb genommen.

Marine:
Für die im Lagebericht vom 30.6.44[218] erwähnte Produktion von HFG, 12 m lang, wurde außer Helsingör Skibsvärft noch die Fa. Völund, Kopenhagen, gewonnen. Die Helsingör Skibsvärft wird 6 Geräte, die Fa. Völund 3 Geräte im Monat herausbringen.

Die durch Sabotage am 22.4.44 zerstörten Fabrikanlagen der Fa. Carlstorp, Kopenhagen, sind wieder aufgebaut. Die alte Kapazität steht zur Verfügung.[219]

Ab 1.3.44 (s. Lagebericht vom 29.2.44)[220] hat sich das *Hansa*-Programm wie folgt weiter abgewickelt:

| | 3.000 to | 5.000 to | 9.000 to |
|---|---|---|---|
| Auf Kiel liegen z.Zt. | − | 11 | 1 |
| Vom Stapel gelaufen sind | 3 | 1 | − |
| Abgeliefert wurden bisher | 1 | − | − |

Das Hansa-Programm könnte weiter durchgeführt sein, wenn die Zulieferungen aus dem Reich termingemäß eingetroffen wären. Das war nicht der Fall, weil die Walzwerke einen ungenügenden Ausstoß hatten und Transportschwierigkeiten eintraten. − Außerdem macht sich die außerordentlich schlechte Belieferung mit Ausrüstungsgegenständen für Schiffe und Maschinen, die kurz vor Fertigstellung gebraucht werden, sehr bemerkbar. − Die im Lagebericht vom 31.1.44, Seite 5 oben,[221] behandelten Schwierigkeiten in der Beschaffung von Elektroden für das Hansa-Programm bei der Esab, Kopenhagen, sind für das laufende Quartal behoben. Durch eine Esab-Einheitselektrode

---

216 Se Bests telegram nr. 773, 26. juni 1944.
217 Se Rü Stab Dänemarks situationsberetning for maj og juni måned 1944.
218 Trykt ovenfor.
219 Se Rü Stabs Dänemarks situationsberetning for april 1944.
220 Trykt ovenfor.
221 Trykt ovenfor.

ist die Beschaffung der verschiedenartigen Materalen für die Umhüllmasse wesentlich vereinfacht worden.[222]

Der Baufortschritt der in Arbeit befindlichen Hansa-Schiffe ist im Juli trotz Behinderung durch den Generalstreik ziemlich gut gewesen. Auch waren im Berichtsmonat die Schiffsstahl-Lieferungen erheblich besser als im Vormonat.

Luftwaffe:
Der gem. Lagebericht vom 30.6.44 durch Sabotage zerstörten Fa. Globus Cykler wurden von Rü Stab Dän. neue Betriebsräume auf dem Gelände des ehemaligen dänischer Marinearsenals zugewiesen. Auch die Fa. Bohnstedt-Petersen, die zu 50 % durch Sabotage zerstört wurde,[223] und die Fa. Asra, deren Räume unzureichend und schlecht zu bewachen waren, wurden auf dieses Gelände verlegt.

Die Stromfrage wurde durch Lieferung eines Transformators durch die Arado-Werke gelöst.

Zentralabteilung:
Während die Fertigstellung von Werkzeugmaschinen weiterhin durch den spärlichen Eingang von Kugellagern und Blechen behindert war, konnte im Juli die Auslieferung sonstiger Maschinen und Geräte eine Steigerung erfahren.

Verwaltung:
Bei den Generalstreikunruhen am 30.6.44 wurden 3 mit Heeresaufträgen beschäftigte Konfektionsbetriebe zerstört.[224] Am 19.7.44 ist ein Firmeninhaber in seinem Betrieb von Saboteuren niedergeschossen worden.[225] Die Auslieferungen der Konfektion im Berichtsmonat waren durch diese Ereignisse etwas rückläufig. Durch Umlagerungen soll der Produktionsausfall in den nächsten beiden Monaten wieder aufgeholt werden.

Freie Fertigungskapazitäten:
Fertigstellung (Nähen und Nieten) von Heerausrüstungsstücken (Patronentaschen, Koppel-Tragegestelle, Mantelriemen, Stahlhelmkinnriemen u.ä.)

*Energieversorgung*
Auf dem Gebiet der Energieversorgung sind Schwierigkeiten nicht aufgetreten.

*1c. Versorgung der Betriebe mit Roh- und Betriebsstoffen*
Der deutsche Lieferungsrückstand an Eisen und Stahl betrug am 31.5.44 13.466 to, d.h. also 590 to mehr als im Vormonat.

Für ME-Metalle ist der Lieferungsrückstand 187 to, mithin 12 to weniger als im Vormonat.

---

222 Se Rü Stab Dänemark: Kiellegung 9. august 1944.
223 Se vedrørende begge virksomheder Rü Stab Dänemarks månedsberetning 30. juni 1944.
224 Blandt de ødelagte konfektionsfabrikker var firmaet Palsby i Stengade (Bergstrøm 2005, s. 927. – BdO rapporterede ikke om ødelæggelserne under generalstrejken).
225 Se Rü Stab Dänemark: Sabotage… 19. juli 1944.

## 2b. Lage der Treibstoffversorgung
Im Monat Juli wurden zugewiesen:
Dieselöl   23.150 kg   (Juni 64.455 kg)
Benzin    1.720 l    (Juni  1.910   l)

## 2c. Lage der Kohleversorgung
Im Monat Juni wurden eingeführt:
Kohle *)       202,4 to   (Mai 197.414 to)
Koks           31,0 to   (Mai  31.188 to)
Sudetenkohle   13,2 to   (Mai  22.779 to)
Insgesamt:     246,6 to   (Mai 251.381 to)
 *) Davon entfallen auf die Dänischen Staatsbahnen 38,2 to (im Mai 37,9 to)

Die Zufuhr ausländischer Brennstoffe im Kohlenlieferungsjahr 1943 (vom 1.7.43 bis 30.6.44) im Vergleich zu den Vorjahren zeigt folgende Übersicht:

| Kohlenlieferungsjahr: | | Kohle: | Koks: |
|---|---|---|---|
| 1940/41 | (in 1.000 to) | 2.537,4 | 1.044,0 |
| 1941/42 | | 2.246,4 | 921,0 |
| 1942/43 | | 2.159,0 | 618,4 |
| 1943/44 | | 2.115,1 | 458,3 |

# AUGUST 1944

## 123. Politische Informationen für die deutschen Dienststellen in Dänemark 1. August 1944

Best beskæftigede sig indgående med generalstrejken i København, eller, som han formulerede det, forsøget derpå, og forsøgte at forsvare sin position. Han tilbageviste, at det havde været en sejr for modstanderne. Strejken var blevet slået ned gennem tyske foranstaltninger og ansvarlige danske kredses medvirken. Fra tysk side ville man sørge for, at de skadelidte fik erstatning. Endnu en gang blev der afgivet en indgående beretning om den danske forsyningssituation og leverancerne til Tyskland. I afsnittet "Fjendtlige stemmer" vendte han tilbage til strejken i København og gengav nogle af de mange rygtebaserede og grundløse påstande, der cirkulerede i den illegale og svenske presse samt engelsk radio. Der var rigeligt at tage af, og det kunne tjene sit formål at udviske erindringen om det faktiske forløb, samt til generelt at mindske tilliden til, hvad man hørte fra den kant (jfr. *Informations* kommentar 20. juli 1944 i forbindelse med Bests konflikt med TT). Schalburgkorpset blev igen via de "Fjendtlige stemmer" udlagt som modterrorens bagmænd.

Kilde: RA, Centralkartoteket, pk. 681.

Der Bevollmächtigte des Reiches in Dänemark          *Kopenhagen, den 1. August 1944.*
                                                                                            Nur für den Dienstgebrauch!

Politische Informationen
für die deutschen Dienststellen in Dänemark.

Betr:    I. Die politische Entwicklung in Dänemark im Juli 1944.
            II. Mitteilungen aus der Außenpolitik.
            III. Mitteilungen aus der Wirtschaft.
            IV. Deutsche Verwaltungsmaßnahmen.
            V. Feindliche Stimmen über Dänemark.

*I. Die politische Entwicklung in Dänemark im Juli 1944*

1.) Die Lage in Dänemark war im Monat Juli – von dem am 4.7 beendeten Generalstreik-Versuch in Kopenhagen abgesehen – völlig ruhig. Die Zahl der Sabotageakte ging im Verhältnis zum Monat Juni auf 2/3 zurück; schwere Sabotageakte fanden überhaupt nicht statt. Die Saboteure scheinen sich gemäß erhaltenen Weisungen vorwiegend auf Sabotage an Bahngeleisen, Kabeln usw. umgestellt zu haben.

2.) Die dänische Bevölkerung beschäftigte sich während des Monats Juli noch weitgehend mit dem mißglückten Generalstreik in Kopenhagen.[1] Von der Feindpropaganda und von den illegalen Gruppen wurde mit geradezu hysterischem Überschwang

---

1 Det gjorde den tyskorienterede presse også: i *Skagerrak*, 2:20, 1943-44, s. 1-2 blev strejken under overskriften "Aus Moskaus Befehl!" udlagt som anstiftet af kommunister, og samme spor fulgte DNSAP, idet der blev lagt vægt på de omfattende ødelæggelser og plyndringer hos danske nazister. Generalstrejken blev betegnet som "en 100 % kommunistisk Terror- og Tyveriaktion" med "de mest renlivede Plyndringer, som tænkes kan." (*Jul i Norden* 1944, s. 47).

versucht, aus dem Generalstreik einen "Erfolg" der deutschfeindlichen Widerstandsbewegung zu machen. Unlogischerweise stellte man aber nicht – was unbestreitbar wäre – die *Herbeiführung* des lückenlosen Generalstreiks am 30.6.44 als den erzielten Erfolg hin, sondern man versuchte krampfhaft, der Bevölkerung einzureden, das *durch den Streik* ein "Sieg" über die Deutschen errungen worden sei. Zu diesem Zweck konstruierte man nachträglich, daß deutsche Maßnahmen, die einseitig gemäß der Situation getroffen worden waren, bestimmten "Forderungen" der Streikenden entsprochen hätten und durch den Streik erzwungen worden seien. In Wahrheit haben die Streikenden – eine amorphe Masse ohne Vertretung – keine Forderungen gestellt und keine Verhandlungen geführt. Daß *nach* dem Zusammenbruch des Streikwillens die Arbeitsaufnahme durch Freigabe des Verkehrs und durch Ingangsetzung der Verkehrsmittel ermöglicht wurde, und daß nach erfolgter Normalisierung der Arbeit und des öffentlichen Lebens die deutschen Sicherungsmaßnahmen abgebaut wurden, war eine Folge des schnellen Erfolges der scharfen deutschen Maßnahmen. Die illegalen Gruppen haben durch den Generalstreik-Versuch nichts gewonnen als die Erfahrung, daß eine Million Menschen mit den von deutscher Seite angewandten Maßnahmen durchaus in Schach gehalten und zur Aufgabe jeden Widerstandes gezwungen werden kann. Es wirkt nur als ein Eingeständnis dieser Feststellung, wenn in illegalen Flugblättern dazu aufgefordert wird, für den nächsten Generalstreik genügend Lebensmittel in den Haushaltungen aufzustapeln. Ein Satyrspiel war, daß – nachdem die Arbeit voll aufgenommen war – in Flugblättern mit der Unterschrift "Danmarks Frihedsraad" zur Arbeitsaufnahme am folgenden Tage aufgefordert wurde, was die dänischen Gewerkschaften ("De samvirkende Fagforbund i Danmark"), die von Anfang an scharf gegen den Streik Stellung genommen hatten, in einem Rundschreiben vom 4.7.44 mit Recht lächerlich machten.[2]

Während die Kopenhagener Bevölkerung offenbar die Erregung der Streiktage recht bald im friedlichen Genuß der Sommersonne und -wärme abklingen ließ, scheint in der dänischen Landbevölkerung die Reaktion gegen die Tatsache und gegen die Formen des Kopenhagener Streiks sich erst allmählich zu entwickeln. Schon in den Streiktagen hatten die Bauern in der Umgebung Kopenhagens scharf gegen den Streik Stellung genommen und Stadtbewohner, die um Lebensmittel baten, abgewiesen mit der Bemerkung, sie könnten ja aufhören zu streiken. Je mehr im Lande die kommunistische Initiative, die kommunistischen Demonstrationen, sowie die Plünderungen und Zerstörungen der Streiktage bekannt werden, wird – was von illegalen Widerstandskreisen bereits mit Sorge beobachtet wird – die Frontstellung der Landbevölkerung gegen diese Methoden immer eindeutiger werden.

3.) In diesem Sinne war es zu begrüßen, daß kurz nach dem Zusammenbruch des Kopenhagener Streiks von London die Anerkennung des von den dänischen Emigranten gebildeten "Dänischen Freiheitsrats" durch die Sowjetregierung und die Entsendung des emigrierten Kopenhagener Bibliothekars Thomas Dössing als "Gesandten" nach Moskau bekanntgegeben wurde (siehe die Sendungen vom 10.7.44, 11.7.44 und 23.7.44

---

2 Opråbet fra Frihedsrådet er dateret 3. juli kl. 17 og kom ud samme aften (trykt hos Alkil, 1, 1945-46, s. 254).

unter V.11). Der von kommunistischen Kräften eingeleitete Generalstreik und die Anlehnung der dänischen Emigranten an Moskau können in enge Verbindung gebracht und als Vorbereitung des russischen Griffs nach den "nordischen Dardanellen" ausgelegt werden. Es ist zu erwarten, daß gegen diese Tendenz der Instinkt der dänischen Landbevölkerung langsam aber immer schärfer Stellung nehmen wird.

4.) Die deutsche Sicherheitspolizei hat im Juli festgenommen:[3]
  wegen Sabotageverdachts                        211   Personen
  wegen Spionageverdachts                         14    –
  wegen illegaler Tätigkeit                      285    –
  (Kommunismus und nationale Widerstandsgruppen)
Durch die Festnahmen sind 18 Sabotageakte aufgeklärt worden.

Bei polizeilichen Aktionen sind wegen Wiederstandes gegen die Festnahme, wegen Widersetzlichkeit gegen Polizeistreifen usw. 6 Personen erschossen worden. In Gross-Kopenhagen wurden während der Streiktage in den kommunistisch beeinflußten Stadtvierteln 92 Demonstranten getötet und 664 verletzt.

In illegalen Lagern wurden größere Mengen von Waffen, Sabotagematerial usw. erfaßt.

5.) Die Befestigungsarbeiten in Jütland werden im Rahmen der Material- und Transportmöglichkeiten planmäßig fortgesetzt.

*II. Mitteilungen aus der Außenpolitik*
1.) Nach den vorliegenden Nachrichten hat die neue Republik Island eigene Gesandtschaften in Washington, London, Stockholm und Moskau und ein Generalkonsulat in New York errichtet. Im dänischen Außenministerium fragt man sich, wie die junge, wenig mehr als 100.000 Einwohner zählende Republik nach dem Kriege die Kosten für diese diplomatischen Vertretungen aufbringen will.

Nach der Erklärung Islands zu einer selbständigen Republik sind die bisher für den Postverkehr mit Island geltenden Erleichterungen fortgefallen. Es wird lediglich ein sehr eingeschränkter Nachrichtenverkehr in geringem Umfange zwischen Dänemark und Island zugelassen, auf den nicht verzichtet werden kann, wenn überhaupt eine Nachrichtenquelle über die Vorgänge auf Island offen bleiben soll.

2.) Der bisherige argentinische Geschäftsträger in Kopenhagen Bafico und der bisherige Kanzler bei der argentinischen Gesandtschaft Mouret sind nach dem Abbruch der Beziehungen zwischen Argentinien und Deutschland von ihrer Regierung an die argentinische Gesandtschaft in Stockholm versetzt worden. Auf Vorschlag des Reichsbevollmächtigten hat die Reichsregierung ihre Zustimmung dazu erteilt, daß die beiden Genannten nicht an dem offiziellen deutsch-argentinischen Diplomatenaustausch teilnehmen, sondern die Erlaubnis zur Ausreise nach Schweden erhalten, sobald die offizielle argentinische Austauschgruppe im Zuge des deutsch-argentinischen Diploma-

3 Se Bovensiepens aktivitetsberetning for juni og juli, 1. august 1944.

tenaustausches den deutschen Machtbereich verlassen hat.

*III. Mitteilungen aus der Wirtschaft*
1.) Die Rohstoffversorgung Dänemarks.
Im Monat Juli fanden deutsch-dänische Regierungsausschußverhandlungen statt, die insbesondere die Versorgung Dänemarks mit verschiedenen Waren zum Gegenstand hatten. In den letzten Berichten war des öfteren auf die rückläufigen Einfuhrmengen an Rohstoffen und Waren bei steigender Inanspruchnahme der dänischen Wirtschaft für deutsche Belange innerhalb des dänischen Raumes hingewiesen worden, die eine erhebliche Verknappung auf dem Eisen- und Textilgebiet zur Folge hatte, wodurch die Produktionskraft der dänischen Wirtschaft gefährdet wurde. In dem Memorandum der dänischen Zentralverwaltung vom 14.6.1944 war gleichfalls auf die besonderen Engpässe der dänischen Wirtschaft hingewiesen worden.[4] In zahlreichen Verhandlungen ist nunmehr erreicht worden, daß die Einfuhrmengen auf verschiedenen Gebieten z.T. nicht unerheblich erhöht werden konnten. Es ist dabei grundsätzlich sichergestellt, daß der Bedarf der Wehrmacht an Verbrauchsgütern außerhalb dieser Einfuhrmengen befriedigt werden soll.

Zu den wichtigsten Rohstoffgebieten ist im einzelnen folgendes zu sagen:
a.) Kohle:
Die von deutscher Seite gemachten Zusagen auf Lieferung von Kohle, Koks und Braunkohle sind im wesentlichen eingehalten worden. Für das erste Halbjahr 1944 konnte insgesamt eine Menge von rund 1,5 Millionen t dieser Brennstoffe geliefert werden, wobei der Steinkohlenwert im Hinblick auf die vermehrten Lieferungen von deutscher Braunkohle etwas niedriger zu veranschlagen ist. Im Rahmen der deutschen Lieferung konnte insbesondere der vordringlich zu befriedigende Bedarf an Steinkohle für die dänischen Staatsbahnen sichergestellt werden, wobei gleichzeitig im Interesse gewisser von deutscher Seite zu stellender Forderungen Notläger angelegt werden konnten. Bei den letzten Verhandlungen ist grundsätzlich von der gleichen Menge für das zweite Halbjahr ausgegangen worden, während von dänischer Seite eine Erhöhung um 500 t für erforderlich gehalten wurde. Diese Forderung ergab sich insbesondere aus der Tatsache, daß die Produktion einheimischer dänischer Brennstoffe in diesem Jahr durch Witterungsverhältnisse sehr ungünstig beeinflußt worden ist und der Abtransport dieser Menge infolge der äußerst angespannten Transportlage nicht immer gewährleistet werden konnte. Da indessen die deutschen Produktionsverhältnisse sowie die Transportsituation des Ruhrgebietes und des oberschlesischen Gebietes laufend nicht absehbaren Veränderungen unterliegen, kann gegenwärtig nicht übersehen werden, ob eine Erfüllung des dänischen Wunsches möglich ist. Es ist aber zu erwarten, daß die in Aussicht genommenen Lieferungen den dringendsten Bedarf der dänischen Wirtschaft decken können.

b.) Übrige Brennstoffe:
Infolge der äußerst angespannten Situation auf dem Gebiete des Treibstoffs im Reich konnten deutscherseits bei den jetzigen Verhandlungen keinerlei Zusagen auf Belie-

---
4 Se Ripken til Steengracht 14. juni 1944.

ferung Dänemarks mit Benzin, Petroleum und Dieselöl gemacht werden. Hierdurch wird unzweifelhaft die Produktionskraft der dänischen Wirtschaft und insbesondere das Transportwesen erheblich beeinträchtigt. Der Mangel an Petroleum und an Dieselöl wirkt sich unmittelbar nachteilig auf die landwirtschaftliche Produktion und auf die Fischerei Dänemarks aus. Es ist daher sofort zwischen den deutschen und dänischen Sachverständigen die Frage aufgenommen worden, ob Dänemark nicht selbst Rohöl, d.h. nicht raffiniertes Mineralöl verbrauchen oder in eigenen Raffinerien in genügender Menge verarbeiten kann, um so den eigenen Bedarf an Benzin und Dieselöl selbst herstellen zu können. Diese Frage ist mit dem Ergebnis geprüft worden, daß die dänischen Raffinerien trotz sicherlich zu erwartender Anfangsschwierigkeiten in der Lage sein werden, Rohöl in genügender Menge zu verarbeiten. Es wird nun darauf ankommen, ob Deutschland in der Lage ist, laufend die erforderlichen Rohölmengen zur Verfügung zu stellen. Bei Petroleum, wo diese Ausgleichsmöglichkeit nicht gegeben ist, wird z.Zt. wegen einer Mindestlieferung zur Deckung des allerdringendsten landwirtschaftlichen Bedarfs verhandelt.

c.) Eisen:

Obwohl für das zweite Quartal 1944 eine wesentlich erhöhte Belieferung Dänemarks mit Eisen und Stahl (Walzwerkerzeugnisse) zugesagt worden ist, (von 5.000 auf 10.000 t monatlich) sind die tatsächlichen Auslieferungen erheblich unter der zugesagten Menge geblieben, sogar unter die Lieferungen des ersten Quartals heruntergegangen. Es war Aufgabe der zuständigen deutschen Stellen, einmal für eine beschleunigte Auslieferung der bereits aufgelaufenen Bestellungen Sorge zu tragen und andrerseits sicherzustellen, daß die neueren dänischen Aufträge auf die zugesagten Monatskontingente erhöht wurden. Dieses Ziel kann im großen und ganzen als erreicht angesehen werden. Nach dem Ergebnis der stattgefundenen Verhandlungen sind bereits entsprechend Mengen von insgesamt rund 20.000 t für das dritte Quartal 1944 entsprechend den dänischen Wünschen (Formeisen, Stabeisen, Walzdraht und Bleche, Radsatzmaterial (Staatsbahn)) spezifiziert worden, so daß mit der Auslieferung in aller Kürze gerechnet werden kann. Darüber hinaus wird deutscherseits eine Menge von 38.000 t, die im einzelnen noch von den zuständigen dänischen Stellen spezifiziert werden wird, beschleunigt in den nächsten Monaten zur Auslieferung gelangen.

Eine besondere Schwierigkeit bildet hierbei die Belieferung Dänemarks mit Blechen aller Art, die vornehmlich für die Inganghaltung des dänischen Verkehrsnetzes einschließlich der Schiffahrt erforderlich sind. Trotz der auf diesem Gebiet vorhandenen Lieferungsschwierigkeiten war es möglich, deutscherseits eine im wesentlichen befriedigende Zusage zu geben. Insbesondere wird Dänemark Bleche in einem Umfange bekommen, der es in die Lage versetzt, seinen Schiffsraum, der auch in großem Umfange unmittelbar deutschen Zwecken dient, in Gang zu halten.

Auf dem Gebiet der Eisenwaren konnten die im März d.Js. gemachten Zusagen in wesentlichen Punkten verbessert werden, sodaß der dänische Bedarf an diesen Waren für das nächste Quartal gedeckt ist. Es handelt sich hierbei insbesondere um erhöhte Lieferungen von landwirtschaftlichen Geräten, Verpackungsmaterial und Spezialhalbzeugen, Waren, die insgesamt der dänischen landwirtschaftlichen Produktion und der Versendung dieser Güter nach dem Reich zugute kommen.

d.) Textilien:
Die Lage auf dem Textilgebiet war insbesondere durch die völlig unzureichenden Lieferungen deutscher Zellwolle (als Ersatz für Baumwolle und Wolle) gekennzeichnet. Gleichzeitig sind die früheren erheblichen Lieferungen aus Italien weggefallen. Der Bedarf der dänischen Industrie auf diesem Gebiet umfaßt im wesentlichen die Produktion der dänischen Standardbekleidung, die der minderbemittelten Bevölkerung zugute kommt und deren Nichtherstellung sich insbesondere auch für die bei deutschen Arbeiten eingesetzten, dänischen Arbeiter nachteilig auswirkt. Deutscherseits konnten im dritten Kalendervierteljahr 1944 zusätzlich 200 t Zellwolle zugesagt werden, die eine fühlbare Erleichterung auf diesem Gebiet bringen werden. Abgesehen davon werden die schon im zweiten Kalendervierteljahr zugesagten erhöhten Mengen von Textilmeterwaren, Trikotagen und Strümpfen geliefert werden.

Weiterhin konnte der Bedarf der dänischen Landwirtschaft an Erntebindegarn auch für das laufende Jahr befriedigend gedeckt werden.

Auf ergänzenden Gebieten wie Leder, Gerbstoff, Chemikalien, Papier, sind die Verhandlungen zu einem beiderseits befriedigen den Abschluß gebracht worden. Nach diesen Verhandlungen ist auch die Emballagefrage, auf deren Bedeutung für den Export nach Deutschland mehrfach hingewiesen worden ist, als gelöst zu bezeichnen. Dänemark wird nach den vorgesehenen deutschen Lieferungen in der Lage sein, den Bedarf an Emballage selbst zu decken.

Als Ergebnis der geführten Verhandlungen kann festgestellt werden, daß Deutschland mit Erfolg im fünften Kriegsjahr bemüht ist, durch erhöhte Lieferungen deutscher Rohstoffe die Produktionskraft der dänischen Wirtschaft in Gang zu halten, eine Tatsache, die auch dänischerseits in einer Presse-Erklärung ihre Anerkennung gefunden hat.[5]

2.) Die Ernteaussichten der dänischen Landwirtschaft!
Die diesjährigen *Ernteaussichten* können bis jetzt als günstig bezeichnet werden. Das kühle und regnerische Wetter in der ersten Hälfte des Monats Juni hat das Wachstum der Pflanzen wohl beeinträchtigt und auch teilweise zu Lagergetreide geführt. Es hat aber auch andrerseits das in früheren Jahren starke Auftreten von tierischen Schädlingen, insbesondere Erdflöhen, verhindert.

Nach den Saatenstandsberichten des Statistischen Departements wird bei *Getreide* im Durchschnitt des ganzen Landes eine mittlere Ernte erwartet. Besonders gut steht der Winterweizen, während der Winterroggen im allgemeinen schlechter als im Vorjahr beurteilt wird. Im Durchschnitt kann auch der Stand des Sommergetreides, das im wesentlichen für die Vieh- und Schweinefütterung verwendet wird, als mittel bis gut bezeichnet werden.

Der Stand der *Hackfrüchte* wird im Durchschnitt schlechter beurteilt als im vergangenen Jahr. Besonders schlecht sind die Runkelrüben, Futterzuckerrüben und Zuckerrüben, die stark unter Rübenfliegenbefall gelitten haben. Das warme Wetter im Monat Juli hat das Wachstum der Hackfrüchte wohl begünstigt, durch wird der gleiche gute Stand wie im vergangenen Jahr wohl kaum erreicht werden, wenn auch bei günstigem Wetter hier noch viel aufgeholt werden kann.

5 UM meddelte dette 15. juli.

Der Stand der *Samenkulturen*, die für die deutsche Versorgung besonders wichtig sind, ist sowohl auf den Inseln wie in Jütland normal.

Der *Graswuchs* wird wesentlich besser beurteilt als 1943. Auch das Ackerheu zeigt ein besseres Ergebnis, während Wiesenheu und Luzerne etwas geringer als im Vorjahr beurteilt werden. Die Heuernte ist im großen und ganzen beendet. Die Qualität des Heus wird etwas schlechter beurteilt als im Vorjahr. Im ganzen gesehen ist die Heuernte als durchaus gut zu beurteilen. Dies ist für die Fütterung des Milchviehs in den kommenden Wintermonaten besonders wichtig, bildet doch das Heu eine der Hauptgrundlagen für dessen Eiweißversorgung.

Die *landwirtschaftlichen Lieferungen* nach Deutschland haben sich im laufenden Wirtschaftsjahr 1943/44 bisher befriedigend entwickelt. Die Leistungen auf den wichtigsten Gebieten der Erzeugung der dänischen Landwirtschaft haben sich nicht nur auf der bisherigen guten Höhe des Vorjahres gehalten, sondern es sind noch erhebliche Steigerungen aufzuweisen. An Fleisch sind von der im laufenden Wirtschaftsjahr (1. Oktober 1943 – 30. September 1944) erwarteten Ausfuhrmenge bis Ende Juni 1944 bereits 90 % und an Butter 75 % geliefert. Im Vergleich zur gleichen Zeit des Vorjahres sind an Fleisch bis Ende Juli 140 % und an Butter 22 % mehrgeliefert worden.[6]

Die Pferdemärkte sind, nachdem der Auftrieb eine Zeitlang saisongemäß stark nachgelassen hatte, wieder gut beschickt. Für die Ausfuhr bezw. für die Wehrmacht konnte eine größere Anzahl Pferde von besonders guter Qualität gekauft werden.

Die *Fischerei* hatte in den ersten beiden Wochen des Monats Juni ein gutes Ergebnis, sodaß größere Mengen Fische nach Deutschland ausgeführt werden konnten. Die von englischer Seite Anfang Juni durch Rundfunk ausgesandte Warnung, nicht zum Fang auszufahren, hat bewirkt, daß der größte Teil der Hochseefischer in der Heimathäfen zurückkehrte und nicht mehr auslief, sondern sich abwartend verhielt.[7] Nach Aufhebung der Warnung ist die Hochseeflotte sofort wieder zum Fang ausgefahren. Das Fangergebnis im Monat Juli kann als sehr gut bezeichnet werden.

*IV. Deutsche Verwaltungsmaßnahmen*
1.) Tumultschäden während des Kopenhagener Generalstreiks.
Zu Beginn des Generalstreiks in Kopenhagen Ende Juni dieses Jahres kam es mehrfach zu Ausschreitungen. Der Mob plünderte und zerstörte eine Reihe von Geschäften und Wohnungen Deutscher oder deutschfreundlich eingestellter Dänen. Es liegt im deutschen Interesse, daß diesen Geschädigten schnell geholfen wird. Um eine einheitliche und großzügige Entschädigung zu erreichen, wurde eine zentrale Anmeldung der Schäden bei der Behörde des Reichsbevollmächtigten vorgesehen. Bisher sind über 40 Schadenanmeldungen eingegangen. Nach dem Durchschnitt der Schadensbeträge (etwa 12.000 Kronen) kann mit einer Gesamtschadenssumme von etwa 500.000 Kronen gerechnet werden, wobei allerdings ein Großschadenfall (Warenhaus) nicht berücksichtigt ist.[8]

Die Schäden fallen unter die dänische Kriegsversicherung. Wenn und soweit die

---

6 Det er talstørrelser, der går igen i Rü Stab Dänemarks situationsberetning 15. august 1944.
7 Se KTB/ADM Dän 10. og 11. juni, KTB/Skl 11. juni, OKM til Werner Best 12. juni 1944.
8 Varehuset var stormagasinet Buldog, Nørrebrogade 16, der blev stukket i brand 30. juni 1944.

Habe des Betroffenen feuerversichert war, findet er demnach dort mehr oder weniger Deckung, Schwierigkeiten ergeben sich in den Fällen, in denen
a.) keine Feuerversicherung abgeschlossen war. Der Geschädigte erhält nach den Vorschriften der Kriegsversicherung keine Entschädigung;
b.) Unterversicherung vorliegt; Der Erstattungsbetrag wird nach Maßgabe des Verhältnisses zwischen Versicherungssumme und Wert der versicherten Gegenstände gekürzt;
c.) Betriebsverluste eingetreten sind; Solche werden bei Tumulten nicht ersetzt;
d.) sich die beschädigten Sachen zur Zeit des Schadeneintritts bei dritten Personen befanden; Die Kriegsversicherung verlangt, wenn der Schaden in einem Geschäft eingetreten ist, welches Sachen zur Verarbeitung, Reparatur oder Aufbewahrung übernimmt, daß die Eigentümer dieser Sachen den Schaden selbst anmelden;
e.) Die Schadensumme den Betrag von 200 Kronen nicht übersteigt; Nach den Vorschriften des Gesetzes werden Schäden unter 200 Kronen nicht erstattet (Selbstrisiko).
Um die Ausfälle zu decken, die durch die Kriegsversicherung ungedeckt bleiben, wurde veranlaßt, daß – ähnlich wie nach den Unruhen in Odense Mitte August des vergangenen Jahres – diese Beträge aus Mitteln des dänischen Staates ersetzt werden, sodaß alle Geschädigten vollen Ersatz ihrer Schäden erhalten.

2.) Mitführung von Waffen für die Besatzung seitens deutscher Handelsschiffe in dänischen Häfen.
Die deutschen Handelsschiffe führen im Kriege eine Anzahl Waffen und Munition mit sich, welche an einen Teil der Besatzung ausgegeben werden zum Abschuß von Treibminen während der Fahrt und als Ausrüstung der aus der Schiffsbesatzung zu stellenden Sabotagewacht während des Aufenthaltes in ausländischen Häfen.

In mehreren Fällen hatten sich insoweit Unzuträglichkeiten mit den dänischen Zollbehörden ergeben. Der dänische Zoll hatte nach Einlaufen deutscher Handelsschiffe in dänische Hafen die an Bord befindlichen Waffen und Munition versiegelt und sie damit der Verfügungsgewalt des Kapitäns sowie ihrem Bestimmungsweck entzogen. Wenn auch das Vorgehen des dänischen Zolls den für ihn bestehenden friedensmäßigen Vorschriften entsprach, so wurde ein solches Vorgehen den augenblicklichen kriegsmäßigen und politischen Verhältnissen in Dänemark nicht gerecht.

Auf Wunsch der deutschen Kriegs- und Handelsmarine ist daher seitens des Reichsbevollmächtigten bei der dänischen Zentralverwaltung eine Neuregelung dahingehend durchgesetzt worden, daß künftig eine Versiegelung der an Bord befindlichen Waffen und Munition nicht mehr stattfindet. Die dänischen Zollbeamten nehmen nach Einlaufen eines deutschen Handelsschiffes nur gemeinsam mit dem Kapitän ein Protokoll über die an Bord befindlichen Waffen und Munitionsbestände auf und stellen vor Wiederauslaufen des Schiffes gemeinsam mit dem Kapitän lediglich das Vorhandensein der in Protokoll aufgeführten Waffen- und Munitionsbestände fest.

Für die vor den Schiffen auf dänischem Boden aus Teilen der Schiffsbesatzung aufziehende Sabotagewache werden darüber hinaus an den Kapitän des Schiffes Waffenscheine des Reichsbevollmächtigten ausgestellt, welche den einzelnen Posten nur für die Dauer des Wachdienstes vom Kapitän ausgehändigt werden.

3.) Küstenüberwachung auf Bornholm.
Die Küstenüberwachung auf Bornholm war bisher besonders dadurch erschwert, daß an der Küste außerhalb der Häfen zahlreiche kleine Segel- und Ruderbootliegeplätze vorhanden waren. Es ist festgestellt worden, daß gerade diese Gelegenheit von illegalen Elementen benutzt wurde, um sich zur Überfahrt nach Schweden in den Besitz der Boote zu setzen.

Um diesen Überwachungsschwierigkeiten zu steuern, ist seitens des Reichsbevollmächtigten die dänische Zentralverwaltung ersucht worden, eine Anordnung zu erlassen, wonach Segel- und Ruderboote auf Bornholm ihre Liegeplätze nur in den Häfen haben dürfen.

4.) Versand dänischer Land- und Seekarten.
In letzter Zeit wurde eine Häufung von Auslandsbestellungen auf Stadtpläne, Prospekte, Ansichtskarten der verschiedenen dänischen Bade-, Ausflugs- und Küstertorte festgestellt. Um eine Versendung derartigen Kartenmaterials nach dem Ausland in vollem Umfang zu unterbinden, hat der Reichsbevollmächtigte die dänische Zentralverwaltung ersucht, eine Anordnung zu erlassen, wonach

a.) die Ausfuhr von geographischem Kartenmaterial aller Art im Maßstab 1:1.000.000 darüber nach dem Ausland mit sofortiger Wirkung verboten wird. Ausgenommen hiervon sind lediglich Sendungen in staatlichem deutschen Auftrag oder nach ausdrücklicher Genehmigung der Behörde des Reichsbevollmächtigten, sowie Seekarten der Küstengewässer Dänemarks (nicht aber Grönlands, Island und der Färöer), soweit sie für die Handelsschiffahrt erforderlich sind und es sich um den amtlichen gegenseitigen Austausch zwischen der amtlichen Marinedienststelle Dänemark mit den amtlichen Seedienststellen Deutschlands, Norwegens, Finnlands und Schweden handelt;

b.) die Ausfuhr von Stadtplänen, Ortsbeschreibungen, Reiseprospekten und Ansichten dänischer Orte und Küsten in jeder Form mit sofortiger Wirkung untersagt wird.

*V. Feindliche Stimmen über Dänemark*
1.) Der englische und schwedische Rundfunk

London, 5.7.1944:
Bei Beginn der Sitzung des Dänischen Rates in London erklärte Christmas Möller heute: Sogar auf dem Hintergrund der alliierten Siege an allen Fronten ist in Dänemark in der vergangenen Woche Weltgeschichte geschrieben worden. Einzelheiten darüber, was stattgefunden hat und wie die Stellungnahme der Einzelnen gewesen ist, können noch unklar sein, im großen und ganzen können wir jedoch ein klares Bild über die Ereignisse der letzten Zeit geben. Die wohlgelungene Zerstörung des Industriesyndikates machte die Deutschen vollkommen rasend. Die Sperrzeit wurde eingeführt, und die Bevölkerung der Hauptstadt weigerte sich wie ein Mann, sich zu beugen. Streik. Generalstreik war die Antwort. Die Deutschen beantworteten dieses mit Mitteln, die keine anständige Nation und kein anständiges Heer anwenden würden. Sie stellten das Gas, die Elektrizität und das Wasser ab. Dadurch wurde aber der Widerstand nur verstärkt.

Christmas Möller fuhr fort: Es ist nicht zuviel, wenn man von einem wirklichen Sieg spricht. Die Deutschen hatten die bewaffnete Macht, die Deutschen drohten, eine Millionstadt auszuhungern und zu zerstören, und zu den Siegen an den Fronten fügte die dänische Heimatfront ihren Sieg hinzu. Das zeigt, daß ein Volk, das zusammenhält und einig ist, durch nicht geschlagen werden kann. Das zeigt auch die Schwäche Deutschlands. Das dänische Volk ist während dieses Krieges so oft seinen eigenen Weg gegangen und nicht immer ist es leicht gewesen, es zu verstehen. Diesmal verstehen und bewundern wir in der freien Welt, was daheim vollbracht wurde. Wir leiten unsere Sitzung damit ein, daß wir unsere Gedanken und bewundernden Grüße der aktiven Heimatfront senden.

Hörby, 5.7.1944:
Das Gerücht, daß der schwedische Minister in Kopenhagen von Dardel in Verbindung mit dem dänischen Freiheitsrat steht, entbehrt, wie TT erfährt, jeglicher Grundlage.

Hörby, 5.7.1944:
Echo des Tages: Als die Deutschen in Dänemark am 29. August 1943 die Verwaltung übernahmen, erklärte man, der Grund liege in der zunehmenden Sabotagetätigkeit. Diese deutsche Maßnahme hat sich jedoch als erfolglos erwiesen, die Sabotage nahm zu, als Gegenspiel fing der Kontraterror an, der in den Mordanschlägen gegen Kaj Munk und Ole Björn Kraft seinen Höhepunkt fand und in der Schalburtage seine Fortsetzung. "Schalburtage" stammt bekanntlich von dem berüchtigten Schalburg-Korps, das diese Antisabotage ausübt. Die bekannteste Schalburgtage ist die Brandstiftung im beliebten Kopenhagener Volkspark, dem Tivoli.[9] Die Deutschen werden natürlich in ihren Bestrebungen, die Dänen zu unterjochen, unterstützt, und zwar durch:
1.) Schalburg-Leute,
2.) Bezahlte Dänen,
3.) Deutsche und dänische Spitzel.

London, 6.7.1944:
Der dänische Pressedienst hat erfahren, daß Befehle aus Berlin gekommen sind, daß das Schalburg-Korps unter keinen Umständen weder gesammelt noch einzeln irgendetwas in Dänemark unternehmen darf. Die dänische Polizei wird somit von jetzt an freie Hand haben, jeden Eingriff des Schalburg-Korps zu verhindern, wenn nötig mit den Waffen. Dieses neue deutsche Zugeständnis bedeutet in Wirklichkeit, daß das Korps von nun an nicht mehr unter dem Schutz der deutschen Gesetze steht, und da seine Mitglieder dadurch der dänischen Gesetzgebung unterstehen, erwartet man, daß die Deutschen aufgefordert werden, einige der schlimmsten Verbrecher der dänischen Polizei auszuliefern. Obgleich Dr. Best alles tat, um das Korps zu behalten, scheinen die deutschen militärischen Behörden die Anschauung zu haben, daß es ein Klotz am Bein sei. Die Dänen werden sich jedoch kaum über diese neuen deutschen Versprechungen freuen, ehe das Schalburg-Korps nicht wirklich beseitigt ist.

9 Schalburgtagen blev, som det fremgår ovenfor, kun helt undtagelsesvis udført af Schalburgkorpset.

London, 7.7.1944:
Der dänische Pressedienst in Stockholm hat nähere Einzelheiten über die Verhandlungen, die während des Streiks in Kopenhagen stattfanden, veröffentlicht. Während die Verhandlungen zwischen den Deutschen und den dänischen Politikern im Gange waren, kam ein neuer Faktor hinzu, nämlich Gegensätze zwischen Dr. Best als Vertreter der deutschen Provokationspolitik und dem deutschen Ministerialrat Dr. Walter als Vertreter der wirtschaftlichen und versorgungsmäßigen Interessen Deutschland. Dr. Walter konnte sich nicht mit dem provozierenden Kurs abfinden, und schließlich wurde Dr. Best desavouiert. Auf diese Weise konnte die dänische Aufforderung, die Arbeit wieder aufzunehmen, Sonntagabend veröffentlicht werden.[10]

London, 10.7.1944:
Die Sowjetregierung hat den Dänischen Freiheitsrat anerkannt, meldet der Dänische Pressedienst aus Stockholm. Ein Vertreter des Freiheitsrates ist nun in London und unterwegs nach Moskau.[11] Heute ist folgendes Kommuniqué von der Sowjetregierung betreffend den Dänischen Freiheitsrat veröffentlicht worden:

Der Dänische Freiheitsrat wandte sich am 18. April an die Sowjetregierung und machte den Vorschlag, daß Verbindungen zwischen der Sowjetunion und dem kämpfenden Dänemark geknüpft würden. Weiter bat der Rat die Sowjetunion einen Vertreter des kämpfenden Dänemarks in Moskau zu empfangen. Ein entsprechender Wunsch wurde vor Vertretern der freien Dänen in London und Washington geäußert. In der Anfrage des Freiheitsrates wurde darauf hingewiesen, daß der Bruch der diplomatischen Verbindungen zwischen Dänemark und der Sowjetunion im Jahre 1941 gegen den Willen des dänischen Volkes und unter starkem Druck geschah. Weiter wurde hervorgehoben, daß der Anschluß an den Antikominternpakt, der ebenfalls von den Deutschen diktiert wurde, in den breiten Massen des Volkes starken Widerwillen verursachte und die erste öffentliche Demonstration während der Besetzung hervorrief. Nachdem die Regierung und der Reichstag am 29. August 1943 zu fungieren aufgehört hatten und der König gleichzeitig gefangen genommen wurde, ist der Dänische Freiheitsrat das einzige Organ Dänemarks, das frei und unabhängig den Willen des Volkes zum Ausdruck bringen kann, wieder freundschaftliche Beziehungen mit der Sowjetunion aufzunehmen. Am 23. April antwortete die Sowjetunion, daß sie bereit wäre, umgehend Verbindungen mit dem Dänischen Freiheitsrat aufzunehmen und einen Vertreter des kämpfenden Dänemark in Moskau zu empfangen, so wie bereits Vertrete des kämpfenden Dänemark sich schon in London aufhalten. Der Dänische Freiheitsrat hat zum bevollmächtigten Vertreter des kämpfenden Dänemark in der Sowjetunion mit den Rechten eines Gesandten die im dänischen sozialistischen und kulturellen Leben bedeutende Persönlichkeit Thomas Dössing ernannt.

Der dänischen Pressedienst in Stockholm fügt hinzu, daß der Vertreter des kämpfenden Dänemark in London, der im Moskauer Kommuniqué erwähnt wird, der Vorsitzende des Dänischen Rates in London Christmas Möller sei.

---

10 Fremstillingen savnede ethvert grundlag.
11 Thomas Døssing, jfr. nedenfor.

London, 10.7.1944:
Mitten in den Befestigungsanlagen von Skanderborg haben die Deutschen vor kurzem eine Luxusvilla für General von Hanneken gebaut. Die Villa wird von speziell gebauten Bunkern beschützt. General von Hannekens Stellvertreter wohnt in einem Blockhaus in der Nähe. Für die Offiziere haben die Deutschen ein stark befestigte und beschützte Messe bauen lassen.[12]

London, 11.7.1944
Es spricht der dänische Minister in Moskau Th. Dössing: Vor 2 ½ Jahren stand ich zum letzten Mal auf dem Rednerpult, und bald sind es 3 Jahre her, daß ich zum letzten Mal im Rundfunk sprach. Es ist angenehm, wieder zu sprechen. Es ist auch angenehm, in einem freien Lande zu sein, wo das Leben seinen normalen Gang geht, wo man eine gute Zigarre rauchen und ruhig in seinem Bett schlafen kann. Das einzige, was an Kopenhagen erinnert, sind die fliegenden Bomben, die dieselbe Wirkung haben, wie die des Schalburg-Korps, also Glasscherben.

Ein Demokrat muß gegen den Nazismus und gegen dessen Wesen und alle seine Taten kämpfen. Der Demokrat, der bewußt den Kampf zu vermeiden sucht, wird nach dem Kriege entdecken, daß seine Waffen abgestumpft sind. Manche haben auch gezeigt, daß ein entwaffnetes Land gegen Waffenmacht kämpfen kann. Die Hauptfrage ist nicht, ob die dänischen Saboteure viel oder wenig zum Hauptausfall des Krieges beigetragen haben, die Hauptsache ist, daß sie dagewesen sind. Wir saßen im Ausland und freuten uns über die Belagerung von Kopenhagen im Jahre 1944. Es war nur traurig, daß wir nicht selbst daheim waren. Wir dachten nicht daran, ob der Kampf verloren wird, weil es besser ist zu verlieren, als überhaupt nicht gekämpft zu haben. …

Es ist kein Geheimnis, daß wir daheim in Dänemark verschiedene Meinungen über die Sowjetunion haben, aber in einer Frage haben wir nur eine Meinung: Ohne den Einsatz der Sowjetunion in diesem Krieg wäre die Wiedererrichtung unserer Freiheit nach aller menschlichen Berechnung jetzt im Jahre 1944 nur eine Hoffnung auf eine unsichere Zukunft gewesen. Jetzt ist es aber Wahrheit, nur eine Zeitfrage, nur eine kurze Zeit.

London, 14.7.1944:
Da sämtliche dänischen und deutschen Gefängnisse in Dänemark überfüllt sind, befassen sich die Deutschen, wie bereits früher gemeldet wurde, mit Plänen, die Gefangenen aus dem Horserödlager zu evakuieren. Man glaubt zu wissen, daß die Deutschen die Gefangenen im Horserödlager in 3 Gruppen eingeteilt haben. Die erste Gruppe ist diejenige, wo die Deutschen glauben, genügend Beweismaterial zu besitzen. Diese Personen sollen in Kürze verurteilt werden, um anschließend in Gruppen zu 50 Leuten zur Verbüßung der Strafe nach Deutschland geschickt zu werden. Gruppe 2 soll bis auf weiteres in Horseröd verbleiben. Die dritte Gruppe umfaßt Leute, gegen die die Deutschen überhaupt keine Beweise besitzen, diese werden wahrscheinlich freigelassen werden.

---

12 Der blev bygget bunkers og barakker på stedet, men ingen luksusvilla til von Hanneken. Se Mouritzsen 2003 og Kienitz/Drostrup 2001.

London, 17.7.1944:
Unter denen, die den Streik in Kopenhagen zu brechen versuchten, war – wie der dänische Pressedienst aus Stockholm meldet – der Schiffsreeder A.P. Möller. Er verlangte, daß sein Büropersonal die Arbeit fortsetzen solle. Generaldirektor Knutzen von den dänischen Staatsbahnen verlangte eine Liste über diejenigen, die nicht arbeiteten.[13] Am Freitag vormittag, als der Streik seinen Höhepunkt erreicht hatte, sah man Knutzen zusammen mit einigen deutschen Offizieren auf dem Hauptbahnhof.

London, 21.7.1944:
Das alliierte Oberkommando hat die dänischen Saboteure anläßlich des gelungenen Sabotageaktes gegen "Dansk Industrisyndikat" vor knapp einem Monat beglückwünscht. Dem dänischen Pressedienst zufolge hat das Telegramm folgenden Wortlaut: "Haben den vollständigen Bericht betreffend Riffel-Syndikat erhalten. Wir beglückwünschen hiermit alle, die diese Operation so ausgezeichnet vorbereitet und durchführt haben."[14]

Weiter teilt der dänische Pressedienst mit, daß eine wichtige Persönlichkeit innerhalb der dänischen Sabotageorganisation mit einem hohen britischen Orden ausgezeichnet worden ist.[15]

London, 23.7.1944:
Aus einer Rede von Christmas Möller: Es war von unendlicher Bedeutung, daß das mächtige, das starke und siegreiche Rußland, das einen entscheidenden Einfluß auf die Zukunft Europas haben wird, uns verstanden hat und das kämpfende Dänemark anerkennt.

2.) Die schwedische Presse.
Der Kopenhagener Generalstreik hat der schwedischen Presse etwa eine Woche lang reichlich Stoff zu riesigen Schlagzeilen, ausführlichen Meldungen und zahlreichen Leitartikeln gegeben.

"Chaos in Dänemark," Generalstreik in Kopenhagen," "Blutige Straßenkämpfe," "Scharen verlassen Kopenhagen," "Unruhen über das ganze Land," "Stadt ohne Gas und Wasser," "Sanitäre Gefahren in tropische Hitze," "Invasionsgerüchte in Dänemark" – so und ähnlich lauteten die Überschriften der großen Blätter.

Die Meldungen stammen alle von "Dansk Pressetjänst" und sind daher mehr oder weniger gleichlautend. Sie berichten von dem wachsenden Haß gegen das Schalburg-Korps, der Unruhe anläßlich des Ausgangsverbots, dem Aufruhr auf den Straßen, der Flucht aus der Stadt, den Invasionsgerüchten usw. Mit besonderer Erbitterung wird immer wieder erwähnt, daß von Flugzeugen aus auf die Demonstranten geschossen worden sei. Auch die mit dem Löschen des Brandes bei Bulldog beschäftigten Feuer-

---

13 A.P. Møller og P. Knutzen var tilbagevendende angrebsmål i den illegale presse og i danske radioudsendelser fra London, så at de også blev trukket frem i denne sammenhæng er ikke overraskende, hvad enten påstandene var sande eller ej.
14 Et sådant telegram blev ikke afsendt.
15 Der blev ikke uddelt ordner på dette tidspunkt.

wehrmannschaften seien aus der Luft beschossen worden.[16] Patrioten sollen Sorgenfri-Schloß umringt haben, um den König vor einem eventuellen Coup zu schützen. Schalburg-Leute sollen versucht haben, Amalienborg anzugreifen, aber blutig zurückgewiesen worden sein.[17]

"Morgentidningen" vom 6.7.1944 schrieb, daß die Bevölkerung Kopenhagens einer furchtbaren Zeit entgegengegangen wäre, wenn Dr. Best seine Pläne durchgeführt hätte. "Wie ein hoher dänischer Beamter im Dagmarhus erklärt haben soll, soll Best gesagt haben: "Vom König abwärts hat jeder an der Verantwortung zu tragen, und Dänemark soll seine Strafe erhalten. Die deutsche Ehre ist in den Schmutz getreten worden. Das Kopenhagener Pack soll die Peitsche zu fühlen bekommen. Glauben die Herren Verwaltungsdirektoren, daß Deutschland so schwach ist, daß es mit einer Stadt wie Kopenhagen nicht fertig werden kann? Wir haben das bereits früher gezeigt, und wir werden dies erneut tun. Mit allen zur Verfügung stehenden Mitteln werden wir Ruhe und Ordnung wieder herstellen. Alle Sabotageschäden werden zusammengerechnet, und deren Wert wird von den deutschen Lieferungen an Dänemark abgezogen."

Von Dansk Pressetjänst will "Morgentidningen" vom 7.7.44 erfahren haben, daß der Reichsführer-SS dem Schalburg-Korps jegliche Aktionen in Dänemark durch Gruppen oder einzelne Mitglieder verboten habe. Dieser Entscheidung soll ein Bericht des SS-Brigadeführers Kanstein an Himmler vorausgegangen sein, auf Grund dessen Himmler dem Führer die Auflösung des Korps vorschlug. Dr. Best soll jedoch für eine Beibehaltung des Korps eingetreten sein.[18]

Nach einer Privatmeldung an "Dagens Nyheter" vom 8.7.44 sollen eine Reihe dänischer Schalburgleute in Oslo und weiter nördlich in Dienst der Gestapo eingesetzt worden sein. Statt ihrer sollen einige Hirdmänner nach Dänemark geschickt werden, um dort als Angeber tätig zu sein.[19]

Zum Thema "Die Dänen und Moskau" schreib "Stockholms Tidningen" vom 1.7.44 in einem Leitartikel: "Dänemarks Freiheitsrat hat den bemerkenswerten Schritt getan, diplomatische Verbindungen mit der Sowjetunion zu eröffnen und die Sowjetunion hat sich bereit erklärt, einen Vertreter des Rates als Abgesandten in Moskau zu empfangen. Hierdurch ist die ganz besondere Lage, in der sich Dänemark international und staatsrechtlich gesehen befindet, in ein neues Licht gerückt worden. Die dänische Regierung wurde 1941 von Deutschland gezwungen, die Verbindungen mit der Sowjetunion abzubrechen und dem Antikominternpakt beizutreten. Der Freiheitsrat motiviert seinen Wunsch nach einer Wiederaufnahme der Beziehungen zu Moskau damit, daß der Rat sich nach dem 29. August 1943, als König, Regierung und Reichstag aufhörten, ihre Rechte auszuüben, als das einzige Organ in Dänemark betrachtet, welches in dieser Angelegenheit dem Willen des Volkes Ausdruck geben kann.

"Stockholms Tidningen" vom 16.7.44 behauptete in den Besitz von Informationen gekommen zu sein, wonach die Deutschen im westlichen Jütland 10.000 Robot-

---

16 Ingen af delene var korrekt.
17 Bortset fra hadet mod Schalburgkorpset er der ikke et sandt ord i disse påstande.
18 Kanstein havde forladt Danmark i efteråret 1943, og rygterne savnede også i øvrigt substans.
19 Det var ikke tilfældet.

maschinen konzentriert hätten, welche einen ganz neuen Typ darstellten. Sie überträfen die bisher gegen England eingesetzte Waffe in Bezug auf ihre Zerstörungskraft um ein Vielfaches. Ihr Gewicht werde auf 10 Tonnen und ihre Geschwindigkeit auf 3.200 Kilometer in der Stunde eingeschätzt. Sie sollen sich in der Stratosphäre in einer Höhe von 20.000 Metern fortbewegen und ohne weiteres New York erreichen können. Man behauptet, daß sie beim Aufschlag innerhalb eines Kreises von 5 Kilometern Durchmesser alles zerstörten.[20]

Der Malmöer Korrespondent von "Göteborgs Handels- und Seefahrtszeitung" schrieb am 19.7.44, die jetzige, in Kopenhagen vorherrschende ruhige Lage könne Eingeweihte nicht darüber hinwegtäuschen, daß es unter der Oberfläche weiterbrodele. Beide Seiten beobachteten sich mit gespannter Aufmerksamkeit und die patriotischen Organisationen arbeiteten mit Hochdruck, um beim nächsten Mal besser gerüstet zu sein. Das Schalburg-Korps sei offiziell verlegt und habe auch keine neuen Gewalttaten ausgeführt, was sicher ebenso Deutsche wie Dänen zufriedenstellen würde. Das Militärkommando in Kopenhagen habe sich schon lange gegen diese Horde von Quislingen gewandt, der aber von der Gestapo der Rücken gesteift werde. Da die Gestapo nicht ohne Hilfe von dänischen Angebern arbeiten könne, so glaube man nicht daran, daß die Schalburgleute ganz entfernt worden seien.

Die Deutschen seien sicherlich froh über die wiedereingetretene friedlich Lage und man behauptet, daß Dr. Best neulich während seines Besuches in Berlin nicht von Himmler empfangen worden sei, weil ihm die Schuld an den Unruhen in Dänemark beigelegt werde.

*Der Kopenhagener Generalstreik in der schwedische Presse*
Der Kopenhagener Generalstreik hat der schwedischen Presse etwa eine Woche lang reichlich Stoff zu riesigen Schlagzeilen, ausführlichen Meldungen und zahlreichen Leitartikeln gegeben.

"Chaos in Dänemark", "Generalstreik in Kopenhagen," "Blutige Straßenkämpfe," "Scharen verlassen Kopenhagen," "Unruhen über das ganze Land," "Stadt ohne Gas und Wasser," "Sanitäre Gefahren in tropischer Hitze," "Invasionsgerüchte in Dänemark" – so und ähnlich lauteten die Überschriften den großen Blätter. Besonders auffallend ist die Anzahl der veröffentlichten Bilder von Barrikaden und Straßenfeuern in der Isted-, Rantzaus- und Nörrebrogade und von dem Brand des Warenhauses Bulldog. Es handelt sich hier durchweg um ganz ausgezeichnete Aufnahmen, so daß eine Fälschung nicht in Frage kommt.

Die Meldungen selbst stammen alle von "Dansk Pressetjänst" und sind daher mehr oder weniger gleichlautend. Sie berichten von dem wachsenden Haß gegen das Schalburg-Korps, der Unruhe anläßlich des Ausgangsverbots, dem Aufruhr auf den Straßen, der Flucht aus der Stadt, den Invasionsgerüchten usw. Mit besonderer Erbitterung wird immer wieder erwähnt, daß von Flugzeugen aus auf die Demonstranten geschossen

---

20 Robothistorien skulle som de øvrige uddrag af udenlandsk og illegal presse vise de tyske tjenestesteder uvederhæftigheden i historierne.

worden sei.[21] Auch die mit dem Löschen des Brandes bei Bulldog beschäftigten Feuerwehrmannschaften seien aus der Luft beschossen worden. Patrioten sollen Sorgenfri-Schloß umringt haben, um den König vor einem eventuellen Coup zu schützen. Schalburg-Leute sollen versucht haben, Amalienborg anzugreifen, wurden aber blutig zurückgewiesen.[22] Von Dr. Best wird erzählt, er habe den Reichspolizeichef um größeren Polizeischutz für seine eigene Person gebeten, trotzdem seine Wohnung am Strandvej bereits von 30 dänischen und 4 deutschen Polizisten bewacht sei.

Über die Entstehung des Streiks und en Anteil des dänischen Freiheitsrates sind die Ansichten der Blätter ziemlich bestimmt. So heißt es z.B.:

"Es muß hervorgehoben werden, daß von einem organisierten Aufruhr nicht die Rede sein kann. Die Leiter der dänischen Freiheitsbewegung sind sich darüber im klaren, daß die Zeit für einen Aufstand noch nicht reif ist. Die Demonstrationen sind lediglich ein Protest gegen Dr. Bests Proklamation des Ausnahmezustandes und gegen das Schalburg-Korps. Die deutsche Mitteilung über die Hinrichtung von 8 Dänen in Jütland hat die Verbitterung gesteigert. Die Forderungen der Kopenhagener lauten auf Aufhebung des Ausnahmezustandes und Landesverweisung des Schalburg-Korps." ("Göteborgs Handels- und Schiffahrtszeitung" v. 1. Juni 1944).

"Der Generalstreik ist nach eingelaufenen Mitteilungen nicht auf gewöhnliche Weise proklamiert sondern als Folge einer Entwicklungsreihe entstanden, wo eine Streikgruppe in Protest gegen das Ausgangsverbot die andere nach sich zog. Die Demonstrationen richten sich jedoch nicht ausschließlich gegen dieses Verbot sondern auch gegen das Schalburg-Korps, dessen Entfernung man fordert, und gegen die letzten Hinrichtungen. Ebenso ist der Generalstreik auch allem Anschein nach von der aktiven Heimatfront weder organisiert, gefördert oder geleitet worden, obwohl diese natürlich mit der Bevölkerung einig ist. Daß die Lage jedoch zu neuen Sabotageakten benutzt wird, ist klar, und es liegen auch Mitteilungen darüber vor. Man glaubt in Kopenhagen, daß Dr. Best das Ausgangsverbot ohne Rücksprache mit seinen Vorgesetzten oder General von Hanneken erließ. Wie verlautet, soll der Letztere ein entschiedener Gegner dieser Maßnahme gewesen sein, ebenso wie Dr. Bests eigene Leute mit ihm in diesem Punkte uneinig waren. Nach den Entwicklungen der letzten Tage muß man jedoch annehmen, daß die deutschen Behörden in Dänemark in engstem Kontakt mit Berlin stehen und daß der deutsche Kurs letzten Endes von dort aus bestimmt wird. Von deutscher Seite liegt nur eine einzige Stellungnahme zur Lage vor, indem man den Departementschefs zu verstehen gegeben hat, daß man zu starken Mitteln greifen würde, falls es den Dänen nicht gelinge, selbst Herr der Lage zu werden ... Die Geschehnisse der vergangenen Tage haben bewiesen, daß die Deutschen nicht imstande sind, die Bevölkerung während eines Massenaufstandes zu kontrollieren. Als der Streik begann, hatten sie nur einige tausend wenn auch gut bewaffnete Soldaten in der Stadt. Charakteristischerweise konnten sie nicht einmal die Straßen in genügendem Umfang abpatrouillieren" ("Morgen Tidningen" vom 2. Juli).

Die Leitartikel schlagen einen ähnlichen Ton an:

---

21 Det var ikke tilfældet.
22 Heller ikke disse påstande havde deres rigtighed.

"Schon in der Nacht zum Donnerstag befanden sich die deutschen Behörden auf dem Rückzug vor dem Volkssturm, den sie selbst heraufbeschworen hatten: das Ausgangsverbot wurde um 3 Stunden verkürzt. Aber vierjähriges Zusammenleben mit den Deutschen hat die Dänen gelehrt, daß es falsch ist, sich mit kleinen deutschen Zugeständnissen zufrieden zu geben – was Dr. Best mit der einen Hand gibt, nimmt er wieder mit der anderen. Diesmal bestand das Nehmen in der Verhaftung verschiedener Gewerkschaftsführer.[23] Als Antwort erfolgte der Generalstreik, und um die Situation wieder einzurenken, wird Dr. Best sicherlich den Dänen bedeutend größere, wenn auch vielleicht nicht nach außen hin sichtbare Zugeständnisse machen müssen. Wenn der Streik wirklich heute nicht nur durch deutsche Bekanntmachungen sondern in Wirklichkeit abgeblasen werden sollte, so kann man sicher sein, daß die Deutschen es für notwendig hielten, nachzugeben. Aber sie werden gewiß die Schlappe, die ihnen die Dänen versetzt haben, niemals vergessen. In irgend einer Form werden sie Rache nehmen, und deshalb wird sich der Kampf in Dänemark nur intensivieren, Sein Ausgang ist von vornherein klar – die Deutschen können den Dänen zwar große Schaden zufügen, aber sie können nicht gewinnen. Die geistigen Waffen der Dänen sind auf die Dauer gesehen stärker als der Terror und die Kugeln der Deutschen." ("Nya Dagligt Allehanda" vom 1. Juli).

"Der Generalstreik und die blutigen Unruhen sind offenbar spontan ausgebrochen und es handelt sich dabei keineswegs um einen geplanten Aufruhr gegen die Eindringlinge. Der Druck ist einfach durch die unklugen und verzweifelten Maßnahmen der Deutschen so stark geworden, daß eine Explosion die unausbleibliche Folge war. Möglich, daß sich die Unruhe diesmal auf die eine oder andere Weise dämpfen läßt, aber das kann nur als eine Art zufällige Pause in Dänemarks tapferem Kampf um seine Freiheit gewertet werden. Seitdem die Deutschen ihr Versprechen, sich nicht in die inneren Angelegenheiten des Landes zu mischen, brachen, betrachten sich die Dänen als ein kriegführendes Volk und sind zu allen Opfern im Kampf gegen den Unterdrücker bereit. Die Ereignisse in Kopenhagen sind ein Beweis für den verhärteten dänischen Widerstandswillen und dafür, daß weder Drück noch Tenor ein freiheitsliebendes nordisches Volk unterjochen können." ("Stockholms Tidningen" vom 2. Juli).

Schon am 2. Juli macht sich jedoch die Einsicht geltend, daß der Streik seinen Höhepunkt überschritten hat, und die Presse bereitet ihre Leserschaft auf das Ende vor, indem sie gleichzeitig die an den nachfolgenden Tagen immer deutlicher werdende Version wählt, daß nur größere Zugeständnisse von deutscher Seite das aufgerührte dänische Volk beruhigen konnten. Gleichzeitig wird versucht, einige der Lorbeeren für den dänischen Freiheitsrat zu retten:

"Die Deutschen schicken jetzt Verstärkungen in die Kopenhagener Garnison und lassen Flugzeuge in die Straßenkämpfe eingreifen. Aber die Herren von Hanneken und Best wissen sicher, daß sie mit Deutschlands immer knapperen Reserven haushalten müssen. Es wäre deshalb nicht zu verwundern, wenn sie sich dazu gezwungen sehen, Öl auf die aufgerührten Wogen in Kopenhagen zu gießen in der Form von Zugeständnissen auf die Forderung nach Aufhebung des Ausnahmezustandes, Entfernung des Schalburg-

---

23 Det var ikke tilfældet.

Korps und Freilassung der Gewerkschaftsführer, welche dem Verlauten nach als Geiseln gefangengehalten werden." ("Svenska Dagbladet" vom 2. Juli).

"Die Führung des unterirdischen Dänemark," der sogenannte Freiheitsrat, der zu Beginn von dem Ausmaß und der Stärke der Aufruhrwelle überrascht war, hat sich inzwischen an ihre Spitze zu setzen versucht, Aber diese Führung ist anonym und den meisten Dänen unbekannt und kann sich deshalb nicht an Autorität mit den bekannten Männern in führender Stellung messen, die aus Furcht vor dem Schicksal der Bevölkerung die Aktion abzudämmen versuchen, welche schon durch ihren spontanen und sporadischen Charakter zu keinem abschließenden Resultat führen kann. Es ist unvermeidlich, daß sich unter solchen chaotischen Verhältnissen Gegensätze geltend machen, welche nicht das gemeinsame Ziel der Freiheitsbewegung ins Auge fassen, sondern sich mit Mitteln, die nur den Forderungen der Stunde dienen, zufriedengeben." ("Svenska Dagbladet" vom 4. Juli).

Nach dem Abebben des Streiks wird durchweg behauptet, daß Dr. Best eine zweifache Niederlage erlitten hätte, 1.) gegen den Freiheitsrat, dessen sämtliche Forderungen erfüllt werden mußten, und 2.) gegen General von Hanneken und Dr. Walther, welche mit dem von Dr. Best dem Streik gegenüber eingeschlagenen scharfen Kurs von Anfang an nicht einverstanden gewesen seien und ein Nachgeben erzwungen hätten:

"Das deutsche Nachgeben vom Sonntag Abend scheint eine Niederlage für den deutschen Reichsbevollmächtigten Dr. Best gewesen zu sein, welcher den Kampf hart auf hart zu Ende führen und die Kopenhagener Bevölkerung durch Aushungern zur Übergabe zwingen wollte. Dr. Best hatte eine Belagerung und langsame Aushungerung angedroht. Mit diesen Drohungen konnte er am Sonnabend die Gewerkschaftsführer und Administrationschefs, zu Verhandlungen über einen Ausweg veranlassen. Als Resultat erfolgte ein Aufruf, die Arbeit wieder aufzunehmen und den Generalstreik abzublasen, gleichzeitig aber ein Bedauern darüber, daß die Deutschen provozierend aufgetreten seien und dadurch die gespannte Lage selbst verursacht hätten. Das versetzte Dr. Best in Raserei und er erklärte, daß auf dieser Grundlage die Zufahrtsstraßen nicht geöffnet werden könnten. Hiergegen wandte sich jedoch der Handelsdelegierte Dr. Walther, welcher sich gerade in Kopenhagen aufhielt. Vor ihm und den hinter ihm stehenden deutschen Stellen mußte Dr. Best aufgeben. Dr. Walther schlug vor, die Zufahrtsstraßen zu öffnen, wenn die Verwaltung und die dänischen Behörden zur Arbeit aufriefen, und Dr. Best mußte sich dem anschließen." "Nya Dagligt Allehanda" vom 3. Juli).[24]

"Die Hintergründe des Kopenhagener Streiks sind jetzt klar. Der Streik begann spontan. Die Leute reagierten auf das Ausgangsverbot und die Terrorhandlungen des Schalburg-Korps. Am Freitag hatte man sogar die Ausmaße eines Generalstreiks überschritten, indem auch alle Geschäfte schlossen. Da der Volksstreik nicht organisiert war, konnten weder die deutschen noch die dänischen Behörden etwas ausrichten. Es gab keinen Anführer, mit dem man verhandeln konnte. Am Samstag teilte der Reichsbevoll-

---

24 Der er ikke tysk belæg for, at Walter spillede den her nævnte rolle, som også bliver udviklet yderligere hos Brøndsted/Gedde, 2, 1946, s. 783f. Der var nok kompetencestridigheder mellem Walter og Best, men de var overordnet enige om den tyske besættelsespolitik. De to mødtes under generalstrejken den 30. juni dels alene, dels sammen med Ebner og dr. Dieckmann fra Reichswirtschaftskammer i Berlin (Bests kalenderoptegnelser). Der er heller ikke belæg for, at WB Dänemark var imod Bests postulerede "skarpe kurs".

mächtigte Dr. Best der dänischen Verwaltung mit, daß man Gas, Wasser und Elektrizität abstellen und die 900.000 Bewohner der Großstadt mittels Belagerung von der Versorgung aus den übrigen Teilen des Landes abschneiden würde. Zu diesem Zeitpunkt trat der dänische Freiheitsrat hervor. Er erklärte sich mit der Volkserhebung solidarisch und formulierte deren Forderungen nach Auflösung des Schalburg-Korps, Aufhebung des Ausgangsverbots und Wiederaufnahme der Lebensmittelzufuhr usw. Danach traten die Volksdemonstrationen in eine neue Phase ein. Der passive Widerstand sollte fortgesetzt werden, bis den Forderungen stattgegeben würde. Unnötige Barrikadendemonstrationen, welche nur Patrioten und Bürgern das Leben kosten konnten, sollten vermieden werden. Den spontanen Kundgebungen der ersten Tage folgte eine stillschweigende und disziplinierte Arbeitsniederlegung. Unruhen und Schießereien kamen nur von Seiten der Schalburgleute und der deutschen Patrouillen. In gewissen deutschen Kreisen, speziell in Heer und Wirtschaft, hatte Dr. Bests drastisches Einschreiten große Beunruhigung hervorgerufen, und angesichts der Aussicht auf eine Lähmung des gesamten dänischen Produktionsapparates, bekamen die deutschen kriegswirtschaftlichen Gesichtspunkte die Oberhand. General von Hanneken und der Leiter der deutschen Handelsdelegation, Dr. Walther, betrieben die Aufhebung der Belagerung und der Sperre für Gas, Wasser und Elektrizität. In den Kreisen der dänischen Verwaltung und Politik fand man eine Rücksichtnahme auf die Kopenhagener Versorgungslage so entscheidend, daß man am Sonntag Abend einen Aufruf zur Wiederaufnahme der Arbeit erließ, ohne bestimmte politische Bedingungen daran zu knüpfen. Der Freiheitsrat jedoch stellte fest, daß das deutsche Nachgeben ausschließlich die durch die neue Lage entstandenen Verhältnisse und nicht die ursächlichen Mißstände und Hintergründe des Volksstreiks befüren, und deshalb forderte er zu einer Fortsetzung des Streiks auf." "Svenska Dagbladet" vom 4. Juli).

"Von deutscher Seite ist mitgeteilt worden, daß das Schalburg-Korps von den Straßen Kopenhagens zurückgezogen würde. Verhandlungen über die Zukunft des Korps sind im Gange, meldet Dansk Pressetjänst aus Stockholm. Unter diesen Umständen hat der dänische Freiheitsrat eine Resolution verfaßt, in welchem eine volle Wiederaufnahme der Arbeit für Mittwoch morgen anempfohlen wird. Den Hintergrund für den Beschluß des Freiheitsrates bilden die folgenden deutschen Zugeständnisse: 1.) das Schalburg-Korps wird von den Straßen Kopenhagens entfernt. 2.) Die Deutschen versprechen, daß ihre Patrouillen nicht auf unschuldige Personen oder Volksmengen schießen werden, es sei denn, daß diese bewaffnet sind. 3.) Verhandlungen über die Zukunft des Schalburg-Korps werden aufgenommen und sind schon im Gange. 4.) Repressalien als Folge des Streiks sollen nicht vorgenommen werden. 5.) Die Forderung der Straßenbahner auf früheren Verkehrsschluß sollen berücksichtigt werden. Nach Dansk Pressetjänst sollen sich die Verhandlungen über das Schicksal der Schalburgleute dahin bewegen, daß das Korps mit Ausnahme einer kleinen Wachmannschaft für die Freimaurerloge nach Ringsted geschickt werden soll." ("Aftonbladet" vom 4. Juli).

"Best auf dem Fallreep? Das Leben in Kopenhagen scheint sich wieder dem zu nähern, was man mit einiger Übertreibung normal nennen kann. Der größte Gewinn der ganzen Aktion ist der, daß die Deutschen nun offenbar eine klarere Auffassung davon gewonnen haben, daß eine Organisation wie das Schalburg-Korps für eine Besatzungsmacht ein zweischneidiges Schwert ist. Die landesverräterischen Schalburgleute sind nun aus der dänischen Hauptstadt verschwunden und Verhandlungen über ihr Verschwinden an einer der vielen deutschen Fronten sind im Gange. "Von dänischer Seite scheinen die Verhandlungen von den Männern geführt worden zu sein, welche im Rundfunk zu einer Wiederaufnahme der Arbeit aufforderten. Die Geschehnisse in Kopenhagen bedeuten zweifellos einen großen Prestigeverlust für die Besatzungsbehörden und vor allem für ihren Chef, Dr. Werner Best. Schon nach den Ereignissen im August des vergangenen Jahres soll dieser erklärt haben, er sei nun innerhalb der deutschen Politik ein "toter Mann." Obwohl diese Prophezeiung sich als leicht übertrieben erwiesen hat, muß man sich doch fragen, was Bests Auftraggeber, Heinrich Himmler, vom Reichskanzler ganz zu schweigen, darüber denken werden, wenn sie den Bericht über die Lage in Dänemark erhalten.[25] Ein Wechsel auf dem Posten von Dänemarks Herrscher ist durchaus denkbar, und man darf kaum hoffen, daß Dänemark einen guten Tausch machen wird – ohne daß wir mit dieser Bemerkung Rosen für Dr. Best ausstreuen möchten. Man kann die Hypothese wagen, daß eine Abberufung Dr. Bests schärferen Terror, sein Bleiben aber einen Beweis für den deutschen Wunsch nach Entspannung der Lage bedeuten würde. Von einer wirklichen Entspannung kann natürlich nie die Rede sein, sondern höchstens von einer äußerlichen Beruhigung. Die Dänen haben klar gezeigt, was sie von den deutschen Eindringlingen denken, und diese Ansicht werden sie während des Krieges und noch viele Jahre später nicht ändern ..." ("Nya Dagligt Allehanda" vom 5. Juli).

### 124. Werner Best an das Auswärtige Amt 1. August 1944
Bests følgebrev er ikke bevaret, men det tyske sikkerhedspolitis aktivitetsberetning blev videresendt til AA i lighed med den foregående indberetning for maj. Indberetningens tendens er som i indberetningen for maj at berette om politimæssige succeser for at opnå en gunstig virkning hos de foresatte i Berlin. Også her fremsættes konklusioner vedr. virkningerne af arrestationer og oprulninger af sabotagegrupper, som der manglede baggrund for at fremsætte ud fra tidens egne forudsætninger.

Kilde: RA, pk. 228. LAK, Best-sagen (afskrift).

*Kopenhagen, den 1. August 1944.*

Betr.: Sicherheitspolizeilichen Tätigkeitsbericht für die Monate Juni und Juli 1944.

*1.) Sabotage*
In der Aufklärung insbesondere der schwereren Sabotageakte im Juni konnten weitere Erfolge erzielt werden.

| | | |
|---|---|---|
| Im Juni wurden insgesamt | 123 | Personen und |
| im Juli insgesamt | 169 | Personen |

---

25 Svensk presse gjorde Best til Himmlers mand, mens tysk politi under Pancke og Bovensiepen endnu ikke var gjort til en selvstændig magtfaktor i Danmark. Hermed fik de tyske tjenestesteder demonstreret svensk presses ringe vidensniveau.

wegen Sabotage bzw. Sabotageverdachtes und unerlaubten Waffenbesitzes festgenommen.
Unter den festgenommenen befinden sich 4 Führer von Sabotagegruppen, nämlich
   1.) Axel Jensen, geb. 13.2.19 in Fredericia[26]
   2.) Ewald Jensen, geb. 31.3.18 in Horsens,[27]
   3.) Steen Christian Fischer, geb. 18.9.20 in Kopenhagen,[28]
   4.) Peer Hakon Lützen, geb. 30.6.13 in Leningrad,[29]
sowie der Leiter einer wichtigen Anlaufstelle für die Sabotagegruppenleiter
   Poul Bilsinius Christensen, geb. 9.4.10 in Kopenh[agen].[30]
Es war dadurch möglich, einerseits die schweren Sabotagefälle, die in der letzten Zeit in Kopenhagen begangen worden sind, aufzuklären und andrerseits die Sabotageorganisationen empfindlich zu treffen.

Es stellte sich heraus, das die großen Sabotageakte gegen die Firma Globus Cykler AG in Glostrup am 6.6.44[31] und gegen Dansk Industri-Syndikat in Kopenhagen am 22.6.44.[32] durch mindestens 3-4 Sabotagegruppen ausgeführt worden sind, die unter einheitlicher Leitung standen.[33] Ein Teil der bei der Sabotage gegen Dansk Industri-Syndikat entwendeten Waffen sowie ein zu der Sabotage benutztet LKW konnten sichergestellt werden.

Von besonderer Bedeutung war die Aufrollung einer Organisation, die führend in der illegalen Arbeit tätig gewesen ist. Der Leiter dieser Organisation
   Robert Jensen, geb. 15.8.00 in Kopenhagen[34]
sowie der Führer einer Sabotagegruppe
   Sven Tronbjerg, geb. 19.3.16 in Ordrup[35]
wurden bei der Festnahme erschossen, da sie sich der Festnahme mit Waffengewalt widersetzen wollten.[36] Die Organisation das Jensen hat in ständiger Verbindung mit den

---

26 Fremtrædende medlem af BOPA. Uofficielt henrettet 9. august 1944 (*Faldne i Danmarks frihedskamp*, 1970, s. 194f., Kjeldbæk 1997, s. 370f.).

27 Niels Evald Jensen var medlem af BOPA, arresteret i farvehandel på Nordre Fasanvej 7. juli 1944 (Kjeldbæk 1997, s. 372).

28 Steen Christian Fischer blev arresteret 25. juli 1944, Nyhavn 42, Kbh., under et planlægningsmøde med SOE-agenten Hans Johansen. Se nedenfor.

29 For Per Hakon Lytzen, se nedenfor.

30 Poul Nielsenius Kristensen havde en farvehandel på Nordre Fasanvej, der var kontaktsted for to BOPA-grupper, hvor han og andre blev anholdt 7. juli 1944 (Kjeldbæk 1997, s. 371). Niels Evald Jensen, Steen Christian Fischer, Per Lytzen og Poul Kristensen blev alle deporteret til Neuengamme 14. september 1944 (Barfod 1969, s. 363).

31 Se Forstmann til Rüstungsamt 9. juni 1944.

32 Se Rü Stab Dänemarks notat 23. juni 1944.

33 De to store aktioner blev gennemført af flere grupper sammen under BOPA (Kjeldbæk 1997, s. 252-261, 474).

34 *Faldne i Danmarks frihedskamp*, 1970, s. 212.

35 Tilknyttet Holger Danske og Dansk-Svensk Flygtningetjeneste (*Faldne i Danmarks frihedskamp*, 1970, s. 440f.).

36 Det tyske politis aktion fandt sted efter et tip fra stikkeren Anker Frants Sørensen ("Søren") 24. juli, da det stormede en lejlighed Forchhammersvej 7, og i Robert Jensen dræbtes den centrale person i den dansk-svenske flygtningetjeneste. Medlemmer af Peter-gruppen deltog i aktionen (Gersfelt 1945, s. 145-147, Algreen-Petersen 2003, s. 25-27, *Faldne i Danmarks frihedskamp*, 1970, s. 212, 440f., Dethlefsen 1993, s. 76f.).

dänischen Emigranten in Schweden gestanden; sie hat ihre illegale Arbeit offensichtlich in Einvernehmen mit den dänischen Emigranten ausgeführt. Nach den bisherigen Ermittlungen hatte die Organisation 4 Untergruppen[37] und zwar

I.) Gruppe für Überführungen nach Schweden.
II.) Technische Abteilung (Herstellung von Fotografien, Schaffung von Poststellen, Kontrolle von Ferngesprächen usw.).
III.) Funkabteilung.
IV.) Nachrichtensammelstelle.

Eine der führenden Personen in der Abteilung IV, der bereits genannte Steen Christian Fischer, der außerdem eine Sabotagegruppe leitete, konnte festgenommen werden. Durch seine Vernehmung ergab sich, daß die Abteilung IV auf der einen Seite rein militärische Nachrichten sammelte, die dem Robert Jensen zugeleitet wurden, und auf der anderen Seite bei der Beschaffung von Sabotageobjekten nachrichtendienstlich tätig war. 2 Kuriere der Abteilung IV wurden festgenommen.[38]

Eine Verbindung zwischen der Organisation des Robert Jensen und den von Fallschirmagenten geführten Sabotagegruppen in Kopenhagen hat sich bisher nur insofern nachweisen lassen, als in der Wohnung eines führenden Saboteurs Pläne, die von der Abteilung IV der Organisation des Robert Jensen beschafft worden sind, vorgefunden wurden.

Durch die Festnahme des Steen Christian Fischer und des bereits genannten Peer Hakon Lützen wurden wichtige Erkenntnisse über die Organisation der Sabotagegruppen gewonnen.

Dem auf der Insel Seelands Hauptinstrukteur tätigen Fallschirmagenten "Jens Peter"[39] stehen etwa 8-10 Sabotagegruppen zur Verfügung. Unter Jens Peter arbeiten außerdem einige Fallschirmagenten als Instrukteure. Einer diesen Instrukteure befand sich wie erst später festgestellt werden konnte, bei der Festnahme des Steen Christian Fischer in der Atelierwohnung des ebenfalls festgenommenen Jak B. Christensen, geb. 5.8.15 in Kopenhagen.[40] Es handelte sich um den seit langem gesuchten Fallschirmagenten "Stumpen;" er nahm Gift, bevor die Beamten in die Wohnung eindringen konnten und starb kurze Zeit danach. "Stumpen" war Fallschirmagent und hielt sich etwa ein Jahr in Dänemark auf.[41] Eine Reihe weiterer Personen, die mit Jens Peter in Verbindung ge-

---

37 Uanset hensigten fik den tyske rapport Robert Jensens flygtningeorganisation til at fremstå som andet og mere, end den var. Der var ikke tale om fire klart adskilte underorganisationer, der var ingen radioafdeling og ingen efterretningsindsamling. Det var først og fremmest en transportorganisation, der kom i nær kontakt med andre dele af modstandsarbejdet. Muligvis blev tysk politi vildledt af nogle af de anholdte danske modstandsfolk, der uden risiko kunne belaste Robert Jensens "organisation" og holde opmærksomheden fra andre.

38 Den ene tagne kurer var Christian Algreen-Petersen. De to øvrige kurerer for Robert Jensen var brødrene Peter og Ole Fyhn, der ikke blev taget.

39 Erik Jens Peter Petersen (om ham, se Kieler, 1-2, 1993, passim, Birkelund 2008, passim).

40 Jak B. Christensen var sandsynligvis – sammen med Steen Christian Fischer og Per Hakon Lytzen – involveret i en kommunistisk sabotagegruppe, der blev instrueret af Hans Johansen.

41 "Stumpen" var Hans Johansen, der blev kastet ned over Danmark 15. maj 1943. Medlemmer af Schalburgkorpset stormede 25. juli den lejlighed Nyhavn 42, hvor han befandt sig. Det lykkedes ikke tysk politi at afsløre hans identitet (*Daglige Beretninger*, 1970, s. 204, *Faldne i Danmarks frihedskamp*, 1970, s. 224, Birkelund/Dethlefsen 1986, s. 94).

standen haben, konnte festgenommen werden. Bisher war es jedoch nicht möglich, Jens Peter selbst zu ergreifen. Es kann aber festgestellt werden, daß die Sabotageorganisationen so empfindlich getroffen worden sind, daß eine planmäßige Arbeit im Augenblick nicht möglich ist.

Erwähnenswert ist noch die schnelle Aufklärung eines Überfalles auf einen mit Wehrmachtgut beladenen LKW am 8.7.44. Die Gruppe, die diesen Überfall ausgeführt hat, konnte bereits wenige Stunden nach dem Überfall gestellt werden; 4 Personen wurden festgenommen, das gesamte geraubte Wehrmachtgut wurden wieder herbeigeschafft.[42]

Auch in Jütland wurden wesentliche Erfolge gegen die dort bestehenden Sabotageorganisationen erzielt. Durch die Festnahme des Lehrers Hans Christian Sörensen wurde eine kommunistische Sabotagegruppe aufgerollt. 9 kommunistische Funktionäre, die an verschiedenen Sabotageakten teilgenommen haben, wurden festgenommen und damit die gesamte Gruppe zerschlagen. Ein umfangsreiches Lager mit Waffen und Sabotagenmaterial, das der Gruppe gehörte, wurden beschlagnahmt.[43]

Eine weitere Sabotageorganisation wurde in Herning (Jütland) aufgedeckt. 20 Personen wurden festgenommen: der Maschinenarbeiter Willi Möller, geb. 31.3.18 in Odense, wurde bei Widerstand erschossen.[44] Auch in diesem Falle konnte umfangreiches Sabotagematerial sichergestellt werden.

Größere Sabotagegruppen dürften nach diesen Festnahmen in Jütland nicht mehr bestehen. Die in der letzten Zeit ausgeführten kleineren Anschläge gegen Eisenbahnanlagen sind offenbar durch die Reste der aufgeriebenen Gruppen verübt worden.

Aus der Arbeit der Außendienststelle Odense ist eine Aktion hervorzuheben, die am 12.7.44 gegen eine aus Odense stammende Terrorgruppe durchgeführt wurde. In einer Kiesgrube bei Raagelund wurden 5 Personen gestellt, die dort Schießübungen abhielten. Bei der Festnahme entspann sich ein Feuergefecht, in dessen Verlauf 1 Täter getötet und 2 schwer verletzt wurden.[45] Auf deutscher Seite wurde der Dolmetscher Hansen durch einen Schuß verletzt.

*2.) Kommunismus*

Im Laufe der Bekämpfung des kommunistischen Militärapparats, die nach der Festnahme des früheren Unterbezirksleiter Fritz Möller eingeleitet wurde, gelang die weitere Aufrollung sogenannter 5-Mann-Gruppen.[46] Diese Gruppen waren mit militärischen Zielsetzungen aufgebaut, waren jedoch zwischenzeitlich auch mit politischen Aufgaben betraut. Sie waren als Passiv- oder Wartegruppen gekennzeichnet und für zukünftige Aufgaben bestimmt und nicht wie die übrigen Aktivgruppen voll bewaffnet und zur

---

42 Dette overfald har ikke efterladt sig spor i hverken KTB/WB Dänemark, KTB Rü Stab Dänemark, BdO Inf. eller *Information* m.m.
43 Hans Christian Sørensen blev arresteret 21. juni 1944 i Århus (*Information* 26. juni 1944, Andrésen 1945, s. 260, Nielsen 1980, s. 57ff., 65, 84, 87).
44 Villy Møller var medlem af DKP og tilknyttet en sabotagegruppe. Han blev indkredset af Gestapo 7. juli 1944 i Søndergade 17, Ikast (*Faldne i Danmarks frihedskamp*, 1970, s. 303, Jensen/Bendixen 1986, s. 97).
45 Det drejede sig om medlemmer af Walther-gruppen, der 12. juli ville afhente nogle våben i Geels Kro, hvor det kom til ildkamp, og Gunnar Carlo Nielsen blev dræbt (*Faldne i Danmarks frihedskamp*, 1970, s. 317).
46 Fritz Møller var foruden organiseret i DKP arbejder på B&W (Kirchhoff/Trommer 2001, s. 374ff.).

Zeit bereits bei Terror- und Sabotageakten eingesetzt. Organisationsmäßig bildeten 4-6 Gruppen eine Abteilung und 3-4 Abteilungen ein Korps. Bisher konnten 1 Instrukteur, 4 Gruppenleiter und 3 Kuriers festgenommen werden. Die Aufrollung dieser Gruppe wird fortgesetzt.

Weiterhin gelang es, im Zuge der Aufrollung des ZK, den technischen Apparat des ZK auszuschalten. Festgenommen wurden der technische Leiter Mikkelsen und sämtliche im Apparat tätig gewesenen Setzer und Drucker sowie 4 Kuriers.[47] Es wurden ausgehoben:

3 komplette Setzereien (davon eine Maschinensetzerei), in denen die Drucksätze für die Landesausgaben der illegalen Druckschriften "Land og Folk", "Nyheder fra Sovjetunionen" und "Frit Danmark" einschl. einer neuen 64 Seiten umfassenden Hetzbroschüre unbetitelt "Tiden", hergestellt;[48]

2 Druckereien, in denen die erwähnten Schriften zu mehrere Tausend Exemplaren gedruckt wurden.

An Material und Inventar konnten beschlagnahmt und sichergestellt werden:

4 Rotationsmaschinen, davon 2 mit elektrischen Antrieb,

1 Handpresse und

Ca. 400 kg. Papier

3 Setzmaschinen und

ca. 1.300 kg. Schriftsatz.

Durch diesen Zugriff dürfte die Herstellung sämtlicher von der illegalen DKP zentral herausgegebenen Schriften auf längere Zeit verhindert sein.[49]

Bei der weiteren Zerschlagung des allgemeinen Parteiapparates wurden im Juni insgesamt 41 Personen und im Juli insgesamt 82 Personen festgenommen.

Es gelang die Aufrollung der gesamten Bezirksleitung für Mitteljütland einschl. der Stadtleitung in Aarhus und der Distriktleitungen sowie der Stadtleitungen in Randers, Skive, Holstebro, Viborg, Silkeborg und Herning.[50] Die gesamte Kartei der Stadtleitung Aarhus wurde erfaßt. Eine restlose Festnahme aller aktiven Mitglieder wird bei Zuverfügungstehung des nötigen Haftraumes durchgeführt.[51]

In Kopenhagen gelang es weiterhin den allgemeinen Parteiapparat durch Festnahme von 3 Abteilungsleitern und 1 ZK Kurier zu zerschlagen.[52]

---

47 Peter Mikkelsen var medlem af Centralkomiteen i DKP (Kirchhoff/Trommer 2001, s. 109).

48 *Tiden* var et kvartalsskrift udsendt af DKP fra januar 1944 (*Besættelsestidens illegale blade og bøger*, 1954, s. 153).

49 Trods tysk politis store fangst lykkedes det ikke for længere tid at stoppe udgivelsen af illegale DKP-skrifter.

50 Oprulningerne i disse jyske byer var udløbere af arrestationerne af kommunister i Århus, hvor David Hejgaard havde været forbindelsesled (se for Skive: Arne Jensen og Frits Nielsen i *Faldne i Danmarks frihedskamp*, 1970, s. 196, 316, for Herning Jensen/Bendixen 1986, s. 93f., 97, for Randers' vedkommende førte det til anholdelse af Carl Lundgreen (Hejgaard 1981, s. 180)).

51 Takket være stikkeren Grethe Bartram blev DKP i Århus ramt af omfattende arrestationer og lederen af det kommunistiske arbejde i Midtjylland, David Hejgaard, anholdt 5. juni (*Information* 28. juni 1944 (om anholdte), Andrésen 1945, s. 243, 250, Hansen 1946, s. 42ff., *Højesteretstidende* 1947, s. 652f., Hejgaard 1981, s. 160, Skov Kristensen 2007a, s. 65).

52 Det var en overdrivelse, men det havde været tæt på. David Hejgaard var blevet skygget af tysk politi under en rejse fra Århus til København, hvor han skulle møde partiledelsen (Hejgaard 1981, s. 155).

Außer der ZK-Druckerei wurde die Druckerei Jyde-Trykkeriet in Aarhus, in welcher die Landesausgabe des Zentralorgans der DKP "Land og Folk" gedruckt wurde, und eine Vervielfältigungszentrale im Bezirksmaßstab ausgehoben. Ebenfalls konnte das örtliche Organ "Aarhus Ekko" ausgehoben und umfangreiches Material beschlagnahmt werden.[53] Kurze Zeit später gelang es, auch noch die Setzerei, in der nicht nur das Organ "Land og Folk," sondern auch eine neue Broschüre "Was der Kommunismus will" hergestellt wurde, auszuheben.[54]

Weiterhin wurde eine kommunistische Studentengruppe welche die Hetzschrift "Frit Danmark" und eine Broschüre "Danmarks Dommedag" herausgab, ausgehoben.[55] Ein elektrischer Duplikator und eine erhebliche Menge von Papier und fertiggestellten Druckschriften wurden beschlagnahmt.

Während des Generalstreiks hat es sich gezeigt, daß die in meinem vom 20.6.44 – IV 1 a – B. Nr. 988/44[56] – gemeldete Trotskistgruppe noch nicht restlos zerschlagen war, da trotzkistische Flugschriften in starkem Umfange Streikparolen verbreitete. Es gelang in überraschenden Zugriff, noch 5 weitere bisher flüchtige trotzkistische Funktionäre zu erfassen und das gesamte Herstellungsgerät ihres Propagandaapparates sicherzustellen.[57]

*3.) Nationaler Widerstand*

Wegen nationalen Widerstandes wurden im Juni insgesamt 188 Personen und in Juli insgesamt 170 Personen festgenommen. Da die Ermittlungen auf dem Sektor der Sabotagebekämpfung, der Spionage und des nationalen Widerstandes ergeben hatten, daß neben den kommunistischen und den jungkonservativen Kreisen vor allen Dingen die Angehörigen der von Arne Sörensen geführten Partei "Dansk Samling" die aktivsten deutschfeindlichen Elemente darstellen, wurden in überraschendem Zugriff sämtliche Funktionäre der Partei "Dansk Samling" festgesetzt, um die aktivsten Elemente auszuschalten.[58]

In der weiteren Aufrollung der vor allen Dingen in Kopenhagen arbeitenden Organisation "Hjemmefronten" gelang es weitere 75 Personen festzunehmen, darunter 2 Hauptleiter, 4 Distriktsleiter, 14 Gruppenführer.[59] Es konnten sichergestellt werden:
1.) 1 Uniformlager enthaltend:
   250 Röcks

---

53 Den 21. juni 1944 slog Gestapo på baggrund af oplysninger fra stikkeren Grethe Bartram til mod bladgruppen bag *Land og Folk* og *Aarhus Ekko*, hvorved over 40 medarbejdere blev anholdt. Det betød at produktionen af *Land og Folk* måtte flyttes til andre byer, mens *Aarhus Ekko* hurtigt udkom igen (Andrésen 1945, s. 243, *Højesteretstidende* 1947, s. 652ff., passim, *Besættelsestidens illegale blade og bøger*, 1954, s. 40, 120).
54 Der er ikke kendt en illegal publikation med titlen "Hvad vil Kommunismen?"
55 Dommedag over Danmark var i arbejde hos en Frit Danmark-gruppe i Haderslev, men blev ikke fuldført (*Besættelsestidens illegale blade og bøger*, 1954, s. 176).
56 Denne beretning er ikke lokaliseret.
57 For trotskisterne, se henvisningen i aktivitetsberetningen for maj 1944.
58 Gestapo slog til mod Dansk Samling 15. juni, hvorved godt 50 personer blev arresteret (Lundbak 2001, s. 461f.).
59 Det fremgår ikke hos Birkelund, at et så stort antal personer tilknyttet Hjemmefronten blev pågrebet efter maj 1944 (Birkelund 2000, s. 287-292).

200 Hosen
6 Säcke mit Uniformmützen und
280 gebrauchte Koppel,
4 leichte Maschinengewehre (dän. Modell),
3.480 Schuß scharfe Munition Kal. 9 mm
6 Magazinbeutel
201 Patronentaschen,
209 Koppel
106 Feldmützen
153 Paar lange Schnürstiefeln
202 Waffenröcke und
200 lange Hosen,

2.) 1 Sprengstofflager enthaltend:
2 Lehrkoffer mit Sprengstoffmateriell
2 Pistolen, 1 Handgranate, 1 MP, 1 Handbombe
50 deutsche Handgranaten, 2 MP und Sprengstoff,
10 Eierhandgranaten, 2 Karabiner, 4 Pistolen,
65 Schuß Pistolenmunition 9 mm
75 Schuß deutsche Gewehrmunition
1 Seitengewehr, 24 Schuß Pistolenmunition.

Einer der Instrukteure des Schutzkorps "Hjemmefronten," der frühere Kornett Niels Aage Skov, wurde überführt, neben seiner Instrukteurtätigkeit insgesamt 23 schwere Sabotageakte durchgeführt zu haben.[60] Bei der Organisation "Hjemmefronten" handelt es sich um eine Organisation, die, wie jetzt einwandfrei feststeht, die Zielsetzung hatte, im Falle einer Invasion den deutschen Truppen durch Einsatz von Spreng- und Sicherungskommandos in den Rücken zu fallen. Zu diesem Zweck wurden die Korpsangehörigen im Gebrauch von Sprengstoff, Handgranaten, Handbomben und Maschinenpistolen ausgebildet.

Im Zuge der Bekämpfung der illegalen Hetzpresse wurden insgesamt 14 Druckereien geschlossen. Insbesondere gelang es noch, die Hetzschrift "Fri Presse", die in einer Auflage vom 70.000 Exemplaren erschien, restlos zu erschlagen und 2 Druckereien sowie 4 illegale Lagerräume auszuheben und zu schließen. – Nach der Zerschlagung der illegalen Presse hat sich ein allgemeines Nachlassen der Hetzpropaganda gezeigt.

Die in dem früheren Bericht gemeldete Aufrollung der Militärorganisation "Hjemmevärn" in Horsens, die ähnlich wie "Hjemmefronten" das Ziel hatte, militärische Gruppen im Rücken der deutschen Truppen im Falle der Invasion einzusetzen, wurde weiter fortgeführt. Die Zahl der Festnahmen wuchs auf 48 an.[61] Unter den Festge-

---

60 Skovs deltagelse i bl.a. våbenmodtagelse blev ikke afsløret og uvist hvorfor gik hans sag ikke til den tyske krigsret, og han "slap" med siden at blive deporteret til Tyskland. Til gengæld førte uforsigtighed fra hans side til mange andre anholdelser (*Information* 6. og 10. juni 1944, Birkelund 2000, s. 195, 287. For detaljer se Skovs erindringer 2000, 253-255, 263f.).
61 Arrestationerne i Horsens fandt sted 16. maj (21 personer), 19. maj (15 personer) og 22. juni (14

nommenen befinden sich 3 Angehörige der örtlichen Führung, 4 Abteilungsleiter, 10 Gruppenführer und 31 besonders aktive Mannschaftsangehörigen. 42 Personen sind flüchtig. Die Zerschlagung weiterer Heimwehrgruppen wird mit besonderer Beschleunigung betrieben.

*4.) Spionage*
In Zuge der Aufrollung des englischen ND wurden zunächst in den Verfahren gegen den englischen Agenten "R.111" zwei seiner Unteragenten ermittelt. Es handelt sich hier um 2 dänische Staatsangehörige, die zeitweise im Reich eingesetzt waren und die Bezeichnung "R.111/1" bezw. "R.111/2" führten. R.111/1 ist geständig, für den englischen ND tätig gewesen zu sein; die Ermittlungen gegen "R.111/2" befinden sich noch im Anfangsstadium.[62]

Ferner gelang es, den englischen Agenten "R.107" festzunehmen. Es handelt sich um einen dänischen kaufmännischen Angestellten, der geständig ist, Ausspähungsaufträge durchgeführt haben.[63]

Weiter konnten 2 Angehörige der dänischen Telefonzensur wegen Beziehungen zum englischen ND ermittelt und festgenommen werden.[64]

Im Zuge der Aufrollung des dänischen ND konnten 12 weitere dänische Staatsangehörige wegen nachrichtendienstlicher Betätigung zum Nachteile des Reiches ermittelt und festgenommen werden.

Es gelang, eine Agentenlinie aus Stockholm zu einer äußerst wichtigen Wehrmachtsversuchsanlage in Dänemark festzustellen. Die Ermittlungen dauern noch an.

Ferner konnte ein englischer Agent, der von Stockholm aus unter falschem Namen zu einer Berliner Firma vermittelt worden war, festgenommen werden.


### 125. Werner Best an das Auswärtige Amt 2. August 1944
Best viderebragte Frants Hvass' positive indtryk af besigtigelsen af Theresienstadt 23. juni og mente på baggrund af det vellykkede besøg, at det var en anledning til at tage sagen om de 13 jøder og mischlinge, der fejlagtigt var blevet deporteret, op med Kaltenbrunner igen (Yahil 1967, s. 268).[65]

Der er ikke fundet akter, der viser, at AA kontaktede Kaltenbrunner yderligere i spørgsmålet, og der kom ikke flere danske jøder hjem fra lejren før foråret 1945.

---

personer), ifølge Rimestad, 2, 1999, s. 51-56. Altså i alt 50 personer. Navne på de anholdte blev oplyst af *Information* 12. (vedr. arrestationer 9. maj), 16., 19., 21./22., 25. maj og 26. juni 1944.
62 Agent for SIS, R 111, var Jørgen Østrup Rasmussen, anholdt 24. januar 1944 (Hjorth Rasmussen 1998, s. 132). Hans underagenter er ikke identificeret.
63 Agent R 107 er ikke identificeret med sikkerhed, men det var sandsynligvis John Smith, der blev anholdt 11. juni 1944 ud for "Hotel Astoria" i København, angivet af Jenny Holm (*Faldne i Danmarks frihedskamp*, 1970, s. 407f., Hjorth Rasmussen 1998, s. 135, 185, Øvig Knudsen 2005, s. 425, Skov Kristensen 2007b, s. 320).
64 Den ene af disse var Arne Lützen-Hansen, anholdt 13. januar 1944. Henrettet 24. maj 1944 (Bests telegram nr. 658. 23. maj 1944, *Faldne i Danmarks frihedskamp*, 1970, s. 144f., Hjorth Rasmussen 1998, s. 132).
65 *Information* kunne 10. juli viderebringe meddelelsen om, at Hvass og Henningsen var vendt tilbage fra rejsen til Theresienstadt, og at de betegnede forholdene i interneringslejren som gode.

Kilde: PA/AA R 104.608.

Telegramm

Kopenhagen, den 2. August 1944 21.40 Uhr
Ankunft, den 3. August 1944 12.50 Uhr

Nr. 917 vom 2.8.[44.]

Auf das dortige Schreiben vom 29.6. 44[66] betr. den Besuch des dänischen Ministerialdirektors Hvass in Theresienstadt (Inl. II a 2232) berichte ich, daß Hvass auch hier über seine in Theresienstadt gewonnenen Eindrücke in durchaus positiver Weise berichtet hat. Im einzelnen erzählte er:
"Er habe sich in Theresienstadt vollkommen frei und ungehindert bewegen und alles ansehen können, was er wollte. Die guten Bedingungen, unter den die Juden in Theresienstadt lebten, hätten ihn stark beeindruckt. Die Juden seien im weitesten Masse sich selbst überlassen, es befänden sich in der ganzen Stadt nur 15 Nichtjuden. Eine Reihe von Aufnahmen, die Hvass mitgebracht hat, zeigen spielende Schulkinder, Sportveranstaltungen, die Einwohnerschaft bei einem Platzkonzert, die freiwillige Feuerwehr bei einer Übung usw. Es sei bemerkenswert, wie gut sämtliche auf diesen Bildern zu sehenden Personen angezogen seien. Wenn man sich in Dänemark unter Theresienstadt eine Art Konzentrationslager vorgestellt hätte, so sei diese Anschauung auf das Deutlichste widerlegt worden. In allen seinen Gesprächen mit den in Theresienstadt befindlichen dänischen Juden sei er in seiner Auffassung bestärkt worden, daß es diesen Juden recht gut geht. Er habe den Departementschefs über das sehr befriedigende Ergebnis seines Besuches in Theresienstadt Vortrag gehalten, und auch diese seien durch seine Schilderungen sehr beeindruckt worden. Man betrachtet jetzt die Angelegenheit Theresienstadt in Dänemark sehr viel ruhiger." Die in dem dortigen Schreiben mitgeteilte Auffassung des Reichssicherheitshauptamtes, daß der von dem Ministerialdirektor Hvass gewonnene und hier vertretene Eindruck durch die Rückführung der noch ausstehende[n] 13 Juden und Mischlinge, die irrtümlich aus Dänemark deportiert worden wären, beeinträchtigt werden könne, ist unrichtig. Im Gegenteil wird es nur den Eindruck deutscher Sachlichkeit und Gerechtigkeit vertiefen, wenn jetzt endlich das von den Vertretern des Reiches gegebene Wort eingelöst wird. Ich habe am 28.7. im Sinne der bei Herrn Staatssekretär Dr. von Steengracht geführten Besprechung den Chef der Sicherheitspolizei SS-Obergruppenführer Dr. Kaltenbrunner um beschleunigte Entscheidung in diesem Sinne gebeten und hoffe, daß daraufhin die Rückführungsfrage endlich zum Abschluß gelangen wird.[67]

Dr. Best

66 Skrivelsen er ikke lokaliseret.
67 Se kommentaren til Best til AA 27. juli 1944.

### 126. Walter Forstmann an OKW, Abteilung AWA 3. August 1944
På grund af systematisk sabotage havde det været nødvendigt at flytte fire danske virksomheders produktion til Holmen. De arbejdede alle for OKWs Jägerprogramm. Firmaerne ville ikke betale for flytningen, hvilket Forstmann fandt berettiget, og da det heller ikke kunne ske over clearingkontoen, bad han om, at de nødvendige midler blev bevilget af besættelseskontoen.

Forstmann havde løbende orienteret Berlin om sabotagerne mod de nævnte firmaer.

Fra dansk side protesterede Svenningsen 24. august igen til Best over flytningen af virksomheder med krigsproduktion til Holmen, men uden resultat (Giltner 1998, s. 230 n. 76). Svenningsen havde gjort indsigelse første gang 24. juli 1944 (se Forstmann til Best 27. juli 1944).

AWA = Artilleriewaffenamt.

Kilde: BArch, Freiburg, RW 27/16. KTB/Rü Stab Dän 3. Vierteljahr 1944, Anlage 15.

Abschrift! Anl. 15
Chef Rüstungsstab Dänemark den 3. August 44
Az. Lw. 65

Bezug: –
Betr.: Umlagerung der Firmen Globus Cykler, Asra, Bohnstedt-Petersen und Ambi in Kopenhagen.

An OKW Abt. AWA
z.Hd. Herrn Stabsintendant Dr. Götze
Jüterborg

Die Firmen, die nach Dänemark verlagerte Aufträge des Jägerprogramms bearbeiteten, wurden in letzter Zeit systematisch sabotiert und dadurch wurde die Durchführung eines Teils des hierher verlagerten Programms völlig unmöglich gemacht. Durch voraussehende Maßnahmen des Rüstungsstabes ist es gelungen, einen Teil der Fabrikation zu retten und ihn auf ein militärisch bewachtes Gelände in Kopenhagen zu bringen. Es sind die 4 o.a. dänischen Firmen, die für das Jägerprogramm arbeiten, konzentriert untergebracht worden. Die durch diese Umlagerung entstandenen und noch entstehenden Kosten können von den dänischen Firmen aus eigener Tasche nicht bezahlt werden. Sie lehnen berechtigt jede Bezahlung ab. Eine Bezahlung deutscherseits über Clearing kommt nicht in Frage, weil es nicht um Leistungen handelt, die nach Deutschland ausgeführt werden. Der einzige Weg der Deckung der Kosten ist deshalb die Bezahlung aus dem Besatzungsfond.

Es handelt sich um einen Kostenaufwand von ca. d.Kr. 150.000,-. Die Notwendigkeit der ganzen Maßnahme wird durch den RdL u. OdL gleichzeitig an das OKW herangetragen werden. Es wird daher gebeten an den Wehrmachtsintendanten Dänemark Anweisung zu geben, aus dem Besatzungsfond des Befehlshabers der deutschen Truppen in Dänemark an den Rüstungsstab d.Kr. 150.000,- zu zahlen.

gez. **Forstmann**

## 127. Wolfram Sievers an Werner Best 4. August 1944

Sievers kunne meddele Best, at det ikke var lykkedes at få Kersten til Danmark pga. de nye skærpede bestemmelser for den totale krigsførelse. Han foreslog, at Best og Pancke henvendte sig til RFSS for at få beslutningen omgjort. Kersten ville være den bedste mand for Danmark, ingen anden havde hans forudsætninger (Schreiber Pedersen 2005, s. 164 og 2008, s. 303).

Best svarede Sievers 16. august, mens Sievers orienterede Kersten 7. august 1944.
Kilde: BArch, NS 21 /52.

Das Ahnenerbe  *Waischenfeld/Ofr., 4.8.1944*
Der Reichsgeschäftsführer  Nr. 135

An den Reichsbevollmächtigten in Dänemark
SS-Obergruppenführer Dr. Werner Best,
über Grenzkommissariat Rostock

*Lieber Obergruppenführer!*
Im Anschluß an unser Gespräch habe ich mich um die Freigabe von Dr. Kersten für die Arbeit in Dänemark bemüht. Leider habe ich die Angelegenheit mit Reichsführer-SS nicht persönlich vortragen können, es ist durch seinen Referenten geschehen. Was ich befürchtet habe, ist eingetreten. Im Hinblick auf die neuen Bestimmungen, die eine verstärkte Einziehung zur Folge haben, wurde mein Antrag abgelehnt.[68] Kersten müsse jetzt zur Truppe abgestellt werden. Damit entfallen allerdings alle Pläne, die wir hinsichtlich unserer germanischen Arbeit in Dänemark erörterten und die Sie selber durchzuführen wünschen. Ich glaube, daß die Bedeutsamkeit unserer germanischen Arbeit im Hinblick auf deren politische Auswirkung nur von Ihnen selbst überblickt und richtig eingeschätzt werden kann. Unser Bestand an Mitarbeitern ist durch die neuen Maßnahmen so dezimiert, daß wir Ihnen sonst niemand geben könnten. Aber selbst dann wäre kein Mann da, der so wie Dr. Kersten alle Voraussetzungen mitbringt: Kenntnisse der dänischen Sprache, Vertrautsein mit Land und Leuten. Wir sollten deshalb vielleicht doch noch einen Versuch machen, Kersten zu erhalten, in dem Sie selbst den Reichsführer-SS schreiben, ihm darlegen, daß die politische Arbeit in Dänemark durch unsere Tätigkeit wesentlich unterstützt würde, daß die Voraussetzungen in den letzten Jahren langsam verarbeitet seien und daß das bisher Aufgebaute Nimmerwiedersehen verloren sei, wenn wir jetzt nicht die Arbeit fortsetzen – es solle jetzt u.a. die dänische Ausgabe des "Hammer" erscheinen.[69] Kersten sei der allein geeignete Mann, weil er Land und Leute kenne, gute persönliche Beziehungen zu den in Frage kommenden Kreisen der dänischen Wissenschaft habe und die Sprache beherrsche.

Vielleicht läßt sich der Reichsführer-SS dann doch noch zu einer Freigabe Kerstens bestimmen.

Mit den besten Grüßen und
Heil Hitler!
Ihr
**Sievers**
SS-Standartenführer

---

68 Se forklaringen hos Sievers til Kersten 7. august.
69 Se Best til Sievers 24. juli 1944.

## 128. Wolfgang Krause: Reisebericht 4. August 1944

Professor Wolfgang Krause skrev efter et besøg i København en indberetning om opholdet og dets formål. Han havde været indbudt af Otto Höfler og havde holdt to foredrag og afholdt et kollokvium på Det Tyske Videnskabelige Institut. Endvidere havde han haft lejlighed til at studere runer og middelalderhåndskrifter. Fra tysk side var han blev modtaget på bedste vis, mens de danske videnskabsmænd generelt var fuldstændigt afvisende. Nogle havde svaret høfligt afvisende, andre ikke svaret og en enkelt været grov. Det var Krauses indtryk, at et længere ophold ville kunne bløde de danske videnskabsmænds holdning op. Höfler ville invitere Krause igen, til den tid på et længere ophold.

Krause sendte 5. august rejseberetningen som brev til kuratoren for universitetet i Göttingen. Under en del af opholdet i København, dagene 10. til 21. juli, førte Krause en dagbog, som supplerer beretningens oplysninger.

Kilde: Nachlass Krause, Cod. Ms. W. Krause G 10, Niedersächsische Staats- und Universitätsbibliothek Göttingen.

Reisebericht  *Göttingen, den 4. August 1944.*
Prof. Dr. Wolfg. Krause,
Univ. Göttingen.

Auf Einladung des Präsidenten des Deutschen Wissenschaftlichen Instituts in Kopenhagen, Prof. O. Höflers, weilte ich, meines Augenleidens wegen von meiner Frau begleitet, vom 10. bis 24. Juli 1944 in Kopenhagen.

Zweck meiner Reise war es, 1. bestimmte wissenschaftliche Arbeiten durchzuführen, 2. Vorträge zu halten, 3. mit dänischen Wissenschaftlern in Beziehung zu treten.

1.) Seit einiger Zeit arbeite ich an einer mit Erläuterungen versehenen Übersetzung der kulturgeschichtlich hochbedeutsamen altnorwegischen Schrift "Speculum Regale" (etwa aus dem Jahr 1270). Zur Vollendung dieser Arbeit fehlen mir indessen in Deutschland die nötigen wissenschaftlichen Hilfsmittel. In Kopenhagen hatte ich nun Gelegenheit, den über die arktische Tierwelt handelnden und besonders schwer zu kommentierenden Abschnitt jenes Textes mit einem ausgezeichneten dänischen Kenner und Fachwissenschaftler, Herrn Alwin Pedersen, in täglicher Zusammenarbeit durchzusprechen. – Auch meine runenkundlichen Forschungen konnte ich wesentlich fördern durch Untersuchungen der im Nationalmuseum aufgestellten Runen- und Sinnbildsteine sowie vor allem durch eine Fahrt nach dem etwa 60 km entfernte Schloß Jägerspris, bei dem sich vier Runensteine befinden, darunter ein schriftgeschichtlich besonders bedeutsamer ursprünglich norwegischer Stein aus der Zeit um 450. Von diesem Stein ließ ich bei meinem Besuch zahlreiche Aufnahmen herstellen.[70] Weiter konnte ich einige kleinere wissenschaftliche Arbeiten durch Heranziehung der gegenwärtig in Deutschland nicht erreichbaren wissenschaftlichen Literatur wesentlich fördern.

2.) Im Rahmen des Deutschen Wissenschaftlichen Instituts hielt ich zwei größere Vorträge: Am 17. Juli über "Die Entdeckung Amerikas durch die Wikinger", am 20. Juli über "Die Herkunft der Runen" (mit Lichtbildern). Beide Vorträge fanden vor einem geladenen Hörerkreis statt, darunter auch Dänen. Beim ersten Vortrag waren gegen 60, beim zweiten etwa 70 Zuhörer anwesend. An beiden Vorträgen nahm der Herr Reichs-

---

70 Under turen til Jægerspris 18. juli var Krause ledsaget af Hans Wäsche og dr. Wolfgang Lange (Krauses dagbogsoptegnelse anf. dato (kilde som ovenfor)).

bevollmächtigte für Dänemark, Dr. Best, persönlich teil.[71] Auf Wunsch von Prof. Höfler hielt ich schließlich am 22. Juli im Kreis seiner Doktoranden ein Colloquium über das Eddagedicht Voluspá ab.

3.) Die dänischen Wissenschaftler verhalten sich im allgemeinen ihren deutschen Kollegen gegenüber gegenwärtig völlig ablehnend. Sie gehen jedem persönlichen Zusammensein mit Deutschen aus dem Wege. Mit diesem Verhalten mußte ich bereits vor Antritt meiner Reise auf Grund meines brieflichen Verkehrs mit meinen skandinavischen Kollegen sowie von Schilderungen Prof. Höflers rechnen. Auf Briefe, die ich sogleich nach meiner Ankunft in Kopenhagen an viele mir durch wissenschaftlichen Austausch, teilweise auch persönlich bekannte dänische Fachkollegen schrieb, erhielt ich zumeist ablehnende Antworten, abgesehen davon, daß einige zur Zeit verreist waren. Ein mir besonders gut bekannter und in langjährigem wissenschaftlichen Austausch erprobter dänischer Runenforscher hat überhaupt nicht geantwortet.[72] Die meisten Antworten waren in der Form höflich;[73] eine Ausnahme bildet ein Schreiben, das ich von dem Isländer Jón Helgason, Prof. für altisländische Sprache und Literatur an der Universität Kopenhagen, erhielt, und das ich samt meinen Brief an ihn hier in Abschrift beifüge.[74] Irgendeine Antwort auf diesen Brief zu erteilen, erschien mir zwecklos. Persönliche Zusammenarbeit war für mich nur mit dem schon erwähnten Zoologen A. Pedersen möglich. Erwähnen möchte ich noch, daß der damals von Kopenhagen abwesende Rigsbibliothekar Svend Dahl in äußerst liebenswürdiger Weise sich bemühte, meinen bibliothekarischen Wünschen entgegenzukommen.[75] Ich habe überhaupt den Eindruck, daß es bei längeren Aufenthalt doch möglich sein würde, wieder gewisse Fäden mit den dänischen Forschern anzuknüpfen, und zwar ganz ungezwungen durch gemeinsame Arbeitsinteressen: Der Firnis der politischen Verhetzung muß langsam wieder abfallen und ihnen den Blick wieder freigeben für die Aufgaben der wissenschaftlichen Zusammenarbeit.

Von sämtlichen deutschen Dienststellen in Kopenhagen wurde mir mein Aufenthalt in jeder erdenklichen Weise erleichtert und angenehm gemacht. Zu ganz besonderem Dank bin ich dem Präsidenten des Deutschen Wissenschaftlichen Instituts, Herrn Prof. Höfler verpflichtet, der mir alle Arbeitsmöglichkeiten seines Instituts zur Verfügung stellte und sich auch darüber hinaus persönlich unser in liebenswürdigster und aufopferndster Weise annahm. Immer wieder hatte ich Gelegenheit, sein diplomatisches Geschick, seine stets natürlich liebenswürdigen und zugleich charaktervollen Umgangsformen zu bewundern.

Ebenso fühle ich mich dem Bevollmächtigten des Reiches für Dänemark, Herrn Dr.

---

71 Jfr. Bests kalenderoptegnelser anf. datoer.
72 Runeforskeren var Erik Moltke, hvilket fremgår af Krauses dagbogsoptegnelse 11. juli 1944.
73 Krause skrev i juli 1944 til Holger Pedersen, Johannes Brøndum-Nielsen (intet svar), Louis Hjelmslev, Sven Dahl (intet svar) og Poul Nørlund (intet svar). Alle breve med kilde som ovenfor. Han skrev endvidere til Anders Bæksted og mag.art. Martin Nielsen (Krauses dagbogsoptegnelse 12. juli 1944).
74 Brev fra Jón Helgason til Krause 11. juli og fra Krause til Helgason 14. juli 1944. Bilagene er ikke medtaget (kilde som ovenfor).
75 Krause skrev 17. juli 1944 til Sven Dahl. Krause havde to dage før forgæves opsøgt Dahl på KB (Krauses dagbogsoptegnelse 15. juli 1944).

Best, zu tiefstem Dank verpflichtet sowohl für das persönliche Interesse, das er in jenen bewegten Tagen an meinen Vorträgen genommen hat, wie für das große Entgegenkommen, das er mir durch alle seine Dienststellen für die Erleichterung meines Aufenthaltes bewiesen hat.

Weiteren Dank zolle ich u.a. dem Landesgruppenleiter der NSDAP und dem SS-Obergruppenführer Pancke, sowie schließlich allen innerdeutschen Behörden, die zu dem Zustandekommen der Reise beigetragen haben.

Zum Schluß darf ich noch erwähnen, daß Herr Prof. Höfler vorgeschlagen hat, ich möchte in absehbarer Zeit meinen Besuch wiederholen, wenn irgend möglich, um alsdann längere Zeit, etwa 6 Wochen, in Kopenhagen zur Durchführung bestimmter wissenschaftlicher Arbeiten zu weilen.

Heil Hitler!
Prof. Dr. Wolfg. Krause

### 129. WB Dänemark: Tagesmeldung 4. August 1944

WB Dänemark meddelte, at der var en strejke i Helsingør, sandsynligvis foranstaltet af kommunister. Den skulle vare 24 timer og var affødt af protest mod drabet på en kommunist. Sikkerhedspolitiet ville tage sig af de krævede foranstaltninger.

Baggrunden var likvideringen af den formodede stikker Walter Bögel 26. juli, som Petergruppen svarede igen på med mordet på Otto Bülow 2. august. Det er bemærkelsesværdigt, at det tyske sikkerhedspoliti ville tage sig af bekæmpelsen af strejken, det var nyt, men hertil kom det ikke, da strejken var tidsbegrænset. WFSt noterede dagen efter, at strejken var ophørt og havde omfattet seks virksomheder (RA, Danica 1069, sp. 1, nr. 350). *Information* 4. august benyttede strejken i Helsingør til at foreslå, at hvert mord på danskere skulle besvares med 24 timers strejke.

Med hensyn til Walter Bögel viste det sig senere, at han ikke var stikker, men at en kommunist i pengetrang var stikkeren og kastede skylden på Bögel (Bengtsen 1981, s. 72, Bøgh 2004, s. 135, tillæg 3 her).

Kilde: RA, Danica 1069, sp. 1, nr. 351f.

F e r n s c h r e i b e n

KNOL nr. 04606                     4.8.[44]                     21.50 [Uhr]

+ KR HXSI/FF 01912 4.8. 20.30 (DG HOSF 028913)
KR OKW/WFSt =
– Geheim –

Tagesmeldung vom 4. August 1944. In Helsingör (Seeland) anscheinend von Kommunisten angezettelter Streik in größeren Betrieben. Läden zum Teil geschlossen. Angeblicher Grund: Protest wegen Tötung eines Kommunisten. Angeblich beabsichtigte Dauer 24 Stunden. Bisher keine Unruhen. Erforderliche Maßnahmen trifft Sicherheitspolizei.

(Zusatz für OKW/WFSt) das von 25. Pz. Div. im Küstenschutz eingesetzte 2. Pz. Gren. Rgt. 147 wird 5.8.44 herausgelöst.

Wehrm. Befh. Dän. Abt. Ia – nr. 4677/44 geh

## 130. Hans Clausen Korff: Betr. Ausgabengebarung der Kriegsmarine in Dänemark 5. August 1944

Nogle sager vedrørende Kriegsmarines udgifter i Danmark havde været forelagt RFM, bl.a. vedrørende de 10 beslaglagte skibe. Det var blevet pålagt Christian Breyhan at skrive til OKM, at det var eksempler på en uhensigtsmæssig anvendelse af pengemidler.

Se Korffs notat 20. juli 1944, Best til AA 15. august og RWM til von Behr og Walter 21. August 1944.

Kilde: RA, Danica 50, pk. 91, læg 1257.

ORR Korff *Oslo, 5. August 1944*
Mitglied des Reg. Ausschusses für Dänemark

1.) Aktenvermerk
Betr. Ausgabengebarung der Kriegsmarine in Dänemark

Die Vorgänge betr. die Ersatzneubauten der Reederei A.P. Möller[76] und Beschlagnahme von 10 dänischen Schiffen durch den Reichsbevollmächtigten wurde am 26.7.1944 dem Herrn Reichsminister der Finanzen vorgetragen. Dieser wies MinRat Breyhan an, die Vorfälle als Beispiel einer unzweckmäßigen Ausgabengebarung in einem Schreiben an das OKW zu erwähnen.

2.) Wv. 20. ds.Mts.

**Korff**


## 131. Wolfram Sievers an Karl Kersten 7. August 1944

Kersten blev orienteret om, at RFSS havde afslået at sende Kersten til Danmark, men at Sievers havde bedt Best og Pancke om at henvende sig til ham for at få afgørelsen omstødt.

Se Best til Sievers 16. august 1944.
Kilde: BArch, NS 21/52.

Das Ahnenerbe *Waischenfeld/Ofr., 7.8.1944*
Der Reichsgeschäftsführer Nr. 135

An SS-Untersturmführer Dr. K. Kersten
Kiel
Hohenbergstr. 2

*Lieber Kamerad Kersten!*
Im Hinblick auf die neuesten Anordnungen für die Durchführung des totalen Krieges hat der Reichsfuhrer-SS meinen Antrag, Sie uns zu belassen und für die Arbeit in Dä-

---

76 A.P. Møller havde sluttet kontrakt om et nybyggeri, hvor OKM ikke som lovet kunne levere de nødvendige materialer til tiden. I stedet havde det som erstatning måtte tilbyde rederiet et andet omkostningskrævende byggeri.

nemark zur Verfügung zu stellen, abgelehnt. Ich habe nun noch einmal an SS-Obergruppenführer Best geschrieben und ihn gebeten, von sich aus an den Reichsführer-SS heranzutreten und ihn zu bitten, Ihrem Einsatz in Dänemark zuzustimmen, da wir sonst die von SS-Obergruppenführer Best, wie auch SS-Obergruppenführer Pancke und vom BdS gewünschte Arbeit nicht durchführen können.

Haben Sie inzwischen schon Verbindung aufnehmen können mit Prof. Rump? Auch wenn er nicht in der Lage wäre, die besprochenen Anfertigungen zu übernehmen, wäre ich Ihnen für die mir in Kopenhagen in Aussicht gestellten Vorschläge für Nachbildungen dankbar, weil ich noch andere Möglichkeiten habe, die Ausführung durch einen guten Goldschmied durchführen zu lassen.

Mit besten Grüßen und

Heil Hitler!
**Sievers**
SS-Standartenführer


## 132. Kriegstagebuch/WB Dänemark 7. August 1944
Med øjeblikkelig virkning afgav værnemagten i København sin overfaldskommando til HSSPF.
Det var endnu et udtryk for det tyske politis skærpede og mere offensive fremfærd i Danmark fra begyndelsen af august.
Kilde: KTB/WB Dänemark 7. august 1944.

[...]
Das Überfallkdo. Kopenhagen erhält ab sofort Weisungen vom Höh. SS- u. Pol. Führer. Angehörige des Kommandos gelten als zum Höh. SS- u. Pol. Führer kommandiert. Außerdem nunmehr zu Polizei gehörenden Führer des Kommandos ändert sich an der Zusammensetzung und Unterbringung nichts. Entsprechender Befehl ergeht an Höh. Kdo. Kopenhagen.
[...]


## 133. Der Chef des Generalstabes des Heeres: Die Herauslösung der Hiwi slawischen Volkstums aus dem Feldheer 7. August 1944
Gennem generalkvartermesteren gav hærens generalstabschef ordre om, at de arbejdere af slavisk oprindelse, som var ansat ved felthæren, skulle afskediges. De skulle erstattes af en arbejdskraft bestående af franskmænd, italienere, danskere og forskellige andre europæiske folk. Derpå fulgte anvisning på, hvordan afløsningen nærmere skulle ske.

I takt med at den tyske hær blev tvunget længere og længere mod vest, blev det mere og mere uholdbart og risikabelt at anvende slavere som arbejdskraft i og med, at deres hjemlande blev befriet. Til gengæld er det et spørgsmål, om bl.a. franskmænd og italienere på dette tidspunkt ville lade sig rekruttere frivilligt til denne type arbejdsopgaver. Rekrutteringen af danske arbejdere fortsatte, men i stærkt nedsat omfang, og de søgte næppe til felthæren.
Kilde: RA, Danica 465, Moskva: Osobyj Archiv, 1303/3/58/1.

Abschrift.
Generalquartiermeister  *den 7. August 1944*
[?]t. Vers. Vührg./ Qu 2  9. Ausfertigungen
[?].I/05560/44 g.Kdos.  7. Ausfertigung

An Verteiler.

1.) Der Chef des Generalstabes des Heeres hat die Herauslösung der Hiwi slawischen Volkstums aus dem Feldheer befohlen. Diese Arbeitskräfte sollen durch Franzosen, Italiener, Dänen und Angehörige sonstiger europäischer Völker ersetzt werden. Einzelheiten werden zu gegebener Zeit mitgeteilt.
2.) Für die Herauslösung ist nachstehende Dringlichkeit vorgesehen:
   a.) Gewöhnliche Arbeitskräfte z.B. bei Nachschubtruppen, Fz.-Truppen usw. (keine besondere Einarbeitung erforderlich).
   b.) Kraftfahrer bei Großtransportraum und in sonstigen Einheiten (keine Einarbeitung erforderlich).
   c.) Spezialisten (Kfz.-Instandsetzung, Technische Truppen, Feldzeugtruppen).
   d.) Arbeitskräfte in K.-Werken, soweit in Spezialistenstellungen.
   Für die Herauslösung z c.) und d.) ist eine bestimmte Sichtung der Arbeitskräfte erforderlich.

I.A.
gez. **v. Rücker**


Der Heeresfeldzeuginspizient  *H.Qu., den 11.8.1944*
im OKH/Gen St d H/Gen Qu  Feldpost-Nr. 21 580
Az. 2 – I – Nr. 64144 g.Kdos.  10 Ausfertigungen
  1. Ausfertigung.

An Fz. Insp. i. Obkdo. d. H. Gr. Nord.
Dienstältesten Offz. (W) im Stabe
Abschrift zur Kenntnis.

[underskrift]


## 134. Werner Best an das Auswärtige Amt 8. August 1944

Best videresendte en indberetning om forholdene i Danmark, som Jens Møller 27. juli 1944 havde sendt til VOMI. Best kommenterede ikke indberetningen, men følgebrevet var underskrevet af ham selv og ikke Kassler. Det kan være en tilfældighed, men kan også skyldes, at Best lagde vægt på, at indberetningen blev læst og behandlet som fremsendt af den rigsbefuldmægtigede selv. Jens Møller skitserede udviklingen tilbage til 29. august 1943 og roste den rigsbefuldmægtigede for forbløffende hurtigt at have fået kontrol over situationen igen og at have oprettet et "elastisk" samarbejde med den danske centraladministration. Det var af særlig betydning, at det hverken kom til afbrydelser af arbejdet eller af de danske leverancer til Tyskland. Den gunstige udvikling var fortsat det forløbne år. Sabotagen havde været ubetydelig, og den var blevet energisk bekæmpet af tysk politi. I Sønderjylland og overhovedet i Jylland havde situationen været rolig, og sabotørerne havde der haft betydelige vanskeligheder. Der blev arbejdet med selvbeskyttelsen i

Sønderjylland, den omfattede også danske virksomheder. Det var et problem, at de i maj 1944 arresterede kendte danskere fra Nordslesvig ikke var blevet stillet for en domstol og dømt. Der blev gjort opmærksom på, at danskerne havde en stærkt udviklet retsbevidsthed og var vant til, at domme blev offentliggjort. De havde forståelse for, at sabotører blev stillet for en tysk ret og dømt, men det vakte mistro, når domme ikke blev meddelt. Møller gjorde opmærksom på, at generalstrejken i København i slutningen af juni 1944 i Sønderjylland overhovedet ikke blev sat i forbindelse med henrettelserne efter dom, men at strejken i stedet blev sat i forbindelse med uroen over sabotager, de tyske modforholdsregler, samt ødelæggelsen af "Tivoli", der overhovedet ikke berørte tyske interesser. Det fik Møller til at konkludere, at man set fra grænselandet ønskede andre midler til sabotage- og terrorbekæmpelse taget i brug, midler der i højere grad end hidtil gav den danske offentlighed indblik i den tyske domspraksis. Møller sluttede af med at anmode om, at hans synspunkter blev viderebragt til RFSS.

Brevet var stort set en lang opslutning om den af den rigsbefuldmægtigede førte politik: Bests synspunkter og formuleringer blev direkte anvendt, "elastisk samarbejde", at modterror skulle erstattes af retsforfølgelse af sabotører og terrorister, og at danskerne havde en stærkt udviklet retsfølelse. Værd at bemærke er også rosen til Best for tacklingen af situationen efter 29. august, at det hele kom til at forløbe så roligt og kontinuerligt, som det gjorde.[77] Det var én lang støtteerklæring, der kunne være skrevet af Best selv, men samtidig holdt i så tilpas forsigtige vendinger, at den ikke bragte Møller i åben modsætning til RFSS. Brevet blev skrevet, mens Best selv var i Berlin for at blive tilrettevist i AA. Den kunne ikke nå at gøre sin virkning i AA, før Best var tilbage i København. Imidlertid var indberetningen over for både AA og RFSS en markering af, at der var fodslag mellem den rigsbefuldmægtigede og det tyske mindretals ledelse. Det blev givetvis taget mere positivt op i AA end hos SS.

Kilde: PA/AA R 100.358.

Der Reichsbevollmächtigte in Dänemark      *Kopenhagen, den 8. August 1944.*
I C/N Sch. 1.

1 Anlage (3fach)
2 Durchdrucke.

An das Auswärtige Amt in Berlin

In der Anlage übermittle ich Abschrift eines Berichts über die Lage in Dänemark, den der Führer der Deutschen Volksgruppe in Nordschleswig Dr. Jens Möller unter dem 27.7.1944 an den Leiter der Volksdeutschen Mittelstelle SS-Obergruppenführer Lorenz g[?]entet hat.

**W. Best**

Abschrift
*den 27.7.1944.*

An den SS-Obergruppenführer Lorenz
    Volksdeutsche Mittelstelle
    Berlin

---

77 Som det fremgår af adskillige akter fra september og oktober 1943 havde man fra tysk side forestillet sig helt anderledes voldsomme danske reaktioner i anledning af aktionen mod de danske jøder (se bl.a. von Heimburg 2. oktober og Ebner til AA 20. oktober 1943).

*Obergruppenführer!*

Die deutsche Volksgruppe in Nordschleswig hat in den vergangenen Jahren ganz planmäßig versucht, sich immer stärker in den Dienst der Reichspolitik in Dänemark zu stellen. Sie wird in ihrer Arbeit von der politischen Gesamtentwicklung in Dänemark unmittelbar berührt, und ich halte mich daher für verpflichtet, Sie, Obergruppenführer, auf einige Probleme hinzuweisen, die nach meiner Meinung für die künftige deutsch-dänische Arbeit und damit auch für die Volksgruppe Bedeutung haben können.

Mein letzter Bericht an Sie bezog sich auf die Auswirkungen der Verhängung des militärischen Ausnahmenzustandes hier im Lande am 29. August 1943.[78] Trotz des scharfen Einschnittes, den dieser Tag für Dänemark bedeutet, kann heute festgestellt werden, daß es dem Reichsbevollmächtigten erstaunlich schnell gelang, die Entwicklung wieder aufzufangen und dabei eine den Verhältnissen angepaßte Form der elastischen Zusammenarbeit mit der dänischen Zentraladministration herzustellen. Von besonderer Bedeutung mußte es sein, daß Störungen auf dem Arbeitssektor selbst in den kritischen Augusttagen vermieden wurden, und die Leistungen der dänischen Wirtschaft, insbesondere der Landwirtschaft, durch die politischen Ereignisse unbeeinträchtigt blieben. Diese günstige Entwicklung in der Wirtschaft hat sich dann in das Jahr 1944 hinein fortgesetzt. Sie hat praktisch auch durch die Sabotage, abgesehen von einigen zeitbegrenzten Teilausfällen im industriellen Sektor, nicht beeinträchtigt werden können. Außerdem setzte hier seit dem August 1943 der energische und wirksame Kampf der deutschen Polizei ein.

In dem Gebiet der Volksgruppe selbst, das seine Wirtschaft ganz planmäßig auf die Erfordernisse des Reiches abgestellt hat und daher die Antiproduktionssabotage viele Ansatzpunkte bietet, fanden im übrigen zunächst keine Sabotagehandlungen statt, da hier allein schon durch das Vorhandensein eines deutschen Elements in der Bevölkerung ihrer Durchführung größere Schwierigkeiten entgegenstehen. Als dann Anfang dieses Jahres die Sabotage gegen Betriebe vom Norden her nach Nordschleswig hereingetragen wurde, stieß sie hier auf starken Widerstand und auf von den Saboteuren sicherlich nicht einkalkulierte Schwierigkeiten. Es gelang der deutschen Polizei, eine größere Sabotageorganisation mit ihren Helfershelfern bis in die Reihen der dänischen Polizei hinein aufzurollen.[79] Ferner reagierte die Volksgruppe durch die Aufstellung eines aus der SK entwickelten Selbstschutzes, der die Aufgabe erhielt, den Schutz der Volksgruppe mitzuübernehmen und sich für die Erhaltung des Arbeitsfriedens in Nordschleswig einzusetzen.[80] Mit dem weiteren Ausbau dieses Selbstschutzes sind wir zur Zeit beschäftigt. Der Öffentlichkeit gegenüber wurde betont, daß die Arbeit der Volksgruppe sich nicht gegen das dänische Volkstum richte, daß die Volksgruppe von der deutsch-dänischen Schicksalsgemeinschaft überzeugt, auf der anderen Seite aber unter keinen Umständen gewillt sei, einer etwaigen Beeinträchtigung ihres Kriegseinsatzes bzw. die Störung des Arbeitsfriedens durch Agenten des Auslandes und ihre Helfershelfer im Lande passiv hinzunehmen. Man müsse sich darüber klar sein, daß die Volksgruppe aus der Entwick-

---

78 Møller skrev indberetningen 21. september 1943, og Kassler sendte den til AA 28. september, trykt ovenfor.
79 Se Bests telegram nr. 169, 7. februar 1944.
80 Se Bests telegram nr. 217, 17. februar 1944.

lung die erforderlichen Konsequenzen ziehen werde. Es ist dann seitdem in Nordschleswig, wie wohl überhaupt in Jütland, verhältnismäßig ruhig geblieben. Die dänische Bevölkerung hat, wenn auch zum Teil widerwillig, von der Errichtung des Selbstschutzes, der auf der anderen Seite aber auch von dänischen Betrieben um Schutz gebeten worden ist, Kenntnis nehmen müssen.

Große Aufsehen erregte es dann, als Ende Mai dieses Jahres im Zuge einer sich räumlich über ganz Jütland erstreckenden Festnahmeaktion bekannte dänische Persönlichkeiten des nordschleswigschen Grenzlandes, unter ihnen einige Polizeimeister und Schriftleiter, wegen Verdacht der Spionage und illegalen Tätigkeit festgenommen wurden.[81] Diese Festnahmen haben unter der Decke im dänischen Lager eine Gärung ausgelöst, u.a. auch weil deutscherseits bisher noch keine genaueren Mitteilungen über den Grund der Verhaftung und den Stand des Gerichtsverfahrens gegen die Betroffenen bekanntgegeben worden sind. Wieweit solche Mitteilungen im Einzelfall vom polizeilichen Gesichtspunkt her überhaupt möglich und vom Standpunkt der Reichspolitik aus gesehen zweckmäßig sind, entzieht sich selbstverständlich meiner Beurteilung. Von der Volksgruppe aus gesehen, glaube ich feststellen zu dürfen, daß es erwünscht wäre, wenn man der Bevölkerung weitgehenden Aufschluß über die Hintergründe solcher Verhaftungen geben könnte. Der Däne hat durchweg ein stark ausgeprägtes Rechtsbewußtsein. Er ist an eine breite Behandlung der Gerichtsverfahren in der Öffentlichkeit gewöhnt und wird mißtrauisch, wenn überhaupt keine Meldungen an die Öffentlichkeit gelangen. Er unterliegt dann umso leichter den Einflüsterungen der ausländischen Propaganda, die ihm einzureden versucht, daß die Bevölkerung rechtlos und deutscher Willkür ausgesetzt sei. Ich habe in Gesprächen mit Dänen festgestellten können, daß man z.B. die Aburteilung von Saboteuren durchaus versteht. Das ist nicht so zu verstehen, als ob etwa im überwiegenden Teil der Bevölkerung Sabotage oder andere illegale Tätigkeit ohne weiteres als verwerflich angesehen werde. Man hat aber doch ein Gefühl dafür, daß Deutschland, als im Kriege befindlich, gegen die illegale Tätigkeit vorgehen muß, und daß jeder, der sich mit solchen Dingen befaßt, sich darüber im klaren sein muß, daß er sich in eine Gefahrenzone begibt. Wird er gefaßt, muß er mit seiner Aburteilung nach den deutschen Kriegsgesetzen rechnen. Für den Dänen ist es aber wesentlich, daß es überhaupt zu einem Verfahren und zu einer Aburteilung kommt, selbst wenn diese vor deutschen Gerichten stattfindet und nach deutschen Maßstäben, die dem Dänen aus seinem eigenen Strafrecht nicht geläufig sind.

Es war für mich in dieser Verbindung außerordentlich aufschlußreich, festzustellen, daß die in Kopenhagen Ende Juni ausgelöste Streikbewegung in der dänischen Bevölkerung des Grenzlandes durchweg nicht, wie man ja vielleicht hätte erwarten können, mir den kurz vorher verkündeten und vollstreckten Todesurteilen deutscher Kriegsgerichte in Verbindung gebracht wurde. Ja, die illegale Presse beschwerte sich in diesem Punkt geradezu über die Teilnahmslosigkeit der Bevölkerung. Die Streikbewegung wurde vielmehr in Beziehung gesetzt zu der Unruhe, die in der Bevölkerung der Hauptstadt entstanden war durch das Ansteigen der Sabotage, sowie durch die deutschen Maßnahmen, insbesondere die Verhängung der in der heißen Jahreszeit besonders einschneidenden

---

81 Se Bests telegram nr. 675, 26. maj 1944.

Sperrzeit ab 20 Uhr. Auch der Sabotage gegen Objekte, wie z.B. den Vergnügungspark "Tivoli", durch die deutsche Interessen überhaupt nicht betreffen werden, mißt man in dieser Verbindung Bedeutung zu. Auf diesem Hintergrund hat sich dann die aufwiegelnde und provokatorische Tätigkeit der Kommunisten in den Streiktagen abgespielt.

Diese Feststellungen bestärken mich, wenigstens vom Grenzland her gesehen, in dem Wunsch, daß man – neben anderen Maßnahmen, die zur Sabotagebekämpfung und zur Brechung des in dieser Verbindung ausgeübten Terrors erforderlich sind – der dänischen Öffentlichkeit noch stärker als bisher Einblick in die deutsche Gerichtsbarkeit geben möge. Ich glaube auf jeden Fall, daß eine solche Maßnahme die Arbeit der Volksgruppe erleichtern könnte. Dabei ist es mir natürlich nicht möglich zu übersehen, ob dieser Wunsch von der Politik des Reiches her gesehen überhaupt in Erwägung gezogen werden kann.

Ich hielt mich aber für verpflichtet, Ihnen, Obergruppenführer die hier entwickelten Gesichtspunkte vorzulegen und bitte Sie, falls Sie meinen Ausführungen irgendein Gewicht beimessen sollten, diese dem Reichsführer als dem Treuhänder des Führers für die germanische Arbeit zuzuleiten.

gez. **Dr. J. Möller**

## 135. Rüstungsstab Dänemark: Kiellegung von 2 Hansaschiffen 9. August 1944

Der var i april og maj 1944 lagt kølen til to skibe i henhold til Hansaprogrammet, og Rüstungsstab Dänemark benyttede anledningen til at give en oversigt over programmets hidtige forløb i Danmark. Af de 37 skibe, der skulle bygges, var hidtil fem søsat, 18 ikke påbegyndt, mens resten havde fået kølen lagt. Der havde været store problemer med materialefremskaffelsen, særligt store problemer med at skaffe dieselolie og på et tidspunkt stødte problemer med at få svejseelektroder til. Det havde ført til forsinkelse af programmets gennemførelse, men alligevel var resultatet tilfredsstillende i betragtning af de mange krigsbetingede vanskeligheder.

Det er bemærkelsesværdigt, at de forsinkende sabotager, som Hansaprogrammets skibe havde været udsat for, ikke blev omtalt med et ord. De var ikke blevet et dagsordenspunkt endnu (se Niederschrift ... 8. december 1942, *Politische Informationen* 1. februar 1943, afsnit II.3, Witthöft 1968, Frederichsen 1984).

Kilde: BArch, Freiburg, RW 27/16. KTB/Rü Stab Dänemark 3. Vierteljahr 1944, Anlage 17.

Rüstungsstab Dänemark                                                             Anlage 17
Abteilung Marine                                                                  *9.8.1944*

Bezug: Kiellegung von 2 Hansaschiffen 5.000 to bei Burmeister & Wain am 3.4.44 und bei Odense Skibsvärft am 26.5.44.
Betr.: Neubau von 37 Handelsschiffen (Hansa-Programm) 3.000, 5.000 und 9.000 to.

Die Kiellegung obiger 2 Neubauten gibt Veranlassung, die bisherige Entwicklung des Hansa-Programms festzuhalten.

Mit Verfügung des Reichsministers für Bewaffnung und Munition Rüstungsamt Rü/Pl (d) Nr. 23095/42 vom 14.8.42 wurden die Rüstungsinspektion eingesetzt, um die Durchführung der Aufträge laufend zu verfolgen, die rohstoffmäßige Sicherung zu überwachen und bei der Bereitstellung der Arbeitskräfte mitzuwirken.

Mit der Auftragserteilung selbst wurde die Schiffahrttreuhand GmbH, Hamburg, beauftragt. Diese gab dem Rü Stab Dänemark am 28.12.42 die Aufteilung der

- 4 Schiffe a 3.000 to
- 30 Schiffe a 5.000 to
- 3 Schiffe a 9.000 to

bekannt, sodaß diesseits eine entsprechende Vorarbeit geleistet und die für das Zahlungsverfahren notwendigen A-Listen-Nummern des Rü Stabes erteilt werden konnten.

Die Schiffe verteilen sich auf die einzelnen Werften wie folgt:

| Ausführende Werft | 3.000 to | 5.000 to | 9.000 to |
| --- | --- | --- | --- |
| Burmeister & Wain | 2 | 7 | 3[82] |
| Helsingör | 1 | 5[83] | – |
| Nakskov | – | 7[84] | – |
| Odense | 1 | 6[85] | – |
| Aalborg | – | 4[86] | – |
| Frederikshavn | – | 1[87] | – |

Praktisch begann der Anlauf des umfangreichen Programms am 15.2.43 mit der Kiellegung des ersten 3.000 to Schiffes bei Burmeister & Wain.[88]

In Zusammenarbeit mit dem Länderbeauftragten des Hauptausschuß Schiffbau, H.C. Lorenzen, Kopenhagen, wurden die teilweise sehr stockenden Lieferungen an Schiffbaumaterial und Bereitstellung der Kontingente mit dem Hauptausschuß Schiff-

---

82 22. juni 1943 blev B&W løst fra kontrakt nr. 6186 indgået 4. februar 1943 og indgik en ny kontrakt om bygning af et skib på 3.000 t, 3 på 5.000 t og 3 på 9.000 t. Værftet skulle have hovedparten af materialerne leveret. Kontraktsum: 37.217.000 kr. (BArch, Freiburg, RW 19:Wi I E1:Dänemark 1.6, kontrakt nr. 7430).

83 Helsingør Værft overtog 22. juni 1943 kontrakten om bygning af et skib på 3.000 t og to på 5.000 t fra B&W. Værftet skulle have hovedparten af materialerne leveret. Kontraktsum: 13.065.000 kr. (BArch, Freiburg, RW 19:Wi I E1:Dänemark 1.6, kontrakt nr. 7431).

84 Nakskov Skibsværft overtog 22. juni 1943 kontrakten om bygningen af fire skibe på 5.000 t fra B&W. Værftet skulle have hovedparten af materialerne leveret. Kontraktsum: 19.280.000 kr. (BArch, Freiburg, RW 19:Wi I E1:Dänemark 1.6, kontrakt nr. 7432).

85 Odense Skibsværft overtog 22. juni 1943 kontrakten om bygningen af tre skibe på 5.000 t fra B&W. Værftet skulle have hovedparten af materialerne leveret. Kontraktsum: 14.460.000 kr. (BArch, Freiburg, RW 19:Wi I E1:Dänemark 1.6, kontrakt nr. 7433).

86 Ålborg Værft overtog 22. juni 1943 kontrakten om bygningen af to skibe på 5.000 t fra B&W. Værftet skulle have hovedparten af materialerne leveret. Kontraktsum: 9.640.000 kr. (BArch, Freiburg, RW 19:Wi I E1:Dänemark 1.6, kontrakt nr. 7434).

87 Kontrakten med Frederikshavns værft er ikke lokaliseret.

88 Den første kontrakt blev afsluttet med B&W 4. februar 1943 og omfattede 19 skibe til en værdi af 93.662.000 kr. Hovedparten af materialerne skulle leveres fra Tyskland. Aftalen blev imidlertid annulleret 3. juli 1943 og ordren fordelt på fem værfter. Det reducerede ved en ny kontrakt med B&W ordren til syv skibe; et på 3.000 t, tre på 5.000 og tre på 9.000 t (BArch, Freiburg, RW 19:Wi I E1:Dänemark 1.6, kontrakt nr. 6186 og 7430).

bau Halberstadt überwunden bzw. behandelt. Außergewöhnliche Schwierigkeiten traten bei der Beschaffung von Hilfsmaterial auf, da der deutsch/dänischen Vertrag die besondere Bereitstellung von "Hilfsmaterial jeder Art" aus Deutschland vorsieht. Diese Vereinbarung wurde von den dänischen Werften sehr großzügig in eigenen Interesse ausgelegt, sodaß wiederholte Überprüfungen und Reduzierungen der eingereichten, umfangreichen Listen notwendig waren.

Besonders schwierig war die Beschaffung von Dieselöl für die Spantenöfen im Anfangsstadium des Bauprogramms. Hier gelang es in Zusammenarbeit mit dem Länderbeauftragten H.C. Lorenzen, vom Reichsbeauftragten für Mineralöle ein Sonderkontingent von 500 to Dieselöl zu erhalten, wodurch bereits eingetretene Stockungen wieder beseitigt werden konnten.[89]

Ein weiterer Engpaß ergab sich bei der Beschaffung von Schweißelektroden. Durch Einschaltung der Fa. ESAB, Kopenhagen, konnte nach Durchführung zeitraubender Umstellungsmaßnahmen eine geeignete Einheits-Schweißelektrode entwickelt und in einigermaßen befriedigender Menge hergestellt werden.[90]

Unter Berücksichtigung aller kriegsbedingten Schwierigkeiten konnte das Programm bisher zwar nur mit Terminverzögerungen, aber einigermaßen befriedigend, durchgeführt werden, sodaß sich am 30.6.44 folgendes Bild über die Belegung der einzelnen Werften ergibt:

*4 x 3.000 to:*
Sämtliche 4 Schiffe sind bereit vom Stapel gelaufen.

*30 x 5.000 to:*

Vom Stapel gelaufen     1
Noch auf Kiel liegend   11
Noch nicht begonnen   18
total                         30

*3 x 9.000 to:*
Von diesen 3 Schiffen wurde der erste Neubau am 26.2.44 bei Burmeister & Wain auf Kiel gelegt.

Sa./H.


### 136. Werner Best an das Auswärtige Amt 9. August 1944

Best indberettede om nedkastningen af faldskærmsagenter og våben, ammunition og sprængstof over Danmark. Selv om det ikke var lykkedes at fange agenterne, betegnede Best det overvågningssystem, som var blevet til ved samarbejde mellem værnemagten og det tyske sikkerhedspoliti som forbilledligt, idet det meste af det nedkastede materiale blev fundet og bjerget.

Selv om det sidste er overdrevet, faldt betydelige mængder i tyske hænder, se telegram nr. 973, 17. august 1944 og *Politische Informationen* 1. september 1944.

Kilde: RA, pk. 438a.

---

89 Se Rü Stab Dänemark: Bericht über das Hansa-Programm 30. juni 1943.
90 Se Rü Stab Dänemarks situationsberetning 31. januar og 31. juli 1944.

Telegramm

Kopenhagen, den                     9. August 1944                     09.40 Uhr
Ankunft, den                           9. August 1944                     17.15 Uhr

Nr. 935 vom 9.8.44.

Seit Anfang August nach längerer Pause wieder Agentenabwürfe über dänischem Gebiet. Abgesprungene Personen bis jetzt nicht gefaßt.[91] Dagegen werden die meisten Materialabwürfe durch ein zwischen Sicherheitspolizei und Wehrmacht vereinbartes Beobachtungs- und Bergungssystem, das vom OKW als vorbildlich bezeichnet und auch für die übrigen besetzten Gebiete empfohlen wurde, gefunden und geborgen. Beispiel für die abgeworfenen Materialmengen:

In der Nacht vom 4. zum 5.8.1944 an einer Stelle 13 Fallschirmlasten mit 844 kg Sprengstoff und zahlreichem Zündmaterial sowie Waffen, Pistolen und Munition neuerdings nicht mehr englischen, sondern amerikanischen und argentinischen Fabrikats.[92]

Dr. Best

### 137. Werner Best an Horst Bender 10. August 1944

Best blev ikke som Pancke 23. maj 1944 orienteret om, hvordan sagen mod K.B. Martinsen videre skulle forløbe og spurgte derfor Bender, hvordan det gik med sagen.

Han fik svar 16. august.

Kilde: RA, pk. 442.

SS-Obergruppenführer Dr. Werner Best                *Kopenhagen, den 10.8.1944*
über Grenzkommissariat Rostock
Rostock
Kaiser Friedrich Str. Nr. 8

An den SS-Standartenführer Bender
     Feldkommandostelle des Reichsführers-SS
     über Reichssicherheitshauptamt
     Berlin.

*Lieber Kamerad Bender!*
Am 3.5.1944 habe ich Ihnen auf Ihren Wunsch eine Stellungnahme zu der Frage eines SS-Gerichtsverfahrens gegen den SS-Obersturmbannführer K.B. Martinsen gegeben.

---

91 Mellem den 31. marts og 4. august 1944 blev der ikke nedkastet SOE-agenter i Danmark. Den 4. august ankom Frits T. Vang og Finn Ibsen, som det ikke lykkedes tysk politi at arrestere (Hæstrup, 2, 1959, s. 128, Vang 1980, s. 94f., Birkelund/Dethlefsen 1986, s. 94, 140f.).
92 Hæstrup omtaler kiksede nedkastninger 4. august 1944, men angiver ikke hvor (2, 1959, s. 128). Bemærk, at da Best senere lod oplysningerne om de beslaglagte sprængstoffer indgå i *Politische Informationen* 1. september 1944, blev de 844 kg til 448 kg. Sidstnævnte er givetvis en slagfejl.

Da ich von dieser Angelegenheit bisher nichts mehr gehört habe, wäre ich Ihnen für Unterrichtung über den Sachstand – insbesondere ob ein Verfahren überhaupt durchgeführt wird – dankbar.

Heil Hitler!
Ihr W. Best

**138. Das Reichswirtschaftsministerium: Monatsbericht Dänemark für Juli 1944, 10. August 1944**
RWMs månedsberetning for juli 1944 gennemgik forløbet af generalstrejken i København og de foranstaltninger, der fra tysk side var taget i anvendelse for at stoppe den. Der blev ikke lagt skjul på, at den danske sabotage blev mødt med modsabotage, mens årsagen til generalstrejkens udbrud ud over spærretiden, nemlig henrettelserne, ikke kom med. Lukningen af de offentlige værker, afspærringen af byen og den hensynsløse våbenanvendelse førte til strejkens fuldstændige ophævelse 4. juli. Politiforanstaltningerne (!) påvirkede det storkøbenhavnske erhvervsliv stærkt, men de var siden ophævet. Der var en stigende tyskfjendtlig indstilling. Imidlertid var det økonomiske og handelsmæssige samkvem fortsat som hidtil.

Trods generalstrejken i Storkøbenhavn var månedsindberetningen på ingen måde alarmerende. Da den blev skrevet godt en måned efter begivenhederne, var de udeblevne negative konsekvenser allerede kendte, og det var ikke detaljerne i forløbet om strejkens opståen, der havde interesse, men at den blev afsluttet ved brug af tyske magtmidler på kort tid. Da det var det erhvervsmæssige, der var i fokus, blev der ikke draget konklusioner vedrørende det hensigtsmæssige i en fremtidig anvendelse af de samme tyske magtmidler i en tilsvarende krisesituation.

Kilde: BArch, R 7/3404.

*Berlin, den 10. August 1944.*

Monatsbericht Dänemark
für Juli 1944
(Verfügung III 340/44 vom 27.3 1944)

*I. Allgemeine politische Lage:*
Zunahme der feindlichen Haltung. Hoffnung auf baldigen Feindsieg.

Ende Juni sind in Kopenhagen eine Reihe schwerer Sabotageakte gegen im deutschen Interesse arbeitende Betriebe verübt worden. Wechselweise damit Sabotageakte (dem Schalburg-Korps zur Last gelegt) gegen Objekte, an denen kein deutsches Interesse besteht. (z.B. Lange-Linie-Pavillon, Vergnügungspark "Tivoli" und Königliche Porzellan-Manufaktur). Um dieser Entwicklung entgegenzutreten, wurde für Groß-Kopenhagen eine Reihe polizeilicher Sicherungsmaßnahmen getroffen (Verbot des Kraftdroschken-Verkehrs, Einschränkung des Lastkraftwagen-Verkehrs auf 5 bis 16 Uhr, Verbot des Straßenverkehrs von 20 bis 5 Uhr, Versammlungsverbot usw.) Die Sabotagefälle in Kopenhagen hörten zunächst auf, dafür benutzten illegale Kreise die Erregung der Bevölkerung über die Sperrstunde und über gewisse Sabotageakte (Tivoli!), um zum Streik aufzurufen. Tatsächlich wurde am 30. Juni 1944 in Groß-Kopenhagen allgemein die Arbeit niedergelegt. Hierauf wurden die Wasser-, Gas- und Elektrizitätswerke von deutscher Seite besetzt und die Versorgung Groß-Kopenhagens mit diesen Lebensbedürfnissen unterbunden. Am 1. Juli 1944 übernahm auf Antrag des Reichsbevollmächtigten die

Wehrmacht für Groß-Kopenhagen die vollziehende Gewalt und führte eine vollständige Absperrung der Stadt (auch von der Lebensmittelzufuhr) durch. Gegen Widerstandbewegungen wurde rücksichtslos mit allen Waffen eingeschritten. Am 3. Juli 1944 wurde die Arbeit zu einem großen Teil, am 4. Juli 1944 vollständig wieder aufgenommen. Die das Groß-Kopenhagener Wirtschaftleben stark beeinträchtigenden polizeilichen Maßnahmen sind inzwischen nach und nach wieder aufgehoben worden.

*II. Auffälligkeiten in Wirtschaft und Wirtschaftspolitik:*
Fehlanzeige.

*III. Entwicklung der Preise, insbesondere für wichtige Ein- und Ausfuhrgüter:*
Keine wesentliche Änderung.

*IV. Währungs- und Geldprobleme:*
Nichts Neues.

*V. Besondere Vorkommnisse in der Außenwirtschaft:*
a.) Im Verhältnis Dänemark zu Deutschland:
Die Untersuchung, wie die Versorgung Dänemarks mit Produktionsmitteln verbessert werden kann, ist im wesentlichen mit folgendem Ergebnis abgeschlossen worden: Die Hauptschwierigkeiten bei der Versorgung der dänischen Wirtschaft lagen und liegen zweifellos auf dem Eisengebiet. Hier ist den Dänen mit Rückwirkung vom 1. April 1944 eine Erhöhung der deutschen Lieferungen an Roh- und Walzeisen von bisher monatlich 6.000 auf 10.000 t zugesagt worden. Auch diese Menge bleibt zwar hinter dem dringenden dänischen Bedarf noch zurück. Die Dänen werden jedoch in der Lage sein mit diesen Mengen die Bedürfnisse ihrer Landwirtschaft an zahlreichen, im Lande selbst herstellbaren Waren (Hufeisen, Teile zu Ackergeräten, Nägel usw.) eher zu befriedigen als bisher. Leider haben die gegenwärtigen Produktions- und Transportschwierigkeiten bisher noch nicht die Erfüllung der erhöhten Lieferzusage ermöglicht.

Neben den Erzeugnissen der Eisenschaffenden Industrie sind die Lieferzusagen für eine Reihe anderer Eisenwaren (u.a. Pflugscharen, Blankstahl, Bandeisen, Schrauben, Eisendraht) erhöht worden. Auf dem Textilgebiet haben insbesondere weitere Mengen Erntebindegarn und Zellwolle zusagt werden können.

Auch die Nachprüfung des dänischen Bedarfs auf dem Chemikalien-Gebiet hat zu einer Reihe bedeutsamer Verbesserungen der bisherigen deutschen Lieferzusagen geführt.

Während der deutsch-dänischen Regierungsausschußbesprechungen von Mitte Juli sind den Dänen diese Lieferzusagen mitgeteilt worden. Gleichzeitig ist mit den Dänen im Anschluß an frühere Geschäfte dieser Art über die Lieferung weiterer 400.000 Paar Kinderschuhe nach Deutschland verhandelt worden.

b.) Im Verhältnis Dänemarks zu dritten Ländern:
Dänische Vorschlage für den dänischen Warenaustausch mit Ungarn und der Schweiz im II. Halbjahr 1944 sind von deutscher Seite geprüft und mit gewissen Einschränkungen gutgeheißen worden.

*VI. Entwicklung der Warenverkehrs:*
Die statistischen Unterlagen liegen noch nicht vor.

*VII. Entwicklung des Zahlungs- und Verrechnungsverkehrs:*

| | | | |
|---|---|---|---|
| 1.) | Warenzahlungsverkehr: | in Millionen RM | |
| | Verrechnungskontensaldo am 30.6.44 | 1.233,462 | (deutsche Verpflichtung) |
| | Zahlungen nach Dänemark im Monat Juli | 81,786 | |
| | Zahlungen aus Dänemark im Monat Juli | 43,253 | |
| | Verrechnungskontensaldo am 31.7.44 | 1.271,748 | (deutsche Verpflichtung) |

2.) Kapitalzahlungsverkehr:
Ohne Bedeutung

| | Vermögensertägnisse | Andere |
|---|---|---|
| Zahlungen nach Dänemark | 493.000 d.Kr. | 20.000 RM |
| Zahlungen aus Dänemark | 234.000 d.Kr. | 74.000 RM |

3.) Wehrmachtszahlungen:
Auszahlungen der Dänischen Nationalbank:

| | |
|---|---|
| bis Ende Juni 44 | 1.739.521.000,- RM |
| bis Ende Juli 44 | 1.795.696.000,- RM |

III Ld. I-1
[underskrift]

### 139. Werner Best an das Auswärtige Amt 11. August 1944

For at skaffe arbejdskraft til Tyskland havde Gauleiter Fritz Sauckel på et møde i juli 1944 udtalt, at Danmark havde en arbejdskraftreserve, som kunne komme Tyskland til nytte, og det kunne ske gennem indførelse af de tyske arbejdsindsatsbestemmelser i Danmark. Best vendte sig imod det med den hovedbegrundelse, at det ville stride mod Hitlers ordre om, at den danske landbrugseksport til Tyskland ubetinget skulle holdes på det nuværende niveau. Som det var nu fungerede den danske erhvervsstruktur optimalt. Hvis de tyske bestemmelser indførtes, ville det få katastrofale følger uden at give en forøget arbejdskraft af betydning.

AAs svar er ikke kendt, men de tyske bestemmelser blev ikke indført i Danmark. Best forfulgte dog emnet videre, som det fremgår af telegram nr. 1025, 30. august 1944 (Thomsen 1971, s. 195, jfr. Winkel 1976, s. 1/1, Stræde 1991, s. 165f., Herbert 1996, s. 391f.).

Kilde: RA, pk. 287. PKB, 13, nr. 829. Best 1988, s. 76-78.

## Telegramm

| | | |
|---|---|---|
| Kopenhagen, den | 11. August 1944 | 19.40 Uhr |
| Ankunft, den | 11. August 1944 | 23.00 Uhr |

Nr. 947 vom 11.8.44.

Der Leiter meiner Abteilung Arbeit, Oberregierungsrat Dr. Heise, hat mir über die Tagung des Generalbevollmächtigten für den Arbeitseinsatz Gauleiters Sauckel folgendes berichtet: "Vom 14. bis. 17.7. fand auf der Wartburg eine Tagung der Präsidenten der Gauarbeitsämter und der Dienststellenleiter des Generalbevollmächtigten für den Arbeitseinsatz im Auslande statt. Diese wurde eingeleitet durch eine Ansprache des Gauleiters Sauckel, in der dieser darauf hinwies, daß die Front dringend Kräfte brauche und zur Aufstellung neu einzusetzender Divisionen militärisch ausgebildete Uk-gestellte Arbeitskräfte aus allen Betrieben einschließlich der Rüstungsbetriebe herausgezogen werden müßten; die dadurch entstehenden Lücken seien schnellstens durch Bereitstellung neuer Kräfte zu schließen. Die in Deutschland vorhandenen geringen Arbeitsreserven reichten hierfür nicht aus, auch in den okkupierten Gebieten Europas seien nennenswerte Reserven nicht mehr vorhanden. Da das deutsche Heer zum Schutze für ganz Europa im Felde stehe, sei es ein gerechtes Verlangen, daß nunmehr auch die angeblich befreundeten und neutralen Staaten durch Gestellung weit größerer Zahlen von Arbeitskräften einen wesentlich größeren Beitrag zur Kriegsführung leisten als bisher. Der Grundsatz der Freiwilligkeit, der in diesen Ländern bei Anwerbung von Arbeitskräften bisher verfolgt worden sei, habe im letzten halben Jahr bei weitem nicht mehr befriedigende Ergebnisse gezeigt, angesichts des Ernstes der Lage müßten daher andere Wege beschritten werden. Danach hielten die Arbeitsleiter und Referenten Vorträge aus ihrem Aufgabengebiet, hierbei betonte der Referent für Dänemark, daß Dänemark in den ersten Jahren eine wesentliche Anzahl von Arbeitskräften gestellt habe, daß diese jedoch im letzten Jahr ganz erheblich zurückgegangen sei. Der Grund liege u.a. insbesondere darin, daß im deutschen Interesse große Arbeiten in Dänemark durchgeführt würden, für die viele Tausend Arbeitskräfte gestellt worden seien. Trotzdem sei, insbesondere in den Wintermonaten in Dänemark noch eine größere Anzahl von Arbeitslosen vorhanden, und auch in der dänischen Wirtschaft seien noch größere Reserven an Arbeitskräften festzustellen, die jedoch mangels gesetzlicher Unterlagen nicht zu fassen seien. Bei dieser Gelegenheit gab Gauleiter Sauckel seinen Adjutanten den Auftrag, ihm schnellstens einen Antrag an den Reichsminister Dr. Lammers vorzulegen des Inhalts, daß in Dänemark die deutschen Arbeitseinsatzbestimmungen einzuführen seien." Zu der Absicht des Gauleiters Sauckel, in Dänemark die deutschen Arbeitsbestimmungen einzuführen, nehme ich wie folgt Stellung:

1.) Der Versuch, in erhöhtem Umfang Arbeitskräfte aus Dänemark in das Reich zu bringen, würde dem mir vom Führer erteilten Befehl widersprechen, daß die Leistungen der dänischen Landwirtschaft für das Reich unbedingt auf der bis jetzt erreichten Höhe gehalten werden sollen. Der dänischen Landwirtschaft fehlen zur Zeit etwa 35.000 Arbeitskräfte, wodurch bereits die Bearbeitung der Hackfrüchte in diesem Herbst und damit die Aufrechterhaltung des Viehbestandes sowie die Anbauarbeiten für das nächste Wirtschaftsjahr gefährdet sind. Der Reichsernährungsminister hat deshalb schon vor einiger Zeit der Auffassung Ausdruck gegeben, daß die weitere Werbung dänischer Arbeitskräfte zur Arbeitsleistung im Reich überhaupt eingestellt werden sollte. Jede weitere Herausnahme von Arbeitern aus Dänemark – auch ohne die Anwendung anderer Mittel als der bisher geübten freiwilligen Werbung – würde letzten Endes die dänische Landwirtschaft weiter beeinträchtigen, weil nicht zu vermeiden wäre, daß die am schlechtesten bezahlten landwirtschaftlichen Arbeiter in verstärktem Maße zu den besser bezahlten Wehrmachtsarbeiten und gewerblichen Arbeiten abgesaugt würden.

2.) Nachdem 4 ½ Jahre die dänische Wirtschaft auf der Grundlage des dänischen Wirtschafts- und Arbeitsrechtes für deutsche Zwecke gearbeitet hat, würde die Einführung der deutschen Arbeitseinsatzbestimmungen in Dänemark zu allgemeiner und offener Obstruktion führen. Die nach diesen Bestimmungen zu erfassenden Arbeitskräfte würden sich der Erfassung durch die Flucht nach Schweden entziehen oder sie würden sich außerhalb der Städte zu Banden sammeln, die es in Dänemark bisher nicht gegeben hat. Durch Generalstreik und Arbeiterflucht käme nicht nur die gewerbliche Wirtschaft, sondern sehr bald auch die Landwirtschaft zum Erliegen, so daß die bisherigen wirtschaftlichen Leistungen Dänemarks abgeschrieben werden müßten. Um in dem entstehenden Chaos einerseits die Ordnung aufrechtzuerhalten und andererseits die vorgeschriebene Zahl von Arbeitskräften einzufangen, müßte ich um die Entsendung von mindestens ebenso vielen Kräften der deutschen Polizei bitten, als Arbeitskräfte eingefangen und in das Reich verbracht werden sollten.

3.) Die von dem Gauleiter Sauckel gewünschte Einführung der deutschen Arbeitseinsatzbestimmungen könnte, da in Dänemark der normale Gesetzgeber fehlt und die Zentralverwaltung zu so umstürzenden Maßnahmen nicht befugt ist, nur durch deutsche Anordnung erfolgen. Durch diesen Eingriff, der das gesamte dänische Arbeitsrecht aufheben würde, würde die bisher eingehaltene außenpolitische Linie verlassen, nach der die Frage der Souveränität Dänemarks bewußt unentschieden gelassen werden sollte. Mit der gewaltsamen Einziehung und Verbringung Tausender dänischer Arbeiter in das Reich wäre die endgültige Beseitigung der dänischen Staatlichkeit vor aller Welt klar gestellt.

4.) Zusammenfassend stelle ich fest, daß – nachdem vor 4 ½ Jahren von einer Umstellung der dänischen Wirtschafts- und Arbeitsgesetzgebung abgesehen worden ist – die dänische Wirtschaft in der ihr eigenen Struktur auf allen Gebieten: Landwirtschaft, gewerbliche Wirtschaft, Wehrmachtsarbeiten und Arbeitereinsatz im Reich das aus ihr herauszuholende Optimum für Deutschland geleistet hat. Jeder jetzt – 4 ½ Jahre zu spät – erfolgende Eingriff in die Struktur der dänischen Wirtschaft und der dänischen Arbeitsordnung würde die Gesamtleistungen der dänischen Wirtschaft katastrophal beeinträchtigen, ohne das durch den Eingriff erstrebte unmittelbare Einzelergebnis voll zu erbringen. Selbst mit einem bei der heutigen Personallage unmöglichen Aufwand deutscher Zwangs- und Aufsichtsorgane könnten nur die gleichen Produktionsergebnisse erzielt werden, die die dänische Wirtschaft zur Zeit auf freiwilliger Grundlage für deutsche Interessen erbringt. Nur wenn der eigentümliche Schwebezustand zwischen Selbständigkeit und Abhängigkeit, der durch die deutsche Politik gegenüber Dänemark seit

1940 geschaffen worden ist, berücksichtigt und wenn die dänische Wirtschaft weiterhin mit den eingespielten Mitteln gelenkt wird, könnten die heute relativ über den Leistungen aller anderen besetzten Gebiete liegenden dänischen Leistungen für das Reich aufrechterhalten werden. Um nach Beseitigung der Freiwilligkeit die gleichen Leistungen mit Gewalt zu erzwingen, fehlen uns jetzt und bis auf weiteres schlechthin die Kräfte.

Zusatz: Eine Abschrift dieses Telegramms bitte ich, Herrn Ministerialdirektor Dr. Walter im Reichsernährungsministerium zuzuleiten.

**Dr. Best**

**140. Rudolf Brandt an Gottlob Berger 11. August 1944**
Brandt svarede på Himmlers vegne på to skrivelser fra Berger af 14. juli. Berger fik ja til at oprette et venskabsforbund for det danske Waffen-SS.
Om dannelsen af venskabsforbundet se Berger til RFSS 14. juli 1944.
Kilde: BArch, NS 19/1491. RA, Danica 1000, T-175, sp. 125, nr. 650.881. RA, pk. 442.

Der Reichsführer-SS            *Feld-Kommandostelle, den 11.8.1944*
Persönlicher Stab                  Postenschrift:
Tgb. Nr. 1974/44                  (1) Berlin SW 11
Bra/H.                                Prinz-Albrecht-Str. 8

Bezug: Tgb-Nr. 4092/44 geh. u. 1885/44 geh. sowie
       – 605/44 gKdos u. 508/44 gKdos.

An SS-Obergruppenführer Berger
     Berlin

*Lieber Obergruppenführer!*
Über Ihre beiden Schreiben vom 14.7. hat der Reichsführer-SS sicherlich mit Ihnen gesprochen. Der Gründung eines Verbandes der Freuden und Förderer der dänischen Waffen-SS stimmt der Reichsführer-SS, wie aus seinem handschriftlichen Vermerk "ja" hervorgeht, zu. Auf dem anderen Schreiben steht der handschriftliche Vermerk "Ostturkestaner-Verband."

Herzlicher Gruß und
Heil Hitler!
**Rudolf Brandt**
SS-Standartenführer

## 141. Horst Wagner: Vortragsnotiz 11. August 1944

Den 9. august havde tysk sikkerhedspoliti dræbt 11 dødsdømte modstandsfolk ved et fingeret flugtforsøg. Det var gengæld for drabet på en ansat i det tyske sikkerhedspolitis sabotagebekæmpelsesreferat, Robert Sustmann-Ment. Best har givetvis indberettet tilfældet, men telegrammet er ikke kendt.[93] Imidlertid gav det anledning til overvejelser i AA, som det fremgår af Wagners notits. Som retningslinje for fremfærden i sådanne tilfælde henviste Wagner til et cirkulære af Ernst Kaltenbrunner fra 16. juni 1944.

Resultatet af overvejelserne i AA er ikke kendt, men det er klart, at det tyske sikkerhedspoliti havde handlet inden for rammerne af cirkulæret, som allerede havde været i brug i Danmark under den københavnske generalstrejke tidligere på sommeren (Rosengreen 1982, s. 119f., Black 1984, s. 136f.).

Kilde: RA, pk. 223. LAK, Best-sagen (afskrift).

Inl. II 369 g.Rs. *Berlin, den 11. August 1944*
*Geheime Reichssache*

### Vortragsnotiz

In der Anlage wird ein Runderlaß des SS-Obergruppenführers Kaltenbrunner vom 16. Juni 1944 vorgelegt, der generelle Weisungen über die Bekämpfung von Terroristen sowie über Sühnemaßnahmen enthält.[94] Auf die Seiten 4 und 5 des Runderlasses wird besonders hingewiesen. Zur Frage der Geiselerschießung heißt es:

"Abgesehen von der sofortigen Erledigung unmittelbar betroffener Saboteure und Terroristen muß die Geiselerschießung immer das härteste Kampfmittel gegen derartige Gewaltverbrechen bleiben... Die Anwendung zu harter Vergeltungsmaßnahmen schreckt auf die Dauer die Bevölkerung nicht mehr ab, sondern führt zur Abstumpfung und zum verschärften Gegendruck."

Der Runderlaß schlägt als geeigneteres Mittel Maßnahmen vor, die die Bevölkerung in ihrer Gesamtheit treffen und sie zur aktiven Mitarbeit an der Terrorbekämpfung veranlassen, wie: Sperrung von Strom und Gas, Schließung von Bäckereien, Absperrung der Zufahren für die Zivilbevölkerung, Schließung von Vergnügungsstätten, Vorverlegung der Polizeistunde, allgemeine Post- und Telefonsperre usw.

Für den Fall von Geiselerschießungen ist vorgesehen, daß mehr als bisher der Personenkreis, aus den sie ausgewählt werden, sich nicht bereits zum Tode verurteilten Personen zusammensetzt, sondern zur Verstärkung der abschreckenden Wirkung auch andere Persönlichkeiten herangezogen werden. Dies soll jedoch nicht dazu führen, das bei kommunistischen Terrorakten national eingestellte kommunistenfeindliche Geiseln erschossen werden. Auf die örtlichen Verhältnisse soll besonders Rücksicht genommen werden.

Zur Vorlage bei dem Herrn Reichsaußenminister über den Herrn Staatssekretär.

**Wagner**

---

[93] Fra tysk side blev meddelelsen om Sustmann-Ments begravelse indlagt som tvangsartikel i samtlige danske aviser, sammen med artikler om likvideringen af den tyske toldbetjent Paul Sparka og sabotagen mod damperen "Røsnæs" på Odense Værft (*Udenrigsministeriets Pressebureaus ugentlige Meddelelser til Pressen*, Nr. 183, 12. august 1944).

[94] Bilaget er ikke lokaliseret. Det har tidligere forgæves været eftersøgt af Black 1984.

## 142. Das Auswärtige Amt an der Partei-Kanzlei der NSDAP 13. August 1944

Det spørgsmål, som partikancelliet havde stillet AA 1. februar, blev besvaret ved at citere Bests svar derpå til AA 24. juni 1944.

Om sagens baggrund, se forespørgslen 1. februar 1944. Der var tilsyneladende både i AA og hos den rigsbefuldmægtigede stor træghed, når det gjaldt sager modtagne fra partikancelliet.

Kilde: NHWE, Dok.-id.: APK-007450.

Durchdr. als Konz./H.
Ref. Kolrep *Berlin, den 13. August 1944*
zu Inland I D-1081/44

Betrifft: Politisch-konfessionelle Angelegenheiten in Dänemark.
Bezug: Dortige Schreiben vom 1.2.44[95] – III D 3-3315/0/108

An die Partei-Kanzlei
   z.Hd. Dienstleiter Parteigenossen Krüger
   München 35
   Führerbau

Zu der dortigen Anfrage vom 1.2.44 teilt der Reichsbevollmächtigte in Dänemark folgendes mit:

"Die Darstellung des "Schweizer Evangelischen Pressedienstes" Nr. 47/43 beruht auf einer tendenziösen Propagandameldung des Londoner Rundfunks vom November v.Js.

In Wirklichkeit hat sich der geschilderte Vorgang so abgespielt, daß der dänische Leiter des hiesigen Staatsrundfunks, Direktor Jensen, auf Grund eines Mißverständnisses den Bischof von Kopenhagen Fuglsang-Damgaard am 15.10.1943 aufforderte, in Zukunft Manuskripte der jeweiligen Rundfunkpredigten zur Genehmigung einzureichen.

Als der Rundfunkkommissar meiner Behörde am folgenden Tage von diesem Vorgehen Jensens erfuhr, veranlaßte er dem Direktor, den Bischof Fuglsang-Damgaard in seiner Gegenwart telefonisch darüber aufzuklären, daß Jensens Forderung keineswegs auf einem Verlangen des Rundfunkkommissars sondern auf einem Irrtum des Direktors selbst beruhe.

Der Bischof nahm diese Erklärung entgegen und hat seit dieser Zeit selbst dafür gesorgt, daß die Rundfunkpredigten keine politischen Spitzen enthalten."

Ich bitte um Kenntnisnahme.

Heil Hitler!
Im Auftrag
**Kolrep**

---

95 Trykt ovenfor.

### 143. Werner Best an das Auswärtige Amt 14. August 1944

Best videregav oplysningen om, at 741 fanger fra Horserødlejren var overført til Frøslevlejren.

Det synes, som om han har måttet hente oplysningen fra den meddelelse i pressen, som Panckes nyoprettede pressekontor havde ladet bringe og ikke direkte havde den fra SS.

I AA drog Reichel i sin bemærkning til telegrammet den konklusion, at nu skulle de til Tyskland deporterede danskere tilbageføres. Wagner skrev til Best i sagen 19. august.

Kilde: PA/AA R 99.502 (både orig. og afskrift).

DG Kopenhagen Nr. 62           14.8.           21.00 [Uhr]
Offen
Auswärtig Berlin Nr. 955 vom 14.8.44

Das von der Deutschen Sicherheitspolizei unterhaltene Polizeihaftlager in Horseröd bei Helsingör (Seeland) ist, nachdem das neue größere Lager in Fröslev an der dänisch-deutschen Grenze fertiggestellt ist, am 11.-13.8.1944 dorthin verlegt worden. Hierüber wird in der dänischen Presse am 15.8.1944 die Folgende Mitteilung veröffentlicht:[96] "Verlegung des Anhaltelagers Horseröd. Die Pressestelle des Höheren SS- und Polizeiführers in Dänemark teilt mit: Der Transport der 741 Häftlinge aus dem Anhaltelager Horseröd zum Anhaltelager Fröslev hat in den Tagen vom Freitag, dem 11.8. bis Sonntag, dem 13.8.1944 stattgefunden. Der Transport ist ohne Zwischenfälle verlaufen. Die neue Postanschrift lautet: Anhaltelager Fröslev über Faarhus."

**Dr. Best**

Inl. II B 2839                                          Abschriftlich

Herrn Gruppenleiter Inl. II mit der Bitte um Kenntnisnahme vorgelegt.

Nach den Vorgängen (Schreiben des Chefs der Sicherheitspolizei und des SD und Drahtbericht des Reichsbevollmächtigten in Kopenhagen) ist beabsichtigt, in das neue Lager in Fröslev auch die nach Deutschland in KL überstellten Dänen zu überführen.
*Berlin, den 16. August 1944.*

**Reichel**

### 144. Werner Best an das Auswärtige Amt 14. August 1944

Best havde 12. august sendt to telegrammer til AA, som ikke længere er bevaret. De drejede sig utvivlsomt om det dementi, som han samme dag havde ladet sin presseattaché Schröder bringe i dansk presse: "Den svenske Radio meddelte i en af sine Aftenudsendelser i Gaar Fredag, at 11 danske, der var taget som Gidsler, var blevet henrettet i Dagmarhus' Kælder i København som Repressalie for de sidste Mord paa Medlemmer af den tyske Værnemagt, henholdsvis det tyske Politi. Efter hvad Det Danske Udenrigsministerium erfarer ved Forespørgsel paa autoriseret tysk Sted, savner denne Meddelelse overhovedet ethvert Grundlag.

Det er i øvrigt, blev det yderligere erklæret, aldrig i Danmark sket, at der er blevet taget eller henrettet Gidsler."

---

96 Trykt hos Alkil, 2, 1945-46, s. 894. Der var tale om en tvangsartikel, der skulle bringes i samtlige aviser.

Bests dementi var forhastet: Pancke havde ladet mordene på de 11 danske fuldbyrde 9. august, ikke i Dagmarhus' kælder, men på Roskilde Landevej. Best var imidlertid ikke orienteret og kom derfor til at blotte sig fuldstændigt både i pressen og over for UM, som han først forsikrede om dementiets rigtighed og siden måtte retfærdiggøre Panckes ordre over for. Han lod pressemeddelelsen fra HSSPFs pressekontor 14. august gengive ukommenteret. AA måtte selv drage sine slutninger (Hæstrup, 2, 1966-71, s. 15-21).
Kilde: PA/AA R 99.502.

## Telegramm

| | | |
|---|---|---|
| Kopenhagen, den | 14. August 1944 | 21.10 Uhr |
| Ankunft, den | 15. August 1944 | 13.00 Uhr |

Nr. 956 vom 14.8.[44.]

Unter Bezugnahme auf meine Telegramme Nr. 948[97] und Nr. 949[98] vom 12.8.1944 teile ich mit, daß in der dänischen Presse am 15.8.1944 die folgende Mitteilung veröffentlicht wird:[99]

"Meuterei eines Gefangenentransportes. Die Pressestelle des Höheren SS- und Polizeiführers in Dänemark teilt mit: Am 9.8.1944 sollten mehrere Personen, die sich wegen Gewaltverbrechen in Haft befanden, nach Abschluß der polizeilichen Untersuchung von Kopenhagen (Vestre Fängsel) in ein Konzentrationslager im Reich transportiert werden. Es handelte sich um:

Jens Jacob Wolf Martens, geb. am 2.1.1920 in Kopenhagen,
Aksel Jensen, geb. am 13.2.1919 in Fredericia,
Gunnar Mogens Dahl, geb. am 7.5.1917 in Nyköbing/F.
Viktor Bering Mehl, geb. am 6.2.1911 in Raarup,
Erik Nymann, geb. am 6.2.1922 in Östermarie,
Karl Helmuth Preben Berg-Sörensen, geb. am 15.12.17 in Hilleröd,
Knud Erik Henning, Gyldholm, geb. am 9.7.1914 in Kopenhagen,
Peer Sonne, geb. am 10.4.1921 in Varsö,
Kai Holger Schiöth, geb. am 12.3.1921 in Kopenhagen,
Preben Hagelin, geb. am 15.11.1922 in Kopenhagen,
Eduard Fredrik Sommer, geb. am 12.12.1922 in Lyngby.

Bei Martens handelt es sich um einen Terroristen, der am 9.9 1943 den deutschen Polizeibeamten Hans Smok erschossen hatte.[100]
Aksel Jensen hatte am 2.5.1944 führend bei der Sabotage am Transformator im Freihafen mitgewirkt und dabei den dänischen Overbetjent Julius Peter Jacobsen verletzt.[101]

---

97 Ru. Telegrammet er ikke lokaliseret.
98 Pol. VI gRs. Telegrammet er ikke lokaliseret.
99 Delvist gengivet på dansk hos Alkil, 2, 1945-46, s. 894.
100 Jens Martens' nedskydning af den tyske politimand er han ikke krediteret for i *Faldne i Danmarks frihedskamp*, 1970, s. 281f.
101 BOPA-medlemmet Aksel Jensen (Otto) skød under flugt med maskinpistol den danske betjent, der overlevede. Forud var elektricitetsbygningen i Frihavnen blevet sprængt af BOPA (*Daglige Beretninger*, 1946, s. 115, Kjeldbæk 1997, s. 252).

Gunnar Mogens Dahl war an dem Mord an dem deutschen Leutnant Schippman am 26.12.1943 beteiligt.[102]

Die übrigen Häftlinge haben die Durchführung von Sabotageakten zugegeben, darunter Viktor Bering Mehl als Leiter einer Sabotagegruppe allein 20 derartiger Verbrechen.[103]

Der Transport erfolgte auf einem Lastkraftwagen. Auf der Landstraße kurz hinter Roskilde versuchten die Häftlinge mit Gewalt, sich zu befreien. Die Begleitmannschaft mußte deshalb von ihren Schußwaffen Gebrauch machen, wobei die Häftlinge teils im Widerstand und teils auf der Flucht erschossen wurden."

**Dr. Best**

### 145. Alfred Jodl an Hermann von Hanneken u.a. 14. August 1944

På baggrund af erfaringerne fra opstanden i Warszawa, hvor det havde krævet tab, at de tyske tjenestesteder var spredt, befalede Hitler, at tyske soldater af alle tjenestegrader og rigstyskere i storbyerne i de besatte områder skulle indkvarteres samlet i blokke, der lod sig forsvare.

Ordren blev uddybet flere gange, se OKW/WFSt til von Hanneken u.a. 25. august, Jodl til von Hanneken u.a. 9. september 1944. Se endvidere von Hannekens krigsdagbog 5. og 9. september (Umbreit 1999, s. 172).

Kilde: BArch, Freiburg, RW 4/754. RA, Danica 1069, sp. 1, nr. 211f. og 508f.

Abschrift
WFSt/Qu. 2 *14.8.1944.*
KR-Fernschreiben Geheim

An
1.) Ob. West
2.) Mil. Befh. Frankreich
3.) W. Bfh. Belgien u. Nordfrankreich
4.) W. Bfh. Niederlande
5.) W. Bfh. Dänemark
6.) W. Bfh. Norwegen
7.) Ob. Südwest
8.) Bev. General Italien
9.) Ob. Südost
10.) Mil. Befh. Südost
11.) Gen.St. d.H.

nachr.:
12.) OKL/Fü.Stab
13.) OKM/1. Skl.

102 Se Bests telegram nr. 1599, 27. december 1943.
103 De myrdede var hovedsageligt medlemmer af BOPA og Holger Danske. Om de enkelte se *Faldne i Danmarks Frihedskamp*, 1970.

14.) Leiter der Parteikanzlei, Herrn Martin Bormann
15.) Reichsminister u. Chef d. Reichskanzlei, Herrn Reichsminister Dr. Lammers
16.) Reichsführer-SS u. Chef d. Dt. Polizei – Kommandostab RF-SS – z.Hd. Herrn SS-Brigadeführer und Generalmajor d. Waffen-SS Rohde.

Betr.: Unterbringung der deutschen Dienststellen in den großen Städten der besetzten Gebiete.

I.) Bei dem Aufstand in Warschau hat sich erwiesen, daß die über das ganze Stadtgebiet verstreute Unterbringung der deutschen Dienststellen zu großen Nachteilen und Verlusten geführt hat.

Der Führer hat daher befohlen:

Deutsche Dienststellen aller Art, die in den großen Städten der besetzten Gebiete aus dienstlichen Gründen untergebracht bleiben müssen, sind nach ausschließlich kriegsmäßigen Grundsätzen unter Beachtung der luftschutzmäßigen Erfordernisse in geeigneten Stadtteilen zusammenzulegen. Soldaten aller Dienstgrade und alle Reichsdeutschen sind unter Aufhebung der Einzelquartiere geschlossen unterzubringen. Die Unterbringungsräume sin[d] als Verteidigungsblocks unter militärischer Führung einzurichten.

Nähere Anordnungen treffen die Territorialbefehlshaber. Schleunigste Durchführung ist von diesen sicherzustellen und laufend zu beaufsichtigen.

II.) Die hiernach erforderlichen Weisungen für den Osten ergehen durch Gen.St. d.H.
I.A. gez. **Jodl**
OKW/WFSt/Qu. 2
Nr. 06224/44 geh.

### 146. Werner Best an das Auswärtige Amt 15. August 1944

OKM havde bedt G.F. Duckwitz undersøge, hvilken betaling der var passende for de 10 beslaglagte danske skibe.[104] UM krævede betaling i fri valuta og ville ikke lade betalingen gå over clearing-kontoen. På den baggrund og med en viden om, at man fra tysk side ikke ville betale med fri valuta, anså Best forhandlinger om betalingen for formålsløs og bad om at måtte meddele UM det.

AA videresendte Bests skrivelse til OKM 23. august, og OKM svarede AA 28. august 1944 (sidstnævnte er trykt nedenfor).

Kilde: BArch, Freiburg, RM 7/1813.

Abschrift Ha Pol XI 2307/44
Der Reichsbevollmächtigte für Dänemark          *Kopenhagen, den 15. August 1944*
S/SCH 3/1

An das Auswärtige Amt
Berlin

---

104 Se for baggrunden Korff: Ausgabengebarung ... 5. august 1944.

Betr.: Vergütung für die beschlagnahmten dänischen Schiffe.

Das Oberkommando der Kriegsmarine Skl. Adm. Qu VI PV/ Ausl. hat in einem Schreiben vom 24. Juli 1944[105] – Nr. 4661/44 – darum gebeten, daß der Schiffahrtssachverständige meiner Behörde prüft, welche Benutzungsgebühren für die beschlagnahmten 10 dänischen Schiffe angemessen erscheinen.

Bei einer im dänischen Außenministerium geführten Vorbesprechung hat sich nun herausgestellt, daß die dänische Zentralverwaltung nach wie vor auf dem Standpunkt steht, daß die Auszahlung dieser Benutzungsvergütungen in freien Devisen vorgenommen wird. Sie hat hierbei ferner erklärt, daß sie einer Auszahlung über das deutschdänische Clearing ihre Zustimmung nicht geben wird.

Somit ist eine Verhandlungsbasis über die Höhe der Benutzungsvergütungen erst dann gegeben, wenn von deutscher Seite eine Zusage vorliegt, die Benutzungsvergütungen in freien Devisen zu erlegen. Da meines Wissens eine solche Zusage deutscherseits nicht gegeben werden kann, ist es zwecklos, mit der dänischen Zentralverwaltung bezw. den dänischen Reedereien in Verhandlungen über die Höhe der Vergütungen einzutreten. Ich bitte, mir meine Auffassung, daß eine Auszahlung in freien Devisen nicht vorgenommen werden kann, zu bestätigen, und werde die dänische Zentralverwaltung dann endgültig in diesem Sinne unterrichten.

gez. **Dr. Best**


### 147. Albert Speer an Rüstungsstab Dänemark u. a. 15. August 1944

På grund af den givne krigssituation beordrede rustningsminister Speer firmaer, vigtige maskiner, lagre af råstoffer m.v. overført fra de besatte lande til Tyskland i det omfang, de var truet af krigshandlinger og den fremrykkende front. Hvor krigsvigtige industrier, materialer, råvarer m.m. ikke kunne medføres, skulle de enten lammes eller destrueres. I et bilag blev de konkrete foranstaltninger, der i givet tilfælde skulle sættes i værk, nøjere angivet.

Ordren gik bl.a. til Rüstungsstab Dänemark, hvor Forstmann 26. september 1944 udarbejdede et memorandum i sagen (trykt nedenfor). Det tyske tyveri af maskiner og råstoffer begyndte i de besatte områder, da krigsudviklingen gjorde det aktuelt at trække tyske tropper mere og mere tilbage samtidig med, at behovet for nye ressourcer var stigende, men blev først sat i system under Speer fra sommeren 1944. I Danmark kom det kun på tale at føre tyske maskiner og udstyr tilbage, mens danske virksomheders ejendom forblev uantastet (Janssen 1968, s. 252ff., Müller 1999).

Kilde: RA, Tyske arkiver, K 599: Diverse korrespondance 15.8.44-20.8.45.

Der Reichsminister  
für Rüstung und Kriegsproduktion  
RüA/Rü II Nr. 3697/44 g. Kdos.

*Berlin, den 15.8.1944*  
U.d. Linden 78  
12.00.26 / 2567  
Lg/Ku Nr. 110

Geheime Kommandosache!  
200 Ausfertigungen  
200. Ausfertigung

---

[105] Skrivelsen er ikke lokaliseret.

Betr.: Rückverlagerung aus den besetzten Gebieten im Westen, Süden und Südosten.

1.) Die Lage in den besetzten Gebieten läßt derzeitig vielfach die Innehaltung der für die Verlagerung von Betrieben und Fertigungen erlassenen Bestimmungen nicht mehr zu. Infolgedessen übertrage ich für alle die Fälle, in denen eine Gefahr in Verzug ist oder sich auf kurze Sicht gesehen abzeichnet alle für Rückverlagerungen, Lähmungen oder Zerstörungen von Betriebseinrichtungen notwendigen Anordnungen meinen in den besetzten Gebieten eingesetzten Dienststellen (für Frankreich der Rüstungs- und Beschaffungsstab, Belgien die Rüstungsinspektion, Niederlande die Rüstungs- und Beschaffungskommission, Italien der Generalbeauftragte des Reichsministers für RuK.) die genannten Dienststellen haben engste Fühlung mit den zuständigen oberen militärischen Kommandostellen zu halten und erst nach Einvernehmen mit diesen Rückverlagerungen anzuordnen.

Alle auf diese Weise selbständig vorgenommenen Rückverlagerungen sind nachträglich dem Rüstungsamt zu melden.

2.) Im Reichsgebiet steht für diese Rückverlagerung nennenswert kaum freier oder noch freizumachender Raum zur Verfügung. Ich ordne daher an, daß die Ausschüsse und Ringe die rückverlagerten Fertigungen in gleichartigen Betrieben im Reich durch Aufstockung des Programmes aufzunehmen haben. Es sind daher vordringlich die Betriebseinrichtungen zurückzuführen, die zur Aufstockung des Programmes im Aufnahmebetrieb benötigt werden. Weiterhin sind an erster Stelle Rohstoffe, insbesondere Nichteisenmetalle, Halb-, Teil- und Fertigfabrikate an die Aufnahmebetriebe zu überführen. Nur in begründeten Ausnahmefällen darf von dem Grundsatz, in gleichartige Fertigungsstätten zu verlagern, abgewichen werden. Diese Ausnahmen sind im Einvernehmen mit dem Rüstungsamt festzulegen. Mit Rücksicht auf Erhaltung der Programme ist das Rüstungsamt beauftragt, die Neueinrichtung von Fertigungsstätten nur in einzelnen Sonderfällen zuzulassen.

3.) Soweit die Transportlage es gestattet, sind darüber hinaus aus den gefährdeten Gebieten weiterhin Betriebseinrichtungen, insbesondere Engpaß-Werkzeugmaschinen und Werkzeuge an die Sammellager des Reichsministers für Rüstung und Kriegsproduktion abzutransportieren. Ich lege Wert darauf, daß nur voll einsetzbare und vollständige Betriebseinrichtungen zum Abtransport kommen.

4.) Soweit ein Abtransport nach vorstehenden Ziffern nicht vorgenommen wird, sind die zurückbleibenden Betriebseinrichtungen zu lähmen oder zu zerstören. Die Lähmung eines Betriebes kommt infrage, wenn damit gerechnet wird, daß der Betrieb in spätestens 12 Wochen sich wieder in deutscher Hand befindet. Andernfalls ist der Betrieb nachhaltig zu zerstören. Festlegung hat in engstem Einvernehmen mit den zuständigen obersten militärischen Kommandostellen zu erfolgen. (siehe Anlage).[106]

5.) Meine Dienststellen haben jeder panikartigen Stimmung vorzubeugen. Ich untersage deshalb vorsorgliche Rückverlagerungen aus Gebieten vorzunehmen, für die zu-

---

106 Trykt nedenfor.

nächst noch keine Gefahr besteht. Einzigartige Fertigung können vorsorglich für die wichtigsten Programme aus den Gebieten herausgenommen werden. Die Zustimmung des Rüstungsamtes ist dazu einzuholen.

6.) In den Gefahrengebieten (bis etwa 200 km rückw. der Frontlinie) sind die Bestände an Rohstoffen und Vormaterialien auf einen 14-Tageverbrauch und die Bestände an Zulieferungen auf einen 8-Tageverbrauch herabzusetzen (die genannten Zeiträume gelten nur als Richtlinie.) Soweit eine Rückverlagerung vorläufig nicht vorgenommen wird, haben die Betriebe auf Höchstproduktion zu laufen. Die in den Betrieben hergestellten Erzeugnisse sind schnellstens abzutransportieren. Richtlinie hierbei ist, in den Betrieben nicht mehr als eine 3-Tage-Produktion zurückzuhalten.

gez. **Speer**

*Verteiler:*
[u.a.] Rüstungsstab Dänemark

Geheim!                                                                             Anlage zu m. Erlaß Rü A Rü II
Nr. 3697/44 g.Kds. v. 15.8.44<br/>Lg. Rr. Nr. 110

Als zu ergreifende notwendige Maßnahmen sind zu betrachten:
a.) *Räumung der Betriebe*
Räumung hat in der Reihenfolge der Wichtigkeit der Fertigungseinrichtungen (Engpaßmaschinen) und nach der jeweiligen Transportlage zu erfolgen. Mit den Fertigungseinrichtungen sind die Lagerbestände zu bergen. Im allgemeinen erfolgt die Räumung zum Stammwerk der Firma. Soweit dies nicht möglich, sind geeignete Aufnahmeräume von den Rü In sofort festzustellen.

b.) *Lähmung der Betriebe*
Die Lähmung soll durch Ausbau wichtiger Teile bei Fertigungseinrichtungen, diese für den Feind unbenutzbar machen. Es ist darauf zu achten, daß jede Lähmungsmaßnahme vom Feind bei zur Verfügung stehender Zeit beseitigt werden kann. Lähmung hat daher nur einen Sinn, wenn damit gerechnet werden muß, daß die Feindbesetzung nur kurzfristig ist. Festlegung hat deshalb von der Rü In im Einvernehmen mit dem Wehrmachtbefehlshaber zu erfolgen. Die Durchführung hat unter Heranziehung von Fachleuten zu geschehen.

Gleichzeitig ist dafür zu sorgen, daß die ausgebauten Teile mit deutlicher Kennzeichnung an die Sammellager übersandt werden, damit sie später greifbar sind.

c.) *Zerstörung der Betriebe*
Soweit a.) und b.) nicht durchgeführt werden kann, sind die Betriebe mit ihren Betriebseinrichtungen zu zerstören. Es genügt dabei nicht, daß die Gebäude gesprengt werden, sondern es muß jede Fertigungseinrichtung so nachhaltig zerstört werden, daß eine Wiederingangsetzung unmöglich ist. Auch hier ist die Einschaltung von Fachleuten notwendig.

d.) In allen Fällen sind die Arbeiter in der Reihenfolge ihrer Qualität zurückzuführen.

# AUGUST 1944

## 148. Walter Forstmann an Kurt Waeger 15. August 1944

Den tyske overværftstab havde klaget over passiv modstand fra både B&Ws direktions og arbejderes side. Forstmanns drøftelse med B&W havde ikke ført til en bedring af situationen, og overværftstaben ønskede, at der blev gjort noget.[107] Der var derfor blevet indkaldt til en drøftelse 10. august, hvor den rigsbefuldmægtigede havde gjort rede for mulighederne for at gribe ind over for dansk erhvervsliv og danske virksomheder.

Et resume af Bests redegørelse var vedlagt brevet til Waeger. I redegørelsen slog Best fast, at man fra tysk side fra besættelsens start havde besluttet sig for ikke at gribe ind i de danske erhvervsforhold, og at det havde medført en for Tyskland gunstig erhvervsudvikling. Det var for sent nu at indføre tyske forholdsregler i Danmark, og blev der grebet ind, ville det føre til et kaos, der ville kræve tilførsel af lige så mange tyske politifolk, som der kunne sendes danske arbejdere til Tyskland.

Redegørelsen er central for forståelsen af Bests opfattelse af tysk besættelsespolitik i Danmark i det sidste krigsår, og som sådan har Forstmann også opfattet den. Redegørelsen indgik ikke alene i Rüstungsstabs krigsdagbog som bilag, men Forstmann genanvendte også dens synspunkter i den følgende tid, når den førte besættelsespolitik stod for skud. Se Forstmann til Waeger 31. august 1944 (Bests kalenderoptegnelser 10. august 1944, hvor ingeniør Lorenzen ikke optræder blandt de deltagende).

Kilde: BArch, Freiburg, RW 27/16. KTB/Rü Stab Dänemark 3. Vierteljahr 1944, Anlage 18.

Abschrift!                  Anl. 18
Chef Rüstungsstab Dänemark        15.8.1944.
Az. Div.

Bezug: – ohne –
Betr.:   Ausführungen des Reichsbevollmächtigten in Dänemark über Eingriffe in die Struktur der dänischen Wirtschaft und der dänischen Betriebe.

An den Chef des Rüstungsamtes
   des Reichsministers für Rüstung und Kriegsproduktion,
   Herrn Generalleutnant Waeger,
   Berlin NW 7
   Unter den Linden 36.

Am 10. August 1944 fand auf Veranlassung von Chef Rü Stab Dän. eine Besprechung beim Reichsbevollmächtigten in Dänemark statt, an der teilnahmen:

SS-Obergruppenführer Dr. Best, Reichsbevollmächtigter in Dänemark
Ing. H.C. Lorenzen, Hauptausschuß Schiffbau, Länderbeauftragter Dänemark
Dir. Dolainski, Admiral Dänemark/ Oberwerftstab
Herr Duckwitz, Schiffahrtssachverständiger beim Reichsbevollm. i. Dän.
Kapitän zur See Forstmann, Chef Rü Stab Dänemark.

Chef Rü Stab Dän. hatte den Reichsbevollmächtigten um diese Besprechung gebeten, weil sich der Oberwerftstab verschiedentlich über den passiven Widerstand, den er bei

---

107 Den 15. juli 1944 havde marinekommandanten i København noteret: "Nach Mitteilung Ob. Werftstb., gereizte Stimmung bei der Belegschaft der Werft Burmeister und Wain. Arbeitsleistung gleich Null. Erhöhte Sabotagegefahr. Notwendige Maßnahmen wurden sofort eingeleitet." (KTB/Kriegsmarinedienststelle Kopenhagen 15. juli1944, RA, Danica 628, sp. 6, nr. 4312).

der Direktion und Arbeiterschaft der Firma Burmeister & Wain A/S herauszufühlen glaubte, bei Chef Rü Stab Dän. beschwert hatte. Rücksprachen des Chefs Rü Stab Dän. mit der Direktion der Firma B. & W. führten zu keiner Besserung der Verhältnisse. Oberwerftstab verlangte, daß "etwas geschehen müsse".

In der Anlage wird die schriftliche Formulierung der Ausführungen des Reichsbevollmächtigten mit der Bitte um Kenntnisnahme vorgelegt. Aus ihr geht hervor, daß eine Umstellung der dänischen Wirtschaft von der ihr eigentümlichen Wirtschafts- und Arbeitsordnung auf das deutsche Wirtschaftssystem heute nicht mehr möglich ist, und die Anordnung der Umstellung auf deutsche Methoden nur allgemeinen Widerstand auslösen würde. Auch die Frage, ob die deutschen Arbeitseinsatzbedingungen auf Dänemark übertragen werden können, wurde von Seiten des Reichsbevollmächtigten verneint.

Diese Lage, wie sie vom Reichsbevollmächtigten als dem Verantwortlichen für die Politik und Wirtschaftsführung in Dänemark dargestellt wird und der sich Rü Stab Dän. einordnen muß, wird häufig von landesunkundigen Besuchern Dänemarks nicht verstanden und zum Gegenstand kritischer und abfälliger Äußerungen in Berichten über dänische Verhältnisse gemacht, wobei zu gerne den hiesigen deutschen Dienststellen Mangel an Initiative vorgeworfen wird.

gez. **Forstmann**

1 Anlage

Abschrift!                                                                                                    10.8.44

**Aufzeichnung**
betreffend Eingriffe in die Struktur der dänischen Wirtschaft
und der dänischen Betriebe.

I.) Nach der Besetzung Dänemarks am 9.4.1940 hat die deutsche Politik bewußt davon abgesehen, Änderungen in der Struktur der dänischen Wirtschaft und der dänischen Betriebe herbeizuführen. Das dänische Wirtschaftsrecht und das dänische Arbeitsrecht blieben uneingeschränkt in Geltung. Im Laufe von 4 ½ Jahren ist ein System der Ausnützung der dänischen Wirtschaft für deutsche Interessen entwickelt worden, das die gegebene wirtschaftliche und rechtliche Struktur berücksichtigte. Hierdurch ist 4 ½ Jahre lang ungeachtet aller Schwankungen der politischen Entwicklung eine ruhige und stetige Produktion ermöglicht worden. Die landwirtschaftliche Erzeugung konnte sogar in den letzten beiden Wirtschaftsjahren gerade trotz der wachsenden politischen Spannung beträchtlich gesteigert werden. Wenn auch durch andere Methoden der Lenkung und der Arbeit aus einzelnem Betrieben höhere Leistungen hätten herausgeholt werden können, so ist – wenn man alle Leistungen für deutsche Interessen (landwirtschaftliche Erzeugung, gewerbliche Erzeugung, Wehrmachtarbeiten und Arbeitseinsatz im Reich) zusammennimmt – durch das angewendete System zweifellos das Optimum dessen erzielt worden, was die dänische Wirtschaft unter den gegebenen Verhältnissen zu leisten vermag.

II.) Eine Umstellung der dänischen Wirtschaft von der ihr eigentümlichen Wirtschafts- und Arbeitsordnung auf das deutsche Wirtschaftssystem wäre vielleicht vor 4 ½ Jahren unter dem Eindruck der Besetzung und des sieghaften Westfeldzuges möglich gewesen (wobei allerdings zweifelhaft ist, ob die dänischen Bauern sich bei Anwendung der deutschen Bewirtschaftungsbestimmungen so sehr um Produktionssteigerung bemüht hätten, wie sie es aus privatwirtschaftlichen Motiven getan haben). Nachdem die dänische Wirtschaft 4 ½ Jahre in ihrer bisherigen Struktur für Deutschland gearbeitet hat und nachdem die politischen und psychologischen Bedingungen wesentlich verändert sind, würde heute die Anordnung einer Umstellung auf deutsche Methoden allgemeinen Widerstand auslösen. Auch die Durchführung von Einzelmaßnahmen, die nicht in die Struktur der dänischen Wirtschaft und der dänischen Betriebe passen, würde Wirkungen zeitigen, die auch die Leistungen auf anderen Wirtschaftsgebieten beeinträchtigen würden. Durch die Beschlagnahme von Betrieben, die Einsetzung von Kommissaren oder ähnlichen Maßnahmen würde im gegenwärtigen Augenblick zweifellos eine Obstruktion des gesamten Personals ausgelöst, die sich in der Form des Sympathie- und Generalstreiks auf andere Betriebe und Wirtschaftszweige ausdehnen würde. Die hierdurch notwendig gemachten Maßnahmen – Verhaftungen, Überführung von Belegschaften in das Reich o.ä. – würden wiederum die Betriebe lahmlegen, sodaß hierdurch keineswegs höhere Leistungen erreicht würden. Insbesondere aber würde durch die politische und stimmungsmäßige Breitenwirkung solcher Vorgänge der Leistungswille der gesamten dänischen Bevölkerung beeinträchtigt werden, sodaß das unter I.) erwähnte Optimum der wirtschaftlichen Gesamtleistung stark herabgedrückt würde, ohne daß in dem Einzelfall, der diese Entwicklung anstieße, das gewünschte Ergebnis erzielt wird.

III.) Ergänzend wird ein Auszug aus der Stellungnahme des Reichsbevollmächtigten zu der Frage, ob die deutschen Arbeitseinsatzbestimmungen auf Dänemark übertragen werden sollen, wiedergegeben:
a.) Nachdem 4½ Jahre die dänische Wirtschaft auf der Grundlage des dänischen Wirtschafts- und Arbeitsrechtes für deutsche Zwecke gearbeitet hat, würde die Einführung der deutschen Arbeitseinsatzbestimmungen in Dänemark zu allgemeiner und offener Obstruktion führen. Die nach diesen Bestimmungen zu erfassenden Arbeitskräfte würden sich der Erfassung durch die Flucht nach Schweden entziehen oder sie würden sich außerhalb der Städte zu Banden sammeln, die es in Dänemark bisher nicht gegeben hat. Durch Generalstreik und Arbeitsflucht käme nicht nur die gewerbliche Wirtschaft sondern sehr bald auch die Landwirtschaft zum Erliegen, sodaß die bisherigen wirtschaftlichen Leistungen Dänemarks abgeschrieben werden müßten. Um in dem entstehenden Chaos einerseits die Ordnung aufrechtzuerhalten und andererseits die vorgeschriebene Zahl von Arbeitskräften einzufangen, müßte ich um die Entsendung von mindestens ebensoviel Kräften der deutschen Polizei bitten, als Arbeitskräfte eingefangen und in das Reich verbracht werden sollten.
b.) Die Einführung der deutschen Arbeitseinsatzbestimmungen könnte, da in Dänemark der normale Gesetzgeber fehlt und die Zentralverwaltung zu so umstürzenden Maßnahmen nicht befugt ist, nur durch deutsche Anordnung erfolgen. Durch diesen Eingriff, der das gesamte dänische Arbeitsrecht aufheben würde, würde die bisher eingehaltene außenpolitische Linie verlassen, nach der die Frage der Souveränität Dänemarks bewußt unentschieden gelassen werden sollte.
  Mit der gewaltsamen Einziehung und Verbringung tausender dänischer Arbeiter

in das Reich wäre die endgültige Beseitigung der dänischen Staatlichkeit vor aller Welt klargestellt.

c.) Zusammenfassend stelle ich fest, daß – nachdem 4½ Jahren von einer Umstellung der dänischen Wirtschaft- und Arbeitsgesetzgebung abgesehen worden ist – die dänische Wirtschaft in der ihr eigenen Struktur auf allen Gebieten: Landwirtschaft, gewerbliche Wirtschaft, Wehrmachtsarbeiten und Arbeitseinsatz im Reich das aus ihr herauszuholende Optimum für Deutschland geleistet hat. Jeder jetzt – 4 ½ Jahre zu spät – erfolgte Eingriff in die Struktur der dänischen Wirtschaft und der dänischen Arbeitsordnung würde die Gesamtleistungen der dänischen Wirtschaft katastrophal beeinträchtigen, ohne das durch den Eingriff erstrebte unmittelbare Einzelergebnis voll zu erbringen. Selbst mit einem bei der heutigen Personallage unmöglichen Aufwand deutscher Zwangs- und Aufsichtsorgane könnten nie die gleichen Produktionsergebnisse erzielt werden, die die dänische Wirtschaft zur Zeit auf freiwilliger Grundlage für deutsche Interessen erbringt. Nur wenn der eigentümliche Schwebezustand zwischen Selbständigkeit und Abhängigkeit, der durch die deutsche Politik gegenüber Dänemark seit 1940 geschaffen worden ist, berücksichtigt und wenn die dänische Wirtschaft weiterhin mit den eingespielten Mitteln gelenkt wird, können die heute relativ über den Leistungen aller anderen besetzten Gebiete liegenden dänischen Leistungen für das Reich aufrechterhalten werden. Um nach Beseitigung der Freiwilligkeit die gleichen Leistungen mit Gewalt zu erzwingen, fehlen uns jetzt und bis auf weiteres schlechterhin die Kräfte.

### 149. Rüstungsstab Dänemark: Lagebericht 15. August 1944

Den meget detaljerede månedsberetning for juli var bilagt en oversigt over sabotagehandlinger dag for dag i løbet af måneden. Kilden til sidstnævnte var næsten udelukkende BdO, da der er verbal overensstemmelse mellem de givne oplysninger og BdOs informationsblade, men Forstmann fik også direkte indtelefonerede oplysninger i enkelte tilfælde (se 3. juli), og har endvidere fået oplysninger fra Gestapo (aktionen på Forchhammersvej 24. juli). Det fremgår, at der skulle virkelig meget til, for at en sabotage blev karakteriseret som alvorlig. Det var alene omfanget af den skade, der blev pådraget tyske interesser/leverancer, der var afgørende. Det viser eksempelvis terroraktionen mod et persontog ved Lillerød 27. juli, hvor flere blev dræbt og mange såret. Det blev alligevel betragtet som et "middeltilfælde," og tilsyneladende var Rüstungsstab Dänemark ikke orienteret om tilfældene af modterror. Dog kunne formuleringerne i enkelttilfælde tyde på, at Forstmann havde en formodning eller viden derom, men det var ikke hans opgave at rapportere derom.[108]

[108] Det er overvejende sandsynligt, at Rüstungsstab Dänemark har leveret oplysninger til tysk politi om, hvilke danske virksomheder der havde rustningskontrakter, og dermed også hvilke, der ikke havde. Forstmann bestred det imidlertid i en efterkrigsforklaring 30. september 1947, mens Bovensiepen 10. december 1946 forklarede, at Best i midten af 1944 henviste BdS til at henvende sig til Forstmann for at få oplysninger om de virksomheder, der kunne ødelægges uden at skade tyske interesser. Det var, ifølge den forklaring, Schwerdt, der blev sendt til Forstmann og fik en liste over de virksomheder, der ikke arbejdede for tyske interesser. Bovensiepen vidste ikke, om Forstmann var klar over formålet med listen (begge forklaringer i LAK, Best-sagen). Forklaringerne lader sig ikke efterprøve, men Rüstungsstab Dänemark var det oplagte sted for BdS at søge de nødvendige oplysninger, selv om det ville være mere indlysende, at Forstmann skulle give oplysninger om de virksomheder, der arbejdede *for* tyskerne end dem, der *ikke* gjorde. Endvidere kan man stille spørgsmålstegn ved Bovensiepens forklaring, hvad angår tidspunktet for henvendelsen til Forstmann. Der var indlysende meget tidligt i 1944 brug for de oplysninger om danske virksomheder, som BdS skulle udnytte, når terrormål skulle udvælges.

Best var fra juli 1944 ikke længere på listen over modtagere af Forstmanns beretninger, hvilket dog ikke udelukker, at han modtog dem. Forstmann citerede fortsat den rigsbefuldmægtigedes *Politische Informationen* med tilslutning.

Kilde: BArch, Freiburg, RW 27/18 og RW 27/23. RA, Danica 1000, T-77, sp. 696, KTB/Rü Stab Dänemark, 3. Vierteljahr 1944, Anlage 22.

[Anlage] 22

Abteilung Wehrwirtschaft im Rü Stab Dänemark     *Kopenhagen, den 15. August 1944.*
Gr. Ia Az. 66 d l Nr. 1205/44g.     Geheim

Bezug: OKW W Stab Inland 1/III v. 4.4.1944.
Betr.: Lagebericht.

An das Feldwirtschaftsamt im Oberkommando der Wehrmacht
    Frankfurt an der Oder.

Abteilung Wehrwirtschaft im Rü Stab Dänemark übersendet in der Anlage Lagebericht gemäß o.a. Bezugsverfügung.

**Forstmann**

Abteilung Wehrwirtschaft im Rü Stab Dänemark     *Kopenhagen, den 15. August 1944.*
Gr. Ia Az. 66 d l Nr. 1205/44g.

L a g e b e r i c h t
Allgemeiner Überblick einschließlich wehrpolitischer Lage.
Monat Juli 1944.

Gelegentlich der jedes Vierteljahr stattfindenden Verhandlungen über Warenaustausch zwischen Deutschland und Dänemark im deutsch-dänischen Regierungsausschuß wurde deutscherseits eine wesentliche Vergrößerung der Lieferungen für eine Reihe von für die dänische Wirtschaft bedeutungsvollen Produktion vorgesehen. Diese Auszuschließende betrifft vor allen Dingen Rohstoffe für die Textil-Industrie, Eisen und Eisenwaren und Chemikalien, hierunter besonders Pflanzenschutzmittel (Kupfervitriol). Über die Einfuhr von Kunstdünger im Düngerjahr 1944/45 konnte über die Stickstoffmengen noch keine festen Zusagen gegeben werden. Dieselben werden voraussichtlich erst Anfang August festgelegt. Hinsichtlich Kalidünger hat Dänemark die Zusage für die gleichen Lieferungen nach Dänemark wie im Düngerjahr 1943/44 erhalten.

Eine besondere Rolle in dem dänischen Außenhandel spielt das Verhältnis zwischen Dänemark und Finnland. Am 10. Juli 1944 wurde in Stockholm in Verhandlungen zwischen den dänischen und den finnischen Handelsdelegationen ein neuer Warenaustausch für das zweite Halbjahr 1944 abgeschlossen. Die Lieferungen Finnlands an Dänemark sehen in erster Linie Holzwaren, Fournier, Zellulose, Papier, Pappe, Karton usw. im Werte von 430 Mill. finn. Mark vor. Dagegen liefert Dänemark hauptsächlich Lebensmittel wie Butter, Zucker, Trockenmilch, Eierprodukte, Kunsthonig, außerdem

Maschinen und Apparate, Blutalbumin, Farben usw. im Werte von ca. 43 Mill. d.Kr. nach Finnland. Dazu schreibt das finnische Blatt "Ilta Sanomat," Helsingfors, folgendes: "Besonders im Hinblick auf Lebensmittel ist Dänemark während des Krieges ein wichtiges Importland für uns geworden. Finnland hat jetzt viel von Dänemark erhalten, was Finnland bisher vermissen mußte und was nicht von anderen Staaten hätte eingeführt werden können. Dänemark hat in seinen Vertragsverhandlungen mit uns ein außerordentlich großes Verständnis und den Willen zur Hilfe gezeigt und sein Äußerstes getan, Finnland die unbedingt notwendigen Lebensmittel zu liefern."

Ferner hat Dänemark am 30. Juni in Paris ein dänisch-französisches Warenabkommen für das zweite Halbjahr 1944 in Höhe von 3,5 Mill. d.Kr. abgeschlossen. Während der Import aus Frankreich hauptsächlich Maschinen, Apparate, Instrumente, Textilien (Meterwaren), chemische und pharmazeutische Produkte, sowie Wein und Spirituosen vorsieht, wird der dänische Export nach Frankreich vorzugsweise aus Fischen, Muscheln, Kaffee-Ersatz und sonstigen Lebensmitteln bestehen.

In der Außenhandelsbilanz hat sich in den Monaten Januar bis Mai ein Umschwung vollzogen. Während in den gleichen Monaten des Jahres 1943 die dänische Einfuhr die Ausfuhr um 6 Mill. Kr. pro Monat überstieg, ergibt sich jetzt eine durchschnittliche Mehrausfuhr von 20,4 Mill. Kr. pro Monat. Für den Mai 1944 berechnet stellt sich die *Mehrausfuhr* auf 16,5 Mill. Kr. bei einer Einfuhr von 120,5 Mill. Kr. und einer Ausfuhr von 137 Mill. Kr.

Die innerpolitische Lage Dänemarks im Monat Juli 1944 war, abgesehen von den am 4.7.44 beendigten Generalstreik in Kopenhagen, als ruhig zu bezeichnen. Schwere Sabotageakte gegen wichtige Rüstungsbetriebe sind im Monat Juli nicht zu verzeichnen, mittlere Fälle = 23, leichte Fälle = 16. Dagegen haben sich die Überfälle auf Wehrmachtsangehörige und deutsch-eingestellte Dänen, sowie Sabotage an Bahngeleisen, Kabeln usw. beträchtlich erhöht. (Anlage 1.)[109]

Die deutsche Sicherheitspolizei hat im Juli festgenommen:[110]

| | | |
|---|---|---|
| wegen Sabotageverdachts | 211 | Personen |
| wegen Spionageverdachts | 14 | – |
| wegen illegaler Tätigkeit | 285 | – |
| (Kommunismus und nationale Widerstandsgruppen) | | |

Durch die Festnahme sind 18 Sabotageakte aufgeklärt worden.

Bei polizeilichen Aktionen sind wegen Widerstandes gegen die Festnahme, wegen Widersetzlichkeit gegen Polizeistreifen usw. 6 Personen erschossen worden. In Gross-Kopenhagen wurden während der Streiktage in den kommunistisch beeinflußten Stadtvierteln 92 Demonstranten getötet und 664 verletzt.

In illegalen Lagern wurden größere Mengen von Waffen, Sabotagematerial usw. erfaßt.

Wie der Reichsbevollmächtigte in seinen "Politischen Informationen für die deutschen Dienststellen in Dänemark" vom 1.8.1944[111] mitteilt, sind die Folgen des Generalstreiks sehr schnell abgeklungen. Die illegalen Gruppen haben durch den General-

---

109 Trykt nedenfor.
110 Jfr. Bovensiepens aktivitetsberetning for juli 1944.
111 Trykt ovenfor.

streik-Versuch nichts gewonnen als die Erfahrung, daß eine Million Menschen mit den von deutscher Seite angewandten Maßnahmen durchaus in Schach gehalten und zur Aufgabe jeden Widerstandes gezwungen werden kann. Es wirkt nur als ein Eingeständnis dieser Feststellung, wenn in illegalen Flugblättern dazu aufgefordert wird, für den nächsten Generalstreik genügend Lebensmittel in den Haushaltungen aufzustapeln. Ein Satyrspiel war es, als – nachdem die Arbeit voll aufgenommen war – in Flugblättern mit der Unterschrift "Danmarks Frihedsraad" zur Arbeitsaufnahme am folgenden Tage aufgefordert wurde,[112] was die dänischen Gewerkschaften ("De samvirkende Fagforbund i Danmark"), die von Anfang an scharf gegen den Streik Stellung genommen hatten, in einem Rundschreiben vom 4.7.44 mit Recht lächerlich machten.[113]

Weiterhin behandelt der Reichsbevollmächtigte in seinen Informationen die Einstellung der dänischen Landbevölkerung gegen den Generalstreik und die Form dieses Generalstreiks. Schon in den Streiktagen hätten die Bauern in der Umgebung Kopenhagens scharf gegen den Streik Stellung genommen und Stadtbewohner, die um Lebensmittel baten, mit der Bemerkung abgewiesen, sie könnten ja aufhören zu streiken. Je mehr im Lande die kommunistische Initiative, Demonstrationen sowie Plünderungen und Zerstörungen während der Streiktage bekannt würden, wäre zu beobachten – was illegale Widerstandskreise bereits mit Sorge beobachteten – daß die Frontstellung der Landbevölkerung gegen diese Methoden immer eindeutiger würden.

*Versorgung der Besatzungstruppe im Monat Juli 1944:*
*Generatorholz*: Nach Mitteilung d. OKH. In. Fest. ist die bisherige Lieferzusage der Generatorkraft AG über monatlich 50.000 hl voraussichtlich nicht mehr aufrecht zu halten, da die Zufuhren aus den Ostgebieten durch die militärische Entwicklung in Frage gestellt sind und der Generatorholzbedarf der Truppe sowie im Reich durch die einschneidende Kürzung in der Zuteilung flüssiger Brennstoffe stark angestiegen ist. Lediglich der Bedarf der Besatzungstruppe in Dänemark (30.000 hl) soll durch Nachschub aus dem Reich gedeckt werden. Hierdurch würde sich die im Lagebericht vom 15.7.1944 gemeldete Fehlmenge von 40.000 hl auf ca. 60.000 hl erhöhen. Die Kürzung in der Zuteilung flüssiger Brennstoffe hat durch vermehrte Verwendung von Holzgasgeneratoren eine Bedarfssteigerung von etwa 10.000 hl zur Folge, sodaß die monatliche Gesamt-Fehlmenge ca. 70.000 hl betragen würde. Einsparungen durch Zusatz von Torf sollen nach dem Voranschlag etwa 20 % des Gesamtbedarfs ca. 30.000 hl ausmachen. Jedoch ist dies von der Beschaffungsmöglichkeit trockenen, brauchbaren Generatortorfs abhängig.

*Holzkohle*: Von dem bei Chef H. Rüst. u. BdE angeforderten 48 t Holzkohle zum Anheizen von Generatoren können im Höchstfall 30 t durch die Generatorkraft AG geliefert werden. –Der Reichsbevollmächtigte hat auf dem Verhandlungswege eine ein-

---

112 Trykt hos Alkil, 1, 1945-46, s. 254 og Brøndsted/Gedde, 2, 1946, s. 793f.
113 De samvirkende Fagforbunds angivelige rundskrivelse af 4. juli er ikke lokaliseret. Den indgår ikke i litteraturen om generalstrejken, men det er interessant og forståeligt, at man fra tysk side havde et særligt blik for enhver splittelse mellem Frihedsrådet og politikerne med interesseorganisationerne. *Information* 8. juli 1944 citerer en anonym socialdemokratisk dupliceret skrivelse, der faldt Frihedsrådet i ryggen i sin fremstilling af strejken. Der er muligvis tale om samme skrivelse.

malige Lieferung von 10 t aus dänischen Beständen erwirkt, sodaß der dringendste Bedarf zunächst gedeckt ist.

*Schwelkoks*: der Beauftragte der Wehrmacht bei der Reichsstelle für Kohle hat die angeforderte monatliche Lieferung von 500 t Generatorsteinkohlen –Schwelkoks für die bei den Festungsbauten eingesetzten Fahrzeuge sichergestellt.

*Strandgut*: In den Monaten Mai und Juni wurden an der dän. Westküste 120 Ballen à 100 kg Rohgummi angetrieben und von deutschen Dienststellen als Strandgut geborgen. Dänischerseits wurden bis 10.6.44 weitere 26 Ballen Rohgummi sichergestellt. – Nach den Vereinbarungen mit der dän. Regierung über die Behandlung des an der dän. Küste angeschwemmten Standgutes ist kriegswichtige Ware vom dän. Staat zu übernehmen und der deutschen Wehrmacht anzubieten.

OKW/Fwi Amt hat auf Vorschlag des Reichsbevollmächtigten in Dänemark im Einverständnis mit dem Reichswirtschaftsministerium und der Reichsstelle Kautschuk die Zustimmung gegeben, daß von diesem Strandgut 66 Ballen = ca. 6,6 t den Dänen unter Anrechnung auf die zugestandene Verarbeitungsmenge für die Monate August, September und Oktober überlassen werden, sodaß Nachschublieferungen aus dem Reich für innerdän. Bedarf für die genannten Monate nicht mehr zu erfolgen brauchen.

Die restlichen 80 Ballen = 8 t gehen zur Verarbeitung ins Reich.[114]

*Sprengstoffe*: Im Laufe des Monats Juli wurde auf Befehl des Leiters der Abt. Wwi im Rü Stab Dänemark eine Gesamtüberprüfung der sowohl von Deutschland importierten Sicherheitssprengstoffe, wie der in Dänemark hergestellten Sicherheitssprengstoffe und von dem früheren dänischen "Härens Krudtvärk", Frederiksvärk, jetzt unter deutscher Leitung, hergestellten Pulvervorräte vorgenommen. Die Kontrolle erstreckte sich auf:
1.) Bewachung und Unterbringung des importierten Sicherheitssprengstoffes auf dem Lager in Orlogsvärftet, Kopenhagen.
2.) Kontrolle der laut Gesetz des dän. Justizministeriums zu führenden Lagerbestandsbücher bei den von der Reichsstelle Chemie zugelassenen dänischen Importfirmen in Kopenhagen.
3.) Feststellung der Übereinstimmung der vorhandenen Lagerbestände mit den Lagerbestandsbüchern.

Die Überprüfung ergab, daß neben kleineren, buchmäßigen Bemängelungen die Führung der behördlich versiegelten Lagerbestands- und Verkaufsbücher ordnungsgemäß durchgeführt wird. Die Beanstandungen bei dem Sprengstofflager auf der alten Orlogsvärft hinsichtlich Bewachung und nicht ganz sachgemäßer Lagerung sind sofort abgestellt worden.

Ferner ist die einzige in Dänemark vorhandene Sicherheitssprengstoffabrik "De Danske Sprängstoffabriker A/S", in Jyderup auf Seeland überprüft worden. Hier lagerten 7,5 t Trinitolduol. Diese Mengen wurden als überreichlich für eine fortlaufende Produktion des dänischen Sicherheitssprengstoffes AEROLIT angesehen: es wurden deshalb 6 t in ein militärisch überwachtes Munitionslager überführt, sodaß in der Fabrik selbst nur ein Trotyl-Bestand für eine Produktion von 1 bis 1½ Monaten belassen wurde. Die dänische Polizeiwache wurde auf Veranlassung der Abt. Wwi erheblich verstärkt, und

---

114 Se om det strandede rågummi Bests telegram nr. 817, 6. juli 1944.

zwar von 6 Beamten auf durchschnittlich 30. Ein neuer Munitionsbunker ist in Arbeit, der einen verstärkten Stacheldrahtschutz und Sicherungsanlagen erhält.

Eine Schwierigkeit ergibt sich z.Zt. daraus, daß Härens Krudtvärk in Frederiksvärk seine Produktion eingestellt hat, sodaß für das bisher von Härens Krudtvärk gelieferte Schwarzpulver für Steinbruch-Sprengungen entweder Sicherheitssprengstoff verwandt werden oder das benötigte Schwarzpulver in Höhe von 8 t jährlich aus Deutschland bezogen werden muß. Verhandlungen hierüber werden z.Zt. mit Troisdorf Dynamit AG gepflogen.

*Aufträge der Besatzungstruppe:*
Von der Abt. Wwi wurden im Monat Juli 1944 Rohstoffsicherungen von Fertigungs- und Bauaufträgen sowie Wareneinkäufe der Besatzungstruppe in Dänemark, soweit hierzu Eisen, Stahl, NE-Metalle sowie Kautschuk benötigt wurden, in Höhe v. RM 9.884.028,- durchgeführt.

*Holzversorgung*: Für Aufträge der Besatzungstruppe in Dänemark sind im Monat Juli 1944 von der Abt. Wwi Bedarfsbescheinigungen über

| | | |
|---|---|---|
| 7.960,30 | cbm | Schnittholz, |
| 4.660,00 | fm | Rundholz, |
| 2.372,50 | qm | Sperrholz und |
| 20.934,00 | rm | Faschinen |

für die vorschußweise Freigabe aus den Beständen der dänischen Wirtschaft ausgestellt worden.

Der Verbrauch der einzelnen Wehrmachtteile war wie folgt:

| | | | | |
|---|---|---|---|---|
| Heer | 2.858,60 | cbm und | 246,00 | fm |
| Marine | 1.048,30 | - - | 2.201,00 | - |
| Luftwaffe | 2.333,80 | - - | kein Rundholz, | |
| OT | 1.318,50 | - - | 500,00 | fm |
| BdO | 14,00 | - - | kein Rundholz | |
| Fest. Pi. St. 31 | 62,00 | - - | 1.1713,00 | fm. |

Hinzu kommen für Schiffsreparaturen 325,10 cbm.

Durch die Holzeinfuhr im Monat Juli aus Schweden und Finnland wurde die Verteilung in Schnittholz Mitte des Monats günstiger. Der Bedarf an Rundholz konnte auch in diesem Monat fast nur durch Beschlagnahme sichergestellt werden.

700 fm Rundholz stärkerer Dimensionen, die hier nicht zu beschaffen waren, konnten dem Festungspionierstab aus dem Reich zugeführt werden.

*Kohlenversorgung*: In der Zeit vom 1.-31.7.1944 wurden folgende Mengen in Dänemark eingeführt:

| | | |
|---|---|---|
| | 163.000 t | oberschlesische Kohle, |
| | 68.400 t | westf. Kohle, davon 30.000 t für DSB, |
| | 34.700 t | Koks |
| | 42.000 t | Braunkohlenbriketts, |
| | 25.000 t | Sudeten-Rohbraunkohle. |
| zus. | 333.100 t | |

Die Gesamtabladungen der Jahre 1940/44 ergibt folgendes Bild:

|  | Oberschl. Kohle | Westf. Kohle | Oberschl. Koks | Westf. Koks | Total Kohle | Total Koks | Total Kohle/Koks |
|---|---|---|---|---|---|---|---|
| 1.6.40-31.5.41 = | 1.235,1 | 1.302,3 | 77,3 | 966,7 | 3.537,4 | 1.044,0 | 4.581,4 |
| 1.6.41-31.5.42 = | 610,9 | 1.635,5 | 10,6 | 910,4 | 2.246,4 | 921,0 | 3.167,4 |
| 1.6.42-31.5.43 = | 1.147,2 | 1.011,8 | 78,3 | 540,1 | 2.159,0 | 618,4 | 2.777,4 |
| 1.6.43-31.5.44 = | 1.146,6 | 968,5 | 60,5 | 397,8 | 2.115,1 | 458,3 | 2.573,4 |

Während die Kohlen- und Koks-Anlieferungen aus Deutschland sich im letzten halben Jahr ungefähr auf derselben Höhe gehalten haben, ist die Lage auf dem Gebiet der heimischen Produktion sowohl an Torf wie Braunkohle ungünstig. Das anhaltend schlechte Wetter in den Monaten März und April hat den Beginn einer rationellen Torfproduktion um 8 Wochen verzögert. Wenn auch seit Mitte Mai die Torfproduktion im erhöhten Masse eingesetzt hat, so wird der Rekord des Vorjahres von 6,5 Mill. t Torf voraussichtlich nur etwa bis zu 70 % erreicht werden. Zu dem Arbeitermangel in den Torfgebieten tritt als weiteres Hindernis der Waggon- und Lastkraftwagenmangel in Erscheinung. Die Reifensituation der für die Torfproduktion eingesetzten LKWs nimmt stetig schärfere Formen an. Da die Torfmoore sich oft mehr als 4-5 km von den nächsten Eisenbahnstationen entfernt befinden, kann der Transport des Torfes vom Moor zum Eisenbahnwaggon nur von Kraftwagen durchgeführt werden. Es fehlen aber genügend LKWs und der Gummiverschleiß in den Torf- und Braunkohlenlagern ist groß. Daher bleibt den Brennstoffirmen, wenn sie sich nur die Hälfte der bestellten Mengen sichern wollen, nichts anderes übrig, als ihre eigenen Wagen, die eigentlich für die Stadtverteilung bestimmt sind, in die Torfmoore zu schicken, um den Abtransport zu ermöglichen. Auf diese Weise entsteht naturgemäß ein großer Ausfall an Fuhrwerken in der Stadt, die für die Brennstoffverteilung wie auch sonstige Fahrten, vor allem von Lebensmitteln vorgesehen waren. Eine Abhilfe ist nur möglich, wenn die von Deutschland nach der Ansicht des Wehrmachtbefehlshabers in genügender Anzahl gelieferten Reifen seitens der dänischen Behörden planvoller verteilt würden.

*Menscheneinsatzlage:*
Die Zahl der Arbeitslosen betrug am 21.7.1944 = 11.003, und zwar 6.226 Männer und 4.777 Frauen. Gegenüber dem Vormonat ist ein Rückgang von 430 zu verzeichnen.
Für Festungsbauten auf Jütland sind eingesetzt lt. Meldung Fest. Pi. Stab Aarhus – für OT bzw. Fest. Pi. Stab = 38 deutsche und 80 dänische Firmen mit insgesamt 11.919 Arbeitern und Angestellten. Für OT Außenstelle Jütland, Vejle, (früher Sonderbaustab d. Lw. Struer und Neubauamt d. Lw. Aalborg) 20.250 Arbeiter und Angestellte. Für Bauvorhaben des Heeres =102 dänische Firmen mit insgesamt 1.233 Arbeitern und Angestellten. Davon entfallen auf Techn. Komp. 40 Kolding = 30 dän. Firmen mit 400 Arbeitern und Angestellten und auf Techn. Komp. 131 Viborg = 72 Firmen mit 833 Arbeitern. Für Bauvorhaben der Kriegsmarine sind 137 deutsche Arbeiter und 82 dänische Firmen mit insgesamt 1.350 Arbeitern und Angestellten eingesetzt.
Die Zahlen der bei den Wehrmachtsstellen eingesetzten Firmen, Arbeitern und An-

gestellten sind *monatliche Durchschnittszahlen*, da sie von Woche zu Woche Schwankungen unterworfen sind.

*Dem Reich* wurden im Monat Juni 1.000 und im Juli 479 Arbeitskräfte zugeführt. Zum Arbeitseinsatz nach Norwegen sind im Monat Juni = 42 und im Juli = 58 dän. Arbeiter abgefahren.

*Transport- und Verkehrslage:*
Die Gesamtverkehrslage in Dänemark war im Berichtsmonat normal mit Ausnahme von der Stadt Gross-Kopenhagen, welche vom 30.6. bis 5.7.1944 im Zeichen des Generalstreiks stand.

*Eisenbahn*: Vom 30.6. bis 3.7. ruhte der gesamte Eisenbahnverkehr von Kopenhagen, nach Norden bis Helsingör, nach Süden bis Roskilde. Die Streikbewegung setzte am Freitag den 30.6. ein, sodaß an diesem Tage nur noch unregelmäßig einige Züge von Gross-Kopenhagen abgelassen wurden. Am 4.7. wurde der Verkehr langsam wieder aufgenommen an diesem Tage fuhren etwa 50 % der sonst normal abfahrenden Züge. Ab 5.7. trat dann der normale Zugverkehr wieder in Kraft. Nennenswerte Stauungen sind nicht aufgetreten, wo sie vorhanden waren, sind sie schnell wieder behoben worden.

Schnellbahn und Straßenbahn ruhten vom 30.6. bis 4.7. ebenfalls ganz.

Die Zementlieferungen nach Jütland lagen auf gleicher Höhe wie im Vormonat. Für Kieslieferungen wurden täglich 20 Waggons gestellt. Der Nachschub der Wehrmacht nach Norwegen und Finnland über Schweden ist um ca. 10 % zurückgegangen. Es wurden im Berichtsmonat 40 Waggons gestellt. Der Wehrmachtsbedarf wurde im Monat Juli zu 95 %, der zivile Bedarf 50 % der angeforderten Wagenmenge gedeckt.

| Waggongestellung: | Anforderung pro Tag | = 4.799 | Waggons |
|---|---|---|---|
| | gestellt | = 3.813 | – |
| | ungedeckter Bedarf | = 1.986 | – |

*Fährenverkehr:* Der zivile Verkehr über Warnemünde/Gedser blieb auch weiter kontingentiert. Der Personenverkehr läuft normal. Er wurde bis Mitte Juli von zwei dänischen Fähren gefahren. Seit Ende Juli läuft jetzt wieder eine deutsche und eine dänische Fähre.

Nachstehend der Wagenübergang nach Dänemark:

| Padborg | : | gemeldete Truppentransporte: | 915 | Wg. | = | 18.300 t |
|---|---|---|---|---|---|---|
| | | Nachschub: | 3.177 | – | = | 73.071 t |
| | | Privatgut f. Wehrmacht: | 3.284 | – | = | 82.100 t |
| Tondern | : | gemeldete Truppentransporte: | 420 | Wg. | = | 3.360 t |
| | | Nachschub: | 1.543 | – | = | 25.988 t |
| | | Privatgut f. Wehrmacht: | 905 | – | = | 20.122 t |
| Warnemünde | : | gemeldete Truppentransporte: | 75 | Wg. | = | 1.125 t |
| | | Nachschub: | 614 | – | = | 6.447 t |
| | | Privatgut f. Wehrmacht: | 110 | – | = | 1.374 t. |

*Seeschiffahrt:* Die dän. Schiffahrt war tonnagemäßig in folgender Rangfolge eingesetzt:
1.) Kohlenfahrt auf Dänemark
2.) Erzfahrt auf Deutschland
3.) Holzfahrt auf Dänemark

4.) Transporte von Deutschland nach dritten Ländern
5.) Innerdänische Fahrt.
Für die OT wurden vom 1.-31.7.1944 = 15.711 t Kies und 16.965 t Zement mit deutschen Schiffen und 2.535 t Zement mit dänischen Schiffen gefahren.

*Straßenverkehr:* die LKW-Transporte über die Frachtleitstelle des RKB Flensburg sind im Monat Juli wie folgt durchgeführt worden:

307 Transporte mit Fischen = 3.334 t
147  –           – Fleisch  = 1.657 t.

Die Transporte sind gegenüber dem Vormonat etwas zurückgegangen, gegenüber der gleichen Zeit im Vorjahre jedoch um 70 % gefallen. Der Grund hierfür in der Hauptsache in der geringen Zuteilung von Treibgas und Dieselöl für die LKW-Transporte. Beispielsweise wurden dem RKB im Monat Juni 3.000 Flaschen Treibstoff und 40 t Dieselöl zur Verfügung gestellt, im Juli aber nur noch 1.000 Flaschen Treibstoff und 40 t Dieselöl. Ein großer Teil der anfallenden Fleisch- und Fischtransporte mußte an die Eisenbahn in Kühlwagen abgegeben werden. Leider sind die Wagen zu lange unterwegs, sodaß das Fleisch und die Fische nicht immer verwendungsfähig für die menschliche Ernährung am Zielort einlaufen.

Im Hinblick auf die Wichtigkeit der Transporte wird gebeten, sich wegen besserer Treibgaszuteilung an höherer Stelle einzuschalten.

Die Reifenlage war gut.

*Ernährungslage:* a.) im eigenen Bereich:
Die Gesamtausgaben sowie die Beschaffungen des Heeres, der Marine und Luftwaffe im Monat Juni 1944 gehen aus folgenden Zahlen hervor:

*Geldausgaben:*

| | | |
|---|---|---|
| Heer: | 57.638.000,- | d.Kr. |
| Marine: | 14.973.000,- | – |
| Luftwaffe: | 61.774.500,- | – |
| insges. | 134.385.500,- | d.Kr. |

*Beschaffung an Lebensmittel für:*

| | | | | |
|---|---|---|---|---|
| Heer: | 4.754.056 | kg = | 3.780.645,- | d.Kr. |
| Marine: | 3.143.082 | – = | 2.726.910,11 | – |
| Luftwaffe: | 66.181 | – = | 32.249,41 | – |
| | 7.963.319 | kg = | 6.539.804,52 | d.Kr. |

Die Leistungen aus den Lebensmittelbeständen des Landes für die deutschen Truppen in Dänemark und Norwegen im Monat Juni 1944 betragen wertmäßig:

für Dänemark   6.539.804,52 d.Kr.
für Norwegen  11.682.165,20 d.Kr.

*Stand der Saaten im Juli 1944:*
Die diesjährigen Ernteaussichten können bis jetzt als günstig bezeichnet werden. Das kühle und regnerische Wetter in der ersten Hälfte des Monats Juni hat das Wachstum der Pflanzen beeinträchtigt, das in früheren Jahren starke Auftreten von tierischen Schädlingen ist aber dadurch verhindert worden. Nach dem Saatenstandbericht des statistischen Departements wird bei Getreide im Durchschnitt des ganzen Landes eine

mittlere Ernte erwartet. Gut steht der Winterweizen, während der Winterrogen schlechter als im Vorjahr beurteilt wird. Der Stand des Sommergetreides wird als mittel bis gut bezeichnet. Wesentlich schlechter wird der Stand der Hackfrüchte im Durchschnitt als im vergangenen Jahr beurteilt. Der gleiche gute Stand wie im Vorjahre wird wohl kaum erreicht werden. Der Stand der für die deutsche Versorgung besonders wichtigen Samenkulturen ist sowohl auf den Inseln wie auf Jütland normal. Der Graswuchs wird wesentlich besser beurteilt als 1943. Im Ganzen gesehen ist die Heuernte als durchaus gut zu beurteilen. Dieses ist für die Fütterung des Milchviehs in den kommen-den Wintermonaten besonders wichtig, da das Heu eine der Hauptgrundlagen für die Eiweißversorgung des Viehs bildet.

An Fleisch sind nach Deutschland im laufenden Wirtschaftsjahr (1.10.1943-30.9.1944) Ende Juni 1944 bereits 90 % und an Butter 75 % geliefert. Im Vergleich zur gleichen Zeit des Vorjahres sind an Fleisch bis Ende Juni 140 % und an Butter 22 % mehr geliefert.

Aus folgender Tabelle ergibt sich der Stand der landwirtschaftlichen Produkte in den Jahren 1941 bis 1944 im Vergleich zum Normaljahr 1935 = Indexzahl 100. Die angeführten Zahlen sind monatliche Durchschnittszahlen.

| Monatlicher Durchschnitt | Milch | | Butter | | Schweine-Fleisch | | Eier | | Rindfleisch | | Schweinebestand |
|---|---|---|---|---|---|---|---|---|---|---|---|
| | Mill. Kg | 1935 =100 | Mill. Kg | 1935 =100 | Mill. Kg | 1935 =100 | Mill. Kg | 1935 =100 | Mill. Kg | 1935 =100 | 1.000 Stck. |
| 1941 | 271 | 68 | 10,4 | 72 | 13,3 | 53 | 4,0 | 58 | 13,5 | 116 | 1.858 |
| 1942 | 249 | 63 | 9,1 | 63 | 7,2 | 29 | 2,3 | 33 | 12,4 | 107 | 1.363 |
| 1943 | 288 | 73 | 10,4 | 72 | 12,0 | 48 | 2,2 | 31 | 8,5 | 73 | 2.004 |
| Jan/Juni 43 | 266 | 68 | 9,5 | 66 | 10,9 | 44 | 3,1 | 45 | 7,7 | 67 | 1.801 |
| Jan/Juni 44 | 295 | 75 | 10,4 | 72 | 16,5 | 66 | 4,4 | 63 | 9,5 | 82 | 2.187 |

*Rüstungslage: Ausnutzung d. besetzten Gebiete durch Wehrmachtaufträge.*
*Berichtsmonat Juli 1944.*

A.) Unmittelbare Wehrmachtaufträge über 10.000 RM Einzelauftragswert.
B.) Unmittelbare Wehrmachtaufträge unter 10.000 RM und erkennbare mittelbare Wehrmachtaufträge.
C.) Öffentliche Bedarfsträger.

| | Auftragsbestand am Ende des Vormonats in RM | Veränderung des Auftragsbestandes i. Berichtsmt. in RM. | Neuzugang im Berichtsmonat in RM | Auslieferung im Berichtsmonat in RM | Auftragsbestand am Ende des Berichtsmonats in RM |
|---|---|---|---|---|---|
| A.) | 109.781.946,- | – 826.729,- | 8.054.562,- | 6.060.464,- | 110.949.315,- |
| B.) | 55.243.148,- | + 455.039,- | 1.477.512,- | 2.198.286,- | 54.977.413,- |
| A.) + B.) | 165.025.094,- | – 371.690,- | 9.532.074,- | 8.258.750,- | 165.926.728,- |
| C.) | 941.371,- | + 156.730,- | – | 10.247,- | 1.087.854,- |
| Insg. | 165.966.465,- | – 214.960,- | 9.532.074,- | 8.268.997,- | 167.014.582,- |

Abteilung Wehrwirtschaft im Rü Stab Dänemark
Gr. Ia Az. Lb2 Nr. 1205 /44g.

Anlage: 1.
*Kopenhagen, den 15. Aug. 1944.*

S a b o t a g e h a n d l u n g e n
in der Zeit vom 1.7. – 31.7.1944.

1.7.1944: Fehlanzeige.
2.7.1944: Fehlanzeige.
3.7.1944:
- a.) *Schwere Fälle:* Keine.
- b.) *Mittlere Fälle:*
  1.) Am 3.7.1944 gegen 17.50 Uhr ist ein mit Stroh beladener Güterwagen auf einem Abstellgleis der Zuckerfabrik in Kolding verbrannt. Sabotage liegt vor. Das Stroh war Wehrmachtseigentum.[115]
- c.) *Leichte Fälle:*
  1.) Am 3.7.1944 um 16.30 Uhr wurde durch Betriebsleiter Groth vom Pulvermagazin in Frederiksvärk telefonisch dem Waffen- und Munitionsarsenal in Dänemark gemeldet, daß die Schlüssel zu 4 Pulvermagazinen den dort eingesetzten Sabotagewächter gestohlen worden sind. In einem dieser Magazine liegen 50 to Pulver.

4.7.1944:
- a.) *Schwere Fälle:* Keine.
- b.) *Mittlere Fälle:*
  1.) Der Betriebsführer der Firma Lassen und Assmussen, Kopenhagen, Stevnsgade 7, teilt telefonisch mit, daß das Lager vorgenannter Firma in der Dybbölsgade abgebrannt ist. Die Firma Lassen & Assmussen unterhält dort ein Lager der Firma Lorenz Berlin für Abteilung Luftwaffe und Heer.
  2.) In der Nacht zum 4.7.1944 wurde auf dem Bahnhof in Hilleröd ein zweistökkiges Stellwerk durch Sprengung vernichtet. Der Eisenbahnverkehr ist nicht behindert.[116]
- c.) *Leichte Fälle:* Keine.

5.7.1944:
- a.) *Schwere Fälle:* Keine.
- b.) *Mittlere Fälle:* Keine
- c.) *Leichte Fälle:* Keine.
- d.) *Besondere Vorkommnisse:*
  Gegen 1.00 Uhr wurde der in Hjörring im OT-Lager stehende Posten des dort stationierten Schiffskommandos, der Weißruthene Bröneslaf Rachmutie, geb. am 5.9.1916 in Wilna hinterrücks erschossen. Täter ist unerkannt entkommen.[117]

---

115 RA, BdO Inf. nr. 56, 14. juli 1944, tilfælde 1.
116 RA, BdO Inf. nr. 56, 14. juli 1944, tilfælde 2.
117 RA, BdO Inf. nr. 55, 10. juli 1944, tilfælde 2.

6.7.1944:
- a.) *Schwere Fälle:* Keine.
- b.) *Mittlere Fälle:* Keine
- c.) *Leichte Fälle:*
  - 1.) Gegen 23.00 Uhr explodierte eine Sprengbombe unter dem SF-Zug 152 Berlin-Aalborg auf der Strecke Randers/Stevnstrup. Die Lokomotive wurde leicht beschädigt. Der Zug konnte jedoch zum Zielbahnhof weiterfahren. Personen wurden nicht verletzt.[118]
- d.) *Besondere Vorkommnisse:*
  - 1.) Gegen 8.20 Uhr wurde der deutsche Staatsangehörige Ing. Fincke, geb. am 7.9.1885 in Hamburg, der seit dem 1.4. für den Hauptausschuß Schiffbau, Kopenhagen, die Bauaufsicht bei der Odenseer Schiffwerft ausübt, auf dem Wege zur Werft angeschossen.[119]

7.7.1944: Fehlanzeige.

8.7.1944:
- a.) *Schwere Fälle:* Keine.
- b.) *Mittlere Fälle:*
  - 1.) Gegen 15.10 Uhr explodierten zwei Sprengkörper, die an zwei Eisenbahnwaggons der Maschinenfabrik Völund, Kopenhagen, Öresundsvej 147, angebracht waren. Der eine Wagen, in dem sich ein Diesel-Motor befand, wurde schwer beschädigt. Der zweite Wagen, enthaltend eine Kurbelwellen-Schleifmaschine, wurde nur leicht beschädigt. Deutsche Interessen wurden nicht berührt. Der Dieselmotor war für die Motorenfabrik DEMAK in Darmstadt und die Kurbelwellen-Schleifmaschine für Finnland bestimmt.[120]
- c.) *Leichte Fälle:* Keine.

9.7.1944: Fehlanzeige.

10.7.1944:
- a.) *Schwere Fälle:* Keine.
- b.) *Mittlere Fälle:* Keine
- c.) *Leichte Fälle:*
  - 1.) Gegen 22.40 Uhr drangen mehrere mit Pistolen und MP ausgerüstete Männer in das Geschäft der Autofirma Harald Andersen & P. Martini, Kopenhagen, Vesterport, ein und raubten einen Personenwagen mit den Probenummerschildern K 38629; bzw. K38650.[121]

11.7.1944: Fehlanzeige.

12.7.1944:
- a.) *Schwere Fälle:* Keine.
- b.) *Mittlere Fälle:* Keine.
- c.) *Leichte Fälle:* Keine.

---

118 RA, BdO Inf. nr. 55, 10. juli 1944, tilfælde 1.
119 RA, BdO Inf. nr. 55, 10. juli 1944, tilfælde 3.
120 RA, BdO Inf. nr. 56, 14. juli 1944, tilfælde 3, *Daglige Beretninger*, 1946, s. 195, Alkil, 2, 1945-46, s. 1233.
121 RA, BdO Inf. nr. 56, 14. juli 1944, tilfælde 5, *Daglige Beretninger*, 1946, s. 196.

d.) *Besondere Vorkommnisse:*
 1.) Gegen 1.30 Uhr drangen 4 Männer in die Maschinenfabrik A.P. Hansen, Kopenhagen, Landlystvej 42, ein und bedrohten die Sabotagewächter mit Schußwaffen und entwaffneten die Wächter. 2 Trommelrevolver und ein Gummiknüppel wurden entwendet.[122]

13.7.1944:
 a.) *Schwere Fälle:* Keine.
 b.) *Mittlere Fälle:*
 1.) Gegen 22.00 Uhr wurde ein Sprengstoffanschlag gegen einen Wehrmachtszug Skanderborg-Aarhus in der Nähe der Stadt Stilling durchgeführt. Die Eisenbahnstrecke war an dieser Stelle durch Sprengung unterbrochen worden. Zwei Wagen des Wehrmachtszuges entgleisten. Hierbei wurde eine Däne verletzt. Auf deutscher Seite keine Verletzten.[123]
 c.) *Leichte Fälle:*
 1.) Gegen die in Bau befindliche Funkstelle bei Mörsvraa, Kolding/Vejle sind kleine Sabotagehandlungen verübt worden. 10 Verbindungskabel und eine Telefonleitung wurden durchschnitten, mehrere Drähte gewaltsam zusammengedreht und in der Baracke ein Büchsenbrett gewaltsam von der Wand gerissen. Die Funkstelle ist unbewacht.[124]
 2.) Gegen 23.50 Uhr explodierte in der Maschinenhalle der Lokomotivenremise in Aarhus ein Sprengkörper, der an einer Lokomotive angebracht worden war. Zwei weitere explodierten außerhalb der Remise.[125]

14.7.1944: Fehlanzeige.

15.7.1944:
 a.) *Schwere Fälle:* Keine.
 b.) *Mittlere Fälle:* Keine.
 c.) *Leichte Fälle:*
 1.) Gegen 21.00 Uhr wurde ein Sabotageversuch auf die Eisenbahnstrecke Vejle-Grindsted zwischen den Stationen Skive-Haraldskjär durchgeführt. Am Bahnkörper wurden zwei Sprengkörper angebracht, die jedoch nicht zur Explosion kamen.[126]

Nachmeldung
12.7.1944:
 c.) *Leichte Fälle:*
 1.) Gegen 3.25 Uhr wurde die Eisenbahnstrecke Randers/Bjerringbro durch Sprengung unterbrochen. Aus einem Schienenstrang wurden 3 Meter herausgerissen. Der Urlauberzug nach Aalborg erlitt Verspätung.[127]

---

122 RA, BdO Inf. nr. 56, 14. juli 1944, tilfælde 6.
123 RA, BdO Inf. nr. 58, 20. juli 1944, tilfælde 2.
124 RA, BdO Inf. nr. 56, 14. juli 1944, tilfælde 7. Her henført til 12. juni.
125 RA, BdO Inf. nr. 58, 20. juli 1944, tilfælde 3, Hauerbach 1945, s. 24, Alkil, 2, 1945-46, s. 1233.
126 RA, BdO Inf. nr. 58, 20. juli 1944, tilfælde 5.
127 RA, BdO Inf. nr. 58, 20. juli 1944, tilfælde 1. Også hos BdO er det en Nachmeldung.

13.7.1944:
   b.) *Mittlere Fälle:*
   1.) Zum Sprengstoffanschlag gegen den Wehrmachtszug am 13.7.1944 bei Stilling (Tagesrapport vom 14.7.1944) wird ergänzend gemeldet, daß bei der sofort eingesetzten Suchaktion durch Wehrmachtsangehörige der Schüler Henning Carlsen, wohnh. Horsens, Fälledvej 62, durch Schüsse schwer verletzt wurde. C., der in das Krankenhaus in Skanderborg eingeliefert wurde, gab bei der informatorischen Vernehmung zu, daß er an der Sabotage mitbeteiligt war. Die Fahndung nach 4 weiteren Mittätern, die C. angegeben hat, ist eingeleitet.[128]

14.7.1944:
   b.) *Mittlere Fälle:*
   1.) Gegen 2.00 Uhr entstand in der Auto-Reparatur-Werkstatt Holst in Aarhus-Risskov ein Brand. In der Werkstatt befanden sich 6 PKWs des HKP 650 und der Reichspost in Reparatur. 2 der Wagen brannten gänzlich aus. Die restlichen wurden zum Teil beschädigt.[129]

16.7.1944: Fehlzeige.

17.7.1944:
   a.) *Schwere Fälle:* Keine.
   b.) *Mittlere Fälle:* Keine.
   c.) *Leichte Fälle:*
   1.) Gegen 16.50 Uhr wurde der PKW des Fuhrunternehmers Martin Christiansen, wohnh. Kopenhagen, Gustav-Bankersgade, der in Kopenhagen-Hellerup, Angersvej 15 abgestellt war, durch einen am Kraftwagen angebrachten Sprengkörper schwer beschädigt. Deutsche Interessen wurden nicht berührt.[130]

18.7.1944:
   a.) *Schwere Fälle:* Keine.
   b.) *Mittlere Fälle:* Keine.
   c.) *Leichte Fälle:*
   1.) Gegen 0.30 Uhr wurde die Garage des dänischen Arztes A. Poulsen in Kopenhagen, Kochsvej 24, aufgebrochen und der dort abgestellte PKW sowie die Garage in Brand gesteckt. Deutsche Interessen wurden nicht berührt.[131]
   2.) Gegen 1.30 Uhr wurde der Zeitungswagen des Christl. Tageblattes bei der Ausfahrt aus der Druckerei von mehreren Männern angehalten, den Fahrer des Wagens die weitere Wegstrecke befohlen und der Wagen von den Männern an der Ecke Rosengarten-Kultorvet in Brand gesteckt. Deutsche Interessen wurden nicht berührt.[132]

---

128 RA, BdO Inf. nr. 58, 20. juli 1944, tilfælde 2. Henning Carlsen døde af sine sår 14. juli 1944 (*Faldne i Danmarks frihedskamp*, 1970, s. 77f.).
129 RA, BdO Inf. nr. 58, 20. juli 1944, tilfælde 4. Alkil, 2, 1945-46, s. 1233.
130 RA, BdO Inf. nr. 58, 20. juli 1944, tilfælde 6.
131 RA, BdO Inf. nr. 59, 21. juli 1944, tilfælde 1.
132 RA, BdO Inf. nr. 59, 21. juli 1944, tilfælde 2. *Daglige Beretninger*, 1946, s. 200.

3.) Auf der Strecke Birkeröd/Holte wurde ein Anschlag gegen einen Wehrmachtstransportzug versucht, der gegen 21.50 Uhr diese Strecke passieren mußte. Durch rechtzeitig eingesetzte Streckenwehrmachtsstreife konnte eine Sprengstoffladung Trotyl im Gewicht von ca. 1½ kg, die bereits am Bahnkörper angebracht war und an der sich ein ca. 30 m langer Sprengdraht befand, festgestellt und unschädlich gemacht werden.[133]

4.) Gegen 13.30 Uhr wurde auf das der deutschen Kriegsmarine unterstehende Taarbäk Fort ein Überfall durchgeführt. Zwei mit Terroristen besetzte Lastwagen fuhren vor und eröffneten auf die Posten das Feuer, wodurch drei Wehrmachtsangehörige schwer verletzt wurden. Durch die Ausschaltung der Posten konnten die Lastwagen in das Fort hineinfahren, wurden aber dann durch das Eingreifen der übrigen Fortbesatzung an ihrem Vorhaben, Waffen, Munition und Sprengstoff zu erbeuten, gehindert. Die Täter sind entkommen. Ob sie Verluste gehabt haben, konnte nicht festgestellt werden.[134]

19.7.1944:
a.) *Schwere Fälle:* Keine.
b.) *Mittlere Fälle:*

1.) Gegen 8.45 Uhr wurde die Eisenbahnstrecke Skive/Viborg auf Jütland in der Nähe der Station Gammelstrup durch Sprengung unterbrochen. Von einem Wehrmachtstransportzug, der diese Strecke z.Zt. der Sprengung passierte, entgleisten die beiden letzten Wagen, die mit Mannschaften besetzt waren. Es wurde niemand verletzt. Der Zug konnte mit kleiner Verspätung die Fahrt fortsetzen.[135]

2.) In der Nacht zum 19.7.44 wurde die Eisenbahnstrecke Börkop/Bregninge auf Jütland durch Sprengung unterbrochen. Aus dem Schienenstrang wurde 2 m Schiene herausgesprengt. Der Zugverkehr war vorübergehend unterbrochen.[136]

3.) Gegen 8.45 Uhr wurde die Eisenbahnstrecke Viborg/Langaa auf Jütland 900 m nördlich Hindsholm an zwei Stellen durch Sprengung unterbrochen.[137]

c.) *Leichte Fälle:* Keine.

20.7.1944:
a.) *Schwere Fälle:* Keine.
b.) *Mittlere Fälle:*

1.) Es wird gemeldet, daß die Eisenbahnstrecke Viborg/Struer zwischen den Stationen Sparkär/Stoholm durch Sprengung unterbrochen wurde. Von einem Militärtransportzug, der diese Strecke z.Zt. der Sprengung passierte, entgleiste der letzte Wagen. Personen wurden nicht verletzt.[138]

c.) *Leichte Fälle:*

---

133 RA, BdO Inf. nr. 58, 20. juli 1944, tilfælde 7.
134 RA, BdO Inf. nr. 58, 20. juli 1944, tilfælde 9.
135 RA, BdO Inf. nr. 61, 26. juli 1944, tilfælde 2.
136 RA, BdO Inf. nr. 62, 27. juli 1944, tilfælde 1.
137 RA, BdO Inf. nr. 61, 26. juli 1944, tilfælde 1.
138 RA, BdO Inf. nr. 62, 27. juli 1944, tilfælde 5.

1.) Gegen 19.45 Uhr wurde die Eisenbahnstrecke Randers/Viborg bei der Station Bjerregrav durch Sprengung unterbrochen, während ein Fronturlauberzug die Strecke befuhr. Die Lokomotive wurde beschädigt. Personen sind nicht verletzt. Der Fronturlauberzug konnte seine Fahrt fortsetzen.[139]

2.) Bei Fensmark (Nästved) wurden 30 Isolatoren an Leitungsmasten zerstört.

d.) *Besondere Vorkommnisse:*

1.) Gegen 22.20 Uhr wrangen 6 Männer in das Walzwerk Kopenhagen, Palermovej ein und zwangen den Pförtner unter Bedrohung mit Pistolen zur Herausgabe der Waffen der Sabotagewache. Sie entwendeten 3 Trommelrevolver mit Munition und entkamen unerkannt.[140]

2.) Zwischen Hörsholm und Hilleröd wurde der dänische Staatsangehörige Gunnar De Hemmet-Henitved, Buchhändler, geb. 30.10.1907 in Kopenhagen, wohnh. Kopenhagen, Paludan Müllersvej 12, von unbekannten Tätern erschossen. De Hemmet-Henitved hat für die Dienststelle des BdS in Dänemark gearbeitet.[141]

21.7.1944:

a.) *Schwere Fälle:* Keine.

b.) *Mittlere Fälle:*

1.) Gegen 22.35 Uhr ist die Eisenbahnstrecke Horsens/Skanderborg in der Nähe der Station Hylke durch Sprengung unterbrochen worden. Von einem Wehrmachtstransportzug, der diese Strecke passierte, entgleisten die Lokomotive und 3 Wagen. Personen wurden nicht verletzt.[142]

c.) *Leichte Fälle:* Keine.

d.) *Besondere Vorkommnisse:*

1.) Gegen 12.30 Uhr drangen 2 Männer in die Wohnung des dänischen Staatsangehörigen Einer Rudolf Asbo, geb. 30.7.1885 in Kopenhagen, wohnh: Kopenhagen, Nabolös Nr. 2, ein und gaben 3 Schüsse auf A. ab, wodurch dieser tödlich getroffen wurden. Asbo war Mitglied des Dansk Samling.[143]

2.) Gegen 14.30 Uhr wurde ein LKW der Wehrmacht mit dem Kennzeichen WL 469 031 von 2 Männern gestohlen. 3 Monteure der Firma Diana, Kopenhagen, Jagtvej 155 A befanden sich mit diesem Wagen und einem PKW auf einer Probefahrt im Stadtgebiet. Während eines Halts kamen die beiden Männer, zwangen unter Bedrohung mit Pistolen die Monteure zur Besteigung der Wagen und bestimmten die weitere Fahrtrichtung. In der Haraldsgade mußten die beiden Wagen halten, die Monteure in den PKW einsteigen, während die beiden Täter mit dem LKW davon fuhren.[144]

---

139 RA, BdO Inf. nr. 60, 24. juli 1944, tilfælde 3.
140 RA, BdO Inf. nr. 61, 26. juli 1944, tilfælde 4. *Daglige Beretninger*, 1946, s. 201.
141 RA, BdO Inf. nr. 61, 26. juli 1944, tilfælde 3. Hemmet-Henitved blev likvideret og fundet skudt i Tokkerup Hegn (Øvig Knudsen 2001, s. 79).
142 RA, BdO Inf. nr. 61, 26. juli 1944, tilfælde 7.
143 RA, BdO Inf. nr. 61, 26. juli 1944, tilfælde 5. Asbo blev likvideret af Peter-gruppen (*Daglige Beretninger*, 1946, s. 201, Bøgh 2004, s. 113-115, tillæg 3).
144 RA, BdO Inf. nr. 61, 26. juli 1944, tilfælde 6. *Daglige Beretninger*, 1946, s. 201.

22.7.1944:
- a.) *Schwere Fälle:* Keine.
- b.) *Mittlere Fälle:* Keine.
- c.) *Leichte Fälle:*
    1.) Gegen 3.05 Uhr wurde auf der Eisenbahnstrecke Birkeröd/Hilleröd ca. 650 m südlich vom Bahnhof Hilleröd eine Schiene durch Sprengung beschädigt. Der Zugverkehr erlitt keine Unterbrechung.[145]
- d.) *Besondere Vorkommnisse:*
    1.) Gegen 16.00 Uhr wurde in Kopenhagen auf der Vesterbrogade einem Ogefr. von mehreren mit Pistolen bewaffneten unbekannten Männern die Pistole abgenommen. Zufällig hinzukommende SD-Angehörige versuchten, dem Soldaten zur Hilfe zu kommen. Bei der dabei entstandenen Schießerei wurde eine V-Person des SD durch 6 Schüsse getötet. Die Täter sind entkommen.[146]

23.7.1944:
- a.) *Schwere Fälle:* Keine.
- b.) *Mittlere Fälle:*
    1.) In der Zeit von 1.15 Uhr bis 1.30 Uhr entstanden in verschiedenen Wäschereien in Aalborg, die z.T. für die Deutsche Wehrmacht arbeiten, Brände. In einer der Wäschereien wurde eine Dampfmaschine durch Sprengung zerstört. Der weitere Schaden ist unerheblich.[147]
    2.) Gegen 1.30 Uhr wurde das in Aalborg, Forchhammersvej gelegene Transformatorenhaus (Verstärkeramt) der Wehrmacht beschädigt. Der Schaden ist gering. Die Stromunterbrechung wird in kurzer Zeit behoben sein.[148]
    3.) Gegen 18.30 Uhr wurde die Luftwaffenleitung von Röde Kro nach Skjern (Südjütland) zwischen zwei Masten durchschnitten.[149]

24.7.1944:
- a.) *Schwere Fälle:* Keine.
- b.) *Mittlere Fälle:* Keine.
- c.) *Leichte Fälle:* Keine.
- d.) *Besondere Vorkommnisse:*
    1.) Bei einer Heereseinheit in Bjerringbro wurde in der Nacht zum 24.7.1944 ein Wachposten erschossen aufgefunden. Ein weiterer Wachposten ist verschwunden.[150]
- e.) *Sabotagebekämpfung:*
    1.) Am 24.7.1944 wurde in Erfahrung gebracht, daß sich eine Gruppe von Saboteuren in einer Wohnung in Kopenhagen, Forchhammersvej 7, treffen sollte.

---

145 RA, BdO Inf. nr. 61, 26. juli 1944, tilfælde 9.
146 RA, BdO Inf. nr. 61, 26. juli 1944, tilfælde 8. Som reaktion på denne aktion blev medlemmer af Peter-gruppen sendt på gaden i København for at fratage danske politifolk deres våben. Det gik ud over fem betjente, ingen af dem blev såret (Bøgh 2004, s. 115f.).
147 RA, BdO Inf. nr. 61, 26. juli 1944, tilfælde 10, Alkil, 2, 1945-46, s. 1233.
148 RA, BdO Inf. nr. 61, 26. juli 1944, tilfælde 11, Alkil, 2, 1945-46, s. 1233.
149 RA, BdO Inf. nr. 62, 27. juli 1944, tilfælde 6.
150 RA, BdO Inf. nr. 62, 27. juli 1944, tilfælde 7.

In der genannten Wohnung wurden 4 bewaffnete Personen angetroffen, die sich der Festnahme zu widersetzen versuchten. Die Beamten machten darauf von ihren Waffen Gebrauch und töteten zwei Personen. Eine weitere wurde schwer verletzt. Dem 4. Mann gelang es zu entkommen. Es ist damit zu rechnen, daß auch er verletzt ist. Bei dem einen Toten handelt es sich um den Großkaufmann Robert Jensen, geb. 15.8.1900 in Kopenhagen. Der zweite Tote, der keine Ausweispapiere bei sich hatte, konnte noch nicht einwandfrei identifiziert werden. Es handelt sich jedoch sehr wahrscheinlich um einen kürzlich aus Schweden zurückgekehrten dänischen Saboteur. Der Verletzte ist der dänische Staatsangehörige Christian Frederik Algren Petersen, geb. 14.4.23 in Java, der von der Dienststelle gesucht wurde. Er ist bereits im Februar ds.Js. bei einer Schießerei der Sicherheitspolizei verletzt worden.

Die Durchsuchung der Wohnung ergab, daß sie der getötete Robert Jensen ausschl. zu illegalen Zwecken gemietet und benutzt hat. Er hat in der Wohnung eine Zentrale für eine der wichtigsten Fluchtorganisationen eingerichtet. Über diese Zentrale sind eine ganze Reihe z.T. prominente dänische Flüchtlinge nach Schweden geschafft worden. Daneben hat J. einen laufenden Nachrichtenverkehr mit den dänischen Flüchtlingen aufrecht erhalten. Außerdem ist über diese Zentrale ein großer Teil illegale Tätigkeit in Dänemark finanziert worden. Es konnte u.a. folgendes sichergestellt werden:

1 englische Maschinenpistole, 3 Pistolen, 2 neue aus Schweden eingeführte Abziehmaschinen, 2 Schreibmaschinen, eine größere Menge dänische Lebensmittelkarten, Blankolegitimationskarten in größerer Zahl, mehrere Koffer mit Flüchtlingsgepäck, 4 Kannen Autoöl, sowie 18.700 Kronen, die für die illegale Arbeit bestimmt waren.[151]

25.7.1944:
a.) *Schwere Fälle:* Keine.
b.) *Mittlere Fälle:*
1.) Gegen 20.15 Uhr warf ein Radfahrer einen Sprengkörper in den PKW des Amtsarztes Dr. Klein beim Reichsbevollmächtigten, den dieser in Kopenhagen vor dem Hotel d'Angleterre abgestellt hatte. Der Wagen geriet in Brand, jedoch erlitten der Motor und die Bereifung des Wagens keinen Schaden.[152]
c.) *Leichte Fälle:* Keine.
d.) *Besondere Vorkommnisse:*
1.) Gegen 7.05 Uhr wurde der Marinewächter A. Chr. Keil, geb. 14.2.1900 in Kopenhagen beim Universitätspark von zwei Männern gestellt und durch zwei Kopfschüsse getötet. Die Täter entkamen unerkannt. K. ist Mitglied der DNSAP.[153]
2.) Am 25.7.44 gegen 16.00 Uhr wurde die Ehefrau Grete Dahl, geb. am

---

151 Se Bovensiepens aktivitetsrapport for juli 1944.
152 RA, BdO Inf. nr. 63, 28. juli 1944, tilfælde 5, *Daglige Beretninger*, 1946, s. 204, Alkil, 2, 1945-46, s. 1233.
153 Chr. Keil blev likvideret (RA, BdO Inf. nr. 63, 28. juli 1944, tilfælde 1, *Daglige Beretninger*, 1946, s. 203, Øvig Knudsen 2001, s. 75-77).

26.2.1913 in Oslo, in Kopenhagen in ihrer Wohnung Strandlodsvej 86 tot aufgefunden. Sie ist durch 4 Schüsse, die aus einer Pistole Kal. 6.35 abgefeuert worden sind, getötet worden. Frau D. war als Nachrichtenhelferin in Dragör beschäftigt.[154]

3.) Gegen 15.35 Uhr wurde der Kaufmann Kurt Valdemar Jensen in seinem Geschäft in Hellerup, Strandvej 98 von einem unbekannten Täter durch 6 Schüsse getötet.[155]

4.) Gegen 1.00 Uhr drangen 5 unbekannte Männer in die Pindstofte Maschinenfabrik, Kopenhagen, Trekronergade 38 ein und entwendeten der Sabotagewache einen Karabiner mit 6 Schuß.[156]

Nachmeldung
22.7.1944:
  b.) *Mittlerer Fall:*
    1.) Gegen 1.15 Uhr wurde ein Sprengstoffanschlag gegen das Gemüsegeschäft Fredaria in Esbjerg; Torvegade, verübt. Es entstand größerer Sachschaden. Das Geschäft liefert hauptsächlich für die Deutsche Wehrmacht.[157]

25.7.1944:
  c.) *Leichter Fall:*
    1.) Gegen 3.45 Uhr wurde die Eisenbahnstrecke Randers/Stenstrup durch Sprengung unterbrochen. Der Schaden ist gering.[158]
  *Sabotageversuch:*
    1.) Gegen 3.10 Uhr wurde ein Sprengstoffanschlag auf den Fronturlauberzug 2 km südlich Randers versucht. Die an den Bahnkörper angebrachte Sprengstoffladung konnte jedoch rechtzeitig gefunden und entfernt werden.[159]

26.7.1944:
  a.) *Schwere Fälle:* Keine.
  b.) *Mittlere Fälle:*
    1.) Gegen 20.20 Uhr wurde die Eisenbahnstrecke der Privatbahn Kolding/Troldhede in unmittelbarer Nähe von Kolding an zwei Stellen durch Sprengung unterbrochen. Von einem kombinierten Personen- und Güterzug, der diese Strecke z.Zt. der Explosion passierte, wurde ein mit Torf beladener Güterwagen leicht beschädigt.[160]
    2.) Gegen 22.15 Uhr wurde am Kraftdroschkenplatz in Kopenhagen, Backersvej

---

154 Grethe Dahl, f. Kragh, blev likvideret (RA, BdO Inf. nr. 63, 28. juli 1944, tilfælde 2, *Daglige Beretninger*, 1946, s. 204, Øvig Knudsen 2001, s. 220).
155 Kurt Valdemar Jensen blev likvideret af Peter-gruppen (RA, BdO Inf. nr. 63, 28. juli 1944, tilfælde 3, Bøgh 2004, s. 116, tillæg 3 her).
156 RA, BdO Inf. nr. 63, 28. juli 1944, tilfælde 4, *Daglige Beretninger*, 1946, s. 203.
157 Det var grøntforretningen "Figaria" (RA, BdO Inf. nr. 64, 29. juli 1944, tilfælde 1, Alkil, 2, 1945-46, s. 1233).
158 RA, BdO Inf. nr. 64, 29. juli 1944, tilfælde 3.
159 RA, BdO Inf. nr. 64, 29. juli 1944, tilfælde 2.
160 Det var medlemmer af Peter-gruppen, der hjulpet af Gestapofolk fra Kolding gennemførte schalburgtagen mod toget (RA, BdO Inf. nr. 65, 2. august 1944, tilfælde 1 (her afvigende tekst og klokkeslæt angivet til 21.25). Bøgh 2004, s. 118-120, tillæg 3 her).

Ecke Ceylonvej eine dort abgestellte Taxe, deren Besitzer illegale Transporte nach Schweden durchgeführt hat, durch Brand zerstört. Deutsche Interessen werden nicht berührt.[161]

c.) *Leichte Fälle:* Keine.

d.) *Besondere Vorkommnisse:*

1.) Gegen 6.30 Uhr wurde der Reichsdeutsche Konstruktionszeichner Walter Ögel, geb. 16.9.1900 in Dortmund, in Helsingör auf dem Wege zu seiner Arbeitsstätte in Roskildevej von 2 Männern aufgelauert. Ein Auszuschließendes wurde abgegeben, durch den Ö. schwer verletzt wurde.[162]

27.7.1944:

a.) *Schwere Fälle:* Keine.

b.) *Mittlere Fälle:*

1.) Gegen 21.45 Uhr explodierte in einem Wagen des Personenzuges der Dänischen Staatsbahn auf der Station Lilleröd eine Sprengbombe, durch die 2 Personen getötet, 11 schwer und 7 leicht verletzt wurden. Es handelt sich ausschl. um dänische Staatsangehörige. Deutsche Interessen werden nicht berührt.[163]

c.) *Leichte Fälle:* Keine.

d.) *Besondere Vorkommnisse:*

1.) Gegen 18.00 Uhr forderten mehrere unbekannte Männer unter Bedrohung mit der Pistole von dem Maler Larsen, Koph., Tietgensgade 73, die Herausgabe zweier deutscher Kraftwagen, die bei ihm zur Reparatur standen. Sie entwendeten einen Pkw. Marke Fiat der deutschen Wehrmacht und einen Pkw. Mercedes des Jugendreferenten beim Reichsbevollmächtigten in Dänemark.[164]

28.7.1944: Fehl-anzeige.

29.7.1944:

a.) *Schwere Fälle:* Keine.

b.) *Mittlere Fälle:*

1.) Gegen 2.00 Uhr drangen zwei mit Pistolen bewaffnete Männer in das Hotel Landsoldaten in Fredericia ein. Nach Überwältigung der beiden Nachtportiers wurden im Keller des Hotels mehrere Sprengkörper gelegt. Durch die Explosion dieser Sprengkörper entstand erheblicher Sachschaden. Deutsche Interessen werden nicht berührt.[165]

2.) In der Nacht vom 29. zum 30.7.1944 ist die dänische Telefonzentrale in Marslev auf Fünen gesprengt worden. Die Täter sind unerkannt entkommen.[166]

---

161 RA, BdO Inf. nr. 64, 29. juli 1944, tilfælde 5. Ordlyden lader formode, at der var tale om schalburgtage.

162 RA, BdO Inf. nr. 65, 2. august 1944, tilfælde 2, hvor der yderligere står: "Die Ehefrau des Ö. ist bei der SD-Dienststelle in Helsingör als Reinmachefrau beschäftigt. In deutschfeindlichen Kreisen wird Ögel als "Angeber" bezeichnet." Walter Bögel (ikke Ögel) blev forsøgt likvideret, og han døde af sine sår 23. august 1944 på Øresundshospitalet.

163 RA, BdO Inf. nr. 64, 29. juli 1944, tilfælde 7. Det var medlemmer af Peter-gruppen, der foretog terroraktionen mod persontoget (Bøgh 2004, s. 120-122, tillæg 3 her).

164 RA, BdO Inf. nr. 65, 2. august 1944, tilfælde 5, *Daglige Beretninger*, 1946, s. 205f.

165 Der var tale om schalburgtage udført af Peter-gruppen (RA, BdO Inf. nr. 65, 2. august 1944, tilfælde 4. Lauritzen 1947, s. 1389, tillæg 3 her).

166 RA, BdO Inf. nr. 66, 4. august 1944, tilfælde 2.

30.7.1944:
- a.) *Schwere Fälle:* Keine.
- b.) *Mittlere Fälle:*
  1. ) Gegen 20.00 Uhr wurde der Fronturlauberzug Nr. 9996 auf der Strecke Randers/Stenstrup durch mehrere Sprengladungen zur Entgleisung gebracht. Drei Personenwagen entgleisten, ein weiterer Wagen erlitt Achsenbruch. Der Verkehr konnte eingleisig aufrecht erhalten werden. Personenschaden keiner.[167]
- c.) *Leichte Fälle:* Keine.

31.7.1944:
- a.) *Schwere Fälle:* Keine.
- b.) *Mittlere Fälle:* Keine.
- c.) *Leichte Fälle:* Keine.
- d.) *Besondere Vorkommnisse:*
  1. ) Gegen 19.50 Uhr wurde der Meister der Schutzpolizei Eugen Herb, des 2. Wachbatl. in Kopenhagen an der Ecke Enghavevej/Haderslevgade durch 3 Männer im Alter von 18 bis 20 Jahren überfallen. Sie verlangten unter Bedrohung mit Pistolen die Herausgabe seiner Schußwaffe. Als Herb sich zur Wehr setzte, wurden vier Auszuschließendes auf ihn abgegeben, von denen zwei tödlich wirkten. Die Täter sind unerkannt entkommen.[168]

Insgesamt: a.) Keine. b.) 23 Fälle. c.) 16 Fälle. d.) 16 Bes. Vorkommen. e.) 1. Sabotageversuch: 1.


**150. Kriegstagebuch/Admiral Skagerrak 15. August 1944**
Admiral Wurmbach noterede, at oplysningen om nedskydningen af 11 danske politiske fanger under flugt først var blevet bragt i svensk radio, derpå dementeret fra tysk side og til morgen alligevel i danske aviser erklæret for at være rigtig. Det svækkede tilliden til de tyske meddelelser og havde ført til sympatistrejker på værfterne i Helsingør og København. Ifølge Werner Best havde den danske regering forsikret, at arbejdet ville blive genoptaget næste dag.
Med "den danske regering" mente Best departementscheferne. Arbejdet blev genoptaget næste dag. Strejken var 15. august annonceret som en 24-timers sympatistrejke, hvad Kriegsmarinedienststelle Kopenhagen havde noteret sig (KTB/Kriegsmarinedienststelle Kopenhagen 15. og 16. august 1944, RA, Danica 628, sp. 6, nr. 4316f.
Kilde: KTB/ADM Dän 15. august 1944, RA, Danica 628, sp. 3, s. 3520.

[...]
12.00 h Lage an MOK Ost:
1.) Bei vor kurzem stattgefundenem Abtransport von dänischen politischen Häftlingen nach Deutschland sind 11 Gefangene bei Fluchtversuch durch deutsche Polizei erschossen. Nachricht hierüber durch schwedischen Rundfunk bekannt geworden, von deutscher

---

167 RA, BdO Inf. nr. 66, 4. august 1944, tilfælde 3.
168 RA, BdO Inf. nr. 66, 4. august 1944, tilfælde 5, *Daglige Beretninger*, 1946, s. 208. Som reaktion på dette mord blev guldsmed Palle Skaanstrøm likvideret af Peter-gruppen dagen efter (Bøgh 2004, s. 122f., tillæg 3 her).

Seite zunächst dementiert. Auf Grund einer Notiz in heutigen dänischen Morgenzeitungen ist Vorfall jedoch zugestanden, wodurch Mißtrauen zu deutscher Nachrichtengebung entstanden und als Sympathiestreik nach Vorgang Helsingör Arbeit in Werften Kopenhagens heute niedergelegt. Z.Zt. kann noch nicht übersehen werden, ob Streik größeres Ausmaß annehmen wird. Nach fernmündlicher Auskunft Reichsbevollm. hat dänische Regierung Zusicherung gegeben, daß ab morgen wieder gearbeitet wird. Weitere Entwicklung bleibt abzuwarten.
[...]


**151. Werner Best an Wolfram Sievers 16. August 1944**
Best takkede Sievers for det hidtidige samarbejde om at støtte Karl Kerstens udnævnelse. Sievers' forslag om, at Best henvendte sig til RFSS for at gøre noget for Kersten, havde Best rådført sig med Pancke om. De var enige om, at det ikke var det rette tidspunkt, da det ville være udsigtsløst. I stedet måtte de finde andre måder at få de drøftede arbejdsopgaver varetaget på (Schreiber Pedersen 2005, s. 164 og 2008, s. 303f.).
Den beslutning meddelte Sievers til Kersten 30. august 1944.
Kilde: BArch, NS 21/52.

SS–Obergruppenführer Dr. Werner Best                    *Kopenhagen, den 16.8.1944.*
Reichsbevollmächtigter in Dänemark

An SS-Standartenführer Dr. Sievers,
   Waischenfeld/Ofr.
   Nummer 135.

*Lieber Kamerad Sievers!*
Für Ihren Brief vom 4.8.44[169] danke ich Ihnen bestens.
Ebenso danke ich Ihnen für Ihre Bemühungen, unseren hiesigen Arbeiten durch die Abordnung des Dr. Kersten zu unterstützen.
Ihren Vorschlag, daß ich mich wegen des Dr. Kersten an den Reichsführer-SS wenden soll, habe ich eingehend mit dem SS-Obergruppenführer Pancke besprochen. Wir kamen zu dem Ergebnis, daß es doch in diesem Augenblick nicht tunlich ist, an den Reichsführer-SS einen solchen Wunsch heranzutragen. Wir glauben, daß der Reichsführer-SS mit Rücksicht auf seine neue Aufgabe genötigt ist, das Auskämmen für den militärischen Einsatz innerhalb der SS mit letzter Konsequenz zu betreiben. In der Voraussicht, daß der von Ihnen angeregte Schritt aussichtslos sein wird, wollen wir die für den Antrag und seine Ablehnung aufzuwendende Arbeitsleistung lieber ersparen.
Wir werden uns nun hier selbst den Kopf zerbrechen, inwieweit wir mit eigenen Kräften die besprochenen Aufgaben in Angriff nehmen können. Ggf. werden wir uns mit der Bitte um Rat und Hilfe an Sie wenden.
                    Mit den besten Grüßen und
                        Heil Hitler!
                        Ihr **Best**

169 Trykt ovenfor.

**152. Der Reichswirtschaftsminister an OKW 16. August 1944**
OKW havde skrevet til RWM angående de midler, der blev stillet til rådighed for Waffen-SS og tysk politi i Danmark. Ministeriet svarede, at betalingen skete via Best i København over kontoen "civile besættelsesomkostninger." Endvidere oplyste det, at det månedligt betalte 525.000 RM til underhold af familie og slægtninge til medlemmer af Frikorps Danmark. Det beløb var aftalt med den danske regering og kunne ikke forhøjes, hvilket Best også havde afslået, da SS-rigsledelsen anmodede derom.
    Betalingen af det stigende underholdsbidrag til de danske frivillige i Waffen-SS udviklede sig i løbet af efteråret til en styrkeprøve mellem SS og Best. Se Best til AA 1. december 1944.
    Kilde: RA, pk. 225.

Abschrift
Der Reichswirtschaftsminister                                        *Berlin C 2, den 16. August 1944*
– III Ld I-1/2774/44 g –


An das Oberkommando der Wehrmacht
   Berlin W


Auf das Schreiben vom 15. Mai 1944 – 3 f 31/2870/44 g/Ag WV 3 (VIII) –[170]

Betr.:   Geldversorgung der deutschen Wehrmacht in Dänemark;
         hier: Zahlungsmittel-Bereitstellung für Waffen-SS und Polizei.

Die Zahlungen an die im dänischen Raum eingesetzten Teile der deutschen Waffen-SS und Polizei werden m.W. aus den dem Reichsbevollmächtigten in Kopenhagen für sogenannte "zivile Besatzungskosten" zur Verfügung stehenden Mitteln geleistet. Das Reichswirtschaftsministerium hat bisher keinerlei Einfluß auf diese Zahlungen gehabt und ist bei der erstmaligen Entnahme auch nicht gefragt worden.

    Zum letzten Absatz Ihres Schreibens: Die mit Wissen des Reichswirtschaftsministeriums nach Dänemark fließenden Zahlungen von monatlich 525.000 RM sind ausschließlich für die Betreuung der Familien und Hinterbliebenen von Angehörigen des Freikorps Danmark bestimmt. Die Beträge werden auf Grund von Vereinbarungen mit der dänischen Regierung im Wege des deutsch-dänischen Verrechnungsabkommens dem in Kopenhagen eingesetzten Fürsorgeoffizier der Waffen-SS zur Verteilung überwiesen.

    Gelegentlich der Behandlung eines seitens der Reichsführung SS Mitte 1943 gestellten Antrags auf Erhöhung der monatlichen Überweisungen ist in einer Besprechung in Kopenhagen mit den beteiligten deutschen Dienststellen festgestellt worden, daß es nicht möglich ist, wegen einer abermaligen Erhöhung an die dänische Regierung heranzutreten. Die Erhöhung ist deshalb im Einvernehmen mit dem Reichsbevollmächtigten SS-Obergruppenführer Dr. Best abgelehnt worden.

    Über die Bereitstellung von Mitteln an das SS-Ersatzkommando Dänemark ist hier im einzelnen nichts bekannt. Vermutlich hat der Reichsbevollmächtigte die Beträge aus den oben erwähnten zivilen Besatzungsmitteln zur Verfügung gestellt. Aus den gleichen

---

170 Skrivelsen er ikke lokaliseret.

Gründen, aus denen heraus eine Erhöhung der Clearingzahlungen an den Fürsorgeoffizier nicht möglich gewesen ist, können auch die erwähnten Zahlungen nicht im Clearingwege erstattet werden.

Im Auftrag
gez. **Mützelburg**


### 153. WFSt: Streiklage Dänemark 16. August 1944

Von Hanneken havde givet OKW meddelelse om, at der var proteststrejker i danske byer i anledning af, at 7 [!] fangne sabotører var blevet skudt under flugtforsøg. Von Hanneken vurderede, at strejkerne kun ville blive af kort varighed, men ville ikke udelukke, at der kunne blive tale om rullende strejker, dvs. at de spredte sig fra by til by. Han gjorde det klart, at initiativet i forhold til strejkerne lå hos Best.

Kilde: BArch, Freiburg, RW 4/754. RA, Danica 1069, sp. 1, nr. 348f.

Qu. 2 (Nord)  16.8.1944.
Betr.: Streiklage Dänemark.  Geheim

Notiz
für Vortrag in Kolonne:

1.) Tagesmeldung vom 15.8.:
Seit 15.8.44, 9 Uhr Teilstreiks in Kopenhagen (Eisenindustrie, Hafenarbeiter und 2 Zeitungsbetriebe). Proteststreik, weil 7 gefangene Saboteure auf Transport bei Meuterei von Sicherheitspolizei erschossen. Arbeitsaufnahme von Gewerkschaften am 16.8.44 früh beabsichtigt.

2.) Ergänzende Meldung W. Bfh. Dänemark / Ic
(Stand: 16.8., 11 Uhr):
a.) Von den in Kopenhagen in Streik getretenen Betrieben ist die Arbeit großenteils am heutigen Vormittag wieder aufgenommen worden. Es besteht der Eindruck, daß die Streikwelle am heutigen Tage zum Erliegen kommt.
b.) Dagegen geht durch Jütland eine Propagandawelle für einen 24 Stunden-Proteststreik (Flugblätter, Besprechungen der Gewerkschaften usw.). Meldungen darüber, daß Streiks bereits durchgeführt worden, liegen noch nicht vor. W. Bfh. Dänemark rechnet jedoch damit, daß in einzelnen Orten Jütlands ein Proteststreik ausgelöst wird, zumal es in Jütland vermutlich noch nicht bekannt ist, daß der Streik in Kopenhagen im wesentlichen beendet ist.
c.) Weitere Information für 16.8. abends zugesagt.


WFSt/Qu. 2 (Nord)  16.8.1944.
Nr. 0 6339/44 geh.  Geheim

Betr.: Streiklage Dänemark;
Stand: 16.8.44, 19 Uhr.

## Vortragsnotiz

1.) Seit heute Mittag in einigen Städten Mitteljütlands Protestgeneralstreik, dessen Dauer mit 24 Stunden angegeben wird. Grund: der gleiche wie in Kopenhagen (Erschießung von 7 Saboteuren). In allen Städten herrscht Ruhe und Ordnung.
2.) In Kopenhagen ist die Arbeit in allen Betrieben wieder aufgenommen worden, lediglich einzelne Leute sind zur Arbeit nicht erschienen.
3.) a.) W. Bfh. Dänemark nimmt an, daß die vorgesehene Streikdauer von 24 Stunden eingehalten wird. Es wird jedoch nicht für ausgeschlossen gehalten, daß es sich um eine rollende Streikbewegung handelt, d.h. daß morgen möglicherweise die Betriebe in Nordjütland 24 Stunden streiken und wiederum einen Tag später Betriebe in anderen Gegenden.
b.) Die Initiative in der Bekämpfung des Streiks hat überall der Reichsbevollmächtigte. Die Wehrmacht hat Anweisung, nur da einzugreifen, wo sie provoziert wird.

### 154. Horst Bender an Werner Best 16. August 1944

Horst Bender besvarede Bests forespørgsel om, hvordan det gik med sagen mod K.B. Martinsen.

Bests forespørgsel foranledigede, at Bender tog sagen op med Hauptamt SS-Gericht, hvortil han skrev 14. august og medsendte et enkelt bilag, brevet til Panckes stedfortræder af 23. maj (trykt ovenfor). Der var tilsyneladende ikke sat nogen tidsterminer for det videre forløb af sagen.

Se SS-rettens stillingtagen 2. november 1944.

Kilde: RA, pk. 442.

Der SS-Richter beim Reichsführer-SS  
Tgb. Nr. VI 289/44g Be/Wi.

Feldkommandostelle, den 16.8.1944.  
Geheime Kommandosache!  
2 Ausfertigungen  
2. Ausfertigung.

Betr.: SS-Obersturmbannführer Martinsen.  
Bezug: Ihr Schreiben vom 10.8.44[171]

An SS-Obergruppenführer Dr. Best  
über Grenzkommissariat Rostock  
Rostock  
Kaiser-Friedrich-Str. 8

*Sehr verehrter Obergruppenführer!*  
Ich soeben Ihr Schreiben vom 10.8. in der Angelegenheit Martinsen erhalten und darf Ihnen darauf folgendes erwidern:

Der Reichsführer SS hat die Durchführung eines gerichtlichen Untersuchungsverfahren gegen den SS-Ostubaf. Martinsen vor dem Z.b.V.-Gericht in München angeordnet. Zugleich hat der Reichsführer SS verfügt, daß die dänischen Behörden von der

---

171 Trykt ovenfor.

Einleitung, dem Gang und dem Abschluß dieses Verfahrens keine Kenntnis erhalten.
Heil Hitler!
Ihr sehr ergebener
gez. **Bender**
SS-Standartenführer


## 155. Werner Best an das Auswärtige Amt 16. August 1944

Siden Hitler havde givet sin ordre om, at sabotører ikke måtte blive domfældt og henrettet, var modterroren som det eneste kampmiddel blevet betragteligt udvidet og skærpet. Den rettede sig mod tyskfjendtlige enkeltpersoner, hvor der ikke kunne påvises handlinger rettet mod Tyskland. Kendskabet til modterroren blev hurtigt udbredt gennem den illegale presse, og den fik mere og mere befolkningen til at reagere. Befolkningens retsopfattelse blev krænket, og det gav anledning til strejker. Best følte det derfor som sin pligt at foreslå, at domfældelse igen blev taget i anvendelse i Danmark. I modsat fald ville antallet af strejker tage til, og modviljen forplante sig til de danske bønder med forsyningsmæssige konsekvenser for Tyskland. Günther Pancke havde foreslået at bekæmpe strejkerne ved at deportere en vis procentdel af arbejderne på de strejkende virksomheder til Tyskland. Det var Walter Forstmann imod på grund af de uoverskuelige erhvervsmæssige konsekvenser – en opfattelse, Best gjorde til sin. Han ønskede en udtrykkelig ordre, om det skulle blive ved de forholdsregler, der var taget i anvendelse under generalstrejken i København, eller om man skulle skride til deportationer med risikoen for de følger, det ville få.

Det er muligt, at Best endnu ikke var orienteret om, at førerordren vedrørende behandlingen af sabotører var blevet viderebehandlet og drøftet, også i AA, og havde fået sin form 30. juli, men det var alligevel et modigt telegram at sende AA. Han ville for det første dæmme op for en udvidelse af modterroren i form af deportationer. For det andet stillede han sig kritisk til anvendelsen af modterror i det hele taget og ønskede at genoptage anvendelsen af retsforfølgelse af sabotører. Begge dele var stik imod de ordrer, han senest havde fået 5. juli 1944, og som han forud ved møderne i Berlin i slutningen af juli havde søgt at slække på. Dog gjorde han ikke genoptagelsen af retsforfølgelsen, men anvendelsen af deportationer til sit hovedspørgsmål til AA. Det var også det, han allerede havde fået Forstmanns svar på.

Best rykkede for svar på sin forespørgsel 23. august, mens OKM samme dag tilsluttede sig Bests holdning for så vidt angik deportationerne, se Seekriegsleitung 25. august.

Kilde: Bests telegram nr. 969 til AA 16. august 1944 er ikke lokaliseret, men det blev gengivet i en fjernskrivermeddelelse fra admiral Wurmbach til OKM 22. august 1944, hvortil henvises.


[Telegramm

Kopenhagen, den            16. August 1944            ... Uhr
Ankunft, den                16. August 1944            ... Uhr

Nr. 969 vom 16.8.1944.]

Seit dem am 3.7.44 vom OKW übermittelten Befehl des Führers sind in Dän. keine Terroristen und Saboteure mehr verurteilt und hingerichtet worden. Dafür wurde der Gegenterror als das einzige befohlene Kampfmittel beträchtlich vermehrt und verschärft. Da in Dän. keine Banden bestehen, die gestellt und niedergemacht werden können, kann sich der Gegenterror nur gegen Einzelpersonen richten, die als Gegner bekannt sind, die aber nicht bei gegen deutsche Interessen gerichteten Handlungen betroffen werden und denen nach ihrer Tötung auch solche Handlungen nicht mehr nachgewiesen werden können. Die Bedeutung dieser Gegenterrorakte wird in den engen Verhältnissen Dänemarks, zumal die Widerstandskreise ihre eigenen Akte laufend durch illegale Flugblätter und durch die Feindpropaganda klarstellen, von der Bevölkerung in vollem Umfang erkannt. Teils aus ihrer rechtsstaatlichen Einstellung u. teils unter dem Einfluß gegnerischer Agitation beginnt die Bevölkerung seit kurzem, in ihrer Gesamtheit gegen durchgeführte Gegenterrorakte zu reagieren. Wegen eines in Helsingör erschossenen Kunstmalers, der als Kommunist galt, führten die dort. Betriebe am 4.8.44 einen 24-stündlichen Proteststreik durch.[172] Das Gleiche geschah am 15.8. in zahlreichen Betrieben Kopenhagens wegen der Erschießung von 11 Saboteuren auf einem Transport.[173] Es ist damit zu rechnen, daß diese Reaktionen sich bei künftigen Gegenterrorakten wiederholen und daß durch sie die Gesamthaltung der dän. Bevölkerung immer mehr und mehr zum Nachteil deutscher Interessen beeinflußt wird. Insbesondere befürchte ich, daß die dem Gemeinschaftsgefühl der kleinen dän. Volksgemeinschaft entspringenden Protestaktionen allmählich auch die Haltung der bisher außerordentlich vernünftigen Landbevölkerung beeinflussen und ihren Produktionswillen herabdrücken werden. Es mehren sich die Fragen aus der dän. Bevölkerung, warum keine Gerichtsverfahren mehr gegen die festgenommenen Widerstandskräfte durchgeführte werden. Man empfinde zwar auch Verurteilungen schmerzlich, aber man habe doch Vertrauen zu der Gerechtigkeit der Gerichte. Im Hinblick auf die Erschießung der 11 Saboteure am 8.8.44 von der dän. Zentralverwaltung geradezu die Frage an mich gerichtet worden, warum man nicht diese Männer legal verurteilt und hingerichtet habe. Dies wäre von der Bevölkerung verstanden und ohne Reaktion hingenommen worden. Ich halte es für meine Pflicht, diese Erfahrungen der letzten 1 ½ Monate zu berichten und die Frage zu stellen, ob nicht unter besonderer Berücksichtigung der rechtsstaatlichen Einstellung der nordischen Völker in diesen Ländern wieder Gerichtsverfahren gegen Saboteure usw. erlaubt werden können, um die von mir angedeuteten nachteiligen Auswirkungen des allein u. deshalb so auffallend durchgeführten Gegenterrors zu vermeiden. Hierbei ist auch auf die Auswirkungen in Schweden und in der Feindpropaganda hinzuweisen.

Wenn entschieden wird, daß weiterhin ausschließlich der Gegenterror angewendet werden soll, so ist zugleich zu entscheiden, welche Maßnahmen gegenüber den Reaktionen der Bevölkerung getroffen werden sollen. Da diese Reaktionen sich meistens in Streiks der Belegschaften wirtschaftlicher Betriebe äußern, ist vor allem die Behandlung dieser Streiks zu klären. Der Höh. SS- und Polizeiführer hat vorgeschlagen, daß bei Streiks die Belegschaften ganzer Betriebe festgenommen und in das Reich verbracht werden sollen. Der Chef des Rüstungsstabes widerspricht diesem Vorschlag mit der Begründung, daß hierdurch die für Deutschland wichtige Erzeugung der hiesigen Fabriken ausfallen würde, während die deportierten Arbeiter im Reich mangels gleichartiger Betriebe, Maschinen usw. sowie wegen ihrer Eigenschaft als gefangene Zwangsarbeiter nur einen Bruchteil ihrer hiesigen Leistungen erbringen würden. Dazu kommt, daß die ersten Zugriffe gegen streikende Belegschaften zum Generalstreik aller übrigen Belegschaften führen würde, so daß wir gezwungen wären, nach und nach sämtliche Be-

---

172 Medlemmer af Peter-gruppen dræbte 2. august billedkunstneren Otto Bülow, hvilket førte til strejken (*Politiske Informationen* 1. september 1944, Bøgh 2004, s. 135f., Bengtsen 1981, s. 72, tillæg 3 her).
173 Se de lige foranstående dokumenter.

legschaften zu deportieren. Diese Entwicklung würde nicht ohne Rückwirkung auf die anderen Produktionszweige – insbesondere auf die Landwirtschaft – bleiben, so daß schrittweise die gesamte dän. Produktion zum Erliegen käme. Ich bitte deshalb um ausdrückliche Weisung, ob in weiteren Streikfälle nur von den bisher angewendeten Maßnahmen – bei befristeten Proteststreiks keine Eingriffe, bei Generalstreiks die in Kopenhagen Anfang Juli angewendeten Maßnahmen – Gebrauch gemacht, oder ob die Deportation streikender Belegschaft auf das Risiko der zu erwartenden Auswirkungen hin durchgeführt werden soll.

Dr. Best

**156. Werner Best an das Auswärtige Amt 17. August 1944**
Best orienterede om endnu et antal nedkastede våben, sprængstoffer m.m., der var faldet i tyske hænder.

Han havde åbenbart ingen oversigt over mængden af materiel, som det ikke lykkedes at få fat i. Heller ikke oplyste han nogen detaljer om samarbejdet mellem værnemagt og sikkerhedspoliti om opsporingen af det nedkastede.

Medregnes indholdet af de 13 containere, som tysk sikkerhedspoliti havde fået fat i 4. august, havde man fra tysk side fået fat i ca. to tons af de i alt 11 tons materiel, som blev kastet ned fra luften til den danske modstandsbevægelse i august 1944. Det svarede til en tabsprocent på 18, hvilket var beskedent (Hæstrup, 2, 1959, s. 155. Andersen 1947, s. 169 regnede med, at ca. 35 % af de nedkastede våben gik tabt. Se endvidere Bovensiepens aktivitetsberetning for august-oktober 1944).

Kilde: PA/AA R 101.040. RA, pk. 438a.

Telegramm

| Kopenhagen, den | 17. August 1944 | 14.50 Uhr |
| Ankunft, den | 17. August 1944 | 17.05 Uhr |

Nr. 973 vom 17.8.[44.]                                                    Citissime!

Im Anschluß an mein Telegramm Nr. 935[174] vom 9.8.44 berichte ich, daß in Jütland erneut 20 Fallschirmlasten, Sabotagematerial und Waffen sichergestellt wurden, darunter: 1.224 kg Sprengstoff (davon 1.053 kg eines neuartigen hochwirksamen Sprengstoffes "Demolition Block M 4"), 4.285 Sprengkapseln, 3.320 Übertragungsladungen, 3.136 chemisch-mechanische Zeitzünder, 2.010 Reibzünder, 600 Schienenzünder, 4.740 Knallzünder und anderes Material.[175]

Dr. Best

---

174 bei Inl. II. Trykt ovenfor.
175 Nedkastningsstedet er ikke identificeret.

## 157. Forschungsstelle für Wehrwirtschaft: Die finanziellen Leistungen der besetzten Gebiete bis 31. März 1944, 17. August 1944

Forschungsstelle für Wehrwirtschaft analyserede med jævne mellemrum i oversigter, hvor meget de besatte europæiske områder gav i samlet finansielt udbytte til Tyskland. Der blev tilstræbt en opgørelsesmetode, der tillod en omtrentlig sammenligning områderne imellem. Danmark blev medtaget i oversigterne, selv om det hver gang som det første blev skrevet, at Danmark ikke gjaldt som egentligt besat område, og som følge deraf heller ikke betalte besættelsesomkostninger. Den sidst kendte oversigt dækker tiden frem til 31. marts 1944, og her blev Danmark peget ud som et land, der inden for det sidste år fremviste en stærk forøgelse af lånene til Tyskland set i forhold til de foregående år. Stadig var det dog sådan, at Danmark set i forhold til andre lande, f.eks. Norge, kun gav et beskedent finansielt bidrag til Tyskland i forhold til befolkningstallet.

Oversigten gav ingen forklaringer på ændringerne i de finansielle ydelser til Tyskland. Derfor blev det heller ikke omtalt, at det hastigt stigende tyske forbrug i Danmark skyldtes værnemagtens forcerede befæstningsbyggeri. Den kvalitative værdi af de enkelte landes finansielle ydelser kom Forschungsstelle für Wehrwirtschaft slet ikke ind på. I afsnittet om krigsbytte (ikke medtaget) kan et særskilt dansk bidrag ikke udskilles.

Kilde: RA, Danica 465: Osobyj Archiv, Moskva: 700/1/83/66.[176] *Trials of War Criminals before the Nuremberg Military Tribunals*, 13, 1952, s. 921-923 ((på engelsk) afsnittet om Danmark og Norge, mens indledningen i denne udgave ikke er medtaget!). Buchheim 1986 på grundlag af eksemplar i IfZG, som også ligger til grund for den engelske udgave.

Forschungsstelle für Wehrwirtschaft  
FfW. 182/44 g.Rs.

*Berlin, den 17. August 1944.*  
Geheime Reichssache!  
7 Ausfertigungen  
5. Ausfertigung.

Die finanziellen Leistungen  
der besetzten Gebiete bis 31. März 1944.

I. Vorbemerkung  
II. Die einzelnen Gebiete  
   1. Das Protektorat  
   2. Das Generalgouvernement  
   3. Frankreich  
   4. Belgien  
   5. Niederlande  
   6. Dänemark  
   7. Norwegen  
   8. Serbien  
   9. Griechenland  
   10. Besetzte Ostgebiete  
III. Beute  
IV. Vergleich mit der englischen Auslandsfinanzierung  
   1. Die Formen der englischen Auslandsfinanzierung  
   2. Die Höhe der einzelnen Beiträge  
   3. Vergleich  
V. Anhang: Zur Methode der Untersuchung

---

176 Her findes også den forudgående oversigt af tilsvarende karakter for de fire første krigsår, 29. oktober 1943 (29 s. og tre bilag), som der henvises til i flg. note.

*I. Vorbemerkung*

1.) Eine für die ersten 4 Kriegsjahre im Oktober 1943 vorgenommene Ermittlung des realen Wertes der finanziellen Leistungen der besetzten Gebiete[177] hatte einen Betrag von rd. 75-80 Mia. RM ergeben. Eine neuerliche Berechnung, die mit dem Ende des letzten Finanzjahres (31. März 1944) abschließt, kommt auf einen Wert von 85-90 Mia. RM. Auf die einzelnen Länder verteilen sich die Summen wie folgt:

|  | *bis 31.8.1943* | *bis 31.3.1944* |
| --- | --- | --- |
| Frankreich | 32.290 | 35.060 |
| Niederlande | 10.300 | 12.030 |
| Belgien | 7.770 | 9.300 |
| Generalgouvernement | 2.965 | 5.015 |
| Norwegen | 4.250 | 4.900 |
| Besetzte Ostgebiete | 3.500 | 4.500 |
| Dänemark | 1.760 | 2.530 |
| Protektorat | 4.100 | 2.310 |
| Serbien | 480 | 630 |
| Griechenland | 110 | 500 |
| Beute | 1000 | 1000 |
| insgesamt | 68.525 | 77.775 |
| dazu Zuschlag für statistisch nichterfaßbare Leistungen | 6-11.000 | 7-12.000 |
| Gesamte Leistungen ca. | 75-85.000 | ca. 85-90.000 |

Der Zuwachs kann nicht der Leistung der inzwischen vergangenen 7 Monate gleich gesetzt werden. Er ist vielmehr zum Teil durch methodische Änderungen bedingt[178] und zum Teil dadurch, daß für die zurückliegende Zeit häufig endgültige anstelle der damals vorläufigen Zahlen eingesetzt werden konnten. Im einzelnen ist zu den Länderbeiträgen folgendes zu bemerken:

Bei *Frankreich* und den *Niederlanden* wurde es notwendig, den Betrag der auf dem schwarzen Mark[t] verausgabten Besatzungskosten höher zu schätzen und auch einen Teil der Ausfuhrüberschüsse mit gegenüber früher herabgesetzten Kursen umzurechnen. Daß trotzdem bei beiden Ländern noch eine Erhöhung um mehrere Milliarden eingetreten ist, deutet auf zunehmende Beanspruchung beider Volkswirtschaften für deutsche Zwecke hin.

Relativ stark angestiegen sind die Beiträge *Belgiens* und *Dänemarks*, wo – außer geringen Änderungen der dänischen Umrechnungskurse – die alte Methode beibehalten blieb und es sich demnach um einen wirklichen Zuwachs handelt.

Dagegen ist der gewaltige Anstieg der Leistungen des *Generalgouvernements* zum Teil darauf zurückzuführen, daß bestimmte Posten (Verwertung zurückgeführter Zloty-Noten im Werte von 580 Mio. Zloty und ca. 30 Mio. RM Heimsendungen polnischer Kriegsgefangener) erstmalig aufgenommen wurden. Anderseits müßte beim *Protektorat* der ursprünglich aufgeführte Betrag der im Protektorat untergebrachten Reichs-

---

177 FfW. 648/43 g vom 29.10.1943. [dokumentets note]
178 Zur Methode siehe den Anhang. [ikke medtaget]

schatzanweisungen aus der Rechnung ausgeschlossen werden, weil diese, anders als im GG und in Holland, nicht wirkliche Leistungen des Protektorats repräsentieren.

Der gewaltige Anstieg der *griechischen* Besatzungskosten ist fast ausschließlich auf eine neue, allerdings kaum weniger problematische Schätzung zurückzuführen.

2.) Die finanziellen Leistungen sind im wesentlichen aus den Besatzungskosten und der Zunahme der Clearingverschuldung errechnet; nur in Ausnahmefällen (Rußland, griechische Außenhandelsleistungen) erfolgte eine Einzelbewertung. Der weitaus größte Teil der errechneten Summe, nämlich etwa 50 Mia. RM entfällt auf Besatzungskosten, ist also der geldliche Ausdruck für die in den einzelnen besetzten Gebieten selbst in Anspruch genommenen Leistungen. Es erfolgte in diesen Ländern lediglich eine Umschichtung von Gütern und Leistungen von früher privaten Verbrauchern auf die deutsche Besatzungsmacht, ein Vorgang, der der gütermäßigen Kriegsfinanzierung in Deutschland selbst entspricht. Anders ist es mit dem größten Teil der nach Deutschland überführten Lieferungen und Leistungen [tekst streget ud]. Diese Leistungen stellen auch in der Form (Clearingschulden) Verpflichtungen für Deutschland dar. Ein Transferproblem, wie es sehr zugespitzt in der Reparationszeit auftrat, ist allerdings nicht zum Ausdruck gekommen, weil die heutige Währungswissenschaft es überdeckt.

Die Leistungen verteilen sich wie folgt auf die wichtigsten Gruppen:

|  |  |  | Mio. RM |  |
|---|---|---|---|---|
| Matrikularbeitrag des Protektorats |  |  | 2.314 |  |
| Wehrbeitrag des Generalgouvernements*) |  |  | 1.490 |  |
| Besatzungskosten | Frankreich |  | 27.935 |  |
|  | Belgien |  | 5.311 |  |
|  | Niederlande |  | 7.767 |  |
|  | Dänemark |  | 1.446 |  |
|  | Norwegen |  | 5.044 |  |
|  | Serbien |  | 313 |  |
|  | Griechenland |  | 500 | 48.316 |
| Kredite (Zunahme der Clearingverschuldung und Unterbringung von Reichsschatzanweisungen) | Generalgouvernement**) |  | 3.525 |  |
|  | Frankreich |  | 7.128 |  |
|  | Belgien |  | 3.982 |  |
|  | Niederlande |  | 4.260 |  |
|  | Dänemark |  | 1.088 |  |
|  | Norwegen |  | 143 |  |
|  | Serbien |  | 314 | 20.154 |
| Beute***) |  |  |  | 1.000 |
| Lieferungen der besetzten Ostgebiete |  |  |  | 4.500 |
|  |  | Insgesamt: |  | 77.775 |

*) Einschl. des Betrages der zurückgeführten Zloty-Noten.
**) Clearingverschuldung, Arbeiterrücksendungen und Ankauf von Reichsschatzanweisungen.
***) Unvollständig.

Diese Summe stellt nur eine untere Grenze dar. Aus folgenden Gründen: Die sicherlich nicht unbeträchtlichen Beträge der in das Reich eingegliederten Gebiete – erinnert sei nur an den Wert der oberschlesischen Kohle, der lothringischen Minette, der Getreideüberschüsse der Ostgebiete, das eingezogenen ehemals polnischen Staats- und Privateigentums[179] – konnten nicht ausgesondert werden und fehlen daher völlig. Nur teilweise festzustellen waren die Leistungen der zwar staatsrechtlich selbständigen aber handelspolitischen einbezogenen Gebiete (Protektorat, Holland), und auch die russischen Lieferungen konnten nur unvollständig ermittelt werden. Völlig außer Betracht bleiben alle Leistungen, die nicht mit Geld bezahlt oder in Geld bewertet wurden. Das ist z.B. die Beute, soweit sie nicht in Geldform (Kriegskassen) gemacht oder gegen Geld verkauft wurde (Rohstoffe), also vor allem die erbeuteten Kriegsmaterialien (mit Ausnahme der im Protektorat erbeuteten Bestände). Wahrscheinlich ist auch die Arbeitsleistung der im Reich beschäftigten ausländischen Zivilarbeiter mit den – in der Clearingverschuldung enthaltenen – Überweisungsbeträgen zu niedrig angesetzt. Erst recht dürfte dies der [Zahl?] bei den Kriegsgefangenen sein, die nur geringe Summen heimsenden können.

Schlägt man für alle diese Posten etwa 7-12 Mia. RM hinzu, so erhält man einen Betrag in der Größenordnung von *85-90 Mia. RM*.

*II. Die einzelnen Gebiete.*
[...]
6.) Dänemark.
Dänemark gilt nicht als eigentliches besetztes Gebiet und zahlt dementsprechend auch keine Besatzungskosten. Die von den deutschen Truppen benötigten Mittel werden der Hauptverwaltung der Reichskreditkassen von der dänischen Zentralbank auf dem Kreditwege zur Verfügung gestellt. Jedenfalls für die Dauer des Krieges ist also eine einheitliche Leistung Dänemarks gewährleistet. Die in Anspruch genommenen Kredite betrugen bis zum 31.3.1944 fast 1,5 Mia. RM.

|         | Besatzungskosten Mio. Kr. | RM-Kaufkraftkurse 100 Kr. = ... RM | Besatzungskosten Mio. RM-Kaufkraft |
|---------|---------------------------|------------------------------------|------------------------------------|
| 1940/41 | 531                       | 53,1                               | 282                                |
| 1941/42 | 437                       | 47,7                               | 208                                |
| 1942/43 | 612                       | 47,5                               | 290                                |
| 1943/44 | 1.391                     | 47,9                               | 666                                |
|         |                           |                                    | 1.446                              |

Eine Schätzung der auf den schwarzen Markt gehenden Summen muß unterbleiben. Zwar darf angenommen werden, daß die Wehrmachtsangehörigen auch in Dänemark Butter und andere Produkte zu gestiegenen Preisen kaufen; es ist aber unmöglich, diese Beträge auch nur annähernd zu erfassen. Denn der schwarze Markt scheint weniger ausgedehnt und weniger zusammenhängend zu sein als in den besetzten Westgebieten und mehr der Struktur des deutschen schwarzen Marktes mit seiner uneinheitlichen

---

179 Bisher wurden für 1,5 Mia RM verkauft. [dokumentets note]

Preislage zu ähneln. Allerdings dürften die dänischen Schwarzmarktpreise in der Regel weit unter den deutschen liegen. Man kann also nicht von einem durchschnittlichen Übersteuerungsfaktor sprechen, wie etwa in Frankreich, Belgien und Holland.

Im Clearing schulden wir Dänemark etwa 1.100 Mio. RM. Die Zunahme betrug:

|  | Mio. Kronen | Mio. RM Kaufkraft |
|---|---|---|
| vom 9.4.1940 – 31.8.1940 | 297 | 158 |
| vom 1.9.1940 – 31.8.1941 | 358 | 171 |
| vom 1.9.1941 – 31.8.1942 | 416 | 198 |
| vom 1.9.1942 – 31.8.1943 | 560 | 268 |
| vom 1.9.1943 – 31.3.1944 | 612 | 293 |
| Insgesamt: |  | 1.088 |

Die gesamten Leistungen Dänemarks betrugen also ca. 2.530 Mio. RM.

7.) Norwegen.

Die norwegische Wirtschaft ist durch die Besatzungsansprüche besonders stark belastet. Aus diesem Grunde mußten die Besatzungskosten auf nur einen Teil der Wehrmachtausgaben beschränkt werden. Der Rest wird vorläufig durch Kredite der Zentralbank an die Hauptverwaltung der Reichskreditkassen finanziert. Wenn an die derzeitige Situation für das jeweilige Land durch diese "Vorfinanzierung" auch keineswegs anders ist als bei einer vollen Kostenübernahme, so sind doch die psychologischen und politischen Rückwirkungen dieser Form der Kreditierung nicht zu unterschätzen, zumal, wenn die zur Verfügung gestellten Kreditbeträge wie im Falle Norwegens höher sind als die eigentlichen Besatzungskosten.

|  | Besatzungskosten Mio. Kr. | Kredite b. der Norges Bank Mio. Kr. | Insgesamt Mio. Kr. |
|---|---|---|---|
| 1940/41 | 353 | 2.132*) | 2.485 |
| 1941/42 | 1.292 | 1.835 | 3.127 |
| 1942/43 | 981 | 942 | 1.923 |
| 9 Monate 1943 bis 1944**) | ca. 750 | ca. 750 | ca. 1.500 |

*) Ein Teil davon entfällt auf die Monate April-Juni des Finanzjahres 1939/40.
**) Das Finanzjahres endet am 30. Juni.

In Reichsmark umgerechnet erhalten wir die folgenden Beträge:

|  | Mio. Kr. | RM Kaufkraftkurs 100 Kr. = ... RM | Mio. RM-Kaufkraft |
|---|---|---|---|
| 1940/41 | 2.485 | 63,9 | 1.588 |
| 1941/42 | 3.137 | 52,8 | 1.656 |
| 1942/43 | 1.923 | 52,6 | 1.011 |
| 1943/44 | 1.500 | 52,6 | 789 |
|  |  |  | 5.044 |

Diese Summe von mehr als 5 Mia. RM ist in der Tat für die norwegischen Verhältnisse sehr groß. Viel reicher ausgestattete Volkswirtschaften wie z.B. die belgische zahlen kaum mehr, und Dänemark leistet nicht einmal die Hälfte. Diese großen Leistungen können nur durch deutsche Zuschüsse ermöglicht werden. Es ist daher nicht erstaunlich, daß der deutsch-norwegische Außenhandel für Deutschland aktiv, d.h. also ein Zuschußgeschäft ist. Da Norwegen zudem auf Grund seiner Menschenarmut der deutschen Kriegswirtschaft kaum Arbeitskräfte zu Verfügung stellen kann, gehört es zu den wenigen Ländern, die uns im Clearing gewisse Beträge schulden.

| Stand des Verrechnungssaldos*) | (in Mio. RM) | |
|---|---|---|
| 31.8.1940 | – | 5,6 |
| 31.8.1941 | + | 111,3 |
| 31.8.1942 | + | 43,2 |
| 31.8.1943 | + | 105,3 |
| 31.8.1944 | + | 132,3 |

*) Die deutschen Guthaben/deutsche Verschuldung.

Die Zu- und Abnahme der deutschen Forderungen an Norwegen betrug in der Zeit

| | | Mio. Kronen | | Mio. RM- Kaufkraft |
|---|---|---|---|---|
| vom 9.4.1940 – 31.8.1940 | – | 10 | – | 6,4 |
| vom 1.9.1940 – 31.8.1941 | + | 205 | + | 131,0 |
| vom 1.9.1941 – 31.8.1942 | – | 120 | – | 63,4 |
| vom 1.9.1942 – 31.8.1943 | + | 109 | + | 57,3 |
| vom 1.9.1943 – 31.8.1944 | + | 47 | + | 24,7 |
| | | | + | 143,2 |

Setzt man diese ca. 140 Mio. von den oben errechneten Besatzungskosten und Krediteinräumungen ab, so erhält man den immer noch beachtlichen Betrag norwegischer Leistungen in Höhe von *ca. 4.900 Mio. RM.*
[...]


**158. WFSt: Streiklage Dänemark 17. August 1944**
Von Hanneken havde beroliget med hensyn til strejkesituationen i Danmark. Strejkerne var korte, der kunne forventes dagstrejker også i de kommende dage, men der herskede ro og orden over hele landet.
  Kilde: BArch, Freiburg, RW 4/754. RA, Danica 1069, sp. 1, nr. 347.

WFSt/Qu. 2 (Nord)                                   *17.8.1944.*
Nr. 06339/44 geh. II. Ang.                          Geheim

Betr.: Streiklage Dänemark;
Stand: 17.8.44, 11 Uhr.

Notiz
Für Vortrag in Kolonne.

1.) Arbeit wird in den Städten Mitteljütlands heute Mittag um 12 Uhr wieder aufgenommen.
In Aalborg hat der 24-stündige Proteststreik heute morgen begonnen. W. Bfh. Dänemark rechnet bestimmt damit, daß er auch dort nur 24 Stunden dauern wird. Bisher ist noch nicht in den nord [ulæseligt] Städten (Esbjerg) gestrikt worden. Es liegen auch keinerlei Anzeichen für Streikabsichten vor. Immerhin ist damit zu rechnen, daß in den nächsten Tagen auch hier ein 24-stündiger Proteststreik durchgeführt wird.
2.) Im ganzen Lande herrscht Ruhe und Ordnung. W. Bfh. Dänemark sieht zu Besorgnissen keine Veranlassung.

### 159. Wilhelm Keitel an die militärische Befehlshaber u.a. 18. August 1944

Keitel gav ordre om, hvordan de militære øverstbefalende i en række besatte lande skulle forholde sig i forlængelse af Hitlers ordre af 30. juli om bekæmpelse af sabotører i de besatte områder. Det blev overladt de militære øverstbefalende sammen med HSSPF at træffe de nødvendige foranstaltninger. De mulige foranstaltninger blev nøje beskrevet, og det var blandt dem både muligt at overlade de pågrebne til Gestapo og at lade et lands egne domstole tage sig af dem. For Danmarks vedkommende forbeholdt Keitel sig sin beslutning.

Den beslutning er ikke lokaliseret (Gruchmann 1981, s. 393f. (der udtrykkeligt angiver, at ordren ikke kom til at gælde for Danmark. Rosengreen 1982, s. 116). Keitels ordre var reelt en moderering af Hitlers forudgående ordre.

Kilde: BArch, Freiburg, RW 4/754. IMT, 35, s. 505-507.

| | |
|---|---|
| Oberkommando der Wehrmacht | *Führerhauptquartier, den 18.8.1944.* |
| WFSt / Qu2 / Verw. 1 | Geheime Kommandosache |
| Nr. 009169/44 g.Kdos. | 30 Ausfertigungen |
| WR (I/3) Nr. 79/44 g.Kdos. | 24. Ausfertigung |

Betr.: 1.) Bekämpfung von Terroristen und Saboteuren in den besetzten Gebieten.
     2.) Gerichtsbarkeit gegen nichtdeutsche Zivilpersonen in den besetzten Gebieten.
2 Anlagen.[180]

1.) In der Anlage werden Abschrift des Führerbefehls vom 30.7.1944 und des 1. Durchführungserlasses vom 18.8.1944 übersandt.
2.) Der Führerbefehl und der Durchführungserlaß gelten nicht für Finnland, Rumänien, Ungarn, Kroatien, die Slowakei und Bulgarien und nicht gegenüber Angehörigen dieser Staaten.
3.) Der Führerbefehl ist sofort allen Angehörigen der Wehrmacht, SS und Polizei mündlich bekanntzugeben und regelmäßig zum Gegenstand eindringlicher Belehrung zu

---

[180] Se Hitlers Führererlaß 30. juli og Keitels ordre 18. august 1944.

machen. Schriftlich darf er nur bis zu den Divisionen oder gleichgestellten Verbänden verteilt werden.
4.) Laufende gerichtliche Verfahren wegen aller Terror- und Sabotageakte und aller sonstigen Straftaten nichtdeutscher Zivilpersonen in den besetzten Gebieten, die die Sicherheit oder Schlagfertigkeit der Besetzungsmacht gefährden, sind auszusetzen. Anklagen sind zurückzunehmen. Die Vollstreckung ist nicht mehr anzuordnen. Die Täter sind mit den Vorgängen der nächsten örtlichen Dienststelle der Sicherheitspolizei und des SD zu übergeben. Für bereits rechtskräftige Todesurteile bleibt es bei den bisher geltenden Bestimmungen.
5.) Straftaten, die deutsche Interessen zwar berühren, aber die Sicherheit oder Schlagfertigkeit der Besetzungsmacht nicht gefährden, rechtfertigen nicht, die Gerichtsbarkeit gegen nichtdeutsche Zivilpersonen in den besetzten Gebieten beizubehalten. Ich ermächtige die Befehlshaber der besetzten Gebiete, im Einvernehmen mit dem Höheren SS- und Polizeiführer eine andere Regelung zu treffen. In Betracht kommen u.a. folgende Maßnahmen:
a.) Die Übergabe an den SD zum Arbeitseinsatz,
b.) die Erledigung in polizeilichen Verwaltungsstrafverfahren,
c.) die Abgabe an etwa vorhandene deutsche Zivilgerichte,
d.) die Übergabe an die landeseigenen Gerichte.

::-:: Für Dänemark behalte ich mir die Entscheidung vor. ::-::
Der Chef des Oberkommandos der Wehrmacht
gez. **Keitel**

Für die Richtigkeit
Scholz
Oberfeldrichter

Verteiler:
| | | |
|---|---|---|
| 1. | Ausfertigung | Ob West |
| 2. | – | MilBefh. Frankreich |
| 3. | – | WBefh. Belgien/Nordfrankreich |
| 4. | – | WBfh. Niederlande |
| 5. | – | Ob Südwest |
| 6. | – | Bevollm. Gen. d. Dt. Wehrm. in Italien |
| 7. | – | Ob Südost |
| 8. | – | MilBefh. Südost |
| 9. | – | WBfh. Dänemark |
| 10. | – | WBfh. Norwegen |
| 11. | – | Geheime Staatspolizei – z.Hd. v. SS-Oberführer Panzinger |

Nachrichtlich:
| | | |
|---|---|---|
| 12. | Ausfertigung | OKH/Chef Heeresjustizwesen |
| 13. | – | OKH/Ju Abt |
| 14. | – | OKL/LR |
| 15. | – | OKM/MR |

| | | |
|---|---|---|
| 16. | – | Der SS-Richter beim Reichsführer SS z.Hd. v. SS-Standartenführer Bender |
| 17. | – | Reichsführer SS-Hauptamt SS-Gericht |
| 18. | – | Präsident des Reichskriegsgerichts |
| 19. | – | Auswärtiges Amt – z.Hd. v. Gesandten Dr. Albrecht |
| 20. | – | Reichsminister der Justiz z.H. Ministerialrat von Ammon |
| 21. | – | Parteikanzlei – z.Hd. v. Reichsamtsleiter Kapp |
| 22. | – | Reichskanzlei – z.Hd. v. Oberlandesgerichtsrat Sommer |
| 23. | – | Amtsgruppe Ausland |
| 24. | – | ::-:: WFSt/Qu 2 ::-:: |
| 25.-30. | – | WR (Entwurf und Vorrat) |


## 160. Wilhelm Keitel: Straftaten nichtdeutscher Zivilpersonen in den besetzten Gebieten 18. August 1944

I forlængelse af førerordren af 30. juli 1944 præciserede Keitel over for værnemagten, hvordan man skulle forholde sig til ikke-tyske civilpersoner i de besatte områder, der truede besættelsesmagten på anden måde end ved terror og sabotage. De skulle også overgives til sikkerhedspolitiet.

Kilde: BArch, Freiburg, RW 4/754. RA, Danica 1069, sp. 1, nr. 1701. IMT, 35, s. 504f.

Abschrift                                                                                                   Anl. 2
Oberkommando der Wehrmacht                                             F.H.Qu., den 18. August 1944
WFSt/Qu 2/Verw. 1 Nr. 009169/44 g Kdos
Geheime Kommandosache
WFSt/3 Nr. 79/44 g Kdos
                                                                                                30 Ausfertigungen
                                                                                                24. Ausfertigung

Betr.:   Straftaten nichtdeutscher Zivilpersonen in den besetzten Gebieten gegen die Sicherheit oder Schlagfertigkeit der Besatzungsmacht.

Auf Grund von Abschnitt II dem Führerbefehls vom 30. Juli 1944 (OKW/WFSt/Nr. 2/Verw. 1 Nr. 009169/44 g Kdos)[181] wird bestimmt:

Nichtdeutsche Zivilpersonen der besetzten Gebiete, die die Sicherheit oder Schlagfertigkeit der Besatzungsmacht in anderer Weise als durch Terror- und Sabotageakte gefährden, sind dem SD zu übergeben. Auch für sie gilt Abschnitt I Nr. 3 des Führerbefehlen.

                            Der Chef des Oberkommandos der Wehrmacht
                                                  gez. **Keitel**
Für die Richtigkeit
Stolz

181 Trykt ovenfor.

## 161. Horst Wagner an Werner Best 19. August 1944

Wagner spurgte Best, hvornår de danske fanger i tyske koncentrationslejre ville blive overført til Frøslevlejren.

Forespørgslen kan forekomme noget malplaceret, da overførslen skulle aftales med repræsentanter for RSHA, og at det var AA, der skulle varetage forbindelsen dertil. Best svarede 25. august.

Kilde: PA/AA R 99.502.

### Telegramm

Berlin, den                                    19. August 1944

1.) Diplogerma: Kopenhagen Nr. 964. 19.8.
    Referent: VK Dr. Sonnenhol
    Betrefft: Dänen in deutschen K.L.

Mit Beziehung auf Drahtberichte Nr. 707 vom 6. Juni und 955 vom 14.8.:[182]
    Erbitte Drahtbericht, wann vor aussichtlich die in deutschen Konzentrationslagern befindlichen Dänen in das neue Lager Fröslev überstellt werden.

**Wagner**

2.) WV: 2 Wochen
    (mit den Akten Danen allg.)


## 162. Werner Best an das Auswärtige Amt 21. August 1944

Best underrettede AA om dannelsen af Dansk National Samling, der var ment som samlingsparti for alle danske nationalsocialister. Hans tidligere optimisme vedrørende, at det skulle lykkes, var tonet betydeligt ned, ligesom han gengav det optimistiske skøn, at den nye partidannelse havde ca. 7.000 medlemmer, hvilket han tilmed fandt var for lidt. Best overvejede, om der i fremtiden ville være mulighed for samarbejde eller sammenslutning mellem Dansk National Samling og DNSAP, men tog det pga. de personlige modsætninger ikke for givet (se hertil yderligere *Politische Informationen* 1. september 1944).

Uagtet det meget optimistiske skøn på 7.000 medlemmer havde Dansk National Samling næppe flere end nogle få hundrede medlemmer (Lauridsen 2002a, s. 487f. og 2003b, s. 387).

Kilde: RA, pk. 225.

### Telegramm

Kopenhagen, den         21. August 1944         20.35 Uhr
Ankunft, den            21. August 1944         22.30 Uhr

Nr. 980 vom 21.8.[44.]

Im Anschluß an meinen Drahtbericht Nr. 910[183] vom 31.7. berichte ich über die jüngste Entwicklung in der dänischen nationalsozialistischen Bewegung folgendes:

---

182 Begge trykt ovenfor.
183 bei Pol. XVI (V.S.). Trykt ovenfor.

Die in dem genannten Drahtbericht angekündigte Versammlung, auf der der Zusammenschluß aller nationalsozialistischen Kräfte Dänemarks proklamiert werden sollte, hat am 7.8.1944 in der Form stattgefunden, daß die von der DNSAP abgesplitterte Gruppe des Ejnar Jörgensen sich am Vormittag einen aus 3 Männern bestehenden Führerrat wählte, und daß am Nachmittag in einer gemeinsamen Sitzung dieser Gruppe mit den Vertretern der Reserveformation des Schalburg-Korps "Landstormen," der politischen Organisation des Schalburg-Korps "Folkevärn" und der "Anti-jüdischen Liga" der Beschluß bekannt gegeben wurde, sich gemeinsam einer neu zu gründenden nationalsozialistischen Sammlungspartei anzuschließen. Daraufhin wurde von den auf der gemeinsamen Sitzung vertretenen nationalsozialistischen Gruppen ein aus 6 Männern bestehender "Geschäftsausschuß" gewählt, der die formellen Voraussetzungen für die für den 24.9.1944 vorgesehene Konstituierung dieser neuen Sammlungspartei schaffen und insbesondere den Namen dieser neuen Partei festlegen sollte, da die Versammlung am 7.8.1944 sich über diesen Namen nicht einig werden konnte. Außerdem sollte die bis zum 24.9.1944 noch zur Verfügung stehende Zeit dazu benutzt werden, weitere, aus Zeit noch abseits stehende nationalsozialistische Splittergruppen für die neue Sammlungspartei zu gewinnen.

Am 18.8.1944 hat der "Geschäftsausschuß" bestimmt, daß die neue Partei den Namen "Dansk National Samling" tragen und als Symbol ein weißes Sonnenkreuz auf rotem Grunde führen sollte. Die Hoffnung, daß weitere nationalsozialistische Splittergruppen für "Dansk National Samling" gewonnen werden könnten, hat sich bisher nicht erfüllt und es ist sehr zweifelhaft, ob zu den bereits genannten Gruppen noch weitere hinzutreten werden. Zur Zeit umfaßt die neue Sammlungspartei bei optimistischer Schätzung nur etwa 7.000 dänische Nationalsozialisten, darunter allerdings gerade die Aktivsten.

Durch den Beschluß der Gruppe des Ejnar Jörgensen, sich "Dansk National Samling" anzuschließen, findet der Streit um den Namen "DNSAP" ein Ende. Damit ist die von der alten DNSAP geforderte Voraussetzung für ein ungehindertes Nebeneinanderarbeiten der beiden nationalsozialistischen Gruppen geschaffen. Ob es später zu einer engeren Zusammenarbeit oder gar zu einem Zusammenschluß zwischen "DNSAP" und "Dansk National Samling" kommen wird, hängt davon ab, ob es mit der Zeit gelingen wird, die großen persönlichen Gegensätze, die innerhalb der dänischen nationalsozialistischen Bewegung bestehen, zu überwinden.

Dr. Best

### 163. Werner Best an das Auswärtige Amt 21. August 1944

Best bad om, at tysk statsborgerskab kun blev givet til medlemmer af det tyske mindretal, der havde meldt sig som frivillige til værnemagten, Waffen-SS m.m. efter rådførsel med Best eller mindretallets leder Jens Møller.

Brückner fra VOMI havde 29. juli 1944 lavet et notat til Waldemar Rimann med den samme indstilling, men siden hen fik han igen henvendelser i sagen, da Hitlers ordre havde været klar på det punkt, at der ikke kunne gøres undtagelser (RA, pk. 442 (her også Richelschmidt til Brückner 9. oktober 1944).

Se endvidere Reichel til Fleissner 5. februar og til Best 28. november 1944.

Kilde: PA/AA R 100.358 (original). PKB, 14, nr. 349 (indgår her i andet dokument).

SDG Kopenhagen Nr. 96 21/8 20.25 = mit G Schreiber

Auswärtig Berlin Nr. 982 vom 21. August 1944

Betrifft: Erwerb der deutschen Staatsangehörigkeit volksdeutscher Freiwilliger aus Dänemark durch Eintritt in die Wehrmacht, Waffen-SS usw.

Mit Erlaß Inl. II C 3038/44 vom 2. August d.Js. war mitgeteilt worden, daß die im Runderlaß des Reichsministers des Innern vom 23.5.1944 genannte Einwandererzentralstelle die Weisung erhalten habe, von einer Feststellung des Erwerbs der deutschen Staatsangehörigkeit durch deutschstämmige Angehörige der Wehrmacht, der Waffen-SS usw. aus Dänemark in den Fällen abzusehen, in denen der Reichsbevollmächtigte in Dänemark oder der Führer der Deutschen Volksgruppe in Nordschleswig dies beantragen. Da von hier nicht übersehen werden kann, für welche Personen die einzelnen Truppenteile die Feststellung des Erwerbs der deutschen Staatsangehörigkeit bei der Einwandererzentralstelle in Litzmannstadt beantragen, bitte ich, beim Reichsminister des Innern zu erwirken, daß die Einwandererzentralstelle angewiesen wird, den Erwerb der deutschen Staatsangehörigkeit durch deutschstämmige Ausländer aus Dänemark in keinem Falle festzustellen ohne vorherige Einholung einer Stellungnahme der Volksgruppenführung in Nordschleswig (Volksgruppenamt, Apenrade, Schiffbrückstr. 7). Diese wird im Benehmen mit mir die Anträge bearbeiten. Für Unterrichtung wäre ich dankbar.

gez. **Dr. Best**


### 164. Der Reichswirtschaftsminister an Paul von Behr und Alex Walter 21. August 1944

UMs memorandum af 14. juni 1944 havde et afsnit om de tyske beslaglæggelser af danske handelsskibe.[184] I memorandummet bad ministeriet om betaling for leje af de beslaglagte skibe i guld, og at der ikke fandt yderligere beslaglæggelser sted.

I RWM tog man stilling til netop dette afsnit og sendte resultatet til AA og REM. RWMs repræsentant dr. Schubert havde været i København hos Duckwitz og afsluttende talt med RKS, Karl Kaufmann. Ifølge Schubert afviste OKW Bests indvendinger mod beslaglæggelserne, da der i hvert enkelt tilfælde var gjort rede for formålet med dem. Desuden havde OKW under forhandlingerne forlangt yderligere fire skibe beslaglagt. Via RKS og OKM havde Schubert fået de nye beslaglæggelser forhindret. OKM ville indtil videre ikke foretage sig noget. Schubert havde gjort gældende, at yderligere beslaglæggelser ville risikere at ødelægge det frugtbare og gnidningsløse samarbejde med formanden for den danske rederiforening, J.A. Kørbing, hvis han trak sig tilbage, og det efterfølgende fik negative følger for den danske skibsindsats.

Det er uigennemskueligt, om det var Best, der havde fået aktiveret RWM, eller om ministeriet på eget initiativ tog skibsbeslaglæggelserne op på baggrund af UMs ønsker. Der kan have været tale om begge dele, og i hvert fald blev Bests standpunkt klart for RWM i kraft af, at Schubert havde været hos Duckwitz. Schuberts indgriben på RWMs vegne var en foreløbig sejr for Best mht. skibsbeslaglæggelserne. Ikke mindst når man tager AAs brev til OKM 17. juli 1944 i betragtning (se dette).

Beslaglæggelse af dansk skibstonnage kom på ny på dagsordenen i oktober, se Seekriegsleitungs skibsfartsafdeling til Wurmbach 5. oktober.

Kilde: Moskva, Osobyj Archiv, 1458/21/83.

---

184 Om UMs memorandum se Ripken til Steengracht 14. juni 1944.

Der Reichswirtschaftsminister  Berlin, den 21. August 1944.
III Ld. I-1/18946/44
AR Pause.

An
a.) das Auswärtige Amt,
   z.Hd. von Herrn Legationsrat Baron von Behr,
b.) das Reichsernährungsministerium,
   z.Hd. von Herrn Ministerialdirektor Dr. Walter,
   Berlin

Betr.: Beschlagnahme deutscher Handelsschiffe durch die Deutsche Wehrmacht.

Mit Bezug auf III, 1 des Memorandums des Dänischen Außenministeriums vom 14. Juni 1944 betreffend die wirtschaftlichen Verhältnisse während des Krieges übersende ich einen Vermerk des Schiffahrts-Referenten meines Hauses, mit der Bitte um Kenntnisnahme.

Im Auftrag
[uden underskrift]

Abschrift

**Vermerk**

Ich habe die Frage der Beschlagnahme der dänischen Schiffe kürzlich in Kopenhagen mit dem deutschen Schiffahrtssachverständigen Duckwitz und anschließend bei dem RKS besprochen. Auf die Einwendungen seitens des Reichsbevollmächtigten in Dänemark hat das OKW erwidert, daß es alle beschlagnahmten Schiffe nach Herrichtung sofort einsetzen müsse, und im Einzelnen den Einsatzzweck vorgebracht. Darüber hinaus hat es für sofort die Beschlagnahme von 4 weiteren Schiffen verlangt.[185] Ich habe über RKS und OKM jedenfalls verhindern können, daß diese neue Forderung aufrecht erhalten wird. Die Marine will sie bis auf weiteres nicht geltend machen. Ich habe besonders darauf hingewiesen, daß für den Fall, daß von den dän. Reedern auch diese 4 weiteren Schiffe verlangt würden, ernstlich zu befürchten sei, daß der derzeitige Vorsitzende des dän. Reederverbandes Körting [!], dem wir die bisherige nützliche und reibungslose Zusammenarbeit verdankten, zurücktreten würde und sich daraus sehr nachteilige Konsequenzen für den Einsatz der dän. Schiffe ergeben müßten.

III Dev. 3
gez. Dr. Schubert

---

185 Se Bests telegram nr. 795 til AA 2. juli 1944.

Aufzugsweise Abschrift

aus einem Memorandum des Ministerium des Äußern in Kopenhagen vom 14. Juni 1944, betr. die wirtschaftlichen Verhältnisse während des Krieges.[186]

*III. Beschlagnahmen der deutschen Wehrmacht*
1.) Beschlagnahme von Handelsschiffen
Die deutschen Stellen haben seit dem 29. August 1943 eine Reihe von dänischen Handelsschiffen zum Gebrauch während des Krieges beschlagnahmt; diese Schiffe sind im nachstehenden Verzeichnis angegeben, in dem zugleich die Bruttotonnage und die Versicherungswerte angegeben sind:

| Name: | BRT: | Wert: |
|---|---|---|
| M/S England | 2.767 | 6.000.000 d.Kr. |
| M/S Esbjerg | 2.762 | 6.000.000 d.Kr. |
| M/S Jylland | 2.762 | 6.000.000 d.Kr. |
| M/S Parkeston | 2.762 | 6.000.000 d.Kr. |
| D/S A.P. Bernstorff | 2.339 | 3.000.000 d.Kr. |
| D/S Aarhus | 1.618 | 2.100.000 d.Kr. |
| M/S Vistula | 1.337 | 3.850.000 d.Kr. |
| M/S C.F. Tietgen | 1.938 | 5.350.000 d.Kr. |
| M/S Hammershus | 1.775 | 5.100.000 d.Kr. |
| M/S Isefjord | 622 | 1.050.000 d.Kr. |
| Insgesamt | 20.682 | 44.450.000 d.Kr. |

Über die Höhe der Ersatzzahlungen für Abnutzung und der Entschädigung für etwaige Schiffsverluste wird in nächster Zukunft verhandelt werden. Die dänischen Stellen sehen sich nicht imstande, diese Leistungen über das dänisch-deutsche Clearing zu finanzieren, und *bitten um den Beistand der zuständigen deutschen Reichsminister, damit diese Leistungen in freien Devisen oder Gold bezahlt werden.*

Es ist jetzt ein so großer Teil des dänischen Schiffsraums mit Beschlag belegt worden, daß der Rest eine notwendige Reserve für die Kriegsdauer darstellt, und *es wird gebeten*, daß die zuständigen Stellen der deutschen Kriegsmarine Anweisung erhalten, keine weiteren Beschlagnahmen von dänischen Schiffsraum zu verlangen.

### 165. Kriegstagebuch/WB Dänemark 21. August 1944

Günther Pancke var i august i offensiven både overfor Best og von Hanneken. Sidstnævnte havde 7. august ladet SS overtage overfaldskommandoen i København (KTB/WB Dänemark anf. dato) og nu blev yderligere de den 15. juli aftalte foranstaltninger i tilfælde af indre uro i første række gjort til et anliggende for Pancke og Best, idet Pancke ville forberede sine egne politimæssige foranstaltninger. Værnemagten skulle kun gribe ind, når politistyrkerne ikke slog til. Derfor skulle man indtil videre se bort fra de af WB Dänemark 15. juli beordrede foranstaltninger.
    Kilde: KTB/WB Dänemark 21. august 1944.

---

186 Se Ripken til Steengracht 14. juni 1944.

[…]
Zu dem Befehl über Maßnahmen bei inneren Unruhen (vom 15.7.44)[187] wird auf Grund der Besprechungen mit dem Höh. SS- u. Pol. Führer ergänzend befohlen, daß die Bekämpfung innerer Unruhen in erster Linie Sache des Reichsbevollmächtigten bzw. des Höh. SS- u. Pol. Führers ist und daß der Wehrm. Bef. nur dann eingreift, wenn die Polizeikräfte nicht ausreichen oder wenn die vollziehende Gewalt wegen Feindangriffe auf ihn übergegangen ist. Außerdem wird festgelegt, das von Höh. SS- u. Pol. Führer entsprechende vorbereitende Maßnahmen befohlen werden, so daß von den Standortältesten auf die am 15.7.44 vom W.B. Dän. befohlenden Maßnahmen vorläufig verzichtet werden kann und die entsprechenden polizeilichen Vorbereitungen zu Grunde zu legen sind.
[…]


### 166. Ingo von Collani: Maßnahmen bei inneren Unruhen 21. August 1944

Befalingen vedrørende iværksættelse af "Monsun" blev ændret på to punkter: For det første blev det slået fast, at bekæmpelsen af indre uro var Werner Bests og Günther Panckes sag. Militær indgriben skulle først finde sted, når deres styrker ikke slog til. For det andet blev tysk ordenspoliti direkte involveret i forberedelsen af foranstaltningerne via en TN-kommando (Technische Nothilfe), der skulle stå for det nødvendige lokalt, mens den militære kommandant skulle holde sig tilbage.

Ved de meddelte ændringer fik tysk politi en nøglerolle ved bekæmpelsen af indre uro, idet det skulle stille de fagfolk til rådighed, der kunne styre og kontrollere nedlukningen af de lokale værker, mens de militære kommandanter blev gjort helt afhængige af deres ekspertise og tilstedeværelse. Se TN-lederen Strössners beretninger 4. og 6. oktober 1944, trykt nedenfor. Det var givet, at Pancke ikke endnu engang ville spille en underordnet rolle, som han havde gjort under generalstrejken i København. Det var et led heri, at KTB/BdO 23. august registrerede: "Bildung des Führungsstabes für Bandenbekämpfung, für Bekämpfung von Unruhen und für den Invasionsfall beim HSSPF in Dänemark." (BArch, R 70 Dänemark 6). Med de nye foranstaltninger til bekæmpelse af indre uro, havde Rüstungsstab Dänemark ikke længere en direkte rolle at spille i forbindelse med de kommunale værker.

"Monsun" blev under strejkebølgen i midten af september 1944 udformet i en skærpet udgave med kodebetegnelsen "Taifun". Se von Collani 18. september.
Kilde: KTB/WB Dänemark 21. August 1944, Anlage.

Wehrmachtbefehlshaber Dänemark          *Gef.St., den 21. August 1944*
Abt. Ia Nr. 1666/44 g.Kdos. II. Ang.          Geheime Kommandosache!
         60 Ausfertigungen
         39. Ausfertigung

Betr.: Maßnahmen bei inneren Unruhen
Bezug: Wehrm. Bef. Dän. Ia Nr. 1666/44 g.Kdos, vom 15.7.44[188]

Der Bezugsbefehl ist wie folgt zu ändern:
1.) Am Anfang ist vor I einzufügen:

---

187 Trykt ovenfor.
188 Trykt ovenfor.

"Bekämpfung innerer Unruhen ist in erster Linie Sache des Reichsbevollmächtigten bezw. des Höh. SS- und Polizeiführers. Nur wenn dessen Kräfte nicht ausreichen oder wenn die vollziehende Gewalt Feindangriffs auf den Wehrm. Bef. Dän. übergegangen ist, greift dieser ein. Zur Vorbereitung für diesen Fall wird folgendes befohlen:"

2.) Ziff. III erhält folgenden Absatz 3:

"Der Höh. SS- und Polizeiführer hat entsprechend vorbereitende Maßnahmen durch ein TN-Kommando in Zusammenarbeit mit den örtlichen deutschen Polizeikommandeuren, wenn nicht vorhanden, mit den Standortältesten der Wehrmacht sowie im Einvernehmen mit dem Rüstungsstab Dänemark befohlen. Insoweit dadurch bereits die den Standortältesten befohlenen vorbereitenden Maßnahmen durchgeführt sind, haben die Standortältesten auf eigene Erkundung und Bereitstellung von Fachkräften zu verzichten und die entsprechenden polizeilichen Vorbereitungen zu Grunde zu legen."

Für den Wehrmachtbefehlshaber Dänemark
Der Chef des Generalstabes:
**Collani**


### 167. Befehlshaber des Sicherheitspolizei, Abteilung VI: Zer-Instrukteure für bedrohte Gebiete 21. August 1944

I afdeling VI ved det tyske sikkerhedspoliti på Shellhuset blev der 21. august 1944 udarbejdet et notat med en plan for uddannelse af terrorinstruktører, der kunne indsættes i truede områder, hvor de skulle organisere og uddanne terrorgrupper. Der blev peget på det arbejde, som fjenden på lignende måde udførte, og Danmark blev nævnt som eksempel, hvor instruktørerne blev uddannet, før de blev indsat i hjemlandet. På den måde kunne den størst mulige gruppe personer vindes for sabotagearbejdet, uden at alt for mange skulle på et ubehageligt skolingskursus i udlandet. Der blev opregnet de 12 lande, der kom i betragtning til formålet. Blandt disse var Danmark med angivelse af DNSAP i en parentes, underforstået at man kunne henvende sig her. Det blev foreslået, at velegnede mænd fra afdelingen blev sendt på 2-3 ugers skolingskurser.

Notatet er uden underskrift, men er muligvis udarbejdet af Helmut Daufeldt, der var leder af afdeling VI i København. Forslagets tilblivelse på dette tidspunkt må ses på baggrund af de øvrige initiativer fra tysk politis side i København i de samme dage.

Der blev også reageret hurtigt på forslaget, for SS-Hauptsturmführer Hermann Seibold kom til København kort efter (han var hos Best 24. august).[189] I RSHA afdeling VI var det Seibold, der stod for organiseringen af terrorsabotagen i de besatte, men "truede" områder i Europa.[190] Forslaget fra København blev positivt modtaget og førte til en drøftelse i RSHA blandt gruppelederne i afdeling VI i Berlin 31. august 1944. Se nedenfor anf. dato.

Uafhængigt af tysk politi havde Abwehr afdeling 261 i Danmark efter den allierede invasion i Normandiet organiseret en militærlignende enhed, "Irmergruppen", der i tilfælde af en invasion i Danmark

---

189 Best benægtede under en efterkrigsafhøring i 1945 i anledning af mødet 24. august 1944, at han vidste, at Seibold var terrorekspert, men at han godt vidste, at Seibold var fra RSHA afdeling VI. Tilsvarende forklarede han om Seibolds påfølgende besøg 16. september, at Seibold sandsynligvis var på ferie den pågældende dag. På den måde lagde Best afstand til viden om de igangværende tyske terrorplaner, men alene den kendsgerning, at Seibold kom fra afdeling VI var tilstrækkeligt til, at Best måtte kunne regne ud, hvad der var på dagsordenen (HSB, CI Preliminary Interrogation Report CI-PIR 115, 14. maj 1946).
190 Om Seibolds fortid i Danmark, se Wagner til Best 11. maj 1943.

skulle samarbejde med den tyske værnemagt om at tilintetgøre dels militære objekter bag de allieredes linjer, dels tyske objekter, som ikke længere kunne holdes. Gruppen havde 15-20 medlemmer, der for de flestes vedkommende var på et specialkursus i Frankrig. Deres kontakt var den tyske Abwehrleutnant Ewald Clissmann, der var underordnet Hauptmann Lorentz i Viborg [!]. En del af gruppen var i foråret 1945 med til at udlægge hemmelige sprængstofdepoter, men ellers gled de over i ET og deltog i tysk terror (*Højesteretstidende* 1949, s. 639f., 660f., 665-667). Der synes umiddelbart ikke at have været nogen koordinering af Abwehrs og tysk sikkerhedspolitis aktiviteter på dette felt, men der er den mulighed, at det alene skyldes, at det fragmentarisk bevarede materiale ikke afdækker denne.[191]

Kilde: RA, Danica 465, Moskva, Osobyj Archiv, 500/1/1191/22.

VI S                                                                                       *Kopenhagen, den 21.8.1944*

1.) Vermerk:
Betrifft: Zer-Instrukteure für bedrohte Gebiete.

Die Erfassung von Personen, die für die Zer-Arbeit geeignet und bereit sind, sich agentenmäßig einsetzen zu lassen, stößt nach wie vor auf Schwierigkeiten. Die Zahl der im Rahmen der I-Netze eingebauten Zerstörer ist verhältnismäßig gering.

Durch das militärische Vordringen der Gegner werden mehr und mehr alle deutschfreundlichen Personenkreise und Organisationen in den besetzten bezw. mit uns verbündeten Ländern in ihrer Existenz bedroht und in die Illegalität gezwungen. Dieses gilt vor allem auch für solche Kreise, die seither für eine Zer-Arbeit nicht zu haben waren. Um die hier gegebenen Möglichkeiten voll auszuschöpfen, ist es zweckmäßig, umgehend mit den in Betracht kommenden Organisationen Verbindung aufzunehmen und diese zur Entsendung von Personen aufzufordern, die als Instrukteure für die Zer-Arbeit geeignet sind. Die organisatorische Selbständigkeit kann dabei erforderlichenfalls den betreffenden Organisationen ruhig zugesichert werden. Bei richtiger Behandlung dieser Instrukteure dürfte es trotzdem für VI S keine Schwierigkeit bedeuten, die ganze Zer-Organisation in die Hand zu nehmen.

Auf jeden Fall ist damit zu rechnen, daß im wirklichen Ernstfalle, d.h., beim Eindringen des Feindes, sich mehr Leute zur aktiven Gegenwehr entschließen, als zu einer Zeit, in der die Gefahr noch fern lag und gewissermaßen ernst aufgesucht werden mußte. Zudem kann die Kapazität der S-Schulen einigermaßen ausgenutzt werden.

Bei der Ausbildung dieser Leute wäre besonderer Wert auf die Bildung und den Einsatz von Terror-Gruppen zu legen, da damit zu rechnen ist, daß sowohl genügend Material als auch eine große Anzahl von Personen zur Verfügung stehen.

Erfahrungsgemäß dürfte die Ausbildung von Instrukteuren genügen, die dann allerdings gleichzeitig geeignet sein müßten, wenn auch in beschränktem Rahmen, organisatorisch zu wirken. Unsere Gegner bilden fast nur Instrukteure aus, die ihrerseits erst im Einsatzland, die für aktive Arbeit vorgesehenen Zerstörer ausbilden, organisatorisch jedoch die Sache in der Hand behalten. (Beispiel Dänemark) Auf diese Weise könnte ein

---

[191] Det fremgår af retssagen mod Ib Gerner Ibsen m.fl., at Ewald Clissmann var direkte involveret i terror med sine danske folk, da disse allerede var i kontakt med ET. På den baggrund er det svært andet end at forestille sig, at der faktisk fandt en koordinering sted (*Højesteretstidende* 1949, s. 634-767). Tak til Henrik Lundtofte for at have gjort mig opmærksom på dette.

größtmöglicher Personenkreis für die Zer-Arbeit gewonnen werden, ohne, daß der für viele sehr unangenehme Besuch einer Schule im Ausland damit verbunden wäre.

In Betracht kommen z.Zt. Gruppen aus folgenden Ländern:
1.) Norwegen (National Samling)
2.) Dänemark (DNSAP)
3.) Niederlande (Moussert-Bewegung, Niederl.-SS)
4.) Belgien
5.) Ungarn
6.) Slowakei
7.) Rumänien
8.) Serbien
9.) Kroatien
10.) Frankreich
11.) Finnland
12.) Griechenland,
außerdem Angehörige der deutschen Volksgruppen aus den genannten Ländern, vor allem in Balkan-Gebieten.

Weiterhin ist die Ausbildung von Angehörigen der Abteilung VI bei dem Befehlshaber der Sicherheitspolizei zweckmäßig, damit auch von diesen selbst geeignete Personen geschult werden können.

Es wird daher vorgeschlagen,
1.) an die Ländergruppen heranzutreten, um über diese mit den nationalen bezw. deutschfreundlichen Organen und Gruppen in den genannten Ländern Verbindung aufzunehmen,
2.) die Befehlshaber anzuweisen, geeignete Männer der Abteilungen VI zu einem 14 tägigen – 3 wöchigen Schulungskurs abzustellen.

2.) Vorlage Gruppenleiter VI S mit der Bitte um Entscheidung.
[uden underskrift]


## 168. Hans-Heinrich Wurmbach an OKM 22. August 1944

Wurmbach meddelte, at Best 16. august havde bedt om AAs stilling til, at HSSPF ville deportere en procentdel af danske arbejdere, der strejkede, til Tyskland. Best afviste det pga. de konsekvenser, det ville få. Wurmbach foreslog, at OKM straks tog kontakt til AA for at forhindre, at deportationerne blev ført ud i livet. Det ville have uoverskuelige erhvervsmæssige konsekvenser. Der var kun tysk politi nok i København til at gennemføre sådanne deportationer, mens von Hanneken for Jyllands vedkommende havde meddelt Best, at der ikke var tropper til rådighed dertil.

Bests telegram af 16. august blev fremsendt som bilag i sin helhed.
OKM tog stilling næste dag, se Seekriegsleitungs notat og brev til OKW 25. august.
Kilde: BArch, Freiburg, RM 7/1812. RA, Danica 628, sp. 7, nr. 5721-24.

Abschrift                                              Geheim! Kommandosache!
Fernschreiben SSD MDKP 07000 22.8. 20.00 = m.A.Ü.
SSD OKM Adm. Backenkoehler =
gltd. SSD OKM Adm. Backenkoehler = SSD OKM K-Chef Adm. Fuchs =
SSD MOK/Ost FCB = SSD nachr. Reichsbevollm. Dänemark =
SSD nachr. W Bef. Dänemark.

G.Kdos. Reichsbevollm. Dän. hat mit Schreiben vom 16.8.44 das in Abschrift folgt, von Ausw. Amt Weisungen erbeten für Verhalten bei Wiederauftreten Streiks bzw. Generalstreiks, Höh. SS-Führer Dän. hat u.a. zur Erwägung gegeben, Deportation bestimmter Prozentzahl streikender Betriebe nach Deutschland. Diese Maßnahme wird vom RB abgelehnt mit Rücksicht auf zu erwartende Auswirkungen, die in ihrem Umfange kräftemäßig einmal nicht gemeistert werden können und zum anderen zweifellos passive Resistenz der übrigen Arbeiterschaft herbeiführen. Vorschlage aufnehmen sofortige Verbindung mit AA, um zu verhindern, daß Deportation durchgeführt wird wegen unabsehbarer wirtschaftlicher Folgen, für Marine vornehmlich auf Werftsektor, der durch Ausfälle im Westraum besondere Bedeutung gewinnt. Außerdem hinzufüge, daß nach Angabe Dr. Best Polizeikräfte zur Durchführung einer solchen Aktion nur für Gross-Kopenhagen zur Vfg. stehen. Anfrage bei W. Bef. Dän. seitens Dr. Best ergab, daß zur Durchführung gleicher Aktion auf Jütland Truppen nicht verfügbar sind. Marine würde außer Landstreitkräften durch Gestellung Schiffsraum belastet werden. Außerdem h.E. zu befürchten, daß passive Resistenz, die in ihrer Auswirkung nicht zu beherrschen ist, der Würde des Reiches abträglicher ist als voraussichtlich kurzfristiger Streik. Schreiben R. Bev. vom 16.8. folgt in gesondertem FS.
                              Kd. Admiral Skagerrak 4529


B. Nr. Mar. Rüst 6725/44 g.Kdos.
Abschrift                                              Geheim! Kommandosache!
Fernschreiben SSD MDKP 07001 22.8. 20.00 = m.A.Ü.
SSD OKM Adm. Backenkoehler = gltd. SSD OKM Adm. Backenkoehler,
SSD OKM K-Chef Adm. Fuchs = SSD MOK/Ost P.G.B.


G.Kdos. Im Anschluß an Kd. Admiral Skagerrak g.Kdos. 4529 wird folgendes FS Reichsbevollmächtigter Dän. an Ausw. Amt vom 16.8. übermittelt:

[Her følger Bests telegram nr. 969, 16. august 1944]
                              Kd. Admiral Skagerrak 4530

## 169. Conrad Roediger an Werner Best 23. August 1944

Fra tysk side var der 12. maj blevet bedt om, at man fra dansk side skulle gå ind på indtil videre at forlænge udløbende kontrakter for danskere ansat i Tyskland. Herpå var svaret 25. maj, at en forlængelse af arbejdsforholdet efter udløbet af hvervningsperioden var regelbundet. Det tolkede man fra tysk side sådan, at en forlængelse uden videre kunne finde sted uden den ansattes medvirken.

Best svarede herpå med telegram nr. 1025, 30. august.
Kilde: RA, pk. 287. PKB, 13, nr. 830.

### Telegramm

Berlin, den [23.] August [19]44 zu R 53720

Diplogerma Kopenhagen
Nr. 981/23.8.
Ref. VLR Roediger
GR Eckner

Auf Drahtbericht Nr. 971 vom 17. August[192] und im Anschluß an Schrifterlaß vom 20. Juli – R 53111 –.[193]

Durch Drahterlaß Nr. 521 vom 12. Mai[194] war gebeten worden, bei zuständigen dänischen Stellen Einverständnis zu erwirken, daß ablaufende Verträge der auf dem angegebenen Gebiet eingesetzten Arbeitskräfte bis auf weiteres verlängert und Betreuer angewiesen werden, die Arbeiter zur Vertragsverlängerung anzuhalten.

Mit Drahtbericht Nr. 669 vom 25. Mai[195] war mitgeteilt worden, daß Dauer Arbeitsverhältnisses dänischer Arbeitskräfte in Deutschland und dessen Verlängerung nach Ablauf der Anwerbefrist geregelt ist. Daraus mußte geschlossen werden, daß den durch Drahterlaß Nr. 521 übermittelten Wünschen des GBA Genüge geleistet war. Es wird deshalb gebeten, den Fall der dänischen Arbeiterin Hansine Kirstine Lang, einer entsprechenden Regelung zuzuführen und darüber hinaus, sofern dies noch nicht geschehen sein sollte, alsbald mit den zuständigen dänischen Stellen ins Benehmen zu treten, um eine Regelung im Sinne des Drahterlasses Nr. 521 vom 12. Mai herbeizuführen.

**Roediger**

---

192 Telegrammet var fra Heise og sendt af Best, hvoraf det fremgik, at UM havde oplyst, at yderligere tre danske arbejdere blev holdt tilbage i Tyskland mod deres vilje (RA, pk. 287).
193 Indberetningen er ikke lokaliseret.
194 Telegrammet er ikke lokaliseret.
195 Telegrammet er ikke lokaliseret.

**170. Werner Best an das Auswärtige Amt 23. August 1944**

Som led i sit forsøg på at lokke den danske modstandsbevægelse frem gennem tyske provokationer ville HSSPF deportere strejkende arbejdere til Tyskland. Det var Best imod, og han søgte og fik støtte hos admiral Wurmbach, der skrev til OKM for at bede denne sætte sig i forbindelse med AA for at få det stoppet. Wurmbachs begrundelse herfor var den samme som Bests, at sådanne deportationer ville få uoverskuelige økonomiske følger, og for Kriegsmarine blive særligt føleligt på værftsområdet. Da Pancke stod fast på sit forsæt, bad Best AA om en hurtig beslutning vedrørende deportationerne (hos Rosengreen 1982, s. 121 en misvisende fremstilling. Der var bl.a. ikke tale om deportation af danske embedsmænd).

Best fik svar fra AA 27. august 1944 (ikke lokaliseret). Svaret er citeret af Grote til OKM 2. september 1944.

Kilde: RA, pk. 228 og 438a. LAK, Best-sagen (på dansk).

Telegramm

| | | |
|---|---|---|
| Kopenhagen, den | 23. August 1944 | 22.15 Uhr |
| Ankunft, den | 23. August 1944 | 22.40 Uhr |

Nr. 997 vom 23.8.44.                                                                   Supercitissime!

Im Anschluß an Telegramm vom 16. Nr. 969[196] berichtige ich, daß der kommandierende Admiral Skagerrak, den der höhere SS- und Polizeiführer von seiner Absicht der Deportation streikender Arbeiter unterrichtet hat, an das Oberkommando der Kriegsmarine folgendes telegraphiert hat:[197]

"Vorschlage Aufnahme sofortiger Verbindung mit Auswärtigem Amt, um zu verhindern, daß Deportation durchgeführt wird wegen unabsehbarer wirtschaftlicher Folgen, für Marine vornehmlich auf Werftsektor, der durch Ausfallen im Westraum besondere Bedeutung gewinnt. Außerdem hinzufüge, daß Polizeikräfte zur Durchführung einer solchen Aktion nur für Groß-Kopenhagen zur Verfügung stehen. Anfrage bei Wehrmachtsbefehlshaber Dänemark ergab, daß zur Durchführung gleicher Aktion auf Jütland Truppen nicht verfügbar sind. Marine würde außer Landstreitkräften durch Gestellung von Schiffsraum belastet werden. Außerdem hiesigen Ermessens zu befürchten, daß passive Resistenz, die in ihrer Auswirkung nicht zu beherrschen ist, der Würde des Reiches abträglicher ist als kurzfristiger Streik."

Da der höhere SS- und Polizeiführer mir heute erneut erklärt hat, daß er auf der Durchführung der von ihm genannten Maßnahmen bestehe, erbitte ich baldige Entscheidung wegen der Deportation streikender Arbeiter. (Zur Klarstellung) Der Fall ist zur Zeit nicht gegeben, kann aber zum Beispiel am 29. Aug., dem Jahrestag der Verhängung des militärischen Ausnahmezustandes über Dänemark durch einen eintägigen Gedenkstreik akut werden.

Dr. Best

196 Pol. VI, g.Rs. Trykt ovenfor.
197 Se Wurmbach til OKM 22. august 1944.

## 171. Günther Pancke: Maßnahmen in Dänemark für den 29. August 1944, 24. August 1944

På grundlag af givne oplysninger forudså Pancke uroligheder i anledning af årsdagen for den 29. august, hvorfor han ville iværksætte højeste alarmberedskab, have HKK til at holde to militærbataljoner i beredskab i København, samt have balladmagere af enhver art betragtet som terrorister, der skulle skydes på stedet. Blev der skudt på tysk politi eller militær fra bygninger, skulle bygningerne ødelægges.

WB Dänemark reagerede, som det fremgår af KTB/WB Dänemark 26. august 1944.

BdO blev nøje orienteret om forholdsreglerne og udset til at deltage i nedkæmpelsen af de forventede uroligheder (BArch, R 70 Dänemark 6, KTB/BdO 24., 25. og 29. og 30. august 1944), men konstaterede 29. august: "Der erwartete Generalstreik tritt nicht ein. In Kopenhagen und im ganzen Lande wird gearbeitet."

For at anspore til urolighederne lod Pancke i dagene forud for 29. august uddele og opsætte falske opfordringer til strejker på dagen. Provokationen blev dog straks afsløret, og den tilstræbte konfrontation blev til intet (*Information* 25., 26., 28. og 29. august 1944,[198] Hæstrup, 2, 1966-71, s. 26-30).

Som det fremgår af fordelingsnøglen, blev Best ikke orienteret om Panckes ordrer.

Kilde: BArch, Freiburg, RW 27/16. KTB/Rü Stab Dänemark 3. Vierteljahr 1944, Anlage 23.

Abschrift                                                                                                  Anl. 23
Der Höhere SS- und Polizeiführer in Dänemark                                    *24. August 1944.*
Ia-Tgb. Nr. 1021/44 (g)                                                                           Geheim

Betr.: Maßnahmen in Danemark fur den 29. August 1944.

1.) Auf Grund von Meldungen ist anzunehmen, daß in Dänemark anläßlich des 29.8.44 von illegalen Kreisen eine Störung der Ruhe und Ordnung versucht werden wird.
2.) Ich befehle daher für alle Dienststellen und Einheiten meines Befehlsbereichs ab 28.8.44, 6.00 Uhr
    Alarmstufe I.
3.) Wehrmachtbefehlshaber Dänemark wird gebeten, Divisionen anzuweisen, daß Ortskommandanten erforderlichenfalls den Polizeikommandeuren der Ordnungs- bezw. Sicherheitspolizei Kräfte der Wehrmacht zur Verfügung stellen.
4.) In den nicht durch Polizei besetzten Orten wird Wehrmachtbefehlshaber Dänemark gebeten, ähnliche Maßnahmen vorzusehen. Für Kopenhagen bitte ich. Wehrm. Befh., Höheres Kommando Kopenhagen anzuweisen, daß 2 Bataillone für evt. Fälle in Bereitschaft gehalten werden.
5.) Die Besetzung der Versorgungsbetriebe ist vorgesehen, ich bitte Wehrmachtbefehlshaber Dänemark und Rüstungsstab, die erforderlichen Fachführer auf Grund der Erfahrungen des Generalstreiks Anfang Juli bereit zu halten, da TN-Kräfte bisher nicht eingetroffen sind.[199] (Besprechung Höheres Kommando).
6.) Meldungen:
    Einsatzeinheiten melden mir am App. 50 auf dem Dienstwege

---

[198] Børge Outze blev af tyskeren Richardt Grossmann advaret om, hvad tysk politi planlagde i forbindelse med årsdagen for 29. august. Der skulle ikke alene slås hårdt ned på strejker og demonstrationer, men det var på tale i givet fald at deportere strejkende arbejdere på B&W og Tuborg til Tyskland efter Bovensiepens ordre (Lund/Nielsen 2008, s. 147).

[199] Se om TN Collani 21. august 1944.

a.) sofort besondere Vorkommnisse nach Art, Ort, Zeit und evtl. eingetretene Verluste,
b.) täglich bis 7.00 Uhr morgens Vorkommnisse, Einsatzstärken, Verluste, Munitionsverbrauch und -bedarf bei Kampfhandlungen.

7.) Bei Ausbruch von Unruhen oder eines Generalstreiks werde ich befehlen (durch Rundfunk und Maueranschlag):
a.) Ausgehverbot,
b.) Schließung der Haustüren und Fenster nach der Straße.
c.) Wird Polizei oder Wehrmacht aus Häusern beschossen, Zerstörung dieser Häuser.[200]
d.) Streikhetzer, Flugblattverteiler, Plünderer und Barikadenbauer werden wie Terroristen und Saboteure an Ort und Stelle niedergemacht.

gez. **Pancke**

*Verteiler:*
Wehrmachtbefehlshaber Dänemark
Höheres Kommando Kopenhagen
Rüstungsstab Dänemark
Wehrmachtortskommandantur Gross-Kopenhagen
SS- und Polizeistandortführer Gross-Kopenhagen
Befehlshaber der Ordnungspolizei
Befehlshaber der Sicherheitspolizei
SS-Ersatzkommando Dänemark
Germanische Leitstelle
Fürsorgekommando
SS- und Polizeigericht XXX


## 172. Seekriegsleitung: Deportationen dänischer Betriebe 25. August 1944

Seekriegsleitung noterede sig først, at OKW endnu ikke havde modtaget Bests telegram af 16. august om anvendelsen af deportation af danske arbejdere som repressalie. Dernæst at OKM 23. august havde tilsluttet sig Werner Bests syn på anvendelsen af deportation til Tyskland af strejkende danske arbejdere. Seekriegsleitung sendte 25. august OKW en kopi af Bests telegram fra 16. august og tog samtidig afstand fra gennemførelsen af deportationer pga. de uoverskuelige konsekvenser for Kriegsmarine.

OKW svarede Seekriegsleitung 28. august.

Det bemærkelsesværdige er her sagsgangen: Hvorfor havde AA ikke foretaget sig noget efter modtagelsen af Bests telegram? Det fremgår her, at OKW endnu ikke var orienteret hele 8 dage efter telegrammets afsendelse. Måske havde AA henvendt sig direkte til RFSS for at få stoppet Panckes udspil, men akter derom foreligger ikke. Derimod er det klart, at Best har søgt støtte til sin modstand mod Panckes fremfærd uden om AA, og at Wurmbach villigt har gjort det. Det var et svagt AA, der ikke rykkede ud til alle de interesserede tyske instanser for at få Pancke stoppet. Best kan have haft en mistanke om, at AA ikke ville reagere tilstrækkeligt kraftigt, hvorfor han selv gik i aktion.

Kilde: BArch, Freiburg, RM 7/1812. RA, Danica 628, sp. 7, nr. 5720.

---

200 Denne ordre blev første gang fulgt 19. september 1944, hvor det gik ud over en ejendom Nyhavn 51. Bovensiepen tog under en efterkrigsafhøring 10. december 1946 ansvaret for den type hussprængninger, som også Hoffmann 8. april 1947 angav ham som ophavsmand til (LAK, Best-sagen, KB, Bergstrøm 20. september 1944 (trykt udg. s. 1039)).

B. Nr. 1. Skl I ca 26354/44 gKdos　　　　　　　　　　　　*Berlin, den 25. August 1944*

Betr.: Deportationen dänischer Betriebe:

I.) Vermerk:
Nach Angabe Adm. Wagner ist Fernschreiben des Reichsbevollmächtigten Dänemark im OKW noch nicht bekannt.
　　Nach Angabe Chef 3. Skl hat Ob.d.M. in Lage v. 23. der Ansicht des Reichsbevollmächtigten zugestimmt.

II.) Fernschreiben SSD OKW/WFSt Op (M)
　2) SSD Adm. F.H.Qu. – AEM – Mit Aue
　– SSD gKdos

Reichsbevollmächtigter Dänemark hat 16.8. an Auswärtiges Amt folgendes FS übermittelt: [her følger fjernskrivermeddelelsen]

Zusatz Skl: Ob.d.M. stimmt Ansicht Dr. Best zu im Hinblick auf nicht absehbare Folgen Durchführung Deportationen auf Werftsektor, der durch Ausfälle im Westraum besondere Bedeutung gewinnt. Marine wäre außerdem bei Ausfall dänischer Schiffahrt durch Gestellung Schiffsräume belastet werden, was mit Rücksicht auf Einstellung schwed. Schiffahrt besonders schwerwiegend.
　　　　　　　　　Seekriegsleitung
　　　　　　B. Nr. 1. Skl I ca 26354/44 gKdos


## 173. Der Reichsfinanzminister an das Auswärtige Amt 25. August 1944

RFM gentog, hvad det på AAs spørgsmål havde anbefalet med hensyn til kontering af udgifterne til tysk politi i Danmark og ville dernæst gerne have oplyst, hvad AA havde besluttet sig til.
　I første omgang fik RFM ikke svar. I stedet udbad AA sig 6. september kopi af akter, som RFM henviste til, da AAs eksemplarer var brændt. Kopierne modtog AA 29. september. Først derpå fulgte der et svar udformet af Best 31. oktober (trykt nedenfor), som AA med tilslutning sendte til RFM. RFM havde nået at rykke AA for et svar 26. oktober, idet det samtidig erklærede sig enig med indholdet i OKWs brev til AA 27. september (trykt nedenfor) (alle dok. i pk. 271).
　Kilde: RA, pk. 271.

Der Reichsminister der Finanzen　　　　　　　　　　　*Berlin, den 25. August 1944*
Y 5104/1 – 302 V　　　　　　　　　　　　　　　　　　　　Geheim

Auswärtiges Amt
　Berlin

Finanzierung der Ausgaben des Bevollmächtigten des Deutschen Reichs in Dänemark als Besatzungskosten.

Ihr Schreiben vom 28. September 1943[201] – Ha Pol VI 3909/43 –

Ich hatte in meinem Schreiben vom 6. November 1943[202] – Y 5104/1 – 205 V – empfohlen, alle zivilen Ausgaben – den gesamten Bedarf des Bevollmächtigten des Großdeutschen Reichs und der Polizei – über das Besatzungskostenkonto der Hauptverwaltung der Reichskreditkassen bei Danmarks Nationalbank zu finanzieren. Die Aufteilung der Kosten auf Wehrmacht und zivilen Sektor könnte durch verschiedenfarbige Schecks (wie in Norwegen) gesichert werden.

Ich bitte, mir Ihre Entscheidung mitzuteilen.

Im Auftrag
gez. **Berger**


### 174. Der Reichsfinanzminister an OKW 25. August 1944

Med nogen forsinkelse svarede RFM på OKWs skrivelse af 15. maj 1944. RFM var enig med OKW i, at finansieringen af Waffen-SS og tysk politi i Danmark skulle ske fra én og kun én instans i de tilfælde, hvor disse var underlagt værnemagten. Var derimod de civile dele af tysk politi f.eks. underlagt den rigsbefuldmægtigede og ikke værnemagten, var det en anden sag. Alligevel fandt RFM det ønskværdigt af flere grunde, hvis finansieringen for fremtiden kunne foregå fra en enkelt instans. RFSS, AA og REM fik kopi af brevet.

Spørgsmålet blev fulgt op af OKW til AA 27. september 1944.

Kilde: BArch, R 2/11.598. RA, Danica 201, pk. 81, læg 1083.


D. R. d. F. *Berlin, den 25. August 1944*
Y 5104/1 – 302 V Geheim

Oberkommando der Wehrmacht, Berlin

Geldversorgung der Deutschen Wehrmacht in Dänemark, Zahlungsmittelbereitstellung für Waffen-SS und Polizei, Ihr Schreiben vom 15. Mai 1944[203]
3 f 31/2870/44 g – Ag V 3 (VIII)

Ich stimme Ihrer Auffassung zu, daß die in Dänemark eingesetzten Teile der Waffen-SS und Polizei, soweit sie der Wehrmacht unterstellt sind, mit Zahlungsmitteln von der Wehrmacht versorgt werden müssen und den Bewirtschaftsgrundsätzen und Steuerungserlassen der Wehrmacht unterliegen.

Ausgaben für diejenigen SS- und Polizeiteile, die *zivilen* Behörden, z.B. dem Bevollmächtigten des Großdeutschen Reichs in Dänemark unterstellt sind, unterliegen nicht unmittelbar den Bewirtschaftsgrundsätzen der Wehrmacht. Das ergibt sich auch aus dem Erlaß des Oberkommandos der Wehrmacht vom 27. Dezember 1942. 2 f 32 Allg. Angel./Nr. 3767/42 geh – AWA/WV (VII b).

---

201 Trykt ovenfor.
202 Trykt ovenfor.
203 Trykt ovenfor.

Ich bin aber der Ansicht, daß eine genaue Abstimmung der für die Polizei usw. erlassenen Anordnungen mit denen der Wehrmacht, soweit es sich um Mittelbeschaffung, Sparmaßnahmen, Lohn- und Preisfragen handelt, selbstverständlich ist. Ich halte es darüber hinaus für wünschenswert, wenn die Verantwortung für die Mittelzuweisung *einer* Stelle auferlegt wird.

Ich halte diese Fragen für wichtig angesichts der gegenwärtigen Bemühungen der Reichsressorts, die Gefahren der Geldreichlichkeit in Dänemark durch straffere Preis- und Lohndisziplin der dort eingesetzten deutschen Einheiten und Stellen zu bekämpfen.

Der Reichsführer SS und Chef der Deutschen Polizei, das Auswärtige Amt und das Reichsministerium für Ernährung und Landwirtschaft haben Abschrift erhalten.[204]

Im Auftrag
gez. **Berger**

### 175. OKW/WFSt an WB Dänemark u.a. 25. August 1944

Hitlers ordre af 14. august om at samle de tyske tjenestesteder i de besatte landes byer i bedre forsvarlige enheder blev efter erfaringerne i Paris og Bukarest udstrakt til også at gælde de lande, hvormed Tyskland var forbundne og havde venskabelige forbindelser. Det blev befalet, at alle tyske tjenestesteder i storbyerne skulle være omfattet af ordren, at sammenlægningen skulle ske i løbet af kort tid, idet der skulle udpeges en særlig ansvarlig for ordrens gennemførelse. Man skulle påse, at ikke-tysk kvindeligt personale ikke blev medtaget til de nye tjenestesteder og heller ikke inventar, der ikke var tjenstligt brug for.

Se Jodl til von Hanneken u.a. 9. september 1944 og KTB/WB Dänemark 5. og 9. september.[205]
Kilde: BArch, Freiburg, RW 4/754. RA, Danica 1069, sp. 1, nr. 213-215.

WFSt/Qu. 2                                                                           25.8.1944.
                                                                                     Geheim

K R - F e r n s c h r e i b e n

An
1.) Ob. West
2.) Mil. Befh. Frankreich
3.) W. Bfh. Belgien u. Nordfrankreich
4.) W. Bfh. Niederlande
5.) W. Bfh. Norwegen
6.) W. Bfh. Dänemark
7.) Ob. Südwest
8.) Bev. General Italien
9.) Ob. Südost
10.) Mil. Befh. Südost
11.) Reichsführer-SS u. Chef d. Dt. Polizei – Kommandostab – Hochwald
12.) Bev. General Ungarn

---

204 Afskrifter blev endvidere sendt til Korff, Esche, Rademacher (Deventer) og Wetter (Bruxelles).
205 Om begyndelsen til sammenlægning af tyske tjenestesteder i Danmark, se WB Dänemark 30. marts 1943.

13.) Dt. Bev. General Kroatien
14.) Dt. Gen. b. Obkdo. d. Rumän. Wehrm.
15.) Chef d. Dt. Militärmission Bulgarien
16.) Leiter der Partei-Kanzlei, Herrn Reichsleiter Bormann *Durch Kurier*
17.) Reichsmin. u. Chef d. Reichskanzlei, Herrn Reichsmin. Dr. Lammers
18.) Ausw. Amt, z.Hd. Botschafter Ritter, "Westfalen"
nachr.:
19.) Gen.St. d.H.
20.) OKL/Fü.Stab
21.) OKM/1. Skl.

Betr.: Räumung der großen Städte in den außerdeutschen Gebieten.

Der Führer hat im Anschluß an die Vorgänge in Warschau befohlen, daß alle deutschen Dienststellen in den großen Städten der besetzten Gebiete in eng begrenzten Stadtbezirken geschlossen zusammenzulegen und diese als Verteidigungsblocks unter militärischer Führung einzurichten sind. Die Erfahrungen von Paris und die Ereignisse in Bukarest haben den Führer veranlaßt, seinen Befehl auch auf die verbündeten und befreundeten Länder auszudehnen und noch wie folgt zu erweitern:

Die friedensmäßigen Lebensformen bei den deutschen Dienststellen aller Art, die sich in den großen Städten der außerdeutschen Gebiete entwickelt haben, erweisen sich in diesem Höhepunkt des Krieges als eine der größten Gefahren nach außen und innen. Rückschläge an der Front, verbunden mit Aufruhr in den Städten, legen die militärischen und zivilen Führungsstäbe, die meist ohne jede kriegsmäßige Vorbereitung, teilweise sogar mit ihren Familien und weiblichen Angestellten, dort ein unverantwortliches, friedliches Dasein führen, in der Stunde der Entscheidung lahm. Der Truppe bietet sich dann das Bild einer überstürzten, kopflosen, schmählichen Flucht, begleitet von einem üblen Troß, der sich, beladen mit deutschen und fremden Frauen und mit den in längerem Etappenleben angesammelten eigenen oder fremden Gütern auf den Landstraßen dahinwälzt. Nichts ist mehr geeignet, vor der eigenen Truppe wie vor der fremden Bevölkerung das Ansehen höchster deutscher Dienststellen und damit des Deutschen Reichs zu schädigen!

Wo aber die Flucht nicht mehr gelingt und die deutschen Dienststellen durch den Feind oder die Aufständischen eingeschlossen werden, ist es die Feldtruppe, die antreten muß, um die Dienststellen in ihren friedensmäßigen Quartieren unter Einsatz ihres Blutes zu beschützen oder wieder herauszuhauen.

Es ist nunmehr der letzte Zeitpunkt gekommen, um diesen Zuständen endgültig ein Ende zu setzen.

Der Führer beauftragt die obersten militärischen Befehlshaber in allen besetzten, verbündeten und befreundeten Gebieten, in denen deutsche Truppen eingesetzt sind, in Zusammenarbeit mit den höchsten Dienststellen der Partei und des Staates sofortigen Wandel zu schaffen. Hierzu ist in jeder größeren Stadt ein Beauftragter des Oberbefehlshabers einzusetzen, der für die Durchführung dieses Befehls in kürzester Frist verantwortlich zu machen ist. Kein Stab und keine Dienststelle irgendwelcher Art, die nicht aus zwingenden Gründen in großen Städten untergebracht werden muß, ist dort länger zu belassen.

Bei Verlegungen ist durch Befehl und Aufsichtsorgane sicherzustellen, daß kein nichtdeutsches weibliches Hilfspersonal mitgeführt wird und daß Transportraum und Treibstoff nicht für die Beförderung von Betten, Tischen, Sesseln und anderen Einrichtungsgegenständen, sondern ausschl. für dienstliche Zwecke ausgenutzt werden.

Die Oberbefehlshaber melden dem Führer die Durchführung dieses Auftrages.

I.A. gez.
[underskrevet]
OKW/WFSt/Qu. 2
Nr. 06540/44 geh.


## 176. Hans-Heinrich Wurmbach an Hermann von Hanneken 25. August 1944

Den 25. august satte admiral Wurmbach over for von Hanneken spørgsmålstegn ved det fornuftige i at forberede ødelæggelsen af flere danske havne, idet han gjorde opmærksom på, at arbejdet ville have en stor negativ virkning på befolkningen og med sikkerhed ville føre til strejker. Wurmbach bad derfor med henvisning til den særlige politiske situation i Danmark om, at von Hanneken genovervejede om sådanne forberedelser skulle træffes.

Von Hanneken svarede 31. august (Andersen 2007, s. 206, 241f.).

Kilde: KTB/ADM Dän 25. august 1944, RA, Danica 628, sp. 3, s. 3533.

[...]

Nach Überprüfung der Vorbereitungen für die Zerstörung von Hafenanlagen durch meinen F I gemeinsam mit Baurat Lack ergeht Fernschreiben Gkdos 4566 an Wehrmachtbefehlshaber Dänemark, nachrichtlich MOK Ost:

Vorbereitungen zu Hafenstörungen sind auf hiesige Anforderung durch Mar. Baurat Lack von Hafenbauamt Wilhelmshafen überprüft.

Thyborön, Hirtshals, Skagen und Frederikshavn könne als abgeschlossen angesehen werden. Verbesserungen werden laufend durchgeführt. In Esbjerg werden Maßnahmen zum Abschluß gebracht mit Ausnahme Fischerei- und Dockhafen. In Aarhus, Aalborg und Kopenhagen sind Vorbereitungen zur Zerstörung der Hafeneinrichtungen wie Kräne, Gleisanlagen etc. getroffen, dagegen nicht zur Zerstörung der Hafenanlagen. Beide Seekommandanten melden bei Durchführung sehr starke Auswirkungen auf dänische Bevölkerung, die mit Sicherheit Streiks zur Folge haben werden. Admiral Skagerrak ist gleicher Ansicht. Unabhängig von der Frage, ob die sehr bedeuteten Sprengstoffmengen überhaupt zur Verfügung gestellt werden können, wird daher um grundsätzliche Entscheidung gebeten, ob die Vorbereitungen in den Hafenanlagen Aarhus, Aalborg und Kopenhagen, sowie im Fischerei- und Dockhafen Esbjerg in Berücksichtigung der besonderen politischen Lage im Raum Dänemark getroffen werden sollen.

[...]

## 177. Werner Best an das Auswärtige Amt 25. August 1944

Best svarede på Wagners forespørgsel, at der ikke var sat nogen tidstermin for tilbageførsel af de danske fanger i tyske koncentrationslejre. Nogle fanger skulle blive i Tyskland pga. deres forbrydelser. Oplysningerne havde han fra Otto Bovensiepen.

Kilde: PA/AA R 100.358.

Telegramm

Kopenhagen, den           25. August 1944           20.30 Uhr
Ankunft, den               25. August 1944           22.30 Uhr

Nr. 1008 vom 25.8.[44.]

Auf Telegramm Nr. 964 vom 19.8.44[206] teile ich mit, daß. nach Auskunft des hiesigen Befehlshabers der Sicherheitspolizei und des SD die Rückführung der in Konzentrationslagern im Reich befindlichen dänischen Häftlinge in das Lager Fröslev beabsichtigt ist, soweit es sich nicht um schwere Fälle handelt, in denen die Häftlinge aus Sicherheitsgründen in das Reich verbracht worden sind. Termine der Rückführung sind noch nicht bekannt.

Dr. Best

*Vermerk:*
BRAM
St.S.
U.St.S. Pol.
Leiter Inl. II
Dg. Pol
     haben Abdruck erhalten,
     Telko, 26.8.44


## 178. Kriegstagebuch/WB Dänemark 26. August 1944

Københavns kommandant fik ordre om at stille tropper til rådighed for HSSPF i København den 29. august og at udføre udvidet patruljering og bevogtningstjeneste ved de offentlige værker. Der blev midlertidigt overført 10 kompagnier soldater fra Sjælland til København.

Baggrunden for de trufne sikringsforanstaltninger var, at Pancke ikke kun ventede, men tilskyndede til en konfrontation med modstandsbevægelsen (jfr. Pancke 24. august 1944 ovenfor).

Kilde: KTB/WB Dänemark 26. august 1944.

[...]
Den Höh. Kdo. wird auf Antrag den für die Bekämpfung innerer Unruhen verantwortlichen Höh. SS- und Pol. Führers befohlen, durch Einsatz von Streifen, Besetzung von Versorgungsbetrieben und Absperrungen zur Bekämpfung etwaiger Unruhen in Gross-

---

206 Inl. II B 2839 II. Trykt ovenfor.

Kopenhagen anläßlich des 29.8.44 den Höh. SS- u. Pol. Führer zu unterstützen. Die beantragte vorübergehende Zuführung von 10 Kompanien aus Seeland nach Kopenhagen wird genehmigt. Den Höh. SS- u. Pol. Führer wird von diesem Befehl Kenntnis gegeben und hinzugefügt, daß für das übrige Dänemark ein schriftlicher Befehl entsprechend der mit dem Ic am 25.8.44 geführten Besprechung ergangen ist.
[...]

### 179. Das Auswärtige Amt an Waldemar Ludwig 26. August 1944

Best havde fra Gauleiter Karl Kaufmann fået stillet krav om, at 5.000 danske arbejdere skulle gøre tjeneste under ham fra 1. september. Aftale derom var truffet med OT i Berlin. Det var en forudsætning for den praktiske gennemførelse, at valutaspørgsmålet blev løst. Man gik ud fra, at arbejderne var beskæftiget ved danske firmaer og blev lønnet hjemme af dem, så de i Tyskland kun skulle have lommepenge. Yderligere 3.000 arbejdere kunne forvente denne beskæftigelse. Best sendte spørgsmålet om valutaen til AA, der lod det gå videre til Ludwig i RWM.

Dette hastekrav fra Kaufmann var uden nogen nærmere begrundelse, idet det blot blev nævnt, at der var tale om arbejder af særlig betydning i hans tjenesteområde. Hvilke betydningsfulde arbejder, det drejede sig om, blev klart i de følgende dage, se Hitlers ordre 28. august og Himmler til Kaufmann 29. august.

Der kom svar fra RWM til AA 14. september. På det tidspunkt havde adskillige andre grebet ind i sagen for hurtigst muligt at få de danske arbejdere til Tyskland. Der gjaldt først og fremmest RFSS, til hvem Kaufmann havde henvendt sig for at få sagen fremmet (se Himmler til Kaufmann 29. august). Hvornår Best modtog den første skrivelse fra Kaufmann er uvist. Muligvis har Best forhalet sagen. I hvert fald fremmede han den ikke ved at følge tjenestevejen og skrive til AA om valutaspørgsmålet. Under alle omstændigheder synes tidsfristen at have været meget kort, og da det drejede sig om ikke mindre end 5.000 arbejdere, der skulle tage arbejde frivilligt i Tyskland med meget kort varsel, ville det give store praktiske problemer med indkvartering m.m., og da der tillige var principielle spørgsmål forbundet dermed, synes kravet meget dårligt forberedt. I værste fald kunne det tages som begyndelsen til indførelse af en tysk kommandoøkonomi i Danmark eller vejen mod tvangsarbejde.

Kilde: RA, Danica 465: Moskva, Osobyj Archiv, 1458/21/71/35.

[Aus]wärtiges Amt                                                                                        *Berlin W 8, den 26. August 1944*
Nr. Inl. I C 2337/44 II

S c h n e l l b r i e f

An das Reichswirtschaftsministerium
    Berlin C 2
    Königstr.
    z.Hd. Ministerialrat Ludwig oder LRR Mützelburg.

Betr.: Einsatz dänischer Arbeiter in Deutschland.

Der Reichsbevollmächtigte für Dänemark hat vom Reichsverteidigungskommissar für den Reichsverteidigungsbezirk Hamburg, Gauleiter Kaufmann, folgende Mitteilung erhalten:
"Auf Grund einer Vereinbarung mit der OT-Zentrale in Berlin sollen 5.000 für die OT z. Zt. in Dänemark eingesetzte Arbeitskräfte bis zum 1.9.44. in meinem Dienstbe-

reich umgesetzt werden, um Arbeiten von besonderer Bedeutung auszuführen. Voraussetzung der praktischen Durchführung ist die Regelung der Devisenbeschaffung. Dabei wird davon ausgegangen, daß diese 5.000 Arbeitskräfte von dänischen Firmen beschäftigt sind, in ihrer Heimat gelöhnt werden und hier in Deutschland nur ein Handgeld erhalten. Es ist damit zu rechnen, daß noch 3.000 weitere dänische Arbeitskräfte benötigt werden."

Der Reichsbevollmächtigte für Dänemark bittet um Mitteilung, wie die Entlohnung dieser Arbeiter, während ihres Einsatzes im Reich devisenmäßig geregelt werden soll. Nach Mitteilung des hiesigen Chef-Referenten der OT-Zentrale Berlin wird das Bauvorhaben voraussichtlich zwei Monate in Anspruch nehmen. Als Betrag kommen etwa 6-7 Millionen Reichsmark in Kronen in Frage. Die Umsetzung der Arbeiter nach Deutschland würde selbstverständlich auf der Grundlage der freiwilligen Vereinbarung zwischen den Beteiligten erfolgen.

Ich wäre für eine baldige Stellungnahme dankbar.
Heil Hitler!
[W]endenburg [?]


### 180. OKM an das Auswärtige Amt 28. August 1944

OKM erklærede sig enig med Best i, at der ikke kunne være tale om at betale leje for de beslaglagte danske skibe med fri valuta. Rederens krav var overhovedet kun en anledning til at skride til beslaglæggelser.

Dermed var situationen bragt i hårdknude. OKM valgte beslaglæggelser frem for forhandling. Om det var tilsigtet fra Bests side, er spørgsmålet. I hvert fald var nye beslaglæggelser ikke sket de seneste par måneder. Han havde på forskellig vis stillet sig i vejen, og fra OKM fremkom nye krav først i oktober, og da var det på en helt anden baggrund.

Kilde: BArch, Freiburg, RM 7/1813.


Oberkommando der Kriegsmarine *Berlin, den 28.8.1944*
Zu: B-Nr. 1. Skl. I i 32 309/44

An das Auswärtige Amt
   Berlin.

Vorg.: Ha Pol XI 2307/44 vom 23.8.1944[207]
Betr.: Vergütung für die beschlagnahmten dän. Schiffe.

Die Auffassung des Herrn Reichsbevollmächtigten Dr. Best, wonach eine Auszahlung der Vergütungen in freien Devisen nicht in Betracht kommt, wird bestätigt. Die diesbezügliche Forderung der Reeder hat seinerzeit überhaupt erst die Veranlassung dazu gegeben, den Weg der Beschlagnahme zu beschreiten.
Chef/Skl.
i.A. 1. Skl

---

207 Skrivelsen er ikke lokaliseret. Se Best til AA 15. august 1944.

### 181. OKW/WFSt an Seekriegsleitung 28. August 1944

OKW meddelte meget kort Seekriegsleitung sit syn på anvendelsen af modterror og forholdsregler mod strejker i Danmark, så kort at udenforstående næppe ville forstå svaret, hvis ikke de kendte indholdet i den foregående fjernskrivermeddelelse. Det var givetvis hensigten.

Best havde to gange personligt givet Hitler sit syn på terrorbekæmpelsen i Danmark. Endvidere var Hitler indgående orienteret, så OKW så sig ikke foranlediget til at reagere på AAs bestræbelser i forbindelse med Bests fornyede indstilling. Det var udelukkende et politisk spørgsmål.

Med svarets formulering undgik OKW fuldstændig at tage stilling til substansen i Bests telegram. Det var også politisk sprængfarligt for så vidt angik ønsket om igen at kunne anvende retsforfølgelse af sabotører i Danmark. Hitler havde givet en klar ordre i det spørgsmål. I OKW var der en viden om, at Best to gange havde givet Hitler sit syn på terrorbekæmpelsen i Danmark. Det kan kun have været ved møderne i Ulveskansen 30. december 1943 og i Berchtesgaden 5. juli 1944. I sine efterkrigsforklaringer fastholdt Best, at han ved møderne talte mod brugen af modterror i Danmark (bl.a. Best 1988, s. 58, 67), hvilket her bekræftes af OKW på umisforståelig vis.

Kilde: BArch, Freiburg, RM 7/1812. RA, Danica 628, sp. 7, nr. 5726.

SSD GWNOL 014479 28.8. 10.15
OKM/1. Skl I CA (Koralle)
gKdos

Bezug: Fernschreib. 1. I Skl. Nr. 26354/44 GKV 25.8.44.[208]
Betr.: Gegenterror in Dänemark. Maßnahmen gegen Streiks.

Der Best hat seine Auffassungen über Terrorbekämpfung in Dänemark bereits zweimal Führer persönlich vorgetragen.

Da Führer genauestens unterrichtet für OKW kein Anlaß Maßnahmen des Ausw. Amts auf erneute Vorstellungen von Dr. Best vorzugreifen. Zumal das ausschl. politische Angelegenheit.

I.A.
gez. **Poleck**
OKW/WFSt
QU 2 (Nord) Nr. 0010373/44 gKdos

### 182. Adolf Hitler: Befehl über Ausbau der deutschen Bucht 28. August 1944

Von Hanneken fik ordre om øjeblikkeligt at igangsætte nogle befæstningsarbejder tværs over Jylland.

Ordren fik betydelige konsekvenser for besættelsesmagten i Danmark, se RFSS til Warlimont 2. september, Frenzel til Wagner 4. og 11. september 1944 og der anf. henvisninger.

Et lignende stillingsbyggeri var forud blevet beordret på østfronten, nu kom turen til vestfronten, hvor det så vidt muligt blev gjort til en "folkeopgave" (Hitler: Befehl über Herstellung der Verteidigungsbereitschaft des Westwalls, 30. august 1944 (Hubatsch 1962, s. 279ff.), Orlow 1973, s. 476, Nolzen 2004, s. 180f.).

Kilde: Hubatsch 1962, s. 276-278. Moll 1997, nr. 354.

gKdos – Chefsache – Nur durch Offizier

---

[208] Trykt ovenfor.

Befehl
über Ausbau der deutschen Bucht

1.) Ich befehle zur Verstärkung der Abwehr in der deutschen Bucht
[...]
b.) Die Erkundung und Vorbereitung aller Maßnahmen für kurzfristigen Ausbau einer zweiten Stellung, die von der dänischen Grenze in einem Abstand von etwa 10 km von der Küste verläuft, einer Riegelstellung etwa im Verlauf der deutsch-dänischen Grenze, sowie weiterer Riegelstellungen in Schleswig-Holstein nördlich des Kaiser-Wilhelm-Kanals. – Außerdem werden durch Wehrm Befh Dänemark nördlich der deutsch-dänischen Grenze weitere in Ostwestrichtung verlaufende Riegelstellungen erkundet und ausgebaut.
2.) Den Ausbau leitet verantwortlich Gauleiter Kaufmann, der hierzu alle verfügbaren Mittel und die OT einsetzt.
[...]

Der Führer
**Adolf Hitler**


### 183. Heinrich Himmler an Karl Kaufmann 29. August 1944

Gauleiter Karl Kaufmann skrev 27. august 1944 til RFSS for at få 5.000 mand til kystbefæstningsbyggeri. Himmler svarede positivt to dage senere og havde allerede sat sig i bevægelse for at skaffe arbejderne. Brandt skrev endnu samme dag til AA for at få sagen effektueret, se nedenfor.

Endvidere fik Pancke en fjernskrivermeddelelse samme dag underskrevet af Himmler med gengivelse af nedenstående indhold med besked om, at den var sendt til RAM og tilføjelsen: "Ich beauftrage dich, mit allen Mitteln an der Durchführung dieser Angelegenheit mitzuarbeiten." (RA, Danica 1000, T-175, sp. 15, nr. 521.041). Hvori Panckes medvirken skulle bestå, fremgår ikke, men det var klart uden for hans charge og hørte udelukkende under den rigsbefuldmægtigede.

Kilde: BArch, NS 19/3911. RA, Danica 1000, sp. 122, nr. 2.648.210. RA, Danica 1069, sp. 6, nr. 7064.

Fernschreiben

Bezug: Ihr FS vom 27.8.44 Nr. 982.

An Gauleiter Karl Kaufmann
   Hamburg.

*Lieber Karl!*
Fernschreiben erhalten.
1.) Wegen 5.000 Arbeitskräften sofort Schritte unternommen. Nehme an, daß es in Ordnung geht.
2.) Werde dafür sorgen, daß Du OKW Befehl bekommst.
   Fegelein wird beauftragt, General Warlimont an Herausgabe des Befehls, durch den

Gauleiter Kaufmann mit Stellungsbau der Küstenbefestigung beauftragt ist, zu erinnern.[209]

3.) Wegen General der Flieger Mohr und Generalmajor Schumacher habe ich Personalchef v. Herff bereits angeschrieben.

Heil Hitler!<br>
Dein<br>
gez. H. Himmler

29.8.44 RF/M.


### 184. Rudolf Brandt an Horst Wagner 29. August 1944

Brandt sendte via AA den besked fra RFSS til Best, at de 5.000 danske arbejdere, der hidtil havde arbejdet for OT, kunne indsættes i befæstningsarbejdet i Slesvig-Holsten. Forhindringer skulle overvindes, og det hastede.

Efter beskedens karakter havde den nærmest karakter af en ordre, men formelt set kunne Himmler ikke beordre Best dertil. Det er sigende for AAs position, at det lod telegrammet videresende ukommenteret til Best, men internt blev det drøftet som en hastesag, som det fremgår af Brenner til Frenzel 31. august.

Best drøftede kravet med von Hanneken og OT, men hans svarskrivelse via AA er ikke lokaliseret, men indholdet har været negativt.

Kilde. PA/AA R 101.040. RA, Danica 1000, sp. 122, nr. 26.482.209. RA, Danica 1069, sp. 6, nr. 7063. RA, pk. 228 og 443a.

T e l e g r a m m

| | | |
|---|---|---|
| SZSMK, den | 29. August 1944 | 20.10 Uhr |
| Ankunft, den | 29. August 1944 | 22.55 Uhr |

Nr. – ohne – vom 29.8.                                                    Geheim

An SS-Standartenführer LR Wagner, verm. Westfalen Ausw. Amt zur Übermittlung an SS-Obergruppenführer Dr. Best.

Reichsführer-SS läßt den Herrn Reichsaußenminister bitten, Dr. Best anzuweisen, daß die von Ministerialdirektor Dorsch freigegebenen, bisher bei der OT tätig gewesenen 5.000 Arbeitskräfte Dänemarks, auf den deutschen Inseln und in Schleswig Holstein beim Bau von Befestigungsanlagen eingesetzt werden können. Schwierigkeit ist wohl in der Devisenfrage zu suchen. Reichsführer-SS bittet, daß
1.) diese Schwierigkeiten überwunden werden,
2.) keine Woche verloren geht, da jeder Tag kostbar ist.

gez. Brandt<br>
SS-Standartenführer

---

209 Fjernskrivermeddelelsen til Hermann Fegelein blev sendt af Brandt samme dag, idet han indskrænkede sig til at videregive den her bragte meddelelse direkte med tilføjelsen: "Ich darf Dich bitten, das Notwendige zu veranlassen" (RA, Danica 1000, T-175, sp. 17, nr. 521.042).

LR I. Kl. v. Thadden Inl. II
Absprachegemäß

Inl. I, Hn. LR. Wendenburg, zu den dortigen Vorgängen vorgelegt.
Da der Herr St.S. eine Beteiligung von Ha Pol wegen der Devisenfrage wünschte, ist das Arbeitsexemplar an Ha Pol geleitet worden.
*Berlin, den 30. August 1944*

*Vermerk:*
Unter Nr. 3466 an Sonderzug weitergeleitet.
Tel. Ktr. 29.8.44.


### 185. Kriegstagebuch/WB Dänemark 29. August 1944
Von Hanneken ville af militære grunde have de danske gendarmer ved jernbanebroerne mellem Sønder Løgum og Tønder fjernet og havde stillet Best og Pancke spørgsmålet, om de havde noget at indvende.
Svaret er ikke kendt, men udspillet var et led i von Hannekens forsøg på at få trængt dansk politi og gendarmeri mere og mere i baggrunden.
Kilde: KTB/WB Dänemark 29. august 1944.

[...]
An den Reichsbevollmächtigten in Dänemark und den Höh. SS- u. Pol. Führer wird die Anfrage gestellt, ob gegen die Entfernung der dän. Gendarmerieposten an der wichtigen Eisenbahnbrücke zwischen Süderlügum und Tondern, die aus militärischen Gründen erfolgen soll, Bedenken bestehen.
[...]


### 186. Werner Best an das Auswärtige Amt 30. August 1944
Danskere beskæftiget i Tyskland arbejdede i reglen med kontrakter af seks måneders varighed. Da imidlertid arbejdskraftmangelen i Tyskland tog til, søgte man fra tysk side at få forhandlet længere kontrakter igennem, hvilket fra dansk side blev afvist. Best tilsluttede sig dette med begrundelsen, at færre da ville lade sig hverve. Atter tog han spørgsmålet om danske arbejdere, der mod deres vilje blev holdt tilbage i Tyskland, op. Det var foranlediget af Conrad Roedigers telegram til Best 23. august. Best bad ikke alene om de tilbageholdte arbejderes frigivelse, men også om at undgå sådanne tilfælde i fremtiden.
AA reagerede ved 7. september at lade Roediger skrive til Fritz Sauckel med et referat af sagsforholdet og med en anmodning om, at de gældende regler og aftaler blev overholdt (RA, pk. 287).
Kilde: RA, pk. 287. PKB, 13, nr. 831.

Fernschreibstelle des Auswärtigen Amts
Telegramm eingeg. von S DG Kopenhagen Nr. 143 30/8 20.10.
Mit G-Schreiber eingegangen.

Betr.: Rückkehr dänischer Arbeitskräfte nach Ablauf der Vertragsfrist.

Vorgang: Erlaß Nr. 981 R 53720 vom 23.8.1944.[210]

Nr. 1025 vom 30.8.44.

Auswärtig Berlin.

Mit den zuständigen dänischen Stellen ist wiederholt über die Verlängerung von Verträgen mit dänischen Arbeitskräften verhandelt. Die dänische Seite hat sich jedoch nie dazu entschließen können, dem Antrage zuzustimmen und ihren Standpunkt damit begründet, daß es keinem Dänen zugemutet werden könne, sich für eine längere Zeit als 6 Monate zu einer Arbeit in einem kriegführenden Lande zu verpflichten. Mit Recht sieht sie in dieser Zumutung auch eine Beeinträchtigung des Werbeergebnisses, denn die deutschen Arbeitsvermittlungsstellen haben ebenfalls die Erfahrung gemacht, daß der Däne es ablehnt, einen Vertrag für eine längere Zeit als 6 Monate einzugehen. Der Fall Hansine Kristine Lang und andere, vergl. Erlaß vom 7.8.1944 Nr. 53411/44,[211] bestätigen diese Erfahrungen.

Die zwangsweise Zurückhaltung der genannten Dänen durch die zuständigen Arbeitsämter führt zu den in meinem Fernschreiben Nr. 947 vom 11.8.44[212] dargelegten Schwierigkeiten. Ich bitte daher nochmals, für die Freigabe dieser Kräfte und künftige Vermeidung solcher Fälle Sorge zu tragen. Dabei bemerke ich ausdrücklich, daß gegen ein freiwilliges längeres Verbleiben der Kräfte im Reich keine Einwendungen zu erheben sind. Alsdann ist jedoch wiederum ein befristeter Arbeitsvertrag abzuschließen.

**Dr. Best**


### 187. Wolfram Sievers an Karl Kersten 30. August 1944

Sievers gav i en tjenstlig form Kersten besked om, at alle forsøg på at hindre hans indkaldelse var slået fejl, herunder at Best ikke ville forsøge hos RFSS at få omgjort dennes beslutning. Kersten skulle derfor forberede sig på straks at afgå til Tölz, men kunne i mellemtiden afslutte nogle af sine arbejder.

Se notatet om Kersten før hans afrejse til militærtjeneste 3. oktober 1944.

Kilde: BArch, NS 21/52.

| | |
|---|---|
| Das Ahnenerbe | *Waischenfeld/Ofr., den 30.8.1944* |
| Der Reichsgeschäftsführer | Nr. 135 |

An SS-Untersturmführer Dr. K. Kersten,
Kiel
Hohenbergstr. 2

Betr.: Ihren Einsatz.
Bezug: Ihr Schreiben vom 23.8.1944.

---

210 Trykt ovenfor.
211 Denne er ikke lokaliseret.
212 Trykt ovenfor.

*Lieber Kamerad Kersten!*
Nachdem der Reichsführer-SS bereits einmal bezüglich Ihres Einsatzes entschieden hat, daß Sie sich umgehend zu einem Führer-Lehrgang in Tölz zur Verfügung zu halten hätten, habe ich SS-Obergruppenführer Best gebeten, von sich aus beim Reichsführer-SS Ihre Freistellung für die Arbeiten in Dänemark zu erwirken.

Heute teilte mit SS-O'Gruf. Dr. Best mit, daß er angesichts der Notwendigkeit, jeden einzelnen Mann der Front zur Verfügung zu stellen, von einer Vorlage beim RFSS Abstand nehmen will und versuchen wird, die Arbeiten dort unter Hinzuziehung besonderer Hilfskräfte selbst in die Hand zu nehmen. Damit sind unsere Möglichkeiten, Sie für die gewiß nicht einfache Aufgabe in Dänemark erneut freizustellen, erschöpft. Ich bedaure daher, Ihnen auch nicht die mit obigem Schreiben angeforderten Papiere beschaffen lassen zu können und habe die Bescheinigung über die Genehmigung zum Tragen bürgerlicher Kleidung hier zu den Akten genommen.

Gleichzeitig habe ich SS-Hauptsturmführer Breitfeldt, RFSS-Pers. Stab gebeten, Sie zu dem seit längerer Zeit in Aussicht genommenen Führer-Lehrgang in Tölz sofort abzustellen. Halten Sie sich also bitte dafür zur Verfügung.

Bis zu Ihrer Einberufung zum Lehrgang werden Sie sicherlich noch verschiedene Ihrer Arbeiten abzuschließen haben. Ich bitte Sie aber, sich so einzurichten, daß Sie sich von heute auf morgen zu dem Lehrgang in Marsch setzen können.

Mit den besten Grüßen

Heil Hitler!
**Sievers**
SS-Standartenführer


## 188. Andor Hencke: Aufzeichnung 31. August 1944

Under et besøg i Berlin underrettede Barandon efter aftale med Best AA om forholdet mellem Pancke og Best, som det havde udviklet sig siden den københavnske generalstrejke. Det var især en række episoder i august, der havde udstillet, hvor egenrådig Pancke var begyndt at optræde. For det første havde HSSPF ladet 11 sabotører henrette uden forud at underrette Best, og Best havde dementeret udenlandske pressemeddelelser om henrettelserne, hvorved han blev blottet. For det andet var en dansk journalist blevet skudt. Journalisten havde altid været loyal, og Best erklærede over for Barandon sagen for uafklaret, og at der derfor kunne bringes en nekrolog i dansk presse. Nekrologer blev ikke bragt, når der havde været tale om modterror. Alligevel var man i Danmark klar over, at journalisten var blevet skudt af tysk sikkerhedspoliti. Endelig havde HSSPF op til 29. august forsøgt at provokere til demonstrationer og voldshandlinger ved bl.a. at udsende falske strejkeopfordringer. På den baggrund var Barandons og Bests hovedbudskab at få Pancke underlagt Best. Da det var et spørgsmål om opretholdelsen af leverancerne fra Danmark, blev det anbefalet at inddrage rigsminister Herbert Backe.

Barandons beretning må via Henckes optegnelse have gjort et vist indtryk i AA, for 4. september tog Steengracht spørgsmålet om forholdet mellem Pancke og Best op med Kaltenbrunner (se Steengrachts optegnelse anf. dato om samtalen).

Sandsynligvis fik Pancke underretning om Barandons besøg i AA og dets formål, for han forsøgte påfølgende at få Barandon fjernet (se Barandons optegnelse 9. oktober 1944, Bests kalenderoptegnelse 27. november 1944, begge trykt nedenfor, Hæstrup, 2, 1966-71, s. 26f., 31f., Rosengren 1982, s. 121)

Kilde: PA/AA R 101.040. RA, pk. 438a. LAK, Best-sagen (på dansk). ADAP/E, 8, nr. 198.

Gesandter Barandon hat die Gelegenheit einer Dienstreise nach Berlin dazu benutzt, um hier einige, das Verhältnis zwischen dem Reichsbevollmächtigten und dem Höheren SS- und Polizeiführer in Dänemark betreffende Punkte zur Sprache zu bringen. Er hat vor seiner Abreise in Kopenhagen die Angelegenheit mit Dr. Best besprochen und sich vergewissert, daß dieser seine Auffassung teilt.

Im einzelnen führte Herr Barandon folgendes aus:

"1.) Am 11.8.1944 brachte der schwedische Rundfunk die Nachricht, daß 11 Dänen im Keller des Hauptquartiers der deutschen Sicherheitspolizei getötet seien. Daraufhin veranlaßte der Reichsbevollmächtigte über das dänische Außenministerium in der dänischen Presse ein formelles Dementi, nach Meinung von Herrn Barandon im besten Glauben. Kurz darauf veröffentlichte die Pressestelle des Höheren SS- und Polizeiführers – der Höhere SS- und Polizeiführer hat seit kurzem eine Pressestelle, die mit erheblich mehr Personal besetzt ist als diejenige des Reichsbevollmächtigten – eine Erklärung, der zufolge 11 namhaft gemachte Dänen, die wegen Sabotagehandlungen verhaftet waren und nach Deutschland überführt werden sollten, auf dem Transport im Lastauto bei Roskilde gemeutert hätten und dabei erschossen seien. Tatsächlich sind die Angaben des schwedischen Radio richtig, was auch in Dänemark allgemein bekannt geworden ist. Die Aktion ist auf höhere Weisung erfolgt, aber, wie Herr Barandon annimmt, ohne daß der Reichsbevollmächtigte vorher davon unterrichtet war.[213]

2.) Vor etwa 10 Tagen wurde ein dänischer Journalist namens Zeemann, der einzige dänische Tagesschriftsteller, der noch militärische Artikel im deutschen Sinne schrieb und sich nach Angabe unseres Presseattachés immer loyal erwiesen hat, erschossen. Der Reichsbevollmächtigte, von Herrn Barandon nach den Zusammenhängen befragt, erklärte, der Tatbestand sei völlig ungeklärt, der Tote solle auch einen Nekrolog in der dänischen Presse erhalten dürfen, was bei Objekten des Gegenterrors sonst nicht erlaubt werde. Trotz der erschienenen Nachrufe ist man in Dänemark jedoch mit Recht davon überzeugt, daß der Journalist von der deutschen Sicherheitspolizei erschossen wurde.[214]

3.) Die Art, wie es dem Reichsbevollmächtigten Anfang Juli gelungen ist, den Generalstreik in Kopenhagen schnell zu brechen, scheint nicht die Billigung anderer Stellen gefunden zu haben. Jedenfalls war der Höhere SS- und Polizeiführer bemüht, für den 29. August – dem Jahrestag des militärischen Ausnahmezustandes und der Entwaffnung der dänischen Restwehrmacht – Aufruhr und Unruhe zu stiften, um sie mit eigenen Methoden zu bekämpfen. Während die dänischen Partei- und Gewerkschaftsführer bemüht waren, die Arbeiterschaft an diesem Tage von Streik und Demonstrationen zurückzuhalten, ließ der Höhere SS- und Polizeiführer falsche Hetzschriften des "Dänischen Freiheitsrates" fertigen und verteilen, worin zu Demonstrationen, Gewalttaten und Generalstreik aufgefordert wird; er ließ ferner Plakate herstellen, die mit der Unterschrift der Gewerkschaftsführer die Billigung der Streiks und das Versprechen voller Entlohnung enthielten. Die Verteilung der Hetzschriften und die Anbringung der Plakate erfolgte durch Angehörige des Schalburg-Korps, die bei ihrer Verhaftung durch die

---

213 Se Bests telegram nr. 956, 14. august 1944.
214 Herbert Zeemann blev myrdet 15. august af medlemmer af Peter-gruppen (Bøgh 2004, s. 136f., tillæg 3 her).

dänische Polizei ihren Auftraggeber verrieten.[215] Der Reichsbevollmächtigte hat in der dänischen Morgenpresse vom 27.8. eine Erklärung der dänischen Fachverbände zugelassen, worin die genannten Plakate als grobe Fälschung gekennzeichnet werden und vor Streik und Kundgebungen gewarnt wird.[216] Hierdurch wurde erreicht, daß der 29.8. im ganzen Lande ruhig verlaufen ist.

Diese besonders eklatanten Beispiele der allerletzten Zeit beweisen, daß der Höhere SS- und Polizeiführer sich um die vom Reichsbevollmächtigten im dringendsten Reichsinteresse zu verfolgende Politik überhaupt nicht kümmert und vollkommen selbständig handelt. Der Reichsbevollmächtigte kann die ihm vorgeschriebene Politik in Dänemark nur dann mit Erfolg weiterführen, wenn sie nicht durch eigenmächtige Handlungen des Höheren SS- und Polizeiführers und seiner Organe der Sicherheitspolizei gestört und zunichte gemacht wird. Gewiß ist der Gegenterror ein dem Reichsbevollmächtigten vorgeschriebenes wichtiges politisches Mittel, aber die Anwendung und Steuerung dieses Mittels muß in den Händen des politisch allein verantwortlichen Reichsbevollmächtigten liegen; andernfalls laufen wir Gefahr, das wichtigste uns noch verbliebene ausländische Versorgungs- und Industriegebiet zu verlieren.

Im Interesse der Aufrechterhaltung der Lieferungen aus Dänemark erscheint daher eine baldige Klärung der Angelegenheit in der Weise dringend erforderlich, daß der Höhere SS- und Polizeiführer dem Reichsbevollmächtigten in derselben Art unterstellt wird, wie das in anderen militärisch besetzten Gebieten bereits geschehen ist.

Es dürfte sich vielleicht empfehlen, in Anbetracht der Tatsache, daß die deutsche Versorgungslage auf dem Spiele steht, auch Reichsminister Backe mit der Angelegenheit zu befassen."

Hiermit über Herrn St.S. dem Herrn Reichsaußenminister vorgelegt.
*Berlin, den 31. August 1944*

Hencke


### 189. Harro Brenner an Ernst Frenzel 31. August 1944

RFSS' intervention vedrørende det tyske ønske om 5.000 danske arbejdere til befæstningsarbejde i Tyskland blev behandlet i al hast i AA, men Ribbentrops kontor besluttede ikke at forelægge sagen for Ribbentrop straks.

Se Frenzel til Wagner 4. september.
Kilde: RA, pk. 228.

Betr. Dänischen Arbeitskräfte zum Bau von Befestigungsanlagen.

Über St.S. Brigadeführer Frenzel vorgelegt.


---

215 Det første falske opråb med opfordring til generalstrejke var omdelt 23. august (trykt hos Alkil, 2, 1945-46, s. 895), og natten til 26. august arresterede dansk politi syv personer i færd med at opklæbe plakater med strejkeopråb. Tre af de anholdte havde tysk Ausweis, andre var medlemmer af Schalburgkorpset (Hæstrup, 2, 1966-71, s. 28f.).
216 Jfr. Hæstrup, 2, 1966-71, s. 30.

Unter Bezugnahme auf die mündliche Unterredung vom heutigen Tage übersende ich Ihnen anliegend das Fernschreiben des persönlichen Referenten des Reichsführers-SS, SS-Standartenführer Brandt, vom 29.8.[217] betr. Einsatz von 5.000 dänischen Arbeitskräften zum Bau von Befestigungsanlagen auf den deutschen Inseln und in Schleswig-Holstein mit der Bitte, die Angelegenheit in dortiger Zuständigkeit schnellstens zu regeln.

Büro RAM ist auch Ihrer Ansicht, daß eine Befassung des Herrn RAM augenblicklich noch nicht erforderlich ist. VLR Wagner hat gebeten, vom Stand der Angelegenheit auf dem Laufenden gehalten zu werden zw. Unterr. RFSS.

*Westfalen, den 31.8.44*

**Brenner**

Doppel: VLR Wagner.


## 190. RSHA Abteilung VI: Zer-Instrukteure für bedrohte Gebiete 31. August 1944

Gruppelederne i RSHA afdeling VI i Berlin drøftede indsættelsen af terrorinstruktører i de truede områder. Til stede var tillige et par repræsentanter for afdeling IIIB. Der var enighed om at gennemføre forslaget, dog var Eugen Steimle fra afdeling VIB for øjeblikket ikke interesseret i sådanne forholdsregler for Belgiens, Hollands og Norditaliens vedkommende. For de øvrige lande, der var på tale, mente de tilstedeværende i de fleste tilfælde nok at kunne pege på organisationer, hvorfra der kunne rekrutteres instruktører til formålet. For Danmarks vedkommende pegede Theodor Päffgen på DNSAP og udbrydergrupperne derfra. Eberhard von Löw fra afdeling IIIB 5 lovede straks at lave en liste over de nationale organisationer i de omtalte lande og pege på personer fra disse kredse, der kunne komme på tale, når der skulle føres de nødvendige forhandlinger.[218] Lassig fra afdeling VIF oplyste, at der hurtigt ville kunne skaffes en større mængde sprængstof og et stort antal maskinpistoler. Det blev foreslået omgående at anmode Kaltenbrunner om at måtte sætte aktionen i gang og at forhandle med Wilhelm Waneck fra afdeling VIE om at udstrække aktionen til Balkanlandene. Sagen skulle også forelægges Otto Skorzeny.

Aktionen fik grønt lys og blev øjeblikkeligt sat i værk. Det blev Seibold som rejste rundt for at organisere det praktiske. Se Bovensiepen til Schellenberg 8. september 1944.

Fornavne er, hvor muligt, indsat af udgiver i skarpe parenteser og efternavne, der er forkert stavet, er rettet.

Kilde: RA, Danica 465, Moskva, Osobyj Archiv, 500/1/1191/22.


*den 31. August 1944.*

**Vermerk**

Betr.: Zer-Instrukteure für bedrohte Gebiete.

Die Besprechung mit den Gruppenleitern VI B, VI C, VI D, III D ergaben folgendes:

VI B. Staf. [Eugen] Steimle äußerte sich durchaus positiv über den vorgetragenen Plan, nationale Organisationen der besetzten Gebiete für die Zer-Arbeit heranzuziehen.

---

217 Trykt ovenfor.
218 Der foreligger en udateret liste uden underskrift over de politiske fornyelsesbevægelser i Europa (Norge, Danmark, Holland, Belgien) med angivelse af lederpersoner, hvorfra det ville være formålstjenligt at skaffe mænd til afdeling VIs særopgaver. For Danmarks vedkommende pegedes på: 1) Schalburgkorpset (K.B. Martinsen), 2) Nationalsocialistisk Gruppe (Ejnar Jørgensen), 3) DNSAP (C.O. Jørgensen) (RA, Danica 465, Moskva: Osobyj Archiv, 500/1/1191/22).

Er erklärte jedoch, daß er zurzeit an den für seine Gebiete in Frage kommenden Ländern Belgien, Holland und Norditalien desinteressiert sei und VI S alle diesbezüglichen Maßnahmen von sich aus treffen könne[n].

VI C. O'Stubaf. [Karl] Tschiershky erklärte sich gleichfalls einverstanden, wies jedoch darauf hin, daß die bei seinem Bereich in Frage kommenden Gebiete Estland, Lettland und Litauen im großen und ganzen deutscherseits von allen Organisationen entblößt worden seien. In Estland stand jedoch die Estnische Sicherheitspolizei zur Verfügung, die über eine genügende Anzahl von Aktivisten verfüge, sodaß sich ein Einsatz dieser Gruppe in der vorgesehenen Form lohnt.

Betr. Lettland und Litauen müßten mit den zuständigen Kommandeuren von hier aus direkt Verbindungen aufgenommen werden.

VI D. O'Stbaf. [Theodor] Päffgen sieht im Einsatz der Nationalen Organisationen für Dänemark DNSAP, ihrer Splittergruppen sowie der nationalen Samling in Norwegen keine Schwierigkeiten.

Für Finnland wurde zu der Besprechung noch der H'Stuf. [Arthur] Grönheim und H'Stuf. Carstenn (beim HB, Helsinki) zugezogen. H'Stuf. Carstenn teilte mit, daß für Finnland ohne weiteres eine größere Anzahl von Aktivisten für die hiesigen Zwecke zur Verfügung gestellt werden könnten. Es handelt sich dabei doch in der Hauptsache um kriegsversehrte Offiziere oder Leute älterer Jahrgänge. Nationale Organisationen in der hier angenommenen Form ständen hier nicht zur Verfügung. Es besteht überhaupt kein Zweifel darüber, daß bei einem Zusammenbrechen der russischen Front bzw. bei einem Einmarsch der Russen auf Grund eines Friedensschlusses sofort ein erheblicher Teil des finnischen Volkes für die Zer-Arbeit organisiert werden könne. Es wäre also in der Hauptsache wichtig, Instrukteure und rechtzeitig die notwendigen Vorräte an Sprengstoff und Waffen zu beschaffen. H'Stuf. Carstenn wird sofort bei seiner in den nächsten Tage erfolgenden Rückkehr nach Helsinki das notwendige veranlassen und die entsprechenden Zer-Instrukteure hierher melden.

III B. Staf. [Hans] Ehlich sprach sich durchaus positiv über das hiesige Vorhaben aus und erklärte sofort, mit den in der Slowakei eingesetzten O'Stubaf. Nagler wegen Abstellung geeigneter Leute aus der Hlinka-Garde verhandeln zu wollen und verwies wegen der Besprechung von Einzelheiten über Dänemark, Norwegen, Belgien und Holland an III B 5 O'Stuf. [Eberhard] v. Löw.

O'Stuf. v. Löw will sofort eine Liste der in den genannten Ländern in Betracht kommen nationalen Organisationen erstellen und gleichzeitig Personen aus diesen Kreisen namhaft machen, mit denen diesbezügliche Verhandlungen durchgeführt werden könne.

Bei einer Rücksprache mit VI F O'Stuf. Lassig über die im Rahmen dieser Aktion notwendig werdende Beschaffung größerer Mengen Sprengstoffs und Waffen teilt dieser mit, daß er zurzeit 10.000 Maschinenpistolen des Modells STEN sowie 10.000 Maschinenpistolen eines ähnlichen Typs für dieselbe Munition in Auftrag gegeben habe. Mit einer baldigen Anlieferung dieser Waffen sei zu rechnen. Bei rechtzeitiger Bestellung sei eine Erhöhung der Aufträge ohne weiteres möglich, ebenso sei deutscher Pe II-Sprengstoff bei rechtzeitiger Bestellung in ausreichender Menge zu beschaffen.

Es wird vorgeschlagen:

1.) den diesbezügl. Erlaß umgehend dem CdS zur Genehmigung vorzulegen
2.) mit VI E Stubaf. [Wilhelm] Waneck über die Ausdehnung der Aktion auf die Balkanländer, die zweifellos vordringlich ist, zu verhandeln.
Vorlage Stubaf. [Otto] Skorzeny.<br>SS-Sturmbannführer<br>[underskrift er ikke kommet med på kopien fra Moskva]

### 191. Kriegstagebuch/WB Dänemark 31. August 1944

Den 25. august havde admiral Wurmbach over for von Hanneken sat spørgsmålstegn ved det fornuftige i at forberede ødelæggelsen af flere danske havne.

Von Hanneken svarede 31. august, at den givne ordre skulle følges uanset konsekvenserne (Andersen 2007, s. 241f.).

Da von Hanneken svarede Wurmbach, havde han allerede tilsluttet sig Panckes konfrontationskurs i forhold til modstandsbevægelsen og den danske befolkning.

Kilde: KTB/WB Dänemark 31. august 1944.

[...]

Dem Adm. Skagerrak wird auf seine Anfrage befohlen, daß die Vorbereitungen zu Hafenstörungen in der Dringlichkeitsfolge Esbjerg, Aarhus, Kopenhagen trotz der sehr starken Auswirkungen auf die dän. Bevölkerung durchzuführen sind.

[...]

### 192. Feldwirtschaftsoffizier Lambert: Aktenvermerk 31. August 1944

Den nytiltrådte Feldwirtschaftsoffizier Lambert noterede sit tiltrædelsesmøde hos WB Dänemark, hvor von Hanneken forklarede, hvorfor han havde ønsket Abteilung Wehrwirtschaft udskilt fra Rüstungsstab Dänemark. Der var forskellige arbejdsområder, og med udskillelsen forventede von Hanneken at kunne slå mere igennem over for civile tyske og danske myndigheder. Vigtige opgaver var dernæst sikringen af elforsyningen til tropperne og forberedelsen af tilbagetræknings- og ødelæggelsesforanstaltningerne. Der skulle sikres et gnidningsløst samarbejde med Rüstungsstab Dänemark, herunder en afstemning af situationsberetninger.

Lamberts notat giver indtryk af, at von Hanneken ikke havde ment at få værnemagtens interesser tilstrækkeligt varetaget gennem Rüstungsstab Dänemark, underforstået at Forstmann havde prioriteret andre hensyn højere. Nu fik von Hanneken også større indseende med forberedelsen af tilbagetræknings- og ødelæggelsesforanstaltningerne, hvilken opgave han anså for at være af stor vigtighed. Det er ikke sikkert, at den var lige så vigtig for Forstmann. Set i sammenhæng med den anonyme tyske kritik, der i august var rettet mod Rüstungsstab Dänemark, tegner der sig det billede, at der på tysk side langtfra var enighed om at opretholde den moderate forhandlingslinje, som Forstmann og – bag ham – Best stod for (se Forstmann til Waeger 31. juli 1944).

Kilde: BArch, Freiburg, RW 27/18. KTB/Fwi bei WB/Dänemark, Anlage 2.

| | |
|---|---|
| Übersetzung. [!] | Anlage 2. |
| Der Feldwirtschaftsoffizier beim | *Kopenhagen, den 31.8.1944.* |
| Wehrmachtbefehlshaber Dänemark | |

**Aktenvermerk**
über die Meldung des Fwi O Oberstleutnant Lambert beim
Wehrmachtbefehlshaber Dänemark, Gefechtsstand, am 30.8.1944.

Die Meldung beim Wehrmachtbefehlshaber Dänemark General der Inf. von Hanneken erfolgte im Beisein des Chef des Stabes Oberst i.G. von Collani, Quartiermeisters Oberst Meyer, Hauptmann Mücke.

Der WBefh. brachte zum Ausdruck, daß bei der Verschiedenheit der Arbeitsgebiete zwischen Rü Stab Dänemark und Abt. Wwi nach seiner Ansicht eine intensive Vertretung der Truppenbelange in Personalunion nicht in der gewünschten Weise gewährleistet war. Er habe daher auf die nunmehr durchgeführte Trennung bestanden und müsse jetzt vom Fwi O erwarten, daß eine Vertretung der Truppenbelange gegenüber den deutschen zivilen und dänischen Behörden mit größtem Nachdruck erfolge.

Als zunächst wichtigste Aufgabe nannte der WBefh. u.a. eine Untersuchung der Frage der Versorgung der Elektrizitäts-Werke mit Kohle, soweit diese für Stromlieferung für die Truppe infrage kommen. Auch die Vorbereitungen für R- und Z-Maßnahmen seien von größter Wichtigkeit.

Bei der engen Zusammenarbeit mit dem Rü Stab Dänemark ist der WBefh. mit einer weiteren Unterbringung der Dienststelle in den Räumen des Rü Stab Dänemark einverstanden. Er legt größten Wert auf reibungslose Zusammenarbeit mit diesem und wünscht eine Abstimmung wichtiger Berichte. (z.B. Lagebericht.)

Der bisherige VO beim WBefh. Dänemark verbleibt in Silkeborg und führt dort seine Aufgaben nach Weisungen des WBefh. (Qu) und des Fwi O durch.

Fwi O Dänemark hat in regelmäßigen Abständen von etwa 8-14 Tagen im Gefechtsstand (Silkeborg) Vortrag zu halten.

Mit dem Wehrmachtintendanten, Oberfeldintendant Dr. Balnus, wurden verschiedene laufende Fragen betr. Lieferung des Generatorholzes besprochen.[219] Außerdem wurde vereinbart, daß die Dienststelle ab 1.9.44 dem Höheren Kommando wirtschaftlich zugeteilt wird. Entsprechende Anweisung ergeht vom Wehrmachtintendanten an das Höhere Kommando.

Mit Abt. H. Mot., Oberstleutnant Lapp, wurde wegen Zuverfügungstellung eines Pkw's vereinbart, daß nach erfolgter Eingliederung der Dienststelle in den Stab des WBefh. Dänemark die Anforderung eines Pkw mit Gasgenerator über Abt. H. Mot. erfolgen soll. Bis zur Lieferung dieses Wagens soll Rü Stab Dänemark den ihm vom WBefh. leihweise zur Verfügung gestellten Pkw mit Gasgenerator im Bedarfsfalle zur Verfügung stellen.

gez. **Lambert**

---

219 Dr. Balnus tiltrådte senest i maj 1943 (angives da som Intendant, senere som Oberfeldintendant, hvilket ikke udelukker, at han da var Wehrmachtintendant, men titlen findes fra 16. april 1944) og blev efteråret 1944 afløst af dr. Hans Kirchhoff, der optrådte som sådan 5. december (se Arndt: Niederschrift anf. dato). Kirchhoff havde tidligere været på Det Tyske Videnskabelige Institut til juni 1944 for at tiltræde en stilling i Beograd, men vendte tilbage i begyndelsen af september som Feldintendant (af Best angivet med et udråbstegn), senere Oberstabsintendant (von Hanneken til Balnus 12. maj 1943, von Hannekens dagbogsnotater 21. august, 1. og 18. september 1943 (Drostrup 1997, s. 334, 336, 338, 344), Bests kalenderoptegnelser 18. september 1943, 20. juni, 6. september og 4. november 1944). Der foreligger 16. april 1944 en "Dienstanweisung für den Wehrmachtintendanten beim Wehrmachtbefehlshaber Dänemark", trykt ovenfor.

## 193. Walter Forstmann an Kurt Waeger 31. August 1944

Forstmann havde i august modtaget en anonym skrivelse på dansk, der angreb forvaltningen af tildelingen af tyske rustningsordrer til danske firmaer. Skrivelsen var blandt andre også sendt til den rigsbefuldmægtigede og WB Dänemark. Forstmann svarede på angrebet både over for Waeger og over for Best og von Hanneken, idet han medsendte en tysk oversættelse af den anonyme skrivelse. Den anonyme skribent ønskede svar under billetmærket JULIE & AUGUST i *Berlingske Tidende*.

Forstmann forklarede i følgebrevet til Waeger, at han formodede, at afsenderen var tysk, da skrivelsen synes at være oversat fra tysk. Han gættede på, at forfatteren kom fra tyske handelskredse, mens han ikke troede, at der var tale om en dansk industridrivende.

Når Forstmann tog den anonyme skrivelse så alvorligt og ikke blot lod den gå i papirkurven, skal grunden sandsynligvis findes i, at han regnede med, at den kom fra tysk side, og at den også var sendt til Best og von Hanneken. Han ville ikke risikere at lade et sådant angreb fra fjendtligsindet side være ubesvaret på et tidspunkt, hvor magtforholdene blandt de tyske myndigheder var i skred.

Det anonyme angreb gik først og fremmest på, at der var rustningskapacitet i Danmark, der ved hjælp af alle mulige kneb, fordrejninger, bortforklaringer m.v. fra danske virksomheders og myndigheders side forblev uudnyttet, selv om Tyskland stod i en krigssituation, hvor der var stærkt brug for den.

I sit svar på angrebet henholdt Forstmann sig til, at rustningsaftaler med danske virksomheder foregik ad frivillighedens vej, og at der i undtagelsestilfælde kunne gribes til WB Dänemarks forordning af 4. september 1943. Det havde fra besættelsen af Danmark været en bevidst tysk politik ikke at ændre dansk erhvervslivs og industris struktur, gældende danske arbejdsmarkedsregler blev stadig fulgt. Blev der på nuværende tidspunkt indført tyske metoder i Danmark, ville det forventeligt udløse en almindelig modstand.

Det er helt tydeligt, at Forstmann i sit svar var fuldt på linje med Bests opfattelse af situationen i Danmark og den politik, der måtte følges. I svaret kunne han direkte trække på det foredrag, som Best havde holdt 10. august, og som Forstmann den 15. august sendte til Waeger.

Se endvidere Forstmann til Waeger 19. september.

Kritikken af Rüstungsstab Dänemark blev refererende gentaget i Bovensiepens "Meldungen aus Dänemark" nr. 3, 17. november 1944 (trykt nedenfor i Best til AA 22. november) med den samme type beskyldninger. Dermed er mere end antydet, hvem der også ønskede en mere håndfast kurs fra Rüstungsstab Dänemarks side.

Kilde: RA, Tyske arkiver, K 599: Diverse korrespondance 15.8.44-20.8.45.

D. 398/44                                                                                                   31.8.1944

– ohne –

Entwurf

Anonymes Schreiben über die Stellung Dänemarks zur totalen Mobilisierung.
– Tätigkeit des Rüstungsstabes Dänemark. –


An den Chef des Rüstungsamtes
   des Reichsministers für Rüstung und Kriegsproduktion,
   Herrn Generalleutnant Waeger,
   Berlin NW 7,
   Unter den Linden 36.


Anliegend wird die Übersetzung eines anonymen Schreibens, das gemäß Verteiler versandt wurde, mit der Bitte um Kenntnisnahme vorgelegt. Die an Wehrmachtbefehlshaber Dänemark und Reichsbevollmächtigten in Dänemark gerichtete Stellungnahme des Rü Stab Dän. wird beigefügt.

Nach dem ganzen Aufbau der Sätze und der Auswahl der Worte zu urteilen, ist das anonyme Schreiben anscheinend vom Deutschen ins Dänische übersetzt worden. Der Verfasser kann unter den deutschen Handelsvertretern, die hier ansässig sind oder aus dem Reich kommen, zu suchen sein. Diese "Provisionsjäger" sind dem Rü Stab Dän. nicht wohl gesinnt, weil Rü Stab Dän. keine Handelsgeschäfte betreibt. Der Verfasser kann aber auch ein kleiner dänischer Industrieller sein. Ein alteingesessener dänischer Industrieller scheint den Brief nicht geschrieben zu haben, denn der Briefschreiber hebt besonders die Schwierigkeiten hervor, die entstehen, wenn man zur Gründung eines Betriebes Räume mieten, Grundstücke, Gebäude oder Maschinen kaufen und Arbeiter einstellen will. Er spricht ausdrücklich von der "Eintagsfliege", also von einer industriellen Kriegsgründung, die im allgemeinen von der Dänischen Regierung bekämpft wird.

**Forstmann**

2 Anlagen[220]

D. 398/44     31.8.1944

Anonymes Schreiben über die Stellung Dänemarks zur totalen Mobilisierung.
– Tätigkeit des Rüstungsstabes Dänemark. –

An den
Herrn Wehrmachtbefehlshaber Dänemark,
General der Infanterie von Hanneken,
Gefechtsstand
Herrn Reichsbevollmächtigten in Dänemark,
SS-Obergruppenführer Dr. Best,
Kopenhagen.

Zu dem o.a. anonymen Schreiben wird wie folgt Stellung genommen:
Der Auftragsverlagerung nach Dänemark haben sich immer sehr viele Schwierigkeiten entgegengestellt, was allgemein bekannt sein dürfte. Es bedurfte der ganzen Initiative des Rü Stab Dän., sie jeweils zu beseitigen, um einen reibungslosen Ablauf der Fertigung zu ermöglichen und jede freie Kapazität auszunutzen. Diese Tätigkeit des Rü Stab Dän. ist sowohl durch die vorgesetzte Dienststelle "Der Reichsminister für Rüstung und Kriegsproduktion", als auch von den für die Auftragsverlagerung in Frage kommenden Selbstverwaltungsorganen der deutschen Industrie und den deutschen Auftraggebern selbst nicht nur wiederholt anerkennend hervorgehoben worden, sondern das dem Rü Stab Dän. in seiner fast 4 ½-jährigen Tätigkeit entgegengebrachte Vertrauen zeigt, daß die notwendige Initiative des Rü Stab Dän. nach wie vor vorhanden ist.
Grundlegend für die Arbeit des Rü Stab Dän. war folgende Verfügung des OKW vom 18.4.40, die natürlich der Briefschreiber nicht kennt:[221]

---

220 Trykt efterfølgende.
221 OKWs skrivelse 18. april 1940 med førerordren er trykt ovenfor. Den var også baggrunden for Bests tale 10. august (se Forstmann til Waeger 15. august 1944).

"Laut Entscheidung des Führers kann die rüstungswirtschaftliche Heranziehung des Landes Dänemark auf freundschaftlichster Basis ohne jeden Druck beginnen, d.h. es können Aufträge nach Dänemark auf dem Verhandlungswege mit den in Betracht kommenden dänischen Firmen abgeschlossen werden."

Die Verfügung besagt schon, wie vorsichtig Rü Stab Dän. bei der Auftragsverlagerung vorgehen sollte, um keine politischen Schwierigkeiten hervorzurufen. Wenn es Rü Stab Dän. trotz dieser einschränkenden Anordnung – sie ist nicht aufgehoben worden – bis heute gelang, Aufträge im Werte von 1.256 Mill. D.Kr. bei der dänischen Industrie unterzubringen, so ist das nicht zuletzt seiner Initiative zu verdanken. Rü Stab Dän. war sich bei seiner Arbeit immer darüber klar, daß die Aktivierung der industriellen Kräfte des Landes zu Gunsten der deutschen Kriegswirtschaft umso reibungsloser und erfolgreicher erreicht werden würde, als esgelang, eine gute Zusammenarbeit mit der dänischen Industrie unter Formen herbeizuführen, die für den dänischen Unternehmer und Arbeiter tragbar waren. Es durfte nicht aus Begeisterung, Organisationswut oder falschem Tätigkeitsdrang, verbunden mit Einseitigkeit, eine der Gesamtaufgabe schadende Initiative entwickelt werden. Daß eine gute deutsch-dänische rüstungswirtschaftliche Zusammenarbeit in den 4 ½ Jahren erreicht wurde, ist daraus zu ersehen, daß bisher nicht ein einziger Streitfall vor das paritätische deutsch-dänische Schiedsgericht gebracht wurde, das auf Veranlassung des Rü Stab Dän. ist Mai 1941 zur Entscheidung von Streitigkeiten, die sich aus Verlagerungsaufträgen ergeben können, in Kopenhagen errichtet wurde, obgleich bisher fast 12.000 Einzelaufträge über den Rü Stab Dän. vergeben worden sind.[222]

Es muß auch hervorgehoben werden, daß nach der Besetzung Dänemarks die deutsche Politik bewußt davon abgesehen hat, Änderungen in der Struktur der dänischen Wirtschaft und der dänischen Industrie herbeizuführen. Das dänische Wirtschaftsrecht und das dänische Arbeitsrecht blieben uneingeschränkt in Geltung. Heute, nachdem die dänische Wirtschaft über 4 Jahre in der ihr eigenen Struktur für Deutschland gearbeitet hat und nachdem die politischen und psychologischen Bedingungen wesentlich verändert sind, würde die Anordnung einer Umstellung auf deutsche Methoden, was im übrigen auch zuweilen von hier einreisenden, landesunkundigen Firmenvertretern erwartet wird, allgemeinen Widerstand auslösen. – Es sei noch bemerkt, daß alle dänischen Bestimmungen über die rüstungswirtschaftliche Auftragsverlagerung auch im Einvernehmen mit dem R. Wi. Min. und der Wirtschafts-Abteilung des Reichsbevollmächtigten in Dänemark erlassen worden sind. –

Als sich nach den Ereignissen des 29. August 1943 die Möglichkeit zeigte, die wenigen Firmen, die sich ganz offensichtlich ablehnend gegenüber deutschen Aufträgen verhielten, zur Annahme derselben zu zwingen, erwirkte Rü Stab Dän. aus eigener Initiative durch die Verordnung des Wbfh. Dän. vom 4.9.43, betr. Lieferungen und Leistungen dänischer Firmen für die deutsche Wehrmacht in Dänemark, daß alle dänischen Betriebe im Rahmen ihrer Leistungs- und Lieferungsmöglichkeiten deutsche Aufträge annehmen und ohne Verzug ausführen müssen. Es genügt heute nur der Hinweis seitens Rü Stab Dän. auf diese Verordnung, um widerstrebende Firmen zugängig zu machen.

---

222 Jfr. Rü Stab Dänemarks situationsberetning 30. juni 1944.

Über die Preisbildung bei der Auftragsverlagerung an dänische Firmen ist zu sagen, daß die dänischen Revisoren des Industrierates nach ähnlichen Gesichtspunkten wie die der deutschen Preisprüfung vorgehen. Auch die Abschreibungssätze liegen im Rahmen der verbrauchsbedingten Abschreibungen. Bei den Prüfungen des Industrierates wird auch die Entwicklung der Durchschnittslöhne überwacht; ggf. werden sie auf die sonst bei den Wirtschaftsgruppen üblichen herabgesetzt. – Gelegentlich nimmt diese preis- und gewinnregelnde Tätigkeit des dänischen Industrierates vielleicht auch politische Formen an, der Art, daß die dänische Preisüberwachung bei dänischen Auftragnehmern, die sich besonders für deutsche Verlagerungsaufträge einsetzen, die Betriebsgewinne und zuweilen auch die Gemeinkosten um Beträge kürzt, die nach deutschen Grundsätzen als angemessen und anrechenbar angesehen werden dürfen. In jedem Falle, wo dem Rü Stab Dän. Klagen über unbillige Kürzungen von dänischen Firmen vorgebracht wurden, ist eingegriffen worden; die Schwierigkeiten wurden dann beseitigt.

Die dänische Preisprüfung liegt im übrigen sowohl im dänischen als auch im deutschen Interesse und wurde im Herbst 1941 von Regierung zu Regierung aus währungspolitischen Gründen vereinbart; sie war unbedingt notwendig.

Der Briefschreiber kann weder die Zahl, den Wert noch die Auslieferungshöhe der seit April 1940 nach Dänemark verlagerten Rüstungsaufträge kennen. Rü Stab Dän. muß hervorheben, daß Dänemark trotz aller Schwierigkeiten eine besonders hohe Auslieferung, nämlich gut 70 % der erteilten Aufträge, erreicht hat und damit weit über dem Durchschnitt der übrigen besetzten Gebiete steht. In Frankreich z.B. wurden nur knapp 50 % erreicht.

Wie weitgehend Rü Stab Dän. aber die dänische Industrie für deutsche Rüstungsaufträge herangezogen hat, geht nicht nur den monatlichen Lageberichten des Rü Stab Dän. hervor, sondern wird auch in einem Memorandum des Dänischen Außenministeriums vom Juni 1944, betr. die wirtschaftlichen Verhältnisse Dänemarks während des Krieges, festgestellt:[223]

"Nach Deutschland wurden 1938 Industriewaren im Werte von nur 27 Millionen D.Kr. ausgeführt. Der Wert der Ausfuhr von Industriewaren nach Deutschland während des Krieges zeigt dann eine fortgesetzte Zunahme, die nur in unwesentlichem Maße auf Preissteigerungen zurückzuführen ist. Tatsächlich erreichte die industrielle Ausfuhr Dänemarks nach Deutschland im Jahre 1943 ungefähr dieselbe Höhe wie die dänische industrielle Gesamtausfuhr nach sämtlichen Ländern im Jahre 1938.

Seit 1940 gibt es in Dänemark eine umfassende und dauernd zunehmende industrielle Betätigung für deutsche Rechnung, die durch den hiesigen Rüstungsstab vermittelt wird. Die Bedeutung dieser Wirksamkeit ergibt sich aus den von der dänischen Nationalbank getätigten Auszahlungen für die außergewöhnliche industrielle Ausfuhr. Der Gesamtbetrag für die Verlagerungsaufträge war 1941 etwa 200 Mill. Kr. Diese Zahl stieg 1942 auf 250 Mill. Kr. und hat dann 1943 mehr als 300 Mill. Kr. erreicht."

Dieses beachtliche Ergebnis wäre ohne Zweifel noch besser gewesen, wenn die für die Verlagerungsaufträge deutscherseits zugesagten Materiallieferungen pünktlich eingetroffen, die Brennstoffzufuhren reichlicher ausgefallen und durchgreifende Sicherungen

---

223 Se Ripken til Steengracht 14. juni 1944.

der Betriebe gegen Sabotage durch deutschen militärischen oder polizeilichen Schutz möglich gewesen wären. Die Bemühungen des Rü Stab Dän. gerade um die Lösung dieser Fragen, die für die Durchführung der Verlagerung von ganz besonderer Bedeutung ist, dürften dem Briefschreiber vollständig unbekannt sein.

Zusammenfassend ist zu sagen, daß Dänemark unter den gegebenen Umständen ein Optimum seiner industriellen Leistungsmöglichkeit dem Reich zur Verfügung gestellt hat.

**Forstmann**


Übersetzung.

Die Erlaubnis, die den dänischen Staatsbürgern gegeben worden ist, sich an die zuständigen deutschen Behörden mit Auskunft über die Stellung Dänemarks zur totalen Mobilisierung zu wenden, wird hoffentlich von vielen ausgenutzt werden, insbesondere von solchen Leuten, die mit den Verhältnissen vertraut sind und eine verbesserte Arbeit leisten wollen.

Es ist leider nicht möglich in einer so kurzen Übersicht eine Gesamtschilderung der dänischen Verhältnisse während der Besetzung zu geben, selbst wenn eine solche zum Teil sehr aufschlußreich für diejenigen sein würde, die den Wesensunterschied zwischen dänischen und deutschen Menschen und ihrer Mentalität nicht kennen.

Es muß im Voraus betont werden, daß die deutsche Propaganda in Dänemark versagt hat, sowohl im Einzelnen wie im Ganzen. Man kann nicht eine Überzeugung an ein Volk verkaufen in gleicher Weise, wie man einen neuen Schuhcreme oder eine neue Zahnpasta verkaufen kann. Die Quellen, aus denen das Volk sein Wissen und seine Einstellung schöpft, müssen im Voraus studiert werden und diese Quellen müßten dann so behandelt werden, daß sie ohne sich selbst oder andere zu beschämen, den Teil des nationalsozialistischen Programms hätte bringen können, welcher von entscheidender Bedeutung für Dänemark ist und welchem Dänemark auch hätte folgen können ohne die Verbindung mit seiner historischen Vorzeit abzubrechen.

Wir haben ein Land, das einen großen Teil dessen produziert, was wir selbst verbrauchen und außerdem, einen Teil der Ernährung des deutschen Volkes leistet. Ich weiß nicht, ob man in Deutschland damit zufrieden ist und nicht meint, daß man mehr verlangen kann. Es steht aber fest, daß in einer Situation, wo in Deutschland die alten Männer und Frauen mobilisiert werden müssen um ihre letzte Kraft für die Nation zu leisten, es etwas eigentümlich wirkt, daß nicht ganz anders Kräfte in Dänemark eingesetzt werden.

Von den dänischen Arbeitern arbeitet nur ein geringer Teil für die Rüstungsindustrie. Diejenigen, die es am ehrlichsten meinen, sind selbst zu den deutschen Fabriken gereist, wo sie erstens nicht die Verpflegung oder Gemütlichkeit gefunden haben, die sie gewohnt sind, während ihre in Dänemark hinterlassenen Familien oft allerlei Chikanen ausgesetzt gewesen sind, weil der Versorger zum "Feind" übergegangen ist. Wenn die übrigen dänischen Arbeiter nicht für Deutschland arbeiten, so liegt es daran, daß überall die englisch-freundlichen Kreisen soweit möglich ihre Leute festhalten, selbst wenn ihr Verbleiben in den Betrieben einen riesenhaften Verlust bedeutet. Eine kritische Überprüfung aller Arbeitsverhältnisse war von den Arbeitern erwartet, als man vor einem Jahr die Arbeitskarten einführte; man glaubte, dieselben bezweckten Arbeitskräfte nach Deutschland frei zu machen. Die oben erwähnten Verhältnisse brachten es mit sich, daß viele Fabriken, welche sehr wohl für Deutschland arbeiten können, in jeder Weise, durch Bestechungen, durch Scheinarbeit, durch plötzliche Reparaturen von Maschinen, Umbau von Räumen, Meldung über Aufträge, die angeblich die Fabrik für das kommende Jahr vollaus beschäftigen wird, versuchen die Anträge vom Rüstungsstab (RS) auf Ausführung von deutschen Aufträgen zu umgehen. Schließlich kennt man viel zu viel Fälle, wo die Fabriken es wohl übernehmen deutsche Aufträge auszuführen, aber im großen Stil ihre Ausführungen verzögern, entweder bewußt oder unverschuldeterweise. Im letzten Fall geschieht es oft, daß die Arbeiter der Fabrik die aus Deutschland gelieferten Rohstoffe, Maschinen, die Zeit oder das Tempo zerstören resp. verschleppen, ohne daß der Fabrikant beim besten Willen vermag, dieses Verhalten zu verhindern. Es ist ihm nicht möglich, irgend jemand für solche Art Sabotage verantwortlich zu machen, die viel tiefer wirken, als die paar Bomben, die von Zeit zu Zeit einige Drehbänke oder Fräsmaschinen zum Stillstand bringen.

Die dänischen Behörden, in diesem Falle die verschiedenen ministeriellen Büros, sind reine Meister darin, die Behandlung aller Vorgänge zu verschleppen und zu verschieben, welche den Interessen solcher Firmen dienen würden, die für Deutschland arbeiten. Ein solcher Mann trägt unter so kleinen Verhältnissen, wie sie in Dänemark vorhanden sind ein unsichtbares Kennzeichen, die alle dänischen Behörden veranlassen sollen, ihm jede erdenkliche Schwierigkeit in den Weg zu legen.

Die Hindernisse beginnen in dem Moment, wo er sich entschließt, mit einer Arbeit für deutsche Interessen zu beginnen. Räume kann er nicht mieten, da sein Betrieb als "Eintagsfliege" angesehen wird. Niemand will Grundstück, Gebäude oder Maschinen an ihn verkaufen, so ist er gezwungen, zu den teuersten Preisen auf Umwegen das Notwendige zu mieten oder zu kaufen.

Wenn es soweit ist, kann er mit Sicherheit damit rechnen, daß die Behörden ihm Zuteilung von Licht und Gas verweigern, da sein Verbrauch in keinem Verhältnis zu seinem normalen Friedensverbrauch steht.

Elektromotoren kann er ebenfalls nicht kaufen, sondern muß dieselben mieten, sofern er überhaupt Erlaubnis bekommt. Daraufhin beginnen die Schwierigkeiten mit der Einstellung von Arbeitern. Ist dieses endlich gelungen, dann versuchen die Arbeiter ihm die höchsten Löhne abzupressen. Nun könnte man ja sagen, daß die Kosten an und für sich gleichgültig sind, da der ausbezahlte Arbeitslohn in Dänemark bleibt und dazu beiträgt den Lebensstandard zu erhöhen; auf eine Weise ist die deutsche Arbeit in Dänemark eine Schlüsselindustrie, die viele andere Industriezweige in Gang hält. Aber auch hier zeigt sich wieder der engherzige Bürokrat und sagt, daß die deutsche Arbeit in Dänemark zu einer Inflation führe. Dieses soll man ja scheuen wie die Pest. Dänemarks Bewohner wissen nicht, daß sie in den letzten Jahren in einer Art verkappten Inflation gelebt haben, ohne die sie wahrscheinlich samt und sonders im Armenhaus gelandet wären.

Die Arbeiter stehen nun endlich in der Fabrik, das Tempo bestimmt jedoch der langsamste Arbeiter, da man ja Kamerad ist. Der Arbeiter ist der beste Mann in der Schicht, der weiß, wie lange er seine Arbeit hinauszieht kann und wie viele Teile er zu Bruch gehen lassen kann; dies ist eine Notwendigkeit, denn sonst verdient der Fabrikant viel zu viel und es werden viel zu viel Mordinstrumente angefertigt. Wenn eine Maschine zu Bruch geht, so ist es nur gut, daß die zu Bruch geht, welche nicht so schnell zu reparieren ist.

Aber die Arbeiter sollen ja ihren Lohn haben. Die Fachverbände können ja nicht dulden, daß alle Fabriken wegen Bombenschaden schließen, denn dann würden die Unterstützungskassen in kurzer Zeit aufgezehrt sein.

Allen diesen Tatsachen steht der Fabrikant ziemlich machtlos gegenüber. Kein Mensch hilft ihn. Er hat Forderung auf Vorausbezahlung, aber auch hier legen ihm die dänischen Behörden wieder neue und vom 1. September an sogar unüberwindliche Schwierigkeiten in den Weg. Er soll seine Kalkulation den dän. Kontrollbehörden vorlegen und wenn sie abgelehnt werden, dann ist er erst recht schlecht dran, da er ja in diesem Falle sein sauer erworbenes Geld nicht zugesprochen erhält.

Aber die Qualen des Fabrikanten sind noch nicht vorbei. Keineswegs. Jedesmal wenn er eine Rate erhalten soll, muß er den schweren Gang gehen und um das ihm zustehende zu betteln. Wenn das Jahr vorbei ist, er seine Lieferungen gemacht hat und sein Geld bekommen hat, dann kommt die dänische Steuer, (das Schlimmste von allen) und beschlagnahmt unter einer Reihe von verschiedenen Namen und Benennungen alles was er verdient hat und noch ein bißchen mehr. Wenn nun unter Lebensgefahr und bei lebensgefährlicher Arbeit die Hälfte des Aktienkapitals verdient ist, beschlagnahmt der Staat im Voraus 2/3 hiervon als Steueranteil an dem Verdienst. Es gibt keine Möglichkeit, für eine ökonomische Rettung für unseren Fabrikanten.

Es gibt für den Fabrikanten keine Möglichkeit, den Verfolgungen der dänischen Behörden zu entgehen und da diese ökonomischer Art sind, trifft dieselbe von allen Seiten die Umgebung des Fabrikanten.

Der Fabrikant hat keine Möglichkeit, die Arbeiter für die Unglücksfälle, welche sie in dem Betrieb anstiften, zur Verantwortung zu ziehen. Vielleicht wird er dann versuchen zum Rüstungsstab (RS) zu gehen um dort seine Not zu klagen. Keineswegs möglich, denn die Herren vom RS haben ganz andere Dinge zu tun. Die berühmte dänische Küche und die niedlichen kleinen Mädchen füllen ja auch einen Teil der Zeit aus und Sonnabends ist pünktlich um 13 Uhr im RS Schluß. Laßt uns das Leben genießen in dem schönen kleinen Dänemark, solange wir können.

RS hat geschlafen und große Chancen in den 5 Kriegsjahren verpaßt. Jetzt erst nimmt man das Telefonbuch zur Hand und telefoniert ringsherum, um zu hören, ob es eine Möglichkeit gibt, Arbeit unterzubringen.

Daß nun die Firmen, die eine Arbeit unter den oben geschilderten Verhältnissen übernehmen sollen, dazu nein sagen, kann man wohl verstehen. Gleichzeitig sind tausende von dänischen Arbeitern mit Dingen beschäftigt, die auf andere Zeiten verschoben werden könnten. Viel zu viel arbeiten behördlich mit Straßenbau, Entwässerungsanlagen und sonstigen ganz unnötigen Dingen. Die dänische Arbeit kennt keine Einstufung, wie sie in Deutschland üblich sind (z.B. Dringlichkeitsstufen); nein, nimm es nur mit der Ruhe, es wird schon alles gehen. Erst wollen wir unseren Eiscreme verkaufen und für unser Vergnügen usw. sorgen, dann können wir ja weiter sehen, wenn der Krieg im Oktober vorbei ist, wie es die Engländer behaupten.

Es gibt viel zu viel unbeschäftigte oder nur halb ausgenutzte Kräfte, die man ausnutzen könnte. In viel zu vielen Kontoren befinden sich Leute, die es sich gemütlich machen. In dem Kontor der DDPA laufen 200 Bürobeamte herum und erbieten sich für irgend einen Lohn zu arbeiten, den Restlohn bezahlt DDPA (Rockefeller) unter der einzigen Bedingung, daß sie nach Beendigung des Krieges wieder zu ihm zurückkommen. Bei ÖK bringt man die Zeit damit hin, Sprachen zu lernen, der ganze Stab sitzt jetzt seit 5 Jahren da und wartet darauf, daß der Krieg mal ein Ende nimmt.

Dank des verhältnismäßigen Geldreichtums gibt es nur wenige Branchen, welche direkte Arbeitslosigkeit haben, wie z.B. Tabaksarbeiter und Chauffeure. Diese können ihre Unterstützung abheben. Auch die Hafenarbeiter haben etwas Arbeitslosigkeit. Nach und nach wirkt sich diese auch in der Schuhzeug- und Textilindustrie aus, sowie unter den Schiffswerftarbeitern, Karroseriemachern und Arbeitern für die Automobilindustrie.

Daß diese eventuell in solchen Fabriken, die deutschen Arbeiten ausführen, untergebracht werden müssen, ist ein entsetzlicher Gedanke für alle dänischen Behörden. Auch dem RS ist es nicht aufgegangen so zu handeln.

Daß sehr große Fabriken jeder Art stilliegen, weiß man vielleicht jetzt im RS, nach den letzten Anstrengungen zu urteilen. Nach dänischer Auffassung besitzt RS keinen Auftrag und auch keine Vollmacht diese Werte fruchtbringend für deutsche oder diejenigen dänischen Fabrikanten, die deutsche Aufträge übernehmen wollen, nutzbar zu machen.

Eine in der vorigen Woche von privater Seite vorgenommenen Untersuchung ergab, daß 50 stilliegende Fabriken mit 4.000 Mann Kapazität vorhanden sind, welche wieder aufgemacht werden könnten.

Hat der RS vor 4 Jahren den zuständigen Behörden mitgeteilt, daß 1/3 der dänischen Industrie mit deutschen Aufträgen belegt ist???

Notwendig ist folgendes:

*Initiative* des RS.

Effektiver Schutz der dänischen Fabriken, die für RS arbeiten.

Herabsetzung der Steuer und Befreiung von der Vorlage der Kalkulationsunterlagen.

Strafandrohung für mutwillige Arbeiter, die die Arbeit sabotieren.

Schutz der dänischen Rüstungsfabriken vor Übergriffen der dänischen Behörden.

*Kontrolle* seitens RS.

## 194. Rüstungsstab Dänemark: Lagebericht 31. August 1944

Forstmanns månedsberetning for august gav udtryk for, at der trods to strejker var fuld gang i produktionen for og eksporten til Tyskland, og at der ingen sabotager havde været mod rustningsproduktionen.

Det var Forstmanns sidste indberetning, før han 28. august måtte afgive Abteilung Wehrwirtschaft til von Hanneken, hvorefter det blev Forstmanns tidligere medarbejder Lambert, der fremover rapporterede særskilt på værnemagtens vegne. Lambert valgte endnu for august at udsende sin første selvstændige månedsberetning, se nedenfor 15. september.

Kilde: BArch, Freiburg, RW 27/16 og 23. RA, Danica 1000, T-77, sp. 595 og sp. 696. KTB/Rü Stab Dänemark, 3. Vierteljahr 1944, Anlage 26.

Anl. 26

Rüstungsstab Dänemark                                *Kopenhagen, den 31. Aug. 1944*
des Reichsministers für Rüstung und Kriegsproduktion               Geheim
ZA Ia Az.: 66d/Wi-Ber. Nr. 638/44g

Bezug: OKW/Wi Rü Amt/Rü IIIb nr. 21755/42 v. 9.5.42
Betr.: Lagebericht.

An das Rüstungsamt des Reichsministers für Rüstung u. Kriegsproduktion
    Berlin NW 7
    Unter den Linden 36

Rü Stab Dänemark übersendet in der Anlage Lagebericht für Monat August 1944.
                           **Forstmann**

Rüstungsstab Dänemark                                *Kopenhagen, den 31. Aug. 1944*
des Reichsministers für Rüstung und Kriegsproduktion
ZA/In Az.: 66d/Wi-Ber. Nr. 638/44 geh.                            Geheim!

*Beurteilung der gesamtrüstungswirtschaftlichen Lage*
Der Berichtsmonat hat im Hinblick auf die gesamtrüstungswirtschaftliche Lage keine besonderen Veränderungen oder Einbußen in der Ausbringung gezeigt. Industrielle Unternehmen, die mit Rüstungsaufträgen über den Rüstungsstab Dänemark belegt sind, wurden im Monat August nicht sabotiert. Es erfolgten aber mehrere Sabotageakte gegen Vertragswerkstätten des HKP.

*Vordringliches*
Auf immer wiederholtes Drängen seitens Rü Stab Dän. sind der hiesigen Dienststelle durch Generalquartiermeister der Luftwaffe endlich 2 Züge Landesschützen (70 Mann) als Werkschutz für dänische Firmen mit wichtiger Luftwaffenfertigung zur Verfügung gestellt worden und Mitte des Monats eingetroffen. Ihre Aufteilung erfolgte auf drei Betriebe.[224]

---

[224] Se Forstmann til Rüstungsamt 19. maj og 9. juni 1944.

Mit Wirkung vom 21.8.44 ist die Umorganisation des Rü Stab Dän. gem. Verfügung "Der Reichsminister für Rüstung und Kriegsproduktion Rü A – Rü I Nr. 11300/44 von 14.7.44" vorgenommen worden.

*1. Stand der Fertigung*

| | | |
|---|---|---|
| a.) | mittelbare und unmittelbare Wehrmachtaufträge (A-Aufträge). | RM |
| | Gesamtverlagerung nach Dänemark vom 9. April 1940-31.7.1944 | 562.187.144,- |
| | Auftragsbestand am 30. Juni 1944 an noch zu erledigen Aufträgen | 165.966.465,- |
| | Wertveränderungen durch Auftragserhöhungen bezw. Auftragsermäßigungen im Juli 1944 | – 214.960,- |
| | | 165.751.505,- |
| | Auftragszugang im Juli 1944 | + 9.532.074,- |
| | | 175.283.579,- |
| | Auslieferung im Juli 1944 | – 8.268.997,- |
| | Auftragsbestand am 31.7.1944 an noch zu erledigenden Aufträgen | 167.014.582,- |
| b.) | Aufträge des kriegswichtigen zivilen Bedarfs (C-Aufträge). | RM |
| | Gesamtverlagerung nach Dänemark vom 9. April 1940-31. Juli 1944 | 75.637.355,- |
| | Auftragsbestand am 30. Juni 1944 an noch zu erledigenden Aufträgen | 27.209.654,- |
| | Wertveränderung durch Auftragserhöhungen bezw. Auftragsermäßigungen im Juli 1944 | – 105.593,- |
| | | 27.104.061,- |
| | Auftragszugang im Juli 1944 | + 246.728,- |
| | | 27.350.789,- |
| | Auslieferung im Juli 1944 | – 578.307,- |
| | Auftragsbestand am 31.7.1944 an noch zu erledigenden Aufträgen | 26.772.482,- |

*Fertigungslage*
Auch im Berichtsmonat war die Auslieferung trotz der schwierigen politischen Verhältnisse in Dänemark durchaus zufriedenstellend. Die Arbeitsintensität ist nicht merklich abgesunken.

Der durch Sabotage zerstörte Betrieb der Firma Aaby Maskinfabrik, der in das ehemalige dänische Marinearsenal verlegt wurde, konnte ab 25.8.44 die Fertigung dort wieder aufnehmen.[225]

Die Fa. Carltorp hat die am 22.4.44 durch Sabotage zerstörten Fabrikanlagen soweit wieder aufgebaut, daß sie zur Zeit mit 50-60 % ihrer früheren Kapazität arbeiten kann. Nach dem derzeitigen Stand der Wiederaufbauarbeiten ist in 2-3 Wochen mit Aufnahme der vollen Kapazität zu rechnen.[226]

---

225 Det antages, at Aaby Maskinfabrik er identisk med Aage Petersens maskinfabrik (Finsensvej, København). Se om den Rü Stab Dänemarks situationsberetning 30. juni 1944.
226 Se Rü Stab Dänemarks situationsberetning 30. april 1944.

Der auf Veranlassung des Rü Stab Dänemark durch das Marine-Bauamt vorzunehmende Wiederaufbau der Fa. Will. Johnsen, Kopenhagen, ist in seinem ersten Bauabschnitt beendet.[227] Der zweite Bauabschnitt erfordert ca. d.Kr. 36.000,-. Der Antrag auf Genehmigung dieser Summe ist beim OKW eingereicht, jedoch steht die Bewilligung noch aus.

*Energieversorgung*
Auf dem Gebiete der Energieversorgung sind Schwierigkeiten nicht aufgetreten.
Sabotage von Transformatoren bzw. Schäden durch Blitzschlag führten zu kurzzeitigen regionalen Einschränkungen der Energieversorgung.

*1c. Versorgung der Betriebe mit Roh- und Betriebsstoffen*
Der deutsche Lieferungsrückstand an Eisen und Stahl betrug am 30.6.44 11.966 t, d.h. also 1.500 t weniger als im Vormonat. Für NE-Metalle ist der Lieferungsrückstand 194 t, mithin 7 t mehr als im Vormonat.
An den Wiederaufbau einiger durch Sabotage zerstörter dänischer Betrieben hat Rü Stab Dänemark wegen der Dringlichkeit der dort liegenden deutschen Fertigung ganz besonderes Interesse. Auf seinen Antrag hat die Reichsstelle Eisen und Metalle mit Schreiben E S I 15467 So/Gr v. 17.8.44 ein Kontingent von 100 t umleg. Eisen- und Stahlmaterial (davon 20 t Feinbleche) zur Verfügung gestellt, das in Anspruch genommen werden kann, wenn die Bezugsrecht anderweitig nicht oder nicht schnell genug zu beschaffen sind.

*2b. Lage der Treibstoffversorgung*

| | Dieselöl: | Benzin: |
|---|---|---|
| Es wurden im Monat August angefordert: | 58 to | 2.000 l |
| zugewiesen wurden: | 23,7 to | 350 l |

Die vorgenommenen Kürzungen waren unvermeidlich, da Dänemark im Juli und August nicht mit Treibstoff beliefert wurde. Größere Betriebseinschränkungen konnten noch vermieden werden.

*2c. Lage der Kohlenversorgung*
Im Monat Juli wurden eingeführt:

| | | |
|---|---|---|
| Kohle*) | 211, 9 t | (Juni 202,4 t) |
| Koks | 34,7 t | (Juni 31,0 t) |
| Sudetenkohle | 25,1 t | (Juni 13,2 t) |
| Braunkohlenbriketts | 70,9 t | (Juni 43,9 t) |
| insgesamt | 342,6 t | (Juni 290,5 t) |

*) Davon entfallen auf die dänischen Staatsbahnen 40,7 t gegenüber 38,2 t im Monat Juni 1944.

Die in den letzten 2 Monaten anhaltende Wärme und trockene Witterung hat sich auf die Torfproduktion günstig ausgewirkt, so daß die Produktionszahlen dieses Jahres sich doch

---

227 Se Rü Stab Dänemarks situationsberetning 31. maj 1944.

als bedeutend günstiger erweisen werden, als im Anfang der Saison angenommen wurde.

Bei der einheimischen Brennstoffförderung spielt das Transportproblem eine ausschlaggebende Rolle. Der Waggonmangel kann durch Gestellung von Lastkraftwagen nicht behoben werden, da nur wenige Lastkraftwagen zur Verfügung stehen. Hinzu kommt, daß die Gummireifen in den Torfmooren so abgenutzt werden, daß sie in kurzer Zeit unbrauchbar sind. Eine Neubeschaffung der Bereifung ist gegenwärtig nicht möglich.

# SEPTEMBER 1944

## 195. Politische Informationen für die deutschen Dienststellen in Dänemark 1. September 1944

Best kunne ikke orientere om Panckes selvstændige kurs indledt i august eller det dementi af mordet på 11 modstandsfolk, han selv havde udsendt. I stedet lod han en behandling af nedskydningen af de 11 komme frem gennem "Fjendtlige stemmer." De tyske forholdsregler op til årsdagen for 29. august blev fremstillet som præventive og fulgt op med støtte fra dansk side, selv fra den illegale bevægelse. Erhvervsforholdene fik den fyldige omtale, som deres betydning krævede, ligesom de tyske forholdsregler for at holde sabotageramte virksomheder økonomisk skadefrie blev præsenteret. Modsætningsforholdene blandt de danske nazister blev lagt frem, og Best redegjorde for, hvorfor han i nogle tilfælde ikke, og i andre havde grebet ind, men ikke skåret igennem. Det var også via "Fjendtlige stemmer", at det kom frem, hvorfor der fra dansk side, især modstandsbevægelsens, var opfordret til ro 29. august: Man ville ikke lade sig provokere frem af tysk politi. Best lod end ikke tysk politi nævne i forbindelse med 29. august i afsnit I, kun at der var kommet militær forstærkning til hovedstaden.[1]

Kilde: RA, Centralkartoteket, pk. 681. RA, Vesterdals nye pakker, pk. 2.

Der Reichsbevollmächtigte in Dänemark    *Kopenhagen, den 1. September 1944.*
                                         Nur für den Dienstgebrauch!

P o l i t i s c h e   I n f o r m a t i o n e n
für die deutschen Dienststellen in Dänemark.

Betr.:  I. Die politische Entwicklung in Dänemark im August 1944.
       II. Mitteilungen aus der Außenpolitik.
      III. Mitteilungen aus der Wirtschaft.
       IV. Deutsche Verwaltungsmaßnahmen.
        V. Die Entwicklung der dänischen national-sozialistischen Bewegung.
       VI. Feindliche Stimmen über Dänemark.

*I. Die politische Entwicklung in Dänemark im August 1944*
1.) Die Lage in Dänemark war im Monat August im wesentlichen ruhig. Die Zahl der Sabotageakte ging in der ersten Monatshälfte weiter zurück, um in der zweiten Monatshälfte wieder stärker zuzunehmen. Die Sabotageakte richteten sich weiter überwiegend gegen Bahngeleise, Kabel usw. und lassen allmählich – vor allem durch exakte Berücksichtigung militärischer Transporte – militärische Absichten und eine entsprechende Führung erkennen. Damit stimmt die Beobachtung vermehrter Fallschirmabwürfe überein, von denen zahlreiche Lastfallschirme mit Sprengmaterial usw., jedoch noch keine Personen erfaßt wurden. Im übrigen nahm die Zahl der politischen Morde, die fast ausschließlich in Kopenhagen stattfinden, zu.[2] Soweit es sich hierbei um Dänen

---

[1] Muligvis har Best også udarbejdet en kort udgave af *Politische Informationen* i syv punkter, der gengiver hovedindholdet. Ellers er den udarbejdet i AA, da von Grundherr 2. oktober sendte en afskrift af den korte version til Seekriegsleitung, hvorfra den blev viderefordelt til en række chefer, bl.a. MOK Ost og Admiral Skagerrak (BArch, Freiburg, RM 7/1812).

[2] Der var blevet likvideret 11 personer i juli og 20 i august 1944.

handelt, gibt die illegale Propaganda jeweils bekannt, daß diese als "Stikker" – also wegen Spitzeltätigkeit für die Deutschen – "hingerichtet" worden seien. Soweit Angehörige der deutschen Wehrmacht, der deutschen Polizei oder des deutschen Zollgrenzschutzes überfallen und getötet wurden, schien nicht der Mord sondern der Raub von Waffen und neuerdings auch von Soldbüchern das Ziel der Täter gewesen zu sein. Jedenfalls warnte nach einigen solcher Fälle in den ersten Augusttagen die Feindpropaganda vor Anschlägen gegen Deutsche und versuchte, geschehene Morde auf innerdeutsche Auseinandersetzungen im Zusammenhang mit dem 20. Juli zurückzuführen.

2.) Die dänische Bevölkerung ist in steigendem Maße von der baldigen deutschen Niederlage überzeugt. Ihre Feindseligkeit gegen alles Deutsche versteift sich deshalb immer mehr. Für das praktische Verhalten werden aus dieser Einstellung verschiedene Folgerungen gezogen. Einerseits hält man Aktionen, deren Rückwirkungen das eigene Land schädigen könnten, nicht mehr für zweckmäßig, auf diese Auffassung wird in der öffentlichen Meinung das Aufhören der Industriesabotage zurückgeführt (was jedoch im Hinblick auf die zentrale Steuerung der Sabotage durch den Feind unwahrscheinlich ist). Andererseits ist man geneigt, in bestimmten Fällen zu Protestaktionen zu schreiten, um deutschen Maßnahmen, die man für untragbar hält, entgegenzutreten. So fanden im Monat August wegen zweier Vorfälle, die von der Bevölkerung als deutscher "Gegenterror" vorstanden wurden, 24-stündige Proteststreiks statt – am 3.8 in Helsingör wegen der Erschießung eines als Kommunist geltenden Kunstmalers[3] und vom 15.8. ab in Kopenhagen und zahlreichen anderen Städten wegen der Erschießung von 11 Saboteuren auf einem Transport am 8.8.1944.[4] Auf Grund dieser Erfahrungen wurden für den 29.8. – den 1. Jahrestag der Verhängung des militärischen Ausnahmezustandes über Dänemark – von deutscher Seite alle Vorkehrungen getroffen, um Generalstreiks und andere Demonstrationen mit den Anfang Juli gegen den Generalstreik in Kopenhagen angewendeten Mitteln (Sperrung von Wasser, Gas und Elektrizität, Absperrung der Stadt, starker Streifendienst) zu unterdrücken. Die Ankündigung solcher Maßnahmen durch den Reichsbevollmächtigten und die Verstärkung der militärischen Kräfte in der Landeshauptstadt veranlaßte die dänische Zentralverwaltung sowie die Gewerkschaften, mit allen Mitteln auf einen ruhigen Verlauf des Tages hinzuwirken, daraufhin warnte selbst die illegale Bewegung vor Unbesonnenheiten und proklamiert nur für 12 Uhr ein 2 Minuten-Gedenken an die Toten. Der 29. August verlief infolgedessen völlig ruhig und ohne jeden Zwischenfall.

3.) Die deutsche Sicherheitspolizei hat im August festgenommen:[5]

| | | |
|---|---|---|
| wegen Sabotageverdachts | 186 | Personen |
| wegen Spionageverdachts | 30 | – |
| wegen illegaler Tätigkeit | 233 | – |

(Kommunismus und nationale Widerstandsgruppen)

Durch die Festnahmen sind 31 Sabotageakte aufgeklärt worden.

---

3 Medlemmer af Peter-gruppen dræbte 2. august billedkunstneren Otto Bülow, hvilket førte til strejken (Bøgh 2004, s. 135f., Bengtsen 1981, s. 72, tillæg 3 her).
4 Se Wagners notits 11. august og Bests telegram nr. 956, 14. august 1944.
5 Se Bovensiepens aktivitetsberetning for august-oktober 1944.

Bei polizeilichen Aktionen sind wegen Widerstandes gegen die Festnahme, wegen Widersetzlichkeit gegen Polizeistreifen usw. 16 Personen erschossen worden.

Bei verschiedenen Lastfallschirmabwürfen wurden besonders große Mengen von Sabotagematerial, Waffen usw. erfaßt, so in einem Falle 13 Fallschirmlasten mit 488 kg Sprengstoff und in einem anderen Falle 20 Fallschirmlasten mit 1.224 kg Sprengstoff nebst zahlreichem Zündmaterial und Waffen.[6]

4.) Die Befestigungsarbeiten in Jütland werden planmäßig fortgesetzt.

## II. Mitteilungen aus der Außenpolitik

Mit dem Abbruch der Beziehungen der Türkei zum Großdeutschen Reich hat die türkische Vertretung in Kopenhagen ihre Tätigkeit eingestellt. Der türkische Geschäftsträger Selcuk und die Mitglieder der Vertretung, soweit sie türkischer Staatsangehörigkeit sind, – es handelt sich um insgesamt 4 Personen, sonstige türkische Staatsangehörige befinden sich nicht in Dänemark – haben am 26.8.1944 Kopenhagen verlassen, um sich über Berlin nach Wien zu begeben und an einem ungefähr für den 1. September 1944 vorgesehenen deutsch-türkischen Diplomatenaustausch in Bulgarien teilzunehmen.

## III. Mitteilungen aus der Wirtschaft

1.) Landwirtschaft

Die Getreide- und Sämereienernte ist in vollem Gange. Nach dem letzten Saatenstandsbericht des Statistischen Departements wird bei Getreide und bei Sämereien (Gras- und Kleesamen) mit einer guten Mittelernte gerechnet. Die Hackfrüchte haben sich bei der herrschenden Trockenheit nicht besonders gut entwickeln können. Es ist daher mit einer geringeren Hackfruchternte als 1943 zu rechnen.

Die landwirtschaftlichen Lieferungen nach Deutschland haben sich auch im laufenden Quartal weiterhin gut entwickelt. An Fleisch sind von der im Wirtschaftsjahr (Oktober bis Oktober) 1943/44 erwarteten Ausfuhrmenge bis Mitte August fast 100 % und an Butter etwa 95 % geliefert worden. Im Vergleich zur gleichen Zeit des Vorjahres sind an Fleisch bis Mitte August etwa 125 % (!) und an Butter 25 % mehr geliefert worden.[7]

Die Fischerei konnte ebenfalls, trotz schwieriger Ölversorgung, gute Fangergebnisse erzielen. Nachdem die Frage der zukünftigen Ölversorgung der Fischerei nunmehr geregelt ist, kann auch weiterhin mit guten Fängen gerechnet werden.

2.) Gewerbliche Wirtschaft

Auf dem Gebiete der gewerblichen Wirtschaft bestehen z.Zt. erhebliche Verknappungen, insbesondere an Eisen und Eisenwaren. Trotz der Zusage höherer Lieferungen aus dem Reich zur Unterstützung der landwirtschaftlichen Erzeugung sind die tatsächlichen Lieferungen infolge augenblicklicher Lieferschwierigkeiten im Reich erheblich hinter den Erwartungen zurückgeblieben. Es muß deshalb noch mehr als bisher dafür gesorgt

---

6 Se Bests telegram nr. 935, 9. august og nr. 973, 17. august 1944.
7 Der var tale om en stigning i den danske eksport til Tyskland fra 1943 til 1944 (Jensen 1971, s. 229f., Nissen 2005, s. 252f.).

werden, daß die nach Dänemark gelangenden Mengen dem dringendsten dänischen Bedarf zugeführt werden, damit die dänische Wirtschaft intakt und in der Lage bleibt, die für die deutsche Ernährung- und Rüstungswirtschaft notwendigen Lieferungen durchzuführen.

Nachdem auf dem Treibstoffsektor die Lieferungen aus dem Reich seit Juli 1944 vorübergehend eingestellt waren, wird jetzt aus dem Reich Rohöl zur Verfügung gestellt, welches seit Mitte August in Dänemark verarbeitet wird. Neue Fabrikationsstätten zur Raffinierung des Rohöls brauchten nicht eingerichtet zu werden, da auf eine vorhandene, ähnlichen Zwecken dienende Anlage zurückgegriffen werden konnte. Wenn auch damit zu rechnen ist, daß hier und da noch Anfangsschwierigkeiten auftreten, so kann doch erwartet werden, daß schon jetzt die vorhandenen Restbestände und die tägliche Produktion den dringendsten dänischen Bedarf an Dieselöl und Benzin decken und daß in wenigen Wochen die Umstellungsschwierigkeiten behoben sein werden. Voraussetzung bleibt hierbei stets, daß die Rohöllieferungen aus Deutschland keine Stockungen erleiden. Das dänische Raffinierungswerk ist in der Lage, diejenige Menge Rohöl zu verarbeiten, die dem gesamten innerdänischen Bedarf an Benzin und Dieselöl entspricht. Die ungeheure Bedeutung dieser Lösung für Landwirtschaft, Fischerei, Transportwesen (vor allem für die Ausfuhr landwirtschaftlicher Erzeugnisse) und Industrie bedarf keiner Erläuterung.

3.) Übersicht über den Stand des Einsatzes von Generatoranlagen in Dänemark.
Auf Grund der insbesondere in letzter Zeit zugespitzten Mineralölsituation gehört die Einsparung von Flüssigkeitskraftstoffen durch Verwendung von Generatoranlagen im Augenblick zu den vordringlichsten Aufgaben der deutschen Kriegsführung. Da Dänemark auf dem Wege der Versorgung mit Mineralöl völlig vom Reich abhängig ist, ist man unmittelbar bei Kriegsausbruch und insbesondere seit 1940 daran gegangen, Generatoranlagen zunächst für den Betrieb von Lastkraftwagen und alsdann für viele andere Zweige der dänischen Wirtschaft einzusetzen. Die Lieferung fertiger Anlagen aus dem Reich war wegen dringenden eigenen Bedarfs nicht möglich. Infolgedessen mußte sich die dänische Industrie auf die Fertigung von Generatoranlagen in großen Mengen umstellen, eine Aufgabe, die so gelöst wurde, daß Fertigungsschwierigkeiten von Generatoranlagen für alle Bedürfnisse der dänischen Wirtschaft im wesentlichen nicht mehr bestehen. Im Laufe der ersten drei Kriegsjahre wurde dann die Verwendung von Flüssigkraftstoff so gedrosselt, daß die Verbrauchsziffern auf wenige Prozent der Vorkriegsmengen heruntergingen und Flüssigkraftstoffe nur noch dort zugeteilt wurden, wo der Einsatz einer Generatoranlage auf Grund besonderer technischer Schwierigkeiten und Anforderungen nicht möglich oder unzureichend erschien.

Im Rahmen der soeben stattgefundenen Tagung des Reichministeriums für Rüstung und Kriegsproduktion (Zentralstelle für Generatoren), an der alle Länderbeauftragten teilnahmen, wurden über den gegenwärtigen Stand auf dem Gebiete des Einsatzes von Generatoren in den einzelnen Ländern Vergleiche angestellt und die Aufgaben und Forderungen für die Zukunft festgestellt. Über die Arbeit in Dänemark stellten der Präsident der Zentralstelle für Generatoren und ihr Geschäftsführer fest, daß der Einsatz von Generatoren in Dänemark mit an führender Stelle steht, wobei er insbesondere hervorhob, daß diese Arbeit ohne Schaffung einer neuen Dienststelle im Rahmen der Behörde des Reichsbevollmächtigten wahrgenommen worden sei.

Die Gesamtzahl der in Dänemark eingesetzten Generatoranlagen auf allen Wirtschaftsgebieten (Kraftfahrzeuge, stationäre Anlagen einschl. landwirtschaftlicher Maschinen usw.) beläuft sich gegenwärtig auf 27.000 bis 30.000 Anlagen. Für die allernächste Zukunft kommt es darauf an, noch weitere Einsparungen auf den Gebieten zu machen, auf denen bisher dies technisch nicht möglich war; insbesondere ist hierbei an Einsparungen bei dem Betrieb von Schiffen (darunter besonders Fischkuttern) und von landwirtschaftlichen Anlagen gedacht. Da im Rahmen dieser Einsatzgebiete wichtigste deutsche Interessen unmittelbar berührt werden (Lieferung landwirtschaftlicher Erzeugnisse und Fischfang), kann eine Umstellung nur insoweit in Betracht kommen, als die Lieferungen in das Reich hiervon nicht beeinträchtigt werden.

Die Umstellung im Reich bleibt im Vergleich zu der in Dänemark prozentual erheblich zurück. Es sind jedoch in den letzten Wochen für das Reichsgebiet Generatorprogramme aufgestellt worden, die erhebliche Anforderungen an die Fertigung der Anlagen stellen und es notwendig machen, daß Fertigungen in das Ausland verlegt werden. Es wird gegenwärtig untersucht, inwieweit Dänemark – abgesehen davon, daß die dänische Wirtschaft den weiteren Generatorenbedarf für die dänische Wirtschaft selbst decken muß – Verlagerungsaufträge für das Reichsgebiet übernehmen kann.

4.) Die Leistungen der dänischen Schiffahrt im Jahre im Jahre 1943.
Die dänische Schiffahrt hat außer der Versorgung des eigenen Landes, die direkt oder indirekt Deutschland zugute kommt, die folgenden Güter und Mengen im Jahre 1943 abgefahren, die ausschließlich für deutsche Rechnung erfolgten:

| | | |
|---|---:|---|
| Erz Schweden – Deutschland | 1.002.135 | ts |
| Küstenkohlen Nordsee – Ladehafen | 119.490 | – |
| Küstenkohlen Ostsee – Ladehafen | 157.480 | – |
| Kali | 34.878 | – |
| Kies, Schotter etc. | 19.800 | – |
| Getreide | 108.975 | – |
| Zucker | 17.700 | – |
| Nachschub nach Norwegen | 20.350 | – |
| Kohlen nach Norwegen | 121.400 | – |
| Molererde | 1.090 | – |
| Zement innerhalb Dänemark | 21.000 | – |
| Kohlen nach Ostland | 8.540 | – |
| Nachschub nach Ostland | 1.975 | – |
| Schwefelkies (deutsche Küste) | 3.400 | – |

*IV. Deutsche Verwaltungsmaßnahmen*
1.) Der Austausch landwirtschaftlicher Arbeiter, die bei Wehrmachtarbeiten beschäftigt waren.
Die ab April 1944 durchgeführte Auswechselung landwirtschaftlicher Arbeiter, welche bei Wehrmachtarbeiten beschäftigt waren (vgl. Politische Informationen für die deut-

schen Dienststellen in Dänemark vom 1.4.44. S. 6/7), ist im ganzen Lande reibungslos von Statten gegangen. Bei der Organisation Todt haben sich keinerlei Schwierigkeiten ergeben. Der Austausch war in diesem Fall umso leichter, als der Arbeiterbestand der OT gerade in der fraglichen Zeit von etwa 24.000 auf 12.000 verringert werden mußte. Bei den Luftwaffenbaustellen sind Austauschanträge überhaupt nicht gestellt worden, sodaß die Bauten der Luftwaffe von dem Austauschverfahren nicht berührt worden sind.

Dieses allseits befriedigende Ergebnis war zu erwarten, da von vornherein die Bestimmung veranlaßt worden war, daß landwirtschaftliche Arbeiter ihren Arbeitsplatz bei Wehrmachtbauten erst dann verlassen durften, wenn ihre Ersatzmänner am Arbeitsplatz eingetroffen waren und ein reibungsloser Austausch gesichert war.

2.) Das Haftlager Fröslev.
Das von der Deutschen Sicherheitspolizei unterhaltene Polizeihaftlager in Horseröd bei Helsingör (Seeland) ist, nachdem das neue größere Lager in Fröslev an der dänisch-deutschen Grenze fertiggestellt wurde (vgl. Politische Informationen für die deutschen Dienststellen in Dänemark vom 5.7.1944, S. 12), am 11. bis 13.8.1944 dorthin verlegt worden. Es wurden 741 Häftlinge von Horseröd nach Fröslev verbracht. Der Transport verlief ohne Zwischenfälle.[8]

3.) Die Entschädigung für durch Sabotage verursachte Betriebsverluste.
Die Regelung des Kriegsschadenersatzes in Dänemark, die auf Versicherungsgrundlage beruht, sieht lediglich den Ersatz der durch Kriegseinwirkung entstandenen materiellen Schäden vor, nicht dagegen den Ersatz von Betriebsverlusten, die durch längere Stillegung eines Unternehmens entstehen. Für diejenigen dänischen Betriebe, die für deutsche Interessen arbeiten, haben die zuständigen deutschen Dienststellen, insbesondere der Rüstungsstab Dänemark, es für dringend erforderlich gehalten, daß ihnen für den Fall von Sabotagehandlungen neben dem materiellen Schaden auch der Betriebsverlust – wenigstens in dem Umfang, in welchem dem Betrieb seine Tragung aus eigenen Mitteln nicht zugemutet werden kann, – ersetzt wird.[9] Da die Schaffung einer Entschädigungsmöglichkeit auf dem Wege der Erweiterung der Kriegsversicherung auf Betriebsverluste sich als nicht durchführbar erwiesen hat, mußte die Entschädigungsmöglichkeit durch deutsche Maßnahmen geschaffen werden. Das ist jetzt in folgender Weise geschehen:
1.) Es wird ein deutscher Ausschuß gebildet, der aus Vertretern des Rüstungsstabes Dänemark und der Behörde des Reichsbevollmächtigten besteht.
2.) Der Ausschuß hat die Aufgabe, Anträge dänischer Firmen auf Entschädigung für durch Sabotage verursachte Betriebverluste zu prüfen und darüber zu entscheiden, ob und in welcher Höhe Entschädigungen zu gewähren sind.
3.) Die Festsetzung der Entschädigungen erfolgt nicht nach starren Richtlinien; maßgebend für die Festsetzung sind die Umstände des einzelnen Falles, dabei sind die folgenden Gesichtspunkte besonders zu berücksichtigen:

---

8 Se Bests telegram nr. 955, 14. august 1944.
9 Se Forstmann til Best 22. januar 1944.

a.) Ein voller Ausgleich des verursachten Betriebsverlustes wird im allgemeinen nicht in Betracht kommen, schon um zu vermeiden, daß die in deutschem Auftrage arbeitenden dänischen Firmen das Interesse an der Sabotageabwehr nicht verlieren; es wird vielmehr abzuwägen sein, wieweit nach Lage des Falles der geschädigten Firma das Tragen des Verlustes selbst zugemutet werden kann und wieweit Gründe für den Ersatz des Schadens vorliegen.

b.) Als Gründe für den Ersatz eines Teiles des Betriebsverlustes kommen in Betracht:

das berechtigte Interesse der geschädigten Firma daran, daß sie durch den Verlust nicht über Vermögen belastet wird,

das deutsche Interesse daran, daß die Firma für deutsche Zwecke leistungsfähig bleibt,

das deutsche Interesse daran, daß andere dänische Firmen, die für deutsche Zwecke arbeiten und in ähnliche Lage kommen können, leistungsfreudig bleiben.

c.) In den Fällen, in welchen die geschädigte Firma eine Betriebsverlustversicherung abgeschlossen hat, wird der Betrag, den sie auf Grund dieser Versicherung erhalten würde, wenn es sich bei dem verursachten Schaden nicht um einen Sabotageschaden handelte, einen Anhaltspunkt für die Höhe der zuzubilligenden Entschädigung geben.

4.) Diese Regelung der Entschädigung für Betriebsverluste ist auch auf zurückliegende Fälle anzuwenden.

*V. Die Entwicklung der dänischen nationalsozialistischen Bewegung*

Nach dem am 5.5.1944 erfolgten Rücktritt des Parteiführers der DNSAP Dr. Frits Clausen hatten zahlreiche dänische Nationalsozialisten die Hoffnung, daß nunmehr der Weg für eine Einigung der zersplitterten nationalsozialistischen Bewegung in Dänemark frei sei. Der Wunsch nach einem Zusammenschluß wurde insbesondere auch von der Führung des Schalburg-Korps geäußert, die der DNSAP, wenn sie sich zu einem solchen Zusammenschluß bereitfände, zwei Drittel aller Funktionärstellen in der zu gründenden Sammlungspartei überlassen wollte. Die DNSAP ist jedoch auf dieses Angebot nicht eingegangen, sondern hat vielmehr unter Hinweis auf die zahlreichen Gegenterrorakte, die von der Volksmeinung unter dem Schlagwort "Schalburtage" dem Schalburg-Korps zur Last gelegt wurden, jegliche Zusammenarbeit mit dem Schalburg-Korps abgelehnt.[10] Die DNSAP behauptet, daß die vom Schalburg-Korps angewandten Methoden nur geeignet seien, Haß und Abscheu bei der dänischen Bevölkerung herbeizuführen, und daß jede nationalsozialistische Bewegung, die mit dem Schalburg-Korps zusammenarbeite, sich aus diesem Grunde für immer jeglicher Möglichkeit eines politischen Erfolges beraube.

Ein unter der Führung des Folketingsabgeordneten Ejnar Jörgensen stehender Teil der DNSAP hat sich dieser von der DNSAP eingenommenen Haltung nicht angeschlossen

---

10 Det blev 20. maj 1944 forbudt medlemmer af DNSAP at have noget at gøre med Schalburgkorpset, Landstormen, Dansk Folke Værn og Antijødisk Liga (Lauridsen 2003b, s. 380).

sondern Verbindung zum Schalburg-Korps gesucht. Die Gruppe des Ejnar Jörgensen hat gegen den aus dem Großbauern C.O. Jörgensen, dem Parteisekretär Theofilius Larsen und dem Hauptmann Holger Johansen bestehenden Führerrat der DNSAP einen heftigen Kampf eröffnet mit der Begründung, daß dieser Führerrat nicht als der rechtmäßige Nachfolger des Parteiführers Dr. Fritz Clausen anzusehen sei. Dieser Führerrat sei von dem Parteirat der DNSAP erst gewählt worden, nachdem man alle zu diesem Führerrat der DNSAP erst gewählt worden, nachdem man alle zu diesem Führerrat in Opposition stehenden Mitglieder des Parteirates aus diesem entfernte hatte. Ejnar Jörgensen behauptete, er stelle mit den zu ihm stehenden Mitgliedern der DNSAP die eigentliche Partei dar. Es entbrannte ein heftiger Streit zwischen der durch den Führerrat repräsentierten DNSAP und dem abgesplitterten Teil der DNSAP unter Ejnar Jörgensen um die Frage, wer rechtmäßig den Namen DNSAP führen dürfe und wem das Parteieigentum beispielsweise in solchen Gliederungen der Partei angehörte, die geschlossen oder zum überwiegenden Teil zur Gruppe des Ejnar Jörgensen übergegangen waren. Nachdem Dr. Frits Clausen schriftlich erklärt hatte, daß der Führerrat der DNSAP mit dem Großbauern C.O. Jörgensen an der Spitze als sein rechtmäßiger Nachfolger anzusehen sei, entschied der Reichsbevollmächtigte, daß die Bezeichnung DNSAP nur noch von der durch diesen Führerrat repräsentierten Partei gebraucht werden dürfe und machte dadurch einem dem Ansehen des dänischen Nationalsozialismus sehr schädlichen Streit ein Ende. Im Verlaufe dieses Streites war wiederholtes Eingreifen des Reichsbevollmächtigten auch insofern notwendig geworden, als die beiden feindlichen Gruppen einander mit Schmähschriften aller Art – teilweise sogar anonym – bekämpften.[11] In verschiedenen Fällen wurden derartige Schmähschriften beschlagnahmt; die Aussendung von Rundschreiben ohne die vorher eingeholte Genehmigung des Reichsbevollmächtigten wurde verboten.[12]

Durch den Streit zwischen der Gruppe des Ejnar Jörgensen und der DNSAP sind nur die schon immer in der dänischen nationalsozialistischen Bewegung vorherrschenden persönlichen Gegensätze und Streitigkeiten fortgesetzt worden. Jeglicher von deutscher Seite unternommene Versuch, eine Einigung der dänischen nationalsozialistischen Bewegung herbeizuführen, ist an diesen persönlichen Gegensätzen gescheitert. Selbst die an einem Zusammenschluß interessierten dänischen Nationalsozialisten haben den Gedanken, es könnte eine Einigung durch einen deutschen Machtspruch herbeigeführt werden, als untauglich abgelehnt. Eine zwangsweise herbeigeführte Einigung würde nur eine Scheinlösung bedeuten und in kurzer Frist zu einem noch stärkeren Auseinanderfallen der dänischen nationalsozialistischen Bewegung führen. Die von deutschen Beobachtern wiederholt an den Reichsbevollmächtigten herangetragene Anregung, er möge durch einen Machtspruch eine einzige nationalsozialistische Gruppe als die allein vom Reich anerkannte Vertretung des nationalsozialistischen Dänemark bestimmen, kann nicht verwirklicht werden, solange gleich zuverlässige, aber auch gleich bornierte Nationalsozialisten in zwei getrennten Lagern stehen. Eine Entscheidung zu Gunsten der DNSAP würde mehrere tausend dänische Nationalsozialisten, die sich um das Schalburg-Korps

---

11 DNSAP Storkøbenhavn udgav juni 1944 en anonym pamflet, der redegjorde for konflikten med Schalburgkorpset (Lauridsen 2003b, s. 358 n. 67).
12 DNSAP havde længe været underlagt Bests censur.

und Ejnar Jörgensen gesammelt haben, zurückstoßen. Umgekehrt würde eine Entscheidung zu Gunsten des Schalburg-Korps und der Gruppe des Ejnar Jörgensen die in der alten DNSAP stehenden langjährigen dänischen Nationalsozialisten in ihrem Glauben an die politische Treue des Reiches schwer erschüttern. Unter diesen Umständen kann des Reichsbevollmächtigten Aufgabe nur sein, zu verhindern, daß es zwischen den dänischen Nationalsozialisten zu Auseinandersetzungen kommt, die irgendwie den Reichsinteressen abträglich sind. Die Einigung muß von den dänischen Nationalsozialisten selbst herbeigeführt werden.

Der Gedanke einer teilweisen Sammlung wird z.Zt. weiter verfolgt von der politischen Gruppe des Schalburg-Korps (die in Ringsted/Seeland kasernierte Gruppe ist inzwischen zu dem Ausbildungsbataillon "Schalburg" der Waffen-SS umgebildet worden) und der Gruppe des Ejnar Jörgensen. Am 7.8.1944 fand in Kopenhagen eine gemeinsame Sitzung dieser Gruppen statt, auf der beschlossen wurde, daß die politische Gruppe des Schalburg-Korps "Folkevärn", die Reserveformation des Schalburg-Korps "Landstormen", die "Antijüdische Liga" und die Gruppe des Ejnar Jörgensen sich zu einer nationalsozialistischen Sammlungspartei zusammenschließen sollen. Es wurde ein aus 6 Männern bestehender "Geschäftsausschuß" gewählt, der die formellen Voraussetzungen für die für den 24.9.1944 vorgesehene Konstituierung dieser neuen Sammlungspartei schaffen und insbesondere den Namen dieser neuen Partei festlegen sollte, da die Versammlung am 7.8.1944 sich über diesen Namen nicht einig werden konnte. Außerdem sollte die bis zum 24.9.1944 noch zur Verfügung stehende Zeit dazu benutzt werden, weitere z.Zt. noch abseits stehende nationalsozialistische Splittergruppen für die neue Sammlungspartei zu gewinnen.

Am 18.8.1944 hat der "Geschäftsausschuß" bestimmt, das die neue Partei den Namen "Dansk National Samling" tragen und als Symbol ein weißes Sonnenkreuz auf rotem Grunde führen sollte. Die Hoffnung, daß weitere nationalsozialistische Splittergruppen für "Dansk National Samling" gewonnen werden könnten, hat sich bisher nicht erfüllt, und es ist sehr zweifelhaft, ob zu den bereits genannten Gruppen noch weitere hinzutreten werden. Zur Zeit umfaßt die neue Sammlungspartei bei optimistischer Schätzung nur etwa 7.000 dänische Nationalsozialisten, während in der DNSAP noch annähernd 10-12.000 dänische Nationalsozialisten stehen.[13]

Die DNSAP hat ihr Verhalten gegenüber der Sammlungspartei, die am 24.9.1944 gegründet werden soll, davon abhängig gemacht, ob diese Partei in den alten Bahnen des Schalburg-Korps weiterarbeiten oder aber eine Linie einschlagen wird, die der zur Zeit von der DNSAP eingenommenen mehr entspricht.

*VI. Feindliche Stimmen über Dänemark*
1.) Der englische und schwedische Rundfunk.

London 2.8.1944
Die Deutschen haben jetzt eine Erklärung über die furchtbare Katastrophe in Aarhus

---

13 Se Bests telegram nr. 980, 21. august 1944.

vom 4. Juli fabriziert.¹⁴ Dem schwedischen Nachrichtenbüro TT zufolge behaupten sie, die Explosion sei auf Sabotage zurückzuführen, die aufgefundenen Spuren deuten auf eine kommunistische Sabotagegruppe hin, die die Instruktionen zur Durchführung dieser Sabotage gegen das deutsche Schiff erteilt hat. Die Deutschen berichten weiter, der Zweck, den diese Handlung verfolgte, sei gewesen, Stimmung für einen Sympathiestreik in Aarhus in Verbindung mit dem großen Volksstreik in Kopenhagen zu schaffen. Diese Erklärung überrascht nicht, zumal sie von nazistischer Seite stammt. Es ist dies eine alte, wohlbekannte Taktik, die die Deutschen hier benutzen; merkwürdig ist lediglich, daß sie so lange mit dieser Erklärung gezögert haben. Aber die Absicht ist natürlich, die Geschichte damit umso wahrscheinlicher zu gestalten.¹⁵

London 5.8.1944
Die Arbeiter in Helsingör sind in Streik getreten als Protest gegen die Ermordung des Bildhauers Otto Bülow, der von 2 Mann erschossen wurde, die ihn am Mittwoch Nachmittag in seinem Heim aufsuchten. Wie bereits gemeldet wurde, meint man in diesem Mord eine Repressalie für den Mordanschlag gegen den Spitzel Högh zu sehen.¹⁶

London 9.8.1944
Die dänische Einheit in der englischen Flotte ist verdoppelt worden. Sie besteht jetzt aus 4 Minensuchern und wird erweitert werden, sobald genügend Mannschaften zur Verfügung stehen. Die Mannschaften setzen sich zum größten Teil aus Männern der freien dänischen Handelsflotte zusammen. Auch mehrere der Fischer, die vor dem Ausbruch des Krieges in England waren und auch während des Krieges angekommen sind, haben sich freiwillig gemeldet.

London 11.8.1944
Die Moral unter den deutschen Truppen in Dänemark hat allmählich ein sehr niedriges Niveau erreicht, fast täglich hört man, daß deutsche Soldaten dänische Frauen überfallen haben, von Trunkenheitsaffairen in den Restaurants, Schießereien auf den Straßen und ähnliches. Viele dieser Ereignisse, an denen sowohl Offiziere als auch gemeine Soldaten teilnehmen, sind von einer solchen Art, daß man sie nicht weitererzählen kann. Der "Dänische Pressedienst" in Stockholm hat einige Beispiele erwähnt, die die Verhältnisse beleuchten. In Frederikshavn erschien am 31. Juli ein deutscher Soldat, der sehr angetrunken war und einen schwarzen Bowler-Hut trug. Er versuchte wiederholt, bei einer dänischen Familie einzubrechen. Die meisten Deutschen in Frederikshavn hatten an jenem Abend einen starken Rausch, und am Schluß kam es zu einer großen Schlägerei draußen in der Plantage. Die Einwohner von Frederikshavn waren Zuschauer, und man hörte die Worte Churchills: "Jetzt schießen sie aufeinander, aber das ist ja auch ihre eigene Sache."¹⁷ In Nibe, wo die Deutschen das Missionshotel

---

14 Delvis trykt hos Alkil, 2, 1945-46, s. 891f.
15 Se herom KTB/ADM Dän 4. juli 1944 og den anf. henvisninger.
16 Tegneren Walter Bögel var 27. juli blevet dødeligt såret af modstandsbevægelsen i Helsingør, og Petergruppen svarede igen med mordet på Bülow (Bøgh 2004, s. 135f., tillæg 3 her).
17 Jfr. *Information* 2. august 1944.

räumten, vermißt man einen großen Dannebrog, der als Wanddekoration im Festsaal hing. Es konnte festgestellt werden, daß die deutschen Soldaten die Flagge zerrissen und als Putzlappen verwendet hatten.[18] Weitere Beweise dafür, daß die Moral unter den deutschen Streitkräften sehr schlecht geworden ist gehen aus einer Meldung des dänischen Pressedienstes über die Ereignisse hervor, die in Sonderburg am Tage nach dem Mordversuch auf Hitler stattfanden. Als die Nachricht Sonderburg erreichte, wurde die Heimwehr umgehend mobilisiert, Sonderburg wurde isoliert und Streifen zogen durch die Straßen, um mögliche Aufstände der deutschen Soldaten zu verhindern.[19] In der Nacht zum 22. Juli fanden Unruhen an Bord der deutschen Marineschiffe, die im Hafen lagen, statt. Schüsse wurden gewechselt. Am folgenden Tage verließen alle Marinefahrzeuge den Hafen und wurden durch ein kleineres Wachschiff ersetzt. Aber auch auf diesem Schiff entstanden Unruhen. Nachdem die Heimwehr entlassen worden war, verhaftete der deutsche Kommandant 4-5 Deutsche, die sich geweigert hatten, dem Einberufungsbefehl Folge zu leisten.

Hörby 11.8.1944
Wie aus Kopenhagen gemeldet wird, sollen in den Kellern des Hauptquartiers von Dr. Best im Dagmarhaus vor kurzem 11 Geiseln hingerichtet worden sein. Wie verlautet, wurde diese Methode gewählt, damit die Hinrichtungen vor der Öffentlichkeit geheimgehalten werden konnten.

London 12.8.1944
Wie aus Dänemark berichtet wird, fand am 1. August in der Villa des deutschen Generals im Tiergarten in Skanderborg ein größeres Festessen statt, wahrscheinlich zu Ehren des Generals von Hanneken. 25 Gäste waren anwesend, und die armen verhungerten Deutschen verbrauchten 3 ganze Schweine, geliefert von der Schlachterei in Skanderborg, Hühnchen, frische Champignons und natürlich entsprechende Mengen von Trinkwaren.[20]

London 15.8.1944
Die Namen der 11 ermordeten Dänen in Kopenhagen, die in unserer gestrigen Abendsendung mitgeteilt wurden, sind in Übereinstimmung mit den Namen, die nun amtlich deutscherseits veröffentlicht wurden. Der deutschen Meldung zufolge wurden die 11 Dänen während ihres Transportes nach einem deutschen Konzentrationslager kurz hinter Roskilde wegen Widerstandsleistung gegen die Begleitmannschaft erschossen. Die Namen der Ermordeten erreichten die dänischen Kreise in Schweden vor der amtlichen Bekanntmachung.

18 Jfr. *Information* 4. august 1944.
19 Jfr. *Information* 2. august 1944.
20 Jfr. *Information* 2. august 1944. Den omtalte general var generalen for luftvåbnet i Danmark, Generalleutnant Schwabedissen, som havde et skovkvarter ved Skanderborg. Werner Best med frue besøgte ham 6. august 1944 (Bests kalenderoptegnelser anf. dato).

London 15.8.1944
Bisher versuchten die Deutschen einen Schein der Legalität bei der Hinrichtung dänischer Patrioten zu bewahren. Diese wurden für die eine oder andere Handlung zum Tode verurteilt. Formell werden die Deutschen auch die Verantwortung von diesem unkontrollierten Mord abschieben. Dieser Mord wurde als Rache für die Liquidierung der Angeber und anderer Verbrecher im deutschen Dienste verübt. Die 11 ermordeten Dänen sind die ersten Opfer der neuen deutschen Terrorpolitik, die die Nazisten über Dänemark losgelassen haben, in der Hoffnung, den dänischen Patriotismus zu ermorden.

London 16.8.1944
Anläßlich der Ermordung der 11 Dänen im Shell-Haus fand gestern in Kopenhagen eine umfassende Protestaktion statt. Die Arbeiter von Burmeister & Wain und anderen Betrieben in Kopenhagen traten, wie der dänische Pressedienst heute morgen mitteilt, gestern in den Streik als Protest gegen die Ermordung der 11 Dänen im Shell-Haus durch die Gestapo. Die vorliegenden Meldungen lassen nicht erkennen, ob es sich auch diesmal um einen Generalstreik handelt; es war beabsichtigt, daß der Streik 24 Stunden lang dauern sollte, wenn das Auftreten der Deutschen keine Verlängerung verursachen sollte.

London 18.8.1944
Die Anzahl der deutschen Truppen in Dänemark ist während der letzten Zeit bedeutend vermindert worden. Aus Jütland sind in südlicher Richtung viele Truppentransporte abgegangen, und man rechnet damit, daß mindestens 30.000 Mann aus Dänemark während der letzten Zeit an die Ost- und Westfront geschickt worden sind.

Der dänische Pressedienst meldet, daß die Fälle von Desertierungen deutscher Soldaten in Dänemark immer häufiger werden. Donnerstag Nacht fand eine Meuterei unter den Deutschen statt, als ein Truppentransportzug Randers verlassen sollte. Es wurde kräftig geschossen, und dem dänischen Pressedienst zufolge wurden mehrere deutsche Soldaten getötet oder verwundet.

London 19.8.1944
Wie aus vorliegenden Meldungen hervorgeht, benutzen die dänischen Patrioten jetzt bei der Liquidierung von Spitzeln eine ganz neue Methode, die von Humanität im harten Kampf der Heimatfront zeugt. So wurde der dänische Spitzel Tage Möller Lauersen, Dansvej 27 in Hvidovre, nach Schweden verschickt, indem er am Morgen von unbekannten Männern abgeholt wurde. Lauersen arbeitete als Bote für den gefährlichen Spitzel Frau Christensen, die einen Kaufmannsladen in Hvidovre besitzt. Er behauptet, er hätte unter Drohungen und Zwang arbeiten müssen.[21] Die schwedischen Behörden haben die Ankunft des Spitzels noch nicht bestätigt.

London 20.8.1944
Als die Schweden im August 1943 den sogenannten deutschen Urlauberverkehr nach Norwegen einstellten, ging eine Welle von Eisenbahnsabotagen über Jütland. Diese Sa-

---

21 Jfr. *Information* 16. august 1944.

botage zeigten, welch eine große Bedeutung gerade das Eisenbahnnetz in Jütland als deutsche Verbindungslinie hat.

London 21.8.1944
Terkel M. Terkelsen: Auch in Dänemark haben die Aktivisten die Forderungen, die an Dänemark gestellt werden, verstanden. Durch die Hand des Schicksals ist Dänemark eine strategisch wichtige Rolle zugeteilt worden. Der Tag ist vielleicht nicht mehr so fern, wo die dänischen Patrioten aufgefordert werden, ihren letzten und entscheidenden Einsatz zu leisten. Keiner zweifelt – auch nicht die Deutschen – daß dem Ruf Folge geleistet wird. Aus diesem Grund ist es wahrscheinlich, daß die Provokationen der letzten Wochen als ein neuer Versuch, die dänische Widerstandsbewegung zum offenen Kampf zu locken, betrachtet werden müssen. Dasselbe haben die Deutschen in Frankreich ohne Erfolg versucht. Durch einen unglücklichen Zufall traten die Polen in ihrer Hauptstadt zum offenen Kampf an, und die Folgen dieses Aufstandes zeigen, was eine voreilige Erhebung mit sich führt.

London 24.8.1944
Der "Dänische Freiheitsrat" hat eine Proklamation anläßlich des bevorstehenden Jahrestages des 29. August veröffentlicht, in der das dänische Volk aufgefordert wird, in einer 2 Minuten langen Pause derer zu gedenken, die im Freiheitskampf gefallen sind, d.h. um 12 Uhr mittags am 29.8.1944. Es heißt in der Proklamation:[22] Das vergangene Jahr ist für das dänische Volk ein Jahr des Sieges gewesen. Dänemark ist heute als Mitkämpfer in den alliierten Reihen anerkannt worden. Dies ist dadurch möglich geworden, daß die Angriffe immer unerwartet einsetzten. Die Widerstandsbewegung hat immer bestimmt, wann gekämpft werden mußte. Die Initiative ist niemals dem Feind überlassen worden. So muß es immer sein. Der Freiheitsrat weiß, daß die Deutschen im Hinblick auf den 29. August starke Verbände von Militär und Polizei in unser Land geschickt haben. Sie rechnen damit, daß die Widerstandsbewegung an diesem Tage demonstrieren wird, sodaß die Deutschen wieder ein Blutbad veranstalten können, dessen Folgen unübersehbar sein würden. Das darf nicht geschehen. Wir scheuen den Kampf nicht, aber wir wollen selbst den Tag bestimmen. Die Verbände der Widerstandsbewegung müssen so weit möglich bis zum Tag der Abrechnung intakt bleiben. Gebt den Deutschen keine Gelegenheit, am 29. August Truppen einzusetzen. Seid auf der Wacht, vermeidet nazistische Provokationen. Wenn die Deutschen schießen, so vermeidet jeden Auflauf. Geht in Ruhe nach Hause, damit kein unnötiges Blut fließt.

London 28.8.1944
Immer neue Beweise liegen vor, daß die Deutschen alle Mittel anwenden, um die Bevölkerung Dänemarks zu Demonstrationen anläßlich des Jahrestages des 29. August zu provozieren. Wir wiederholen deshalb, daß der dänische Freiheitsrat dringend aufgefordert hat, unter keinen Umständen sich von den Deutschen anführen zu lassen. Laßt uns den 29. August feierlich mit einer 2 Minuten Stille morgen um 12 Uhr mittags begehen.

22 Trykt hos Alkil, 1, 1945-46, s. 260-262.

2.) Die schwedische Presse.

Zu der deutschen Bekanntgabe der Hintergründe der Explosionskatastrophe in Aarhus schrieb "Dansk Pressetjänst" am 2. August: "Anläßlich der offiziellen deutschen Behauptung, daß Sabotage vorgelegen habe, weisen dänische Kreise darauf hin, daß die deutsche Polizei hier ein wirkliches Meisterstück vollbracht hat. Unter den verstümmelten Leichen, von denen viele nicht identifiziert werden konnten, hat man nicht nur die Saboteure finden, sondern auch feststellen können, daß alle, die mit der Sabotage zu tun hatten, umgekommen sind, und obgleich man also niemand verhören konnte, hat man weiterhin konstatieren können, daß sämtliche umgekommenen Saboteure Kommunisten waren. Es ist verständlich, daß man in Dänemark diese Detektivarbeit der Deutschen aufrichtig bewundert."[23]

"Aftontidningen" vom 5. August schrieb in einer "Privatmeldung," eine Reihe deutscher Kasernen in Dänemark sei in der letzten Zeit von Bränden heimgesucht worden, welche große Mengen von Ausrüstungsgegenständen und Munition zerstörten. Der letzte dieser Brände habe in Viborg stattgefunden, während man gerade ein Trinkgelage abhielt. Diese Brände, schreibt das Blatt, ständen im Zusammenhang mit der sich immer stärker ausbreitenden antinazistischen Bewegung unter den Soldaten in Dänemark, die auch schon durch Verteilung antinazistischer Flugblätter unter den Truppen zum Ausdruck gekommen sei. In Skanderborg sei es neulich fast zu einer Meuterei gekommen. Dort hielten die Offiziere ein großes Fest ab, was unter den Mannschaften Unwillen erregte. Sie verlangten von den Offizieren, entweder das Fest abzubrechen, oder sie daran teilnehmen zu lassen. Diese kleine Revolte soll damit geendet haben, daß die Offiziere die Soldaten zum Bier einluden.[24] – Diejenigen Soldaten, die von der Ostfront nach Dänemark gekommen sind, sagten: "Lieber eine Kugel durch den Kopf, als noch einmal dorthin zurückkehren!"

Einem Stockholmer Reuter-Telegramm zufolge sei es in dem dänischen Hafen Sonderburg am Tage nach dem Attentat auf Hitler unter den Matrosen eines dort vor Anker liegenden deutschen Kriegsschiffes zu Meutereien gekommen. Der Hafenkommandant habe daraufhin Truppen eingesetzt und die Meuterer verhaften lassen. Kurze Zeit darauf sei auch auf einem Zerstörer, der gerade eingelaufen war, gemeutert worden. Auch hier habe der Hafenkommandant sofort zahlreiche Verhaftungen vorgenommen.

"Dansk Pressetjänst" meldete, daß der dänische Hirnschirurg Professor Busch Feldmarschall Rommel wiederum operieren solle. Busch habe bekanntlich schon vor einiger Zeit Rommel einen Granatsplitter aus dem Kopf entfernt, sich aber geweigert, irgendein Honorar dafür anzunehmen. Diesmal werde die Operation vielleicht in Dänemark stattfinden.[25]

Wie "Dagens Nyheter" vom 10. August schrieb, habe "Dansk Pressetjänst" erfahren, daß ein neuer deutscher Kommandant für Bornholm ernannt wurde, weil sein Vorgänger, Kommandeur Rosenberg, seit dem Attentat auf Hitler verschwunden sei. Ro-

---

23 Se herom KTB/ADM Dän 4. juli 1944 og der anf. henvisninger.
24 Jfr. *Information* 24. juli 1944.
25 Oplysningen er bragt i *Information* 7. august 1944. Professor Eduard Busch, Rigshospitalet behandlede ikke på noget tidspunkt Rommel, men han var aktiv i den danske modstandsbevægelse (DBL 3. udg.).

senberg habe sich geweigert, eine Treueerklärung abzugeben.²⁶ Unmittelbar nach dem Attentat seinen übrigens 10 Offiziere aus Deutschland über die Grenze nach Dänemark entflohen und hielten sich dort verborgen.

"Nya Dagligt Allehanda" vom 11. August teilte mit, daß (nach "Dansk Pressetjänst") vor kurzem 9 Generale und mehrere andere hohe Offiziere zu einer Konferenz mit Dr. Best in Silkeborg zusammengerufen worden seien.²⁷ So kurzfristig war dieses Treffen angesetzt, daß es große Schwierigkeiten bereitet habe, die Offiziere im Hotel unterzubringen. In der gleichen Meldung ist wieder von ausgedehnten Truppenverschiebungen in Dänemark die Rede.

"Stockholms Tidningen" vom 12. August schreib: Die Kriminalpolizei Malmö hat einen Bericht über die "Taten" eines 19-jährigen dänischen Flüchtlings veröffentlicht, welcher laufend Geld, Fahrräder und Lebensmittelkarten gestohlen hat. Er zog in Schweden von einem Ort zum anderen, hat dort schon zweimal im Jugendgefängnis gesessen und wurde zuletzt in der Nähe von Hälsingborg verhaftet, nachdem er wieder verschiedene Diebstähle und Einbrüche verübt hatte.

Zu der deutschen Meldung über die 11 auf der Flucht erschossenen Dänen schrieben alle schwedischen Blätter, es sei völlig erwiesen, daß die jungen Leute im Keller des Shell-Hauses erst mißhandelt und dann ermordet worden seien. Die dänische Freiheitsbewegung kenne die Namen derjenigen, welche die Leichen mit eigenen Augen im Shell-Hause gesehen hätten. Es habe sich bei den Ermordeten hauptsächlich um Mitglieder des Konservativen Jugendverbandes gehandelt, die von den Deutschen angeklagt waren, mit der illegalen Zeitung "Hjemmefronten" in Verbindung zu stehen.²⁸ Die Ermordeten seien weder bekannte Leute noch könne man ihnen größere Verbrechen gegen die deutsche Besatzungsmacht zur Last legen. Wenn man sie auch nicht direkt als Geiseln bezeichnen dürfe, so ständen doch ihre Vergehen in garkeinem Verhältnis zu dem Schicksal, das sie getroffen habe. Als Quelle für diese Meldung wird "Dansk Pressetjänst" angegeben.

Nach einem Privattelegramm an "Aftontidningen" vom 16. August habe bei der Abfahrt eines deutschen Truppentransportzuges aus einer jütländischen Stadt (der Name dieser Stadt wird nicht genannt) ein Teil der Soldaten gemeutert. Auf dem Bahnhof sei es zu einer größeren Schießerei gekommen, bei der, nach der Meldung des "Dansk Pressetjänst," mehrere der aufrührerischen Personen getötet oder verwundet wurden.²⁹ In der letzten Zeit sei es geradezu an der Tagesordnung, daß deutsche Soldaten in Jütland desertieren.

"Nya Dagligt Allehanda" vom 21.8.1944 brachte in Balkenüberschrift auf der Vorderseite einen Artikel "Der dänische Freiheitsrat sendet einen neuen Appell aus." In

---

26 Inselkommandant von Rosenberg blev udskiftet efter 20. juli 1944, men sammenhængen med attentatforsøget på Hitler, som angives i *Information* 9. august 1944, er ikke klarlagt. Den ny kommandant blev Fregattenkapitän von Moraht (Barfod 1976, s. 141).
27 Best var på besøg hos WB Dänemark søndag 6. august, hvor han efter en sejltur med motorbåd med Hilde Best, von Hanneken og andre om aftenen havde møde med von Hannekens stab, alle divisionskommandanter samt ledere af Bests filialer og hans konsuler. Mødets emner er uoplyst; mødet omtales end ikke i KTB/ WB Dänemark (Bests kalenderoptegnelser 6. august 1944. Om sejlturen se Kienitz/Drostrup 2001, s. 62f.).
28 Det er ikke korrekt. Seks af de 11 henrettede var medlemmer af BOPA.
29 *Information* bragte 31. juli 1944 historien om et mytteri ved afsendelsen fra Viborg, men der var ikke tale om sårede eller døde.

der Meldung selbst, die sich wieder auf den "Dansk Pressetjänst" stützt, heißt es, daß der dänische Freiheitsrat eine neue Anweisung ausgegeben habe, wie sich die dänische Bevölkerung den alliierten Truppen gegenüber nach deren Landung verhalten solle.[30] In der Einleitung wird erklärt, daß diese Anweisungen den Zweck verfolgen, das ganze dänische Volk zum Freiheitskampf in dessen letzter Phase aufzurufen. Der Freiheitsrat richtet daher eine dringende Ermahnung an alle unterirdischen Presseorgane in der Hauptstadt und auf dem Lande, diese Anweisungen in größtmöglichster Auflage innerhalb der Bevölkerung zu verbreiten, so daß möglichst jeder Däne diese für die Stunde der Befreiung in Händen hat. Die Anweisungen seien von sachkundiger Seite und in Übereinstimmung mit den Anweisungen des alliierten Oberkommandos ausgearbeitet worden. Es wird ausdrücklich darauf hingewiesen, daß die Anleitungen erst in Kraft treten dürfen, wenn das Signal hierzu gegeben werde. In den Anweisungen wird u.a. gesagt, für welche Auskünfte die Alliierten in erster Linie Interesse hätten, so besonders was Truppenformationen anbelange, Befestigungsanlagen, Transportstraßen, Häfen und Fahrzeuge, Reserveflugplätze und auch eventuelle Fallen, welche die Deutschen bei ihrem Rückzug anlegten. Weiterhin wird dazu aufgefordert, so viel als möglich dem abziehenden Feind Hindernisse in den Weg zu legen. Zum Schloß der Anweisungen folgt noch eine Beilage mit detaillierten Erläuterungen über das Aussehen der einzelnen deutschen Uniformen, die Bezeichnung des Dienstgrades und dergleichen mehr.

"Dagens Nyheter" vom 25. August brachte eine Meldung, daß die Deutschen nunmehr die Konsequenzen aus Hitlers Order ziehen würden, nach der in Zukunft jeder Gefangene ohne lange Verhandlungen erschossen werden könne.[31] Dies gehe bereits aus der Mitteilung hervor, daß speziell das SS-Gericht in Dänemark aufhören und dafür die Gestapo die richterliche Macht ausüben solle. Verhaftete dänische "Freiheitskämpfer" könnten demnach verschwinden, ohne daß die Allgemeinheit etwas davon erfährt, schon damit die Namen der Hingerichteten nicht in illegalen Kreisen bekannt werden.

## 196. Adolf von Steengracht an Werner Best 1. September 1944
Mens Barandon var i Berlin, fremlagde han for Steengracht problemerne med samarbejdet med Pancke. Steengracht værdsatte dette i en sådan grad, at Barandon ikke alene skulle modtages af Ribbentrop, Best blev bedt om også fremover at have ham med ved alle forhandlinger med værnemagts-, parti- eller politiinstanser.
    Kilde: RA, pk. 234.

*Berlin, den 1. September 1944*

An den Reichsbevollmächtigten in Dänemark
    Herrn Dr. Best.
    Kopenhagen

---

30 "Vejledning til Brug ved den endelige Befrielseskamp" er fra august 1944 og genoptrykt hos Alkil, 1, 1945-46, s. 256-260. Referatet af indholdet er rimeligt dækkende.
31 Det er bemærkelsesværdigt, at Hitlers ordre om skydning af fanger uden domsanvendelse så hurtigt er blevet offentligt kendt. Det kan være et bevidst træk fra tysk side i forventning om, at det ville virke afskrækkende.

*Lieber Parteigenosse Best!*

Herr Barandon hat mir über die Frage des Verhältnisses zum Höheren SS- und Polizeiführer eingehend Vortrag gehalten.[32] Ich würdige die entstandenen Schwierigkeiten durchaus und bin mit Ihnen der Ansicht, daß wir nur dann uns die lebenswichtigen Lieferungen aus Dänemark werden erhalten können, wenn Übergriffe wie die von Herrn Barandon geschilderten in Zukunft unmöglich gemacht werden.

Ich habe mich deshalb sofort an den Herrn Reichsaußenminister gewandt, der sich bereit erklärt hat, Herrn Barandon in der nächsten Zeit zu empfangen.

Die in Ihrem Auftrag erfolgte Berichterstattung Ihres Vertreters war mir recht wertvoll, und ich möchte Sie bei dieser Gelegenheit bitten, Herrn Barandon nicht nur wie bisher über alle wichtigen politischen Fragen zu unterrichten, sondern ihn auch möglichst zu allen Besprechungen, sei es mit Wehrmachts-, Partei- oder Polizeistellen zuzuziehen, in denen derartige Fragen behandelt werden.

Heil Hitler!
stets Ihr
gez. **Steengracht**


**197. Hans-Heinrich Wurmbach an Seekriegsleitung 1. September 1944**
Det trak ud med at få stillet et lazaretskib til rådighed af danskerne, da de nu ville have det folkeretlige spørgsmål vedrørende flagføringen afklaret. Modsat AA lagde de vægt på skibets danske karakter. Best arbejdede på at få AA til at ændre betingelser i flagspørgsmålet.
    Wurmbach orienterede atter Seekriegsleitung om sagens forløb 13. september 1944.
    Kilde: BArch, Freiburg, RM 7/1813. RA, Danica 628, sp. 7, nr. 5889.

+ LT MDKP 82708 1/9 16.00 =
OKM 1 SKL =

Betr.: Bereitstellung Laz.-Schiff.

Vorg.: Adm. Skag. H 6628 Qu III v. 24/7 44.[33]

1.) Angelegenheit verzögert sich dadurch, daß dänischerseits vorherige Klärung völkerrechtlicher Fragen, insbes. Flaggenfrage, gewünscht wird.
2.) Im Gegensatz zu vom Auswärtigen Amt gestellter Bedingung wird dänischerseits Wert auf dänischen Charakter des Laz.-Schiffes gelegt.
3.) Reichsbev Dän hat zugesagt, beim Auswärtigen Amt Änderung der in der Flaggenfrage gestellten Bedingung zu erwirken.
            Adm Skagerrak H 7480 Qu Drei+

---

32 Se Henckes optegnelse 31. august 1944.
33 Skrivelsen er ikke lokaliseret.

## 198. Das Auswärtige Amt an OKM 2. September 1944

AA meddelte OKM, at de af Pancke foreslåede modterrorforanstaltninger i tilfælde af strejker ikke havde fået von Ribbentrops tilslutning på grund af de store ulemper ved dem. Dette var meddelt Best 27. august. Hermed skulle sagen være klarlagt i henhold til Wurmbachs opfattelse.

Kilde: BArch, Freiburg, RM 7/1812. RA, Danica 628, sp. 7, nr. 5727.

Geheim! Kommandosache! Dringend
S BLN AUSW Nr. 21 2/9 20.45 ETAT=
Offen = an Oberkommando der Kriegsmarine 1. Seekriegsleitung i c =

Unter Bezugnahme auf fernmündliche Rücksprache mit Kapitänlt. Wuppermann, betreffend Gegenterrormaßnahmen in Dänemark.

Höherer SS- und Polizeiführer Dänemark hatte Mitte August vorgeschlagen, im Streikfall die Belegschaften ganzer Betriebe festzunehmen und in das Reich zu verbringen. Reichsbevollmächtigter Dänemark hatte unter Hinweis auf schwerwiegende Rückwirkungen derartiger Maßnahmen um Entscheidung des Herrn RAM gebeten, wobei Reichsbevollmächtigter besonders auf Stellungnahme des kommandierenden Admirals Skagerrak verwiesen hat. Reichsaußenminister hat Reichsbevollmächtigtem am 27. August Weisung erteilt, daß von einer Deportation der streikenden Belegschaften ganzer Betriebe abzusehen sei, da die Nachteile einer solchen Aktion zu groß sein würden.[34] Angelegenheit dürfte hiermit im Sinne des vom Admiral Skagerrak vertretenen Standpunkts geklärt sein.

Grote

## 199. Heinrich Himmler an Walter Warlimont 2. September 1944

Den indirekte ordre til Best om at få dirigeret 5.000 danske arbejdere til fæstningsbyggeri i Slesvig-Holsten stødte på modstand bl.a. hos von Hanneken, som Best rimeligvis havde informeret og givet sin egen mening til kende over for. Denne modstand kom Himmler for øre, muligvis gennem Best, og han gik til von Hannekens overordnede i OKW for at trumfe sin vilje igennem.

General Warlimont svarede 3. september 1944.

Det var uheldigt, at RFSS' krav om 5.000 danske arbejdere faldt sammen med WB Dänemarks krav om ca. 8.000 arbejdere til brug for bygningen af de tyske forsvarsstillinger tværs over Jylland, herunder at op mod 3.000 arbejdere skulle frigøres fra andre befæstningsarbejder til formålet, og at det ville medføre masseindkvartering af arbejderne. De krav var fremsat 1. september (KB, Herschends dagbog 1. september 1944, s. 7ff., Hæstrup, 2, 1966-71, s. 45). Alene på den baggrund kan WB Dänemarks stillingtagen til RFSS' krav forklares, uanset hvornår han fik kendskab til dette.

Dertil kommer, at Best på intet tidspunkt orienterede AA om, at WB Dänemark stillede krav om danske arbejdere til skansearbejdet, heller ikke at dette krav blev afvist af departementscheferne. November året før havde han nøje orienteret AA om WB Dänemarks arbejdskraftskrav, men det skete ikke længere. Her, som i oktober 1944, da WB Dänemark igen krævede arbejdskraft, lod Best det være et "lokalt" anliggende.

Kilde: RA, Danica 1000, T-175, sp. 122, nr. 2.648.216. RA, pk. 443a.

---

34 Ribbentrops meddelelse til Best 27. august er ikke lokaliseret.

Fernschreiben

Herrn General Warlimont
    Wolfschanze

Ich höre, daß der Militärbefehlshaber in Dänemark sich gegen die Herausgabe von 5.000 Arbeitern aus Dänemark, die zum Bau der Küstenbefestigung in Schleswig/Holstein vorgesehen sind, sträubt. Ich bitte um Feststellung, ob das zutrifft. Wenn ja, bitte ich um Anweisung an den Militärbefehlshaber zur sofortigen Freigabe der Arbeiter, damit keine Zeit verloren geht.
    2.9.1944
                            gez. H. Himmler!
Bra/h.


**200. Gotthard Heinrici an Rüstungsstab Dänemark u.a. 2. September 1944**
Rüstungsstab Dänemark fik ordre om, at staben, i tilfælde af at Danmark blev operationsområde, ville være underlagt WB Dänemark. Såfremt de blev pålagt at overføre, lamme eller destruere noget, skulle opgaven overlades til nærmeste hærenhed.
    Kilde: RA, Tyske arkiver, K 599: Diverse korrespondance 15.8.44-20.8.45.

Der Reichsminister für                              *Berlin NW 7, den 2. Sept. 1944*
Rüstung und Kriegsproduktion                         Unter den Linden 78
Rü A /Rü I                                                   *Eilt sehr!*

Betr.:  Richtlinien für die Zusammenarbeit von Rüstungsdienststellen mit den Heeresgruppen im Operationsgebiet.

1.) Durch Klärung eines Gebietes zum Operationsgebiet werden sämtliche Wehrmachtdienststellen, soweit ihre Herauslösung nicht ausdrücklich befohlen ist, der Heeresgruppe innerhalb ihres Bereichs unterstellt.

2.) Die damit der Heeresgruppe unterstellten Rüstungsdienststel[len] nehmen sofort die Verbindung mit den etwa in ihrem Bereich v[orha]ndenen Kampfkommandanten sowie mit den zuständigen Durchführu[ngs]dienststellen der Heeresgruppe auf, um diese über die ihnen vom Reichsminister für Rüstung und Kriegsproduktion übertragenen Aufgaben genau zu unterrichten. Insbesondere ist dabei zu erreichen, daß die Rüstungsdienststellen bei der Durchführung der ihnen übertragenen Räumungs-, Lähmungs- und Zerstörungsaufgaben möglichst weitgehend unterstützt werden. Im Rahmen dieser Aufgaben ist mit den Kampfkommandanten unter allen Umständen zu klären, inwieweit eine Beweglichkeit der Rüstungsdienststellen zur Durchführung dieser Aufgaben gewährleistet sein muß.
    Hiermit im Zusammenhang ist mit den zuständigen Stellen der Heeresgruppe die Versorgung der Rüstungsdienststellen mit Treibstoffen sicherzustellen.

3.) Haben Rüstungsdienststellen über die Aufgaben der Räumungs-, Lähmungs- und

Zerstörungsaufträge hinaus noch im Betrieb befindliche Werke zu betreuen,[35] so ist die Durchführung der Betreuung mit den zuständigen Stellen der Heeresgruppe zu klären.

I.A.
gez. **Heinrici**

*Verteiler:*
[u.a.] Rüstungsstab Dänemark


### 201. Walter Warlimont an Heinrich Himmler 3. September 1944

Warlimont meddelte RFSS, at WB Dänemark ikke havde modtaget nogen ordre om at afgive 5.000 arbejdere. WFSt var enig med WB Dänemark i, at truslen mod de danske kyster var så høj, at der heller ikke kunne blive tale derom. I stedet blev RFSS foreslået at henvende sig til Best for at få arbejdere fra det danske arbejdsmarked til formålet.

For det videre forløb, se Frenzel til Wagner 4. september 1944.

Når von Hanneken ikke fik en lodret ordre om at gøre som RFSS ønskede, hang det givetvis bl.a. sammen med, at von Hanneken samtidig i henhold til Hitlers ordre af 28. august var sat i gang med yderligere store befæstningsarbejder i Jylland og selv pressede de danske myndigheder for både arbejdskraft og materialer. Der skulle etableres en befæstningslinje tværs over Jylland fra Kolding til Kongeåens udløb (kaldet stilling Gudrun) og en befæstningslinje fra Haderslev over Vojens, Uldal, Toftlund og Søndermark til Spandet (kaldet stilling Kreimhild). Muligvis har det heller ikke været WFSt ukært at dæmme op for RFSS' fremfærd (KTB/WB Dänemark 1. september 1944, Hæstrup, 2, 1966-71, s. 45-49, Drostrup 1997, s. 181-183, Andersen 2007, s. 229f.).

Kilde: RA, Danica 1000, T-175, sp. 122, nr. 2.648.207f.

Telegramm

Geheime Kommandosache

KR – GWNOL 016096 3/9 23.00 = Qem – Qed –

An Reichsführer-SS

Zu Blitz – SSZS Nr. 120 vom 2.9.[36] meldet WB Dänemark, daß von keiner Seite bisher Befehl zur Abgabe von 5.000 Arbeitern bei ihm eingegangen. WFSt ist mit WB Dänemark darin einig, daß Arbeiter aus Stellungsbau Dänemark wegen zahlreicher Meldungen über erhöhte Bedrohung dänischer Küste nicht abgezogen werden können, da zur Zeit gerade ausreichend und dringendste Bauaufgaben durchzuführen hiernach Vorschlag, durch Vermittlung des Reichsbevollmächtigten Arbeiter aus der dänischen Wirtschaft abzuziehen.

gez. i.A. **Warlimont**
OKW/WFSt/OP (H) Nr. 0010759/44 Gkdos.


---

35 Se Speers ordre 15. august 1944.
36 Se Himmler til Warlimont 2. september 1944.

## 202. Adolf von Steengracht an Joachim von Ribbentrop 4. September 1944

Steengracht havde i anden anledning haft møde med Kaltenbrunner og benyttede lejligheden til at tage spørgsmålet om forholdet mellem Best og Pancke op. Kaltenbrunner meddelte da, at Pancke venteligt ville blive kaldt hjem og erstattet af en dygtig SS-Brigadeführer, og at personskiftet kunne bruges til at få forholdene afklaret. Steengracht overlod det til Wagner at forhandle videre med Kaltenbrunner om den højere SS- og politiførers underordnelse under den rigsbefuldmægtigede.

Det kan opfattes som en nedprioritering af spørgsmålet, når Steengracht ikke selv tog sig af det.

Bovensiepen forklarede efter 1945, at SS-Brigadeführer Ellersieck var udset til Panckes efterfølger, og at Pancke var faldet i unåde hos Himmler som følge af afviklingen af generalstrejken i København. Eberhard von Löw var i sin efterkrigsforklaring enig i, at Ellersieck var udset til Panckes efterfølger, og kunne yderligere oplyse, at Ellersieck havde været i København i sensommeren 1944 for forberede sig på at overtage Panckes embede. Til gengæld mente von Löw, at forklaringen på Panckes forestående hjemkaldelse var Panckes passivitet med hensyn til modterroren.

Ribbentrop reagerede på optegnelsen 7. september, se Brenner anf. dato til Wagner (LAK, Best-sagen, Bovensiepens forklaring 10. december 1946 og von Löws forklaring 19. august 1947, Hæstrup, 2, 1966-71, s. 32f., Rosengreen 1982, s. 123f.).

Kilde: RA, pk. 228 og 438a.

St.S. Nr. 228                                                                                                              Berlin, den 4. September [1944].

### Aufzeichnung

Bei Gelegenheit einer Besprechung, die ich heute im Sinne meines kürzlichen Gesprächs mit dem Herrn Reichsaußenminister mit Obergruppenführer Kaltenbrunner wegen der eventuellen Aktion im Zusammenhang mit den Ereignissen des 20. Juli hat[t]e, habe ich Kaltenbrunner gegenüber auch die Frage des Verhältnisses des Reichsbevollmächtigten in Dänemark zu dem Höheren SS- und Polizeiführer zur Sprache gebracht. Ich habe zum Ausdruck gebracht, daß mir die Zeit für eine klare Festlegung der Unterstellung des Höheren SS- und Polizeiführers unter den Reichsbevollmächtigten gekommen zu sein scheine.

Obergruf. Kaltenbrunner erwiderte, daß er mir vertraulich mitteilen könne, daß Ogruf. Pancke demnächst als Höherer SS- und Polizeiführer in Dänemark abberufen und durch einen besonders tüchtigen SS-Brigadeführer ersetzt werden solle. Meinen Vorschlag, diesen Personalwechsel zum Anlaß einer Klärung des Verhältnisses zwischen Reichsbevollmächtigtem und Höheren SS- und Polizeiführer zu machen, nahm Ogruf. Kaltenbrunner positiv auf. Er erklärte sich mit einer Festlegung der Unterstellung des Höheren SS- und Polizeiführers unter den Reichsbevollmächtigten unter der Voraussetzung einverstanden, daß unsererseits dafür Sorge getragen wird, daß Best sich nicht Kommandobefugnisse über die Polizeivollzugsorgane (Eingehen auf Polizei-Interna) anmaße einverstanden. Ich habe Kaltenbrunner erwidert, daß ich keine Bedenken trüge, eine Sonderanweisung an Best in diesem Sinne ergeben zu lassen.

Unter diesen Umständen schlage ich vor, die Angelegenheit durch VLR Wagner mit Ogruf. Kaltenbrunner weiter verhandeln zu lassen, mit dem Ziel der Vereinbarung einer präzisen Regelung des Unterstellungsverhältnisses des Höheren SS- und Polizeiführers unter den Reichsbevollmächtigten.

Ich bitte um Zustimmung des Herrn Reichsaußenministers.

Hiermit dem Herrn Reichsaußenminister vorgelegt.

gez. **Steengracht**

## 203. Wilhelm Keitel an WB Dänemark 4. September 1944

Keitel meddelte von Hanneken med kopi til bl.a. Best, at alle tyske statsborgere, der ikke havde tjenstlige forpligtelser, skulle forlade landet (jfr. KTB/OKW, 4:1, s. 928).

Baggrunden var en førerordre fra Hitler 25. august samt risikoen for en mulig invasion. I hvilket omfang førerordren blev efterlevet, er ikke fuldt klarlagt, men at den i hvert fald blev effektueret for *mere* end et syns skyld (af hensyn til de overordnede), er sikkert.

Best søgte – med en i forvejen begrænset stab – at mindske udtyndingen mest muligt. Blandt de personer, han valgte at sende ud af Danmark med henvisning til førerordren, var lederen af Det Tyske Videnskabelige Institut, Otto Höfler (Hausmann 2001, s. 185), en anden var Heinrich Esche (se Korffs notat 20. november 1944).[37] En tredje gruppe, der blev hjemsendt, var de tyske bybørn, der havde været på landophold i Danmark (*Politische Informationen* 1. december 944, afsnit VI). Festungspionier-Stab 31 mistede nøglepersoner i sit arbejde med følelige ulemper til følge (Festungspionier-Stab 31: Bericht 22. januar 1945).

Se endvidere Jodl til WB Dänemark 9. september 1944 (Thomsen 1971, s. 216 med s. 265 n. 39 lader fejlagtigt dette være førerordren).

Kilde: BArch, Freiburg, RW 4/754. RA, Danica 1069, sp. 1, nr. 377f.

WFSt/Qu. 2 (Nord)                                                    4.9.1944
Geheime Kommandosache                            8 Ausfertigungen
                                                                                1. Ausfertigung

### SSD-Fernschreiben

An       1.) W. Befh. Dänemark
nachr.:    2.) Leiter der Parteikanzlei (durch Kurier) 2. Ausf.
            3.) Reichsmin. u. Chef d. Reichskanzlei
            4.) Ausw. Amt, z.Hd. Herrn Botschafter Ritter (durch Kurier) 3. Ausf.
            5.) Generalbevollmächtigter f.d. Reichsverwaltung,
                 z.Hd. Herrn Staatssekretär Dr. Stuckart
            6.) Reichsbevollmächtigter Dänemark
            7.) Landesgruppenleiter der NSDAP in Dänemark
            8.) Gen.St. d.H./Gen. Qu./K. Verw. (Anna)
            9.) OKL/Gen. Qu. (Robinson)
           10.) OKM/Skl./Adm. Qu. (Bismarck)
           11.) Reichsführer SS u. Chef d. Dt. Polizei – Kdo. Stab –

Betr.: Auflockerung Dänemark.

Zur Durchführung des Führerbefehls OKW/WFSt/Qu. 2. Nr. 06540/44 geh. vom 25.8.44 wird befohlen:
Angehörige der deutschen Wehrmacht und des Wehrmachtgefolges sowie nicht in Dänemark ansässige deutsche Zivilpersonen, deren Verbleib in Dänemark weder aus dienstlichen noch aus politischen Gründen erforderlich ist, sind im Einvernehmen mit dem Reichsbevollmächtigten und dem Landesgruppenleiter der NSDAP bis spätestens

---

37 Duckwitz undgik at få sine kone sendt ud af landet eller beordret til skansegravning i Jylland ved at sende hende på et længere ophold i Sverige (Duckwitz' erindringer u.å. kap. VIII (PA/AA, Nachlass Georg F. Duckwitz, bd. 29)).

zum 1.10.44 ins Reich abzuschieben. Das gilt insbesondere für Frauen und Kinder.

Über die dienstliche Notwendigkeit eines etwaigen Verbleibs in Dänemark entscheidet im militärischen Bereich allein und endgültig der W. Befh. Dänemark.

Die Einreise nach Dänemark wird für den dem Abschub unterliegenden Personenkreis mit sofortiger Wirkung verboten.

Ausführungsbestimmungen für den militärischen Bereich erläßt der W. Befh. Dänemark.

Der Chef OKW<br>
**Keitel**<br>
OKW/WFSt/Qu. 2 (Nord)<br>
Nr. 0010660/44 g.Kdos.

## 204. Ernst Frenzel an Horst Wagner 4. September 1944

Best havde meddelt AA, at von Hanneken ikke kunne være behjælpelig med at fremskaffe 5.000 arbejdere til befæstningsbyggeri, og skulle von Hanneken få ordre om at afgive 5.000 OT-arbejdere, havde han ingen bemyndigelse til at overføre arbejderne til Slesvig-Holsten. Også spørgsmålet om lønnen ville være et problem. Først og fremmest kunne han af psykologiske grunde ikke anbefale en overførsel af arbejdere. Best forcslog i stedet at bruge nogle tusinde medlemmer af Hitlerjugend til opgaven. Han var af Gau Schleswig-Holstein blevet stillet dette i udsigt som en mulighed.

Selv om Frenzels notits alene indeholder et kort sammendrag af Bests telegram af 3. september, fremgår det heraf, at Best ikke blot opstillede en række af problemer for at hindre gennemførelsen af Himmlers ordre. Han havde også sikret sig en anden løsning og forhørt sig om dens mulige gennemførelse med positivt resultat. Først og sidst ville han for enhver pris undgå, at 5.000 arbejdere fra Danmark tvangsmæssigt blev overført til Tyskland, en mulighed han end ikke nævnte; han holdt kun de muligheder åbne, der lå inden for det dansk-tyske aftalesystems rammer.

Se Frenzel til Wagner 11. september.
Kilde: PA/AA R 101.040. RA, pk. 228. LAK, Best-sagen (afskrift).

Eilt sehr!                                                  Sofort auf den Tisch!
Im D'druck
    Geheimrat Wagner, Inl. II mit der Bitte um Kenntnisnahme.

Betrifft: Umsetzungen von 5.000 dänischen OT-Arbeitern aus Dänemark nach Schleswig-Holstein.

Nachdem Dr. Best in einem Vorrang-Telegramm – eingegangen 3.9.[38] – mitgeteilt hat, daß der Militär-Befehlshaber in Dänemark Umsetzungen ablehne, da er sonst seine Befehle nicht durchführen könne, habe ich mit Dr. Best fernmündlich nochmals Fühlung genommen.

    Dr. Best vertritt folgenden Standpunkt:
1.) aus psychologischen Gründen könne er seinerseits die Umsetzungen nicht befürworten

---

38 Telegrammet er ikke lokaliseret.

2.) für den Fall, daß das Oberkommando der Wehrmacht den Befehl erteile, die OT-Arbeiter freizugeben, habe er keine Exekutivmöglichkeit die Arbeiter nach Schleswig-Holstein zu überstellen.

3.) Freiwillig gingen die dänischen OT-Arbeiter nur nach Schleswig-Holstein, bei Gewährung bevorzugter Bedingungen – die vom Gauleiter Sauckel gebilligte Lösung den OT-Arbeiten den deutschen Inlandssatz für OT-Arbeiter zu geben, sei daher keine Grundlage, da dieser Satz unter dem in Dänemark geltenden OT-Satz (0.04) liege.

Dr. Best schlug als bessere Lösung vor, auf einige Tausend aus der Hitlerjugend für diesen Einsatz zurückzugreifen. Vom Gau Schleswig-Holstein seien ihm diese in Aussicht gestellt.

Berlin, den 4. September 1944

Frenzel


### 205. Ferdinand Goeken an Werner Best 5. September 1944

Best blev orienteret om, at *Nordschlesigsche Zeitung* fortsat kunne sendes til de af det tyske mindretals medlemmer, der var frivillige i Waffen-SS og hos værnemagten, også efter de trufne foranstaltninger vedrørende den totale krigsindsats.

Kilde: PA/AA R 100.358.


D/Ko. Rs. 1. b. Li.
Ref. RR Dr. Goeken                               Berlin, den 5. September 1944
Inl. II c 3510

Auf den Bericht vom 30.8.44[39] – I C/N Sch 15. –

An den Reichsbevollmächtigten in Dänemark
    Kopenhagen

Gemäß Auskunft des Feldpostamtes im Reichspostministerium sind im Feldpostverkehr im Zusammenhang mit den Maßnahmen zum totalen Kriegseinsatz Änderungen bisher nicht eingetreten und auch vorläufig nicht zu erwarten, so daß der weiteren Zusendung der Nordschleswigschen Zeitung an die volksdeutschen Angehörigen der Waffen-SS und der Wehrmacht aus Nordschleswig seitens der Volksgruppenführung nichts im Wege stehen dürfte.

Im Auftrag
Gez. Goeken

---

39 Indberetningen er ikke lokaliseret.

## 206. Kriegstagebuch/WB Dänemark 5. September 1944

Der var tidligere – 14. august – udgået ordre om, at de tyske tjenestesteder i Danmarks fire største byer skulle sammenlægges. Den ordre blev nu på grund af erfaringerne fra Bruxelles og Holland skærpet ved, at der skulle være vagt og patruljer om natten omkring disse tjenestesteder eller forsvarsblokke, som de blev betegnet.

De tyske tjenestesteder i bl.a. Holland var blevet angrebet om natten, hvor der ikke havde været vagter. Ordren om sammenlægningen af tjenestestederne blev realiseret, men det var besværligt og gjorde forholdene mindre komfortable for værnemagten, hvilket førte til omgåelser af ordren (se KTB/WB Dänemark 9. september). Samtidig stod de berørte byer med et pludseligt genhusningsproblem for en lang række familier, som med kort varsel skulle fraflytte deres bolig, når "die große Umzugsaktion", som tyskerne kaldte det, skulle gennemføres og "Verteidigungsblocks" oprettes. Disse forsvarskarréer blev udstyret med spanske ryttere, sandsække til skydestillinger, vagthuse af mursten eller beton, tæt pigtråd omkring gårdrum, projektørbelysning, m.m. (for eksempler, se for Århus: KB, Herschends dagbog nr. 181, 31. august 1944, Andrésen 1945, s. 60-63; for Esbjerg: KB, Herschends dagbog nr. 202 og 203, 16. september 1944).

Kilde: KTB/WB Dänemark 5. september 1944.

[...]

Zu unserer Verfügung vom 13.8.44[40] über die Zusammenlegung der deutschen Dienststellen in den Standorten Kopenhagen, Odense, Aarhus und Aalborg wird im Hinblick auf die neuerlichen Vorkommnisse in Brüssel und im holländischen Raum ergänzend befohlen, daß:

1.) die von den Standortältesten erkundeten und von WB Dän. genehmigten Wohnblocks ab 8.9.44 durch Posten und Streifen während der Nacht zu sichern sind,
2.) die Standortältesten den Umzug in die neuen Unterkünfte mit allen verfügbaren Mitteln zu beschleunigen haben.
3.) für die Sicherung der ab 8.9. noch außerhalb der vorgesehenen Vert. Blocks befindlichen Dienststellen die Leiter voll verantwortlich sind und eigene Wachen aufzustellen haben.
4.) über den Stand der Umlegungen durch die Standortältesten über die Territorialbefehlshaber fernschriftlich an WB Dän. zu melden ist.

[...]

## 207. Der Reichsbevollmächtigte: Vernichtungsverhandlung 6. September 1944

Best havde 2. september 1944 beordret en række konkrete sager i Det Tyske Gesandtskab tilintetgjort. Under opsyn af et vidne foretog ministerialråd E.M. Wunder 6. september tilintetgørelsen, idet der blev udfærdiget en liste over det tilintetgjorte materiale.

Tilintetgørelsen af arkivmateriale skete generelt i henhold til ordrer fra AA, og det vides ikke, hvornår Best modtog den første ordre i anden halvdel af 1944. Halvdelen af de tilintetgjorte dokumenter i det konkrete tilfælde var fra 1941 og 42, de resterende fra 1943-44. Dokument nr. 6: Planung en deutschen Aufsichtsverwaltung für Dänemark med fem bilag, udarbejdet af Best, påkalder sig særlig interesse. Det er et vidnesbyrd om, at han i 1943 helt konkret har udmøntet sine forud fremsatte ideer om "Aufsichtsverwaltung" for Danmark. Det er sandsynligvis sket før 29. august.[40]

Kilde: RA, Vesterdals nye pakker, pk. 2.

---

40 Anordningen er fra 14. august 1944, trykt ovenfor.
41 Det kan have været den artikel (eller et forarbejde dertil), som Best ville have offentliggjort i tidsskriftet *Reich – Volksordnung – Lebensraum* om den tyske forvaltning af det besatte Danmark. Han havde forud

Hauptabteilung III          *Kopenhagen, den 6. September 1944.*

Vernichtungsverhandlung

Heute wurden folgende Geheime Reichssachen (Geheime Kommandosachen) auf Vollständigkeit geprüft und gemäß Weisung des Reichsbevollmächtigten vom 2. September 1944, RBZ/Pers. Si 4, mittels elektrischer Zerkleinerungsmaschine vernichtet:

1.) Wi/253/41 betr.: 2. Bericht des OKW über Stand und weitere Möglichkeiten wirtschaftlicher Kampfmaßnahmen in Großbritannien (OKW, HWK Nr. 510/40 g Kdos, 1 Anlage)
2.) Wi/4116/41 betr.: Ankauf von ausländischen Wertpapieren durch Otto Wolf. (Ausw. Amt Ha Pol 766/41 g Rs. Keine Anlagen).
3.) Wi/465/41 betr.: Abschnitt III Ziff. 12 Blockadebruch S 36 2. Abs. (R. Verk. Min. S 23/RS Nr. 221/41 g Rs, 1 Anlage).
4.) Aus 1941 betr.: Bericht des Sonderstabs über den Stand und die weiteren Möglichkeiten wirtschaftlicher Kampfmaßnahmen (OKW, HWK Nr. 605/41 g Kdos., 1 Anlage).
5.) Wi/2396/42 betr.: Société Générale de Surveillance (Ausw. Amt Ha Pol 439 g.Rs., 2 Anlagen).
6.) III/1534/43 betr.: Planung einer deutschen Aufsichtsverwaltung für Dänemark (Reichsbev. Dmk. Z/108/43, 5 Anlagen).
7.) Zu III/4154/43 betr.: Einfuhr von landwirtschaftlichen Erzeugnissen aus Dänemark in der kommenden Kriegszeit (R.E.M. zu II/1a – 104 II g Rs, 5 Anlagen).
8.) III/2413/44 betr.: Sicherstellung Fanggerätes dänischer Fischerei im Evakuierungsfall (Adm. Skagerrak B. Nr. G.Kdos 2536 […] Qu III, 3 Anlagen).
9.) III/3251/44 betr.: Unternehmen Nord.[42] (R.E.M.V B 4-550 g Rs, 13 Anlagen).
10.) III/7715/44 betr.: Verordnungen für den X-Fall[43] (Reichsbev. Dmk., Hpt. Abtlg. II, 9 Anlagen).

Der Verantwortliche:          Der Zeuge:
gez. **Wunder**                gez. **Kreuz**
Ministerialrat                 Devisenprüfer

---

behandlet militærforvaltningen i Frankrig (bd. 1, 1941, s. 74ff. og både der og i en forbemærkning i bind 4, 1943, s. 419 skrevet, at de tyske forvaltninger i alle de besatte lande skulle behandles i tidsskriftet. Flere blev også behandlet af andre (bl.a. Seyss-Inquart om Norge), men krigsudviklingen satte en stopper for, at der kom et bidrag om Danmark (Meyer 1992, s. 43 med note 60 og 61). Bests planlægning af en "oversigtsforvaltning" i Danmark i 1943, som hermed er klart dokumenteret, stod ikke nødvendigvis i modstrid med hans foreslåede foranstaltninger 18. august 1943, der skulle give ham en rigskommissærs beføjelser.

42 Se om operation "Nord" OKM til AA 12. juni 1944.
43 Det drejede sig om forordninger i tilfælde af et fjendtligt angreb.

## 208. Der Beauftragte für den Vierjahresplan an den Reichsminister der Finanzen 6. September 1944

Rigskommissæren for Prisdannelse refererede et møde om prisspørgsmålet i Danmark, som havde været afholdt 1. august med de berørte tyske instanser. Der havde været seks emner på dagsordenen: Forskrifterne for valutaansøgninger var blevet skærpet, men det skulle fortsat understreges over for tjenestestederne, at valutaønsker kun kunne opfyldes, når der var et virkeligt behov. Værnemagten var ikke involveret i byggeprisundersøgelserne, kun når det gjaldt fremskaffelse af midler. De danske byggefirmaers priser blev så skarpt overvåget af danske myndigheder, at det kunne mindske deres virkelyst, men overvågningen omfattede alene lønningslister og mængden af byggematerialer. Hensynet til den militære hemmelighed blev opretholdt. Det var hensigten at indføre kontrol med tyske byggefirmaers priser ved de danske myndigheders hjælp i det omfang, det drejede sig om kroneudgifter. OT stod for 90 % af byggeriet i Danmark og overvågede selv prisdannelsen. Det kom til udtryk, at der havde været givet for høje priser. Det blev foreslået, at Danmark fik sin egen OT-generalingeniør uafhængig af Oslo. Endelig kunne det konstateres, at værnemagtens byggearbejder efter WB Dänemarks befaling var stærkt indskrænket. En række ministerier og organisationer fik en afskrift af brevet.

OKW svarede 11. oktober 1944.
Kilde: PA/AA R 105.210. RA, pk. 282.

Abschrift
Der Beauftragte für den Vierjahresplan                    *Berlin W 9, den 6. September [1944]*
Reichskommissar für die Preisbildung
R f pr. A-480-3716/44

### Schnellbrief

An den Herrn Reichsminister der Finanzen
  Berlin

Betrifft: Kriegsfinanzierung und Preisfragen in Dänemark, insonderheit Baupreisfragen.

Im Verfolg der dortigen Verhandlungen über die Finanz- und preispolitische Lage in Dänemark am 1. August d.J.[44] habe ich vor einigen Tagen die Hauptbeteiligten Ressorts zu Besprechungen der Baupreisfragen eingeladen. Hierbei ist folgendes Ergebnis erzielt worden:

*1.) Devisenkontrollstelle:*
Es wurde festgestellt, daß schärfere Vorschriften für die Devisenanforderung erlassen worden sind, die eine Zuteilung der Devisen nur noch nach dem *wirklichen* Bedarf vorsehen. Um eine Durchführung dieser Vorschrift zu gewährleisten, sollen die beteiligten Stellen noch einmal mit Nachdruck darauf hinweisen, daß nur der *wirkliche* Bedarf an Devisen angefordert und gedeckt werden kann.

Ein Ausbau der Devisenkontrollstelle zur zentralen Preisprüfungsstelle kommt nicht in Betracht.

---

44 I OKWs svar 11. oktober 1944 henføres mødet til 24. august, selv om der henvises til denne skrivelse. Enten har der været to møder, eller den ene afskrift er fejlagtig.

## 2.) *Prüfung der Baupreise:*

Die Wehrmacht selbst ist in die Prüfung der Baupreise nicht eingeschaltet; sie wirkt nur insoweit mit, als es sich um die Geldmittelbeschaffung handelt. In diesem Rahmen werden nur etwa 10 v.H. der Bauten stichprobenweise überprüft.

## 3.) *Prüfung der dänischen Baufirmen:*

Die dänischen Baufirmen werden durch die dänischen Behörden überprüft. Nach den gewordenen Mitteilungen wird hierbei ein sehr scharfer Maßstab angelegt, sodaß die Gefahr besteht, daß die Lieferfreudigkeit der dänischen Firmen beeinträchtigt wird. Die Prüfung erfolgt unter Beachtung der Geheimhaltungsgrundsätze, sodaß es sich im wesentlichen nur um eine Überprüfung der Lohnlisten und der Baustoffmengen handelt. Eine Besichtigung der Bauten selbst zur Vornahme örtlicher Prüfungen erfolgt nicht.

## 4.) *Prüfung der deutschen Baufirmen:*

Die deutschen Baufirmen sind bisher in Dänemark nicht geprüft worden. Es ist in Aussicht genommen, sie durch die dänischen Behörden prüfen zu lassen, sofern es sich um Ausgaben in Kronen handelt. Die dänischen Behörden sollen hierbei als Beauftragte des Reiches auftreten und nach besonderen Weisungen des Reichsbevollmächtigten in Dänemark handeln. Eine Überprüfung der Erfolgsrechnung dieser Firmen kann nur in Deutschland durch die zuständigen Stellen erfolgten, da die Haupt- und Abschlußbuchungen aus der Bautätigkeit in Dänemark am Stammsitz der Firma in Deutschland erfolgen.

## 5.) *Bautätigkeit der OT:*

Der größte Teil der Bauten, etwa 90 %, wird in Dänemark von den OT-Dienststellen ausgeführt. Bei dem OT-Einsatz Dänemark besteht eine Abteilung "Vertrag und Preisbildung", der auch die Baupreisbildung und Baupreisüberprüfung – unter Zuhilfenahme des Prüfungsdienstes – obliegt. Diese Abteilung trägt auch die Verantwortung für die richtigen Baupreise und deren Innehaltung. Es kam zur Sprache, daß es bei den Baupreisen in erster Linie darauf ankommt, die Rahmenpreise volkswirtschaftlich richtig zu bilden. Diesem Umstande ist durch einen neuen Rahmenvertrag (Eisenbetonbunker) Rechnung getragen worden. Der bisherige Rahmenvertrag wich zu hohe Preise aus.

Allgemein wurde es für erwünscht und geboten erachtet, in Dänemark eine von Oslo unabhängige OT-Einsatzstelle durch Ernennung eines Generalingenieurs für Dänemark zu schaffen, da sich die Verbindung mit Oslo als nicht günstig erwiesen hat.[45]

## 6.) *Bauten durch die Truppen:*

Es wurde festgestellt, daß durch einen Befehl des Wehrmachtsbefehlshabers Dänemark die Bautätigkeit bei der Truppe erheblich eingeschränkt worden ist. Hierbei ist der Einsatz von Firmen grundsätzlich untersagt worden. Im übrigen sind einem Regiment höchstens 100 Zivilarbeiter im Regieverhältnis zugebilligt worden. Die dadurch frei

---

45 Forslaget om en generalingeniør for Danmark blev fremsat i Preispolitischer Lagebericht 9. maj 1944 og blev taget op af RFM over for OKW 2. oktober 1944.

gewordenen Arbeiter (3.500) sind von der OT übernommen. Zudem sind die Geldmittel stark gekürzt worden, sodaß auch hierdurch eine Beschränkung in der Bautätigkeit eintreten wird.

Ich Stelle anheim, zu den weiteren Besprechungen nunmehr von dort aus einzuladen.

Im Auftrag
gez. **Mosthaf**


Berlin, den 6. September 1944

An
a.) das Auswärtige Amt
    z.Hd. v. Herrn Legat. Rat von Behr
    Berlin
    Wilhelmstraße 76/77
b.) das Reichsministerium für Ernährung und Landwirtschaft
    z.Hd. v. Herrn Min. Dir. Walter
    Berlin
c.) das Oberkommando der Wehrmacht
    – Allgemeine Wehrmachtsverwaltung –
    z.Hd. von Herrn MinRat Dr. Kersten
    Berlin
d.) das Oberkommando der Wehrmacht
    – Haushaltsabteilung -
    z.Hd. von Herrn MinRat Siegert
    Berlin
e.) das Reichsministerium für Rüstung und Kriegsproduktion
    Amtsgruppe Preisbildung
    z.Hd. von Herrn Baurat Brummer
    Berlin-Charlottenburg
    Knesebeckstraße 98
f.) die Organisation Todt
    – Zentralverwaltung –
    Amt Bau, Abt. IV
    z.Hd. von Herrn RegRat Dr. Daub
    Belzig
    Weitzgarderweg 3

Abschrift übersende ich zur gefl. Kenntnisnahme. Soweit nach dem Ergebnis der Besprechung Maßnahmen zu treffen sind, bitte ich, das weitere zu veranlassen und mir davon Kenntnis zu geben.

Im Auftrag
gez. **Mosthaf**

## 209. Walter Forstmann an das Volksgruppenkontor der Deutschen Volksgruppe 7. September 1944

Forstmann havde erfaret, at medlemmerne af det tyske mindretals produktionsforeninger var blevet indkaldt til skansearbejde i fire uger. De leverede månedligt for en million kroner rustningsvigtige varer, en kapacitet, der på ingen måde kunne gives afkald på. Der måtte laves en arbejdsfordeling, så dette produktionsudfald blev undgået.

Det var det af OKW beordrede skansearbejde i Sønderjylland, som berørte det sønderjyske mindretal. De kom efter pres fra Best til at stille en del af den nødvendige arbejdskraft for seks uger, hvilket bl.a. kom til at gå ud over mindretallets produktionsforeninger, og dermed bragte Forstmann på kollisionskurs med von Hanneken (Bests redegørelse 15. december 1947 (PKB, 14, nr. 355), Hvidtfeldt 1953, s. 142-144, Andersen 2007, s. 228-230).

Kilde: BArch, Freiburg, RW 27/16. KTB/Rü Stab Dänemark 3. Vierteljahr 1944, Anlage 28.

Chef Rüstungsstab Dänemark des Reichsministers für R.u.K.

Anl. 28
7.9.1944

Bezug: ./.
Betr.: Einberufung der Mitglieder der Liefergemeinschaften der Deutschen Berufsgruppen in Nordschleswig zu Schanzarbeiten.

An das Volksgruppenkontor der Deutschen Volksgruppe in Nordschleswig,
Apenrade

Wie mir soeben Herr Lassen im Auftrage von Direktor Wolff von der Liefergemeinschaft der DBN mitteilt, werden Betriebsführer und Gefolgschaft, sowie die Wachmannschaften der Mitglieds-Firmen ohne Prüfung ihrer Abkömmlichkeit zu Schanzarbeiten in Südjütland herangezogen. Für die Dauer der Einberufung – 4 Wochen – müssen deshalb die Betriebe stillgelegt werden.

Rü Stab Dän. muß darauf hinweisen, daß die Liefergemeinschaft der DBN monatlich für ca. 1 Million d.Kr. wichtigste deutsche Rüstungsaufträge fertigt. Auf diese Kapazität kann unter keinen Umständen verzichtet werden.

Es wird deshalb gebeten, umgehend bei den zuständigen Stellen vorzusprechen, damit die Einberufungen auf ein für die Rüstungsfertigung tragbares Maß zurückgeführt werden. Es wird dabei vorgeschlagen, einen 8 bzw. 14-tägigen Wechsel in den Einberufungen vorzunehmen. Der Produktionsausfall müßte durch Überstunden und Sonntagsarbeit ersetzt werden.

Der Chef des Rüstungsstabes Dänemark des Reichsministers
für Rüstung und Kriegsproduktion
gez. **Forstmann**
Kapitän zur See

## 210. Harro Brenner an Horst Wagner 7. September 1944

Wagner fik besked på telefonisk at kontakte von Ribbentrop angående HSSPFs underlæggelse under den rigsbefuldmægtigede i Danmark. Det skete på baggrund af von Steengrachts forudgående samtale med Kaltenbrunner om spørgsmålet.

Kilde: RA, pk. 228.

Büro RAM

Betr. Höherer SS- und Polizeiführer Dänemark

Über St.S. VLR Wagner vorgelegt.

Der Herr RAM bittet um Anruf zu der Aufzeichnung des Herrn St.S. Nr. 228 vom 4.9.[46] betr. Unterstellung des Höheren SS- und Polizeiführers unter den Reichsbevollmächtigten in Dänemark.

*Westfalen, den 7. September 1944.*

**Brenner**

Telefonisch voraus


## 211. Werner Best an das Auswärtige Amt 7. September 1944

Best orienterede om et møde, han havde haft med Nils Svenningsen. Svenningsen havde tilbudt, at Danmark kunne stå for overførslen af danske fanger fra tyske koncentrationslejre til Frøslevlejren, hvis transporten var et problem for tyskerne. Best bad om undersøgelse af, om en sådan transport kunne finde sted.

Horst Wagner svarede 9. september.[47]

Kilde: PA/AA R 99.502.

### Telegramm

| | | |
|---|---|---|
| Kopenhagen, den | 7. September 1944 | 21.00 Uhr |
| Ankunft, den | 8. September 1944 | 11.05 Uhr |

Nr. 1050 vom 7.9.[44.]

Unter Bezugnahme auf meine früheren Berichte über das neu errichtete Haftlager in Fröslev (Nordschleswig) berichte ich, daß der Direktor des dänischen Außenministeriums Svenningsen heute bei mir vorstellig wurde und darum bat, daß nach der Hilfe der dänischen Zentralverwaltung erfolgten Errichtung des neuen Haftlagers, gemäß der früher gemachten Zusagen, die im Reich befindlichen dänischen Häftlinge in dieses Lager überführt werden möchten. Sofern die Transportlage im Reich die Rückführung der dänischen Häftlinge erschwere, sei die dänische Zentralverwaltung bereit, durch die Entsendung von Autobussen den Transport selbst durchzuführen, da nach den Mittei-

---

46 Trykt ovenfor.
47 Der var også andre punkter på dagsordenen ved mødet mellem Best og Svenningsen 7. september, se Hæstrup, 2, 1966-71, s. 44.

lungen des hiesigen Befehlshabers der Sicherheitspolizei und des SD das Reichssicherheitshauptamt grundsätzlich mit der Überführung dänischer Häftlinge aus dem Reich in das neue Haftlager Fröslev einverstanden war, bitte ich um Prüfung und Nachricht, in welchem Umfange solche Transporte unter Benützung der von der dänischen Zentralverwaltung angebotenen Verkehrsmittel durchgeführt werden können.

**Dr. Best**


**212. Otto Bovensiepen an Walter Schellenberg 8. September 1944**
Bovensiepen bad Schellenberg om, at Hermann Seibolds besøg i København ikke fandt sted før 13. september, da de nødvendige forberedende foranstaltninger krævede et vist spillerum. Opgaven lød på et terrornetværk i Danmark.

Seibold var i København 16. september, hvor han bl.a. havde møde med Best (Bests kalenderoptegnelser anf. dato). Mens Seibold var i København, modtog han samme dag hos Bovensiepen en fjernskrivermeddelelse fra BdS i Oslo om, at den første norske instruktørgruppe ville afgå 20. september (samme kilde som nedenfor).

Seibold fulgte op på besøget i København til Daufeldt 27. september 1944.

Kilde: RA, Danica 465, Moskva, Osobyj Archiv, 500/1/1191/22.

Reichssicherheitshauptamt
Fernschreibstelle
FS.-Nr. 21617
KOPHGM 6569 8.9.44 18.30 =BEL=

An das RSHA VI, z.Hd. v. SS-Brigadeführer Schellenberg, oViA.

Geheime Reichssache
Dringend, sofort vorlegen

Betr: Zer-Netz Dänemark.
Vorg: FS v. 7.9.44 VI S.[48]

Ich bitte, SS-Stubaf. Seibold nicht vor dem 13.9.44 nach hier in Marsch zu setzen, weil die Vorbereitung der von S. zu treffenden Maßnahmen eine Spielraum bis dahin erfordert.

BdS Kopenhagen
gez. **Bovensiepen**
SS-Staf. u. Oberst d. Pol.

---

[48] Fjernskrivermeddelelsen er ikke lokaliseret.

## 213. Horst Wagner an Werner Best 9. September 1944

Wagner anbefalede Best at tale med Kriminalrat Rauch fra RSHA om overførslen af danske fanger fra Tyskland til den nye lejr i Frøslev. Rauch var tjenstligt i København.

Det fremgår ikke af Bests kalenderoptegnelser, at der fandt et møde sted med Rauch.

Kilde: PA/AA R 99.502.

Telegramm

Berlin, den                     9. Sept. 1944

Diplogerma: Kopenhagen Nr. 1072.
Referent: VK Dr. Sonnenhol
Betref.: Dänische KL-Häftlinge.

Auf Drahtbericht 1050 vom 7.9.[49] betr. Überstellung dänischer Häftlinge aus dem Reich in das neue Lager Fröslev.

Mit Angelegenheit wird Reichssicherheitshauptamt befaßt. Sachbearbeiter RSHA, Kriminalrat Rauch, zurzeit dienstlich in Kopenhagen. Empfehle Besprechung mit diesem.

Wagner

## 214. Horst Wagner an Ernst Frenzel 9. September 1944

Wagner meddelte, at Ribbentrop havde givet ordre om, at de ønskede 5.000 danske OT-arbejdere måtte komme til Schleswig-Holstein, hvis Gauleiter Sauckel var indforstået. Frenzel blev bedt om en omgående status i sagen, der interesserede von Ribbentrop.

Frenzel svarede Wagner 11. september 1944.

Med sin stillingtagen i denne sag gik Ribbentrop på tværs af Bests bestræbelser og tog ikke hensyn til de problemer, som Best havde rejst, endsige hvordan danskerne ville reagere.

Kilde: RA, pk. 234.

VLR Wagner.

Herrn Brigadeführer Frenzel:

Betr. Umsetzungen von 5.000 dänischen OT-Arbeitern aus Dänemark nach Schleswig-Holstein.

Der Herr RAM hatte Weisung gegeben, daß die infrage kommenden dänischen Arbeiter unverzüglich nach Deutschland kommen unter der Voraussetzung, daß Gauleiter Saukkel einverstanden ist.

Ich darf um umgehende Nachricht über den Stand der Angelegenheit bitten, da der Herr RAM daran interessiert ist.

*Berlin, den 9.9.1944*
W

---

49 Trykt ovenfor.

### 215. Alfred Jodl an WB Dänemark u.a. 9. September 1944

Ordren om at forberede byerne i en række tyskbesatte lande til kampzoner blev udvidet til at gælde landene som helhed. Der blev givet direktiver for, hvordan de militære myndigheder skulle handle på en række konkrete områder. Panikagtig flugt ved overraskende kamphandlinger skulle undgås og alt ikke-nødvendigt personale trækkes tilbage fra de besatte områder. Ligeledes skulle der tages stilling til, hvad der skulle ske med vigtige anlæg i tilfælde af, at de blev truet.

Kilde: BArch, Freiburg, RW 4/754. RA, Danica 1069, sp. 1, nr. 219-225 og RA, pk. 232 (her dateret 10. september 1942).

WFSt/Qu 2                          9. September 1944
                                                               Geheim

### SSD-Fernschreiben

an:     1.) W Bfh Norwegen
         2.) W Bfh Dänemark
         3.) W Bfh Niederlande
         4.) Ob. West
         5.) Ob. Südwest
         6.) Ob. Südost
         7.) Bev. General Ungarn
         8.) Dt. Gen. b. slowak. Verteid. Min.
nachr.:  9.) Bev. General Italien
        10.) Dt. Bev. General Kroatien

Bezug:   1.) FS OKW/WFSt/Qu. 2 Nr. 06224/44 geh. v. 14.8.44[50]
            2.) FS OKW/WFSt/Qu. 2 Nr. 06540/44 geh. v. 25.8.44[51]
            3.) FS OKW/WFSt/Qu. 2 (Nord) Nr. 0010660/44 g.Kdos. v. 4.9.44[52]
Betr.:    Auflockerung in den verbündeten, befreundeten und besetzten Ländern.

I. Mit sofortiger Wirkung gilt Führerbefehl vom 25.8.44[53] außer für Städte auch für gesamtes übriges Gebiet der im Verteiler genannten Befehlshaber.

II. Hierzu wird befohlen:
1.) Im sämtlichen von deutschen Truppen besetzten Gebieten ist Krieg oder kann der Krieg in jedem Augenblick durch feindliche Landungen zur See, aus der Luft oder durch Aufstände beginnen. Das gilt insbesondere für den ganzen Balkanraum, für Italien, Holland, Dänemark und Norwegen. Die Oberbefehlshaber haben daher mit äußerster Energie alle Personen, die für den Kampf nicht organisiert und nicht brauchbar sind, aus den Gebieten zu entfernen, die überraschend Kampfgebiet werden können. Darunter fallen in erster Linie

---

50 Trykt ovenfor.
51 Trykt ovenfor.
52 Trykt ovenfor.
53 Trykt ovenfor.

a.) Undurchsichtige Organisationen, die Ankäufe betreiben, die nicht der deutschen Kriegswirtschaft sondern mehr oder weniger Einzelinteressen dienen.

b.) Frauen und weibliche Angestellte ziviler Dienststellen, deren Verwundung oder Verschleppung dann der Wehrmacht zur Last gelegt werden, obwohl sie im Kriegsgebiet nichts zu suchen haben, außer der Gelegenheit, sich dem Kriegseinsatz in Deutschland zu entziehen.

c.) Zivile und militärische Dienststellen, ohne die angeblich nicht Krieg geführt werden kann, die aber mit gehortetem Betriebsstoff bis in das Zentrum des Reiches flüchten, sobald der erste Schuß fällt.

d.) Stabs- und Nachrichtenhelferinnen in den Gebieten, die überraschend und ohne daß Zeit zu einem geregelten Abschuß vorhanden ist, zum Kampfgebiet werden können.

e.) Militärische Stäbe und Formationen deren Tätigkeit und deren Stärke im Gegensatz zu den Erfordernissen der heutigen Kriegslage stehen und die den von der Fronttruppe eroberten Raum nur dazu benützen, um dort ein Luder- und Etappenleben zu führen.

2.) In den durch plötzlichen Kampf bedrohten Gebieten bleibt nur, was für einen solchen Kampf benötigt, dafür organisiert und geschlossen untergebracht ist und nicht von der Stelle weicht, ohne daß ein Befehl des verantwortlichen Vorgesetzten mit Namensunterschrift dafür vorliegt.

3.) Für alle wichtigen Objekte, Vorratslager aller Art, für wichtige Industrie-Werke, Brükken, Gross-Sendeanlagen usw. ist im einzelnen festzulegen, was im Falle einer überraschenden Bedrohung mit ihnen zu geschehen hat, ob sie zu zerstören sind und wer für den Befehl hierzu verantwortlich ist. Es ist sicherzustellen, daß sich nicht, wie in Frankreich, Fälle ereignen, daß z.B. auf Grund von Gerüchten und Paniken für die kämpfende Truppe notwendiger Betriebsstoff oder Gross-Sender vorzeitig vernichten werden oder andererseits kostbare Vorräte aller Art dem Gegner in die Hand fallen.

Alle Vorratslager sind, sofern sie nicht mehr abgefahren werden können, solange besetzt zu halten, bis feststeht, ob sie der kämpfenden, zurückgehenden Truppe noch von Nutzen sein können oder nicht und bis die höheren oder mittleren Führungsstäbe der Front darüber einschieden haben.

4.) An den voraussichtlichen Fluchtwegen der Etappe sind schon jetzt Auffanglinien festzulegen und zu organisieren, in denen mit Standgerichten an Ort und Stelle gegen jede Auflösungserscheinung ohne Rücksicht der Person durchzugreifen ist.

5.) Auf den Kriegsschauplätzen, wo sich noch eine Zivilverwaltung befindet, sind die Inhaber dieser Zivilverwaltung für die Durchführung all dieser genannten Maßnahmen in ihrem Bereich verantwortlich. Sofern sie den Oberbefehlshabern nicht genügend erscheinen, ist darüber zu melden. Wirtschaft-Organisationen müssen so klein als möglich gehalten werden und müssen in ihrer Stärke in einem gesunden Verhältnis stehen zu der Wirtschaft, die tatsächlich noch in Betrieb ist.

6.) Über die Zurückziehung von ortsansässigen Reichsdeutschen entscheidet allein der Reichsführer SS. Seine Entscheidung ist vorausschauend und frühzeitig einzuholen.

7.) Die Oberbefehlshaber werden gebeten, bis zum 1.10. zur Vorlage beim Führer zu melden, daß sie nunmehr alle Vorkehrungen getroffen haben, um im Falle überraschender Kampfhandlungen eine panische und schmähliche Flucht der militärischen und zivilen Etappe auszuschließen.

I.A. **Jodl**
OKW/WFSt/Qu. 2 Nr. 06938/44 geh.


### 216. Kriegstagebuch/WB Dänemark 9. September 1944

De fire største danske byers tyske kommandanter fik ordre om at forestå sammenlægningen af de tyske tjenestesteder i deres befalingsområder. Det var i forlængelse af ordren af 25. august.

Om ordrens realisering se kommentaren til KTB/WB Dänemark 5. september.

Af de fire kommandanter var major Kruse den, der havde fungeret længst som kommandant. Han kom til Århus 1940 og forblev som kommandant til december 1944, mens udskiftningen på denne post foregik oftere i de andre større byer.[54] F.eks. blev Ernst Richter højere kommandant i København (Höheres Kommando Kopenhagen) i december 1943 (han ankom 12. december), da WB Dänemark forlagde sit hovedkvarter til Silkeborg og fungerede som sådan til 9. april 1945, da Lindemann udskiftede ham.[55] Andre sad endnu kortere og de administrerede besættelsespolitikken forskelligt.

Kilde: KTB/WB Dänemark 9. september 1944.


Im Nachgang zu dem Befehl vom 25.8.44[56] über Räumung und Zusammenlegung in den größeren Städten wurden nach Klärung örtlicher Schwierigkeiten als Beauftragte des WB Dän. im Sinne der Verfügung vom 25.8.44 ernannt:
1.) Für Kopenhagen: Generallt. Richter,
2.) für Odense: Oberst Schirrmeister,
3.) für Aalborg: Gen. Lt. Pflieger,
4.) für Aarhus: Major Kruse.
Diese Offiziere sind in allen Fragen der Bezugsverfügung WB Dän. persönlich unterstellt und melden – geeignet zum Führervortrag – zum 1. und 15. jd.Mts. – erstmalig zum 15.9.44 – den Stand der Räumung bzw. Zusammenlegung in ihren Standorten.
[...]


### 217. Walter Forstmann an das Rüstungsamt 10. September 1944

I indberetningen om den politiske udvikling i Danmark holdt Forstmann sig som tidligere tæt til den rigsbefuldmægtigedes udlægning ved igen direkte at citere hele afsnit af *Politische Informationen*. Endvidere redegjorde Forstmann for, hvilke konsekvenser førerordren om samlingen af de tyske tjenestesteder i forsvarsblokke ville få for Rüstungsstab i København. Situationen i København var spændt, og tysk militær og politi forventede en opstand, en kamp mod pøbelen, som man imidlertid var beredt til at gøre en ende på. Risikoen for indre uro fik tyske familiemedlemmer til at begive sig til Nordslesvig eller Tyskland. Det gik godt med afgivelsen af ordrer til danske virksomheder, mens ét tysk firma, BMW, ønskede at indstille sit engagement i Danmark. Det ville Forstmann have nærmere efterprøvet.


---

54 Andrésen 1945, s. 15-18. Der er ikke påtruffet nogen bykommandant, der fungerede længere end Kruse i en dansk by af betydning. I flere kritiske situationer valgte han ikke en eskalation trods givne ordrer. For Kruses indstilling se Strössners møde med ham 6. oktober 1944.
55 KTB/WB Dänemark 3. december 1943 og Richters forklaring 1. marts 1948 (LAK, Best-sagen).
56 Trykt ovenfor.

Indberetningen er mest interessant ved at videregringe holdningen hos von Hanneken og Pancke. Hvad enten deres frygt for indre uro var ægte eller ej, tilstræbte de en konfrontation, som Pancke allerede havde vist op til 29. august. Både von Hanneken og Pancke ville have et endeligt opgør med modstandsbevægelsen, som det igen blev klart fra midten af september.
Kilde: BArch, Freiburg, RW 27/16. KTB/Rü Stab Dänemark 3. Vierteljahr 1944, Anlage 29.

Abschrift                                                                                    Anl. 29
Chef Rüstungsstab Dänemark des                                    *Kopenhagen, den 10.9.1944*
Reichsministers für Rüstung und Kriegsproduktion
Az. SA. 675/44 g

Betr.: Politische Entwicklung in Dänemark.

An das Rüstungsamt des Reichsministers für Rüstung und Kriegsproduktion,
  Berlin NW 7
  Unter den Linden 36

Der Reichsbevollmächtigte in Dänemark nimmt zur politischen Entwicklung in Dänemark nur zur vertraulichen dienstlichen Unterrichtung der hiesigen Dienststellen und deren Mitarbeiter wie folgt Stellung:
[Her følger en ordret gengivelse af *Politische Informationen* 1. september 1944 afsnit I.1-2]

Auf Grund der Vorgänge in Paris, Bukarest und Brüssel ist durch Führerbefehl angeordnet worden, daß in den Großstädten die verstreute Unterbringung deutscher Dienststellen über das ganze Stadtgebiet unter allen Umständen vermieden werden muß.[57] Diejenigen deutschen Dienststellen aller Art, die in den Großstädten der besetzten Gebiete untergebracht bleiben müssen, sind in geeigneten Stadtteilen in "Verteidigungsblocks" zusammenzulegen.

Da 65 % der durch Rü Stab beschäftigten dänischen Firmen (das entspricht 80 % der Gesamtauftragssumme) in Gross-Kopenhagen liegen, muß Rü Stab Dän in Kopenhagen bleiben. – Das "Vesterporthus", in welchem sich die Büroräume des Rü Stab Dän befinden, liegt innerhalb eines solchen "Verteidigungsblocks". Die Unterkunftsräume für die Offiziere und Beamten des Rü Stab Dän müssen nunmehr ebenfalls hier eingerichtet werden. Der Umzug aus den bisher bewohnten Hotels in das "Vesterporthus" erfolgt am 13. d.Mts. Die "Verteidigungsblocks" werden nachts durch Posten und Streifen gesichert.

In Kopenhagen bereitet man sich vor auf einen Kampf gegen den Pöbel, der auf ein von England gegebenes Signal Unruhen hervorrufen kann. Deutsches Militär und deutsche Polizei glauben, mit derartigen Unruhen fertig werden zu können.

Die Unterbringung deutscher Aufträge an dänische Betriebe geht wie bisher reibungslos vor sich, wenn auch seitens der dänischen Behörden und der Fabrikanten selbst eine Zurückhaltung im persönlichen Verkehr mit dem Rü Stab Dän sich bemerk-

---
57 Se KTB/WB Dänemark 5. september 1944.

bar macht. – Im August wurden für 9.532.973,- RM Rüstungsaufträge in Dänemark untergebracht, im August 1943 für 7.787.491,- RM.

Durch die Aufforderung an die hier ansässigen deutschen Familien, Frauen und Kinder aus Sicherheitsgründen für den Fall innerer Unruhen schon jetzt nach Nordschleswig oder Deutschland zu bringen, ist vielfach bei den Dänen der Eindruck erweckt worden, als würde der Abzug aller Deutschen vorbereitet.

Die Firma BMW ist als bisher einzigster deutscher Betrieb an Rü Stab Dän herangetreten wegen einer vorsorglichen Rückverlagerung ihrer Maschinen und Materialvorräte nach Deutschland.[58] Der Flugmotoren-Reparaturbetrieb der Firma BMW in Kopenhagen wurde z.Zt. unter Aufwand erheblicher Mittel bei der Firma General Motors A/S. eingerichtet. BMW wurde angewiesen, zunächst die Zustimmung des Rüstungsamtes zu der geplanten Rückverlagerung einzuholen, da von hier aus nicht zu übersehen ist, ob auf Grund der bisherigen Ausfälle in den anderen besetzten Gebieten die Firma BMW dieses Vorhaben durchführen muß.

gez. **Forstmann**

### 218. Ernst Frenzel an Horst Wagner 11. September 1944

Mulighederne for at skaffe de 5.000 arbejdere fra Danmark blev stadig søgt løst. Gauleiter Fritz Sauckel var kontaktet i sin egenskab af Generalbevollmächtigter für den Arbeitseinsatz. Han havde meddelt, at danske OT-arbejdere ikke kunne indsættes i Tyskland til udlandstarif, mens Best fortsat afviste, at der kunne anvendes tvangsforanstaltninger for at få arbejderne til Hamburg. Frenzel kunne derfor ikke give Wagner noget forslag til løsning af problemet.

Se RWM til AA 14. september.
Kilde: RA, pk. 228.

Gruppenleiter Inland I
1. Anlage

Herrn VLR Wagner.

Unter Bezugnahme auf anliegende Notiz teile ich mit, daß ich vor einiger Zeit bereits fernmündlich mitgeteilt hatte, daß der Wehrmachtsbefehlshaber Dänemark den Abzug der 5.000 dänischen OT-Arbeiter aus militärischen Gründen nicht zulassen will, ehe er einen entsprechenden Befehl von vorgesetzter Dienststelle erhält.

Gauleiter Sauckel hat auf Rückfrage erklärt, daß er die 5.000 dänischen OT-Arbeiter nur zum Inlands OT-Tarif (Unterschied von 4 RPf) in Hamburg einsetzen kann.

Der Reichsbevollmächtigte in Dänemark, mit dem ich mich fernmündlich in Verbindung gesetzt habe, erklärte, daß diese OT-Arbeiter nur nach Hamburg gehen würden, wenn ihnen ganz außerordentliche Sonderbedingungen eingeräumt werden. Exekutivmöglichkeiten, die Arbeiter zwangsweise nach Hamburg zu transportieren, sind nicht vorhanden.

*Berlin, den 11. September 1944.*
(Frenzel)

---

58 Se Rü Stab Dänemarks notat 2. oktober 1944.

## 219. Kriegstagebuch/Admiral Skagerrak 12. September 1944

Det fremgik af en situationsberetning af von Hanneken, at han alene regnede med en fjendtlig invasion på den jyske vestkyst. Det opponerede Wurmbach imod, idet han opregnede grundene til, at en fjendtlig landing kunne finde sted på den jyske østkyst.

Dermed var der åben strid om det danske invasionsforsvars tyngdepunkt, en strid der først fandt sin afgørelse 17. november, se KTB/Skl anf. dato (Andersen 2007, s. 244f.).

Kilde: KTB/ADM Dän 12. september 1944, RA, Danica 628, sp. 3, s. 3559.

*Allgemeines:*
Aus einer Lagebetrachtung des Wehrmachtbefehlshabers geht hervor, daß er nur mit einer Landung an der jütischen Westküste rechnet. Ich gebe daher an Wehrmachtbefehlshaber Dänemark, nachr. General der Luftwaffe in Dänemark mit Fs. Admiral Skagerrak Gkdos Chefsache 117:

Zu dort B. Nr. 1C G 2740 v. 4.9., Seite 5, wird als hiesige Lagebeurteilung ergänzend mitgeteilt:

1.) Während Herbst- und Winterwetterlage wird Feindlandung an der Ostküste Jütlands nach Durchbruch durch das Skagerrak, der nur verzögert, aber nicht aufgehalten werden kann, für wahrscheinlicher gehalten als an der Westküste.

2.) Erreichung des Zieles der Wegnahme des dänischen Raumes und der Ostseeausgänge nur durch Landung von Luftlandetruppen und später nach Wegnahme der Häfen durch Zuführung von Truppen und Material über See muß Gegner zugetraut werden, da ihm Schwäche eigener Luftwaffe im Gesamtraum und Heerverbände auf dänischen Inseln als bekannt vorausgesetzt werden muß.

3.) Wenn endgültige Stabilisierung der Lage im Westen gelungen ist, wird dän. Raum außer grundsätzlicher Bedeutung deswege[n] als besonders gefährdet angesehen, weil um die Jahreswende mit Wiederaufnahme des U-Bootkrieges zu rechnen ist. Diese[r] kann nach Verlust der Atlantikküste nur von norwegischen Basen aus geführt werden. Dies bedeutet Zuführung der Boote aus der Heimat durch die Ostseeausgänge [?] bekannter Wertmessung des U-Bootkrieges durch den Gegner wird er daher hohen Einsatz zur Verhinderung nicht scheuen. Wegnahme dänischer Inseln durch Luftland[e]truppen mit Unterstützung durch dän. Widerstandsorganisation bietet dann besonderen Anreiz.

[…]

## 220. Gottlob Berger an Rudolf Brandt 13. September 1944

På Himmlers vegne havde Brandt 10. september spurgt Berger, om han ikke kunne finde en passende kommando til C.P. Kryssing.

Svaret var ironisk afvisende. Kryssing opnåede ikke en ny kommando før krigens slutning, og selv om han opnåede at blive den højest rangerende udlænding i Waffen-SS (SS-Brigadeführer, svarende til generalmajor), skyldtes forfremmelserne først og fremmest propagandaformål (Peter Scharff Schmith i *Hvem var hvem 1940-1945*, 2005, s. 220f.).

Kilde: RA, pk. 442.

SSD SHAS 12710 13/9 18.50                                              Geheim
VS Nr. 5316/44 Geh. – Dort. Tgb. Nr. 2443/44 Geh.

An SS-Staf. Dr. Brandt, Sonderzug Steiermark.

Betr: SS-Brigadeführer Kryssing.
Bezug: Dort. FS. Nr. 1098 vom 10.9.44.

*Lieber Doktor.*
Ich würde den SS-Brigadeführer Kryssing sehr gern nehmen, aber für nicht ganz 10.000 Mann Streitmacht sind außer mir schon vorhanden: 1 deutscher General, 1 Divisionskommandeur, sowie SS-Gruf. Graf von Pückler. Ein weiterer General bringt nur noch weitere Verwirrungen. Haben Sie bitte Geduld mit mir und nehmen Sie die Ablehnung nicht übel.
    Der dtsch. Befehlshaber i.d. Slowakei
Heil Hitler<br>
Ihr G. Berger

### 221. Hans-Heinrich Wurmbach an OKM 13. September 1944

Wurmbach orienterede om bestræbelserne på at få stillet et dansk lazaretskib til rådighed. Der var pga. UM nu problemer med, hvilken status skibet skulle have, ligesom det skulle afgøres, hvilket skib der skulle anvendes: M/S "Prins Olaf" eller "Dronning Maud." Der var ulemper forbundet med det begge, men Wurmbach bad om en afgørelse af, hvilken af det dem skulle være.
    Engelhardt tog over for Seekriegsleitung stilling i sagen 25. september 1944.
    Kilde: BArch, Freiburg, RM 7/1813. RA, Danica 628, sp. 7, nr. 5893f.

S MDKP 87529 13/9 18.30 =
S OKM 1. Skl =

Zu OKM 1 Skl I T 32926/44 (Koralle) v. 2/9 44.

1.) Nach Rückfrage bei Reichsbevollmächtigten nimmt dän. Außenministerium in Frage Laz.-Schiff nunmehr Standpunkt ein, daß Laz.-Schiff rein dän. Charakter tragen muß, d.h. Besatzung ausschließlich dän. und Leitung ebenfalls.
    Deutscher Einfluß somit ganz ausgeschaltet.
2.) Da mit zufriedenstellender Lösung hiernach vorerst nicht zu rechnen, taucht Frage auf, ob Beschlagnahme des dänischerseits als Laz.-Schiff vorgesehenen M/S "Prinz Olaf" zum Umbau als deutsches Laz.-Schiff in Betracht kommt. Da jedoch damit zu rechnen, daß bestimmte Maschinenteile wie üblich abmontiert werden dürfte Schiff in nächster Zeit nicht betriebsklar zu machen sein.
3.) Ferner käme für diesen Zweck "Dronning Maud", zur Zeit in Helsingör zu Reparatur- und Rückbauarbeiten zwecks Rückgabe an eigner in Frage.
    Maschinell ist Schiff auf deutschen Werften grundüberholt und wäre in kürze betriebsklar zu machen. Schiffbaulich hat Schiff größeren Bodenschaden, der jedoch Fahrbereitschaft des Schiffes nicht hindert.
4.) Entscheidung zu Ziff. 2 und 3 erbeten.
    Adm Skagerrak H 8067 Q u 3

## 222. Horst Wagner an Werner Best 14. September 1944

Det tyske mindretals leder, Jens Møller, ønskede mindretallets stilling i tilfælde af en invasion klarlagt. Bortset fra få eksponerede familier ønskede han, at mindretallet forblev i sine hjem og ikke skulle evakueres. Møller ønskede, at Best lavede en aftale med von Hanneken og Pancke derom. Wagner bad Best tage stilling til dette.

 Best svarede dagen efter med telegram nr. 1090.
 Kilde: PA/AA R 100.944.

### Telegramm

| | | |
|---|---|---|
| Sonderzug, den | 14. September 1944 | 21.50 Uhr |
| Ankunft, den | 14. September 1944 | 22.35 Uhr |

Nr. 2011 vom 14.9.[44.]              Geheime Reichssache.

Diplogerma Kopenhagen         Geheimvermerk für geh. Reichssachen.

Volksdeutsche Mittelstelle teilt folgendes mit:[59]
"Soweit hier bekannt ist, steht Volksgruppenführer Dr. Möller auf dem Standpunkt, daß im Falle einer Invasion in Jütland der überwiegende Teil der Volksgruppenangehörigen an ihren Wohnsitzen verbleiben könne. Dr. Möller geht dabei von der Voraussetzung aus, daß die deutsche Volksgruppe zum größten Teil durch eine anglo-amerikanische Besatzung nicht entscheidend gefährdet sei; lediglich einige exponierte Familien, die den Wunsch dazu äußern, müßten ins Reich evakuiert werden. Demgegenüber trägt die Volksdeutsche Mittelstelle sich mit dem Gedanken, doch eine Gesamtevakuierung der Volksgruppe im Invasionsfall durchzuführen. Da die militärischen und sonstigen Voraussetzungen an Ort und Stelle besser übersehen werden können, bittet die Volksdeutsche Mittelstelle das Auswärtige Amt, an den Reichsbevollmächtigten heranzutreten und ihn nach Rücksprache mit dem Militärbefehlshaber und dem Höheren SS- und Polizeiführer um seine Stellungnahme zu bitten. – Der Reichführer-SS hat für die Evakuierung im Südosten entschieden, daß der Befehl zur Evakuierung durch den Höheren SS- und Polizeiführer gegeben wird, während die gesamte Durchführung durch die Volksdeutsche Mittelstelle erfolgt. Dieser Befehl wäre entsprechend auch auf Nordschleswig anzuwenden."
 Es wird um Draht-Stellungnahme gebeten insbesondere auch, in welcher Weise Sie die Einschaltung des Reichsbevollmächtigten sichergestellt halben wollen.
Wagner

*Vermerk:*
Unter Nr. 1096 an Diplogerma Kopenhagen weitergeleitet.
Tel. Ktr. 14.9.44.

---

59 Sichelschmidt, VOMI, havde skrevet til AA 11. september 1944 (PA/AA, Inland IIg, 258. Lumans 1993, s. 296, note 82).

**223. Der Reichswirtschaftsminister an das Auswärtige Amt 14. September 1944**

RWM svarede på AAs henvendelse vedrørende valutaspørgsmålet i forbindelse med 5.000 danske arbejderes overførsel til beskæftigelse i Tyskland. På det foreliggende grundlag ville arbejdernes beskæftigelse ikke være i overensstemmelse med de tysk-danske aftaler. Skulle der overføres højere valutabeløb med sikkerhed i Nationalbanken, måtte der også i dette tilfælde forhandles en aftale derom med danskerne. Efter de hidtidige erfaringer skulle der det stærkest mulige politiske tryk til for om overhovedet at opnå et resultat.

Kladden var først formuleret således, at danskerne skulle tvinges, hvis et resultat ikke kunne opnås ad forhandlingens vej. Denne formulering blev siden strøget. Ændringen er efter skriften at dømme muligvis foretaget af Ludwig, men sikkert er det ikke. Til gengæld er afsendelsen givetvis sket i den her gengivne form.

Brevet fik tilsyneladende ikke indflydelse på udfaldet af sagen. Se AA til RWM 19. september 1944.

Kilde: RA, Danica 465: Moskva: Osobyj Archiv, 1458/21/71/35 (kladde med til dels ulæselige håndskrevne tilføjelser af to forskellige personer. Det overstregede er udeladt i hovedteksten).

Der Reichswirtschaftsminister                        *Berlin, den 14. September 1944*
[Nr.] III Ld. I-20290/44
Referent: AR Pause

### Schnellbrief

An das Auswärtige Amt
   Berlin.

Auf das Schreiben vom 26.8.44[60]
Geschäftszeichen: Inl. I C 2337/44 II

Betr. Einsatz dänischer Arbeiter in Deutschland.

Dem Vernehmen nach bestehen gegen den beabsichtigten Einsatz z.Zt. noch grundsätzliche Bedenken beim Generalbevollmächtigten für den Arbeitseinsatz wegen der Einräumung günstigerer Arbeitsbedingungen und beim Reichsbevollmächtigten in Dänemark wegen des Entzugs von Arbeitskräften aus der Landwirtschaft.

Ungeachtet des Ausgangs der Verhandlungen dieser Stellen mit dem Reichsverteidigungskommissar Hamburg wird zur Devisenseite wie folgt Stellung genommen:

Für die Überweisung von Unternehmergewinnen und von Ersparnissen der von solchen Unternehmern beschäftigten Arbeiter nach Dänemark bestehen bekanntlich deutsch-dänische Abmachungen, die wohl die Höhe der Überweisung für den einzelnen Unternehmer und den einzelnen Arbeiter begrenzen, insgesamt aber keine Beschränkung vorsehen. Ein Gesamtbetrag von 6-7 Mill. RM könnte also im Rahmen dieser allgemeinen Regelung im Wege des deutsch-dänischen Verrechnungsabkommens nach Dänemark überwiesen werden, wenn sich die Arbeitseinsatzverträge an die – dem GBA und der OT im einzelnen bekannten – Bedingungen der deutsch-dänischen Abmachungen anpassen ließen. Das ist aber offenbar nicht beabsichtigt. In welchem Ausmaß durch den jetzt beabsichtigten Großeinsatz die Überweisung der Unternehmergewinne und der Lohnersparnisse über die für den Einzelfall vorgesehenen Höchstbeträge hinaus erhöht werden soll, hat bisher nicht in Erfahrung gebracht werden können.

60 Trykt ovenfor.

Wie dem Auswärtigen Amt bekannt ist, hat man sich dänischerseits in allen bisherigen Fällen einer Überschreitung der Transferhöchstsätze mit allen Mitteln und dem Hinweis darauf, daß die geltende Regelung als großzügig und ausreichend anzusehen sei, widersetzt.[61] Wenn die Auszahlung höherer Beträge durch Danmarks Nationalbank sichergestellt werden soll, müßte auch in vorliegendem Fall mit der dänischen Seite verhandelt werden. Die dänische Zustimmung wird nach den bisher gemachten Erfahrungen, wenn überhaupt, nur unter stärkstem politischen Druck zu erreichen sein. Wenn ein Einsatz der dänischen Firmen und Arbeiter zu *normalen* Bedingungen nach Prüfung der Frage durch den GBA nicht möglich sein sollte, wird man unter den gegenwärtigen Umständen versuchen müssen die dänische Mitwirkung herbeizuführen.[62]

I.A.

[Det fremgår af en håndskrevet tilføjelse, at REM og den rigsbefuldmægtigede skulle have kopi]


## 224. Feldwirtschaftsoffizier Lambert: Lagebericht 15. September 1944

Den til von Hanneken overflyttede Afdeling Wehrwirtschaft i Rüstungsstab Dänemark kunne ikke overraskende give en månedsberetning meget lig den, som Forstmann havde afgivet, men den nyudnævnte Feldwirtschaftsoffizier Lambert valgte at gøre den meget mere detaljeret.

Lamberts beretning blev kun sendt til repræsentanter for de tyske værn og tyske organisationer forbundet med byggearbejder i Danmark, samt de tilsvarende relevante myndigheder i Berlin, men ikke til den rigsbefuldmægtigede og ikke til tysk politi. Heller ikke Rüstungsamt i Berlin modtog månedsberetningen. I alt blev der kun fordelt 10 eksemplarer.

Kilde: BArch, Freiburg, RW 27/18 og RW 27/23. RA, Danica 1000, T-77, sp. 696, KTB/Fwi O bei WB/Dänemark, 3. Vierteljahr 1944.

Der Feldwirtschaftoffizier            *Kopenhagen, den 15. Sept. 1944*
beim Wehrmachtbefehlshaber Dänemark            Geheim
Gr. Ia Az.: 66 d 1 Nr. 1231/44 geh.

Bezug: OKW W Stab Inland 1/III v. 4.4.1944
Betr.: Lagebericht.

An das Feldwirtschaftsamt im Oberkommando der Wehrmacht
     Frankfurt/ Oder.

Der Feldwirtschaftoffizier beim Wehrmachtbefehlshaber Dänemark überreicht in der Anlage Lagebericht gemäß o.a. Bezugsverfügung.

**Lambert**

---

61 Her følger en håndskrevet rettelse med så store tekstudfald, at en mening ikke lader sig rekonstruere.
62 Her er overstreget: "nicht anderes übrig bleiben, als [die dänischen (medtaget, JTL)] Mitwirkung zu erzwingen."

Der Feldwirtschaftoffizier                                    Kopenhagen, den 15. Sept. 1944
beim Wehrmachtbefehlshaber Dänemark                                                  Geheim
Gr. Ia Az.: 66d l Nr. 1231/44 geh.

## Lagebericht
Allgemeiner Überblick einschließlich wehrpolitischer Lage.
Monat August 1944.

Am 28.8.1944 ist die bisherige "Abteilung Wehrwirtschaf im Rü Stab Dänemark" in die Dienststelle "Feldwirtschaftoffizier beim Wehrmachtsbefehlshaber Dänemark" (Fwi O Dänemark) umgewandelt und als Sachbearbeiter IV Wi in den Stab des Wehrmachtbefehlshabers Dänemark eingegliedert worden. Die Aufgaben der bisherigen Abt. Wwi im Rü Stab Dänemark wurden vom Fwi O Dänemark übernommen.

Die innerpolitische Lage Dänemarks war im Berichtsmonat äußerlich ruhig. Die Spannung verschärfte sich jedoch infolge der augenblicklichen Kriegslage. Es kam nur zu 2 Protestaktionen, die ihren Ausdruck in einem 24-stündigen Streik fanden. Ursache war einmal die Erschießung eines als Kommunist geltenden Kunstmalers[63] und die Erschießung von 11 Saboteuren, die beim Abtransport nach Deutschland einen Fluchtversuch unternahmen.[64]

Am 29.8. jährte sich der Tag, an dem die Dänische Wehrmacht entwaffnet und aufgelöst und der militärische Ausnahmezustand verhängt wurde. Der Reichsbevollmächtigte in Dänemark schrieb in seinen Politischen Informationen vom 1.9.1944 folgendes:

"Auf Grund dieser Erfahrungen wurden für den 29.8. – dem ersten Jahrestag der Verhängung des militärischen Ausnahmezustandes über Dänemark – von deutscher Seite alle Vorkehrungen getroffen, um Generalstreiks und andere Demonstrationen mit den Anfang Juli gegen den Generalstreik in Kopenhagen angewendeter Mitteln (Sperrung von Wasser, Gas und Elektrizität, Absperrung der Stadt, starker Streifendienst) zu unterdrücken. Die Ankündigung solcher Maßnahmen durch den Reichsbevollmächtigten und die Verstärkung der militärischen Kräfte in der Landeshauptstadt veranlaßte die dänische Zentralverwaltung sowie die Gewerkschaften, mit allen Mitteln auf einen ruhigen Verlauf des Tages hinzuwirken. Daraufhin warnte selbst die illegale Bewegung vor Unbesonnenheiten und proklamierte nur für 12 Uhr ein 2 Minuten-Gedenken an die Toten. Der 29. August verlief infolgedessen völlig ruhig und ohne jeden Zwischenfall."

Bemerkenswert ist in diesem Zusammenhang ein in der Anlage (Anlage 1)[65] beigefügter Bericht des offiziellem Nachrichtenbüros "Ritzaus Bureau," in welchem die Reibungspunkte zwischen der deutschen Besatzung und den Behörden bzw. der dänischen Bevölkerung dargelegt werden.

Die Zahl der Sabotageakte ging in der ersten Monatshälfte weiter zurück, nahm dann aber wieder zu. Insbesondere mehrten sich die Überfalle auf Wehrmachtangehörige und deutsch eingestellte Dänen sowie Sabotagen an Bahngeleisen, Kabeln usw. (s.

---

63 Se bilag 2 under 2. august.
64 Se bilag 2 under 11. august.
65 Bureauets meddelelse, der er trykt i *Børsen* 27. august 1944, er ikke medtaget.

Anlage 2.)[66] Die deutsche Sicherheitspolizei hat im August festgenommen:[67]
wegen Sabotageverdachts                             186 Personen
wegen Spionageverdachts                              30    –
wegen illegaler Tätigkeit                           233    –
(Kommunismus und nationale Widerstandsgruppen)

Durch die Festnahme sind 31 Sabotageakte aufgeklärt worden.

Bei polizeilichen Aktionen sind wegen Widerstandes gegen die Festnahme, wegen Widersetzlichkeit gegen Polizeistreifen usw. 16 Personen erschossen worden.

Bei verschiedenen Fallschirmabwürfen wurden besonders große Mengen von Sabotagematerial, Waffen usw. erfaßt, in einem Falle 13 Fallschirmlasten mit 488 kg Sprengstoff und in einem anderen Falle 20 Fallschirmlasten mit 1.224 kg Sprengstoff nebst zahlreichem Zündmaterial und Waffen.[68]

Während der Außenhandel in den Monaten Januar bis Juni 1944 eine steigende Tendenz aufwies, trat im Monat Juli ein Rückschlag ein. Die Gesamteinfuhr ist gegenüber dem Vormonat von 124,8 Mill. dKr. auf 97,9 Mill. dKr. gesunken. Gleichzeitig ging nach die Ausfuhr von 111,8 Mill. d.Kr. auf 106,7 Mill. d.Kr. zurück.

Die im Lagebericht vom 15. August 1944 erwähnten Verhandlungen über Warenaustausch zwischen Deutschland und Dänemark zur Vergrößerung der Lieferung einer Reihe für die dänische Wirtschaft bedeutungsvoller Produkte haben insbesondere auf dem landwirtschaftlichen Gebiet die beiderseitigen Erwartungen erfüllt. Andererseits haben auch die deutschen Leistungen den vorgesehenen Umfang erreicht. Die Steigerung der dänischen Lieferungen auf dem landwirtschaftlichen Gebiet hatte zur Folge, daß auch die deutschen Lieferungen, vor allem im Eisen und Eisenwaren, gegenüber den Anfang des Jahres vorgesehenen Mengen erheblich erhöht werden konnten.

Nach vorherigen Verhandlungen ist nunmehr für das zweite Halbjahr 1944 ein Handelsabkommen zwischen Dänemark und Ungarn unterzeichnet worden. Die Abrede ist, wie auch die früheren Handelsabsprachen, eine Rahmenübereinkunft, innerhalb welcher private Kompensationsgeschäfte durchgeführt werden können. Der Wert der gegenseitigen Ausfuhren ist mit 8,96 Mill. d.Kr. vorgesehen. Dänemark wird hauptsächlich Maschinen und Apparate, Sämereien, getrocknete Zuckerrübenschnitzel, Fische und Fischkonserven und Därme ausführen, wogegen die Einfuhr aus Ungarn aus Sämereien für Hanf, Tabak und Ölfrüchten, zugeschnittenen [E]ichenhölzern, Därmen, Zwiebeln, Paprika, Tomatenmark, Hanfwaren, insbesondere Garnen, Stoffen aus Kunstseide, medizinischen Pflanzen, pharmazeutischen Produkten pflanzlicher Herkunft wie Opium, Alkaloiden usw., Glühlampen und Radioröhren bestehen wird.

Für das zweite Halbjahr 1944 ist zwischen Dänemark und Frankreich eine Handelsabrede im Werte von 3,5 Mill. d.Kr. nach jeder Richtung unterzeichnet worden. Die Einfuhr aus Frankreich wird insbesondere aus Maschinen, Apparaten, Instrumenten, Meterwaren, chemischen und pharmazeutischen Produkten, Wein und Spirituosen bestehen, wogegen Dänemark Maschinen, Süßwasserfische, Muscheln und Kaffee-Ersatz-

---

66 Trykt nedenfor.
67 Jfr. Bovensiepens aktivitetsrapport for august-oktober 1944.
68 Se *Politische Informationen* 1. september 1944, afsnit I.3.

mittel nach Frankreich ausführen wird.

Infolge des Ausbleibens der für den innerdänischen Bedarf vorgesehenen Treibstoff-Lieferungen aus Deutschland ist Mitte August eine dänische Asphalt-Raffinerie in Kalundborg in Betrieb genommen, welche infolge innere technischen Einrichtung in der Lage ist, Rohöl zu raffinieren. Das benötigte Rohöl wird aus Deutschland geliefert. Sobald die Anfangsschwierigkeiten behoben sind, kann damit gerechnet werden, daß der dringendste innerdänische Bedarf an Benzin und Dieselöl für Landwirtschaft, Fischerei und Transport (ca. 3.000 t Dieselöl und ca. 400 t Benzin) gedeckt werden kann.

Versorgung der Besatzungstruppe im Monat August 1944:

*Generatorholz:*
Die im Lagebericht vom 15.8.1944 erwähnten Schwierigkeiten bestehen auch weiterhin. OKH Gen. d. Mot. In XII hat bisher keine Deckungszusage für die gemeldete Fehlmenge von 7.000 rm = 70.000 hl Generatortankholz gegeben, so daß die Durchführung der befohlenen Festungsbauten ernstlich gefährdet ist.[69] Die Beschaffung von geeignetem Generatortorf aus dem Lande stößt ebenfalls auf ernste Schwierigkeiten.

*Sprengstoffe:*
Vom 4. bis 7.8.44 fand im Rahmen der Überprüfung der Sicherheitssprengstofflager in Dänemark auch eine Kontrolle der auf Bornholm vorhandenen Sprengstoffe statt. Es war vor allem zu klären, ob die Möglichkeit besteht, die bisher von der dänischen Pulverfabrik Hærens Krudtværk bezogenen Schwarzpulvermengen für die Steinbrüche in Bornholm durch Sicherheitssprengstoffe zu ersetzen. Zur Zeit ist kein Sicherheitssprengstoff in Dänemark vorhanden, der das Schwarzpulver in seiner Wirkungsweise ersetzen kann. Es ist Verbindung mit der Fa. Dynamit AG, Troisdorf, aufgenommen worden, um durch einen Sachverständigen diese Frage klären zu lassen.

Die Überprüfung der bei den verschiedenen Steinbrüchen vorhandenen Sicherheitssprengstoffe hat ergeben, daß die Lagerung von Sprengstoffen im allgemeinen als gesichert anzusprechen ist.

*Aufträge der Besatzungstruppe:*
Von der Abteilung Wehrwirtschaft (jetzt Fwi O Dänemark) wurden im Monat August 1944 Rohstoffsicherungen von Fertigungs- und Bauauftragen sowie Wareneinkäufe der Besatzungstruppe in Dänemark, soweit hierzu Eisen, Stahl, NE-Metalle sowie Kautschuk benötigt wurden, in Höhe von RM 2.648.000,- durchgeführt.

*Holzversorgung:*
Für Aufträge der Besatzungstruppe in Dänemark sind im Monat August 1944 von dem Feldwirtschaftoffizier Bedarfsbescheinigungen über

   6.039,50   cbm   Schnittholz,
     754,10   fm    Rundholz,
   3.501,60   qm    Sperrholz,

---

69 Se Lambert til RWM 15. september 1944.

436,00   rm   Faschinen und
250,00   qm   Sentexplatten

für die vorschußweise Freigabe aus den Beständen der dänischen Wirtschaft ausgestellt worden.

Der Verbrauch der einzelnen Wehrmachtteile gliedert sich wie folgt:

| | | | | | |
|---|---|---|---|---|---|
| Heer | 2.200,40 | cbm | und | 78,70 | fm |
| Marine | 1.326,80 | – | – | 638,60 | fm |
| Luftwaffe | 404,10 | – | – | 30,00 | fm |
| OT | 1.657,00 | – | – | kein Rundholz | |
| Fe Pi Stab | 274,90 | – | – | [6][70],80 | fm |
| BdO | 10,00 | – | – | kein Rundholz. | |

Hinzu kommen für Schiffsreparaturen 166,30 cbm Schnittholz.

Schwierigkeiten machte im Berichtsmonat besonders die Beschaffung von Sperrholzplatten, da die zugesagten 200 cbm aus Finnland nicht mehr eingetroffen sind.

Ferner ist im Schiffbau der Kriegsmarine sowie den Handelsmarine nur in den seltensten Fällen das übernormal dimensionierte Holz zu beschaffen und soll aus diesem Grunde ein Rundholz-Lager von 500 fm der Marine-Ausrüstungsstelle (Mast) Aarhus zur Verfügung gestellt werden. Diese Hölzer müssen ebenfalls, wie die 250 fm, für ein in Kopenhagen anzulegendes Lager aus Deutschland beschafft werden, da sie im Durchschnitt einen ⌀ von 35 bis 45 cm aufweisen müssen. Aus dieser bestehenden Reserve kann dann kurzfristig die Anforderung für die in Reparatur liegenden Schiffe erledigt werden.

Eine Verhandlung über diese Angelegenheit, als auch über die Lieferung von Sperrholz für die ausgefallenen finnischen Lieferungen findet Mitte September beim Feldwirtschaftsamt und Reichsforstamt statt.

Der Bedarf an Rundholz aus dem dänischen Raum konnte zum größten Teil nur durch Beschlagnahme gedeckt werden.

*Anstrichmittel:*
Die Anforderungen an Farbe, Tarnstoffen, Imprägnierungsmitteln etc. wurden fast ausnahmslos erfüllt.

*Kohlenversorgung:*
In der Zeit vom 1. bis 31.8.1944 wurden folgende Mengen in Dänemark eingeführt:

65.800 t westf.         Kohle   davon 42.400 t für die dän. Staatsbahn,
44.900 t –              Koks
151.000 t oberschlesische   Kohle
3.900 t –               Koks,
36.000 t Sudetenkohle und ca.
40.000 t Braunkohlenbriketts.

Insges.   341.600 t

Bei den größeren Elt-Werken des Landes soll eine Kohlenbevorratung für 1 Monat durchgeführt werden.

---

70 Læsningen af dette ciffer er usikker.

*Torfproduktion:*
Das sehr sonnenreiche und warme Wetter der letzten 1½ Monate war für die Torfproduktion so günstig, daß angenommen wird, daß das schlechte Resultat der nassen und kalten Frühjahrsmonate voraussichtlich eingeholt wird. Trotzdem wird die diesjährige Torfproduktion die Rekordhöhe des Vorjahres (ca. 6 Mill. t) nicht erreichen. In Sachverständigenkreisen rechnet man mit einer Torfgewinnung von ungefähr 5 Mill. t.

Über die Wiederaufnahme von Torflieferungen für die Besatzungstruppe durch die dänische Regierung schweben z.Zt. noch Verhandlungen zwischen dem Reichsbevollmächtigten und der dänischen Regierung. Es ist damit zu rechnen, daß die aus dem im Vorjahr zugesagten Lieferkontingent restierenden 50.000 t Torf und 5.000 t Braunkohle dänischerseits zur Verfügung gestellt werden.

*Arbeitseinsatz:*
Die Zahl der Arbeitslosen betrug am 25.8.1944 = 12.435 und zwar 7.960 Männer und 4.475 Frauen. Gegenüber dem Vormonat ist ein Zugang von 1.432 zu verzeichnen.

Für Festungsbauten auf Jütland sind eingesetzt:[71]

Für Fe Pi Stab, bezw. OT:

38 deutsche und 80 dänische Firmen mit insges. 11.900 Arbeitern und Angestellten.

Für OT Außenstelle Jütland, Vejle:

18.250 Arbeiter und Angestellte.

Für Bauvorhaben des Heeres:

132 dänische Firmen mit insges. 1.365 Arbeitern und Angestellten sowie 1 deutsche Firma und 1 deutscher Arbeiter, davon entfallen auf

Techn. Komp. (Hb) 40 Kolding 62 dänische Firmen mit insgesamt 569 Arbeitern, 1 deutsche Firma und 1 deutsche Firma und 1 deutscher Arbeiter,

auf Techn. Komp. (Hb) 131 Viborg 70 dänische Firmen mit insgesamt 796 Arbeitern.

Für Bauvorhaben der Kriegsmarine sind 2 deutsche und 52 dänische Firmen mit insges. 1.200 Arbeitern beschäftigt.

*Dem Reich* wurden im August 638 Arbeitskräfte zugeführt.

Zum Arbeitseinsatz nach Norwegen sind im August 69 dänische Arbeiter abgefahren.

*Transport- und Verkehrslage:*
Die Gesamtverkehrslage in Dänemark war nach dem Generalstreik ab 6.7.44 im laufenden Monat normal.

*Eisenbahn:*
Die Zementlieferungen nach Jütland lagen auf gleicher Höhe wie im Vormonat. Kieslieferungen kamen in Fortfall. Der Nachschub der Wehrmacht nach Norwegen und Finnland über Schweden lag auf gleicher Höhe wie im Vormonat. Es wurden im Berichtsmonat 40 Waggons gestellt. Der Wehrmachtbedarf im Monat August wurde zu 100 %, der zivile Bedarf zu 55 % der angeforderten Waggonmenge gedeckt.

71 Se tillæg 7.

Waggongestellung: Anforderung pro Tag 6.685 Waggons
                  gestellt              3.952   –
                  ungedeckter Bedarf    2.733   –

*Fährenverkehr:*
Der zivile Verkehr über Warnemünde/Gedser war weiterhin kontingentiert. Personenverkehr lief normal. Nachstehend der Wagenübergang nach Dänemark:

| | | | | |
|---|---|---|---|---|
| *Padborg:* | gemeldete Truppentransporte | 825 Wg. | = | 16.500 t |
| | Nachschub: | 3.028 – | = | 69.644 t |
| | Privatgut f. Wehrmacht: | 2.962 – | = | 74.070 t |
| *Tondern:* | gemeldete Truppentransporte | 640 – | = | 3.840 t |
| | Nachschub: | 1.565 – | = | 21.674 t |
| | Privatgut f. Wehrmacht: | 721 – | = | 13.289 t |
| *Warnemünde:* | gemeldete Truppentransp. | 74 – | = | 1.110 t |
| | Nachschub: | 111 – | = | 1.188 t |
| | Privatgut f. Wehrmacht: | 512 – | = | 5.200 t |

*Seeschiffahrt:*
Die dänische Seeschiffahrt war tonnagemäßig in folgender Rangfolge eingesetzt:
1.) Kohlenfahrt auf Dänemark
2.) Erzfahrt auf Deutschland
3.) Holzfahrt auf Dänemark
4.) Transporte von Deutschland nach dritten Ländern
5.) Düngemittel und Getreidefahrt
6.) Innerdänische Fahrt.
Für die OT wurden vom 1. bis 31. August 1944 9.150 t Kies mit deutschen Schiffen gefahren, 15.830 t Zement ebenfalls mit deutschen Schiffen und nur 1.500 t mit dänischen Schiffen.

Die dänische Schiffahrt hat außer der Versorgung das eigenen Landes, die direkt oder indirekt Deutschland zugute kommt, die folgenden Güter und Mengen im Jahre 1943 abgefahren, die ausschließlich für deutsche Rechnung erfolgten.

| | |
|---|---|
| Erz Schweden – Deutschland | 1.002.135 t |
| Küstenkohlen Nordsee – Ladehafen | 119.490 t |
| Küstenkohlen Ostsee – Ladehafen | 157.480 t |
| Kali | 44.878 t |
| Kies, Schotter etc. | 19.800 t |
| Getreide | 108.975 t |
| Zucker | 17.700 t |
| Nachschub nach Norwegen | 20.350 t |
| Kohlen nach Norwegen | 121.400 t |
| Molererde | 1.090 t |
| Zement innerhalb Dänemarks | 21.000 t |
| Kohlen nach Ostland | 8.540 t |
| Nachschub nach Ostland | 1.975 t |
| Schwefelkies (deutsche Küste) | 3.400 t |

*Straßenverkehr:*
Die LKW-Transporte über die Frachtenleitstelle des RKB Flensburg sind im Monat August wie folgt durchgeführt worden
349 Transporte mit Fischen = 3.513 t
 75 Transporte mit Fleisch =    824 t
Der Rücklauf war gut. Alle vorhandenen Fahrzeuge konnten eine Auslastung erfahren. Treibstofflage unbefriedigend. Reifenlage gut. – Sonstige Veränderungen: Keine.

*Ernährungslage:*
a.)[72] im eigenen Bereich:
Die Gesamtausgaben sowie die Beschaffungen des Heeres, der Marine und Luftwaffe im Monat Juli 1944 gehen aus folgenden Zahlen hervor:
*Geldausgaben:*
Heer:         55.650.325,-  d.Kr.
Marine:       18.828.100,-   –
Luftwaffe:    56.513.096,-   –
OT            25.807.210,-   –
Insges.      156.798.731,-  d.Kr.

*Beschaffung an Lebensmitteln für:*
Heer:    4.999.493,- kg  = 3.718.429,62 d.Kr.
Marine:  2.465.848,-  –  = 2.332.473,37   –
Luftwaffe:  52.037,-  –  =    38.717,35   –
insges.  7.517.378,- kg  = 6.089.620,84 d.Kr.

Die Leistungen aus den Lebensmittelbeständen des Landes für die deutschen Truppen in Dänemark und Norwegen im Mai-Juli 1944 betragen wertmäßig:
für Dänemark   6.089.620,84 d.Kr.
für Norwegen   3.338.507,29 d.Kr. (s. auch Anlage 3)[73]

Die Sämereiernte, welche im vollen Gange ist, wurde durch das trockene warme Wetter begünstigt. Nach dem letzten Saatenstandsbericht des dänischen Statistischen Departements wird bei Getreide und Sämereien (Gras- und Kleesamen) mit einer guten Mittelernte gerechnet. Ein abschließendes Urteil kann jedoch erst dann gegeben werden, wenn das Gesamtergebnis der Ernte vorliegt. Nur kann schon jetzt festgestellt werden, daß die Hackfruchternte, insbesondere Futter- und Zuckerrüben, unternormal ausfallen und das Vorjahresergebnis nicht erreichen wird.

Wie der Reichsbevollmächtigte berichtet, haben sich die landwirtschaftlichen Lieferungen aus Deutschland auch im laufenden Quartal weiterhin gut entwickelt. An Fleisch sind von der im Wirtschaftsjahr (Oktober bis Oktober) 1943/44 erwarteten Ausfuhrmenge bis Mitte August fast 100 % und an Butter etwa 95 % geliefert worden. Im Vergleich zur gleichen Zeit des Vorjahres sind an Fleisch bis Mitte August etwa 125 % (!) und an Butter 25 % mehr geliefert worden.[74]

---

72 Punkt b.) optræder ikke i teksten.
73 Trykt efterfølgende.
74 Jfr. *Politische Informationen* 1. august 1944.

*Rüstungslage:*
Ausnutzung d. besetzten Gebiete durch Wehrmachtaufträge. Berichtsmonat August 1944.
A.) Unmittelbare Wehrmachtaufträge über 10.000 RM Einzelauftragswert.
B.) Unmittelbare Wehrmachtaufträge unter 10.000 RM und erkennbare mittelbare Wehrmachtaufträge.
C.) Öffentliche Bedarfsträger.

|   | Auftragsbestand am Ende des Vormonats in RM | Veränderung des Auftragsbestandes i. Berichtsmon. in RM | Neuzugang im Berichtsmonat in RM | Auslieferung im Berichtsmonat in RM | Auftragsbestand am Ende des Berichtsmonats in RM |
|---|---|---|---|---|---|
| A.) | 110.949.315,- | + 3.832,- | 5.671.871,- | 4.770.622,- | 11.854.396,- |
| B.) | 54.977.413,- | + 11.208,- | 3.666.971,- | 1.535.363,- | 57.120.229,- |
| A.) + B.) | 165.926.728,- | + 15.040,- | 9.338.842,- | 6.305.985,- | 168.974.625,- |
| C.) | 1.087.854,- | – | – | 131.920,- | 955.934,- |
| insg. | 167.014.582,- | + 15.040,- | 9.338.842,- | 6.437.905,- | 169.930.559,- |

Anl. 2
Feldwirtschaftsoffizier
beim Wehrmachtbefehlshaber Dänemark
Gr. I a Az. 1 b 2

*Kopenhagen, den 15. Sept. 1944.*

### Sabotagehandlungen
in der Zeit vom 1.8. – 31.8.1944.

Nachträglich wird gemeldet, daß am 28.7.1944 gegen 0.15 Uhr die Großgarage für Autobusse der Dänischen Staatsbahn in Aarhus durch Sprengung zerstört wurde. Nach der Explosion entstand ein Brand, durch den 3 Autobusse der DSB und ein Autobus des Reichspolizeichefs vernichtet wurden.[75]

1.8.1944:
  a.) *Schwere Fälle:* Keine
  b.) *Mittlere Fälle:*
   1.) Gegen 1.00 Uhr wurde ein Lkw, der für Wehrmachtsinteressen fuhr, in Brand gesetzt.[76]
   2.) Gegen 14.00 Uhr wurde ein auf dem Rathausplatz in Kopenhagen parkender Pkw Marke Opel Olympia mit der Polizeikennziffer K 2952 durch eine Sprengbombe zerstört. Der Wagen gehört dem dänischen Staatsangehörigen Nicolaisen, Kopenhagen, Vimmelskaftet 35. N. führt Arbeiten für die Deutsche Wehrmacht aus.[77]

---

75 RA, BdO Inf. nr. 67, 10. august 1944, tilfælde 1. Oplysningerne er også "Nachträglich" hos BdO, og der er ikke tvivl om, at de her bragte oplysninger hovedsageligt stammer fra BdO. Peter-gruppen forøvede en lignende aktion mod Ålborg Rutebilstation 29. august (Lauritzen 1947, s. 1389, tillæg 3 her).
76 Det var i Odense (RA, BdO Inf. nr. 66, 4. august 1944, tilfælde 6).
77 RA, BdO Inf. nr. 66, 4. august 1944, tilfælde 7.

c.) *Leichte Fälle:* Keine
2.8.1944:
- a.) *Schwere Fälle:* Keine
- b.) *Mittlere Fälle:* Keine
- c.) *Leichte Fälle:* Keine
- d.) *Überfälle:*
  1.) Gegen 15.00 Uhr wurde der dänische Staatsangehörige Holzbildhauer und Maler Otto Bülow, geb. 16.1.1904 in Helsingör. wohnh. Helsingör, Stubbedalsvej 28, in seiner Werkstatt erschossen. Als Täter kommen zwei Männer in Frage, die unerkannt entkommen konnten. Die Ermittlungen werden von der dänischen Kriminalpolizei geführt.[78]

3.8.1944: Fehlanzeige.
4.8.1944:
- a.) *Schwere Fälle:* Keine
- b.) *Mittlere Fälle:* Keine
- c.) *Leichte Fälle:* Keine
- d.) *Überfälle:*
  1.) Gegen 23.20 Uhr drangen 6-7 bewaffnete Männer in die Reparaturwerkstatt Andersen & Martini, Gl. Kongevej 4-6, ein, entwaffneten den anwesenden Sabotagewächter, der in einen Raum eingesperrt wurde und entwendeten einen der Wehrmacht gehörenden Lkw, 2 dänische Pkws und eine Trommel Benzin. Die Täter sind unerkannt entkommen.[79]

5.8.1944:
- a.) *Schwere Fälle:* Keine
- b.) *Mittlere Fälle:* Keine
- c.) *Leichte Fälle:* Keine
- d.) *Überfälle:*
  1.) Es wurde in 4 dänischen Betriebe die Sabotagewache überfallen und entwaffnet. Den Tätern fielen insgesamt nur 4 Pistolen in die Hand.[80]

  Nachträglich wurde gemeldet:

  Am 4.8.1944 gegen 16.50 Uhr ereignete sich in der Feuerwerkerei des Seefliegerhorstes in Aalborg eine Explosion, durch die 2 Wehrmachtangehörige, 4 volksdeutsche und 3 dänische Arbeiter getötet wurden. Gleichzeitig wurde die Baracke der Feuerwerkerei zur Hälfte zerstört. Nach den bisherigen Ermittlungen handelt es sich nicht um Sabotage, sondern um einen Unglücksfall, der durch unvorschriftsmäßiges Hantieren mit Sprengstoff bei Füllung einer Unterwassersprengladung verursacht wurde.[81]

---

78 Peter-gruppen likviderede Otto Bülow (RA, BdO Inf. nr. 66, 4. august 1944, tilfælde 10. Bøgh 2004, s. 135, tillæg 3 her).
79 RA, BdO Inf. nr. 67, 10. august 1944, tilfælde 7. Den mislykkede aktion (ganske lille skade) blev udført af BOPA (*Daglige Beretninger*, 1946, s. 210, Kjeldbæk 1997, s. 475).
80 RA, BdO Inf. nr. 67, 10. august 1944, tilfælde 6.
81 Tilfældet er ikke registreret som sabotage hos BdO, hvor man vurderede, at det drejede sig om et ulykkestilfælde (RA, BdO Inf. nr. 70, 17. august 1944, tilfælde 6).

6.8.1944:
- a.) *Schwere Fälle:* Keine
- b.) *Mittlere Fälle:* Keine
- c.) *Leichte Fälle:* Keine
- d.) *Überfälle:*
  1.) Gegen 21.20 Uhr wurde der Obgefr. Josef Reuter vom Fliegerhorst Kastrup in der Nähe des Bahnhofes Öresundsvej bei Kopenhagen von 3 Männern, die Fahrräder mitführten, überfallen. Das Soldbuch wurde ihm entwendet.[82]

7.8.1944:
- a.) *Schwere Fälle:* Keine
- b.) *Mittlere Fälle:* Keine
- c.) *Leichte Fälle:* Keine
- d.) *Überfälle:*
  1.) Gegen 16.00 Uhr drangen 4 bewaffnete Männer bei der Autoreparaturwerkstatt Harald Andersen & Martini, Kopenhagen, Gl. Kongevej ein und entwendeten unter Bedrohung des Personals mit Maschinenpistolen einen dänischen Pkw, mit dem sie entkamen.[83]

8.8.1944:
- a.) *Schwere Fälle:* Keine
- b.) *Mittlere Fälle:* Keine
- c.) *Leichte Fälle:* Keine
- d.) *Überfälle:*
  1.) Gegen 20.25 Uhr wurde der dänische Angestellte vom BdS Robert Sustmann-Ment aus einem Straßenbahnwagen in Kopenhagen, Nörrebrogade von 2 Unbekannten hinterrücks erschossen. S.-M. war sofort tot.[84]
  
  2.) Gegen 11.45 Uhr wurde der Fruchthändler Rainer Schmidt, Kopenhagen, Peter Bangsvej 74, durch zwei Unbekannte in seinem Geschäft erschossen. Die Täter beraubten Sch. zunächst seiner Brieftasche mit etwa 3-4.000 Kronen Inhalt und gaben danach mehrere Schüsse auf ihn ab, durch die er sofort getötet wurde. Sch. war früher Mitglied der DNSAP.[85]
  
  3.) Gegen 4.00 Uhr wurde der Panzerschütze Bennewitz, der an der Straße Viborg/Hall am Eingang zum Schießstand Posten stand, durch einen Schuß am Hals verletzt. Außerdem hat er einen Schlag mit einem unbekannten Instrument auf den Kopf bekommen. Über die Täter, die dem Posten die Maschinenpistole geraubt haben, fehlen bisher jegliche Anhaltspunkte.
- e.) Erschießung festgenommener Saboteure:

---

[82] RA, BdO Inf. nr. 70, 17. august 1944, tilfælde 1.

[83] RA, BdO Inf. nr. 68, 14. august 1944, tilfælde 1. Jfr. Alkil, 2, 1945-46, s. 1233 og *Daglige Beretninger*, 1946, s. 212 (med afvigende og andre enkeltheder).

[84] Sustmann Ment blev likvideret af BOPA (RA, BdO Inf. nr. 68, 14. august 1944, tilfælde 2. Larsen 1982, s. 131, Kjeldbæk 1997, s. 389f.).

[85] Rovmordet på Regner Schmidt blev begået af to modstandsfolk, Ingolf Asbjørn Lyhne og Jan Jansson. Dog antog BdO trods røveriet, at der var tale om politiske grunde til mordet (RA, BdO Inf. nr. 68, 14. august 1944, tilfælde 3, Øvig Knudsen 2001, s. 278f., 288-291, 388f.).

1.) Am 8.8.1944 sollte als Vergeltung für die Ermordung des Angestellten Robert Sustmann-Ment in Transport von 11 festgenommenen Saboteuren nach Deutschland durchgeführt werden. Dazu wurde ein Lkw benutzt, der Kopenhagen am 9.8.1944 gegen 1.00 Uhr früh in Richtung Gedser verließ. Die Bewachung bestand aus 8 Beamten des BdS. Einige Kilometer hinter der Stadt Roskilde versuchten die Häftlinge zu meutern und die Flucht zu ergreifen. Die Beamten machten sofort von ihren Schußwaffen Gebrauch. Sämtliche 11 Häftlinge wurden dabei erschossen. Einer der Erschossenen war überführt, im Herbst 1943 einen deutschen Polizeiwachtmeister erschossen zu haben, einer war an einem Überfall auf deutsche Soldaten im Dezember 1943 beteiligt. Bei den anderen handelt es sich um gefährliche Saboteure, die an einer ganzen Reihe von Sabotageakten teilgenommen hatten.[86]

9.8.1944:
   a.) *Schwere Fälle:* Keine
   b.) *Mittlere Fälle:*
   1.) Gegen 19.30 Uhr wurde ein Netzlager der Kriegsmarine, der sich in der Werft von Frederikshavn befand, durch Explosion leicht beschädigt. Nach den bisherigen Feststellungen war an dem Fahrzeug eine Haftmine angebracht. Der entstandene Schaden ist gering.[87]
   2.) Gegen 21.00 Uhr ist die Strecke Hobro/Aalborg in der Nähe des Bahnhofes Doense durch Sprengung unterbrochen worden. Von einem Güterzug, der die Strecke zur Zeit der Sprengung passierte, entgleisen zwei Wagen.[88]
   3.) Gegen 23.50 Uhr wurde die Eisenbahnstrecke Hjörring/Thisted in der Nähe des Bahnhofes Svenstrup auf Nordjütland an zwei Stellen durch Sprengung unterbrochen.[89]

10.8.1944:
   a.) *Schwere Fälle:* Keine
   b.) *Mittlere Fälle:* Keine
   c.) *Leichte Fälle:* Keine
   d.) *Überfälle:*
   1.) Gegen 20.30 Uhr drangen mehrere Männer in die Maschinenfabrik Titan, Kopenhagen, ein, überfielen die Sabotagewächter und entwendeten ein Gewehr und eine Pistole. Die Täter sind unerkannt entkommen.[90]
   2.) Gegen 12.15 Uhr wurde der Sanitäts-Obgefr. Karnowsk auf dem S-Bahnhof Godthaabsvej von 3 Männern gestellt, die ihn aufforderten, Waffe und Soldbuch herauszugeben. K., der über eine Schußwaffe nicht verfügte, setzte sich zur Wehr. Es wurde ihm jedoch sein Soldbuch aus der Tasche gerissen. Einer

---

86 Nedskydningen af de 11 modstandsfolk var gengæld for likvideringen af Sustmann Ment (tillæg 3 her).
87 RA, BdO Inf. nr. 68, 14. august 1944, tilfælde 4. Jfr. Alkil, 2, 1945-46, s. 1233.
88 RA, BdO Inf. nr. 68, 14. august 1944, tilfælde 5.
89 RA, BdO Inf. nr. 68, 14. august 1944, tilfælde 6.
90 Det var Holger Danske, der foretog en våbenaktion (RA, BdO Inf. nr. 68, 14. august 1944, tilfælde 7. Jfr. *Daglige Beretninger*, 1946, s. 214. Birkelund 2008, s. 682).

der Täter bedrohte ihn mit einer Pistole.⁹¹

3.) Gegen 17.30 Uhr erschienen in der Schwimmhalle Frederiksberg in Kopenhagen 3 Männer, bedrohten den Badewärter mit einer Pistole und verlangten die Öffnung zweier Kabinen, in denen zwei deutsche Offiziere ihre Kleidung abgelegt hatten. Sie entwendeten die beiden Pistolen der Offiziere und entkamen unerkannt.⁹²

4.) In der Nacht zum 10.8.1944 wurde ein Posten des Quartiermeisters – Abt. Igels – in Silkeborg von einem unbekannten Täter beschossen. Verletzt wurde niemand.⁹³

Nachmeldung:
Am 10.8.1944 erfolgte auf dem dänischen Dampfer Roes Naes ["Røsnæs"] der dänischen Reedereigesellschaft, der in Odense im Englandkai zum Bunkern lag, eine Explosion im Achterschiff an der Steuerbordseite. Durch Beschädigung des Schiffes ging dieses mit dem Achterschiff auf Grund. Das Schiff war im Zuge des Hansaprogramms auf der Odenseer Stahlschiffswerft erbaut worden und sollte ausschl. für dänische Interessen fahren.⁹⁴

11.8.1944:
a.) *Schwere Fälle:* Keine.
b.) *Mittlere Fälle:*

1.) In der Nacht zum 11.8.1944 drangen 7 Männer und 1 Frau in die Vesterportgarage in Kopenhagen ein und entwendeten 2 Pkws, die hier von der Dienststelle NSKK Gruppe Todt untergestellt waren. Der anwesende Wächter wurde von einem der Männer mit einer MP bedroht und gezwungen, den Schlüssel zu den Fahrzeugen herauszugeben.⁹⁵

2.) Gegen 1.00 Uhr wurde die Eisenbahnstrecke Horsens/Vejle in der Nähe des Kilometersteins 32,5 durch eine starke Sprengung unterbrochen. Es ist ein Krater von 10 Meter Breite und 5 Meter Tiefe entstanden. Die Strecke wird für einige Tage für den Verkehr gesperrt sein.⁹⁶

c.) *Leichte Fälle:* Keine.

12.8.1944:
a.) *Schwere Fälle:* Keine
b.) *Mittlere Fälle:*

1.) Gegen 4.40 Uhr wurde gegen die Trockenmilchfabrik in Hjørring ein Sprengstoffanschlag verübt. Es wurde eine Sprengstoffladung am Schornstein angebracht, nach dessen Explosion jedoch nur geringer Sachschaden entstand. Die

---

91 RA, BdO Inf. nr. 70, 17. august 1944, tilfælde 2.
92 RA, BdO Inf. nr. 70, 17. august 1944, tilfælde 3.
93 RA, BdO Inf. nr. 68, 14. august 1944, tilfælde 11.
94 "Røsnæs" blev atter hævet, men nåede aldrig at komme til at tjene tyske interesser. Den blev 9. april 1945 ført til Sverige (RA, BdO Inf. nr. 71, 25. august 1944, tilfælde 2, Hansen 1945b, s. 106, Jensen 1976, s. 26, Frederichsen 1984, s. 130).
95 RA, BdO Inf. nr. 68, 14. august 1944, tilfælde 12. Jfr. *Daglige Beretninger*, 1946, s. 215, Alkil, 2, 1945-46, s. 1233.
96 RA, BdO Inf. nr. 71, 25. august 1944, tilfælde 3.

Fabrik arbeitet für deutsche Interessen.[97]
- c.) *Leichte Fälle:* Keine.
- d.) *Überfälle:*
  - 1.) Gegen 7.50 Uhr verübten unbekannte Täter einen Anschlag auf den Angestellten beim BdS Poul Hennig. Es wurden mehrere Schüsse aus zwei Maschinenpistolen auf ihn abgegeben. H. wurde nicht verletzt. Die Täter konnten entkommen.[98]
  - 2.) Gegen 14.30 Uhr wurde der dänische Fahrlehrer H. Christian Hansen von einem unbekannten Täter in Odense erschossen. H. war Mitglied der DNSAP.[99]
  - 3.) Am 12.8.1944 wurde in Kopenhagen, Vester Farimagsgade 19 der Marinewächter Svend Ulrich Börge Petersen mit einem Kopfschuß tot aufgefunden. Die Ermittlungen laufen.[100]
  - 4.) Gegen 12.35 Uhr wurde der Obgefr. Ernst Klett in Kopenhagen, Vanlöse Allé 83 von 4 Männern umringt. Unter Bedrohung mit Pistolen entwendeten sie ihm das Soldbuch. Die Täter entkamen.[101]
  - 5.) Am 12.8.1944 gegen 12.35 Uhr wurde auf dem Hauptbahnhof in Kopenhagen der Obgefr. Otto Szesny von 4 Männern gestellt. Unter Bedrohung mit Pistolen wurde ihm das Soldbuch entrissen. Die Täter konnten entkommen.[102]

13.8.1944:
- a.) *Schwere Fälle:* Keine.
- b.) *Mittlere Fälle:* Keine.
- c.) *Leichte Fälle:*
  - 1.) Am 13.8.44 wurden etwa 1 km nördlich der Eisenbahnstation Bolderslev/Südjütland sämtliche Schrauben und Laschenbolzen an einer Eisenbahnschiene entfernt. Der Schaden ist gering.[103]
- d.) *Überfälle:*
  - 1.) Am 13.8.44 wurde in der Istedgade der Angehörige des Schalburgkorps Viktor Jensen von mehreren Männern überfallen und niedergeschossen. Die Täter sind entkommen.[104]
  - 2.) Gegen 5.00 Uhr wurden in Kopenhagen in der Amagerbrogade 3 Streifenbeamte der dänischen Polizei von 3 Männern angehalten und unter Bedrohung mit Pistolen aufgefordert, die Schußwaffen abzugeben. Die Polizeibeamten

---

97 RA, BdO Inf. nr. 71, 25. august 1944, tilfælde 4. Jfr. Alkil, 2, 1945-46, s. 1233.
98 Paul Hennig blev flere gange forsøgt likvideret af modstandsbevægelsen, men forgæves (RA, BdO Inf. nr. 69, 16. august 1944, tilfælde 2. Sofie Bak i *Hvem var hvem 1940-1945*, 2005, s. 145f.).
99 Hans Christian Hansen blev likvideret (RA, BdO Inf. nr. 69, 16. august 1944, tilfælde 5. Munck/Outze, 1, 1948, s. 296, Bøgh 2004, s. 137).
100 Svend Ulrik Børge Petersen (f. 29.7.1917) blev likvideret (RA, BdO Inf. nr. 69, 16. august 1944, tilfælde 6. *Daglige Beretninger*, 1946, s. 216 (med misvisende navn)).
101 RA, BdO Inf. nr. 69, 16. august 1944, tilfælde 3.
102 RA, BdO Inf. nr. 67, 10. august 1944, tilfælde 4.
103 RA, BdO Inf. nr. 71, 25. august 1944, tilfælde 5.
104 RA, BdO Inf. nr. 71, 25. august 1944, tilfælde 6.

kamen der Aufforderung nach. Die Täter sind entkommen.[105]

14.8.1944:
- a.) *Schwere Fälle:* Keine.
- b.) *Mittlere Fälle:*
  1.) Gegen 23.00 Uhr drangen 5 Männer in den Schneidereibetrieb der Firma N.P. Christensen, Kopenhagen, Vesterbrogade 34 ein, sperrten das anwesende Personal, das mit Pistolen bedroht wurde, in einem Toilettenraum ein und begossen etwa 25 Näh- und Knopflochmaschinen mit einer Säure, wodurch diese unbrauchbar wurden. Im Betrieb werden Uniformstücke für die deutsche Wehrmacht hergestellt.[106]
- c.) *Leichte Fälle:* Keine
- d.) *Überfälle:*
  1.) Gegen 22.30 Uhr wurden in Kopenhagen, Ryesgade, die Schalburgmänner Rudolf Ohlsen und Christian Holm von mehreren unbekannten Männern überfallen und angeschossen.[107]

15.8.1944:
- a.) *Schwere Fälle:* Keine.
- b.) *Mittlere Fälle:*
  1.) Gegen 20.00 Uhr wurde der Schulkraftwagen des dänischen Staatsangehörigen Robert Ohlsen, Kopenhagen, Gl. Kongevej 88 durch eine am Kraftwagen angebrachte Sprengladung zerstört. O. soll deutschfreundlich eingestellt sein.[108]
  2.) Auf der Strecke Taastrup/Solröd wurden 3 Maste der Luftwaffenfernsprechleitung über dem Erdboden abgesägt.[109]
  3.) Gegen 23.30 Uhr wurde in der Nähe von Vejle ein dänischer Kraftomnibus durch Sprengung zum größten Teil zerstört. Er fuhr für Wehrmachtinteressen.[110]
- d.) *Überfälle:*
  1.) Gegen 0.30 wurde der dänische Staatsangehörige Herbert Otto Zeemann in seiner Wohnung, Kopenhagen, Lunderslevvej 29 von zwei unbekannten Tätern durch Schüsse getötet. Z. war Mitglied der konservativen Partei.[111]
  2.) Gegen 9.25 Uhr wurden in Charlottenlund bei Kopenhagen an der Eisenbahnunterführung in der Jägersborg Allé etwa 20-25 Schüsse aus Maschinenpistolen auf den durchfahrenden Personenkraftwagen des Hauptmann Sommer vom Wachkorps der Luftwaffe abgegeben. Hptm. Sommer und der

---

105 RA, BdO Inf. nr. 71, 25. august 1944, tilfælde 7. Jfr. *Daglige Beretninger*, 1946, s. 217.
106 RA, BdO Inf. nr. 71, 25. august 1944, tilfælde 16 (opgiver 15. august). Jfr. *Daglige Beretninger*, 1946, s. 218.
107 RA, BdO Inf. nr. 71, 25. august 1944, tilfælde 8. Jfr. *Daglige Beretninger*, 1946, s. 218.
108 RA, BdO Inf. nr. 71, 25. august 1944, tilfælde 14.
109 RA, BdO Inf. nr. 71, 25. august 1944, tilfælde 9.
110 RA, BdO Inf. nr. 71, 25. august 1944, tilfælde 18.
111 Zeemann blev likvideret af Peter-gruppen (RA, BdO Inf. nr. 71, 25. august 1944, tilfælde 10. Bøgh 2004, s. 136, tillæg 3 her).

Kraftfahrer blieben unverletzt, während der Wagen von zahlreichen Schüssen getroffen wurde.[112]

3.) Gegen 23.00 Uhr wurde der Leutnant der Luftwaffe Georg Eichele in der Kastrupvej von 3 Männern überfallen, die ihm auf deutsch zuriefen: "Hände hoch, Kriminalpolizei." Als Eichele sich zur Wehr setzte, wurde auf ihn geschossen. Er wurde durch einen Oberschenkeldurchschuß verletzt.[113]

4.) Gegen 7.35 Uhr wurde die Torwache der Maschinenfabrik Atlas in Kopenhagen, Baldersgade von mehreren Männern überfallen. Die Täter entwendeten 2 Pistolen der Wächter.[114]

5.) Gegen 16.50 Uhr drangen mehrere Männer in die Maschinenfabrik Börge Hansen A G, Kopenhagen, Americavej 4-6 ein und entwendeten 1 MG. und eine Pistole.[115]

6.) Gegen 23.30 Uhr drangen 2-3 Mann in die Wohnung des Arbeiters Hans-Georg Mortensen in Kopenhagen, Holmbladsvej 94 ein und feuerten mehrere Schüsse auf Mortensen und seine Ehefrau. M. wurde getötet, die Ehefrau leicht verletzt. M. war Mitglied der DNSAP. Die Täter sind unerkannt entkommen.[116]

16.8.1944:
a.) *Schwere Fälle:* Keine.
b.) *Mittlere Fälle:*
1.) Gegen 19 Uhr wurde eine Sabotage gegen den in der Aalborg Werft liegenden deutschen Dampfer "Lavinia" durchgeführt. Im Heizraum war in der Aschenschütte eine Sprengladung angebracht worden, die jedoch nach der Explosion nur geringen Sachschaden verursachte.[117]
c.) *Leichte Fälle:*
1.) Gegen 3.45 Uhr wurde die Eisenbahnstrecke Aalborg/Hobro an zwei Stellen durch die Explosion angebrachter Sprengladungen beschädigt.[118]
d.) *Überfälle:*
1.) Gegen 4.15 Uhr drangen mehrere Männer gleichzeitig mit den Reinemachefrauen in die Fabrik Bok, Kopenhagen, Östergade 26 ein und entwendeten der Wache 5 Trommelrevolver.[119]

---

112 Poul Sommer blev søgt likvideret af otte sværtbevæbnede modstandsfolk fra Holger Danske, men slap med snitsår i ansigtet (RA, BdO Inf. nr. 71, 25. august 1944, tilfælde 11. Billeschou Christiansen og Hyllested 2007, Birkelund 2008, s. 682).
113 RA, BdO Inf. nr. 71, 25. august 1944, tilfælde 15. Løjtnanten var ifølge en dansk kilde i selskab med et par damer og blev kun overfaldet af én mand (*Daglige Beretninger*, 1946, s. 220).
114 RA, BdO Inf. nr. 71, 25. august 1944, tilfælde 11.
115 RA, BdO Inf. nr. 71, 25. august 1944, tilfælde 13. Jfr. *Daglige Beretninger*, 1946, s. 219.
116 Hans Georg Ejner Mortensen blev likvideret (RA, BdO Inf. nr. 71, 25. august 1944, tilfælde 17. *Daglige Beretninger*, 1946, s. 220).
117 RA, BdO Inf. nr. 71, 25. august 1944, tilfælde 21. Jfr. Alkil, 2, 1945-46, s. 1234. "Lavinia" var udsat for adskillige sabotager (Jensen 1976, s. 22).
118 RA, BdO Inf. nr. 71, 25. august 1944, tilfælde 19.
119 RA, BdO Inf. nr. 71, 25. august 1944, tilfælde 20.

17.8.1944:
- a.) *Schwere Fälle:* Keine
- b.) *Mittlere Fälle:* Keine
- c.) *Leichte Fälle:* Keine
- d.) *Überfälle:*
  1.) Gegen 22 Uhr wurde der Sabotagewächter Aage Henrik Behringsdorff, geb. am 28.7.1910 in Kopenhagen, vor dem Hause Nörrebrogade 56 von einem unbekannten Täter durch 2 Schüsse, die jedoch nicht lebensgefährlich sind, verletzt.[120]
  2.) Gegen 22.23 Uhr versuchten Saboteure in die Schuhfabrik Stjernen, Kopenhagen, Nörrebrogade 56 einzudringen. Die Sabotagewächter machten von ihren Schußwaffen Gebrauch und die Saboteure zogen sich daraufhin zurück. Ein Sabotagewächter wurde am Arm leicht verletzt.[121]

18.8.1944:
- a.) *Schwere Fälle:* Keine
- b.) *Mittlere Fälle:* Keine
- c.) *Leichte Fälle:* Keine
- d.) *Überfälle:*
  1.) Gegen 3.07 Uhr drangen 3 mit Pistolen bewaffnete Saboteure in das Werk der Firma Burmeister & Wain, Koph., Wilders Plads, ein und entwendeten den Wächtern Pistolen und die Wachliste über das Wachpersonal. Täter sind unerkannt entkommen.[122]
  2.) Gegen 18.58 Uhr wurde in der Hörsholmsgade vor dem Hause 22 der Sabotagewächter der Firma Dan, Niels Peter Ingward Andersen, geb. 21.6.99 in Aalborg, wohnh. Koph., Toftevej 4, von 3 bisher unbekannten Tätern erschossen. Motiv der Tat nicht bekannt.[123]

19.8.1944: Fehlanzeige.

20.8.1944: Fehlanzeige.

21.8.1944:
- a.) *Schwere Fälle:*
  1.) In der Nacht zum 21.8.1944 gegen 2.30 Uhr wurde durch einen Sprengstoffanschlag die Autoreparaturwerkstatt Gebr. Jörgensen, Aarhus, Silkeborgvej 20 völlig zerstört. Der Sabotagewächter wurde von 4-5 bisher unbekannten Männern unter Drohung mit Schußwaffen zum Verlassen der Werkstatt aufgefordert. Der Betrieb arbeitet für deutsche Interessen.[124]
- b.) *Mittlere Fälle:* Keine
- c.) *Leichte Fälle:* Keine
- d.) *Überfälle:* Keine

---

120 RA, BdO Inf. nr. 71, 25. august 1944, tilfælde 23.
121 Det var Holger Danske, der foretog en våbenaktion (*Daglige Beretninger*, 1946, s. 221f., Teglers 1946, s. 138ff., Birkelund 2008, s. 683).
122 Jfr. *Daglige Beretninger*, 1946, s. 222.
123 Jfr. *Daglige Beretninger*, 1946, s. 222.
124 Jfr. Hauerbach 1945, s. 24 og Alkil, 2, 1945-46, s. 1234.

22.8.1944:
- a.) *Schwere Fälle:* Keine
- b.) *Mittlere Fälle:* Keine
- c.) *Leichte Fälle:* Keine
- d.) *Überfälle:*
  1.) In den Betrieb der Firma Andersen & Martini, Koph., Gl. Kongevej 4 drangen 4 mit Pistolen bewaffnete Männer ein. Der Wächter wurde in eine Garage eingesperrt und von den Tätern 2 PKWs entwendet.[125]

23.8.1944:
- a.) *Schwere Fälle:*
  1.) Gegen 22.45 Uhr drangen etwa 10 bewaffnete Männer in die Motorenzentrale in Aalborg-Hasselröd ein und entwaffneten 5 Sabotagewächter und zündete die in der Zentrale stehenden Lastkraftwagen und PKWs unter Benutzung von Benzin an. Etwa 12 bis 15 Kraftfahrzeuge der Wehrmacht erlitten erhebliche Schäden.[126]
  2.) Am 23.8.1944 gegen 16.00 Uhr wurde Sabotage bei der Aabyhöj Maskinfabrik Aarhus von Freg. Kpt. Strauch gemeldet. Vertragswerkstatt für HKP-Gebäude wurde zerstört, außerdem 3 LKW, 2 PKW und 1 Tank.[127]
- b.) *Mittlere Fälle:* Keine.
- c.) *Leichte Fälle:* Keine.
- d.) *Überfälle:* Keine.

24.8.1944:
- a.) *Schwere Fälle:* Keine
- b.) *Mittlere Fälle:* Keine
- c.) *Leichte Fälle:* Keine
- d.) *Überfälle:*
  1.) Am 24.8.44 wurde der Personenzug 49, der Kopenhagen um 11.48 Uhr verließ, hinter der Station Valby zum Halten gebracht. Der Zug wurde von mehreren Männern erwartet, die die letzten 5 Wagen des Zuges abkoppelten, von mehreren deutschen Soldaten wurde das Feuer auf die Männer eröffnet, die die Flucht ergriffen. Soweit festgestellt wurde, befanden sich in einem der letzten Wagen 2 Kisten mit Pistolen, auf die es die Täter abgesehen hatten.[128]

25.8.1944: Fehlanzeige.

26.8.1944:
- a.) *Schwere Fälle:* Keine.
- b.) *Mittlere Fälle:*
  1.) Gegen 12 Uhr wurden 4 Sprengbomben in der Karosseriefabrik der Fa. Jör-

---

125 RA, BdO Inf. nr. 73, 31. august 1944, tilfælde 2. Jfr. *Daglige Beretninger*, 1946, s. 225.
126 RA, BdO Inf. nr. 72, 29. august 1944, tilfælde 10 (dateret til 23. august). Jfr. Alkil, 2, 1945-46, s. 1234.
127 Jfr. Hauerbach 1945, s. 24 og Alkil, 2, 1945-46, s. 1234. Sabotagen blev ikke registreret af BdO, givetvis fordi den blev indberettet direkte af kaptajn Strauch.
128 BOPA forsøgte forgæves en aktion mod et tysk ammunitionstog, hvorved en modstandsmand blev dræbt (Verner Emil Sørensen) (RA, BdO Inf. nr. 73, 31. august 1944, tilfælde 4. *Faldne i Danmarks frihedskamp*, 1970, s. 431, Kjeldbæk 1997, s. 475).

gensen, Aarhus, Nörreport 22, durch 3 unbekannte Männer zur Explosion gebracht. Es entstand ein größerer Brand. Eine größere Anzahl Kraftwagen der Wehrmacht, die hier zur Reparatur standen, wurden vernichtet.[129]

c.) *Leichte Fälle:* Keine.

d.) *Überfälle:*

1.) Am 26.8.44 gegen 1.55 Uhr wurde in Kopenhagen auf dem Naerboplads der Sabotagewächter Gustav Olesen, geb. 26.6.20, durch einen Schuß verletzt. Täter unerkannt entkommen.[130]

27.8.1944:

a.) *Schwere Fälle:*

1.) Zum Sabotageanschlag gegen das Sägewerk Haastrup bei Faaborg auf Fünen wird gemeldet, daß nach der Explosion im Maschinenraum das gesamte Gebäude abbrannte. Es entstand großer Sachschaden. Der Betrieb arbeitet für die deutsche Wehrmacht. Der Eigentümer Rasmus Larsen ist Mitglied der DNSDAP.[131]

b.) *Mittlere Fälle:*

1.) Auf dem Lagerplatz des Maurermeisters Nils Rasmussen in Odense erfolgte eine Explosion, durch die eine Betonmischmaschine stark beschädigt wurde. An 2 weiteren Mischmaschinen angebrachte Sprengkörper kamen nicht zur Explosion und konnten sichergestellt werden. Rasmussen ist dänischer Nationalsozialist und arbeitet für die deutsche Wehrmacht.[132]

2.) Gegen 2 Uhr wurden etwa 1 km vor der U-Boot-Versuchsanstalt Höruphav auf der Halbinsel Alsen 7 Holzmasten und ein größerer eiserner Verteilungsmast der Hochspannungsleitung durch Sprengladungen zum Umsturz gebracht. Hierdurch wurde die Stromzufuhr auf Alsen vorübergehend unterbrochen.[133]

c.) *Leichte Fälle:* Keine.

d.) *Überfälle:* Keine.

28.8.1944: Fehlanzeige.

29.8.1944: Fehlanzeige.

30.8.1944: Fehlanzeige.

31.8.1944: Fehlanzeige.

Insgesamt:  a.) 4 Fälle
            b.) 18 –
            c.) 2 –
            d.) 35 –   (Überfälle u. Bes. Vorkommnisse)

Im Monat August: 59 Fälle.

---

129 RA, BdO Inf. nr. 73, 31. august 1944, tilfælde 10 (Aarhus Autolager, firma Sørensen, ikke Jørgensen), Hauerbach 1945, s. 24. Hos Alkil, 2, 1945-46, s. 1234 opgives, at det var et attentatforsøg mod Chr. Petersens Karosserifabrik, Nørreport, hvilket skyldes, at denne også blev truffet.

130 RA, BdO Inf. nr. 73, 31. august 1944, tilfælde 9.

131 RA, BdO Inf. nr. 73, 31. august 1944, tilfælde 21. Jfr. Alkil, 2, 1945-46, s. 1234.

132 RA, BdO Inf. nr. 73, 31. august 1944, tilfælde 22.

133 RA, BdO Inf. nr. 73, 31. august 1944, tilfælde 23. Jfr. *Daglige Beretninger*, 1946, s. 1234.

## Anlage 3: [Produktion landw. Erzeugnisse]

*Dänemark*

| Produktion landw. Erzeugnisse | | | 1. Halbjahr 1944 | Juni | Juli | Juli 42 | Juli 43 | Zugang 43/44 | Nachschub Norwegen Juli |
|---|---|---|---|---|---|---|---|---|---|
| Milch | Mill. | kg | 1.770 | 426 | 420 | | 379 | 41 | |
| Butter | – | – | 62,2 | 14,8 | 14,3 | | 13,4 | 0,9 | 228.600 kg. |
| Schweinefleisch | – | – | 99,6 | 12,3 | 13,4 | | 11,5 | 1,9 | |
| Eier | – | – | 26,2 | 4,1 | 3,1 | | 2,1 | 1,0 | 18.662 kg. |
| Rindfleisch | – | – | 57,0 | 5,6 | 5,6 | | 5,9 | - 0,3 | |
| Geflügel (Bestand 15.7) | Mill. | Stck. | | | 17.034.000 | 10.507.000 | 15.340.000 | 1.694.000 | |

| | | | | |
|---|---|---|---|---|
| *Ausfuhr* ins Reich, | Butter | t | 21.462 | |
| – – | Fleisch | t | 90.700 | |
| – – | Fisch | t | 41.875 | |
| – – | Pferde | Stck. | 8.000 | |
| Lebensmittel, Tr. | Dänemark | d.Kr. | 39.120.033 | 6.539.804 | 6.050.902 |
| – – | Norwegen | d.Kr. | 46.025.008 | 11.682.165 | 3.338.507 |

| | | | Juni | Juli | Juli 43 | Zugang 43/44 | Nachschub |
|---|---|---|---|---|---|---|---|
| Pferdebestand | Stck. | | 612.000 | 590.000 | 601.000 | 11.000 | |
| Rindviehbestand | Stck. | | 3.170.000 | 2.919.000 | 3.028.000 | 142.000 | 277 Stck. |
| Schweinebestand | Stck. | | 2.045.000 | | 2.011.000 | 34.000 | 16.222 Stck. |
| Schafbestand | Stck. | | 205.000 | | 186.000 | 19.000 | |

| | | | 1. Halbjahr 1944 | Juli | August |
|---|---|---|---|---|---|
| Einsatz Dänen | im Reich | | 6.725 | 479 | 638 |
| – – | in Norwegen | | 553 | 58 | 69 |
| – – | in Finnland/Baltikum | | 18 | - | - |
| – – | bei Wehrmachtstellen | | 236.151 | 34.752 | 32.715 |
| Arbeitslose Stichzahlen | | | | 11.003 | 12.435 |
| Waggons | Anforderung pr. Tag | | 32.579 | 4.799 | 6.685 |
| – | gestellt | | 22.907 | 3.813 | 3.952 |
| – | ungedeckter Bedarf | | 9.672 | 1.986 | 2.733 |
| Eisenbahntransport Norw./Finnland über Schweden täglich | | | 241 | 40 | 40 |
| Straßenverkehr | Flensb./LKW | | 3.661 | 454 | 424 |
| – | Fleisch | t | 19.022 | 1.657 | 824 |
| – | Fisch | t | 20.178 | 3.334 | 3.513 |
| Kohleneinfuhr | Reich/Steink. | t | 1.125.807 | 231.400 | 216.800 |
| – | Reich/Koks | t | 209.688 | 34.700 | 48.800 |
| – | Braunk. u. Sud. Kohle | t | 288.979 | 67.000 | 76.000 |

## 225. Feldwirtschaftsoffizier Lambert an den Reichswirtschaftsminister 15. September 1944

Den 19. august havde RWM meddelt Rüstungsstab Dänemark, at det ikke var muligt at levere det generatortræ fra Tyskland, 130.000 hl om måneden, der var behov for til fæstningsbyggeriet i Jylland. Årsagen var i første række transportproblemer. I stedet skulle træet købes i Danmark. Rüstungsstab Dänemark havde videregivet sagen til Lambert, som var blevet ansvarlig for at skaffe generatortræ til fæstningsbyggeriet. På den baggrund anmodede Lambert om at få lov til at købe generatortræ for 300.000 kr. om måneden direkte over Rüstungsstab Dänemarks A-liste og ikke at skulle indhente OKWs tilladelse i hvert enkelt tilfælde. Det trak betalingen ud, når OKWs tilladelse skulle indhentes, og det kunne få de danske firmaer til at indstille leverancerne.

Med beskeden i RWMs brev synes alle de bestræbelser, der i første halvår af 1944 var udfoldet af Forstmann, Best, AA og RWM for at begrænse værnemagtens omfattende forbrug af dansk generatortræ strandet. Der var intet alternativ til tilførslerne fra Tyskland, forbruget kunne ikke holdes i ave på anden vis, da invasionstruslen alene satte dagsordenen. De omfattende tyske opkøb af træ foregik både kontrolleret og ukontrolleret, hvis det ikke direkte blev rekvireret. En del jyske plantageejere tjente godt på at levere til værnemagten uden om al kontrol (KB, Herschends dagbog efterår 1944 og forår 1945).

Imidlertid lykkedes det for Lambert at få OKH Gen. d. Mot. til månedligt at levere en vis mængde generatortræ fra Tyskland, se Lamberts situationsberetning 15. oktober.

Kilde: BArch, Freiburg, RW 27/18 og RW 27/23. KTB/Fwi O bei WB/Dänemark, 3. Vierteljahr 1944, Anlage 7.

Abschrift.  
Der Feldwirtschaftsoffizier beim  
Wehrmachtbefehlshaber Dänemark  
Gr. Ia Az. 10b Nr. ... /44.

Anlage 7.  
Kopenhagen, den 15. September 1944.

Betr.: Generatorholz-Käufe in Dänemark  
Bezug: Dort. Schr. III Ld. I-1/4952/44 g vom 19.8.1944 an Rüstungsstab Dänemark.[134]

An den Reichswirtschaftsminister  
Berlin C 2.

Das o.a. Bezugsschreiben an Rüstungsstab Dänemark wurde von diesem dem Fwi O übergeben, welcher für die Beschaffung von Generatorholz für die durchzuführenden Festungsbauten auf Jütland zuständig ist.

Bei einer am 8.9.44 in Berlin stattgefundenen Besprechung zwischen OKW Ch WKW/Gruppe Festkraftstoffe und OKH Gen. d. Mot. In XII, wurde festgestellt, daß eine Deckung des Generator-Tankholz-Bedarfes in Höhe von monatlich ca. 13.000 rm = 130.000 hl aus dem Reich nicht möglich ist und zwar in erster Linie aus transportmäßigen Gründen.

Es wird deshalb für unumgänglich notwendig erachtet, daß die bisherigen Käufe aus dänischen Beständen, die über die A-Liste des Rüstungsstabes Dänemark laufen, unbedingt weiter durchgeführt werden müssen. Die über Clearing laufenden Käufe für Generator-Tankholz sind monatlich gleichbleibend mit etwa 300.000,- d.Kr. anzusetzen (für 60.000 hl à 5,- d.Kr.).

---

134 Skrivelsen er ikke lokaliseret.

Wenn jeder A-Listen-Auftrag erst nach Zustimmung des OKW aufgenommen werden kann, so wird dies bei der an sich schon langen Dauer der Durchführung von Clearing-Geschäften sich sehr nachteilig auswirken und der dänischen Lieferfirma Veranlassung geben, ihre Lieferungen einzustellen, wenn die Geldüberweisungen derart lange ausbleiben. Bekanntlich mußten aus dem zuletzt genannten Grunde bereits Vorschußzahlungen aus dem Besatzungsfonds zur Bezahlung der Rechnungen in Anspruch genommen werden.

Aus diesem Grunde hat Fwi O Dänemark heute einen entsprechenden Antrag bei OKW Ag. WV 2 gestellt und um eine generelle Genehmigung zum Ankauf von Generatorholz über A-Listen des Rüstungsstabes Dänemark in Höhe von monatlich 300.000,- d.Kr. gebeten. Eine Abschrift dieses Antrages wird in der Anlage beigeführt.

Der Feldwirtschaftsoffizier beim<br>
Wehrmachtbefehlshaber Dänemark<br>
gez. **Lambert**<br>
Oberstleutnant

1 Anlage.[135]
*Nachrichtlich:*
1.) OKH Gen. d. Mot.
2.) OKW Ch WKW Gruppe Festkraftstoffe.
F.d.R.d.A.:
[underskrift]
Hauptmann


### 226. Walther Funk an Lutz Schwerin von Krosigk 15. September 1944

Rigsbankpræsident Funk tog endnu engang det danske ønske om at få clearingkontoen opgjort i kroner i stedet for RM op over for RFM. Funk mente, at man teknisk set skulle give danskerne visse indrømmelser, der ikke ville ændre ved det grundlæggende, af hensyn til opretholdelsen af den danske beredvillighed til vareleverancer.

Schwerin von Krosigk svarede 16. oktober 1944.
Kilde: PA/AA R 105.210. BArch, R 2/30.668 (afskrift). RA, pk. 282 (afskrift).

Abschrift MinBüro J.Nr. 902                         zu Y 5104/1-289 V g
Der Präsident der Deutschen Reichsbank         *Berlin C 111, 15. Sept. 1944*

An den Reichsminister der Finanzen
    Herrn Graf Schwerin von Krosigk
    Berlin W 8
    Wilhelmplatz 1/2

*Lieber Graf Schwerin von Krosigk!*
Ich muß Sie leider heute nochmals mit dem seit mehr als Jahresfrist vorgebrachten,

---

135 Bilaget er muligvis Lamberts skrivelse til OKW 15. september i samme anliggende som her (bilag 8 i KTB).

aber noch immer schwebenden dänischen Petitum wegen der Kronengutschriften im deutsch-dänischen Clearing bemühen. Der Vorsitzende im dänischen Regierungsausschuß Wassard, der vor einiger Zeit auch Ihnen einen Besuch machte, betont bei den laufenden Verhandlungen immer wieder, daß der nicht erledigte dänische Wunsch die Erfüllung der deutschen Finanzierungsansprüche dänischerseits erschwere. Die grundsätzliche Seite der Frage wurde, wie Ihnen bekannt ist, zwischen den Ressorts des langen und breiten unter den verschiedenen Gesichtspunkten erörtert. Das Reichsbankdirektorium hat seinen Standpunkt hierzu ausführlich mit Schreiben vom 16. Dezember 1943[136] und vom 5. April 1944[137] an das Auswärtige Amt, von denen Abschriften in Ihrem Hause vorliegen, zum Ausdruck gebracht. Betonen möchte ich, daß das deutsch-dänische Clearing nach den bestehenden Vereinbarungen eine Reichsmark- und eine Kronenseite hat, d.h. daß die deutsche Seite sich für dänische in Kronen zu erfüllende Leistungen in Kronen belasten lassen muß, während die dänische Seite für deutsche in Reichsmark zu erfüllende Leistungen Belastung in Reichsmark anerkennen muß. Bei diesem Grundsatz soll es auch nach dem Standpunkt der Reichsbank verbleiben. Persönlich bin ich der Auffassung, daß bei der langen internen Erörterung des dänischen Petitums der Grundsatzfrage vielleicht zu viel Bedeutung beigemessen worden ist, weil ich mir eine praktische Lösung, die den dänischen Wünschen zum mindesten zu einem großen Teil Rechnung tragen würde, auch ohne zu starke Berührung der Grundsatzfrage denken kann. Die Dänen würden sich wahrscheinlich zufrieden geben, wenn man auf deutscher Seite damit einverstanden ist, sich für dänische in Kronen fakturierte Leistungen in Kronen belasten zu lassen, worauf die Dänen nach der eingangs erwähnten Vertragsgrundlage eigentlich ohne weiteres Anspruch haben. Zum Teil wird dieser Auffassung seit dem September vorigen Jahres schon dadurch Rechnung getragen, daß die Deutsche Verrechnungskasse ihre Kronenkäufe gegen Reichsmarkgutschrift eingeschränkt hat. Man soll m.E., um die Frage praktisch zu bereinigen und der dänischen Seite das Gefühl eines gewissen Erfolges zu geben, erklären, daß deutscherseits Belastung in Kronen für alle in Kronen zu erfüllenden dänischen Leistungen anerkannt wird. Dies würde eigentlich nur, wie oben schon gesagt, die strikte Erfüllung des dänischen Vertragsanspruchs bedeuten, worauf die dänische Seite in der zurückliegenden Zeit – man wird sagen können aus Entgegenkommen – verzichtet hat. Bei den Verträgen mit der Schweiz und mit Schweden, die ähnlich konstruiert sind, ist es dem anderen Partner nie eingefallen, ein ähnliches Entgegenkommen wie die Dänen zu zeigen.

Ich bin überzeugt, daß durch eine Regelung im vorstehenden Sinne die für uns wesentlichste Seite des Problems, nämlich die dänische Bereitwilligkeit zu Warenlieferungen und anderen Leistungen für das Reich, nach Möglichkeit aufrecht erhalten werden würde. Ich hoffe, daß auch Sie für Ihr Haus einer solchen Lösung zustimmen werden.

Heil Hitler!
Ihr
gez. **Walther Funk**

---

136 Lokaliseret i RA, pk. 271 og kort refereret i kommentaren til RFM til AA 11. november 1943.
137 Trykt ovenfor.

## 227. Werner Best an das Auswärtige Amt 15. September 1944

Best svarede på AAs spørgsmål vedrørende det tyske mindretals stilling under en invasion. Han havde kun kunnet rådføre sig med Pancke, men ville senere meddele von Hannekens holdning. Pancke og Best var enige om, at mindretallet skulle være stillet som befolkningen i Tyskland: Blev der valgt evakuering ved invasionsfare, skulle mindretallet også evakueres; blev der valgt forbleven, skulle mindretallet også forblive.

Best meddelte med telegram S 11, 18. september AA WB Dänemarks stilling til spørgsmålet.
Kilde: PA/AA R 100.944.

Telegramm

| Kopenhagen, den | 15. September 1944 | 19.45 Uhr |
| Ankunft, den | 15. September 1944 | 20.20 Uhr |

Nr. 1090 vom 15.9.[44.]                                                              Supercitissime!

Auf Telegr. vom 14. Nr. 1096[138] teile ich meine und des Höheren SS- und Polizeiführers Auffassung dahin mit, daß Volksgruppe Nordschleswig wie deutsche Bevölkerung im Reichsgebiet behandelt werden sollte. Wird deutsche Bevölkerung im Reichsgebiet bei Besetzungsgefahr evakuiert so wäre auch Volksgruppe zu evakuieren. Wird deutsche Bevölkerung im Reichsgebiet auch bei Besetzung belassen, so wäre Volksgruppe in ihrem Gebiet zu belassen. Mit Wehrmachtbefehlshaber ist Besprechung erst am 17. September 1944 möglich, da fernmündliche Behandlung untunlich; gegebenenfalls folgt Nachbericht.

**Dr. Best**


## 228. OKW an den Reichsminister der Justiz 15. September 1944

OKW orienterede Rigsjustitsministeriet om den udarbejdede følgeskrivelse til førerordren af 30. juli 1944, hvorefter der i de besatte områder ikke skulle gennemføres retssager mod civile personer, der truede besættelsesmagten, men at disse skulle overlades til sikkerhedspolitiet. Dette var ikke medtaget i selve førerordren for ikke at belaste den med enkeltheder!
Kilde: BArch, Freiburg, RW 4/754. RA, Danica 1069, sp. 1, nr. 1699f.

Oberkommando der Wehrmacht                                    *Berlin W 35, den 15. Sept. 1944.*
WR I/3 79/44 gK

An den Reichsminister der Justiz z.H. von Ministerialrat Dr. von Ammon
Berlin W 8
(z. den Schreiben vom 28.8. und 12.9.44 Az. IVa Nr. 35/44 g RS und 524/44 g)

Nachrichtlich:
   den Reichsminister und Chef der Reichskanzlei

---

138 Inl II Sonderzug 2011. Trykt ovenfor.

z.H. von Oberlandesgerichtsrat Sommer,
WFSt/Qu 2/Verw. 1.

Betr: Straftaten nichtdeutscher Zivilpersonen in den besetzten Gebieten gegen die Sicherheit oder Schlagfertigkeit der Besatzungsmacht.
Bezug: Anschreiben des Chefs OKW vom 18.8.1944 zum Führererlass vom 30.7.44 und zum Durchführungserlass vom 18.8.1944[139]
(WFSt/Qu 2 Verw. 1 Nr. 009169/44 gK)
WR I/3 Nr. 79/44 gK

Der Führer ist der Auffassung, daß gerichtliche Todesurteile gegen Landeseinwohner der besetzten Gebiete Märtyrer schaffen. Er will das verhindert wissen und hat deshalb verboten, bei Straftaten nichtdeutscher Zivilpersonen gegen die Sicherheit oder Schlagfertigkeit der Besatzungsmacht gerichtliche Verfahren durchzuführen.

Die Bestimmung in Nr. 4 des Bezugschreibens, wonach laufende gerichtliche Verfahren auszusetzen und die Täter dem SD zu übergeben sind, entspricht dem Willen des Führers. Sie ist nicht in den Führerbefehl selbst aufgenommen worden, um diesen nicht mit Einzelheiten zu belasten.

Im Auftrag
gez. **Dr. Lehmann**


### 229. WB Dänemark an OKW/WFSt 15. September 1944

Foruden dagens sabotager kunne von Hanneken oplyse, at der var udbrudt en jernbanestrejke i Jylland. Tysk jernbanepersonale var indsat for at få gang i en nødkørsel.

Kilde: BArch, Freiburg, RW 4/754. RA, Danica 1069, sp. 1, nr. 345f.

Fernschreiben KR HXSI/FF 02451 15/9 20.15

KR OKW/WFSt

Tagesmeldung vom 15.9.44.
Drei kleinere Sabotageanschläge. Wehrmachtinteressen betroffen. Kein Personenschaden. Zwei Schienensprengungen in Südjütland. Strecken nach wenigen Stunden wieder befahrbar. Ein Sabotageanschlag auf ein in Auftrag des deutschen Reiches auf Stapel gelegtes Schiff bei einer Kopenhagener Werft. Das Schiff liegt auf Grund.[140] Eisenbahnerstreik im Raum Lunderskov-Esbjerg-Tondern-Padborg. Notbetrieb durch deutsches Eisenbahnpersonal eingeleitet.

W Befh Dän 1 A Nr. 5486/44 geh
gez. **Toepke**
Major I.G.

---

139 Begge er trykt ovenfor.
140 BOPA sænkede S/S "Irene Oldendorff" ved Refshaleøen (Kjeldbæk 1997, s. 475).

### 230. Joachim von Ribbentrop an Werner Best u.a. 16. September 1944
Ribbentrop gjorde det klart over for en række tyske ambassader i europæiske lande, der var besat af tyske tropper, at det var AAs repræsentanter og ikke OKWs, der skulle tage sig af forhandlinger vedrørende en eventuel tilbageføring af folketyskere de pågældende steder.
Kilde: RA, pk. 232.

### Telegramm

| Sonderzug, den | 16. September 1944 | 00.40 Uhr |
| Ankunft, den | 16. September 1944 | 03.30 Uhr |

RAM 972/44
Botschafter Ritter Nr. 793
Nr. 2016 vom 16.9.[44.]

1.) Telko, Ausw. Amt, Berlin
2.) Deutsche Botschaft Fasano, Sigmaringen, Deutsche Gesandtschaft Agram, Belgrad, Budapest, Kopenhagen, Preßburg.

Anschluß Drahterlaß vom 14. September Multex Nr. 1186.[141]
1.) Besprechung mit Oberkommando der Wehrmacht hat zunächst zu der Aufklärung geführt, daß das Wort "Reichsdeutsche" in Ziffer 6 des Befehls vom 10. September Nr. 06938/44 geh. auf einem Schreibfehler beruht. Es sollte heißen "Volksdeutsche."
2.) Das OKW hat ferner erklärt, daß es mit der Ziffer 6 nur die Zuständigkeit der militärischen Stellen negativ dahin abgrenzen wollte, daß die Zurückführung der Volksdeutschen nicht Sache der militärischen Stellen ist, daß das OKW aber selbstverständlich nicht in bestehende Zuständigkeiten bezüglich der Volksdeutschen, ebensowenig wie der Reichsdeutschen eingreifen konnte.
3.) Bezüglich der etwaigen Zurückziehung von Reichsdeutschen verbleibt es also bei der bisherigen Regelung, daß die politische Entscheidung vom Auswärtigen Amt getroffen wird, und daß die Durchführung durch die Auslandsorganisation erfolgt. Bezüglich der Volksdeutschen verbleibt es bei der bisherigen Regelung, daß die politische Entscheidung vom Auswärtigen Amt getroffen wird, und daß etwaige Verhandlungen mit der Regierung des betreffenden Landes vom Auswärtigen Amt und dessen Dienststellen geführt werden, daß dagegen die Organisation der Zurückziehung und die Betreuung der Volksdeutschen durch den Reichsführer-SS und die ihm unterstellte Volksdeutsche Mittelstelle erfolgt. Das Auswärtige Amt arbeitet in diesen beiden Fragen wie bisher engstens mit der Auslandsorganisation und mit dem Reichsführer-SS zusammen. Ich mache es den Missionen des Auswärtigen Amts und insbesondere den ihnen zugeteilten Volkstumsreferenten zur besonderen Pflicht, in der gleichen Weise an Ort und Stelle für engste Zusammenarbeit zu sorgen.
4.) Nachdem diese Klärung erfolgt und nachdem die Verantwortung des Auswärti-

---

141 Pol. I M VS. Indberetningen er ikke lokaliseret.

gen Amts für die politische Entscheidung und für etwaige Verhandlungen mit den Regierungen der betreffenden Länder erneut klargestellt ist, müssen die Missionen zusammen mit den ihnen zugeteilten Volkstumsreferenten ihre ganz besondere und ununterbrochene Aufmerksamkeit auf diese Angelegenheit richten, damit nicht etwa durch Versäumnis des Auswärtigen Amts und seiner Dienststellen Reichsdeutsche oder Volksdeutsche vermeidbare Schäden erleiden. Zu diesem Zweck muß insbesondere engste Fühlung mit den anerkannten Vertretern der Volksdeutscher gehalten werden.
Empfangsbestätigung.

### Ribbentrop

*Vermerk:*
Mit Multex-Nr. 1188 an die unter Ziffer 2 aufgeführten Missionen weitergeleitet.
Tel. Ktr., 16.9.


## 231. Werner Best an das Auswärtige Amt 16. September 1944

Best meddelte, at tysk politi havde ladet et antal danske fanger deportere til Tyskland. Deportationen var sket uden Bests vidende. Deportationen havde udløst en proteststrejke, som Best på opfordring af Pancke og von Hanneken havde søgt at stoppe for jernbanens vedkommende.[142] Det var delvist lykkedes.

Best kommenterede hverken deportationen, eller at han ikke selv forud var orienteret. Han nøjedes med at registrere det hændte og lægge så megen mere vægt på sine egne bestræbelser på at afbøde skadevirkninger af deportationen. Han var i højere grad end tidligere kommet i rollen som den, der fejede op, hvor andre tyske myndigheder havde spildt.

Han var kommet i et magttomrum, hvor han ikke forventede, at AA ville sætte sig igennem for at støtte ham. Selv om beslutningen om deportationen var truffet i Berlin, som Pancke oplyste over for UM, var det en beslutning af så stor betydning, at AA og Best burde være underrettet forud. Deportationen var tillige et brud på den aftale, som Best havde indgået med den danske centraladministration om, at deportationerne skulle ophøre, når Frøslevlejren blev taget i brug. Det svækkede den danske tillid til den rigsbefuldmægtigedes evne til at holde indgåede aftaler (Hæstrup, 2, 1966-71, s. 57f.).
Kilde: PA/AA R 99.502.

### Telegramm

| Kopenhagen, den | 16. September 1944 | 12.50 Uhr |
| Ankunft, den | 16. September 1944 | 14.35 Uhr |

Nr. 1091 vom 16.9.[44.]                                                                                Supercitissime!

Nachdem die deutsche Polizei am 15.9.1944 dänische Häftlinge aus dem Lager Fröslev

---

[142] Ifølge Bests udtalelser til Nils Svenningsen var anmodningen fulgt af trusler om, at hvis jernbanestrejken ikke ophørte, ville yderligere 500 fanger fra Frøslev blive deporteret. Statsbanerne videregav tyske trusler for at få arbejdet i gang igen, og von Hanneken noterede: "Höh. SS- u. Pol. Führer hat bei Fortsetzung des Streiks Verhaftungen und Rückführung nach Deutschland angedroht." (Hæstrup, 2, 1966-71, s. 58, *Information* 17. september 1944, KTB/WB Dänemark 16. september 1944).

in das Reich überführt hatte (was ich erst durch die an mich gerichtete Anfrage des Direktors des dänischen Außenministeriums erfuhr) traten im Laufe des 15.9. im südlichen Jütland die meisten dänischen Eisenbahner in einen Proteststreik. In einigen Städten – vor allem in Esbjerg – erfaßte der Proteststreik größere Teile der Bevölkerung.[143] Auf Wunsch des Wehrmachtbefehlshabers und des Höheren SS- und Polizeiführers habe ich mich noch am 15.9.1944 um beschleunigte Beilegung des Eisenbahnerstreiks bemüht, da das dänische Eisenbahnpersonal zur Durchführung der Wehrmachttransporte dringend benötigt wird. Ich habe mit starkem Druck auf die dänische Zentralverwaltung eingewirkt, die zusammen mit der Eisenbahner-Gewerkschaft in der Nacht alle Hebel im Bewegung gesetzt hat, um den Eisenbahnerstreik unverzüglich zu beenden. Heute früh haben Teile des Bahnpersonals ihren Dienst wieder aufgenommen. Die dänische Zentralverwaltung hat die Zuversicht, daß auch die übrigen Eisenbahner der Aufforderung zur sofortigen Arbeitsaufnahme Folge leisten werden. Sollten sich Komplikationen ergeben, werde ich erneut berichten.

**Dr. Best**

### 232. OKW: Streiklage Dänemark 16. September 1944

WB Dänemark havde oplyst, at der af HSSPF straks blev slået hårdt ned over for jernbanestrejken i Jylland med trusler om deportation af jernbanefolk. I Esbjerg ville von Hanneken anvende samme midler, som under generalstrejken i København, hvis ikke strejken ophørte i løbet af dagen.

WB Dänemark sendte kl. 23 OKW en melding om, hvordan dagen var forløbet.

Kilde: BArch, Freiburg, RW 4/754. RA, Danica 1069, sp. 1, nr. 341f.

WFSt/Qu. 2 (Nord)      *16.9.1944*
Nr. 07098/44 geh.      Geheim

Betr.: Streiklage Dänemark.

### Vortragsnotiz

Nach Tagesmeldung W. Bfh. Dänemark Eisenbahnstreik in Südjütland.
    Dazu folgende Einzelheiten:
a.) *Grund:* SD hat durch Eisenbahn einen Transport dänischer Häftlinge nach Deutschland durchgeführt. Darauf Reaktion durch Eisenbahnstreik. Ic Dänemark hält diesen Vorfall nur für äußeren Anlaß, tieferer Grund nicht klar. Nach Gerüchtemeldungen aber für Mitte September ohnehin größere Sabotagewelle vorgesehen.
b.) Höh. SS- u. Pol. Führer Dänemark hat angekündigt, daß, wenn der Streik nicht aufhört, er einige hundert Eisenbahnbeamte verhaften und nach Deutschland bringen lassen würde. Diese Ankündigung gestern durch Lautsprecher durch die dänische Staatsbahn in Jütland verkündet.[144]

---

143 Se KTB/WB Dänemark 16. og 17. september 1944 trykt nedenfor.
144 Jfr. *Information* 19. september 1944.

c.) *Derzeitige Betriebslage:*
1.) *Oststrecke:* Auf Grenzstationen und allen wichtigen Stationen Verwaltungspersonal seit heute wieder im Dienst, technisches Personal ab heute mittag.
2.) *Weststrecke:* Gleiche Lage, insbesondere in Ribe und Tondern; dagegen wird in Esbjerg noch gestreikt, und zwar mit den Anzeichen eines Generalstreiks.
3.) *Wehrmachtverkehr* ist trotz des Eisenbahnstreiks mit Hilfe deutscher Reichsbahnbeamter aufrechterhalten worden und lediglich durch einige Sabotagehandlungen gestört worden (dadurch Verzögerung einer Truppenbewegung).
d.) *Absichten:* Eingreifen nach Auffassung W. Bfh. Dänemark nur in Esbjerg notwendig. Dort, falls Lage im Laufe des Tages nicht befriedigend geklärt, ab sofort Einleitung der in Kopenhagen angewendeten Maßnahmen.


**233. WB Dänemark an OKW/WFSt 16. September 1944**
Von Hanneken refererede kl. 23 årsagen til udbruddet af proteststrejkerne mod deportationen af 200 danske fanger til Tyskland på en måde, som var heller ikke han forud orienteret om foranstaltningerne. Han tog de forholdsregler i brug ved strejkebekæmpelse, som allerede var aftalt. I Esbjerg var første skridt til aktion "Monsun" taget med lukning af gassen.
Kilde: KTB/WB Dänemark 16. september 1944. RA, Danica 1069, sp. 1, nr. 343f.

Fernschreiben KR HXSI FF 02482 16.9. 23.00

An OKW/WFSt/OP (H) Nord

Tagesmeldung 16.9.44.
Angeblich wegen Rückführung dänischer Häftlinge nach Deutschland streikte seit 15.9.44 vormittags die dänische Eisenbahn in Raume Padborg-Kolding-Esbjerg-Tondern. Militärischer Notbetrieb durch deutsche Reichsbahn. Höh. SS- u. Pol. Führer hat bei Fortsetzung des Streiks Verhaftungen und Ruckführung nach Deutschland angedroht. Der Aufforderung der dän. Staatsbahn zur Arbeitsaufnahme wurde zum größten Teil im Laufe des Tages gefolgt. In Esbjerg Generalstreik.

Als erste Gegenmaßnahme Gaszufuhr gesperrt. Bei Fortdauer weiter beabsichtigt: Sperrung der gesamten Versorgung, des Post- und Nachrichtenverkehrs, Einschließen der Stadt von außen, Straßensperre während der Dunkelheit, Ansammlungs- und Versammlungsverbot, Festnahme von Unruhestiftern und Streikhetzern.[145]

In Ribe und Hadersleben Geschäfte z.T. geschlossen. In Kolding Protest-Generalstreik. Auf Strecke Hobro-Padborg neben 2 unschädlichen Anschlägen und einer inzwischen behobenen Weichensprengung SF-Zug bei Lunderskov durch Sprengung angehalten. Auf Strecke Tondern-Thisted, bei Varde, Leerzug auf Mine gefahren und entgleist. Hilfszug durch Sprengung blockiert. Eigene Transportbewegung dadurch be-

---
145 Der blev lukket for gassen i Esbjerg fra kl. 19 den 16. september, men åbnet allerede kl. 9 igen om morgenen 17. september (KB, Herschends dagbog nr. 202, 16. september og nr. 204, 17. september 1944. Jfr. om strejken Henningsen 1955, s. 228-230).

hindert. Nachmittags Strecken wieder befahrbar.

In Kopenhagen Aufforderung zum 48-Stunden Streik, der jedoch bis zum heutigen Abend nur teilweise entsprochen wurde. Mit weiterer Ausdehnung der Streikbewegung und mit stärkerer Sabotage muß gerechnet werden.

Im übrigen 6 Sabotageanschläge, bei denen Wehrm. Interessen betroffen wurden und 3 Anschläge auf Nachrichtenmittel der Wehrmacht.

Zusatz für OKW/WFSt:
Sturmgesch. Brt. 280 durch Bahnsprengung verspätet am 16.9.44 mit 1. Zg 16.24 Uhr, mit 2. Zg 18.25 Uhr ab Varde.
Wehrm. Befh. Dän. IRR BNR. 5521/44 Geh.
gez. **Toepke**
Major I.G.


### 234. Kriegstagebuch/Admiral Skagerrak 16. September 1944

Wurmbach meddelte MOK Ost, at der var udbrudt strejker i Danmark, fordi politiske fanger var blevet ført fra Padborg til Tyskland. Den samlede strejkesituation var uafklaret, men uafhængigt heraf var der opstået en strejke i Ålborg, fordi von Hanneken lod foretage forberedelser til en havnesprængning.

Ålborg havn var vital for Kriegsmarine, så det var en sag Wurmbach forfulgte. Se KTB/ADM Skagerrak 17. september.

Kilde: KTB/ADM Dän 16. september 1944, RA, Danica 628, sp. 3, s. 3568.

Allgemeines:
An MOK Ost ergeht Fs. Admiral Skagerrak G 16613:

Ausgelöst durch Abtransport politisch[er] Häftlinge von Pattburg nach Deutschland durch deutsche Sicherheitspolizei haben in einer Reihe von Orten Südjütlands Streikbewegungen eingesetzt, an denen auch ein Teil Eisenbahner in Südjütland beteiligen. Besonders großes Ausmaß hat Streik in Esbjerg angenommen, anscheinend jedoch jetzt im Abklingen. In Kopenhagen haben im Laufe des Nachmittags zahlreiche Geschäfte sowie fast sämtliche Restaurants und Kinos geschlossen. Straßenbahnverkehr ist in Einstellung begriffen. Gesamtstreiklage z.Zt. ungeklärt.

Unabhängig davon in Aalborg Streik wegen vom Wehrmachtbefehlshaber angeordnet[e] Vorbereitung zur Sprengung Hafenanlagen.
[...]


### 235. Heinrich Himmler an Ernst Kaltenbrunner 16. September 1944

RFSS gav anvisninger på, hvorledes RSHA skulle organisere og lede modstandsbevægelser i Europa. For Danmarks og Norges vedkommende skulle en modstandsbevægelse forberedes. Hvor det var muligt, skulle RSHA betjene sig af de nationale førere, der skulle have hjælp til deres hemmelige organisationer.

Det fremgår, at der med nationale ledere var tale om førere for nationale nazistpartier og bevægelser. Der foreligger ikke vidnesbyrd om, at DNSAP indgik i et sådant arbejde, heller ikke at det tyske mindretal organiserede sig på den måde. Aktiviteten måtte indskrænkes til de fåtallige varulve.

Kilde: RA, Danica 1000, T-175, sp. 122, nr. 2.648.214f.

Der Reichsführer-SS  Feld-Kommandostelle, 16. Sept. 1944
RF/M.  Geheime Kommandosache

An den Chef der Sicherheitspolizei und des SD
SS-Obergruppenführer Dr. Kaltenbrunner
Berlin.

Bei der heutigen Besprechung über die Organisation und Führung von Widerstandsbewegungen in Europa habe ich folgendes festgelegt:
1.) Die Organisation und Führung der Widerstandsbewegungen in Frankreich, Flandern, Wallonien, Finnland, im ganzen besetzten Osten (in der Zukunft allenfalls auch Estland, Lettland und Litauen), in Rumänien, Siebenbürgen, Bulgarien, Griechenland, sowie allenfalls noch weiteren vom Feind besetzten ausländischen Gebieten ist Aufgabe des Reichssicherheitshauptamtes. In Dänemark und Norwegen ist die Organisation einer Widerstandsbewegung vorzubereiten.
2.) Bei der Organisation und Führung der Widerstandsbewegung in Flandern, Wallonien und Frankreich hat sich der Chef der Sicherheitspolizei und des SD vorzüglich der Organisation der Flamen unter van der Wiele,[146] der Wallonen unter Degrelle,[147] der Franzosen unter Doriot und Darnand zu bedienen.[148]

Hierbei bitte ich niemals zu vergessen, daß diese nationalen Führer, wenn sie die notwendige Hilfsstellung für ihre Geheimorganisationen bekommen, in jedem Fall mehr erreichen können als wir mit allen Sonderorganisationen.
3.) In Siebenbürgen ist der Aufbau und die Führung der Widerstandsbewegung Aufgabe des Volksgruppenführers und der deutschen Volksgruppe, in Rumänien Aufgabe der Legionäre. Auch diese beiden Führungen sind unter Anhängung an das Reichssicherheitshauptamt mit allen Kräften zu unterstützen.
4.) Ich lege allen an das Herz, bei aller Wahrung der Gesamtführung so großzügig, so unbürokratisch und so kompetenzlos wie es nur menschenmöglich ist, zu sein.
5.) Der Aufbau der Widerstandsbewegung in den deutschen Grenzprovinzen geschieht auf einem von mir mündlich angeordneten Weg. Das Reichssicherheitshauptamt ist davon unterrichtet und unterstützt unter Hintanstellung aller Schwierigkeiten menschlicher, personeller und materieller Art diese Organisation.

[underskrift]

2.) SS-Obergruppenführer Prützmann
3.) SS-Obergruppenführer Berger
4.) SS-Obersturmbannführer Grothmann
5.) Oberstleutnant Suchanek

---

146 J. van der Wiele.
147 Louis Degrelle.
148 Jaques Doriot, Joseph Darnand.

## 236. Werner Best an das Auswärtige Amt 17. September 1944

Best meddelte AA, at jernbanedriften igen var normal, men at proteststrejkerne fortsatte, først og fremmest i København. Han kunne også oplyse, at strejken ifølge "flyvebladspropaganda" ville ophøre den 18. kl. 12.

Best oplyste derimod ikke, at det var Danmarks Frihedsråd, der havde opfordret til de to dages strejke og fastsat sluttidspunktet.[149] På det tidspunkt, da Best meddelte AA, at den danske togdrift var normal, var oplysningen om, at der var jernbanestrejke i Danmark, nået frem til Hitler i førerhovedkvarteret. Det førte imidlertid ikke til nogen reaktion (Heiber 1962, s. 666).

Kilde: PA/AA R 99.502.

### Telegramm

| | | |
|---|---|---|
| Kopenhagen, den | 17. September 1944 | 15.30 Uhr |
| Ankunft, den | 17. September 1944 | 16.15 Uhr |

Nr. 1095 vom 17.9.[44.]                                                                 Citissime

Über die Lage in Dänemark berichte ich, daß der Eisenbahnverkehr wieder normal läuft. Proteststreiks finden in einigen Städten statt, vor allem in Kopenhagen, wo heute – Sonntag – Straßenbahnverkehr ruht und die Gaststätten geschlossen sind. Nach der Flugblattpropaganda soll der Proteststreik wegen der 200 deportierten Häftlinge, bis zum 18.9. 12 Uhr dauern. Zwischenfälle sind nicht gemeldet.

Dr. Best


## 237. Kriegstagebuch/WB Dänemark 17. September 1944

Von Hanneken refererede HSSPFs besøg i Silkeborg og beskeden om, at det danske politi skulle opløses. Von Hanneken skulle stille tropper til rådighed for aktionen, betegnet "Möve", som Best skulle holdes uvidende om.[150] Strejkerne var på vej til at ophøre.

Kilde: KTB/WB Dänemark 17. september 1944.

Heute vormittag fanden zwischen dem SS-Obergruppenführer als Höh. SS- und Pol. Führer in Dänemark und dem Herrn Wehrm. Bef. Besprechungen statt.

Inhalt: Reichsführer SS hat Entwaffnung der dän. Polizei und Auflösung der C.B.-Kolonnen befohlen, die am 19.9.44 durchgeführt werden soll. Auf Seeland wird der Höh. SS- u. Pol. Führer bei zur Verfügung Stellung von Truppen durch das Höh. Kdo. Kopenhagen die Aktion selbständig durchführen, während der Herr Wehrm. Bef. gebeten wurde, für die Aktion in Fünen und Jütland Truppen zur Verfügung zu stellen.

Die Besprechungen wurden im kleinsten Kreise durchgeführt. Der Herr Wehrm. Bef. wurde gebeten, den Herrn Reichsbevollmächtigten nicht zu orientieren.

Der Befehl an die Divisionen über die Entwaffnung der dän. Polizei (in Aarhus, Odense und Aalborg neben der Entwaffnung die Festnahme der Angehörigen der dän.

---

149 Opfordringen af 16. september er trykt hos Alkil, 1, 1945-46, s. 264f.
150 Aktion "Möve" er både som overskrift og i teksten blevet til "Aktion Taifun" hos Herbert 1996, s. 391, 393.

Polizei) wurde unter den Stichwort "Möve" den Sachbearbeitern bei den Divisionen, die zu diesem Zwecke nach Silkeborg befohlen wurden, übergeben. Auf strengste Geheimhaltung wurden die Sachbearbeiter hingewiesen.

Tagesmeldung: In Kopenhagen Protest-Generalstreik bis angeblich 18.9.44 12.00 Uhr. Lebenswichtige Versorgungsbetriebe sowie Bäckereien und Schlächtereien weiterhin in Betrieb. In Esbjerg seit 17.9. früh Arbeit wieder aufgenommen. Eigene Gegenmaßnahmen (Sperrung der Gaszufuhr) im Laufe des 17.9. aufgehoben. Streik der dän. Staatsbahnen im gesamten Befehlsbereich beendet. In der Nacht zum 17.9. 3 Sprengungen an der Bahnstrecke Padborg-Aarhus sowie 1 Sabotageanschlag, bei dem Wehrm. Interessen betroffen wurden.

### 238. WFSt: Streiklage in Dänemark 17. September 1944

Meddelelserne fra von Hanneken var beroligende. De anvendte midler mod strejken i Esbjerg havde virket, og det almindelige indtryk var roligt og uden komplikationer.

Det var omkostningsfrit for von Hanneken at erklære, at lukningen af gassen i Esbjerg var årsag til arbejdets gentagelse. OKW kunne ikke selv vurdere det. Til gengæld kunne der stilles spørgsmålstegn ved, hvorfor strejken i København ikke øjeblikkeligt førte til indførelse af lignende foranstaltninger som i Esbjerg.

Kilde: BArch, Freiburg, RW 4/754. RA, Danica 1069, sp. 1, nr. 340.

WFSt/Qu. 2 (Nord)                                                      17.9.1944
Nr. 07129/44 geh.                                                      Entwurf

Betr.: Streiklage in Dänemark.

V o r t r a g s n o t i z

1.) Streik in Esbjerg bis heute mittag erledigt. Absperren der Gasversorgung hat gewirkt.[151]
2.) Übergreifen des Streiks auf Kopenhagen. Da Sonntag ist, läßt sich Ausmaß des Streiks noch nicht voll übersehen. Anscheinend Teilstreik. Aufforderung der Streikhetzer, bis Montag (18.9.) abends zu streiken. Straßenbild ruhig. Keine besonderen Vorfälle.
3.) Im Lande ist die Arbeit überall wieder aufgenommen worden, insbesondere auch an der Eisenbahn in Jütland.
4.) Die jütländische Oststrecke ist heute morgen durch einige Sprengungen unterbrochen. W. Befh. Dänemark hofft, den Betrieb mindestens eingleisig bis mittags wieder in Gang bringen zu können.
5.) Im allgemeinen Lage beruhigt. Keine besonderen Komplikationen.

---

151 Gassen blev afbrudt i Esbjerg på et tidspunkt, hvor jernbanetrafikken ville gå i gang en time senere, fra kl. 20 den 16. september, hvad den tyske kommandant havde fået at vide. Desuagtet blev der lukket for gassen kl. 19 og åbnet for den igen næste morgen kl. 9. Lukningen for gassen var i denne situation mere en magtdemonstration end et virksomt middel til bekæmpelse af strejker, og den skulle lige så meget gøre sin virkning hos WB Dänemark i Silkeborg som hos OKW i Berlin.

### 239. Kriegstagebuch/Admiral Skagerrak 17. September 1944

Strejkerne på grund af deportationen af de politiske fanger til Tyskland ventedes at vare til mandag kl. 12, ifølge et flyveblad fra Danmarks Frihedsråd. Den almindelige situation var rolig. Havnestrejken i Ålborg på grund af von Hannekens forberedelser til en havneødelæggelse fortsatte. Von Hanneken havde inddraget Pancke for at få ham til gribe ind med tvangsforanstaltninger. Resultatet måtte afventes. For at undgå forsinkelser i våbentransporterne blev soldater forsøgt indsat.

Med forberedelsen af havnesprængningen i Ålborg kom Wurmbachs og von Hannekens interesser på ny på kollisionskurs. For Wurmbach gjaldt det den vitale forbindelse til Norge, mens det for von Hanneken drejede sig om gennemførelse af en given ordre. Tilmed så han gerne tysk sikkerhedspoliti inddraget med tvangsforanstaltninger.

Kilde: KTB/ADM Dän 17. september 1944, RA, Danica 628, sp. 3, s. 3572.

[...]

12.00 h Lage an MOK Ost:

[...]

3.) Streikerscheinungen aus Anlaß Abtransport politischer Häftlinge nach Deutschland. Nach Flugblättern des dänischen Freiheitsrates bis Montag 12.00 Uhr vorgesehen.[152] Eisenbahnen und Fähren fahren. Lage insgesamt als ruhig zu beurteilen.

Streik im Hafen Aalborg aus Anlaß von durch Wehrmachtbefehlshaber Dänemark angeordneter Durchführung von Vorbereitungen zur Zerstörung der Hafenanlagen dauert an. Wehrmachtbefehlshaber Dänemark hat Höh. SS- und Polizeiführer zur Ergreifung von Zwangsmaßnahmen eingeschaltet. Ergebnis muß abgewartet werden. Um Transporte nach Norwegen nicht weiterhin zu verzögern, wird versucht, laufend Munitionstransporte durch Soldaten zu bewerkstelligen.

[...]


### 240. Werner Best an das Auswärtige Amt 18. September 1944

Best havde fået talt med von Hanneken om det tyske mindretals stilling ved en invasion. Von Hanneken var mod en evakuering, da det både ville være en belastning af transportsystemet, og fordi mindretallet da skulle tjene i værnemagten.

Se videre Wagner til VOMI 20. september.
Kilde: PA/AA R 100.944.

Telegramm

| | | |
|---|---|---|
| Kopenhagen, den | 19. September 1944 | |
| Ankunft, den | 19. September 1944 | 11.35 Uhr |

Nr. S 11 vom 18.9.[44.]                                                                 Citissime!

17. September konnte ich mit Wehrmachtsbefehlshaber Dänemark die im Vortelegramm Nr. 1090[153] 15. Sept. erörterte Frage besprechen. Er spricht sich aus militäri-

---

152 Frihedsrådets flyveblad er trykt hos Alkil, 2, 1945-46, s. 264f.
153 bei Inl. II V.S. Trykt ovenfor.

schen Gründen gegen die Maßnahmen aus, weil eine zusätzliche Belastung der Bahnen und Straßen nicht tragbar ist. Außerdem werden die Angehörigen der Volksgruppe Nordschleswig für Zwecke der Wehrmacht dienen.

**Dr. Best.**

Verteiler: Inl. II

### 241. Paul Barandon an das Auswärtige Amt 18. September 1944

I Bests fravær orienterede Barandon telefonisk AA om strejkesituationen i Danmark. Han betonede, at det kun var kommet til strejker, fordi Best ikke var blevet orienteret om deportationerne forud og ikke havde kunnet træffe politiske foranstaltninger.

Indberetningen vidner ikke kun om Barandons loyalitet over for Best, men også om, at han overvurderede Bests muligheder for at have afværget stærke reaktioner på grund af deportationerne.

Kilde: PA/AA R 99.502.

zu Pol VI 860 g

Gesandter Barandon rief soeben an und teilte zur Streiklage in Dänemark mit, daß der Streik in Kopenhagen bis heute mittag wohl endgültig zu Ende ginge. Dagegen würde noch in Aalborg, Esbjerg und Aarhus gestreikt.[154] Herr Barandon betonte, daß es zum Streik nur dadurch gekommen sei, daß die polizeiliche Maßnahme, dänische Flüchtlinge aus dem Lager Fröslev in das Reich zu überführen, wiederum ohne das Einverständnis bzw. die Benachrichtigung des Reichsbevollmächtigten erfolgt sei.

Hiermit über stellv. U.St.S. Pol dem Herrn Staatssekretär vorgelegt.

*Berlin, den 18. Sept. 1944.*

gez. **Geffcken**

Durchdruck an: Inl. II

### 242. Kriegstagebuch/WB Dänemark 18. September 1944

WB/Dänemark meddelte OKW, at strejken i København var ophørt, men at der i dele af Jylland var angivelige 24-timers strejker.

Kilde: KTB/WB Dänemark 18. september 1944.

Tagesmeldung: In Kopenhagen Streik beendet. In den meisten Orten Mittel- und Nord-Jütlands Protest-Generalstreik von angeblich 24 Stunden Dauer.

7 Sabotageanschläge, bei denen Wehrm. Interessen betroffen wurden, darunter 1 Schienensprengung in Süd-Jütland.

---

154 I Århus meddelte den tyske kommandant, major Kruse, borgmester Stecher Christensen, at han havde fået ordre til at bringe strejken til ophør samme dag, som den startet uden hensyn til de midler, der var nødvendige. På borgmesterens opfordring undlod Kruse at foretage sig noget, da han fik at vide, at det var en tidsbegrænset strejke (Andrésen 1945, s. 18). Dermed var Århus en undtagelse, for så vidt som der slet ikke blev taget tilløb til at påbegynde aktion "Monsun" trods WB Dänemarks ordre.

### 243. WFSt: Streiklage in Dänemark 18. September 1944

På baggrund af de modtagne meddelelser fra von Hanneken vurderede WFSt betydningen af strejkebevægelsen i Danmark. Opfattelsen var, at strejkerne ikke udgjorde en trussel, men at de var en magtdemonstration fra modstandsbevægelsens side.
Kilde: BArch, Freiburg, RW 4/754. RA, Danica 1069, sp. 1, nr. 338f.

WFSt/Qu. 2 (Nord)                                                            18.9.1944
Nr. 07143/44 geh.                                                        Entwurf

Betr.: Streiklage Dänemark.                                        Geheim

Vortragsnotiz

I.) Es ergibt sich nunmehr folgendes Bild:
Aus dem bereits gemeldeten Anlaß (Transport von Häftlingen ins Reich) rollt wieder einmal ein jeweils 24-stündiger Proteststreik durch ganz Dänemark. Z.Zt. wird in Kopenhagen und in Mittel- und Nordjütland gestreikt. Streik in Esbjerg abgewürgt, ebenso in Silkeborg.[155] Dänische Eisenbahn in Betrieb.

II.) *Absicht:*
Im Augenblick sollen gegenüber der Streikbewegung in Jütland irgendwelche schwerwiegenderen Maßnahmen nicht ergriffen werden, da sich W. Befh. Dänemark mit seinen Truppen nicht doppelt festlegen will und kann (Walküren-Abgaben, erhöhte Alarmbereitschaft). Für spätere Zeit sind gemeinsam mit Höherem SS- und Polizeiführer durchgreifende Maßnahmen vorgesehen.

III.) *Beurteilung:*
W. Befh. Dänemark/Ic beurteilt den Streik an sich als nicht bedrohlich, jedoch das immer wieder unter verschiedenen Vorwänden zu beobachtende Aufflackern von Streikwellen insofern als ernst, als jeweils eine Kraftprobe darstellt und zeigt, daß der dänische Widerstand durch die dänische Emigranten-Regierung in London verhältnismäßig wirksam und schlagkräftig geführt wird. Dabei ist noch zu berücksichtigen, daß die eigentliche Widerstandsbewegung sich bisher an Streiks nie aktiv beteiligt hat, sondern daß die Streiks lediglich auf Weisungen und lancierte Gerüchte aus dem Ausland durchgeführt werden.

---

155 Der var 17. september indledt en 24-timers strejke i Silkeborg, som næste morgen fik den tyske kommandant oberst Meyer til at besætte gasværket og lukke for gassen. Der blev åbnet igen for gassen samme aften efter kl. 20, da Herschend og Silkeborg byråd hele dagen havde presset på over for von Hanneken, der derpå beordrede oberst Meyer til at åbne for hanerne igen. Oberst Meyer handlede med lukningen for gassen som svar på strejken efter en forud generel givet ordre for den slags situationer (KB, Herschends dagbog nr. 205, 18. september 1944).

## 244. Ingo von Collani: Maßnahmen bei inneren Unruhen (Taifun) 18. September 1944

Den strejkebølge, der var sat i gang ved meddelelsen om deportationen af danske til tyske koncentrationslejre, fik WB Dänemarks stabschef, von Collani, til at opstille en revideret aktionsplan for bekæmpelsen af indre uro. Strejker skulle forebygges og bekæmpes ved at stoppe næsten al trafik og anden kommunikation de pågældende steder. Endvidere skulle et antal tilfældige strejkende anholdes og tilbageholdes af den militære kommandant til strejkens ophør, hvis ikke tysk politi ville overtage dem.

"Taifun" synes som "Monsun" alene at være blevet til i det militære hovedkvarter i Silkeborg og fordrede ingen aktiv indsats af tysk politi. Anvendelsen af gidseltagning var absolut et både politisk og politimæssigt tiltag, som nok kunne kræve forudgående drøftelse med både Best og Pancke, men beslutningen blev nu truffet i en mindre krisesituation, og kun tilstillet de øvrige berørte tyske myndigheder til efterretning. "Taifun" skulle vise von Hannekens handlekraft og kom med "Monsun" flere gange i efteråret 1944 på prøve ved bystrejker (Rosengreen 1982, s. 127, Lauridsen 2007b).

Kilde: KTB/WB Dänemark, Anlage 18. September 1944.

F e r n s c h r e i b e n

An                                                                                                    Geheim!
    416. Inf. Div.
    166. Res. Div.
    160. Res. Div.
    233. Res. Panz. Div.
    Feldkdtr. 1044
    182. Res. Div.
    Höh. Kommando Kopenhagen
*nachrichtlich:*
    Reichsbevollmächtigter in Dänemark
    Höh. SS- u. Polizeiführer
    Außenstelle des BdO, Aarhus
    Rüstungsstab Dänemark
    Wehrmachtbefehlshaber Norwegen
    Abwehroffizier in Aarhus
*durch Kurier:*
    Qu
    Abt. III
    II a/b
    Ic
    Kafü
    W. Pro
    Ktb.
    Landrat Casper.

Bezug: WB Dän. Ia Nr. 1666/44 g.K. vom 15.7.44.[156]
Betr.: Maßnahmen bei inneren Unruhen (Taifun).

---

156 Trykt ovenfor.

Bei Ausbreitung der gegenwärtigen Streik- und Sabotagebewegung sind neben "Monsun" folgende Maßnahmen für die gefährdeten Räume (ein oder mehrere dänische Polizeikreise) vorgesehen:
1.) Verbot jedes Pfz. Verkehrs und jedes nicht lebenswichtigen Verkehrs mit Pferdefuhrwerken. Während der Verdunklungszeiten völliges Verkehrsverbot außerhalb geschlossener Ortschaften. Bewachung durch Posten und Ortsausgängen und Streifen. Zuwiderhandelnde sind, wenn nicht offenbar völlig harmlos, festzunehmen.
2.) Post- und Nachrichtensperre.
3.) Wiederholte wahllose Festnahmen einer Anzahl herumlungernder Streikender.
4.) Die Festgenommenen sind in Auffanglager zu bringen, die die Standortältesten oder für größere Bereiche die Divisionen usw. einrichten. Grund der Festnahme in jedem einzelnen Fall schriftlich so festlegen, daß er jederzeit feststellbar ist. Häftlinge sind der deutschen SiPo anzubieten. Nimmt diese nicht ab, ist Entlassung bei Beendigung der Unruhen vorgesehen. In besonderen Fällen auch vorherige Entlassung einzelner auf Befehl der territorialen Kommandobehörden.
5.) Auslösung durch Wehrm. Bef. Dän. unter Stichwort "Taifun".
6.) Die territorialen Kommandobehörden haben sofort die zu treffenden Maßnahmen vorzubereiten und festzulegen.
*18.9.44*

Wehr. Bef. Dänemark
gez. v. **Collani**

Ia-Nr. 5555/44 geh.

### 245. Joseph Goebbels: Tagebuch 18. September 1944
Goebbels kunne ikke tage den lille strejke, der var udbrudt i København, alvorligt. Danskerne havde ikke en karakter, der på længere sigt gjorde dem egnet til sabotagekrig.
Kilde: *Die Tagebücher von Joseph Goebbels*, Teil II:13, s. 509.

[...]
In Kopenhagen ist wiederum ein kleiner Streik ausgebrochen. Aber ich halte diese Sache nicht für ernst. Die Dänen sind nicht zu einem auf weite Sicht angelegten Sabotagekrieg charakterlich geeignet.
[...]

### 246. Das Auswärtige Amt an das Reichswirtschaftsministerium 19. September 1944
AA meddelte kort som svar på RWMs brev af 14. september, at planen om at overføre 5.000 danske arbejdere til Hamburg var opgivet på grund af de militære interesser i Danmark.

Brevet blev afsendt på dagen for aktionen mod det danske politi, men havde ikke sammenhæng dermed. Med de igangsatte store nye befæstningsarbejder i Danmark, hvortil bl.a. det tyske mindretal i løbet af måneden havde været mobiliseret, var det ikke hensigtsmæssigt at prøve at overføre et stort antal danske arbejdere til Tyskland. Det ville dels skabe mere uro, dels forsinke fæstningsbyggeriet i Danmark. Det var

svært nok i forvejen at mobilisere yderlige dansk arbejdskraft til fæstningsbyggeriet, og det skulle ikke blive bedre (se von Hanneken til Best 1. oktober 1944). Hvordan Kaufmann og Himmler reagerede på den forgæves aktion, er uvist, men da RFSS havde lagt tryk på både HSSPF og den rigsbefuldmægtigede uden resultat, kan det næppe have bidraget til at forbedre hans syn på besættelsespolitikken i Danmark.
Kilde: RA, Danica 465: Moskva, Osobyj Archiv, 1458/21/71/35.

Auswärtiges Amt  Berlin W 8, den 19. September 44.
Gruppenleiter Inland I
Inland I C 2594/44

An das Reichswirtschaftsministerium.
    Berlin C. 2
    Neue Königstr. 27/37

In Beantwortung des Schnellbriefes vom 14.9.[157] – III Ld. I – 20290/44 – wird mitgeteilt, daß von der Überführung der 5.000 dänischen Arbeiter nach Hamburg mit Rücksicht auf die militärischen Belange in Dänemark abgesehen werden muß.
Im Auftrag
**Frenzel**


### 247. Kriegstagebuch/BdO Dänemark 19. September 1944
BdO blev holdt uvidende om aktionen mod det danske politi til det sidste. Først kl. 6.00 morgen orienterede Pancke om den den samme formiddag forestående aktion. Dagens forløb blev rekapituleret og de faldnes antal opgjort.
Kilde: BArch, R 70 Dänemark 6, KTB/BdO 19. september 1944.

5.00 Uhr
Auflösung d. Alarmstufe I

6 Uhr
Besprechung beim HSSuPF, wo dem BdO die erste Mitteilung v. d. Aktion gemacht wird. Die Führung der Aktion hat ausschließlich der HSSuPF. Gleichzeitig wurde beim HSSuPF ein Führungsstab für Bandenbekämpfung eingesetzt.[158]

8.00
Offiziersbesprechung bei den unterstellten Einheiten. Einteilung der Einsatzkommandos.

10.30
Abmarsch der Einsatzkommandos.

157 Trykt ovenfor.
158 Denne stab var blevet oprettet af Pancke 23. august 1944 med henblik på "Bekämpfung von Unruhen und für den Invasionsfall." (BArch, R 70 Dänemark 6, KTB/BdO Dänemark anf. dato).

11.00

Fliegeralarm. Beginn der Aktion "Möve" gegen die dän. Polizei in Kopenhagen und Dänemark. Besatzung aller Polizeistationen, Entwaffnung und Festnahme der dort befindlichen Polizisten ins Sammellager.

12.00

Generalstreik in Kopenhagen und verschiedenen Städten in Dänemark. Übernahme von Presse und Rundfunk durch die Abt. I c.[159]

17.00

Beendigung der Aktion. In den Abendstunden in Kopenhagen vereinzelt Zusammenrottungen und Plünderung von Geschäften.
    Verluste deutscherseits 9 Tote, 7 Verwundete (2 Tote und 2 Verletzte der Polizei). Auf dän. Seite 2 Tote, 2 Verwundete.


### 248. Werner Best an Joachim von Ribbentrop 19. September 1944

Under en inspektionsrejse i Jylland fik Best af von Hanneken besked om, at HSSPF efter ordre fra RFSS havde sat det danske politi ud af spillet. Best kunne kun meddele sagsforholdet videre til Berlin om aftenen.
    Sent samme aften sendte han yderligere informationer til AA, se nedenfor (Hæstrup, 2, 1966-71, s. 76, Rosengreen 1982, s. 131, Herbert 1996, s. 393).
    I Bests fravær skulle Barandon have sendt en fjernskrivermeddelelse om politiaktionen til AA. Han forklarede herom i Nürnberg 6. juli 1948: "Ich hatte das durch Fernschreiben dem Auswärtigen Amt gemeldet, bekam dann aber einen Anruf vom Ministerbüro, ich möchte mich mündlich dazu äußern und da habe ich kein Blatt vor den Mund genommen und habe ausgeführt, daß diese Aktion der gesamten Politik des Auswärtigen Amt es widerspräche und daß ich persönlich – unter keinen Umständen – mehr mit diesen Dingen zu tun haben wollte, und ich habe auch sonst noch sehr scharfe Ausdrücke gebraucht, an die ich mich im einzelnen nicht mehr besinnen kann. Dieses Telefongespräch wurde natürlich von Bovensiepen und seine Leuten abgehört und Himmler gemeldet, und die Folge war ein Brief von Himmler an Ribbentrop – ich habe den Brief selbst gelesen – in dem ich schwer verdächtigt wurde, nicht nur wegen dieser einen Angelegenheit, sondern überhaupt als ein Mißmacher und Pazifist; wegen dieses Telefongespräches wurde ein Verfahren wegen Landesverrat gegen mich verlangt." (RA, Danica 234, pk. 81, læg 1151). Barandon henviste til den her omtalte telefonsamtale i en optegnelse til AA 9. oktober, ligesom Sonnenhol tog den op med Wagner 26. oktober 1944 (begge trykt nedenfor).
    Kilde: PA/AA R 101.040. RA, pk. 228 og 438a.

### Telegramm

| | | |
|---|---|---|
| Kopenhagen, den | 19. September 1944 | |
| Ankunft, den | 19. September 1944 | 22.50 Uhr |
| Nr. S 14 vom 19.9.[44.] | | Citissime! |

---

[159] Denne overtagelse af kontrollen med presse og radio indebar, at den rigsbefuldmægtigedes repræsentanter blev sat midlertidigt ud af spillet.

Für Herrn Reichsaußenminister persönlich.
Über heutige Aktion hiesigen SS- und Polizeiführers berichte, daß mir heute in Jütland an Baustelle, wo ich seit gestern an Schanzarbeiten beteiligt, folgendes Schreiben des Wehrmachtbefehlshabers Dänemark, mit dem ich am 17. September längere Besprechung gehabt hatte, zugestellt wurde:[160]

"Reichsführer-SS hat Entwaffnung der dänischen Polizei und Internierung der Polizeikräfte in Kopenhagen, Odense, Aarhus und Aalburg sowie der dänischen Grenzgendarmerie befohlen. Auf Antrag höheren SS- und Polizeiführers unterstützt Wehrmacht diesen bei Durchführung. Beginn der Aktion 19.9. 11 Uhr. Eine frühere Bekanntgabe an Sie war mir infolge auferlegten Schweigeverbots nicht möglich.

Heil Hitler
Ihr von Hanneken."

Bin daraufhin sofort nach Kopenhagen gefahren und versuche nun, durch Besprechung mit SS Obergruppenführer Pancke weitere Klarheit zu gewinnen, worüber ich weiter Bericht erstatten werde. In Kopenhagen herrscht seit heute Mittag Generalstreik. Weitere Folgen der Aktion sind noch nicht zu übersehen.

Dr. Best

*Vermerk:*
Telephonisch an Sonderzug Westfalen durchgegeben.
[19].9. 23.40 Uhr
Telko

### 249. Werner Best an Joachim von Ribbentrop 19. September 1944

Best meddelte Ribbentrop, at der var gennemført en aktion mod det danske politi. HSSPF havde foreslået det, og det var sket på RFSS' befaling. HSSPF var pålagt den strengeste hemmeligholdelse, hvorfor han havde troet, at han ikke måtte nævne noget om aktionen over for Best. Dagmarhus var under aktionens gennemførelse blevet holdt isoleret fra omverdenen, og samtidig havde HSSPF med RFSS' bemyndigelse indført politimæssig undtagelsestilstand. De anholdte danske politimænd var allerede deporteret til Tyskland. Best spurgte, hvordan han skulle forholde sig over for Pancke, der optrådte aldeles selvstændigt.

Svaret fik han først skriftligt en uge senere.

Detaljerne om aktionen mod det danske politi var alt andet end opløftende for Bests og dermed for AAs kompetence. Det var en åben mistillidserklæring fra RFSS' og HSSPFs side. Det havde man forstået i AA. Ribbentrop gik for en gang skyld i brechen for Best, da også AAs renomme stod på spil. Ribbentrop havde henvendt sig direkte til Hitler efter, at Best 21. september var rejst ned til ham (Hæstrup, 2, 1966-71, s. 76-78, Rosengreen 1982, s. 127f., 131, Best 1988, s. 69-71, Herbert 1996, s, 393).[160]

Kilde: PA/AA R 101.040. LAK, Best-sagen (afskrift). PKB, 13, nr. 783. EUHK, nr. 138.

---

160 Skrivelsen er også indsat i KTB/WB Dänemark 19. september 1944, hvoraf også fremgår, at von Hanneken var blevet indviet i aktionen to dage tidligere med pålæg om hemmeligholdelse (sst. 17. september).
161 Drostrup 1997, s. 219, 221, 223 hævder med hjemmel i en efterkrigsberetning af Hauptmann Walter Kienitz, at Best blev orienteret om politiaktionen af von Hanneken i Lunderskov senest 17. september; Kienitz havde opholdt sig i samme togvogn som Best og von Hanneken (se også Kienitz/Drostrup 2001, s. 65f.). Også Pancke har under en efterkrigsafhøring fastholdt, at han forud havde orienteret Best, og at Best havde erkendt aktionens nødvendighed, men nærede betænkelighed ved dens politiske konsekvenser [!], og

## Telegramm

Kopenhagen, den     19. September 1944     23.40 Uhr
Ankunft, den        20. September 1944     00.15 Uhr

Nr. 1100 vom 19.9.[44.]
Nr. S 15 vom 19.9.[44.]                    Supercitissime!

Für Herrn Reichsaußenminister persönlich.
SS-Obergruppenführer Pancke hat mir soeben erklärt, daß seine heutige Aktion gegen die dänische Polizei auf seinen Vorschlag vom Reichsführer SS befohlen worden ist. Da Reichsführer ihm strengste Geheimhaltung befohlen hatte, habe er geglaubt, mir über Aktion nichts sagen zu dürfen. Gesandter Barandon hat mir berichtet, daß heute morgen auf Weisung des SS-Obergruppenführers Pancke das gemeinsame Dienstgebäude "Dagmarhaus" gesperrt und die Telephone polizeilich überwacht worden seien, damit von den erkennbaren Vorbereitungen nichts nach außen dringen könne. Gleichzeitig mit der Aktion hat SS-Obergruppenführer Pancke den polizeilichen Ausnahmezustand erklärt aufgrund dessen er gewisse polizeiliche Anordnungen (z. B. Verbot des Kraftwagenverkehrs über Land) erlassen hat.[162] Seine Befugnis hierzu leitet er aus dem Befehl des Reichsführers SS ab. Die in Kopenhagen und einigen anderen Städten Seelands festgenommenen Polizeibeamten werden bereits in dieser Nacht mit einem Schiff in das Reich verbracht. Gegen den Generalstreik beabsichtigte der höhere SS und Polizeiführer mit Deportationen vorzugehen; hiergegen habe ich unter Hinweis auf die vor kurzem getroffene Entscheidung des Herrn Reichsaußenministers Einspruch eingelegt.[163] Ich bitte nunmehr um Weisung, wie ich mich gegenüber dem ohne mein Wissen und ohne meine Mitwirkung durchgeführten Vorgehen des höheren SS und Polizeiführers, der sich offenbar des Einverständnisses des Wehrmachtsbefehlshabers versichert hatte, verhalten soll. Daß dieser Zustand entstehen konnte, erwächst ausschließlich aus der mangelnden Klarheit des gegenseitigen dienstlichen Verhältnisses, da der höhere SS und Polizeiführer den Führererlaß, nach dem er mir beigegeben ist, dahin auslegt, daß er völlig selbständig neben mir steht.

**Dr. Best**

at Best af hensyn til sin politiske stilling ville lade, som om han intet kendte til sagen (sst. 219 med kriminalkommissær Harry Frosts arkiv som hjemmel. Dette blev troet af bl.a. Hoff 1946, s. 697). Såfremt denne udlægning skulle være rigtig, forudsætter det et komediespil mellem de implicerede, von Hanneken, Pancke og Best, som dårligt stemmer med den pågående magtkamp mellem især Pancke og Best. Hvorfor skulle Pancke og von Hanneken tage hensyn til Bests politiske stilling? I von Hannekens tilfælde indebærer det også, at han som led i dette spil begik dokumentfalsk, idet han i krigsdagbogen 17. oktober lod skrive, at Best blev holdt udenfor. Best var bl.a. heller ikke forud blevet orienteret om deportationerne af 200 fanger fra Frøslev, og endelig var Panckes officielle forklaring efter 1945 – den, som blev ført til doms – at Himmler havde beordret, at Best ikke måtte orienteres om politiaktionen, og at den skulle gennemføres i dybeste hemmelighed (PKB, 13, nr. 64,b, s. 215).
162 Panckes meddelelse om den politimæssige undtagelsestilstand og de to forordninger af 19. september 1944 er trykt på dansk hos Alkil, 2, 1945-46, s. 897f. Pancke forudså på dette tidspunkt en "omorganisering" af dansk politi, ikke dets opløsning.
163 Ribbentrop til Best 27. august i et telegram, der ikke er lokaliseret. Se Grote til OKM 2. september.

*Vermerk:*
Telephonisch an Büro RAM Sonderzug Westfalen durchgegeben.
20.9. 1.15 Uhr
Telko.

### 250. Kriegstagebuch/WB Dänemark 19. September 1944

Von Hanneken lod resultatet af aktionen mod det danske politi sammenfatte og sendte besked til OKW om, hvilke foranstaltninger han ville sætte i værk mod de forventelige bystrejker.
"Monsun" skulle i fuldt omfang gøre sin virkning igen.
Kilde: KTB/WB Dänemark 19. september 1944.

Heute Vormittag, 11.00 Uhr, wurden in Zusammenarbeit mit der dt. Polizei die dän. Polizei und die CB-Kolonnen entwaffnet und in Aarhus, Aalborg und Odense die Angehörigen der dän. Polizei festgenommen.

Um 11.15 Uhr wurde mit Kr.-Fernschreiben die Durchführung der Maßnahmen dem OKW gemeldet, gleichzeitig fernschriftlich der Herr Reichsbevollmächtigte unterrichtet.

Die Aktion ist in Jütland und Fünen ohne besondere Verluste durchgeführt worden, während in Kopenhagen 9 Marinesoldaten fielen.

Um 12.00 Uhr Lagebesprechung, in der der Herr Wehrm. Bef. die Durchführung der Entwaffnungs-Aktion bekannt gibt und auf die in den nächsten Tagen eintretende Spannungszeit hinweist.

Im Laufe des Tages breitet sich der Streik im Bef. Bereich aus. Es droht der Eisenbahner-Streik. Diesem soll entgegengetreten werden durch einen von der Transp. Kdtr. Aarhus organisierten Notbetrieb.

[...]

Tagesmeldung: Im gesamten Bef. Bereich vom Reichsführer SS befohlene Entwaffnung und teilweise Internierung der dän. uniformierten Ordnungspolizei durchgeführt. Pol. Schloßwache des Königs in Kopenhagen eröffnet das Feuer auf vorbeimarschierende Marine-Abteilung, da sie Angriffsabsichten vermutete. Hierbei eigene:

Verluste 9 Tote und 7 Verwundete. Verluste auf der Gegenseite noch nicht bekannt.[164]

In Kopenhagen bisher verhaftet 12 Polizeioffiziere, 2121 Mannschaften.[165] Verbot des Kfz.- Verkehrs in ganz Dänemark durch Höh. SS- u. Pol. Führer ausgesprochen. Mit erneutem Generalstreik und möglicherweise einzelnen Unruhen im Bef. Bereich wird gerechnet. Als Gegenmaßnahmen sind vorbereitet:

1.) Sperrung sämtlicher Vers. Betriebe,
2.) Besetzung der Bahnhofsanlagen, um Sabotage und das Ausladen von Versorgungsgütern für die Bevölkerung zu verhindern,

---

164 Ifølge den danske version blev slotsvagten angrebet af tyske marinere, hvorved der fremkom tab på begge sider, før kamphandlingerne blev stoppet (Hansen 1945a).

165 Det var ikke alle de pågrebne politimænd, der blev deporteret. Var de over 55 år, blev de løsladt igen. Trods det opgav Best i *Politische Informationen* 1. oktober 1944 et endnu højere tal deporterede.

3.) Sperrung des gesamten Nachr. Verkehrs für die Bevölkerung,
4.) Vollständige Zernierung der größeren Städte,
5.) Ausgehverbot während der Dunkelheit in einzelnen Orten,
6.) Verbot jeden Kfz.-Verkehrs und jedes nicht lebenswichtigen Verkehrs mit Pferdefuhrwerken. Während der Dunkelheit völliges Verkehrsverbot außerhalb geschlossener Ortschaften.

**251. Hans-Heinrich Wurmbach an MOK Ost und OKM 19. September 1944**
Wurmbach orienterede om opløsningen af det danske politi, en aktion han først var blevet informeret om 2 ½ time før fandt sted. Aktionen var forløbet roligt over hele landet, bortset fra et større skyderi ved Amalienborg på grund af en misforståelse. Skyderiet var blevet stoppet på den danske konges foranledning. De fængslede politifolk blev samme aften sejlet til Lübeck. En generalstrejke var forventelig.
Kilde: KTB/ADM Dän. 19. september 1944, RA, Danica 628, sp. 3, s. 3575f. og sp. 10, nr. 9294f. (kopi 21. september 1944).

An MOK Ost, OKM ergeht FS G 16821:

Betr. Entwaffnung Dän. Polizei.

Aktion unter Führung des Höh. SS- und Polizeiführers. Die hier erst 2 ½ Stunden vor Anlaufen bekannt wurde, läuft seit 19.9. 11.00 h. In ganz Dänemark im wesentlichen ruhig verlaufen, bis auf einen größeren Zwischenfall in Kopenhagen. Dieser eingetreten, als für Stabsquartier vorgesehene Verstärkung von 1 Offizier und 65 Mann der 5. MLA auf Marsch zum Hotel Phönix die Amaliegade (zum königl. Schloß führende Straße) passierte. Truppe wurde zunächst mit Steinen, Flaschen, Kisten aus Häusern beworfen, marschierte darauf mit Marschsicherung und erhielt kurz vor Erreichen des Schlosses schweres MG-, MP- und Gewehrfeuer. Dadurch sofort größere Ausfälle. Wahrscheinlich wurde Überfall durch Schloßwache verübt, der nicht bekannt war, daß sie nicht entwaffnet werden sollte und sich bei Herannahen Truppe bedroht fühlte. Eigene Truppe verhielt, bis Verstärkung von 5. MLA mit 250 Mann zur Stelle war. Weitere Aktion sollte Polizei als zuständigem Organ übergeben werden. Kam jedoch nicht mehr zur Durchführung, da inzwischen dän. Schloßwache auf Veranlassung König Friede angeboten hatte. Bisher zu übersehende Verluste: Kopenhagen 8 Tote, mehrere Verw[undete] von Marine, 1 Toter, einige Verw[undete] bei Polizei, im übrigen Dänemark 2 Tote. Dänische Verluste noch nicht bekannt. Eisenbahnerstreik angelaufen. Strecke Kopenhagen-Silkeborg wird durch Wehrmachtsmittel aufrechterhalten. Generalstreik in ganz Dänemark wahrscheinl[ich] auffällig, daß heute mittag viele junge Leute Kopenhagen nach Norden verlassen haben. Polizei überprüft Angelegenheit. Abtransport festgenommener dänischer Polizei aus Kopenhagen, rund 1.000 Köpfe, heute Abend durch Dampfer "Cometa" nach Lübeck.
Im Nachg. zu hies. FS G 16821 Qu III vom 19.9.: Betr. Entwaffnung Dän. Polizei wird nach Vorliegen betr. Unterlagen ergänzend folgendes gemeldet.
1.) Nachdem die Truppe mit Steinen, Flaschen pp beworfen wurde, gab der Zugführer

sof. Befehl: "Straße frei. Es wird geschossen" und ließ die Truppe nach den Straßenseiten ausschwärmen. Als man dann noch eine Kiste aus einem Haus warf, wurde diese mit MP sof. unter Feuer genommen.

2.) Als kurz danach das Feuer durch Schloßwache eröffnet wurde, erfolgte seitens des Zuges 5 MLA sof. stärkste Feuererwiderung durch MG, MP und Gewehr. Gleichzeitig bei MLA Verstärkung durch schwere Waffen angefordert. Nach Eintreffen einer Pak Feuereröffnung auf Häuser, von denen 2 in Brand geschossen. Inzwischen weitere Verstärkung durch eine S-Formation mit schweren Waffen, deren Einsatz aber nicht mehr erfolgte, da gem. bereits gemeldeter Vermittlung seitens des Königs Feuer eingestellt wurde.


### 252. Walter Forstmann an Kurt Waeger 19. September 1944
I forlængelse af brevet til Waeger 31. august, hvor Forstmann forsvarede sig mod en anonym brevskrivers angreb, fremsendte han kopi af et brev fra Best, hvori Best tilsluttede sig Forstmanns svar på angrebet.
    Kilde: RA, Tyske arkiver, K 599: Diverse korrespondance 15.8.44-20.8.45.

– D. 398/44                                                                          19.9.1944.
Schr. Chef Rü Stab Dän. Nr. 398/44 vom 31.8.1944.[166]

Anonymes Schreiben über die Stellung Dänemarks zur totalen Mobilisierung. – Tätigkeit des Rüstungsstabes Dänemark. –

An den Chef des Rüstungsamtes
    des Reichsministers für Rüstung und Kriegsproduktion,
    Herrn Generalleutnant Waeger,
    Berlin NW 7.

Anliegend wird die Stellungnahme des Herrn Reichsbevollmächtigten in Dänemark zu meinem Schreiben vom 31.8.44 vorgelegt.
                                            **Forstmann**
1 Anlage[167]


Abschrift
Der Reichsbevollmächtigte in Dänemark           *Kopenhagen, den 7. Sept. 1944.*
III/3697/44

Betrifft: Anonymes Schreiben über die Stellung Dänemarks zur totalen Mobilisierung.
    – Tätigkeit des Rüstungsstabes Dänemark. –
    Auf das Schreiben vom 31. August 1944 Az. D. Nr. 398/44.

---

166 Trykt ovenfor.
167 Trykt herved.

An den Chef des Rüstungsstabes Dänemark
des Reichsministers für Rüstung und Kriegsproduktion
  Kopenhagen.

Ich habe von Ihrem vorbezeichneten Schreiben Kenntnis genommen und stimme den darin enthaltenen grundsätzlichen Ausführungen zu.

**Dr. Best**


### 253. Horst Wagner an Volksdeutsche Mittelstelle 20. September 1944

Wagner meddelte VOMI, at han havde indhentet de i Danmark værende tyske besættelsesmyndigheders holdning til det tyske mindretals stilling under en invasion, men at spørgsmålet var af en så væsentlig udenrigspolitisk betydning, at Ribbentrop skulle tage stilling dertil.
  Se Wagners notat 25. september.
  Kilde: PA/AA R 100.944.

Inl. II 1981 g                                                              20. September [1944]
            S c h n e l l b r i e f !

An die Volksdeutsche Mittelstelle
  z.Hd. von SS-Hstuf. Dr. Sichelschmidt
  Berlin
  Unter den Eichen 93

Auf das Schreiben IX/16 II 25. Dr. Si/HR. vom 11.9.1944[168]

Der Reichsbevollmächtigte in Dänemark berichtet, daß nach Auffassung des Höheren SS- und Polizeiführers die deutsche Volksgruppe in Nordschleswig im Falle einer Invasion in Jütland ebenso behandelt werden sollte, wie die deutsche Bevölkerung im Reichsgebiet im Falle einer Besetzungsgefahr. Der Wehrmachtsbefehlshaber Dänemark hat sich jedoch aus militärischen Gründen gegen eine Evakuation ausgesprochen, weil eine zusätzliche Belastung der Bahnen und Straßen nicht tragbar sei. Außerdem würden die Angehörigen der Volksgruppe für Zwecke der Wehrmacht verwandt werden.[169]

Das Auswärtige Amt hat sich an das Reichsministerium des Innern mit der Anfrage gewandt, ob die deutsche Bevölkerung aus Reichsgebieten im Fall einer drohenden Besetzung durch feindliche Kräfte grundsätzlich evakuiert oder an Ort und Stelle belassen wird. Nach Eingang der Antwort wird eine grundsätzliche Stellungnahme erfolgen.

Es darf in diesem Zusammenhang darauf hingewiesen werden, daß die Evakuierung einer deutschen Volksgruppe aus ihrem Siedlungsgebiet eine Frage von wesentlicher

---

168 Skrivelsen er ikke lokaliseret.
169 Se Bests telegrammer nr. 1090, 15. september og nr. S 11, 18. september.

außenpolitischer Bedeutung darstellt, deren Entscheidung nach den gegenseitigen Vereinbarungen in die Zuständigkeit des Herrn Reichsaußenministers fällt.
Eine weitere Mitteilung bleibt vorbehalten.
Im Auftrag
gez. **Wagner**


**254. WB Dänemark an OKW/WFSt 20. September 1944**
Von Hanneken meddelte, at han ville tage de planlagte modforanstaltninger i brug, hvor der udbrød generalstrejker.
Kilde: BArch, Freiburg, RW 4/754. KTB/WB Dänemark 20. september 1944. RA, Danica 1069, sp. 1, nr. 337.

Fernschreiben 20.9. 19.05

An OKW/WFSt/Op (H) Nord

Tagesmeldung 20.9.44.
Auf Grund der erfolgten Entwaffnung der dän. Ordnungspolizei in Kopenhagen und zahlreichen Städten im Befehlsbereich Generalstreik. Teilstreik der dän. Eisenbahn. Die vorbereiteten Gegenmaßnahmen (s. Tagesmeldung vom 19.9.) werden in Kopenhagen am 21.9., in den bestreikten Orten Jütlands und Fünen am 20.9. und an einzelnen Orten am 21.9. durchgeführt. Zu Zusammenstößen oder Unruhen ist es in keinem Fall gekommen.
Im übrigen 3 Sabotage-Anschläge, davon 2 Schienensprengungen in Süd-Jütland und 1 Sabotage an Nachrichtenmitteln der Wehrmacht.
Wehrm Befh Dän Abt I A
gez. **Toepke**
Major


**255. Hermann von Hanneken an WFSt 20. September 1944**
Von Hanneken benyttede de opståede proteststrejker til at sætte aktion "Monsun" i værk over det meste af landet med den begrundelse, at de skulle slå strejkerne ned en gang for alle. Hellere nu end under en invasion. WB Dänemark tog sig af aktionen i Jylland og på Fyn, da HSSPF ikke havde tilstrækkelige politstyrker der, mens HSSPF tog sig af aktionen på Sjælland med omliggende øer. HKK stillede soldater til rådighed for HSSPF. Best var orienteret om WB Dänemarks opfattelse.
Bests indstilling til von Hannekens initiativ er ukendt.
Kilde: BArch, Freiburg, RW 4/754. RA, Danica 1069, sp. 1, nr. 335f.

Fernschreiben 20.9. 19.05

An Wehrm. F Stab Qu                                                                                          Geheim

Seit 4.8. finden in Dänemark meist 24 Stündige Proteststreiks aus wechselnden, angeblich politischen Gründen (Erschießung von Dänen, Verlegung von Häftlingen ins Reich) statt. Seit 15.8.44 in der Form, daß wegen des gleichen Grundes mehrere Orte nacheinander streiken. Die am 19.9.44 durchgeführte Aktion gegen die dänische Polizei hat offenbar auf die Bewegung nicht dämpfend gewirkt. Z.Z. ist in den meisten Städten Dänemarks Generalstreik, der nach den Aufrufen morgen beendet sein soll. Die Landbevölkerung wie immer ruhig. WBD hält jetzt die Gelegenheit für gegeben, diese politischen Streiks, an denen auch die OT-Arbeiter teilnehmen. Ein für allemal dadurch auszurotten, daß auch da, wo die Streiks auf kurze Zeit befristet sind, für längere Zeit die in gestriger Tagesmeldung vorgesehenen Maßnahmen (Stichwort Monsun) durchgeführt werden. Hierbei wird in Kauf genommen, daß dadurch Unruhen ausgelöst werden, weil es besser ist, diese jetzt niederzuschlagen, als während eines evtl. feindlichen Angriffs. Durchführung dieser Maßnahmen in Jütland und Fünen nach Vereinbarung mit Höh. SS- u. Pol. Führer durch WBD, da dort keine ausreichenden deutschen Polizeikräfte. Notwendig ist aber gleiches Vorgehen durch Höh. SS- u. Pol. Fhr. in Seeland und Nebeninseln, wozu ihm Truppen des Höh. Kdos. Kopenhagen zur Verfügung gestellt werden. WBD hat diese Auffassung dem Reichsbevollmächtigten und Höh. SS- u. Pol. Fhr. mitgeteilt. Höh. SS- u. Pol. Fhr. wird nunmehr ab morgen in Kopenhagen, WBD ab heute, in einzelnen Orten ab Morgen, die entsprechenden Maßnahmen in Jütland und Fünen durchführen.

Wehrm. Befh. Dän. Abt. I A/I C Nr. 2902/44 geh. vom 20.9.44.
gez. **von Hanneken**
Gen. d. Inf.

Zusatz WFSt: Aushändigung dringend, da für Lagebesprechung gegebenenfalls erforderlich.

### 256. WFSt: Lage in Dänemark 20. September 1944

De knappe oplysninger i KTB/WB Dänemark 20. september er uddybet i referatet af den melding, som von Hanneken gav til OKW samme dag (trykt foran). Von Hannekens iværksættelse af operation "Monsun" i en række byer vakte ikke bekymring i det militære hovedkvarter.

Oplysningerne om von Hannekens offensive tvangsforanstaltninger til strejkenedkæmpelse nåede også til Barandon, der videregav dem til AA 23. september 1943.

Kilde: BArch, Freiburg, RW 4/754. RA, Danica 1069, sp. 1, nr. 332f. EUHK, nr. 139 (uddrag).

WFSt/Qu. 2 (Nord) 20.9.1944.
Nr. 07187/44 geh. Geheim

Betr.: Lage in Dänemark.

Vortragsnotiz

W. Befh. Dänemark teilt fernmündlich seine Auffassung über die Lage in Dänemark und die von ihm im Einvernehmen mit Reichsbevollmächtigtem und Höh. SS- u. Polizeiführer demgemäß getroffenen Maßnahmen wie folgt, mit der Bitte um Vortrag in der Führerlage mit:

1.) Auf Grund der inzwischen abgeschlossenen Polizeiaktion herrscht in Dänemark wieder einmal Generalstreik.

Seit dem 4.8.44 haben sich aus wechselnden, meist politischen Gründen in Dänemark 24stündige Proteststreiks mehrfach wiederholt, seit 15.8.44 in Form der "Rollstreiks." Diese hat auch die Polizeiaktion nicht verhindern können, die keineswegs so dämpfend gewirkt hat, wie es sich die Befürworter dieser Aktion vorgestellt haben. Lediglich die Landbevölkerung hat, wie bisher immer, Ruhe bewahrt.

2.) W. Befh. Dänemark ist der Ansicht, daß jetzt Gelegenheit gegeben ist, durch jeweils sofort einsetzende Zwangsmaßnahmen diesen Streiks mit Gewalt entgegenzutreten. (bei W. Bfh. Dänemark unter dem Stichwort "Monsun"). W. Bfh. Dänemark ist sich klar darüber, daß dadurch Unruhen entstehen, die er indessen lieber jetzt als später im Falle militärischer feindlicher Aktionen in Kauf nehmen will.

3.) Um sicherzustellen, daß derartige Aktionen, die im wesentlichen in den im Falle "Kopenhagen" angewandten Zwangsmaßnahmen bestehen sollen, gleichzeitig und gleichartig durchgeführt werden, hat heute zwischen Reichsbevollmächtigtem, W. Bfh. Dänemark und Höh. SS- u. Polizeiführer eine Besprechung stattgefunden, in der, da der Höh. SS- u. Polizeiführer nur über sehr wenig Kräfte verfügt, abgesprochen ist, daß

a.) jeweils gegenseitiges Einvernehmen hergestellt werden soll;

b.) der Höh. SS- u. Polizeiführer für derartige Maßnahmen in Seeland, der W. Bfh. Dänemark im übrigen Dänemark zuständig sein soll.

4.) In den Städten, in denen z.Zt. Generalstreik herrscht, sollen die vorgesehenen Maßnahmen unverzüglich anlaufen.

I.A.
**Horst Frhr. Treusch v. Buttlar-Brandenfels**


## 257. OKW an Hermann von Hanneken 20. September 1944

OKW beordrede 10.000 danskere, der hidtil havde deltaget i arbejdet med skansegravninger overført til kystbefæstningsarbejdet.

Denne ordre har ikke afsat sig spor i hverken KTB/WB Dänemark eller KTB/ADM Skagerrak, men von Hannekens bestræbelser på at skaffe arbejdere til det forøgede befæstningsbyggeri (men ikke specielt kystbefæstningen) kan følges i Besprechung über der Arbeiten an den Riegelstellungen 12. oktober 1944 med den angivne henvisninger.

Kilde: KTB/OKW, 4:1, s. 927.


Am 20.9. wurde der Abzug von 10.000 Dänen, die bisher beim Ausbau der Bodenorganisation beteiligt waren zur Küstenbefestigung befohlen.

## 258. Deutsches Konsulat, Malmö, an das Auswärtige Amt u.a. 20. September 1944

Den tyske konsul i Malmø kunne berette, at to danske isbrydere var flygtet til Sverige, mens de var under tysk eskorte. De danske besætninger blev betragtet som politiske flygtninge.

Konsulen sendte en kopi af sin besked til Det Tyske Gesandtskab i Stockholm og til Best. AA videresendte beskeden til OKM og RKS. Den tyske marineattaché sendte 20. september et telegram af lignende indhold til OKM, idet kilden dog blev opgivet som den svenske dagspresse fra dagen før (alle akter som nedenfor). Det er bemærkelsesværdigt, at Best ikke indberettede hændelsen direkte til AA selv, endsige nævnte den i *Politische Informationen* 1. oktober 1944. Der kan være tale om tabte dokumenter, men hvad enten det er tilfældet eller ej, er det mest bemærkelsesværdige, at de to skibes flugt tilsyneladende ikke fremkaldte repressalier fra tysk side. Det kan skyldes, at man fra tysk side ikke ville skærpe situationen yderligere lige efter politiaktionen. Først fire uger senere blev der nævnt repressalier for isbrydernes flugt, se noten til OKW/WFSt an OKM u.a. 15. oktober 1944.

Fra svensk side nægtede man at udlevere isbryderne, og OKM spurgte i den anledning 24. oktober AA med hvilken retlig begrundelse, Sverige nægtede det. Svaret er ikke lokaliseret.

Kilde: BArch, Freiburg, RM 7/1813.

Deutsches Konsulat     *Malmö, den 20. September 1944.*
Malmö
J.Nr. 394/44
2 Durchschläge

Inhalt: Eintreffen zweier dänischer Eisbrecher in Hälsingborg.

An das Auswärtige Amt
    Berlin

Die beiden dänischen Eisbrecher "Mjölner" und "Holger Danske" haben am 19. mittags bei einer deutschen Geleitfahrt durch den Sund die Gelegenheit des Ausweichens vor dem Fährschiff Hälsingborg-Helsingör benutzt, um in schwedische Gewässer zu gelangen und in Hälsingborg einzulaufen.

Die reduzierten Besatzungen der beiden dänischen Eisbrecher werden als politische Flüchtlinge betrachtet.

Die Deutsche Gesandtschaft in Stockholm und der Reichsbevollmächtigte in Dänemark erhalten Durchdrucke dieses Berichtes.

gez. **Nolda**

## 259. Seekriegsleitung an OKW/WFSt u.a. 20. September 1944

På grund af Ålborgs betydning som udskibningshavn bad Seekriegsleitung OKW/WFSt om, at de forberedelser til havnsødelæggelser, som von Hanneken havde iværksat og som havde udløst havnearbejderstrejken, blev stoppet.

OKW/WFSt svarede 22. september 1944, men forinden var sagen 21. september drøftet i OKM, se KTB/Skl anf. dato.

Kilde: BArch, Freiburg, RM 7/1812. RA, Danica 628, sp. 7, nr. 5732.

neu B. Nr. 1. Skl. 1c 29030/44 gKdos                    Berlin, den 20. September 1944
                                                        Geheime Kommandosache!

I. Fernschreiben an:  SSD mit A.Ü.
                      SSD OKW/WFSt Op (M)
                      SSD OKW/Adm. F.H.Qu.
nachrichtl.           SSD OKW/WFSt Ag. Ausl.
                      A MOK Ost
                      Adm. Skagerrak
                      – SSD – gKdos – m.A.Ü.

1.) Durch Streiks in Dänemark ist Hafenbetrieb, vor allem in Aalborg, stark beeinträchtigt. Durch Streik ausgefallene dänische Arbeitskräfte sind durch Einsatz von Soldaten nicht hinreichend zu ersetzen. Dän. Häfen, vor allem Aalborg, entscheidend für Aufrechthaltung Nachschubes nach Norwegen.
2.) Als Grund für Streik in Aalborg wird Bekanntwerden Beginn Vorbereitung Hafenzerstörungen angegeben. Maßnahmen durch WB Dänemark angeordnet im Zuge von OKW gegebener grundlegender Weisung.[170]
3.) Bedeutung Aalborgs als Aufschiffungshafen für Gegner im Fall Landung tritt nach Auffassung Seekriegsleitung zurück gegenüber besonderer Wichtigkeit für Norwegen-Nachschub. Vorschlagen deshalb Weisung an WB Dänemark, daß Maßnahmen die Hafenstreiks ausgelöst werden können, unterbleiben.
                      Seekriegsleitung
                      1. Skl. Ic 29030/44 gKdos (Koralle)


## 260. Kriegstagebuch/WB Dänemark 21. September 1944

Von Hanneken meddelte, at strejkerne i København og i den største del af det øvrige Danmark var ophørt, men at der i de endnu strejkende byer som modforanstaltning var indført aktion "Monsun".

Strejkerne i de større byer var ebbet ud, før von Hanneken nåede at sætte operation "Monsun" i værk, men flere jyske byer (Varde, Hjørring, Brønderslev, Spjald) nåede at blive afskåret fra omverdenen og få lukket for alle forsyninger, da strejkerne ikke blev afsluttet hurtigt nok, selv om de var annonceret som 24-timers strejker (KB, Herschends dagbog nr. 210, 21. september, nr. 211 og 212, 22. september 1944, *Information* 27. september 1944, Brøndsted/Gedde, 2, 1946, s. 838, Herschend 1980, s. 102-107 (en beretning fra 23. september 1944 om forløbet i Hjørring og Brønderslev)).

Best valgte i *Politische Informationen* 1. oktober 1944 i afsnittet "Fjendtlige stemmer" at citere svensk presses kritik af von Hannekens fremfærd.

Kilde: KTB/WB Dänemark 21. september 1944.

[…]

Tagesmeldung: In Kopenhagen und dem größeren Teil Dänemarks Streik beendet. In einigen Landstädten Mittel- und Nord-Jütlands wird noch gestreikt. Hier sind die vor-

---

[170] Den strejke, der begyndte i Ålborg 20. september, blev fra tysk side besvaret med lukning for vand, gas og elektricitet, samt standsning af næsten al trafik. Strejken og "Monsun" blev ophævet 22. september (KB, Herschends dagbog nr. 213, 23. september 1944).

gesehenen Gegenmaßnahmen (Monsun) durchgeführt. Dänische Staatsbahnen voll in Betrieb.

Im übrigen 5 Sabotagefälle, davon 2 Schienensprengungen in Jütland und 2 Sabotagen an Nachr. Mitteln der Wehrmacht.

[…]

**261. Kriegstagebuch/Seekriegsleitung 21. September 1944**
Seekriegsleitung var foruroliget over havnestrejkerne i forbindelse med deportationen af det danske politi, specielt for Ålborgs vedkommende, der var afgørende for tilførslen af forsyninger til Norge. Som grund til strejken blev angivet, at der blev gjort forberedelse til en havneødelæggelse. Der blev derfor allerede før et møde med OKM afsendt en besked til OKW/WFSt (trykt ovenfor), hvortil der var tilslutning. Det blev foreslået at rette henvendelse til WB Dänemark om at undlade forholdsregler, der kunne forårsage havnestrejker.

OKW/WFSt svarede den følgende dag.
Kilde: KTB/Skl 21. september 1944, s. 555f., 583.

[…]
Lagebesprechung bei Ob.d.M. 11.20 Uhr.

I.) Chef Skl stellt fernmündlich bei Admiral Skagerrak fest, was die aus Kopenhagen und übrigem Dänemark gemeldeten Unruhen bedeuten, wobei eine Marineabteilung durch dänische Polizei beschossen worden ist.

1/Skl hatte vorher folgendes Fs. an OKW/WFSt op (M), Adm. F.H.Qu. nachr. OKW/WFSt AG Ausl., MOK Ost und Adm. Skagerrak gerichtet:[171]

"1.) Durch Streiks in Dänemark ist Hafenbetrieb, vor allem in Aalborg, stark beeinträchtigt. Durch Streik ausgefallene dänische Arbeitskräfte sind durch Einsatz von Soldaten nicht hinreichend zu ersetzen. Dän. Häfen, vor allem Aalborg, entscheidend für Aufrechterhaltung Nachschubes nach Norwegen.

2.) Als Grund für Streik in Aalborg wird Bekanntwerden Beginn Vorbereitung Hafenzerstörung angegeben. Maßnahmen durch WB Dänemark angeordnet im Zuge von OKW gegebener grundlegender Weisung.

3.) Bedeutung Aalborgs als Ausschiffungshafen für Gegner im Fall Landung tritt nach Auffassung Seekriegsleitung zurück gegenüber besonderer Wichtigkeit für Norwegen-Nachschub. Vorschlagen deshalb Weisung an WB Dänemark, daß Maßnahmen durch die Hafenstreiks ausgelöst werden können, zu unterbleiben haben."

[…]

*Admiral Skagerrak:*
Der Hafenarbeiterstreik in Aalborg zwingt dazu, zur Aufrechterhaltung kriegswichtiger Transporte vorübergehend 50 Mann Marinebordflak-Abtl. Aalborg und 150 Mann 416. I.D. für Beladungsarbeiten abzustellen. In den dänischen Betrieben ist die Arbeit mit Ausnahme von Frederikshavn am 21/9. früh aufgenommen. Eisenbahn und Fähre[n] sind wieder in Betrieb.

[…]

171 Foreligger som afskrift af det afsendte telegram i Danica 628, sp. 10, nr. 9333.

## 262. Walter Forstmann an Kurt Waeger 21. September 1944

Waeger blev orienteret om gennemførelsen af aktionen mod det danske politi. Politiet i de fire største byer var blevet afvæbnet og interneret, men det øvrige danske politi skulle videreføre sin virksomhed. Aktionen gav anledning til en sympatistrejke i København. HSSPF havde meddelt Forstmann, at der nu blev slået ind på en hårdere kurs i Danmark, der skulle få proteststrejkerne til at ophøre.

Der er ikke tvivl om, at den hårdere kurs, dvs. anvendelse af "Monsun" og "Taifun", skete efter en koordineret strategi mellem WB Dänemark og HSSPF. WB Dänemark erklærede over for OKW, at han af Hitler havde fået ordre til at slå strejker ned med drakoniske midler (se OKW/WFSt til Seekriegsleitung 22. september 1944), mens Pancke dagen forud på et møde med Nils Svenningsen, hvor Bovensiepen også deltog, havde udtalt, at strejkerne ikke længere ville blive tålt. Der ville blive sat en skrappere modterror ind, omfattende deportationer kunne komme på tale og civilbefolkningen kunne blive udkommanderet til beskyttelsestjeneste ved jernbanerne (Hæstrup, 2, 1966-71, s. 85-87).[172]

Forstmanns brev afslører imidlertid også, at politiaktionen fik langt større konsekvenser, end HSSPF havde ønsket. Det var ikke hensigten, at dansk politi som helhed skulle sættes ud af spillet. HSSPF havde ifølge Forstmann regnet med, at politiet uden for de fire store byer skulle videreføre deres arbejde. Det er ikke helt korrekt. Aktionens mål var alene at afvæbne og internere de tjenestegørende, mens politimestrene og de ikke-internerede politifolk var udset til at indgå i et reorganiseret kommunalt politi.[173] Når det ikke skete, skyldes det HSSPFs egen forkludring af aktionen.

Kilde: BArch, Freiburg, RW 27/16. KTB/Rü Stab Dänemark 3. Vierteljahr 1944, Anlage 30 (gennemslag).

Geheim                                                                          Anl. 30
Chef Rüstungsstab Dänemark                             *21.9.1944*
SA 720/44
– ohne –

Entwaffnung der dänischen Ordnungspolizei.

An den Chef des Rüstungsamtes
    des Reichsministers für Rüstung und Kriegsproduktion,
    Herrn Generalleutnant Waeger
    Berlin NW 7,
    Unter den Linden 36.

Der Reichsführer-SS gab den Befehl, wegen Unzuverlässigkeit die gesamte dänische Ordnungspolizei in Aalborg, Aarhus, Odense und Kopenhagen zu entwaffnen und zu

---

[172] Panckes trusler fandt vej til *Information* 25. september 1944, og Danmarks Frihedsråd valgte 29. september at advare mod falske strejkeopfordringer med henvisning til, at tysk politi under Panckes ledelse var interesseret i at skabe nye konfliktsituationer med henblik på at lokke modstandsbevægelsen frem (advarslen er trykt hos Alkil, 1, 1945-46, s. 267. Jfr. *Information* 30. september).

[173] Pancke forklarede også 20. august 1945, at han egentligt havde tænkt sig, at det ikke-internerede politi i løbet af et par dage skulle vende tilbage til tjeneste. Når det ikke skete, lagde han skylden herfor på de danske departementschefer, og derefter gav han ordre til, at der fra ET, Schalburg- og Sommerkorpsene skulle stilles personale til rådighed for tysk politi for at optræde som hjælpepoliti (HIPO) (LAK, Best-sagen). Forklaringens første del bekræftes af Forstmanns brev 21. september, mens Pancke forsøgte at fralægge sig ansvaret for, at det øvrige danske politi ikke genoptog arbejdet. Se også den tyske radiomeddelelse 19. september 1944 om politiets forventede genoptagelse af arbejdet visse steder fra 20. september og forordningen om reorganiseringen af dansk politi 23. september (begge aftrykt hos Alkil, 2, 1945-46, s. 900f.).

internieren, ebenfalls Verdächtigte der dänischen Kriminalpolizei. Die übrige dänische Polizei sollte ihre Tätigkeit beibehalten.

Dieser Befehl wurde am 19.9.44 zwischen 11 und 12 Uhr durch deutsche Polizeiorgane ausgeführt. Auf deutscher Seite fielen bei der gewaltsamen Durchführung 9 Mann, 7 Mann wurden verwundet.

Deutsche Polizei hält in Kopenhagen den Polizeihof, die Polizeireviere, die Polizeischulen und das Justizministerium besetzt.

Die Bevölkerung Kopenhagens verhielt sich – abgesehen von Kravallscenen Jugendlicher – während der Aktion im allgemeinen ruhig, jedoch begann um 14 Uhr in Kopenhagen und in einigen anderen Städten ein Sympathiestreik. Nicht betroffen wurden davon die Versorgungsbetriebe, Molkereien und Bäckereien. Bei der Dänischen Staatsbahn ruhte auf Seeland nur der Verkehr im Raum Gross-Kopenhagen.

Nachts wurden mit Schiff von Kopenhagen rd. 1.800 dänische Polizeibeamte nach Hamburg zur Internierung gebracht.

Durch Flugblätter wurde die Bevölkerung vom "Dänischen Freiheitsrat" aufgefordert, die Arbeit am 21. Sept. wieder aufzunehmen,[174] was dann auch geschah.

Man will nun deutscherseits versuchen, eine neue dänische Polizei zu organisieren. Der bisherige dänische Reichspolizeichef befindet sich mit mehreren anderen höheren dänischen Polizeiführern im Turist-Hotel in Kopenhagen in Ehrenhaft.

Chef Rü Stab Dänemark hat mit dem Höheren SS- und Polizeiführer in Dänemark, General der Polizei SS-Obergruppenführer Pancke, Rücksprache genommen und erfahren, daß in Dänemark jetzt ein schärferer Kurs eingeschlagen werden soll, damit die Streiks, die in letzter Zeit jedesmal als Protest gegen deutsche Maßnahmen entstanden, endlich aufhören.

Forstmann

### 263. Joseph Goebbels: Tagebuch 21. September 1944

Der var igen udbrudt generalstrejke, men der var truffet energiske forholdsregler mod den. Det danske politi var enten opløst eller bragt under tysk ledelse. Det havde vist sig upålideligt.

Når Goebbels kunne berette, at der var truffet energiske forholdsregler mod strejken, kan det indebære, at han havde hørt om, at "Monsun" kunne blive bragt i anvendelse. Den 30. september skrev han udførligere om politiaktionen.

Kilde: *Die Tagebücher von Joseph Goebbels*, Teil II:13, s. 533.

[...]

In Kopenhagen ist wieder ein kleiner Generalstreik ausgebrochen. Gegen ihn werden von uns sehr energische Maßnahmen getroffen. Vor allem wird jetzt die dänische Polizei aufgelöst bzw. unter deutsche Führung gestellt. Sie hat sich in den Generalstreikswellen in Kopenhagen als denkbar unzuverlässig gezeigt.

[...]

---

174 Frihedsrådets opfordring er trykt hos Alkil, 1, 1945-46, s. 265.

## 264. Kriegstagebuch/WB Dänemark 22. September 1944

Von Hanneken indførte i krigsdagbogen den knappe melding, at strejkerne var ophørt. Samme besked gik til OKW, men her var der også to andre forhold på dagsordenen, som det fremgår af det følgende notat.

Når von Hanneken kunne meddele, at alle strejker var ophørt, var det på baggrund af, at han selv samme dag havde beordret kommandanterne i Varde, Hjørring og Brønderslev til at stoppe aktion "Monsun". Den besked havde Casper kunnet videregive til Herschend kl. 17.05 med den bemærkning fra von Hanneken, at kommandanterne havde grebet ind efter de "almindelige Forholdsregler i Tilfælde af politiske Strejker." (KB, Herschends dagbog nr. 212, 22. september 1944). Hvordan strejkerne var blevet afsluttet, var ikke en oplysning, som blev videregivet til OKW, det var den ikke egnet til. "Monsun" havde ikke bragt strejkerne til ophør, men forlænget dem, og WB Dänemark havde selv måttet lade dem bringe til ophør ved at afbryde "Monsun".

Kilde: KTB/WB Dänemark 22. september 1944.

[...]
Streiklage siehe Tagesmeldung
Die Bewachung der dän. Betriebstofflager wird ab sofort aufgehoben, die Beschlagnahme dän. Lkw. verboten und die Übergabe der beschlagnahmten Fahrzeuge befohlen.

Tagesmeldung: Streik in gesamten Bef. Bereich beendet.

Vier Sab. Anschläge, davon in drei Fällen Schienensprengungen in Jütland.
[...]


## 265. WFSt: Lage in Dänemark 22. September 1944

Von Hanneken videregav til OKW oplysningen om, at strejkerne var ophørt, men uddybede først og fremmest sin rolle under aktionen mod det danske politi. Når Best ikke var blevet orienteret forud, var det efter direkte ordre fra Himmler. Best var taget til Ribbentrop, hvor den sag antageligt ville blive drøftet.

Kilde: BArch, Freiburg, RW 4/754. RA, Danica 1069, sp. 1, nr. 330f.

WFSt/Qu. 2 (Nord)                                                            22.9.1944
Nr. 07236/44 geh.                                                         Geheim

Betr.: Lage in Dänemark.

### Vortragsnotiz

1.) Bemerkungen zu anliegender Vortragsnotiz vom 20.9.44[175] inhaltlich fernmündlich an W. Befh. Dänemark übermittelt.

2.) W. Befh. Dänemark / Ic weist ergänzend auf folgendes hin:

Der Reichsbevollmächtigte in Dänemark ist über die Aktion zur Entwaffnung der dänischen Polizei *nicht* unterrichtet gewesen.

W. Befh. Dänemark legt Wert auf die Feststellung, daß ihn hieran ein Verschulden nicht trifft. Der Höhere SS- und Polizeiführer sei zum W. Befh. Dänemark gekommen, habe ihn unterrichtet, daß der Reichsführer-SS Entwaffnung der dänischen Polizei befohlen habe, und habe um Unterstützung der Wehrmacht für diese Aktion gebeten.

---

175 Trykt ovenfor.

Der Höhere SS- und Polizeiführer habe gleichzeitig mit dieser Mitteilung dem W. Befh. Dänemark darüber ein Schweigegebot auferlegt. W. Befh. Dänemark habe daher keine Möglichkeit gesehen, von sich aus eine Unterrichtung des Reichsbevollmächtigten durchzuführen, und nicht feststellen können, ob Unterrichtung durch Höheren SS- und Polizeiführer, dessen Sache es zweifellos gewesen sei, vorgenommen worden sei.

W. Befh. Dänemark habe den Reichsbevollmächtigten dennoch 10 Minuten vor Beginn der Aktion unterrichtet.

Der Reichsbevollmächtigte sei heute beim Reichsaußenminister. W. Befh. Dänemark nimmt an, daß er diesen Fall zur Sprache bringen werde.

3.) Streikbewegung in Dänemark flaut ab, Streik nur noch in einzelnen kleineren Landstädten.

I.A.
[signatur]

*Verteiler:*
Chef OKW über Stellv. Chef WFSt
Qu. (Entwurf)


### 266. OKW/WFSt an OKM 22. September 1944

OKW/WFSt ville ikke lade forberedelserne til havnespræengning afbryde. Det ville lamme WB Dänemarks beslutningsdygtighed, og det ville blive betragtet som svaghed og føre til nye strejker. Hitler havde beordret WB Dänemark til at slå strejker ned med drakoniske midler.

Hvornår Hitlers ordre om at slå strejker i Danmark ned med voldsomme midler blev givet, er uvist. Det var givetvis *efter* generalstrejken i København. I hvert fald havde en sådan ordre fået von Hanneken med stab til at reagere i september.

Seekriegsleitungs skibsfartsafdeling (ADM Qu VI) reagerede over for Seekriegsleitung 27. september 1944.

Kilde: BArch, Freiburg, RM 7/1812. RA, Danica 628, sp. 7, nr. 5734.

SSD GWNOL 017533 22/9 23.10
SSD OKM/1. Skl (Koralle)
gKdos
Betr.: Streik in Aalborg.
Vorg.: 1. Skl 1 c 29030/44 Gk v. 21.9.44.[176]

OKW vermag dortigem Antrag nicht stattzugeben. Eine Weisung, daß Maßnahmen, durch die Hafenstreiks ausgelöst werden können, zu unterbleiben haben, würde Entschlußfreudigkeit des WB Dänemark lähmen, Nachgeben als Schwäche ausgelegt werden, neue Streiks und Aufsässigkeit voraussichtlich die Folge sein. Führer hat WB Dänemark angewiesen, Streik durch drakonische Mittel zu brechen.

I.A. **Fhr. v. Buttlar**
OKW/WFSt/Op nr. 0011501/44 gKdos

176 Trykt ovenfor.

**267. Kriegstagebuch/Seekriegsleitung 22. September 1944**
OKW/WFSt afviste at undlade forholdsregler, der kunne føre til havnestrejker. Eftergivenhed ville udløse nye strejker og opsætsighed. Føreren havde anvist WB Dänemark at bruge drakoniske midler for at slå strejker ned.
 Dermed kan det konstateres, at både HSSPF og WB Dänemark meldte enslydende ud vedrørende den skærpede bekæmpelse af strejker i Danmark.
 Kilde: KTB/Skl 22. september 1944, s. 606.

[...]

IV.) Betr. Bereich Adm. Skagerrak:
OKW/WFSt Qu vermag Antrag von Skl vgl. KTB 21/9.) betr. Streik in Aalborg nicht stattzugeben. In entsprechendem Bescheid heißt es:
 "Eine Weisung, daß Maßnahmen, durch die Hafenstreiks ausgelöst werden können, zu unterbleiben haben, würde Entschlußfreudigkeit des WB Dänemark lähmen, Nachgeben als Schwäche ausgelegt werden, neue Streiks und Aufsässigkeit voraussichtlich die Folge sein. Führer hat WB Dänemark angewiesen, Streik durch drakonische Mittel zu brechen."
 MOK Ost und Adm. Skagerrak sind unterrichtet.
[...]


**268. Kriegstagebuch/Admiral Skagerrak 22. September 1944**
HSSPF havde indført politimæssig undtagelsestilstand efter afvæbningen af det danske politi. Planerne for nyorganiseringen af det danske politi ville efter Wurmbachs opfattelse støde på betydelige vanskeligheder, men indtil da skulle ro og orden opretholdes med hjælp fra WB Dänemark. Der var ingen strejker, heller ikke i værftssektoren.
 Når Wurmbach indlod sig på at vurdere mulighederne for at nyorganisere et dansk politi, skete det ved en sammenligning med de forgæves forsøg på at få danskere til at deltage i minerydningsarbejdet efter 29. august og 2. oktober 1943. De forsøg var forblevet resultatløse, og dengang var ingen danske soldater eller marinere blevet deporteret til Tyskland, modsat nu med politifolkene. Med sin vurdering gjorde Wurmbach MOK/Ost klart, at også politiarbejdet fremover blev et rent tysk anliggende.
 Kilde: KTB/ADM Dän 22. september 1944, RA, Danica 628, sp. 3, s. 3584.

[...]

12.00 h Lage an MOK Ost:
1.) Auf Grund durchgeführter Entwaffnungsaktion dän. Polizei ist vom Höh. SS- und Polizeiführer polizeilicher Ausnahmezustand für ganz Dänemark angeordnet. B[is] zur Neuorganisation einer dän. Polizei, deren Aufbau h.E. auf erhebliche Schwierigkeiten stoßen wird (vergl. den seinerzeitigen vergeblichen Versuch die Dänen für Minenräumaufgaben zu gewinnen) soll Ruhe und Ordnung mit Hilfe Wehrmacht aufrechterhalten werden.
 Streikerscheinungen z.Zt. nicht festzustellen. Auf Werftsektor sogar gute Arbeitsleistung.
[...]

## 269. Paul Barandon an das Auswärtige Amt 23. September 1944

I Bests fravær indtelefonerede Barandon en situationsrapport til AA. Der blev ikke strejket længere, men fraværet af politi gav mange problemer. Endvidere gengav han ordlyden af en meddelelse, som von Hanneken havde sendt til Pancke og Best om, hvordan man fra tysk side skulle optræde ved yderligere strejker. Den planlagte aktion "Monsun" skulle da sættes i værk for mindst en uge, og gik virksomhederne i gang tidligere, skulle de offentlige værker forsyne disse, men ikke de private husholdninger. Barandon meddelte AA, at han ikke ville besvare meddelelsen (Rosengreen 1982, s. 127).

Når Barandon ikke ville svare, hang det givetvis sammen med, at sagen var så vigtig, at Best måtte tage stilling, selv om det er givet, at Barandon selv havde en negativ indstilling til von Hannekens fremfærd (jfr. Barandons meddelelse til AA 19. september).

Hvordan von Hanneken teknisk ville gennemføre en åbning af energiforsyningen til de virksomheder, der genoptog arbejdet og ikke til de private husholdninger, får stå hen. Virksomheder og private blev forsynet via samme ledningsnet.

Kilde: PA/AA R 101.040. RA, pk. 228. LAK, Best-sagen (på dansk).

Pol VI  
Gesandtschaftsrat Geffcken

Pol VI 8880 44g  
Geheim

Gesandter Barandon rief soeben an und teilte mit, daß in Kopenhagen zwar nicht mehr gestreikt werde, daß jedoch infolge des Fehlens der Polizei auf vielen Gebieten ein regelrechtes Chaos herrsche. So seien die Gefängnisbeamten nach Hause gegangen und nicht durch die Polizei ersetzt worden. Außerdem gebe es keine Verkehrspolizei mehr, was sich sehr unangenehm bemerkbar mache; und auch eine Preiskontrolle fände nicht mehr statt. Eine weitere Dauer des gegenwärtigen Zustandes könne zu schweren Stokkungen führen.

Ferner gab Herr Barandon den Text eines Fernschreibens des Wehrmachtsbefehlshabers Dänemark an den Höheren SS- und Polizeiführer und den Reichsbevollmächtigten durch. Er hat folgenden Wortlaut:

"Ergebnis der derzeitigen Polizeiaktion meines Erachtens in sofern gering als Widerstand dänischer Kreise ausgeblieben. Befürchtungen bei Truppe, daß Streikunruhen im bisherigen Maß weitergeführt werden und auf diese Weise dauernde Schädigung der Festungsarbeiten und des Ansehens des Reichs hervorrufen. Vorschlage über die Orte in denen Generalstreiks aufflammen sofort durch Standortälteste "Monsun" zu verhängen. Monsun muß aus erzieherischen Gründen etwa eine Woche andauern. Finden sich Streikende schon früher ernstlich zur Arbeit ein, so werden die Versorgungswerke so weit und so lange in Gang gesetzt, als es zur Durchführung des Arbeitsbetriebs selbst (also nicht der Haushalte) nötig ist. Alle übrigen Maßnahmen bleiben bestehen bis Arbeitswille sich bewährt hat. Abzug von Truppen zu Gunsten Westfront zwingt uns meines Erachtens durch Teilaktionen des Monsun Streik- und Aufruhrstimmung zu dämpfen. Für Gebietsumfassende Aktionen können neben der eigentlichen Kampfaufgabe und Verteidigung des Landes gegen Invasion und für polizeiliche Zwecke nur noch bedingt Truppen zur Verfügung stehen. Ich bitte um Ihr Einverständnis der Freigabe von Monsun in etwa streikenden Orten auf Jütland und Fünen.

Hanneken."

Gesandter Barandon wird das Fernschreiben nicht beantworten.

Hiermit über Dg. Pol. U.St.S. Pol. St.S. dem Büro RAM mit der Bitte um Vorlage bei dem Herrn Reichsaußenminister.
*Berlin, den 23. September 1944.*

gez. **Geffcken**


**270. Hans-Heinrich Wurmbach an MOK Ost 23. September 1944**
Forberedelserne til ødelæggelsen af havnen i Ålborg blev fortsat, mens der blev strejket. Nu var strejken ophørt, selv om forberedelserne til ødelæggelsen blev videreført.
Kilde: BArch, Freiburg, RM 7/1812. RA, Danica 628, sp. 7, nr. 5736.

SSD MOKP S08483 23/9 14402 =
Mit AÜ = SSD nachr OKM 1 Skl =

GLTD SSD MOK Ost = SSD Nachr W Befh Dän =
Gkdos

Betr.: Hafenarbeiterstreik Aalborg.
Vorg.: 1 Skl 1 C 29030744 gKdos (Koralle) v. 21/9[177] (nicht an Wehrm Befh Dän).

1.) Arbeiten zur Vorbereitung Zerstörung Hafenanlagen Aalborg sind während Streiktage Deutscherseits weitergeführt.
2.) Hafenarbeiter Aalborg haben trotz Fortsetzung der Vorbereitung zu 1.) Arbeit z.Zt. wieder aufgenommen.

Adm Skag gKdos 5282 Qu 3


**271. Joachim von Ribbentrop: Notiz für den Führer 23. September 1944**
Ribbentrop lod udarbejde et notat til Hitler i anledning af et møde, de skulle have om aktionen mod det danske politi. Hverken Best eller Ribbentrop var forud blevet orienteret om denne aktion, der skulle være gennemført på Hitlers ordre, idet ordren skulle hemmeligholdes, da det havde vist sig, at den rigsbefuldmægtigedes tjenestested ikke kunne holde tæt. Ribbentrop mente ikke, at der var grundlag for at anklage medlemmer af Bests stab for ikke at overholde tavshedspligten og ville gerne have beviser derfor. Imidlertid havde han bedt Best om at indstille alle tjenstlige aktiviteter indtil videre. Best var gennem hemmeligholdelsen af politiaktionen blevet stillet i en vanskelig situation både over for danske og tyske myndigheder. Best havde hidtil været ansvarlig for den politiske udvikling i Danmark, men Ribbentrop ville gerne nu have at vide, hvem der skulle have det fremover. Hvis Best ikke længere havde Hitlers fulde tillid, foreslog Ribbentrop, at Best blev afskediget. Skulle Best blive på sin post, måtte Hitler beordre RFSS til at gøre det klart for HSSPF, at han var underlagt den rigsbefuldmægtigede i politiske anliggender. Der var den mulighed, at Pancke blev afskediget som HSSPF, som Kaltenbrunner tidligere havde stillet i udsigt. Sluttelig gjorde Ribbentrop opmærksom på, at en ændring af Danmarks status kunne få udenrigspolitiske konsekvenser i forhold til Sverige.
Best var efter politiaktionen blevet kaldt til von Ribbentrops hovedkvarter i Østpreussen, hvor han tilbragte 22. september med at vente og blev først dagen efter modtaget af Ribbentrop. Sammen tog de til

---

177 Trykt ovenfor.

førerhovedkvarteret Wolfsschanze, hvor alene von Ribbentrop fik foretræde for Hitler. Ribbentrop havde forberedt sig til mødet med nedenstående notat, som er et af få eksempler på, at han gik i brechen for Best. Mødet gav også resultat på meget kort sigt; Best forblev på sin post, men magtforholdene mellem SS og AA forblev uændrede, og Ribbentrop slog ikke siden et slag for AAs indflydelse i Danmark (Bests kalenderoptegnelser 21.-26. september 1944, Best 1988, s. 70f., Hæstrup, 2, 1966-71, s. 78-80, Rosengreen 1982, s. 131ff. (Herbert 1996, s. 393 med note 202 kender ikke notatet)).

Kilde: LAK, Best-sagen (afskrift).[178]

## Notiz
### für den Führer

Der Gesandte von Sonnleithner hat dem Führer die Telegramme des Reichsbevollmächtigten Dr. Best in Kopenhagen über die Aktion zur Entwaffnung der Dänischen Polizei vorgelegt, aus denen hervorgeht, daß Dr. Best von dieser Aktion erst nachträglich Kenntnis erhalten hat. Gleichzeitig hat der Gesandte von Sonnleithner dem Führer berichtet, daß auch ich selbst von der Aktion erst nachträglich und zwar durch die Telegramme von Dr. Best etwas erfahren habe. Wie mir der Gesandte von Sonnleithner jetzt meldet, hat der Führer den Befehl zur Durchführung dieser Aktion dem Reichsführer SS erteilt und hat zu der Geheimhaltung des Befehls gegenüber dem Reichsbevollmächtigten bemerkt, daß dies notwendig sei, weil erwiesen sei, daß bei der Dienststelle des Reichsbevollmächtigten alles herauskomme.

Ich nehme an, daß dem Führer Meldungen gemacht worden sind, die gegen Best oder gegen Angehörige seiner Dienststelle den Vorwurf der Verletzung der Geheimhaltungspflicht erheben. Mir selbst sind bisher keinerlei Tatsachen bekannt geworden, die diesen Vorwurf rechtfertigen könnten. Auch meine jetzigen Feststellungen haben keinen Anhaltspunkt dafür ergeben, daß solche Tatsachen vorliegen. Ich wäre dem Führer daher sehr dankbar, wenn er mir Kenntnis davon geben würde, von welcher Seite Meldungen der in Frage stehenden Art erstattet worden sind und welchen Inhalt sie hatten. Ich würde dann die Einleitung einer genauen Untersuchung veranlassen. Inzwischen habe ich Dr. Best bereits in mein Feldquartier beordert und habe ferner Befehl gegeben, daß seine Dienststelle in Kopenhagen sich bis auf weiteres aller dienstlichen Handlungen enthält.

Auf die von Gesandten Sonnleithner dem Führer in meinem Auftrage ferner vorgetragene Auffassung, daß der Reichsbevollmächtigte durch die Geheimhaltung der Polizeiaktion vor ihm in eine schwierige Lage sowohl den dortigen deutschen Stellen als aber besonders auch den Dänen gegenüber gekommen sei, und daß er keine Verantwortung für die Folgen der Aktion übernehmen könne, hat der Führer das erstere auch seinerseits bestätigt und im übrigen erklärt, daß der Reichsbevollmächtigte nicht die Verantwortung trage. Da der Reichsbevollmächtigte nach dem ihm seinerzeit vom Führer erteilten Auftrag die Verantwortung für die gesamte politische Entwicklung in Dänemark tragen sollte, muß ich annehmen, daß der Führer diesen Auftrag nicht mehr als gültig ansieht.

---

178 Optegnelsen er fundet hos Best i privatboligen Rydhave efter maj 1945. Dokumentet har været så betydningsfuldt for ham, at han ikke lod det blive flammernes bytte i lighed med gesandtskabets øvrige arkivalier. Dokumentet understreger, at Best *officielt* ikke var underrettet om politiaktionen forud, og dermed er det af underordnet betydning, om han uofficielt var orienteret.

Ich wäre dem Führer für eine Weisung dankbar, wie und von welcher Stelle die Dinge in Dänemark künftig verantwortlich behandelt werden sollen.

Als Vorgesetzter von Dr. Best halte ich es für meine Pflicht, bei dieser Gelegenheit zum Ausdruck zu bringen, daß Dr. Best nach meiner Auffassung die ihm übertragene Aufgabe in Dänemark in jeder Beziehung hervorragend erfüllt hat. Er hat es durch seine Tätigkeit erreicht, daß die politischen Verhältnisse in Dänemark im ganzen gesehen ohne allzu große Schwierigkeiten und den deutschen Interessen entsprechend gestaltet werden konnten. Außerdem steht es außer Zweifel, daß unter seiner Leitung in kriegswirtschaftlicher Beziehung aus Dänemark für uns ein absolutes Maximum herausgeholt worden ist. Ich kann hierfür jederzeit die Unterlagen vorlegen und weiß, daß auch die beteiligten Reichsminister, insbesondere der Reichsminister für Ernährung und Landwirtschaft, den wirtschaftlichen Leistungen Dänemarks die höchste Anerkennung zollen. Reichsminister Backe hat mir soeben mitteilen lassen, daß er die jetzt erfolgte Störung in Dänemark für seine Belange für sehr ernst ansehe.[179] Wenn dies so weiterginge, so müsse er damit rechnen, binnen kurzem die Fleischration um 50 g wöchentlich herabzusetzen.

Falls der Führer trotzdem zu Dr. Best nicht mehr das volle Vertrauen hat, möchte ich vorschlagen, ihn jetzt von seinem Posten abzuberufen.

Sollte dagegen der Führer wünschen, daß Dr. Best auf seinem Post bleibt, so werde ich mit dem Reichsführer-SS klarstellen, daß der Höhere SS- und Polizeiführer entsprechend dem ergangenen Befehl des Führers wonach er dem Reichsbevollmächtigten beigegeben ist, diesem politisch untersteht und seine politischen Weisungen von ihm erhält, während ihm seine fachlichen Weisungen von seiner heimischen Dienststelle erteilt werden. Diese Regelung gilt auch bei anderen Reichsbevollmächtigten, Reichskommißaren usw. Wenn dies anders geregelt wäre, d.h. wenn die polizeiliche Exekutive nicht dem politisch verantwortlichen Reichsvertreter unterstellt ist, sondern wenn diese auf dem Wege ihren starken Exekutivmöglichkeiten eigene Politik in Dänemark treibt, so ist eine Ausnutzung der politischen Kräfte in Dänemark, die für uns in den vergangenen Jahren für uns recht vorteilhaft gearbeitet haben, nicht mehr möglich. In einem solchen Falle würde vielmehr insbesondere im Hinblick auf das der großen Organisation der SS und des SD innewohnende Schwergewicht und der dementsprechend ihr innewohnenden Dynamik dann die Regierungsgewalt sich dort auf den Polizeisektor verlagern, was nach meiner Überzeugung dem Reichsinteresse nicht dienstlich wäre und was nur unnötig weitere polizeiliche Kräfte binden würde. Auf der anderen Seite könnten bei einer klaren Verantwortung des politischen Bevollmächtigten die an sich nicht unwilligen Dänischen politischen Kräfte für uns voll ausgenutzt werden. Ich persönlich stehe daher nach wie vor auf dem Standpunkt, daß man einen Reichsbevollmächtigten beibehalten und die politische Verantwortung ausschließlich ihm übertragen sollte. Hierzu gehört aber unbedingt die klare Unterstellung des Höheren SS- und Polizeiführers unter den Reichsbevollmächtigten und im übrigen die Ersetzung des jetzigen Höheren SS- und Polizeiführers durch eine andere Persönlichkeit, die, wie Obergruppenführer Kalten-

---

179 Backe skrev til Ribbentrop om samme sag 26. september, hvilket fremgår af Schnurre til Ribbentrop 11. oktober 1944.

brunner, Staatssekretär v. Steengracht bereits kürzlich sagte, in Aussicht genommen worden ist.[180] Denn der jetzige Höhere SS- und Polizeiführer hat hinter dem Rücken des Reichsbevollmächtigten dem Reichsführer SS die fraglichen Vorschläge gemacht. Dieses Verhalten, über dessen politische Tragweite er sich klar sein mußte, war illoyal und macht eine weitere Zusammenarbeit mit dem Reichsbevollmächtigten unmöglich.

Als außenpolitische Rückwirkung möchte ich noch darauf aufmerksam machen, daß eine Änderung des bisherigen Status in Dänemark möglicherweise Rückwirkungen in Schweden haben könnte, auf das zurzeit ein starker Englisch-Amerikanischer Druck ausgeübt wird, um nicht nur die wirtschaftlichen, sondern auch die diplomatischen Beziehungen mit uns abzubrechen, damit, wie es in einen Bericht heißt man noch den richtigen Platz am Friedensverhandlungstisch bekäme. Wenn der Abbruch der diplomatischen Beziehungen Schwedens zu uns bei einer Veränderung des Status in Dänemark auch nicht als sicher anzunehmen ist, so wäre im Hinblick auf die Aufgeregtheit der schwedischen öffentlichen Meinung über die jetzige dänische Entwicklung dies doch nicht ganz ausgeschlossen. Für uns würden sich aus einem solchen Abbruch ganz erhebliche Nachteile insofern ergeben, als uns der letzte Platz genommen würde, an dem wir im Zusammenhang mit den großen außenpolitischen Fragen heute noch tätig sein können.

*Westfalen, 23. September 1944.*

gez. **Ribbentrop**


### 272. Kriegstagebuch/WB Dänemark 23. September 1944

Efter i de foregående dage at have ønsket en magtdemonstration, var von Hanneken tilsyneladende vendt tilbage til den tidligere situation.

Kilde: KTB/WB Dänemark 23. september 1944.

[...]

Tagesmeldung: 7 Sabotageanschläge, darunter 5 Schienensprengungen in Mittel- und Südjütland und 1 Sabotage an Nachr. Mittel der Wehrmacht.

[...]


### 273. WFSt an WB Dänemark u.a. 24. September 1944

I forlængelse af tidligere retningslinjer vedrørende Hitlers ordre af 30. juli 1944 blev der givet værnemagten i de besatte områder tilladelse til at eksekvere dødsdomme ved standret over civilpersoner, der truede værnemagten, når krigssituationen ikke tillod at overgive dem til sikkerhedspolitiet.

Den tildelte ret blev ikke udnyttet af værnemagten i Danmark.

Blandt dem, der fik fjernskrivermeddelelsen til orientering, var Himmler og AA.

Kilde: BArch, Freiburg, RW 4/754. RA, Danica 1069, sp. 1, nr. 1708f. IMT, 35, s. 514. ADAP/E, 8, nr. 250 (uden opgivelse af modtagere).

---

180 Se Steengracht til Ribbentrop 4. september 1944.

WFSt/ Qu. 2 (Verw. 1)                                    24.9.1944.
Geheime Kommandosache                                10. Ausfertigungen
                                                          Ausfertigung
                    SSD – Fernschreiben

An
1.) W. Befh. Norwegen
2.) (Geb.) AOK 20
3.) W. Befh. Dänemark
4.) Ob. West
5.) W. Befh. Niederlande (zu FS Ia Nr. 4489/44 g.Kdos. v. 21.9.44)[181]
6.) Ob. Südwest
7.) Bev. General d. Dt. Wehrmacht in Italien
8.) Ob. Südost

Bezug:  OKW/WFSt/Qu. 2/(Verw. 1) Nr. 009169/44 g.K. v. 30.7.44[182]
Betr.:  Bekämpfung von Straftaten nichtdeutscher Zivilpersonen in den besetzten Gebieten.

Nach dem Führerbefehl vom 30.7.44 verdienen nichtdeutsche Zivilpersonen der besetzten Gebiete, die uns im entscheidenden Stadium unseres Daseinskampfes in den Rücken fallen, keine Rücksicht. Das muß als Richtlinie gelten für die Auslegung und Anwendung des Führererlasses selbst und des Durchführungserlasses Chef OKW vom 18.8.44.[183]
   Ist die Abgabe an den SD wegen der Kriegslage und der Verkehrsverhältnisse nicht möglich, sind andere wirksame Maßnahmen zu ergreifen. Gegen die Verhängung und Vollstreckung von Todesurteilen im standgerichtlichen Verfahren bestehen unter solchen Verhältnissen selbstverständlich keine Bedenken.
                    OKW/WFSt/Qu. 2/(Verw. 1)
                    Nr. 0011520/44 g.Kdos.
                         gez. **Keitel**


### 274. Kriegstagebuch/WB Dänemark 24. September 1944
I Bests fravær fra landet var Pancke igen hos von Hanneken for at drøfte aktion "Möwe" og hvilke foranstaltninger, der fremover skulle gribes til.
   Politiaktionen havde bragt Pancke og von Hanneken nærmere sammen; de var medvidere. Imens var Best i Tyskland for at forsvare sin position.
   Kilde: KTB/WB Dänemark 24. september 1944.

[…]

181 Trykt IMT, 35, s. 512f.
182 Trykt ovenfor.
183 Trykt ovenfor.

Besuch des Obergruppenführer[s] Pancke beim Wehrm. Bef. Besprechung über Aktion "Möwe" und künftig zu ergreifende Maßnahmen.
  182. Res. Div. bis 16.00 Uhr mit letztem Zug abgerollt.
  Tagesmeldung: 2 Schienensprengungen in Mittel-Jütland.
[…]


### 275. Konrad Engelhardt an Seekriegsleitung 25. September 1944

Engelhardt reagerede til Seekriegsleitung på Wurmbachs skrivelse af 13. september angående et lazaretskib. Engelhardt delte ikke Wurmbachs betænkeligheder vedrørende de fra dansk side stillede krav. Til gengæld mente Engelhardt ikke, at nogen af de foreslåede skibe var anvendelige som lazaretskibe.
  Seekriegsleitung skrev til Wurmbach i sagen 28. september 1944.
  Kilde: BArch, Freiburg, RM 7/1813. RA, Danica 628, sp. 7, nr. 5891f.

[?] u 1. Skl 34450/44 Geh.                                           *den 25.9.1944.*

An 1. Skl. I i zurück

Zu anliegendem Schreiben[184] wird seitens der Schiffahrtsabteilung wie folgt Stellung genommen:
  Nach hiesiger Auffassung war von vorn herein beabsichtigt, den Dänen bei der Erstellung eines Lazarettschiffes völlig freie Hand zu lassen. Die gesamte Ausrüstung sowie das Sanitätspersonal sollte aus dänischen Mitteln gestellt werden. Auch gegen das Führen der dänischen Flagge bestanden keine Bedenken. Es sollte lediglich erreicht werden, daß das Schiff nach Indienststellung in seinem Einsatz von der Deutschen Kriegsmarine gesteuert würde. Somit entspricht die Haltung der Dänen durchaus der vorgesehenen Regelung und die Bedenken des Admirals Skagerrak, daß mit einer zufriedenstellenden Lösung vorerst nicht zu rechnen sei, können von hier nicht geteilt werden.
  Die Beschlagnahme des für eine Herrichtung als Lazarettschiff dänischerseits vorgesehenen Motorschiffes "Kronprinz Olaf" muß als unzweckmäßig angesehen werden, da eine solche Maßnahme die Haltung der Dänen ungünstig beeinflussen muß und bei der derzeitigen Werftlage mit einer kurzfristigen Fertigstellung des Schiffes unter keinen Umständen gerechnet werden kann.
  Zu Ziffer 3. Es käme nur "Dronning Maud" für eine Herrichtung als Lazarettschiff in Frage. Dem steht jedoch entgegen, daß das Schiff vor einigen Wochen wegen der sehr schlechten Beschaffenheit der Maschinen aus dem Dienst der Kriegsmarine entlassen und den Dänen zurückgegeben worden ist. Nach Ansicht der Sachverständigen ist die gesamte Maschinenanlage in einem derart schlechten Zustand, daß trotz gründlicher Überholung ständig mit umfangreichen Reparaturen gerechnet werden muß. Es erscheint daher unzweckmäßig, ein solches Schiff mit größtem Arbeitsaufwand als Lazarettschiff herzurichten.

                                                          gez. **Engelhardt**


184 Wurmbachs skrivelse til Seekriegsleitung 13. september 1944.

## 276. Horst Wagner: Eventuelle Evakuierung der deutschen Volksgruppe aus Nordschleswig im Falle einer Invasion in Jütland 25. September 1944

Wagner sammenfattede de indkomne indstillinger vedrørende det tyske mindretals situation under en eventuel invasion. Uden at tage endelig stilling indstillede gruppe Inland II, at der blev taget hensyn til Jens Møllers holdning. Det kunne være fatalt, at mindretallet forlod sine hjem, det ville vanskeliggøre en tilbagevenden, og så skulle der også tages hensyn til von Hannekens militære argumenter.

Ribbentrops beslutning forelå 6. oktober, se AA til VOMI.

Kilde: PKB, 14, nr. 130.

Geheim.
Gruppe Inl. II.                                                                                     Inl. II. 2007 g.

Vortragsnotiz

Betr.: Eventuelle Evakuierung der deutschen Volksgruppe aus Nordschleswig im Falle einer Invasion in Jütland.

Nach Mitteilung der Volksdeutschen Mittelstelle steht Volksgruppenführer Dr. Möller auf dem Standpunkt, daß im Falle einer Invasion in Jütland der überwiegende Teil der deutschen Bevölkerung an Ort und Stelle verbleiben könne, da er nicht entscheidend gefährdet sei; nur einige exponierte Familien, die den Wunsch dazu äußern, müßten ins Reich evakuiert werden. Demgegenüber trägt sich die Volksdeutsche Mittelstelle mit dem Gedanken, im Invasionsfall doch eine Gesamtevakuierung durchzuführen. Sie hat das Auswärtige Amt um Stellungnahme gebeten.

Der Reichsbevollmächtigte hat in nachstehenden Drahtberichten zur Frage Stellung genommen:

1.) Nr. 1009 vom 15.9.[185] "Auf Telegramm vom 14. Nr. 1096 teile ich meine und des höheren SS- und Polizeiführers Auffassung dahin mit, daß Volksgruppe Nordschleswigs wie deutsche Bevölkerung im Reichsgebiet behandelt werden sollte. Wird deutsche Bevölkerung im Reichsgebiet bei Besetzungsgefahr evakuiert, so wäre auch Volksgruppe zu evakuieren. Wird deutsche Bevölkerung im Reichsgebiet auch bei Besetzung belassen, so wäre Volksgruppe in ihrem Gebiet zu belassen. Mit Wehrmachtsbefehlshaber ist Besprechung erst am 17. September 1944 möglich, da fernmündliche Behandlung untunlich: gegebenenfalls folgt Nachbericht."

2.) Nr. S. 11 vom 19.9.[186] "17. September konnte ich mit Wehrmachtsbefehlshaber Dänemark die im Vortelegramm Nr. 1090 vom 15. September erörterte Frage besprechen. Er spricht sich aus militärischen Gründen gegen die Maßnahmen aus, weil eine zusätzliche Belastung der Bahnen und Straßen nicht tragbar ist. Außerdem werden die Angehörigen der Volksgruppe Nordschleswig für Zwecke der Wehrmacht dienen."

Die auf das Reichsgebiet bezüglichen Bestimmungen sind in mehreren Runderlassen des Reichsministers der Innern vom 7., 8., 10. und 12.9. 1944 enthalten und lauten in

---

[185] Trykt ovenfor. Det var telegram nr. 1090, ikke 1009, som det her fejlagtigt er blevet skrevet. PKB har lavet den omvendte rettelse (!).
[186] Trykt ovenfor.

der letzten Fassung:

"Ob aus unmittelbar feindbedrohtem Gebiet, die dort nicht benötigte Bevölkerung zurückzuführen ist, unterliegt der Entscheidung des Führers, die schnellstens über den Leiter der Partei-Kanzlei einzuholen ist. Auch bei vorsorglichen Umquartierungen wegen Feindbedrohung ist in gleicher Weise zu verfahren. Gleichzeitig ist der Antrag dem Reichsführer-SS, Reichsminister des Innern, mitzuteilen, der die erforderlichen Aufnahmeräume bereitstellt.

Bei überraschender Feindbedrohung kann der RV-Kommissar selbstverantwortlich die erforderlichen Räumungsmaßnahmen auslösen, falls er keine telefonische, Fernschreib- oder Funkverbindung mit dem Leiter der Partei-Kanzlei oder dem Reichsführer-SS, Reichsminister des Innern, bekommen sollte. Über Art und Umfang der getroffenen Maßnahmen hat er den Leiter der Partei-Kanzlei und den Reichsführer-SS, Reichsminister des Innern, unverzüglich zu verständigen.

Gruppe Inland II ist der Auffassung, daß dem Standpunkt des Volksgruppenführers Dr. Möller beigepflichtet werden muß, weil:
1.) durch einen Abzug der deutschen Bevölkerung ohne entscheidende Gefährdung alter deutscher Volksboden aufgegeben würde und voraussichtlich dann schwer wiederzugewinnen wäre;
2.) bei einer etwaigen Rückkehr die Volksdeutschen sich den Dänen gegenüber in einer moralisch schwachen Position befinden werden;
3.) die vom Wehrmachtsbefehlshaber in Dänemark vertretenen Argumente berücksichtigt werden müssen.

Es wird um Weisung gebeten.
*Feldquartier, den 25. September 1944.*

Wagner

Über U.St.S. Pol. Herrn Staatssekretär zur Vorlage bei dem Herrn Reichsaußenminister.

### 277. Joachim von Ribbentrop an Werner Best 26. September 1944

Med dette telegram prøvede von Ribbentrop at stabilisere situationen ovenpå AAs prestigetab og Bests sårede professionelle stolthed. Med henvisning til Hitler slog han fast, at det var en særaktion gennemført af militære grunde. Best skulle fortsat have det politiske overordnede ansvar, også i forhold til Pancke, der kun skulle tage sig af politifaglige spørgsmål. Dermed var parterne formelt tilbage ved de spilleregler, der var blevet drøftet og mere eller mindre dikteret af RFSS efteråret 1943 (Hæstrup, 2, 1966-71, s. 80, Thomsen 1971, s. 211 med n. 29 (her er telegrammet fejlnummereret), Rosengreen 1982, s. 132f.).

Allerede før Bests tilbagekomst til København spåede *Information*, at han ville stå svagt fremover, og at Pancke ville komme til at afløse ham. Hjemkommet forsikrede Best de danske myndigheder om, at han med Hitlers tilsagn var den øverste tysker i Danmark, kunne nyhedsbureauet videre fortælle. Bureauets kilder synes i en del tilfælde at skulle findes i den danske centraladministrations top. En af kilderne var Gunnar Seidenfaden (*Information* 25., 27. og 28. september 1944, Lund 1970, s. 198).

Kilde: PA/AA R 101.040. RA, pk. 228 og 438a. LAK, Best-sagen (afskrift). ADAP/E, 8, nr. 252.

## Telegramm

| Sonderzug, den | 26. September 1944 | 18.17 Uhr |
| Ankunft, den | 26. September 1944 | 19.00 Uhr |

Nr. 2091 vom 26.9.[44.]
– RAM 1006/44 R –

An den Reichsbevollmächtigten Dr. Best.
  Kopenhagen

Über die von Ihnen berichteten Vorgänge anläßlich der Entwaffnung der dänischen Polizei habe ich dem Führer Vortrag gehalten.[187] Auf Grund hiervon teile ich Ihnen mit, daß es sich bei dieser Aktion um eine vom Führer aus militärischen Gründen angeordnete Sonderaktion handelte, die Ihre Stellung als Reichsbevollmächtigter und Ihre politische Verantwortung nicht ändern soll. Wie bisher tragen Sie auch weiterhin uneingeschränkt die politische Verantwortung für die Entwicklung in Dänemark und für die dort zu treffenden deutschen Maßnahmen.

Hinsichtlich des Ihnen laut Führeranordnung beigegebenen Höheren SS- und Polizeiführers ist durch meinen Vortrag beim Führer klargestellt worden, daß er Ihnen politisch unterstellt ist und in allen seinen Maßnahmen, die von politischer Bedeutung sind oder politische Auswirkungen haben können, nach Ihren Weisungen zu handeln hat. Da Vollzugsmaßnahmen der Polizei in einem fremden Lande in der Regel von politischer Bedeutung sind oder politische Auswirkungen haben können, fallen sie – wenn sie von Ihnen als politisch von Bedeutung angesehen werden – unter Ihr Weisungsrecht, während in allen innerdienstlichen (organisatorischen, personellen u.a.) Angelegenheiten der deutschen Polizei der Höhere SS- und Polizeiführer seine fachlichen Weisungen vom Reichsführer-SS erhält. – Ich bitte Sie, den Höheren SS- und Polizeiführer von dem Vorstehenden zu unterrichten. – Der Reichsführer-SS wird von mir im gleichen Sinne verständigt.[188]

**Ribbentrop**

*Vermerk:*
Unter Nr. 1139 an Diplogerma Kopenhagen weitergeleitet.
Tel. Ktr., 26.9.44.

---

187 Se Ribbentrops Notiz für den Führer 23. september 1943.
188 Se Ribbentrops brev til Himmler 28. september 1943.

### 278. Walter Forstmann: Rückverlagerung, Lähmung oder Zerstörung von dänischen Betrieben 26. September 1944

Som svar på Speers ordre af 15. august opgjorde Forstmann, hvad der kunne tilbageføres, lammes eller med virkning ødelægges i Danmark. Der var syv virksomheder, hvorfra der kunne tilbageføres maskiner, som kom fra tyske virksomheder eller OKH. Det ville være vanskeligere at lamme det samlede erhvervsliv, hvis det skulle ske på hver eneste bedrift. Det enkleste ville være at lamme elværkerne. Hvis landets produktionskraft skulle ødelægges, ville det kræve meget store ressourcer, da man måtte sørge for, at hver enkelt maskine på en virksomhed var destrueret. I stedet blev foreslået ødelæggelse af elværkerne, da det også ville stoppe gas, vand, industri og landbrug. Endelig måtte de tre elkabler til Sverige også ødelægges.

Som påpeget af Giltner 1998, s. 114, var det tekniske udstyr og maskinel, der fra tysk side var stillet til rådighed for dansk industri af begrænset omfang. Det var ikke i sig selv af en betydning, så det havde bidraget til en modernisering af industrien.

Kilde: RA, Tyske arkiver, pakke K599: Diverse korrespondance 15.8.44-20.8.45.

Rüstungsstab Dänemark                             *Kopenhagen, d. 26.9.1944*
Abt.: TB Az. Nr.                                   Trommesalen 2 – Vesterport

[Bez]ug:
[Betr].: Rückverlagerung, Lähmung oder Zerstörung von dänischen Betrieben.

Erst im Einvernehmen mit dem Wehrmachtbefehlshaber dürfen obige Maßnahmen vorgenommen werden.

1.) *Rückverlagerung.*
Diese erfolgt durch
a.) Abtransport der wichtigsten *deutschen* Geräte und Geräteteile (sowohl Fertigfabrikate und vorgearbeitete Teile als auch zugehörige Halbzeuge und Rohstoffe).
b.) Abtransport der zugehörigen Werkzeuge und Vorrichtungen.
*Anmerkung:* Die Auswahl der abzutransportierenden Werkzeuge, Geräte und Vorrichtungen zu Ziffer a und b muß sich auf die wichtigsten Fertigungen beschränken und wird am besten in der Reihenfolge der Dringlichkeitseinstufungen vorgenommen.
c.) Rücktransport der von den deutschen Firmen nach Dänemark verlagerten Werkzeugmaschinen (siehe Liste 1)
Die Durchführung der Rückverlagerung ist nur möglich, wenn Transportmittel und Zeit ausreichend zur Verfügung stehen.

2.) *Lähmung der Betriebe.*
Die vorübergehende Stillegung der *gesamten* Industrie, der Landwirtschaft und der Versorgungsbetriebe des Landes geschieht am einfachsten durch Stillegung der Elt-Werke. Diese erfordert entweder eine oder mehrere der folgenden Maßnahmen:
    Entfernung der Transformatoren bezw. nur der zugehörigen Ölschalter,
    Entfernung der Schalttafeln und der Hochspannungsschalter,
    Entfernung schwer ersetzbarer Teile der Gesamtanlage, z.B. der Turbinenwellen.
    Zu diesen Maßnahmen sind notwendig:

1.) ausreichende Zeit zur Durchführung des Ausbaues,
2.) ausreichende Transportmittel und Hebezeuge,
3.) Die notwendige Anzahl technisch geschulter Leute.

3.) *Zerstörung der Betriebe.*
Eine nachhaltige Zerstörung der Produktionskraft des Landes würde d.E. bei Zerstörung jedes Betriebes viel zu zeitraubend sein, da man erfahrungsgemäß jede Werkzeugmaschine einzeln zerstören muß, um sie wirklich unbrauchbar zu machen. Auch in diesem Falle ist die Zerstörung der wichtigsten Elt-Werke völlig ausreichend. Mit Zerstörung dieser Werke ist auch die weitere Inbetriebhaltung von Gas-, Wasser- und Industriewerke und der Landwirtschaftsmaschinen- und Geräte nicht möglich.

Die Zerstörung der Elt-Werke kann z.B. durch Zerstörung der Turbinenschaufeln, der Getriebe, der Kessel, der Trafoanlage und der Verteilungstafel auf Jahre gewährleistet sein.

Darüber hinaus müssen zerstört werden die 3 Schwedenkabel zwischen Helsingör und Helsingborg, die Docks und Werftanlagen (siehe Liste 3).

**Forstmann**


*Liste 1*
Es wurden zur Verfügung gestellt:

1.) Waffenarsenal
   a.) *von Fri Te We*
      5 Revolverbänke "Germania"
      3 mech. Drehbänke
      1 Zahnradhobelmaschine Fabr. Reinecker
      1 Zahnradstoßmaschine, Lorenz
      1 Zahnradfräsmaschine, Pfauter
   b.) *von Diehl, Nürnberg*
      4 Skoda-Revolver-Drehbänke RD 52
      1 Ultra-Automat
      1 Gewinderollmaschine PW 2
      3 Rotationsfräsmaschinen
      1 Gewindefräsmaschine
   c.) *von Daimler-Benz Werk 40*
      1 Rundschleifmaschine
      1 Innenschleifmaschine
      1 Zahnradstoßmaschine
      1 Ständer-Bohrmaschine
      4 Karussell-Drehbänke
      2 Bohrwerke
      1 Fräsmaschine, Röscher & Eichler
      1 Fräsmaschine, Werner

2 Revolverdrehbänke, Pittler
2 Zahnradfräsmaschinen, Mod. 6

2.) Dansk Industri Syndikat
   a.) *von Fri Te We*
      1 Revolver-Drehbank
      2 Rundschleifmaschinen – stark beschädigt
      1 Kernschleifmaschine [– stark beschädigt]
      4 mech. Drehbänke
      1 hydr. Presse – stark beschädigt.
   b.) *von Elac*
      1 Rundschleifmaschine
      2 Kugelschleifmaschinen
      8 mech. Drehbänke
      1 Gewindeschneidemaschine
   c.) *von Maget*
      1 Bohrmaschine beschädigt.

4.)[189] Fabriken FKL
   *von Maget*
      1 Revolverdrehbank 32 mm Durchgang
      2 Handhebelfräsmaschinen
      1 Sechsspindelbohrmaschine
      1 Vierspindelbohrmaschine, Spezialmaschine

5.) G. Johansens Maskinfabrik
   *von OKH Wa Prüf 10*
      2 Skoda-Revolverdrehbänke 62 mm Durchlaß
      1 Germania-Revolverdrehbank 36 mm "
      1 Batja-Fräsmaschine
      1 Heyne-Gewindefräsmaschine

6.) Aage Pedersens Maskinfabrik
   *von Telefonbau*
      1 Drehbank
      1 Shapingmaschine

7.) Dansk Automobil Byggeri, Silkeborg.
   a.) *von OKH Wa Prüf 10*
      2 Wagerecht Bohr- u. Fräswerke 70mm Spindel
      1 Radialbohrmaschine, Bohrradius 1400 mm
      1 Shapingmaschine

189 Nr. 3 er sprunget over i listen.

8.) Jeko, Ryesgade.
   a.) *von BMW*
      15 Fräsmaschinen
      2 Bohrmaschinen
      13 Schleifmaschinen
      4 Spezialmaschinen (Räum-, Läpp- u. Prüfmaschinen)
      12 Drehbänke
      12 Revolverdrehbänke


*Liste 2*
Verzeichnis der wichtigsten Elektrizitätswerke.
(Stadt- und Überlandzentralen).

a.) *Jütland*

| | |
|---|---|
| Sonderburg | Gudenaacentrale |
| Apenrade | Viborg |
| Tondern | Randers |
| Hadersleben | Grenaa |
| Esbjerg | Hobro |
| Ribe | Mariager |
| Kolding | Lögstör |
| Fredericia | Nibe |
| Varde | Aalborg |
| Vejle | Nr. Sundby |
| Horsens | Frederikshavn |
| Herning | Skagen |
| Karup | Brönderslev |
| Ringköbing | Hjörring |
| Holstebro | Liver Mölle |
| Lemvig | Thisted |
| Struer | Nyköbing |
| Skive | Bedsted |
| Odder | |
| Aarhus | |
| Silkeborg | |

b.) *Fünen*

| | |
|---|---|
| Middelfart | Brende [Brenderup?] |
| Odense | Assens |
| Svendborg | Kerteminde |
| Faaborg | Nyborg |
| | Kongshy [Kongshøj Mølle?] |

c.) *Langeland*
   Ärö
   Rudköbing
   Marstal

d.) *Falster*
   Nakskov
   Maribo
   Saksköbing
   Nyköbing
   Dannemarre
   Sdr. Örslev
   Stege

e.) *Seeland*
   Masnedövärk bei Vordingborg
   Korsör
   Haslev
   Slagelse
   Kalundborg
   Svinninge
   Isefjordvärk
   Helsingör
   Elt-Werke in Kopenhagen

*Liste 3*
Rüstungsstab Dänemark Abt. TB
Übersicht der Werften in Dänemark.

| Werftname u. Adr. | Werftgelände | | Hellinge | | | Docks und Slips | | | | |
|---|---|---|---|---|---|---|---|---|---|---|
| | a.) Betriebsgel. i. m² Davon ausgen. Davon bebaut b.) Nutzb. Kail i. m c.) Ausr. f. Schiffstg. i. m | | Anz. L i. m B i. m Ausr. f. Schiffe v. | | | Anz. Art. L i. m B i. m Tragf. i. t. Ausreichend f. Schiffe von | | | | |
| Burmeister & Wain A/S, K.K, Strandgade 4 | a.) | 55.000 — 42.000 | 1 | 115 | 16,0 | 1 | S | 170 | 21,5 | 11.000 |
| | | | 1 | 135 | 18,5 | 1 | S | 130 | 21,0 | 7.000 |
| | | | 1 | 127 | 17,0 | 1 | T | 145 | 17,0 | |
| | b.) | 450/190/130 | 1 | 155 | 21,0 | 1 | Sl | 68 | 11,3 | 1.200 |
| | c.) | 65/75/80 | 1 | 180 | 24,5 | 1 | Sl | 68 | 11,3 | 1.000 |
| | | | 1 | 155 | 21,0 | 1 | Sl | 79 | 11,9 | 1.600 |
| Nordhavns Värftet A/S Kpgh., Kalkbrænderihavns-gade | a.) | 6.000 5.000 1.000 | 1 | 67,0 | 10,0 | keine | | | | |
| | | | 1 | 36,5 | 5,4 | | | | | |
| | | | 1 | 19,8 | 3,04 | | | | | |

| | | | | | | | | | |
|---|---|---|---|---|---|---|---|---|---|
| | b.) | 66 | Alles Slips | | | | | | |
| | c.) | 4 | | | | | | | |
| Orlogswerft | a.) | 128.000 | 1 | 100 | 15 | 1 | S | 58 | 8,6 | 350 |
| Kphg., Holmen | | 128.000 | 1 | 70 | 10 | 1 | S | 44,5 | 8,3 | 240 |
| | | 32.000 | | | | 1 | S | 64 | 12 | 750 |
| | b.) | 1.500 | | | | 1 | T | 94,3 | 18 | |
| | c.) | 3,7-7,0 | | | | | | | | |
| A/S Helsingör | a.) | 61.000 | 1 | 128,4 | 16,6 | 1 | T | 99,06 | 12,80 | |
| Jernskibs- og | | 61.000 | 1 | 106,6 | 14,6 | 1 | T | 117,35 | 16,31 | |
| Maskinbyggeri | | 19.000 | | | | 1 | Sl | 85,34 | 13,26 | 2.200 |
| Helsingör | b.) | 81  71  49  102 | | | | | | | | |
| | c.) | 63  53  61  69 | | | | | | | | |
| | | 106  50 | | | | | | | | |
| | | 6,9  6,6 | | | | | | | | |
| A/S Nakskov | a.) | 73.610 | 1 | 107 | 16,5 | 1 | S | 150 | 24 | 6.800 |
| Skibsvärft, | | 73.610 | 1 | 148 | 20,4 | 1 | Sl | | | 400 |
| Nakskov | | 17.800 | 1 | 148 | 20,4 | | | | | |
| | b.) | 130/210 | | | | | | | | |
| | c.) | 4,5/5,1 | | | | | | | | |
| Svendborg | a.) | 17.960 | 1 | 76,8 | 11,58 | 1 | S | 85 | 12,0 | 3.000 |
| Skibsvärft, | | 12.031 | 1 | 76,8 | 11,58 | 1 | S | 61 | 9,2 | 11.000 |
| Svendborg | | 5.929 | 1 | 43,4 | 8,00 | | | | | |
| | b.) | 260 | | | | | | | | |
| | c.) | 3,6 | | | | | | | | |
| A. Ustrup Skibsvärft | a.) | 3.800 | 2 | 30 | 4,5 | 2 | Sl | 30 | 4,5 | 65 |
| Bröndesodde | | 3.800 | | | | | | | | |
| p. Vejle | | 1.500 | | | | | | | | |
| | b.) | 30 | | | | | | | | |
| | c.) | 2 | | | | | | | | |
| Odense Staal- | a.) | 93.241 | 1 | 110 | 21 | | | | | |
| skibsvärft, | | fast ganz | 1 | 132 | 22 | keine vorhanden | | | | |
| Odense | | 16.181 | 1 | 150 | 22 | | | | | |
| | b.) | 165 | | | | | | | | |
| | c.) | 4,5-5,0 | | | | | | | | |
| Aalborg Värft A/S | a.) | 45.000 | 1 | 91,5 | 13,4 | 1 | T | 116,0 | 17,0 Einf. | |
| Aalborg | | 45.000 | | 116,0 | 15,85 | | | | 21,0 Inne[?] | |
| | | 12.000 | | 116,0 | 19,2 | | | | | |
| | b.) | 120  80  50  90 | auf 140 zu erweit | | | | | | | |
| | c.) | 6,5  5  5,5  5 | | | | | | | | |
| | | 50  35 | | | | | | | | |
| | | 4  4 | | | | | | | | |
| Frederikshavns | a.) | 21.500 | 1 | 107 | 15,6 | 1 | S | 85,5 | 16,5 | 7.000 |
| Värft & Flydedok A/S | | 21.500 | | | | 1 | S | 30,5 | 16 | 700 |
| Frederiksh. | | 5.800 | | | | 1 | T | 91,5 | 12,5 | 3.000 |
| | b.) | 60  145  110 | | | | 1 | T | 93 | 15,6 | 4.500 |
| | c.) | 5  5  4-5 | | | | | | | | |

| | | | | | | | | | | |
|---|---|---|---|---|---|---|---|---|---|---|
| Henry Rasmussen, Svendborg | a.) | 11.145 | 6 | 30 | 4,5 | 1 | Sl | 40 | bis 7 | 150 |
| | | 7.879 | 1 | 40 | 6 | | | | | |
| | | 3.266 | 1 | 40 | bis 7 | | | | | |
| | b.) | 22  80 | | | | | | | | |
| | c.) | 2,5  2,5 | | | | | | | | |
| Kähler & Breum Korsör | a.) Arbeiten finden am Kai statt. | | Lilleö? | | | 1 | Sl | 40 | 7 | 450 |
| | | | | | | 1 | S | 93 | 25,2 | 2.700 |
| | b.) | 200 | | | | | (Marinedock) | | | |
| | c.) | 6 | | | | | | | | |
| Svejseriet Derby Aarhus | Arbeiten finden an der Pier statt. | | | | | 1 | Sl | 28 | | 300 |
| C.G. Schumann Masch. Fbk. A/S, Sonderbg. | a.) | 53.000 | 1 | 28 | 7 | 1 | Sl | 20 | 5,40 | 60 |
| | | 20.000 | | | | | | | | |
| | | 4.000 | | | | | | | | |
| | b.) | 80  80 | | | | | | | | |
| | c.) | 10  7-8 | | | | | | | | |
| Nordbjerg & Wedell, Köbenhavn Ö, Stubelöbgade | a.) | 8.540 | | | | 1 | Sl | 40 | 8 | |
| | | 8.540 | | | | 1 | Sl | 25 | 5 | |
| | | 2.978 | | | | | | | | |

Bemerkungen: Zu Schumann-Werft: Werftgelände Stocksa. Kolbe 41.000 m² wird ausgebaut, für 30 Jahre gemietet.[190]

## 279. Eberhard Reichel an Horst Wagner 26. September 1944

Reichel videregav en situationsrapport fra Sønderjylland i dagene omkring politiaktionen, som afdelingsleder i VOMI, Hans Sichelschmidt, havde fremsendt.
    Kilde: PA/AA R 100.358. RA, pk. 228. LAK, Best-sagen (afskrift).

LR Dr. Reichel

Über die Lage in Dänemark und Nordschleswig gibt SS-Hauptsturmführer Dr. Sichelschmit auf Grund seines letzten Besuches folgende Darstellung.
    Die Lage in Dänemark hat in den letzten Tagen eine entscheidende Verschärfung erfahren. Am 19.9. verhän[g]te der Höhere SS- und Polizeiführer, SS-Obergruppenführer Pancke, den polizeilichen Ausnahmezustand. Die Polizei wurde "Bis auf weiteres" außer Funktion gesetzt. Bis zum Aufbau einer neuen Polizei soll die deutsche Besatzungsmach[t] für Ruhe und Ordnung garantieren. Praktisch bedeutet diese Maßnahme, daß die dänische Polizei vollständig verschwunden ist. Auch an der Grenze steht kein uniformierter Däne mehr, sondern lediglich ein Zollbeamter in Zivil. Die deutsche Wehrmacht stellt überall starke Wachen und Streifen. Wie der Neuaufbau der Polizei gedacht ist, war in Nordschleswig noch nicht bekannt. In diesem Zusammenhang gingen Gerüchte um, daß die dänischen Freiwilligen aus der Waffen-SS herangezogen und

---

190 Se om værftet Best til AA 13. december 1944.

für Aufgaben im Inneren Dänemarks eingesetzt werden sollen.[191]

Am 21.9 wurde amtlich bekanntgegeben, daß "der illegale Teil der dänischen Polizei in Haft genommen und in ein besonderes Internierungslager in Deutschland überführt wurde, wo alle Verhafteten auf dem Seewege in bester Verfassung angekommen sind." Es soll sich hierbei um 1.800 Polizisten handeln. Diese Maßnahmen gegen die Polizei hatten sich als notwendig erwiesen, da die Polizei keinerlei Schutz gegen das Treiben der Terroristen bot, sondern im Gegenteil weitgehend mit ihren unter einer Decke streckte.

In Nordschleswig kam es in der Zeit vom 15.-18.9 zu einem groß angelegten Streik, wie er bisher dort noch nicht bekannt war. Anlaß war die Verschickung von 200 dänischen Insassen des Konzentrationslagers Fröslev ins Reich, die als Maßnahme gegen die verstärkten Morde und Sabotageakte in Dänemark erfolgte. Das Lager Fröslev liegt im Kreis Apenrade, so daß von hier der Streik ausging und auch seinen Höhepunkt erreichte. In Apenrade waren fast sämtliche Ge[sch]äfte geschlossen, leider schlossen sich auch viele deutsche Geschäfte auf Druck hin dem Streik an. In Tondern dagegen blieben die deutschen Geschäfte geöffnet. In Hadersleben gingen ein großes Kaufhaus und ein Gasthaus in die Luft,[192] in Sonderburg bleib es verhältnismäßig still.

Es hatte zunächst den Anschein, daß sich der Streik zum Generalstreik auswachsen würde. Es kam jedoch nicht so weit, angeblich weil Christmas Möller über den englischen Rundfunk den Befehl zum Abbruch des Streikes gegeben hatte, da die Zeit noch nicht reif sei.[193] Am 23.9. waren jedoch noch die meisten Verkehrsverbindungen in Dänemark stillgelegt, die Telefonverbindungen funktionierten.

Die Volksgruppe ist mit etwa 2.000 Männern und Frauen zum Bau eines Panzergrabens quer durch Jütland, etwa auf der Höhe von Hadersleben, angetreten.[194] Dieser Einsatz gestaltete sich für die Volksgruppe sehr positiv.

Dr. Möller hält eine vorsorgliche Evakuierung der Volksgruppe nicht für angebracht. Sie kommt auch deshalb schon nicht in Frage, weil ein Teil der Kopenhagener Dienststellen und die deutschen Familien aus den Gro[ß]städten, sowie die Freiwilligen der dänischen Nationalsozialisten und Freiwilligen nach Nordschleswig evakuiert waren. In Apenrade sind bisher untergebracht: das Wehrbezirkskommando "Ausland," die Arbeitsvermittlungsstelle, in Tondern: das Kopenhagener Büro der Nordischen Gesellschaft, in Sonderburg: eine Postprüfstelle der Abwehr. Diesen Maßnahmen liegt die Vermutung zugrunde, daß eine Invasion sich in erster Linie gegen die Insel Seeland richten würde. Dr. Möller wünscht lediglich die Festlegung eines Aufnahmegebietes im Reich, das den Familien genannt werden kann, die sich gefährdet fühlen und deshalb ins Reich wollen. – Auch diese Familien wird man aber nicht vor Beginn einer Invasion ins Reich nehmen können, da sonst dadurch die übrigen Maßnahmen das Reiches in Dänemark illusorisch

---

191 Se Pancke til RFSS 27. september 1944.

192 Den 20. september blev modehuset Hundevadt og gæstgiveriet Apollo ødelagt af brandbomber (RA, BdO Inf. nr. 82, 23. september 1944).

193 Det var Danmarks Frihedsråd og ikke blot John Christmas Møller, der havde opfordret til en tidsbegrænset strejke.

194 Det var den 1. september beordrede stilling "Kreimhild," der var tale om. Se Forstmann til mindretalsledelsens kontor 7. september.

würden. Ob nach Einsetzen der Invasion allerdings eine Evakuierung ins Reich noch möglich sein wird, ist mehr als fraglich.

Sämtliche KLV-Lager in Dänemark, auch in Nordschleswig sind ins Reich zurückgeführt worden.[195]

Hiermit dem Herrn Gruppenleiter Inland II mit der Bitte um Kenntnisnahme vorgelegt.

*Berlin, den 26. September 1944*

(Reichel)


### 280. Herbert Backe an Joachim von Ribbentrop 26. September 1944

I et brev til Ribbentrop understregede Backe de danske leverancers betydning for Tyskland, især landbrugseksporten. Brevet er ikke lokaliseret, men det blev refereret i Schnurres optegnelse til Ribbentrop 11. oktober.

Backe gav endnu engang sin fulde støtte til den af Best og Walter fulgte politiske kurs i Danmark.


### 281. Werner Best an das Auswärtige Amt 27. September 1944

Best havde fået besked om, at RFM havde beordret, at udgifterne til Deutsche Reichsbahn i Danmark udgjorde indre besættelsesudgifter i Danmark, og at Best derfor skulle lade dem betale af sin konto over kredit. Det afviste Best og bad om at få det undersøgt for at få en berigtigelse.

AA støttede Bests synspunkt og oversendte 11. oktober en kopi af Bests brev til RFM.

Se Schwerin von Krosigks svar til AA 30. november 1944.

Kilde: BArch, R 2/288. BArch, R 901 113.555. RA, pk. 271. RA, Danica 201, pk. 81, læg 1080.

Der Reichsbevollmächtigte in Dänemark     *Kopenhagen, den 27. September 1944*
III/10430/44

An das Auswärtige Amt
Berlin

Betr.: Übernahme der Kosten des Reichsbahnpersonals auf die für die Zwecke der deutschen Polizei usw. bereitgestellten Besatzungsmittel.

Die Deutsche Reichsbahn, Eisenbahnabteilung des Reichsverkehrsministeriums, Berlin, hat dem Bahnbevollmächtigten der Deutschen Reichsbahn für Dänemark in einem Schreiben mitgeteilt, daß der Reichsminister der Finanzen mit Erlaß vom 24. Juni 1944[196] – Ve 6042 Dän 2 V – die folgende Entscheidung getroffen hat:

"Die durch den Einsatz der Reichsbahnbediensteten in Dänemark (d.Kr) entstandenen Kosten stellen innere Besatzungskosten dar. Die Besatzungskosten in Dänemark

---

195 Se *Politische Informationen* 1. december 1944, afsnit VI.1.
196 Skrivelsen er i afskrift i RA, Danica 201, pk. 81A.

werden durch "Kredite" der Dänischen Nationalbank finanziert. Der Bevollmächtigte des Deutschen Reiches in Dänemark hätte die Kosten, die durch den Einsatz der Reichsbahnbediensteten in Dänemark entstehen, aus dem Besatzungskosten, "Kredit" zur Verfügung zu stellen."

Hierzu ist zu bemerken, daß die Kosten des hier in Dänemark beschäftigten Reichsbahnpersonals (zur Zeit etwa 500 Mann) bisher aus den der Wehrmacht zur Verfügung stehenden Besatzungsmitteln bestritten wurden. Die Inanspruchnahme der Wehrmachtbesatzungsmittel war folgerichtig, da das Bahnpersonal zur Sicherung der Wehrmachttransporte, also für rein militärische Zwecke, in Dänemark eingesetzt ist. Eine Inanspruchnahme der für die Zwecke der deutschen Polizei usw. zu meiner Verfügung gestellten Besatzungsmittel kommt deshalb m.E. nicht in Betracht.

Ich bitte, die oben erwähnte Entscheidung des Reichsfinanzministers, die ohne Beteiligung der zuständigen Stellen ergangen ist, nachprüfen zu lassen und, falls es dort für erforderlich gehalten wird, eine Berichtigung herbeizuführen.

gez. **Best**


Durchdr. als Konzept (Zi)
Reinschr. 1b.
*Berlin, den 11. Oktober 1944*

Unter Abschr. d. Eingangs ist zu setzen:
zu Ha Pol VI 2706/44
Ref.: LR Baron v. Behr

Abschriftlich dem Reichsfinanzministerium mit der Bitte um Kenntnisnahme übersandt.

Das Auswärtiges Amt teilt die Ansicht des Reichsbevollmächtigten und wäre für eine entsprechende Abänderung des in Rede stehenden Erlasses dankbar.

Im Auftrag
gez. **v. Behr**


## 282. Paul von Behr an Georg Ripken 27. September 1944

Walter havde kontaktet von Behr forud for sin forestående rejse til forhandlinger i det tysk-danske regeringsudvalg. Walter foreslog, at von Behr kom til København og nogle dage deltog i forhandlingerne for at AA kunne få et indtryk af situationen efter de senest indtrufne begivenheder og kunne give en beretning om de farer, der var for tyske interesser.

Med de seneste begivenheder hentydede Walter til aktionen mod det danske politi, som havde sat ikke kun Best, men også Walter i bevægelse for at beskytte de tyske interesser i Danmark.

Notatet er påført Ribbentrops bemærkning om, at von Behr skulle deltage i de forestående forhandlinger.

Kilde: RA, pk. 270 (med håndskrevne tilføjelser af von Behr og Ribbentrop).

Leg. Rat. Baron von Behr.   e.o. Ha Pol VI 2644/44

Betrifft: Verhandlungen der deutsch-dänischen Regierungsausschüsse in Kopenhagen.

Wie mir Min. Dir. Walter heute mitteilte, reist er am 2. Oktober nach Kopenhagen, um am 4. dort die Verhandlungen mit dem dänischen Regierungsausschuß aufzunehmen. Neben zahlreichen Themen der üblichen Quartal-Jahresbesprechung bildet den Gegenstand der Verhandlungen die wichtige Frage der Festsetzung der dänischen Fleisch-, Butter-, Fisch- etc. Lieferungen im Wirtschaftsjahr 1.10.1944-30.9.1945.[197] Aus dem gewerblichen Sektor werden Fragen über rückständige deutsche Lieferungen von Eisen, Blechen, Verpackungsmaterial etc. erörtert werden, schließlich auch einzelne noch nicht geklärte Fragen des Verrechnungsverkehrs.

Min. Dir. Walter erklärte, er lege Wert darauf, daß ich an den Verhandlungen teilnähme, zum mindesten für die Dauer von 3-4 Tagen. Es sei seiner Ansicht nach wichtig, daß ich dem Auswärtigen Amt aus eigener Anschauung über die durch die letzten Ereignisse in Kopenhagen geschaffene Lage und über die sich für unsere Bezüge aus Dänemark ergebenden Gefahren berichte.

Ich habe Min. Dir. Walter unter Hinweis auf die Spannung mit Schweden und die Möglichkeit weiterer Diskriminierungen durch Schweden gesagt, daß es mir kaum möglich sein dürfte, nach Kopenhagen zu reisen. Ich würde die Angelegenheit meinem Vorgesetzten zur Entscheidung vorlegen. Meines Erachtens ist für die Verhandlungen über Fragen des gewerblichen Sektors die Anwesenheit von Min. Rat Ludwig in Kopenhagen notwendig. Min. Rat Ludwig sagte mir, er würde auf 2-3 Tage nach Kopenhagen reisen, jedoch nur, falls ich nicht nach Kopenhagen ginge.

Hiermit Herrn VLR Ripken weisungsgemäß mit der Bitte um Entscheidung vorgelegt

*Berlin, den 27. September 1944*

**von Behr**

(für den Fall, daß ich reisen soll, füge ich 1 Anhang bei)[198]


Baron v. Behr

Ich halte Ihre Teilnahme an den bevorstehenden Verhandlungen für notwendig und bitte sich entsprechen darauf einzurichten.[199]

R

---

197 Med von Behrs håndskrift tilføjet: "und die sehr schwierige Frage d[er] Versorgung Norwegens mit dän[ischen] Lebensmitteln". Der vedligger ikke et tillæg.
198 Tilføjet af von Behr.
199 Ribbentrops påførte ordre til von Behr.

## 283. Walter Forstmann an Werner Best 27. September 1944

Forstmann havde været til møde med Best, hvorunder Best havde ønsigt en oversigt over de rustningskontrakter (A-aftaler), der var indgået med danske firmaer siden april 1940. Forstmann fremsendte samme dag oversigten med status 31. august 1944 og opdelt i to tidsperioder: Før og efter 31. december 1942. Oversigten viser, at andelen af både indgåede og afsluttede kontrakter gennemsnitligt var højere efter 31. december 1942 end før.

Det er sikkert Best selv, der ønskede denne tidsopdeling. Den dokumenterede, at Rüstungsstab Dänemark havde haft større succes i Bests embedsperiode end forud, og det trods sabotager og andre forstyrrelser. Best lod oplysningerne indgå i *Politische Informationen* 1. oktober 1944 (Bests kalenderoptegnelser 27. september 1944).

Kilde: BArch, Freiburg, RW 27/16. KTB/Rü Stab Dänemark 3. Vierteljahr 1944, Anlage 31.

Abschrift!
Chef Rüstungsstab Dänemark                                      *Kopenhagen, den 27. Sept. 1944.*

An den Herrn Reichsbevollmächtigten in Dänemark
    SS Obergruppenführer Dr. Best
    Kopenhagen

Betr.: Besprechung am 27.9.1944 mit Kapitän z. See Forstmann

*Stand der Fertigung:*
a.) *mittelbare und unmittelbare Wehrmachtaufträge (A-Aufträge)*
    Gesamtverlagerung nach Dänemark vom 9. April 1940 – 31. August 44     RM 562.187.144,-
    Auftragsbestand am 31. Aug. 1944 an noch zu erledigenden Aufträgen     RM 167.014.582,-
    Auslieferung demnach etwa 70 % der Gesamt-Auftragssumme.
b.) Vom 1. Mai 1940 – 31. Dezember 1942 war der durchschnittliche Auftragseingang pro Monat (A-Aufträge)     RM 9.926.000,-
    Vom 1. Januar 1943 – 31. August 1944 war der durchschnittliche Auftragseingang pro Monat (A-Aufträge)     RM 13.717.303,-
c.) Vom 1. Mai 1940 – 31. Dezember 1942 war die durchschnittliche Auslieferung pro Monat (A-Aufträge)     RM 7.243.000,-
d.) Vom 1. Januar 1943 – 31. August 1944 war die durchschnittliche Auslieferung pro Monat (A-Aufträge)     RM 9.632.811,-
e.) Außerdem wurden nach Dänemark über den Rüstungsstab Aufträge des kriegswichtigen zivilen Bedarfe verlagert (C-Aufträge)
    Gesamtverlagerung nach Dänemark vom 9. April 1940 – 31. Juli 1944 (C-Aufträge)     RM 75.637.355,-
    Auftragsbestand am 31. August 1944 an noch zu erledigenden Aufträgen (C-Aufträge)     RM 26.772.488,-
    Auslieferung der C-Aufträge demnach rd. 65 % der Gesamtverlagerungssumme.

gez. **Forstmann**

## 284. Seekriegsleitung Adm Qu VI an Seekriegsleitung 27. September 1944

Seekriegsleitungs skibsfartsafdeling mente ikke, at man skulle affinde sig med OKW/WFSts beslutning vedrørende forberedelse af havnødelæggelser. Atter blev udskibningshavnenes betydning nævnt, foruden Ålborg også Århus havn. Med sprængstof i havneanlæggene kunne et lyn, en sabotør eller uforsigtighed forårsage ubodelig skade. Det blev foreslået Seekriegsleitung igen at henvende sig til WFSt for at få lavet en organisation, der på rette tid kunne sørge for sprængning af havnene.

Den 20. oktober havde skibsfartsafdelingen endnu ikke hørt fra Seekriegsleitung og henvendte sig på ny i sagen.

Kilde: BArch, Freiburg, RM 7/1812. RA, Danica 628, sp. 7, nr. 5737f.

+KR MBEB 02557 27/9 19.00 =
M AÜ = KR 1. Skl. =
GLTD KR 1. Skl. = KR nachr. OKW Heimatstab Skandinavien = gKdos

Vorg: OKW/WFStB op 0011501/44 gKdos v. 22/9[200] und 1 Skl. Ic 29217 gKdos v. 22/9.
Betr.: Streik in Aalborg.

Entscheidung WFStB kann in keiner Weise befriedigen. Sie trifft nicht das Hauptproblem, nämlich die Gefährdung des Hafens durch Anbringung von Sprengstoff in den Sprengkammern. Es wird darauf hingewiesen, daß die Häfen Aarhus und Aalborg ausschlaggebend für die Versorgung Norwegens und besonders für den Nachschub der Uboote sind. Wenn man jetzt in den [be]iden Häfen Sprengstoff zum sprengen der Hafenanlagen anbringt, so genügt nach den Erfahrungen z.B. in Italien ein Blitz, ein Saboteur oder eine Unvorsichtigkeit dazu, um den Hafen sofort unbrauchbar zu machen, abgesehen von den eintretenden Menschenmaterial und Schiffsverlusten. Es wird vorgeschlagen, daß 1. Skl in dieser Richtung noch einmal beim WFStB vorstellig wird. Die Gefährdung der Häfen durch die gefüllten Sprengkammern im Hafen erscheint unverantwortlich. Durch eine geeignete Organisation müßte sichergestellt sein, daß bei Feindannäherung die Häfen trotzdem rechtzeitig gesprengt werden.

OKM Skl Adm Qu VI 6982/44 gKdos Seetrchef
f. d. Wehrmacht (Bism.)


## 285. Werner Best an Joachim von Ribbentrop 27. September 1944

På baggrund af von Ribbentrops brev 26. september gav Best HSSPF et sæt retningslinjer i fire punkter, som han skulle efterleve, så Best igen kunne varetage det overordnede politiske ansvar. Det indebar bl.a., at Pancke skulle ophæve de af ham udstedte forordninger siden 19. september, og at han skulle overlade forhandlingerne med den danske centraladministration til Best. Ribbentrop fik tilsendt Bests henvendelse til Pancke.

Pancke svarede endnu samme dag, se Bests telegram nr. 1121 nedenfor.
Kilde: PA/AA R 101.040. RA, pk. 228 og 438a. LAK, Best-sagen (afskrift).

---

200 Trykt ovenfor.

## Telegramm

Kopenhagen, den        27. September 1944        10.40 Uhr
Ankunft, den           27. September 1944        11.15 Uhr

Nr. 1120 vom 27.9.44.                            Supercitissime!

Für Herrn Reichsaußenminister persönlich!
Unter Bezugnahme auf das Telegramm Nr. 1139[201] vom 26.9.44 berichte ich, daß ich dem hiesigen Höheren SS- und Polizeiführer das Telegramm mit dem folgenden Begleitschreiben bekanntgegeben habe:
Auf Grund dieses Telegramms und auf Grund der mir vom Herrn Reichsaußenminister mündlich erteilten Weisungen teile ich Ihnen weiter folgendes mit:
1.) Der Herr Reichsaußenminister wünscht die sofortige Aufhebung des von Ihnen verkündeten "polizeilichen Ausnahmezustandes."
   Der Herr Reichsaußenminister ist der Auffassung, daß es einen "polizeilichen Ausnahmezustand" überhaupt nicht gibt, und daß Sie nicht berechtigt waren, die Übernahme der "vollziehenden Gewalt" bekanntzugeben, da nach den hierfür bestehenden Bestimmungen nur die Wehrmachtbefehlshaber unter bestimmten Voraussetzungen befugt sind, "vollziehende Gewalt" gemäß den erwähnten Bestimmungen auszuüben.
2.) Aus den gleichen Gründen sind die von Ihnen seit dem 19.9.1944 erlassenen Verordnungen unwirksam.
   Ich bitte um Mitteilung, welche Einzelanordnungen aus den von Ihnen erlassenen Verordnungen Sie weiterhin für notwendig halten, damit ich prüfen kann, ob ich diese Anordnungen auf Grund des mir vom Führer verliehenen Verordnungsrechtes erlasse.
3.) Da die Verhandlungen mit der dänischen Zentralverwaltung über die dänische Polizei von grundlegender politischer Bedeutung sind, muß ich Sie selbst führen. Ich bitte Sie deshalb, von weiteren Verhandlungen mit der dänischen Zentralverwaltung bis auf weiteres abzusehen.
4.) Da für meine Verhandlungen mit der dänischen Zentralverwaltung und für ihre politischen Auswirkungen die Frage des festgenommenen Angehörigen der dänischen Polizei von wesentlicher Bedeutung sein wird, ersuche ich
   a.) um umgehende Mitteilung, wo sich zur Zeit sämtliche festgenommenen Angehörigen der dänischen Polizei befinden,
   b.) um vollständige Mitteilung der Ergebnisse der gegen die leitenden Polizeibeamten geführten Untersuchungen:
      "Um die in dem anliegenden Telegramm vom 26.9.44 enthaltenen Weisungen des Herrn Reichsaußenministers befolgen zu können, ersuche ich Sie um rechtzeitige Unterrichtung über alle geplanten Vollzugsmaßnahmen der deutschen Polizei in Dänemark, soweit es sich nicht um laufende Angelegenheiten

---
201 Sonderzug 2091. Trykt ovenfor.

handelt, sowie um Unterrichtung über alle durchgeführten Vollzugsmaßnahmen und ihre Ergebnisse."

Den Wehrmachtsbefehlshaber Dänemark habe ich ebenfalls von den mir erteilten Weisungen unterrichtet und ihn gebeten, künftig alle unter mein Weisungsrecht fallenden polizeilichen Fragen nur noch mir und nicht mehr – wie bisher – unter Umgehung meiner Person mit dem Höheren SS- und Polizeiführer zu verhandeln.

Mit der dänischen Zentralverwaltung werde ich heute in Verbindung treten und mich über die gegenwärtige Situation der dänischen Verwaltung und über ihre sachlichen Notwendigkeiten unterrichten lassen. Über das Ergebnis werde ich unverzüglich berichten.

**Dr. Best**

## 286. Werner Best an Joachim von Ribbentrop 27. September 1944

Best meddelte von Ribbentrop, at HSSPF ikke ville følge de ham via Ribbentrop givne anvisninger, før han havde konsulteret RFSS. Best spurgte, hvad han skulle gøre i den situation.

Før Best nåede at få svar derpå fra AA, fik han selv afsendt telegram nr. 1125, der foregreb svaret.

Kilde: PA/AA R 101.040. RA, pk. 228 og 438a. LAK, Best-sagen (på dansk).

### Telegramm

| Kopenhagen, den | 27. September 1944 | 20.20 Uhr |
| Ankunft, den | 27. September 1944 | 21.00 Uhr |

Nr. 1121 vom 27.9.44.                                    Supercitissime!
                                                          Mit Vorrang!

Für Herrn Reichsaußenminister persönlich.

Der Höhere SS- und Polizeiführer SS-Obergruppenführer Pancke hat mir soeben mitgeteilt, daß er den in dem Telegramm des Herrn Reichsaußenministers Nr. 1139[202] vom 26.9.1944 erteilten Weisungen und den von mir auf Anordnung des Herrn Reichsaußenministers an ihn gerichteten Ersuchen nicht nachkommen werde, bevor er zu jedem Punkt entsprechende Anordnungen des Reichsführers-SS erhalte. Damit ist die politische Unterstellung des Höheren SS- und Polizeiführers unter den Reichsbevollmächtigten und mein politisches Weisungsrecht gegenüber dem Höheren SS- und Polizeiführers zunächst undurchführbar. Ich bitte um Weisung, wie ich mich hierzu verhalten soll.

**Best**

*Vermerk.*
Unter Nr. 3969 an Sonderzug [Westfalen] weitergeleitet.
Telko, 27.9.44.

---

202 Sonderzug 2091. Trykt ovenfor.

## 287. Heinrich Himmler: SS-Befehl über die Führung in der Bandenbekämpfung 27. September 1944

RFSS beordrede ledelsen af bandebekæmpelsen forenklet for at spare mandskab. Bandebekæmpelsen blev samtidig på grund af den ændrede situation udstrakt til at omfatte alle områder, hvor der var en HSSPF. Der skulle ikke oprettes nye stabe til bandebekæmpelsen, de bestående stabe skulle indskrænkes. I stedet skulle HSSPF betjene sig af stabene fra BdO (Umbreit 1999, s. 156).

Hvordan ordren blev fulgt op i Danmark, er ukendt. BdO var allerede involveret i bandebekæmpelsen ved at stille mandskab til rådighed, ligesom BdO-staben formodentlig deltog i planlægningen af aktioner. BdOs dagbog afslører ikke ændringer i samarbejdet mellem BdS og BdO på dette tidspunkt. Det kan hænge sammen med, at Pancke netop i disse dage var nødt til at udbygge sin bandebekæmpelsesorganisation (med HIPO) efter det danske politis fjernelse.

Kilde: BArch, Freiburg, RH 19 II/243.

Abschrift
Der Reichsführer-SS                                          *F.Kdo.St., den 27.9.1944.*
Chef BKV Ia Tgb. Nr. 1585/44 g.Kdos.              Geheime Kommandosache!
                                                                                 140 Ausfertigungen
                                                                       50 Abschriften von 1. Ausfertigung
                                                                                      8. Abschrift

S S - B e f e h l
über die Führung in der Bandenbekämpfung.

1.) *Die Führung in der Bandenbekämpfung* muß entsprechend der veränderten Lage und unter dem Zwang zum Einsparen von Kräften vereinfacht werden.

2.) *Die Grundsätze der Führung* in der Bandenbekämpfung sind in der durch Chef BKV bearbeiteten und durch OKW herausgegebenen Vorschrift "Bandenbekämpfung" (OKW Merkblatt 69/2) enthalten. Das Befolgen der Führungsgrundsätze ist eine wesentliche Voraussetzung jeder Vereinfachung.

3.) Die *Verantwortung* für die Bandenbekämpfung liegt in den Gebieten mit ziviler Verwaltung allein bei den Höheren SS- und Polizeiführern. Da mit einem Übergreifen der Bandentätigkeit auch auf bisher unberührte Gegenden gerechnet werden muß, sehe ich davon ab, in Zukunft bestimmte Gebiete zu Bandenkampf-Gebieten zu erklären. Ich dehne vielmehr die Weisungsbefugnis des Chefs BKV auf die Gebiete aller Höheren SS- und Polizeiführer (auch im Reiche) aus.

4.) Die *höhere Führung* in der Bandenbekämpfung haben die SS- und Polizeiführer. Ihre Aufgaben sind:
   a.) Steuerung das Gesamteinsatzes,
   b.) Erfassung aller Kräfte, auch der außerhalb der SS und Polizei,
   c.) Führung von Groß-Unternehmen (von Divisionsstärke an aufwärts).

5.) Die *Kampfführung* liegt in Händen der nachgeordneten Führer (SS- und Polizeiführer, Kommandeure der Schutzpolizei, Kommandeure der Gendarmerie, Kampfgruppenkommandeure, Regimentskommandeure und Bataillonskommandeure).

Die Höheren SS- und Polizeiführer haben die Gebiete, für die die nachgeordneten Führer verantwortlich sind, abzugrenzen und die Kampfaufträge zu befehlen.

6.) *Führungsstäbe* für die Bandenbekämpfung sind nicht neu zu schaffen, bestehende abzuhauen. Der SS- Befehl Ia Nr. 336/43 gKdos vom 7.9.43 wird aufgehoben. Die Höheren SS- und Polizeiführer bedienen sich der BdO-Stäbe, die nachgeordneten Führer ihrer schon sonst planmäßig vorhandenen. Für den Ic-Dienst dürfen aus den Kräften der BdS geeignete Führer abgeordnet werden.

7.) *Meldungserstattung* entsprechend der Vorschrift "Bandenbekämpfung". Der Chef BKV erläßt die notwendigen Ausführungsbefehle. Auf größte Vereinfachung und Beschleunigung kommt es mir an. Meldungen, die allein statistischen Zwecken dienen, haben zu unterbleiben.

8.) *Ausbildung* der zur Bandenbekämpfung eingesetzten Kräfte ist dringend erforderlich. Die Grundsätze der Vorschrift "Bandenbekämpfung" müssen allen eingehämmert werden.

9.) Von den *Bandenkampfverbänden* und auch allen übrigen in der Bandenbekämpfung tätigen Führern und Männern erwarte ich weiterhin größten Eifer und höchste Einsatzbereitschaft. Irgendwelche formalen Schwierigkeiten, Zuständigkeitsfragen u.ä. müssen hinter der Forderung einer schnellen und gründlichen Vernichtung des Bandenunwesens zurücktreten.

10.) Die durch Fortfall der bisherigen besonderen Stäbe für Bandenbekämpfung frei werdenden Führer und Männer sind, wenn sie Erfahrung in der Bandenbekämpfung haben, in die BdO-Stäbe im Austausch gegen andere einzugliedern, sonst den Bandenkampfverbänden zuzuführen. Chef Ordnungspolizei veranlaßt das Erforderliche im Benehmen mit Chef BKV und den Höheren SS- und Polizeiführern.

gez. H. Himmler

F.d.R.
gez. Bühnemann
SS-Sturmbannführer.
F.d.R.d.A.
Meister d. SchP.
Verteiler im Entwurf.


### 288. Günther Pancke an Heinrich Himmler 27. September 1944

HSSPF skrev til RFSS om sin plan for organiseringen af et politi og om forbryder- og sabotagebekæmpelsen efter det danske politis fjernelse. Han ville danne et fælles dansk-tysk gendarmerikorps, der skulle have støttepunkter over hele landet. Han regnede væsentligst med at rekruttere tidligere eller nuværende danske SS frivillige. For at få planen realiseret bad han Himmler give Berger de fornødne ordrer og få Germanische Leitstelle underlagt.

Himmler reagerede ved at lade Berger tage stilling til Panckes brev (fremgår af påtegningen: "Berger z. Stellung"). Berger svarede 11. oktober efter at have modtaget en kopi af brevet fra Rudolf Brandt.

Pancke udnyttede Schalburgkorpset som supplerende politi efter 19. september og lod oprette de i brevet nævnte støttepunkter for det nogle steder på Sjælland og Jylland, hvorfra det udøvede patrulje og vagttjeneste (Monrad Pedersen 2000, s. 138). Endvidere blev Danmark af tysk politi opdelt i fire politikredse med hver sin SS- und Polizeibezirksführer. Oven i dette kom oprettelsen af HIPO-korpset.

Kilde: IfZG MA 300, nr. 583.216f. RA, Danica 1069, sp. 6, nr. 7060f. RA, pk. 443.

Der Höhere SS- und Polizeiführer in Dänemark          O.U. den 27. September 1944
                                                                          Geheim
An den Reichsführer-SS
   Feldkommandostelle

*Reichsführer!*
Durch den passiven Widerstand der dänischen Regierung besteht keine Aussicht eine loyale Ordnungspolizei in Dänemark aufzubauen. Es werden lediglich kommunale Polizeien errichtet, die von den SS- und Polizei-Gebietsführern beaufsichtigt und kontrolliert werden, die ich hier eingesetzt habe. Auch der Aufbau einer modernen Reichskriminalpolizei wird an dem Widerstand der Regierung scheitern, sodaß ich in der Kopenhagener Kriminalpolizei, die auch als Kommunalpolizei aufgezogen wird, eine Zentralstelle schaffen muß. Im großen und ganzen interessieren mich diese Polizeien nur in soweit, als sie auch den deutschen Interessen hier dienen. Für die Verbrecherbekämpfung wird die deutsche Ordnungspolizei mit der Sicherheitspolizei zusammen in erster Linie durch Gross-Razzien eine vorbeugende Verbrecherbekämpfung durchführen, indem alle Sozialen- und Gewohnheitsverbrecher durch vorbeugende Inhaftnahme aus der Bevölkerung herausgezogen werden sollen. Darüber hinaus beabsichtige ich jedoch eine besondere Sabotagebekämpfung durch eine deutsch/dänische freiwillige Gendarmerietruppe aufzunehmen. In diesem freiwilligen Gendarmeriekorps sollen deutschfreundliche und nationalsozialistische Dänen unter deutscher Führung die Sabotagebandenbekämpfung durchführen.
   Ich beabsichtige, an den wichtigsten Punkten über das Land verstreut Stützpunkte in etwa Zugstärke zu errichten, in denen die Kommandos unter Führung eines Zugführers kaserniert werden und durch Streifen bei Tag und Nacht die Sabotagegruppen aufspüren und bekämpfen. Sie hätten in engster Zusammenarbeit mit dem Sicherheitsdienst einen lokalen Spitzel- und Aufklärungsdienst einzurichten und zu versuchen, die Sabotagegruppen in einen Hinterhalt zu locken und rechtzeitig zuzuschlagen. Außerdem hätte dieses freiwillige Gendarmeriekorps die Aufgabe, bei inneren Unruhen und Streiks zur Verstärkung der deutschen Ordnungspolizei die Maßnahmen durchzuführen, die notwendig sind, um in kürzester Zeit wieder Ruhe und Ordnung herbeizuführen. Die Stützpunkte beabsichtige ich insbesondere an den strategisch wichtigen Eisenbahnstrekken, Depots und sonstigen wichtigen Objekten zur Rundumverteidigung eingerichtet, anzulegen.
   Als Grundstock und für die Führer- und Unterführerbesetzung stelle ich mir dänische SS-Freiwillige vor, die heute noch im Reich in den verschiedensten Dienststellen und E-Bataillonen sich befinden. Nachdem ich gehört habe, daß SS-Obergruppenführer Berger den Gedanken haben soll, dänische SS-Freiwillige zur Verteidigung ihrer Heimat sogar aus der Front und auch aus den Heimatdienststellen abzulösen und für den Einsatz in Dänemark freizustellen, wäre ich Ihnen, Reichsführer, sehr dankbar, wenn Sie einen entsprechenden Befehl dazu erteilen würden. Nach der Aktion ist die Niedergeschlagenheit der deutschfreundlichen Dänen völlig gebrochen, sodaß ich glaube, auch hier eine genügende Anzahl Freiwilliger für diesen Zweck zu erhalten. Es erleichtert

die Werbung natürlich sehr, daß die Freiwilligen zunächst nicht außerhalb Dänemarks Verwendung finden sollen.

Bei dieser Gelegenheit bitte ich Sie, Reichsführer, darauf hinweisen zu dürfen, daß die Germanische Leitstelle in Kopenhagen trotz mehrerer Vorstellungen bei SS-Obergruppenführer Berger noch immer dem Reichsbevollmächtigten in Dänemark politisch unterstellt ist. Es ist dies ein unhaltbarer Zustand und ich wäre Ihnen dankbar, wenn Sie auch in dieser Hinsicht Befehl erteilen würden, die Germanische Leitstelle dem Höheren SS- und Polizeiführer in Kopenhagen voll und ganz zu unterstellen. Bei der Aufstellung des freiwilligen Gendarmeriekorps brauche ich die Mitarbeit der Germanischen Leitstelle uneingeschränkt, da sie in erster Linie die Verbindungen mit den nationalsozialistischen Fraktionen in Dänemark besitzt.

Ich wäre Ihnen, Reichsführer, sehr dankbar, wenn Sie in diesem Sinne entscheiden würden.

Heil Hitler!
**Pancke**
Obergruppenführer und General der Polizei

### 289. Hermann Seibold an Helmuth Daufeldt 27. September 1944

Seibold sendte Helmuth Daufeldt på Shellhuset en ganske kort fjernskrivermeddelelse om, at der var ankommet ni mand til Tyskland. Den næste gruppe skulle først afgå efter ordre.

Dermed fremgår det, hvad Seibold havde fået ud af besøget i København 16. september. Seibold sendte en lignende meddelelse 27. september til BdS i Oslo, blot var der fra Norge kommet 34 mand under ledelse af SS-Obersturmführer Sartor til Tyskland. Seibolds fjernskrivermeddelelser var i begge tilfælde afsendt fra Friedenthal, et slot nær Berlin, hvor uddannelsen af terrorgrupperne foregik. Den følgende dag afsendte han fra Berlin en fjernskrivermeddelelse til BdS i Oslo om, at der var stillet en mængde våben og sprængstof til rådighed, samt at den næste gruppe til uddannelse kunne afsendes 15. oktober. En lignende besked er givetvis gået til København (alle akter i RA, Danica 465, Moskva, Osobyj Archiv, 500/1/1191/22).[203]

De danske terror- eller varulvegrupper og deres aktivitet er delvist kendt gennem retssager under retsopgøret (se *Salmonsens Leksikontidsskrift* 1947/48, sp. 964-968, Stevnsborg 1992, s. 438-442, 509-512, Lauridsen 2002a, s. 550f. (med den anf. henvisninger), Lundtofte 2003, s. 196-200, 270 (med henvisning til retssager), Rose 1980 (lidet givende), mens BdS' tiltag ikke er nærmere oplyst. Derfor vides det hverken hvem eller hvor mange danskere, der var på kursus ved Berlin, eller hvor mange de siden instruerede i Danmark.

Kilde: RA, Danica 465, Moskva, Osobyj Archiv, 500/1/1191/22 (gennemslag).

203 Blandt RSHA afdeling VIs sagsakter i dette læg ligger en rapport på dansk om et angreb på Tårbækfortet 18. juli 1944, skrevet af den pågældende illegale modstandsgruppe (Holger Danske) og med tilhørende oversigtskort, samt en tilsvarende tysk beskrivelse. Desuden er en til tysk oversat beskrivelse på fem sider af, hvordan en dansk SOE-agent var blevet uddannet i England. Materialet kan være benyttet som undervisnings- eller baggrundsmateriale for terrorgrupperne. – Ved angrebet på Tårbækfortet blev tre tyske soldater hårdt såret, men angrebet blev slået tilbage. Angrebet havde haft til formål at erobre våben, ammunition og sprængstof; modstandsfolkene undslap (RA, BdO Inf. nr. 58, 1944, tilfælde 9, Birkelund 2008, s. 682).

VI S                                                          *Friedenthal, am 27. Sept. 1944*

1.) Fernschreiben
An BdS Kopenhagen,
    z.Hd. von SS-Hstuf. Daufeldt
    Kopenhagen

Bisher sind 9 Mann eingetroffen. Vor Abgang der nächsten Gruppe hiesige Weisung abwarten.

gez. **Seibold**
SS-Stubaf.

2.) Wv VI S 3
(f. Stubaf. Seibold)

Seibold
SS-Sturmbannführer

AK


### 290. OKW an das Auswärtige Amt 27. September 1944

Best havde med AAs tilslutning ønsket, at udgifterne til SS-Ersatzkommandos og Waffen-SS' forsorgsofficers behov skulle afholdes som hidtil på en særlig konto for civile besættelsesudgifter. OKW fastholdt, at det ønskede udgifterne udskilt og betalt over værnemagtskontoen og havde fået støtte hertil hos RFM.
    16. oktober 1944 bad von Behr Best om en stillingtagen til brevet.
    Kilde: BArch, R 901 113.555. RA, pk. 271.

Oberkommando der Wehrmacht                                    *den 27. Sept. 1944*
2 f 31/3968/44 g AWA/Ag WV 5 (VIII)

An das Auswärtige Amt
    Berlin

Betr.:   Geldversorgung der deutschen Wehrmacht in Dänemark;
         hier: Zahlungsmittelbereitstellung für Waffen-SS und Polizei.
Bezug:   OKW 3 f 31 Nr. 2870/44 Ag WV 3 (VIII) v. 15.5.44[204]
         und Ausw. Amt. Ha Pol 3872/44g v. 1.8.44.

Zu den Ausführungen des Reichsbevollmächtigten in Dänemark vom 18.7.44 Az. III/10246/44 (Anlage zum Bezugschreiben v. 1.8.44)[205] wird bemerkt, daß die Geldversorgung des SS-Ersatzkommandos und der Dienststelle Fürsorgeoffizier der Waffen-SS, soweit es sich um Ausgaben für den persönlichen und sächlichen Bedarf der Dienststelle selbst (Gehälter, Löhne, Büromiete, Geschäftsbedarf usw.) handelt, durch

---

204 Trykt ovenfor.
205 Bests skrivelse 18. juli 1944 er ikke lokaliseret, AAs følgeskrivelse til OKW 1. august heller ikke.

den Wehrmachtintendanten aus dessen Mitteln erfolgen muß. Diese Dienststellen müssen insoweit auch nach den Bewirtschaftungsgrundsätzen und Steuerungserlassen der Wehrmacht arbeiten. Alle militärischen Dienststellen in Dänemark zählen zur im Lande eingesetzten Truppe ohne Rücksicht darauf, ob ihre Tätigkeit im Einsatzlande oder außerhalb der Grenzen des Einsatzlandes wirksam wird. Diese Grundsätze werden bisher in allen außerdeutschen Ländern angewendet.

Im übrigen wird in Übereinstimmung mit der vom Reichsminister der Finanzen mit Schreiben vom 25.8.44,[206] Az. Y 5104/1-302 Vg geäußerten Auffassung eine genaue Abstimmung der für die Polizei usw. erlassenen Anordnungen mit denen der Wehrmacht, soweit es sich um Mittelbewirtschaftung, Sparmaßnahmen, Lohn- und Preisfragen handelt, zwischen Wehrmachtintendant und Reichsbevollmächtigtem in Dänemark für erforderlich gehalten.

Um weitere Veranlassung wird gebeten.

Der Reichsminister der Finanzen hat Abschrift erhalten.

I.A.

gez. **Dr. Kersten**


### 291. 1. Seekriegsleitung an Hans-Heinrich Wurmbach 28. September 1944

Seekriegsleitung meddelte, at danskernes udrustning af et lazaretskib var tvingende nødvendig, og at prestigespørgsmål skulle skydes til side. Ingen af de to foreslåede skibe var egnede som lazaretskibe.

Hermed fulgte Seekriegsleitung skibsfartsafdelingens indstilling af 25. september. Det var også skibsfartsafdelingen, der, 5. oktober 1944 henvendte sig direkte til Wurmbach i sagen, da den havde taget en ny drejning.

Kilde: BArch, Freiburg, RM 7/1813. RA, Danica 628, sp. 7, nr. 5890.

Geheim                                                                                               *Berlin, den 28.9.1944*

SSD-Geheim

Fernschreiben an: SSD-Admiral Skagerrak

Auf Adm. Skagerrak H 8067 Qu drei vom 13.9.[207]

Zu 1.) Beschleunigte Ausrüstung Laz. Schiffs durch Dänen derartig dringend erwünscht, daß Prestigefrage zurückzu[werfen?]. Unterstellung Schiffes unter deutsche Disposition ergibt sich zwangsläufig aus Art. 3 Laz. Schiffsabkommens.

Zu 2.) u. 3.) Beschlagnahme "Prinz Olaf" oder "Dronning Maud" zwecks eigener Herrichtung als deutsches Laz. Schiff kommt nicht in Frage.

Seekriegsleitung 1. Skl. I i 34 450/44 geh.


206 Trykt ovenfor.
207 Trykt ovenfor.

## 292. Werner Best an Joachim von Ribbentrop 28. September 1944

Under presset fra AA og Best valgte HSSPF midlertidigt at bøje af og følge von Ribbentrops anvisninger. Pancke gjorde opmærksom på, at han ville orientere RFSS om situationen. Himmler havde han ikke hørt fra endnu.

Spillet forblev gående (Rosengreen 1982, s. 135).
Kilde: PA/AA R 101.040. RA, pk. 228 og 438a.

## Telegramm

| Kopenhagen, den | 28. September 1944 | 19.00 Uhr |
| Ankunft, den | 28. September 1944 | 20.25 Uhr |

Nr. 1125 vom 28.9.[44.]            Supercitissime mit Vorrang!

Für Herrn Reichsaußenminister persönlich.
Unter Bezugnahme auf meine Telegramme Nr. 1120[208] und Nr. 1121[209] vom 27.9.44 berichte ich, daß mir soeben der höhere SS- und Polizeiführer SS-Obergruppenführer Pancke aufgrund einer vorangegangenen Aussprache die Erklärung abgegeben hat, daß er meinen Ersuchen, die ich in Telegramm Nr. 1120 vom 27.9.[210] 1944 berichtet habe, nachkommen werde. Er will dies dem Reichsführer-SS, von dem er noch keine Weisung erhalten hat, melden.

Dr. Best

*Vermerk:*
Unter Nr. 3984 an Sonderzug weitergeleitet.
Telko.


## 293. Joachim von Ribbentrop an Heinrich Himmler 28. September 1944

Ribbentrop henvendte sig til Himmler for at klage over, at SS i to tilfælde, Danmark og Serbien, havde iværksat aktioner med politiske implikationer, uden at AAs repræsentanter var blevet underrettet forud, endsige inddraget. Ribbentrop havde da henvendt sig til Hitler for bl.a. at få Bests uindskrænkede ansvar for den politiske situation i Danmark bekræftet, og det havde han fået (Thomsen 1971, s. 263, Rosengreen 1982, s. 133, Herbert 1996, s. 393).

Kilde: RA, pk. 232.

Abschrift.            *Feldquartier, 28. September 1944.*

den Reichsführer SS Heinrich Himmler
    Feldkommandostelle

---

208 Pol. VI V.S. Trykt ovenfor.
209 Pol. VI V.S. Trykt ovenfor.
210 Pol. VI V.S. Trykt ovenfor.

*Lieber Himmler!*

Ich möchte heute zwei Vorfälle zur Sprache bringen, von denen der eine ganz erhebliche politische Rückwirkungen gehabt hat, und die beide das Verhältnis zwischen den politischen Reichsvertretern in verschiedenen fremden Ländern und den ihnen beigegebenen Höheren SS und Polizeiführer usw. betreffen.

1.) In Dänemark ist vor kurzem die dänische Polizei entwaffnet worden, ohne daß der Reichsbevollmächtigte in Kopenhagen oder auch ich selbst davon Kenntnis gehabt hätten. Wie mir Dr. Best berichtete, hat ihm der Höhere SS und Polizeiführer nachträglich mitgeteilt, daß er diese Aktion vorgeschlagen habe. Ich höre ferner, daß Du dann das Einverständnis des Führers zu der Aktion herbeigeführt hast.

Es ist kein Zweifel, daß es sich bei der Entwaffnung der dänischen Polizei sowohl wegen der Rückwirkung in Dänemark selbst als auch wegen der Rückwirkung in Schweden (unsere Beziehungen stehen zurzeit auf des Messers Schneide) um eine Maßnahme von großer politischer Bedeutung handelte. Damit fällt sie unter die Verantwortung des Reichsbevollmächtigten. Der Höhere SS- und Polizeiführer hat daher nicht korrekt gehandelt, als er eine solche Maßnahme hinter dem Rücken des Reichsbevollmächtigten in Vorschlag brachte.

Ebenso bedauere ich es auch, daß Du mich nicht beteiligt hast, als Du die Angelegenheit an den Führer herangebracht hast. Der Führer setzt, wie ich weiß, bei Billigung solcher Vorschläge, auch wenn er dies nicht ausdrücklich sagt, voraus, daß die vorschlagende Stelle das Einverständnis der daran interessierten Stellen herbeigeführt hat oder noch herbeiführt.

Auf Grund der Berichte und Vorstellungen des Reichsbevollmächtigten, der durch die Behandlung dieser Frage durch den Höheren Polizeiführer in eine unerfreuliche Lage geraten war, und im Zusammenhang mit den außenpolitischen Rückwirkungen dieser Aktion auf Schweden habe ich nun meinerseits dem Führer Vortrag gehalten. Der Führer hat mir hier auf erklärt, daß es sich in diesem Falle um eine Sonderaktion gehandelt habe und daß Best auch weiterhin als Reichsbevollmächtigter die uneingeschränkte politische Verantwortung in Dänemark tragen solle. Ich habe auf Grund dieses Entscheides des Führers die anliegende Instruktion an Dr. Best gerichtet, die dem Führer im Wortlaut vorgelegen hat und von ihm gebilligt worden ist.[211]

2.) Der Gesandte Neubacher berichtete mir vor einigen Tagen telegrafisch, daß der Patriarch Gavrilo und der Bischof Nikolai nach Deutschland abtransportiert worden seien, ohne daß er oder seine Dienststelle in Belgrad davon unterrichtet worden wären. Neubacher weist in seinem Telegramm darauf hin, daß diese Aktion ihn in eine unmögliche Situation gebracht habe, da weder Nedic noch irgendein anderer serbischer Mitarbeiter daran glauben können, daß eine Aktion von so weittragender Bedeutung ohne genaue Kenntnis und Mitwirkung des Sonderbevollmächtigten habe erfolgen können. Neubacher hat aus diesem Grunde die Bitte an mich gerichtet, derartige politische Eingriffe im serbischen Raum ohne seine Mitwirkung nicht zuzulassen.[212]

---

211 Ribbentrop til Best 26. september 1944, trykt ovenfor.
212 Hverken AAs særbefuldmægtigede Hermann Neubacher eller den serbiske ministerpræsident Milan Nedic var forud underrettet om SS' overførsel af de i forvejen internerede serbiske gejstlige til Tyskland. Pa-

Wie mir Wagner hierzu meldet, ist ihm im Reichssicherheitshauptamt mitgeteilt worden, daß Du auf eine Vorlage Deines Sachbearbeiters die sofortige Verbringung der beiden Genannten in das Reich angeordnet hat.

Ich lasse es ganz dahingestellt, ob die Festnahme und der Abtransport von Gavrilo und Nikolai in das Reich jetzt zweckmäßig war oder nicht. Zweifellos aber liegen auch in diesem Falle die Dinge so, daß der Sonderbevollmächtigte des Auswärtigen Amtes, dem die Verantwortung für die politische Entwicklung im serbischen Raum zufällt, diese Verantwortung nicht tragen kann, wenn so wichtige politische Aktionen ohne sein Einverständnis vom SD durchgeführt werden.

Zwischen uns besteht ja über die grundsätzliche Seite der Behandlung solcher Fälle volles Einverständnis. Wie ich feststelle, hatte ich Dir aus besonderem Anlaß meine Auffassung hierüber noch in einem besonderen Brief vom 23. Dezember 1943 mitgeteilt, und Du hast mir darauf geantwortet, daß Du Deine Männer in dem von mir gewünschtem Sinne angewiesen habest. Auch bei der Aussprache die wir mündlich bei mir über diese hatten, haben wir nochmals diese Übereinstimmung unserer Auffassungen festgestellt. In den vorliegenden Fällen hat die Verabredung jedoch nicht funktioniert, und ich wäre Dir deshalb sehr verbunden, wenn Du auch Deinerseits den Höheren SS- und Polizeiführer in Kopenhagen nochmals mit klarer Weisung entsprechen meinem Telegramm an Best versehen und wenn Du den Angehörigen das SD im serbischen Raum nochmals den Befehl geben würdest, in allen Fällen wie dem oben erwähnten nach den politischen Weisungen des Sonderbevollmächtigten zu handeln. Ich bin sicher, Du bist hierüber mit mir ganz einig, daß es für die gute Zusammenarbeit zwischen unseren Männern draußen jetzt mehr denn je nötig ist, daß bei ihnen volle Klarheit über ihre Verantwortlichkeit besteht.

Mit besten Grüßen und Heil Hitler!
stets Dein
gez. **Ribbentrop**

### 294. Kurt Krause an das Auswärtige Amt 28. September 1944
Wehrmachtsintendanten i Danmark udbetalte erstatninger til danskere, der var kommet til skade i tysk krigstjeneste uden gesandtskabets kendskab. UM havde bedt om, at disse udbetalinger skete over clearingkontoen, da den tyske værnemagts erstatninger langt oversteg, hvad danske forsikringsselskaber udbetalte. Kurt Krause havde forsøgt at få udbetalingerne stoppet, men uden resultat. De var også fortsat, efter at de tyske og danske medlemmer af det fælles regeringsudvalg havde afgivet den opfattelse, at der skulle betales over clearing. Krause bad om, at AA greb ind i sagen.

Paul von Behr svarede 6. januar 1945.

Dette er blot et eksempel på, at Wehrmachtsintendanten i Danmark i efteråret 1944 tiltog sig en i stigende grad selvstændig rolle i forhold til gesandtskabet.

Kilde: BArch, R 2/288. BArch, R 901 113.555. RA, pk. 271. RA, Danica 201, pk. 81, læg 1080.

triarken Gavrilo lovede i Tyskland at bekæmpe bolsjevismen, såfremt han slap fri, men Ribbentrop ville i januar 1945 ikke påtage sig det ansvar (Se ADAP/E, 8, nr. 333).

Der Reichsbevollmächtigte in Dänemark　　　Kopenhagen, den 28. September 1944
Verbindungsstelle der Hauptverwaltung　　　　　　Ha Pol VI 2705
der Reichskreditkassen
III/10427/44

Betr.: Zahlung von Abfindungsbeträgen bei Unfällen

An das Auswärtige Amt
　Berlin

Der Wehrmachtintendant Dänemark hat, zunächst ohne meine Kenntnis, aus Besatzungsmitteln Abfindungsbeträge für dänische Staatsangehörige, die in Diensten der Wehrmacht verunglückt sind, gezahlt. Das dänische Außenministerium hat sich wegen der Heranziehung von Besatzungsmitteln für diese Zahlungen an mich mit der Bitte gewandt, dafür Sorge zu tragen, daß Zahlungen dieser Art künftig nicht mehr aus Besatzungsmitteln, sondern über Clearing geleistet werden, zumal die von der Wehrmacht gezahlten Beträge weit über den Sätzen liegen, die Versicherungsgesellschaften in solchen Fällen zu zahlen pflegten. Außerdem erhielten die Begünstigen oft von den dänischen Versicherungsgesellschaften weitere Beträge.
　Ich habe unter Hinweis auf Artikel IV der Vereinbarung den Wehrmachtintendanten mit Schreiben vom 17. August d.J. gebeten, Zahlungen dieser Art nicht mehr zu leisten, da nach Auffassung der deutschen und dänischen Regierungsausschußmitglieder die in Deutschland von der Wehrmacht nach deutschen Rechtsgrundsätzen gezahlten Abfindungsbeträge in jeweils festgesetzter Höhe über Clearing transferiert werden sollen. Der Wehrmachtintendant hat auch nach Erhalt dieses Schreibens weiterhin Beträge aus Besatzungsmitteln gezahlt und in einem Schreiben vom 12. September d.J. zum Ausdruck gebracht, daß er der Auffassung der beteiligten deutschen Stellen nicht beitreten kann, da es sich um Zahlungen handelt, die als Bedürfnis der deutschen Wehrmacht im Sinne der Vereinbarung zwischen der Hauptverwaltung der Reichskreditkassen und Danmarks Nationalbank anzusehen sind.
　Ich bitte, eine Entscheidung darüber zu veranlassen, ob Abfindungssummen der erwähnten Art aus Besatzungsmitteln gezahlt oder, wie es nach hiesiger Auffassung richtig wäre, über Clearing transferiert werden sollen, und das OKW zu bitten, eine entsprechende Anweisung an den Wehrmachtintendanten Dänemark zu veranlassen.
　　　　　　　　　　　　　　　**Krause**


### 295. Conrad Roediger an Werner Best 30. September 1944

Best havde 30. maj spurgt, om der kunne anbringes 1.000 udbombede rigstyskere hos slægtninge blandt det tyske mindretal i Nordslesvig. Svaret havde trukket ud, men på baggrund af de nuværende forhold i Danmark var det ikke hensigtsmæssigt at bringe et større antal rigstyskere til Nordslesvig.
　Det havde trukket meget længe ud med sagsbehandlingen, og af akterne hos AA fremgår det, at RSHA først var blevet spurgt 26. juni, og at Kaltenbrunner havde ladet svare 22. september med den begrundelse, som Roediger en uge senere lod gå videre til Best.

Med "de nuværende forhold i Danmark" blev der henvist til situationen efter deportationen af det danske politi. Der kunne med bedre ret være henvist til Keitels ordre til von Hanneken 4. september 1944 (trykt ovenfor), men på svartidspunktet vidste RSHA endnu ikke, hvor alvorlige konsekvenserne af politiaktionen ville blive.

Kilde: RA, pk. 289 (koncept med delvist ulæselige håndskrevne tilføjelser).

Berlin, den 30. Sept. 44                                                                                                       zu R 54430

An den Reichsbevollmächtigten in Dänemark
   Kopenhagen

Auf d. Bericht v. 30. Mai d.J.[213] – I C/N Sch 1 –

Ref.  VLR Roediger
      GR Eckner

In der Frage der Unterbringung von 1000 besonders erholungsbedürftigen Reichsdeutschen bei volksdeutschen Verwandten in Nord-Schleswig konnte eine frühere Entscheidung nicht erfolgen, da die Stellungnahme der beteiligten inneren Stellen sich verzögert hat.

Mit Rücksicht auf die gegenwärtigen Verhältnisse in Dänemark erscheint es inzwischen auch nicht mehr zweckmäßig, in großer Zahl Reichsdeutsche jetzt nach Nordschleswig zu verbringen. Die Angelegenheit wird deshalb als erledigt angesehen werden können.

                I.A.
              gez. Ref.

### 296. Joseph Goebbels: Tagebuch 30. September 1944

Goebbels noterede sig, hvilket bluffnummer uden fortilfælde SS i Danmark havde lavet for at fange og deportere det danske politi. Best havde ikke fået noget at vide forud. Han var aldrig gået med til det. Der var nu ro i København. Politiet havde stået på terroristernes side og havde været mere en fare end en hjælp. Der skulle nu opbygges et pålideligt og brugbart dansk politi.

Kilde: *Die Tagebücher von Joseph Goebbels*, Teil II:13, s. 588.

[...]
Unsere SS-Führung hat die dänische Polizei entwaffnet. Das ist durch einen großartigen Trick gelungen. Man hat einen Scheinangriff auf Kopenhagen durch deutsche Flugzeuge inszeniert, und während die Dänen in den Luftschutzräumlichkeiten saßen, der Polizei die Waffen abgenommen und sie selbst zusammengefaßt und nach Deutschland abtransportiert. Dieser etwas originelle Vorgang hat sich ohne Vorwissen Bests abgespielt. Best befand sich gerade bei den Befestigungsbauten in Jütland. Er hätte zu diesem Vorgehen niemals seine Zustimmung gegeben; deshalb hat man ihn überspielt. Nun-

---

213 Indberetningen af 30. maj 1944 er ikke lokaliseret.

mehr aber haben wir in Kopenhagen Ruhe; denn die dänische Polizei stand auf seiten der Saboteure und Terroristen und bedeutete für uns eher eine Gefahr als eine Hilfe. Das, was wir jetzt neu an dänischer Polizei aufbauen, wird für uns zuverlässiger und deshalb auch brauchbarer sein.
[...]

### 297. Rüstungsstab Dänemark: Lagebericht 30. September 1944

Trods den politiske spænding i september 1944 var det ikke vanskeligt at få danske firmaer til at påtage sig rustningsordrer. Forstmann fokuserede særligt på skibssabotagen og trak linjen op tilbage til 1. januar 1944. Det var de kostbareste og største ordrer, og der havde været sabotage på 8,3 % af den tonnage, der havde været til reparation eller var nybygget. Til sammenligning var det kun 2,2 % i hele 1943. Brændstofforsyningen var modsat tidligere stigende.

Når Forstmann rettede Berlins opmærksomhed mod skibs- og værftssabotagen på netop dette tidspunkt, kan der være adskillige forklaringer. Det kan være, at sabotagen faktisk var stigende, og at Forstmann var på det rene med det akutte tyske behov for tonnage. Med de aftalte terminer skulle Hansaprogrammet være langt fremme i september 1944, hvilket det imidlertid ikke var, bl.a. som følge af leveringsvanskeligheder og sabotage, og Forstmann kan have søgt at dække sig ind ved at rette opmærksomheden mod skibssabotagen. Udmeldingen kan måske også stå i forbindelse med Rüstungsstab Dänemarks opsplitning, hvorved Forstmann ikke længere stod for det samlede ansvar for rapporteringen, og dermed havde han heller ikke samme interesse i udglatningen af problemer som disse over for Rüstungsamt. Både han og Rüstungsamt havde nu et andet sted at placere dette problems løsning.

Se Seekriegsleitung til RSHA 20. oktober 1944 og Dönitz til Himmler og Jodl 23. oktober 1944.

Kilde: BArch, Freiburg, RW 27/16 og 23. RA, Danica 1000, T-77, sp. 696, KTB/Rü Stab Dänemark, 3. Vierteljahr 1944, Anlage 33.

Rüstungsstab Dänemark     *Kopenhagen, den 30. Sept. 1944*
des Reichsministers für Rüstung und Kriegsproduktion
[Gr.] Ia Az.: 66d/Wi-Ber. Nr. 749/44 geh.

Bezug: OKW/Wi Rü Amt/Rü IIIb nr. 21755/42 v. 9.5.42
Betr.: Lagebericht.

An das Rüstungsamt des Reichsministers für Rüstung und Kriegsproduktion,
   Berlin NW 7
   Unter den Linden 36

Rü Stab Dänemark übersendet in der Anlage den Lagebericht für Monat September 1944.

**Forstmann**

Rüstungsstab Dänemark     *Kopenhagen, den 30. Sept. 1944*
des Reichsministers für Rüstung und Kriegsproduktion
ZA/Ia Az.: 66dl/Wi-Ber. Nr. 749/44 geh.     Geheim!

*Beurteilung der gesamtrüstungswirtschaftlichen Lage*
Der Berichtsmonat stand im Zeichen einer gespannten politischen Lage, die besonders durch zwei Streiks gekennzeichnet wird, und zwar vom 16.9.44 bis 18.9.44 wegen der Überführung von etwa 180 KZ-Häftlingen aus einem dänischen KZ-Lager in das Reichsgebiet, und vom 19.9.44 bis 21.9.44 als Protestkundgebung gegen die am 19.9.44 auf Befehl des Reichsführers SS erfolgte Entwaffnung und Verhaftung von Teilen der dänischen Polizei. Von den verhaftenden Polizeibeamten der Ordnungs- und Kriminalpolizei wurden bisher etwa 2.400 Mann in ein Internierungslager bei Hamburg gebracht. In Kopenhagen wurde das Justizministerium, das Polizeipräsidium und sämtliche Polizeireviere, sowie die polizeilichen Einrichtungen durch deutsche Polizei besetzt. Auch in den übrigen großen Städten wie Aalborg, Aarhus und Odense erfolgte das Gleiche. Die Durchführung der Polizeiaktion forderte auf deutscher Seite 9 Tote, der Verlust auf dänischer Seite ist z.Zt. noch nicht genau bekannt.[214]

Sabotage gegenüber Rü-Betrieben und Gewalttätigkeit auf Personen, die in diesen Betrieben arbeiten, haben im Berichtsmonat nicht zugenommen und hielten sich in engen Grenzen.

Erwähnenswert ist die Vernichtung der Lokomotiv-Drehscheibe (16 m ø) durch Sprengung bei der Fa. A/S Frichs, Aarhus. Dort liegt ein Auftrag der Deutschen Reichsbahn auf Lieferung von 10 Lokomotiven, Baureihe 44, vor. Die erste Lokomotive sollte am 1. Oktober 1944 abgeliefert werden. Durch die Sabotage wird nicht nur die Ablieferung der ersten, sondern auch der folgenden Lokomotiven um mindestens 4 Wochen verzögert.[215]

Ferner ist erwähnenswert die Sabotage im achten Schiffsbrunnen auf dem 3.000 to Schiff "Irene Oldendorff" des Hansa-Programms, das kurz vor der Probefahrt stand. Der Dampfer sank mit den [ulæseligt ord] auf Grund, mußte durch Taucher abgedichtet, leergepumpt und ins Dock gebracht werden. Hier wird eine Notreparatur ausgeführt, damit das Schiff sobald wie möglich nach Deutschland abgeschleppt werden kann. Ablieferungsverzögerung etwa 10 Wochen.[216]

Es wurden auf dänischen Werften in der Zeit vom 1.1.43 bis 1.12.43 2,2 % der Reparatur- und Neubauten-Tonnage von Handelsschiffen von insgesamt 96.837 Br. Reg. t beschädigt. In der Zeit vom 1.1.44 bis 1.10.4 wurden 8,3 % der Reparatur- und Neubautonnage von 49.066 to durch Sabotage beschädigt.

Der Auftragseingang im August ist gegenüber Juli 44 fast unverändert, auch das Ergebnis für Monat September muß mit Rücksicht auf die gespannte politische Lage als zufriedenstellend bezeichnet werden. Das gleiche Bild ergibt sich bei der Auslieferung,

---

214 For foranstående se *Politische Informationen* 1. oktober 1944.
215 Sabotagen mod drejeskiven fandt sted 26. september (Christiansen 1998, s. 18, Alkil, 2, 1945-46, s. 1235) og blev fulgt op med sabotage mod lokomotiverne 2. oktober udført af modstandsgrupper 5. Kolonne (Fisker 1945, s. 287, Christiansen 1998, s. 26f.). For lokomotivernes forsinkede aflevering se Rü Stab Dänemarks situationsberetning 31. december 1944.
216 "S/S Irene Oldendorff" blev sænket af BOPA på B&W 14. september 1944 (Frederiksen 1984, s. 130, Kjeldbæk 1997, s. 475). *Information* ville 28. september vide, at der var planlagt en ceremoni og gæsterne ankommet dertil i anledning af skibets forestående prøvesejlads, men at sabotagen kom i vejen, hvorefter skibet i stedet nødtørftigt skulle repareres og føres til Tyskland til færdigbygning. Denne meget uheldige episode kan være medvirkende til, at Forstmann ikke kunne komme uden om at bringe skibssabotagen i fokus.

diese ist auch im Monat August 44 gegenüber Juli fast auf der gleichen Höhe geblieben.

*Vordringliches*
In der Berichtszeit zogen mehrere Firmen, die Flugzeugteile und Zubehör hierher verlagert hatten, ihre Aufträge zurück bzw. gaben Anweisung, ihre Aufträge auslaufen zu lassen, und zwar: Heinkel Flugzeugwerke AG, Rostock, Bachmann KG, Ribnitz, Patin, Berlin und Opta Radio, Leipzig. Die Gründe für die Zurückziehung der Aufträge sind bei den Flugzeug-Firmen – Heinkel und Bachmann – Änderung im Programm der Stammwerke, bei den Zubehör-Firmen – Patin und Opta – die Möglichkeit, die Arbeit in Deutschland unterzubringen, da nach Angabe dieser Firmen Arbeitskräfte im Reich reichlich zur Verfügung stehen.

Die am 6. Juni ausgebombte Fa. Globus Cykler nahm am 23.9.44 die Arbeit in den neuen Betriebsräumen der Orlogswerft wieder auf. Im Einvernehmen mit dem Rüstungsstab des Reichsministers für Rüstung und Kriegsproduktion, wurde der von BMW bei der dänischen Firma Nordvärk A/S aufgezogene Motoren-Reparaturbetrieb (Motor 801) aufgelöst und mit der Rückführung der Werkzeugmaschinen und Vorrichtungen nach Deutschland begonnen. Als Grund hierfür werden nicht politische, sondern rein technische und wirtschaftliche Überlegungen angegeben, da BMW durch Verlust ähnlicher Betriebe in den bisher besetzten Gebieten so stark getroffen wurde, daß die Firma die hier befindlichen Werkzeugmaschinen und Vorrichtungen dringend in Deutschland [benötigt].[217]

Es mußten Betriebseinschränkungen, u.a. für Schiffsreparaturen und in der Fertigung von Teilen für Rohrwagen und [trotzdem?] wegen Sauerstoffmangel vorgenommen werden. Grund: Flaschenmangel, Transportschwierigkeiten und Anlaufverzögerung des neuen Sauerstoffwerkes Aarhus.[218]

*1a. Stand der Fertigung*

| | |
|---|---|
| a.) *mittelbare und unmittelbare Wehrmachtaufträge (A-Aufträge).* | RM |
| Gesamtverlagerung nach Dänemark vom 9. April 1940-30. August 1944 | 571.541.026,- |
| Auftragsbestand am 31. Juli 1944 an noch zu erledigen Aufträgen | 167.014.582,- |
| Wertveränderungen durch Auftragserhöhungen bzw. Auftragsermäßigungen im August 1944 | 154.040,- |
| | 167.029.622,- |
| Auftragszugang im August 1944 | + 9.338.842,- |
| | 176.368.464,- |
| Auslieferungen im August 1944 | – 6.437.905,- |
| Auftragsbestand am 31.8.1944 an noch zu erledigenden Aufträgen | 169.930.559,- |
| b.) *Aufträge des kriegswichtigen zivilen Bedarfes (C-Aufträge).* | RM |

---

217 Se også Lundbak 2002, s. 338: Virksomhedens likvidation blev besluttet 18. oktober 1944.
218 Virksomheden er ikke identificeret.

| | |
|---|---:|
| Gesamtverlagerung nach Dänemark vom 9. April 1940-31. August 1944 | 75.667.806,- |
| Auftragsbestand am 31. Juli 1944 an noch zu erledigenden Aufträgen | 26.772.482,- |
| Wertveränderungen durch Auftragserhöhungen bzw. Auftragsermäßigungen im August 1944 | + 7.700,- |
| | 26.780.182,- |
| Auftragszugang im August 1944 | + 192.429,- |
| | 26.972.611,- |
| Auslieferungen im August 1944 | – 357.802,- |
| Auftragsbestand am 31.7.1944 an noch zu erledigenden Aufträgen | 26.414.809,- |

*Fertigungslage*
Eine durch Sabotage zerstörte Maschinenhalle bei Dansk Industri Syndikat Comp. Madsen A/S, ist inzwischen wieder aufgebaut.[219] Die Maschinen sind fertig montiert. Der Betrieb kann jedoch noch nicht wieder aufgenommen werden, da die bereits seit langem bei der AB Berlin und Kiel, sowie bei Fa. Bergmann, Wilhelmsruh bestellten Kabel noch nicht eingetroffen sind.

Ablieferungsverzögerung bei einem Auftrage der deutschen Reichsbahn auf 10 Lokomotiven, Baureihe 44, durch Sabotage, siehe unter "Beurteilung der gesamtrüstungswirtschaftlichen Lage."

Der Wiederaufbau der Fa. Carltorp ist soweit fortgeschritten, daß die Firma heute wieder mit 85 % arbeitet.[220]

*Energieversorgung*
Im Bezirk des Hochspannungswerkes Apenrade mußte aus Leistungsmangel wie im vorigen Winterhalbjahr wieder für Industrie und Handwerksbetriebe auf Zweischichtenbetrieb übergegangen werden (5.30-14.00 und 12.00-20.30). Besondere Schwierigkeiten sind nicht aufgetreten.

*1c. Versorgung der Betriebe mit Roh- und Betriebsstoffen*
Der deutsche Lieferungsrückstand an Eisen und Stahl betrug am 31.7.44 11.433 t, d.h. also 533 t weniger als im Vormonat. Für NE-Metalle ist der Lieferungsrückstand 185 to, mithin 9 to weniger als im Vormonat.

*2b. Lage der Treibstoffversorgung*

| | Dieselöl: | Benzin: |
|---|---|---|
| Es wurden im Monat September angefordert: | 74 t | 1.390 l |
| zugewiesen: | 45 t | 726 l |

Wesentliche Betriebseinschränkungen wegen Treibstoffmangel sind nicht eingetreten.

---

219 Se Rü Stab Dänemarks månedsberetning 30. juni 1944.
220 Se Rü Stab Dänemarks månedsberetning 30. april 1944.

*2c. Lage der Kohlenversorgung*
Im Monat August wurden eingeführt:

| Kohle*⁾ | 216, 8 t | (Juli | 211,9 t) |
|---|---|---|---|
| Koks | 48,8 t | ( – | 34,7 t) |
| Sudetenkohle | 36,0 t | ( – | 25,1 t) |
| Braunkohlenbriketts | 40,0 t | ( – | 70,9 t) |
| insgesamt | 341,6 t | (Juli | 342,6 t) |

*) Davon entfallen auf die dänische Staatsbahn 42,4 t gegenüber 40,7 t im Monat Juli 1944.

Die Brennstoffzufuhren sind in den letzten Monaten beträchtlich gestiegen (Vergleichszahlen: Juli 43 – 239,4 t; Aug. 43 – 247,5 t).

Die Küstenschiffahrt zur Heranschaffung der Kohle aus Deutschland kommt wegen Dieselöl- und Schmierölmangel langsam in eine schwierige Lage, da die zur Verteilung gelangenden Mengen immer kleiner werden.

## 298. Rüstungsstab Dänemark: Darstellung der rüstungswirtschaftliche Entwicklung 31. September 1944

Der havde været en beskeden fremgang i værdien af indgåede rustningsaftaler i 3. kvartal 1944 i forhold til samme tid året før. Til gengæld havde der været et fald i værdien af afsluttede leverancer, hvilket Forstmann mente skyldtes politisk usikkerhed og strejker.

Kilde: BArch, Freiburg, RW 27/16. KTB/Rü Stab Dänemark 3. Vierteljahr 1944, Anlage 34.

Chef Rü Stab Dänemark                                                                 Anlage 34

# Darstellung
### der rüstungswirtschaftlichen Entwicklung.

Der *Auftragseingang* im 3. Vierteljahr *1944* betrug RM 25.536.100,-, im 3. Vierteljahr *1943* RM 24.368.568,-.

Ein Vergleich der *Auslieferungen* im gleichen Zeitraum zeigt allerdings, daß *1944* für RM 25.465.031,- und *1943* für RM 33.556.152,- ausgeliefert wurden. Diese um rd. 8.000.000,- RM geringere Auslieferung ist auf die politische Unsicherheit, Streiks etc. im 3. Vierteljahr 1944 zurückzuführen.

Der *Auftragseingang* in der Zeit vom 1.1.-30.9.1944 betrug im Monatsdurchschnitt RM 10.455.448,-. Dies entspricht in etwa dem Monatsdurchschnitt des Jahres 1943 mit RM 11.582.429,- (ohne Hansa-Programm).

Ein Vergleich der *Auslieferungen* in den ersten 9 Monaten des Jahres 1944 mit denen der ersten 9 Monate des Jahres 1943 zeigt, daß *1944* für RM 102.061.361,- gegenüber *1943* für RM 88.639.083,- ausgeliefert wurden. In der Zeit vom 1.1.-30.9.44 wurde somit eine Steigerung der Auslieferungen um 15,2 % erreicht.

**Forstmann**